Handy
A·Z GREAT BRITAIN

C000004871

CONTENTS

Geographers' A-Z Map Company Ltd.
Fairfield Road, Borough Green, Sevenoaks, Kent TN15 8PP
Telephone : 01732 781000 (Enquiries & Trade Sales)
01732 783422 (Retail Sales)

Edition 18 2010 Copyright © Geographers' A-Z Map Company Ltd.
No reproduction by any method whatsoever of any part of this publication is
permitted without the prior consent of the copyright owners.

An AtoZ publication

English	French	German
MOTORWAY	Autoroute	Autobahn
MOTORWAY UNDER CONSTRUCTION	Autoroute en construction	Autobahn im Bau
MOTORWAY PROPOSED	Autoroute prévue	Geplante Autobahn
MOTORWAY JUNCTIONS WITH NUMBERS — Unlimited interchange / Limited interchange	Echangeur numéroté — Echangeur non limité / Echangeur limité	Autobahnanschlußstelle mit Nummer — Unbeschränkter Fahrtrichtungswechsel / Beschränkter Fahrtrichtungswechsel
MOTORWAY SERVICE AREA — HESTON — with access from one carriageway only	Aire de services d'autoroute — HESTON — à sens unique	Rastplatz oder Raststätte — HESTON — Einbahn
MAJOR ROAD SERVICE AREAS with 24 hour Facilities — Primary Route LEEMING — Class A Road OLDBURY	Aire de services de route prioritaire Ouverte 24h sur 24 — Route à grande circulation LEEMING — Route de type A OLDBURY	Raststätte Durchgehend geöffnet — Hauptverkehrsstraße LEEMING — A-Straße OLDBURY
TRUCKSTOP (Selected)	Choix d'aire pour poids lourds	Auswahl von Fernfahrerrastplatz
PRIMARY ROUTE — A41	Route à grande circulation — A41	Hauptverkehrsstraße — A41
PRIMARY ROUTE JUNCTION WITH NUMBER	Echangeur numéroté	Hauptverkehrsstraßenkreuzung mit Nummer
PRIMARY ROUTE DESTINATION — **DOVER**	Route prioritaire, direction — **DOVER**	Hauptverkehrsstraße Richtung — **DOVER**
DUAL CARRIAGEWAYS (A & B Roads)	Route à deux chaussées séparées (route A & B)	Zweispurige Schnellstraße (A- und B-Straßen)
CLASS A ROAD — A129	Route de type A — A129	A-Straße — A129
CLASS B ROAD — B177	Route de type B — B177	B-Straße — B177
NARROW MAJOR ROAD (Passing Places)	Route prioritaire étroite (possibilité de dépassement)	Schmale Hauptverkehrsstraße (mit Überholmöglichkeit)
MAJOR ROADS UNDER CONSTRUCTION	Route prioritaire en construction	Hauptverkehrsstaße im Bau
MAJOR ROADS PROPOSED	Route prioritaire prévue	Geplante Hauptverkehrsstraße
GRADIENT 1:5(20%) & STEEPER (Ascent in direction of arrow)	Pente égale et supérieure à 20% (dans le sens de la montée)	20% Steigung und steiler (in Pfeilrichtung)
TOLL	Péage	Gebührenpflichtig
MILEAGE BETWEEN MARKERS — 8	Distance en milles entre les flèches — 8	Strecke zwischen Markierungen in Meilen — 8
RAILWAY AND STATION	Voie ferrée et gare	Eisenbahnlinie und Bahnhof
LEVEL CROSSING AND TUNNEL	Passage à niveau et tunnel	Bahnübergang und Tunnel
RIVER OR CANAL	Rivière ou canal	Fluß oder Kanal
COUNTY OR UNITARY AUTHORITY BOUNDARY	Limite des comté ou de division administrative	Grafschafts- oder Verwaltungsbezirksgrenze
NATIONAL BOUNDARY	Frontière nationale	Landesgrenze
BUILT-UP AREA	Agglomération	Geschlossene Ortschaft
VILLAGE OR HAMLET	Village ou hameau	Dorf oder Weiler
WOODED AREA	Zone boisée	Waldgebiet
SPOT HEIGHT IN FEET — ·813	Altitude (en pieds) — ·813	Höhe in Fuß — ·813
HEIGHT ABOVE SEA LEVEL — 400'-1,000' 122m-305m / 1,000'-1,400' 305m-427m / 1,400'-2,000' 427m-610m / 2,000'+ 610m+	Altitude par rapport au niveau de la mer — 400'-1,000' 122m-305m / 1,000'-1,400' 305m-427m / 1,400'-2,000' 427m-610m / 2,000'+ 610m+	Höhe über Meeresspiegel — 400'-1,000' 122m-305m / 1,000'-1,400' 305m-427m / 1,400'-2,000' 427m-610m / 2,000'+ 610m+
NATIONAL GRID REFERENCE (Kilometres) — ¹00	Coordonnées géographiques nationales (Kilometres) — ¹00	Nationale geographische Koordinaten (Kilometer) — ¹00
PAGE CONTINUATION — 48	Suite à la page indiquée — 48	Seitenfortsetzung — 48

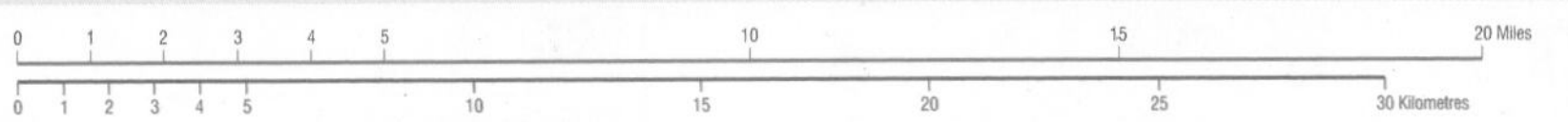

| 0 | 1 | 2 | 3 | 4 | 5 | | 10 | | 15 | | 20 Miles |
| 0 | 1 | 2 | 3 | 4 | 5 | 10 | 15 | 20 | 25 | | 30 Kilometres |

Tourist Information		Information		Touristeninformationen	
AIRPORT	✈	Aéroport	✈	Flughafen	✈
AIRFIELD	✛	Terrain d' aviation	✛	Flugplatz	✛
HELIPORT	⛬	Héliport	⛬	Hubschrauberlandeplatz	⛬
BATTLE SITE AND DATE	⚔ 1066	Champ de bataille et date	⚔ 1066	Schlachtfeld und Datum	⚔ 1066
CASTLE (Open to Public)	🏰	Château (ouvert au public)	🏰	Schloss / Burg (für die Öffentlichkeit zugänglich)	🏰
CASTLE WITH GARDEN (Open to Public)	Ⓜ	Château avec parc (ouvert au public)	Ⓜ	Schloß mit Garten (für die Öffentlichkeit zugänglich)	Ⓜ
CATHEDRAL, ABBEY, CHURCH, FRIARY, PRIORY	✝	Cathédrale, abbaye, église, monastère, prieuré	✝	Kathedrale, Abtei, Kirche, Mönchskloster, Kloster	✝
COUNTRY PARK	⛾	Parc régional	⛾	Landschaftspark	⛾
FERRY (Vehicular, sea)	⛴	Bac (véhicules, mer)	⛴	Fähre (Autos, meer)	⛴
(Vehicular, river)	⛴	(véhicules, rivière)	⛴	(Autos, fluß)	⛴
(Foot only)	👥	(Piétons)	👥	(nur für Personen)	👥
GARDEN (Open to Public)	✿	Jardin (ouvert au public)	✿	Garten (für die Öffentlichkeit zugänglich)	✿
GOLF COURSE (9 Hole)	⛳	Terrain de golf (9 trous)	⛳	Golfplatz (9 Löcher)	⛳
(18 Hole)	⛳	(18 trous)	⛳	(18 Löcher)	⛳
HISTORIC BUILDING (Open to Public)	🏛	Monument historique (ouvert au public)	🏛	Historisches Gebäude (für die Öffentlichkeit zugänglich)	🏛
HISTORIC BUILDING WITH GARDEN (Open to Public)	🏛	Monument historique avec jardin (ouvert au public)	🏛	Historisches Gebäude mit Garten (für die Öffentlichkeit zugänglich)	🏛
HORSE RACECOURSE	🏇	Hippodrome	🏇	Pferderennbahn	🏇
LIGHTHOUSE	🗼	Phare	🗼	Leuchtturm	🗼
MOTOR RACING CIRCUIT	🏁	Circuit automobile	🏁	Automobilrennbahn	🏁
MUSEUM, ART GALLERY	🖼	Musée	🖼	Museum, Galerie	🖼
NATIONAL PARK	▬▬▬	Parc national	▬▬▬	Nationalpark	▬▬▬
NATIONAL TRUST PROPERTY (Open)	NT	National Trust Property (ouvert)	NT	National Trust-Eigentum (geöffnet)	NT
(Restricted Opening)	NT	(heures d'ouverture)	NT	(beschränkte Öffnungszeit)	NT
(National Trust for Scotland)	NTS NTS	(National Trust for Scotland)	NTS NTS	(National Trust for Scotland)	NTS NTS
NATURE RESERVE OR BIRD SANCTUARY	🐦	Réserve naturelle botanique ou ornithologique	🐦	Natur- oder Vogelschutzgebiet	🐦
NATURE TRAIL OR FOREST WALK	♣	Chemin forestier, piste verte	♣	Naturpfad oder Waldweg	♣
PLACE OF INTEREST	*Monument* •	Site, curiosité	*Monument* •	Sehenswürdigkeit	*Monument* •
PICNIC SITE	⛱	Lieu pour pique-nique	⛱	Picknickplatz	⛱
RAILWAY, STEAM OR NARROW GAUGE	🚂	Chemin de fer, à vapeur ou à voie étroite	🚂	Eisenbahn, Dampf- oder Schmalspurbahn	🚂
THEME PARK	🎡	Centre de loisir	🎡	Vergnügungspark	🎡
TOURIST INFORMATION CENTRE	ℹ	Syndicat d'initiative	ℹ	Information	ℹ
VIEWPOINT (360 degrees)	☀	Vue panoramique (360 degré)	☀	Aussichtspunkt (360 grade)	☀
(180 degrees)	☼	(180 degré)	☼	(180 grade)	☼
VISITOR INFORMATION CENTRE	ℹ	Centre d'information touristique	ℹ	Besucherzentrum	ℹ
WILDLIFE PARK	⚘	Réserve de faune	⚘	Wildpark	⚘
WINDMILL	⚙	Moulin à vent	⚙	Windmühle	⚙
ZOO OR SAFARI PARK	🐘	Parc ou réserve zoologique	🐘	Zoo oder Safari-Park	🐘

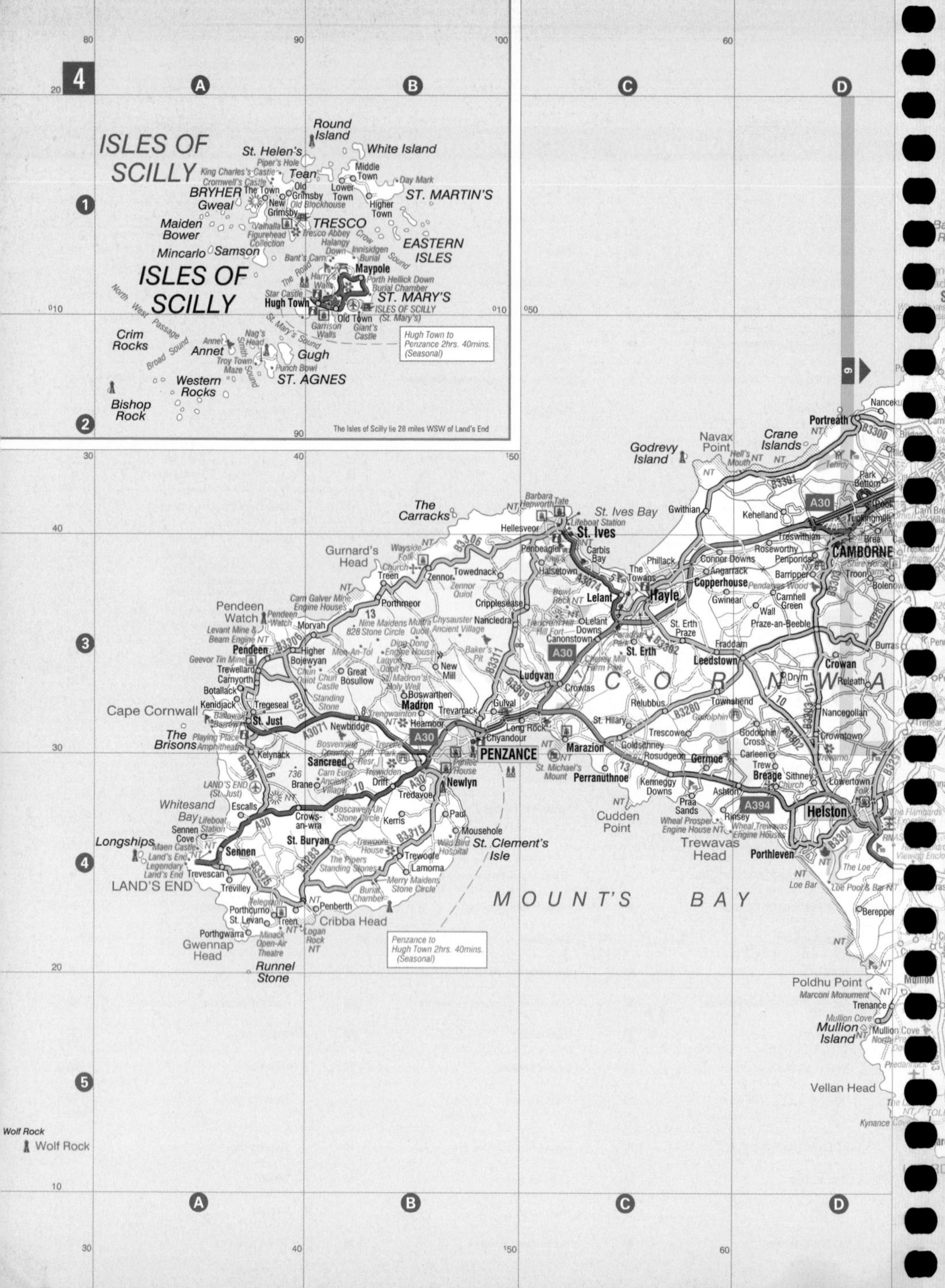

4
A
B
C
D
ISLES OF SCILLY
Round Island
White Island
St. Helen's
Piper's Hole
Tean
Middle Town
Day Mark
King Charles's Castle
Cromwell's Castle
BRYHER
The Town
Old Grimsby
Lower Town
ST. MARTIN'S
Gweal
New Grimsby
Old Blockhouse
Higher Town
Maiden Bower
Valhalla Figurehead Collection
TRESCO
Tresco Abbey
Crow Sound
EASTERN ISLES
Mincarlo
Samson
Halangy Down
Innisidgen Burial
Bant's Carn
Maypole
Porth Hellick Down Burial Chamber
The Road
Harry's Walls
Star Castle
ST. MARY'S
Hugh Town
Old Town
ISLES OF SCILLY (St. Mary's)
North West Passage
St. Mary's Sound
Garrison Walls
Giant's Castle
Hugh Town to Penzance 2hrs. 40mins. (Seasonal)
Crim Rocks
Annet
Nag's Head
Broad Sound
Troy Town Maze
Smith Sound
Gugh
Punch Bowl
ST. AGNES
Western Rocks
Bishop Rock
The Isles of Scilly lie 28 miles WSW of Land's End
Godrevy Island
Navax Point
Crane Islands
Hell's Mouth
Portreath
Nancekuke
The Carracks
Barbara Hepworth
Tate
St. Ives Bay
Lifeboat Station
Gwithian
Kehelland
Hellesveor
St. Ives
Carbis Bay
Treswithian
CAMBORNE
Tuckingmill
Pool
Gurnard's Head
Wayside Folk
Zennor
Towednack
Zennor Quoit
Halsetown
Penbeagle
Phillack
The Towans
Connor Downs
Angarrack
Roseworthy
Penponds
Barripper
Troon
Treen
Porthmeor
Carn Galver Mine Engine Houses
Cripplesease
Lelant
Hayle
Copperhouse
Gwinear
Pendarves Wood
Camnhell Green
Pendeen Watch
Morvah
Nine Maidens Stone Circle
Chysauster Ancient Village
Nancledra
Lelant Downs
Canonstown
St. Erth Praze
Wall
Praze-an-Beeble
Levant Mine & Beam Engine
Pendeen
Higher Bojewyan
Men-An-Tol
Ding Dong Engine House
Lanyon Quoit
Baker's Pit
Trencrom Hill Fort
Paradise Park
St. Erth
Fraddam
Geevor Tin Mine
Trewellard
Carnyorth
Chun Quoit
Chun Castle
Great Bosullow
New Mill
Ludgvan
Crowlas
Leedstown
Crowan
Releath
Drym
Botallack
Kenidjack
Tregeseal
St. Madron's Holy Well
Boswarthen
Standing Stone
Madron
Cape Cornwall
Ballowall Barrow
St. Just
Trengwainton
Trevarrack
Gulval
Relubbus
Townshend
Nancegollan
The Brisons
Playing Place Amphitheatre
Newbridge
Heamoor
Long Rock
St. Hilary
Godolphin
Tregonning Hill
Chyandour
Tregoyne
Crowntown
Kelynack
Bosvenning Common
PENZANCE
Marazion
Goldsithney
Trescowe
Godolphin Cross
Sancreed
Drift Resr.
Carn Euny Ancient Village
Trewidden
Penlee House
St. Michael's Mount
Perranuthnoe
Rosudgeon
Germoe
Carleen
Trew
Sithney
Brane
Drift
Newlyn
Breage
Lowertown
LAND'S END (St. Just)
Tredavoe
Kenneggy Downs
Praa Sands
Ashton
Helston
Whitesand Bay
Lifeboat Station
Escalls
Crows-an-wra
Boscawen-Un Stone Circle
Kerris
Paul
Cudden Point
Wheal Prosper Engine House
Rinsey
Wheal Trewavas Engine Houses
Sennen Cove
Mousehole
Longships
Maen Castle
Land's End Legendary
Sennen
St. Buryan
Trewoofe House
Trewoofe
Wild Bird Hospital
St. Clement's Isle
Trewavas Head
Porthleven
The Loe
Trevescan
The Pipers Standing Stones
Lamorna
Merry Maidens Stone Circle
LAND'S END
Trevilley
Burial Chamber
Loe Bar
Loe Pool & Bar
Telegraph Museum
Porthcurno
St. Levan
Penberth
Cribba Head
MOUNT'S BAY
Porthgwarra
Gwennap Head
Treen
Logan Rock
Minack Open-Air Theatre
Runnel Stone
Penzance to Hugh Town 2hrs. 40mins. (Seasonal)
Berepper
Poldhu Point
Marconi Monument
Trenance
Mullion
Mullion Cove
Mullion Island
Vellan Head
Kynance Cove
C O R N W A
A30
A3071
A394
A3074
B3306
B3311
B3309
B3318
B3315
B3283
B3280
B3302
B3303
B3301
B3300
B3304
NT
Wolf Rock
9

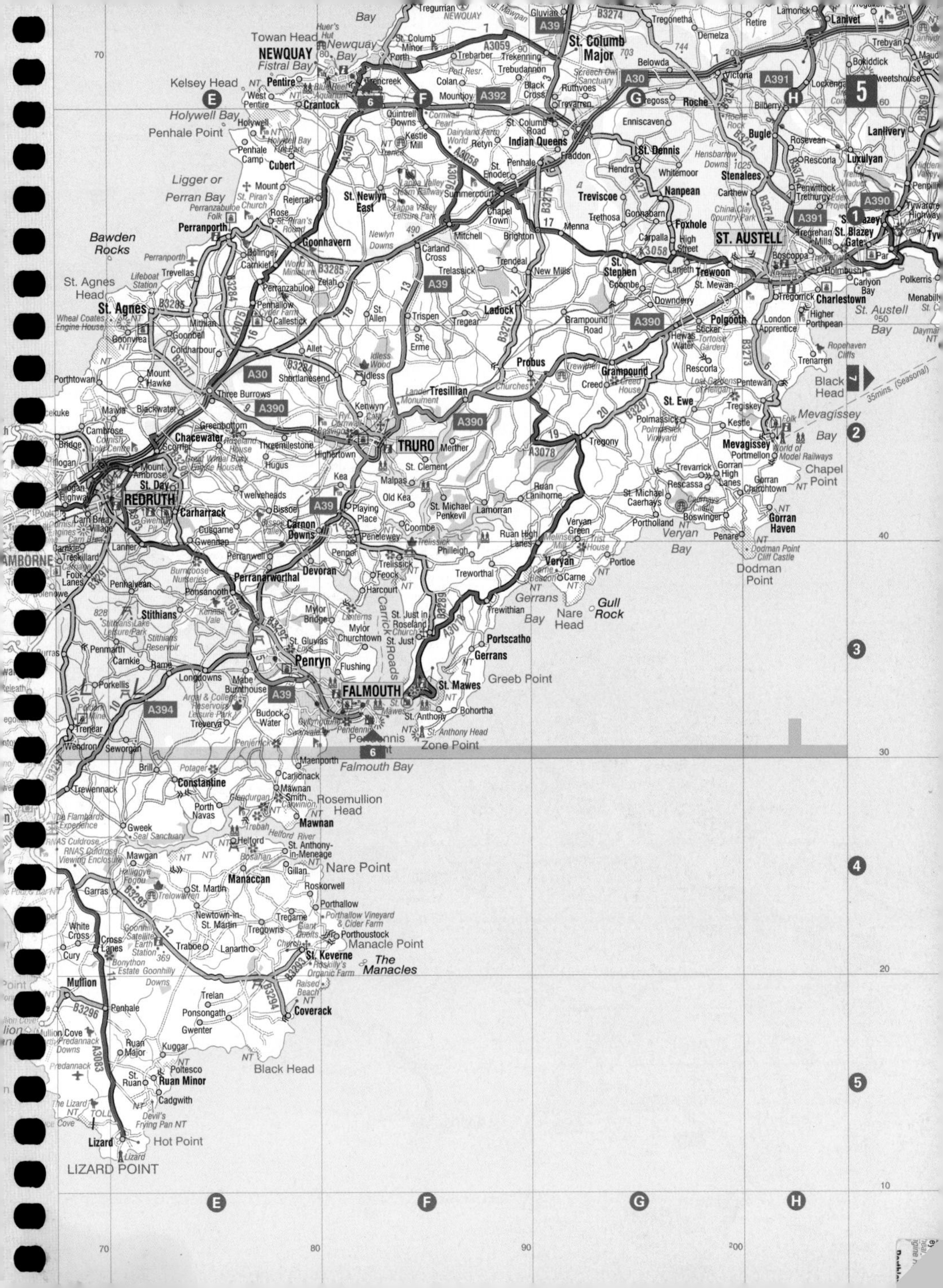

NEWQUAY
Newquay Bay
Fistral Bay
Towan Head
Kelsey Head
Pentire
Crantock
Holywell Bay
Holywell
Penhale Point
Cubert
Ligger or Perran Bay
Perranporth
Bawden Rocks
St. Agnes Head
St. Agnes
Goonhavern
St. Newlyn East
St. Columb Major
Indian Queens
Summercourt
Mitchell
St. Dennis
Nanpean
Foxhole
Roche
Bugle
Stenalees
Luxulyan
Lanivet
Lanlivery
ST. AUSTELL
St. Blazey
Par
Charlestown
St. Austell Bay
Trewoon
St. Stephen
Ladock
Probus
Grampound
Polgooth
Mevagissey
Mevagissey Bay
Black Head
Chapel Point
Gorran Haven
Dodman Point
Veryan Bay
Veryan
Portloe
Tregony
Tresillian
TRURO
Chacewater
REDRUTH
St. Day
Carharrack
Carnon Downs
Devoran
Perranarworthal
Stithians
Penryn
FALMOUTH
Flushing
St. Mawes
St. Just in Roseland
Portscatho
Gerrans
Gerrans Bay
Nare Head
Gull Rock
Greeb Point
Zone Point
Falmouth Bay
Rosemullion Head
Mawnan
Constantine
Gweek
Helford
Nare Point
Manaccan
Porthallow
Manacle Point
St. Keverne
The Manacles
Coverack
Black Head
Mullion
Ruan Minor
Cadgwith
Lizard
Hot Point
LIZARD POINT
A30
A39
A390
A391
A392
A394
A3058
A3075
A3076
A3078
A3083
B3285
B3284
B3273
B3287
B3293
B3294
B3296
E
F
G
H
1
2
3
4
5

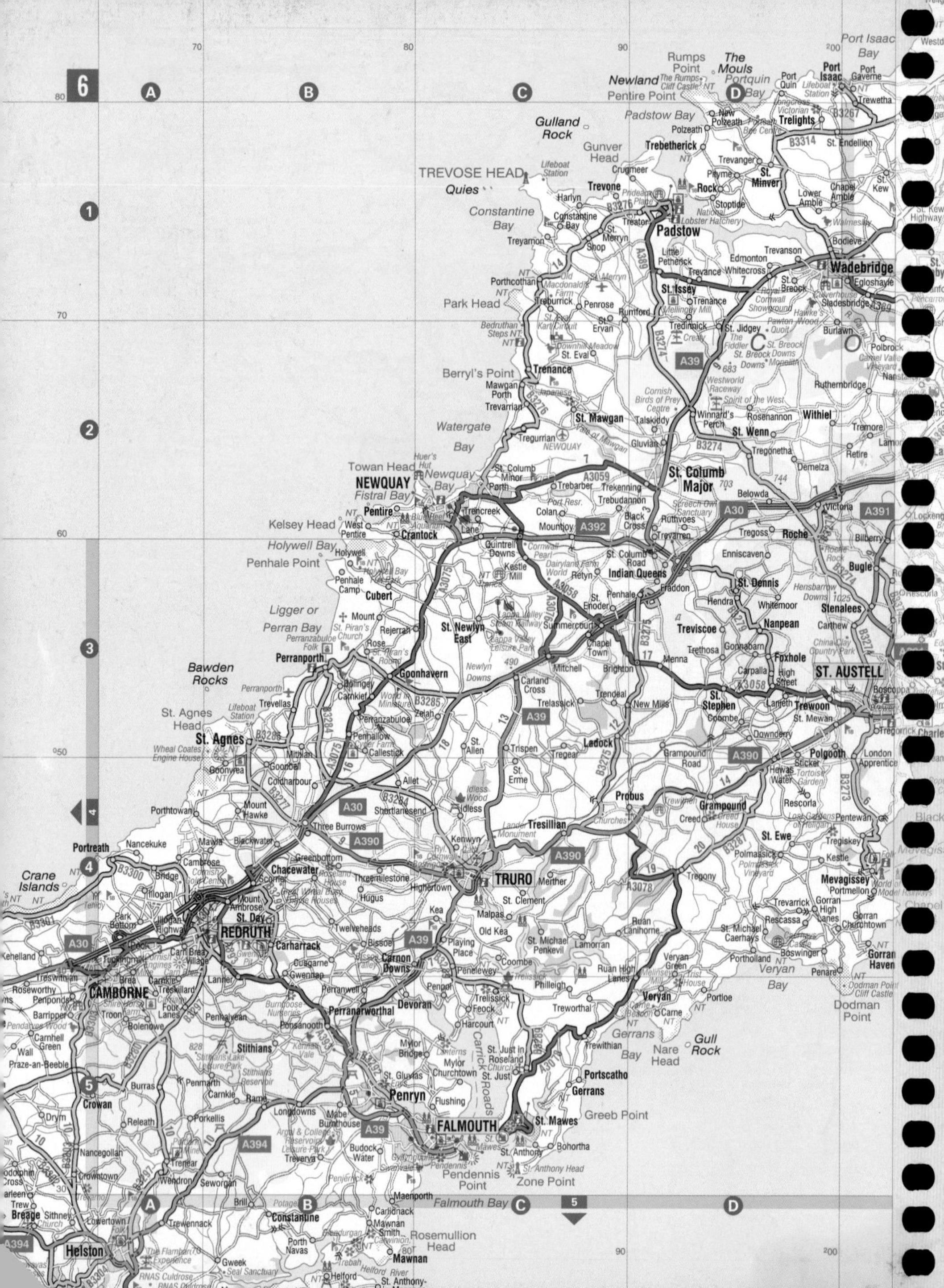

6
A
B
C
D
70
80
90
200
1
2
3
4
5
Rumps Point
The Mouls
Newland
The Rumps Cliff Castle
Pentire Point
Portquin Bay
Port Quin
Port Isaac
Port Isaac Bay
Port Gaverne
Trewetha
Padstow Bay
New Polzeath
Polzeath
Trelights
B3267
B3314
St. Endellion
Gulland Rock
Gunver Head
Trebetherick
Trevanger
TREVOSE HEAD
Quies
Lifeboat Station
Crugmeer
Trevone
Rock
Pityme
St. Minver
Chapel Amble
Lower Amble
St. Kew
Harlyn
Stoptide
Constantine Bay
Constantine
B3276
Treator
Padstow
National Lobster Hatchery
Walmesley
Treyarnon
St. Merryn
Shop
A389
Little Petherick
Edmonton
Trevanson
Bodieve
Wadebridge
Trevance
Whitecross
Egloshayle
Porthcothan
Old Macdonald's Farm
St. Issey
Trenance
St. Breock
Park Head
Treburrick
Penrose
Rumford
Royal Cornwall Showground
Sladesbridge
St. Ervan
Mellingey Mill
Tredinnick
St. Jidgey
Hawke's Quoit
Pawton
Burlawn
Bedruthan Steps
St. Eval
B3274
Downhill Meadow
Creally
A39
The Fiddler
St. Breock Downs
Polbrock
Berryl's Point
Trenance
Mawgan Porth
Trevarrian
683
Westworld Raceway
Cornish Birds of Prey Centre
Spirit of the West
Ruthernbridge
St. Mawgan
Talskiddy
Winnard's Perch
Rosenannon
Withiel
Watergate Bay
Tregurrian
NEWQUAY
Vale of Mawgan
Gluvian
B3274
St. Wenn
Tremore
Tregonetha
Retire
Demelza
Towan Head
Huer's Hut
NEWQUAY
Fistral Bay
Newquay Bay
St. Columb Minor
Porth
A3059
St. Columb Major
Trebarber
Trekenning
703
Belowda
744
Pentire
Trencreek
Trebudannon
Screech Owl Sanctuary
A30
Victoria
A391
Kelsey Head
West Pentire
Crantock
Colan
Mountjoy
A392
Black Cross
Ruthvoes
Trevarren
Tregoss
Roche
Bilberry
Lane
Holywell Bay
Quintrell Downs
Holywell
Cornwall Pearl
St. Columb Road
Enniscaven
Penhale Point
Kestle Mill
Dairyland Farm World
Retyn
Indian Queens
Bugle
Penhale Camp
A3075
Fraddon
St. Dennis
Cubert
A3058
St. Enoder
Penhale
Hensbarrow Downs
1025
Hendra
Whitemoor
Stenalees
Ligger or Perran Bay
Mount
St. Newlyn East
Lappa Valley Steam Railway
Summercourt
Treviscoe
Nanpean
Carthew
Perranzabuloe Folk
St. Piran's Church
Rejerrah
Rose
Chapel Town
Trethosa
Gonnabarn
China Clay Country Park
Perranporth
Goonhavern
490
Mitchell
Brighton
Menna
Foxhole
Carpalla
High Street
ST. AUSTELL
Bawden Rocks
Newlyn Downs
Carland Cross
Trendeal
St. Stephen
Trewoon
Boscoppa
Perranporth
Trevellas
Bolingey
Carnkief
World in Miniature
B3285
Trelassick
New Mills
Coombe
St. Mewan
Lifeboat Station
Zelah
A39
Tregorrick
St. Agnes Head
Perranzabuloe
Downderry
St. Agnes
B3284
Pennallow
St. Allen
Ladock
Grampound Road
Polgooth
Wheal Coates Engine House
Mithian
Callestick
Trispen
Tregear
A390
London Apprentice
Goonbell
Goonvrea
St. Erme
B3275
Sticker
Hewas Water
Tortoise Garden
Coldharbour
Allet
Idless Wood
Idless
Probus
Trewithen
Grampound
Resorcla
B3273
Mount Hawke
B3277
A30
B3284
Shortlanesend
Porthtowan
Three Burrows
Lander Monument
Tresillian
Churches
Creed
Great House
Lost Gardens of Heligan
Pentewan
Portreath
Nancekuke
Mawla
Blackwater
A390
Kenwyn
A390
St. Ewe
Tregiskey
Crane Islands
Cambrose
Greenbottom
Chacewater
TRURO
Polmassick
Polmassick Vineyard
Kestle
Mevagissey
Bridge
Scorrier
Threemilestone
Merther
Tregony
Portmellon
Illogan
Mount Ambrose
Higher Town
A3078
Tehidy
Hugus
St. Clement
Trevarrick
Gorran High Lanes
B3300
Park Bottom
St. Day
Malpas
Kea
REDRUTH
Twelveheads
Old Kea
Ruan Lanihorne
Rescassa
Gorran Churchtown
B3301
Illogan Highway
Carharrack
Bissoe
A39
Playing Place
St. Michael Penkevil
Lamorran
St. Michael Caerhays
A30
Pool
Carn Brea Village
Carnon Downs
Caerhays Castle
Kehelland
Tuckingmill
Cusgarne
Coombe
Veryan Green
Boswinger
Gorran Haven
Brea
Camborne Cornish Engines
Gwennap
Penelewey
Trelissick
Ruan High Lanes
Trist House
Portholland
Treswithian
Carnkie
Lanner
Penpol
Melinsey Mill
Veryan Bay
Penare
Roseworthy
CAMBORNE
Treskillard
Perranwell
Trelissick
Philleigh
Veryan
Portloe
Dodman Point Cliff Castle
Penponds
Four Lanes
Burncoose Nurseries
Devoran
Feock
Treworthal
Carne
Dodman Point
Barripper
Troon
Perranarworthal
Harcourt
Carne Beacon
Shire Horse Farm
Bolenowe
Penhalvean
Ponsanooth
Carrick Roads
Gerrans Bay
Gull Rock
Pendarves Wood
Carnhell Green
Stithians
Kennall Vale
Mylor Bridge
St. Just in Roseland
Trewithian
Nare Head
Wall
828
Stithians Lake Leisure Park
Mylor Churchtown
St. Just
Portscatho
Praze-an-Beeble
Stithians Reservoir
St. Gluvias
Gerrans
Burras
Penmarth
Penryn
Flushing
Crowan
Carnkie
Rame
Longdowns
Mabe Burnthouse
FALMOUTH
St. Mawes
Greeb Point
Drym
Releath
Porkellis
Argal & College Reservoirs Leisure Park
A39
Nancegollan
A394
Budock Water
St. Anthony
Bohortha
Treverva
Swanvale
Pendennis
St. Anthony Head
Trenear
Wendron
Seworgan
Penjerrick
Pendennis Point
Zone Point
Godolphin Cross
Crowntown
Carleen
Trew
Brill
Maenporth
Breage
Sithney
Lowertown
Constantine
Falmouth Bay
5
Trewennack
Carlidnack
Mawnan Smith
Rosemullion Head
A394
Helston
Porth Navas
Gweek
Seal Sanctuary
Trebah
Helford River
Mawnan
RNAS Culdrose
Helford
St. Anthony-

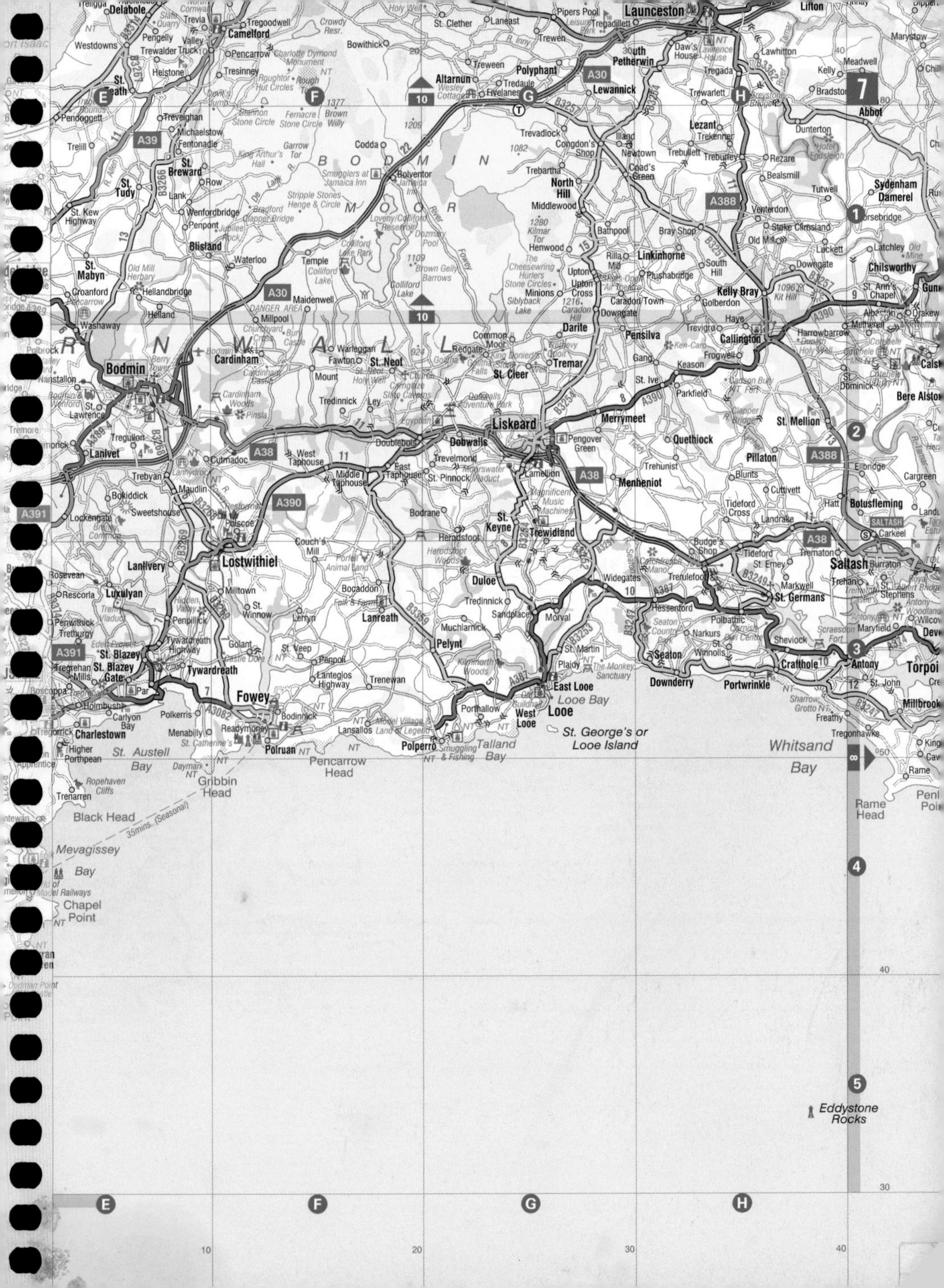

7
Delabole
Camelford
Tregoodwell
Westdowns
Pengelly
Trewalder
Valley Truck
Pencarrow
Helstone
Tresinney
St. Teath
Crowdy Resr.
Bowithick
Holy Well
St. Clether
Laneast
Pipers Pool
Tregadillett
Launceston
Lifton
Trewen
South Petherwin
Daw's House
Lawhitton
Marystow
Treween
Altarnun
Polyphant
Tredaule
Fivelanes
Lewannick
Tregada
Trewarlett
Meadwell
Kelly
Bradstone
Abbot
Rough Tor
Brown Willy
Stannon Stone Circle
Fernacre Stone Circle
Pendoggett
Treveighan
Michaelstow
Fentonadle
St. Breward
Treilll
Codda
Bolventor
Smugglers at Jamaica Inn
Trevadlock
Congdon's Shop
Illand
Newtown
Coad's Green
Lezant
Trekenner
Trebullett
Trebutfey
Rezare
Dunterton
Sydenham Damerel
Tutwell
Bealsmill
St. Tudy
Row
Lank
Stripple Stones Henge & Circle
B O D M I N
M O O R
Trebartha
North Hill
Middlewood
Venterdon
Stoke Climsland
Horsebridge
Wenfordbridge
Penpont
St. Kew Highway
Blisland
Colliford Lake Park
Dozmary Pool
Bathpool
Bray Shop
Old Mill
Luckett
Latchley
Henwood
Rilla Mill
Linkinhorne
South Hill
Downgate
Chilsworthy
Waterloo
Temple
Brown Gelly Barrows
Upton
Upton Cross
Minions
Plushabridge
Kelly Bray
Golberdon
Kit Hill
St. Ann's Chapel
St. Mabyn
Hellandbridge
Croanford
Helland
Maidenwell
Millpool
The Cheesewring Hurlers Stone Circles
Siblyback Lake
Caradon Hill
Caradon Town
Downgate
Haye
Trevigro
Callington
Albaston
Drakewalls
Metherell
Harrowbarrow
Washaway
Bodmin
Cardinham
Warleggan
Fawton
St. Neot
Mount
Common Moor
Redgate
Darite
Pensilva
Tremar
St. Cleer
Gang
Keason
Frogwell
St. Dominick
Bere Alston
Nanstallon
St. Lawrence
Tredinnick
Ley
Liskeard
St. Ive
Parkfield
Merrymeet
Quethiock
St. Mellion
Pillaton
Lanivet
Treguilon
Cutmadoc
West Taphouse
Doublebois
Dobwalls
Trevelmond
Pengover Green
Trehunist
Menheniot
Ellbridge
Cargreen
Trebyan
Maudlin
Middle Taphouse
East Taphouse
St. Pinnock
Lamellion
Blunts
Cuttivett
Botusfleming
Bokiddick
Sweetshouse
Lockengate
Bodrane
Herodsfoot
St. Keyne
Trewidland
Tideford Cross
Landrake
Hatt
Saltash
Carkeel
Lanlivery
Lostwithiel
Couch's Mill
Tideford
St. Erney
Trematon
Burraton
Rosevean
Rescorla
Luxulyan
Bocaddon
Duloe
Widegates
Trerulefoot
Markwell
St. Germans
Trehan
St. Stephens
Milltown
St. Winnow
Lerryn
Lanreath
Tredinnick
Sandplace
Morval
Hessenford
Polbathic
Penwithick
Trethurgy
Penpillick
Tywardreath Highway
Golant
St. Veep
Muchlarnick
Pelynt
St. Martin
Narkurs
St. Winnolls
Seaton
Sheviock
Maryfield
Wilcove
St. Blazey
Tregrehan Mills
St. Blazey Gate
Tywardreath
Penpoll
Lanteglos Highway
Trenewan
Plaidy
Downderry
Portwrinkle
Crafthole
Antony
Torpoint
Par
Boscoppa
Holmbush
Carlyon Bay
Polkerris
Fowey
Bodinnick
Porthallow
East Looe
Looe Bay
West Looe
Looe
St. John
Millbrook
Tregorrick
Charlestown
Menabilly
Readymoney
Polruan
Lansallos
Polperro
Talland Bay
St. George's or Looe Island
Sharrow Grotto
Freathy
Tregonhawke
Whitsand Bay
Higher Porthpean
St. Austell Bay
Gribbin Head
Pencarrow Head
Rame
Rame Head
Trenarren
Ropehaven Cliffs
Black Head
35mins. (Seasonal)
Mevagissey Bay
Chapel Point
Eddystone Rocks
A30
A38
A39
A388
A390
A391
A387
A374
B3266
B3268
B3269
B3254
B3257
B3251
B3253
B3359
B3082
B3249
B3247
SALTASH
E
F
G
H
10
20
30
40

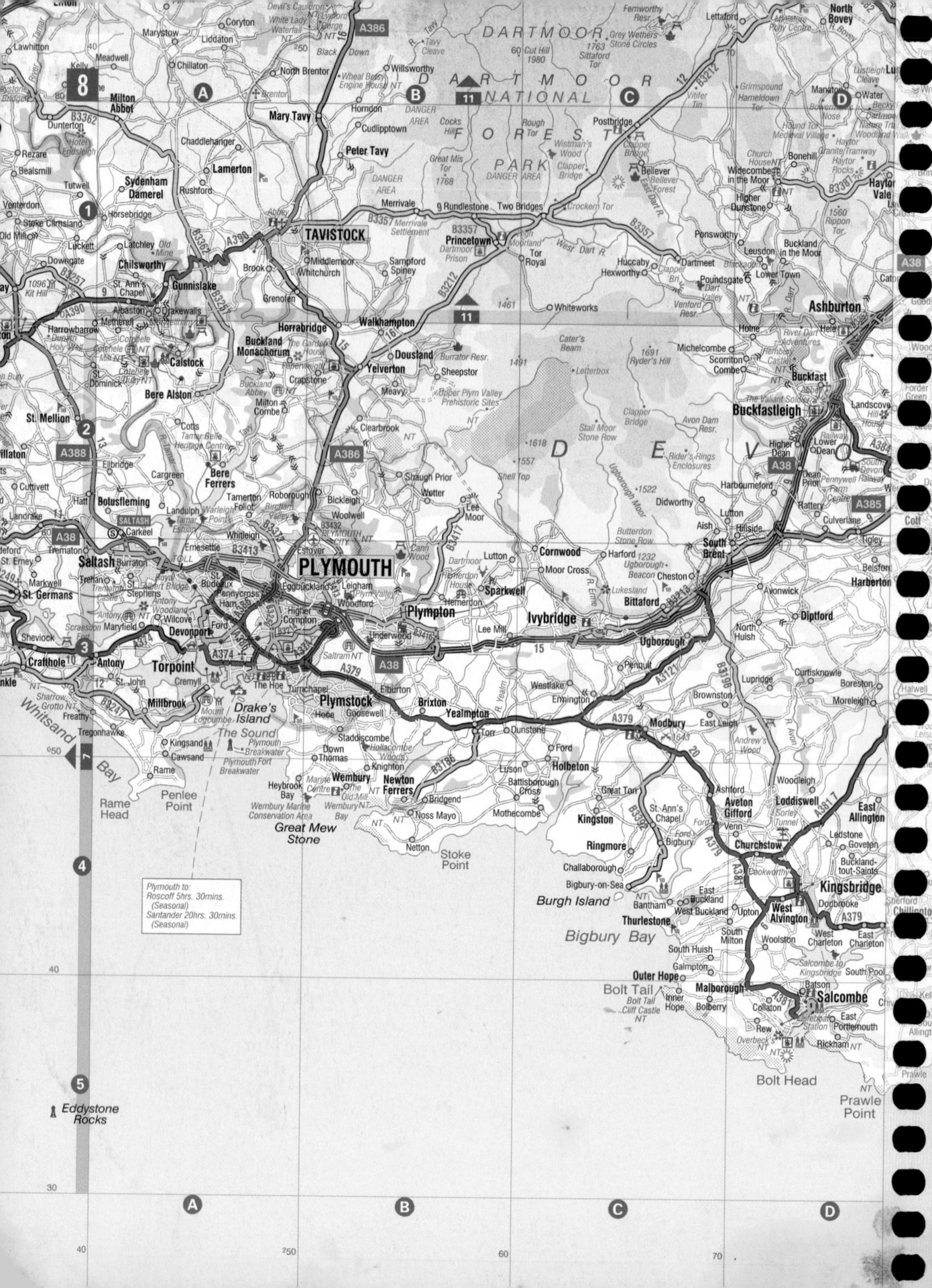

8
A
B
C
D
DARTMOOR
DARTMOOR NATIONAL FOREST PARK
DEVON
TAVISTOCK
PLYMOUTH
Milton Abbot
Mary Tavy
Peter Tavy
Lamerton
Sydenham Damerel
Gunnislake
Chilsworthy
Calstock
Bere Alston
Buckland Monachorum
Horrabridge
Walkhampton
Yelverton
Dousland
Princetown
Two Bridges
Postbridge
Widecombe in the Moor
Ashburton
Buckfast
Buckfastleigh
South Brent
Ivybridge
Plympton
Plymstock
Saltash
Torpoint
Millbrook
St. Germans
Devonport
Yealmpton
Modbury
Aveton Gifford
Kingsbridge
Salcombe
Thurlestone
Outer Hope
Malborough
Loddiswell
Churchstow
West Alvington
Newton Ferrers
Wembury
Holbeton
Kingston
Ringmore
Burgh Island
Bigbury Bay
Bolt Tail
Bolt Head
Prawle Point
Rame Head
Penlee Point
Whitsand Bay
Drake's Island
The Sound
Great Mew Stone
Stoke Point
Eddystone Rocks
A386
A38
A388
A390
A374
A379
A381
A385
A384
B3357
B3212
B3362
B3257
B3413
B3416
B3417
B3196
B3392
B3387
B3247
Plymouth to:
Roscoff 5hrs. 30mins. (Seasonal)
Santander 20hrs. 30mins. (Seasonal)

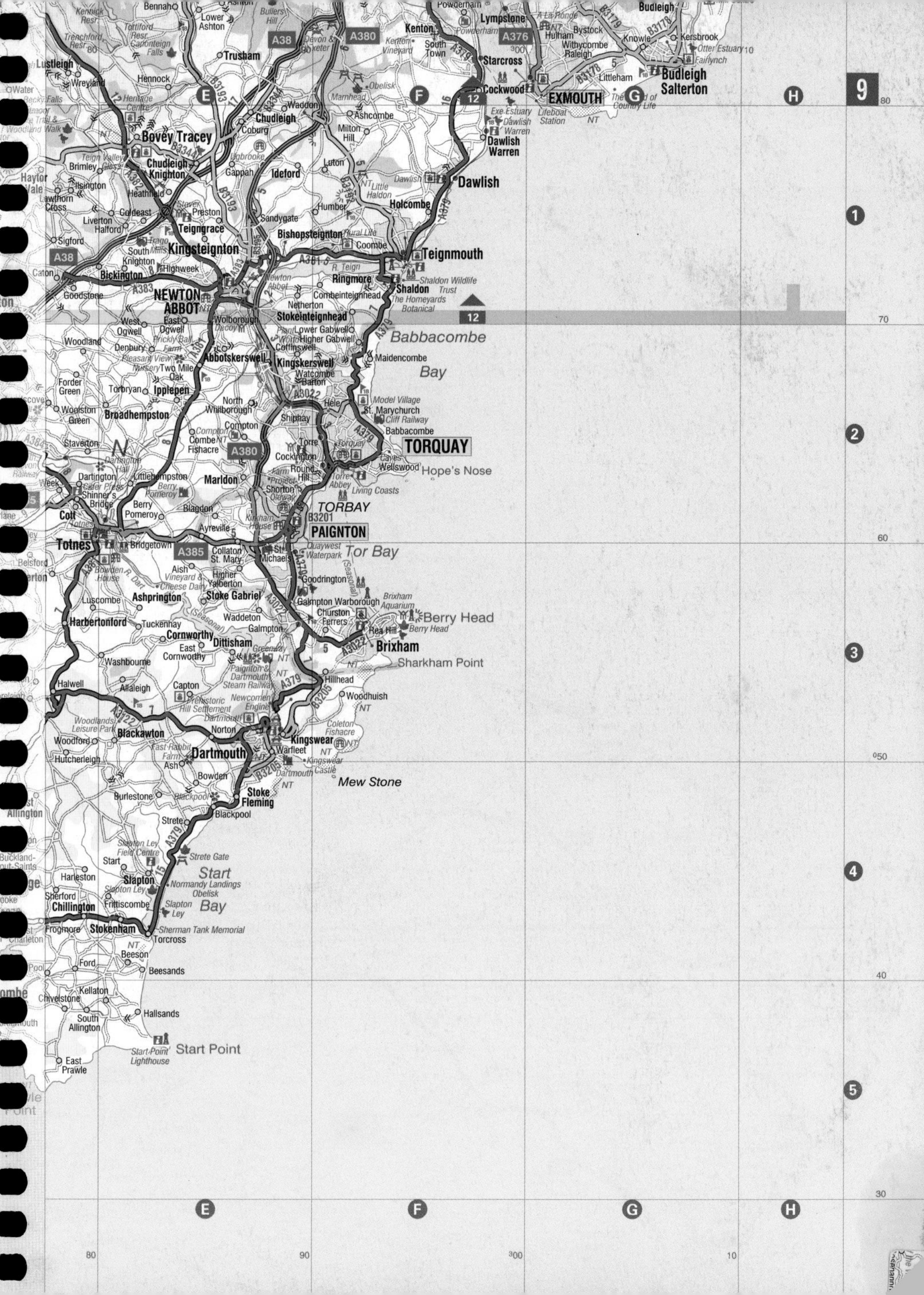
9
E
F
G
H
1
2
3
4
5
80
90
300
10
70
60
50
40
30
Lower Ashton
Trusham
Hennock
Lustleigh
Wreyland
Bovey Tracey
Chudleigh
Chudleigh Knighton
Waddon
Coburg
Ideford
Luton
Ashcombe
Mamhead
Kenton
South Town
Lympstone
Starcross
Cockwood
Exe Estuary
Dawlish Warren
Dawlish
Holcombe
Exmouth
Littleham
Budleigh Salterton
Knowle
Kersbrook
Withycombe Raleigh
Bystock
Lifeboat Station
Haytor Vale
Ilsington
Brimley
Heathfield
Liverton
Halford
Coldeast
Preston
Teigngrace
Sandygate
Bishopsteignton
Humber
Kingsteignton
South Knighton
Sigford
Highweek
Bickington
Teignmouth
Shaldon
Ringmore
Combeinteignhead
Netherton
Stokeinteignhead
Shaldon Wildlife Trust
The Homeyards Botanical
NEWTON ABBOT
Goodstone
Wolborough
West Ogwell
East Ogwell
Denbury
Woodland
Abbotskerswell
Two Mile Oak
Kingskerswell
Lower Gabwell
Higher Gabwell
Coffinswell
Maidencombe
Babbacombe Bay
Watcombe
Barton
Forder Green
Torbryan
Ipplepen
Woolston Green
Broadhempston
North Whilborough
Compton
Combe Fishacre
Shiphay
Hele
St. Marychurch
Model Village
Babbacombe
Cliff Railway
TORQUAY
Torre
Cockington
Staverton
Dartington
Littlehempston
Marldon
Round Hill
Wellswood
Hope's Nose
Torre Abbey
Living Coasts
Shorton
TORBAY
Berry Pomeroy
Blagdon
PAIGNTON
Shinner's Bridge
Week
Totnes
Bridgetown
Collaton St. Mary
St. Michaels
Quaywest Waterpark
Tor Bay
Aish
Higher Yalberton
Goodrington
Luscombe
Ashprington
Stoke Gabriel
Galmpton Warborough
Churston Ferrers
Brixham Aquarium
Berry Head
Harbertonford
Tuckenhay
Waddeton
Galmpton
Rea Hill
Brixham
Cornworthy
Dittisham
East Cornworthy
Sharkham Point
Washbourne
Paignton & Dartmouth Steam Railway
Hillhead
Halwell
Allaleigh
Capton
Woodhuish
Woodlands Leisure Park
Blackawton
Norton
Coleton Fishacre
Kingswear
Woodford
Dartmouth
Warfleet
Hutcherleigh
Ash
Kingswear Castle
Mew Stone
Bowden
Burlestone
Stoke Fleming
Blackpool
Strete
Slapton Ley Field Centre
Strete Gate
Start Bay
Start
Harleston
Slapton
Normandy Landings Obelisk
Sherford
Chillington
Frittiscombe
Slapton Ley
Frogmore
Stokenham
Sherman Tank Memorial
Torcross
Beeson
Beesands
Ford
Kellaton
Chivelstone
South Allington
Hallsands
Start Point
Start Point Lighthouse
East Prawle
A38
A380
A376
A381
A383
A385
A379
A3022
B3193
B3344
B3205
B3201
B3178
B3179
12

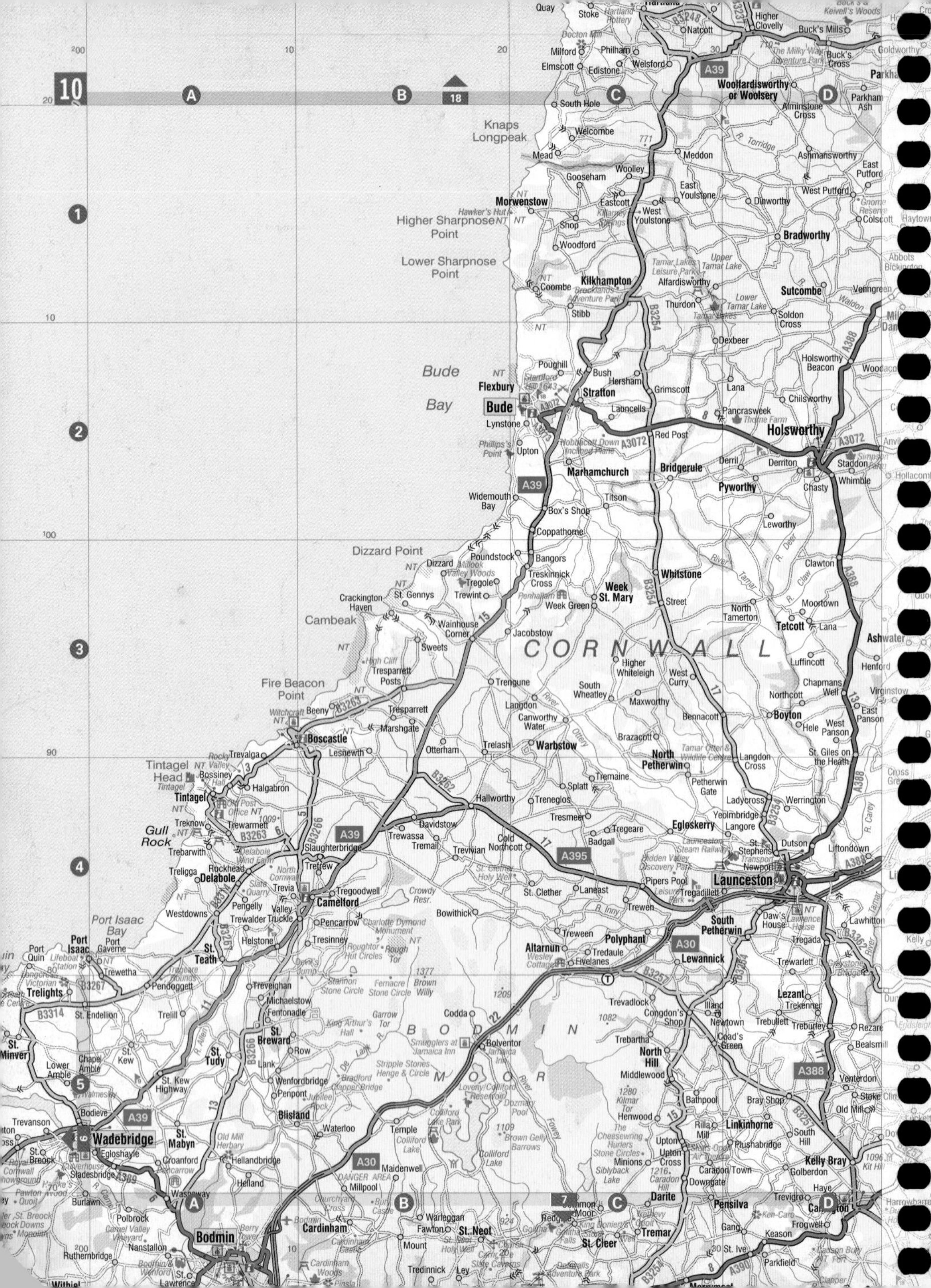
10
A
B
18
C
D
1
2
3
4
5
Quay
Stoke
Hartland Pottery
Natcott
Higher Clovelly
Buck's Mills
Keivell's Woods
Bocton Mill
Milford
Philham
Welsford
The Milky Way Adventure Park
Buck's Cross
Goldworthy
Elmscott
Edistone
A39
Parkham
Woolfardisworthy or Woolsery
Parkham Ash
South Hole
Alminstone Cross
Knaps Longpeak
Welcombe
R. Torridge
Mead
Meddon
Ashmansworthy
East Putford
Gooseham
Woolley
West Putford
Morwenstow
Hawker's Hut
Eastcott
East Youlstone
Dinworthy
Higher Sharpnose Point
West Youlstone
Gnome Reserve
Shop
Colscott
Haytown
Woodford
Bradworthy
Abbots Bickington
Lower Sharpnose Point
Upper Tamar Lake
Tamar Lakes Leisure Park
Alfardisworthy
Kilkhampton
Brocklands Adventure Park
Sutcombe
Coombe
Thurdon
Lower Tamar Lake
Soldon Cross
Venngreen
Stibb
B3254
Dexbeer
A388
Bude Bay
Poughill
Holsworthy Beacon
Bush
Flexbury
Stamford Hill 1643
Hersham
Stratton
Grimscott
Lana
Bude
Launcells
Pancrasweek
Chilsworthy
Lynstone
Thorne Farm
Holsworthy
Phillips's Point
Upton
Hobbacott Down Inclined Plane
Red Post
A3072
Marhamchurch
Bridgerule
Derril
Derriton
Staddon
Pyworthy
Chasty
Whimble
Hollacombe
Widemouth Bay
Titson
Box's Shop
Leworthy
Coppathorne
Dizzard Point
Poundstock
Bangors
Dizzard
Millook Valley Woods
Treskinnick Cross
Whitstone
Clawton
Tregole
Crackington Haven
St. Gennys
Trewint
Penhallam
Week St. Mary
Week Green
Street
North Tamerton
Moortown
Cambeak
Wainhouse Corner
Tetcott
Lana
Jacobstow
Ashwater
Sweets
CORNWALL
High Cliff
Higher Whiteleigh
West Curry
Luffincott
Tresparrett Posts
Henford
Fire Beacon Point
Trengune
South Wheatley
Chapmans Well
Virginstow
Langdon
Maxworthy
Northcott
Witchcraft
Beeny
B3263
Trespartett
Canworthy Water
Bennacott
Boyton
East Panson
Marshgate
Hele
West Panson
Boscastle
Brazacott
Tamar Otter & Wildlife Centre
Trevalga
Lesnewth
Otterham
Trelash
Warbstow
North Petherwin
Langdon Cross
St. Giles on the Heath
Rocky Valley
Tintagel Head
Bossiney
Petherwin Gate
Halgabron
B3262
Tremaine
Tintagel
Splatt
Ladycross
Werrington
Old Post Office
Hallworthy
Treneglos
Trewarmett
Tresmeer
Yeolmbridge
Treknow
Davidstow
Gull Rock
B3263
A39
Trewassa
Tremail
Tregeare
Egloskerry
Langore
B3266
Cold Northcott
Badgall
Launceston Steam Railway
Trebarwith
Slaughterbridge
Trevivian
St. Stephens
Dutson
Liftondown
Delabole Wind Farm
A395
Hidden Valley Discovery Park
Newport
Treligga
Rockhead
Delabole
Trefrew
St. Clether Holy Well
Launceston
Pipers Pool
North Cornwall Museum
Slate Quarry
Crowdy Resr.
St. Clether
Laneast
Tregadillett
Trevia
Tregoodwell
Camelford
Westdowns
Pengelly
Valley Truckle
R. Inny
Trewen
South Petherwin
Daw's House
Lawrence House
Lawhitton
Bowithick
Port Isaac Bay
Trewalder
Pencarrow
Charlotte Dymond Monument
Treween
Tregada
Helstone
Polyphant
A30
Port Quin
Port Isaac
Port Gaverne
Tresinney
Roughtor Hut Circles
Rough Tor
Altarnun
Tredaule
Lewannick
Trewarlett
St. Teath
Lifeboat Station
Trewetha
Devil's Jump
Wesley Cottage
Fivelanes
Longcross Victorian Gardens
B3267
Stannon Stone Circle
Fernacre Stone Circle
1377 Brown Willy
Trelights
Pendoggett
Treveighan
B3257
Lezant
Trekenner
Michaelstow
Trevadlock
Congdon's Shop
Illand
B3314
St. Endellion
Trelill
Fentonadle
Codda
Newtown
Trebullett
Treburley
Rezare
Garrow Tor
1082
King Arthur's Hall
St. Minver
St. Breward
BODMIN
Smugglers at Jamaica Inn
Bolventor
Trebartha
Bealsmill
Chapel Amble
St. Kew
Row
St. Tudy
North Hill
MOOR
Lank
Stripple Stones Henge & Circle
Middlewood
Lower Amble
Wenfordbridge
Bradford Clapper Bridge
Loveny/Colliford Reservoir
A388
St. Kew Highway
1280 Kilmar Tor
Venterdon
Walmesley
Penpont
Bathpool
Bray Shop
Stoke Climsland
Bodieve
A39
Blisland
Henwood
Linkinhorne
Old Mill
Trevanson
Wadebridge
St. Mabyn
Colliford Lake Park
Dozmary Pool
Rilla Mill
Waterloo
Temple
Upton
The Cheesewring
South Hill
St. Breock
Egloshayle
Old Mill Herbary
1109 Brown Gelly Barrows
Hurlers Stone Circles
Plushabridge
Colliford Lake
Upton Cross
Royal Cornwall Showground
Croanford
Hellandbridge
Minions
Sterts Open Air Theatre
Kelly Bray
Slades bridge
Colliford Lake
Caradon Town
1096 Kit Hill
Pawton Quoit
Helland
A30
Maidenwell
Sibleyback Lake
1216 Caradon Hill
Golberdon
Burlawn
Washaway
Millpool
Downgate
Haye
Trevigro
Callington
Harrowbarrow
Churchyard Cross
Bury Castle
Darite
Pensilva
Ken-Caro
St. Breock Downs Monolith
Polbrock
Bodmin
Warleggan
Common Moor
Redgate
Tremar
Gang
Frogwell
Camel Valley Vineyard
Fawton
Cardinham
St. Neot
King Doniert's Stone
Trethevy Quoit
Keason
Nanstallon
Golitha Falls
St. Cleer
Cardinham Castle
Mount
Berry Tower
Ruthernbridge
Bodmin & Wenford Railway
St. Neot Holy Well
Carnglaze Slate Caverns
St. Ive
Cadson Bury
Parkfield
Tredinnick
Ley
Cardinham Woods
Dobwalls Adventure Park
Withiel
St. Lawrence
Pinsla
A390
B3254
Clapper

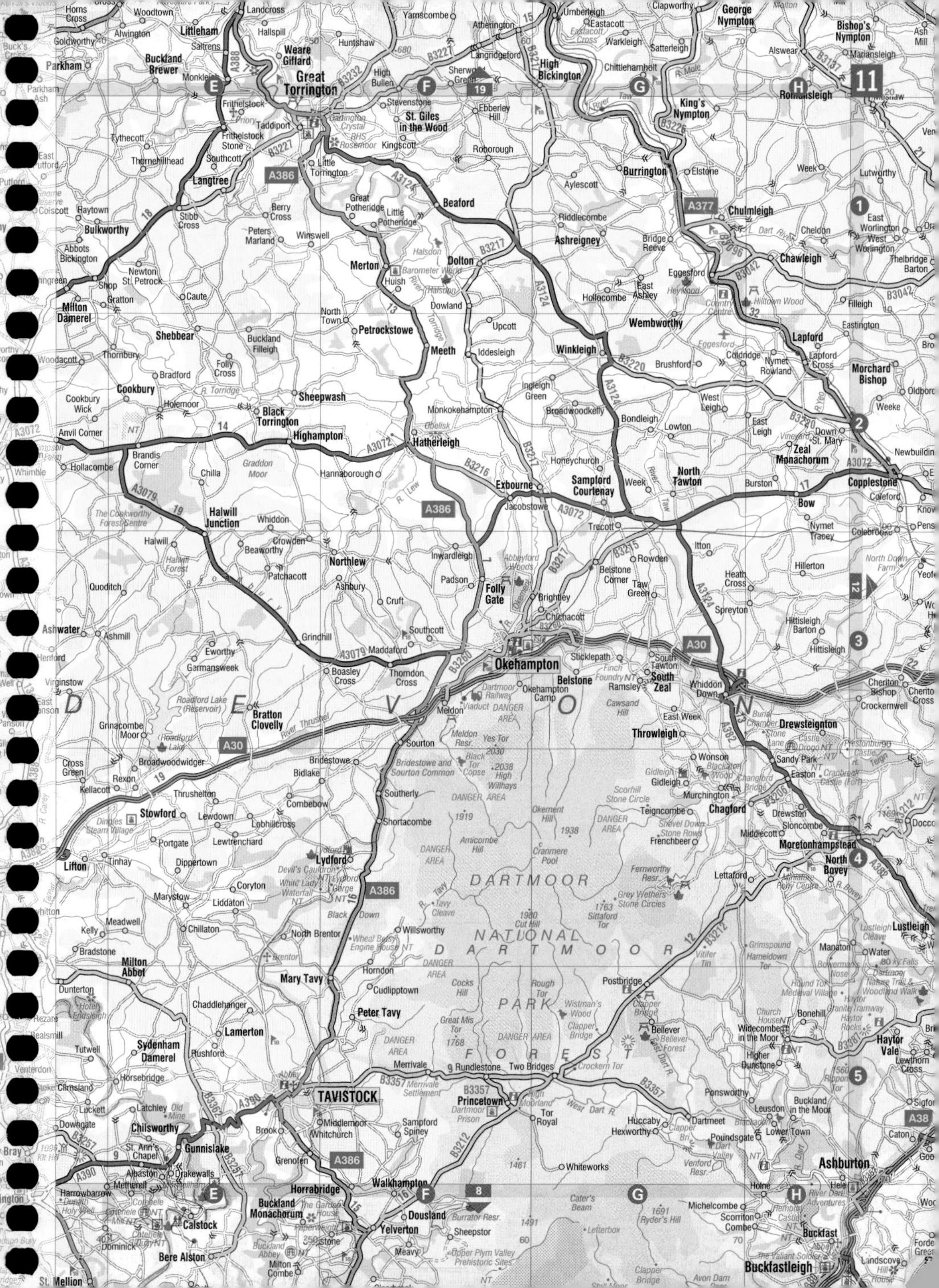

11
Horns Cross
Woodtown
Landcross
Yarnscombe
Umberleigh
Clapworthy
George Nympton
Bishop's Nympton
Ash Mill
Alwington
Littleham
Hallspill
Atherington
Eastacott
Goldworthy
Saltrens
Weare Giffard
Huntshaw
Warkleigh
Satterleigh
Alswear
Mariansleigh
Parkham
Buckland Brewer
Monkleigh
Great Torrington
High Bullen
Langridgeford
High Bickington
Chittlehamholt
Parkham Ash
Frithelstock
Stevenstone
Sherwood Green
Ebberley Hill
King's Nympton
Romansleigh
St. Giles in the Wood
Taddiport
Tythecott
Frithelstock Stone
Kingscott
Roborough
Thornehillhead
Southcott
Little Torrington
Burrington
Elstone
Week
Lutworthy
Langtree
A386
Beaford
Aylescott
Chulmleigh
A377
Great Potheridge
Little Potheridge
Haytown
Berry Cross
Riddlecombe
East Worlington
West Worlington
Colscott
Stibb Cross
Bulkworthy
Peters Marland
Winswell
Ashreigney
Bridge Reeve
Cheldon
Abbots Bickington
Merton
Dolton
Chawleigh
Thelbridge Barton
Newton St. Petrock
Huish
Eggesford
Shop
Hollocombe
East Ashley
Hilltown Wood
Filleigh
Milton Damerel
Gratton
Caute
Dowland
North Town
Petrockstowe
Wembworthy
Upcott
Eastington
Shebbear
Buckland Filleigh
Lapford
Thornbury
Meeth
Iddesleigh
Winkleigh
Woodacott
Brushford
Coldridge
Nymet Rowland
Lapford Cross
Morchard Bishop
Folly Cross
Bradford
Ingleigh Green
Cookbury
Sheepwash
West Leigh
Oldborough
Cookbury Wick
Holemoor
Monkokehampton
Broadwoodkelly
Bondleigh
Black Torrington
Lowton
East Leigh
Weeke
Down St. Mary
Zeal Monachorum
Anvil Corner
Highampton
Hatherleigh
Brandis Corner
Hollacombe
Whimble
Graddon Moor
Honeychurch
Newbuildings
Chilla
Hannaborough
Exbourne
Sampford Courtenay
Week
North Tawton
Burston
Copplestone
Coleford
Halwill Junction
Jacobstowe
Bow
The Cookworthy Forest Centre
Whiddon
Trecott
Nymet Tracey
Halwill
Crowden
Beaworthy
Inwardleigh
Itton
Colebrooke
Northlew
Rowden
Hillerton
Patchacott
Padson
Belstone Corner
North Down Farm
Quoditch
Ashbury
Folly Gate
Taw Green
Heath Cross
Cruft
Brightley
Spreyton
Chichacott
Ashwater
Ashmill
Grindhill
Southcott
Hittisleigh Barton
Hittisleigh
A30
Eworthy
A3079
Maddaford
Sticklepath
South Tawton
Henford
Germansweek
Okehampton
Finch Foundry NT
Virginstow
Boasley Cross
Thorndon Cross
Belstone
Ramsley
South Zeal
Whiddon Down
Cheriton Bishop
Dartmoor Railway
Okehampton Camp
Crockernwell
Roadford Lake (Reservoir)
Bratton Clovelly
Meldon
Viaduct
DANGER AREA
Cawsand Hill
East Week
D E V O N
Grinacombe Moor
Drewsteignton
Throwleigh
Meldon Resr.
Yes Tor 2030
Sourton
Castle Drogo NT
Cross Green
Broadwoodwidger
Bridestowe
Black Tor Copse
2038 High Willhays
Wonson
Sandy Park
Bidlake
Bridestowe and Sourton Common
Gidleigh
Easton
Rexon
Kellacott
Thrushelton
Southerly
Scorhill Stone Circle
Murchington
Combebow
Okement Hill
Teigncombe
Chagford
Stowford
Lewdown
Shortacombe
Drewston
Dingles Steam Village
Lobhillcross
1919
1938
Shovel Down Stone Rows
Frenchbeer
Middlecott
Moretonhampstead
Portgate
Lewtrenchard
Amicombe Hill
Cranmere Pool
Lifton
Tinhay
Lydford
Dippertown
Fernworthy Resr.
North Bovey
Devil's Cauldron
Lydford Gorge NT
White Lady Waterfall NT
DARTMOOR
Lettaford
Miniature Pony Centre
Coryton
A386
Grey Wethers Stone Circles
Marystow
Liddaton
Tavy Cleave
1763 Sittaford Tor
1980 Cut Hill
Meadwell
Kelly
Chillaton
North Brentor
Willsworthy
NATIONAL
D A R T M O O R
Lustleigh
Lustleigh Cleave
Wheal Betsy Engine House NT
Brentor
Grimspound
Hameldown Tor
Bradstone
Manaton
Water
Milton Abbot
Mary Tavy
Horndon
Vitifer Tin
Becky Falls
Dunterton
Cudlipptown
Cocks Hill
Rough Tor
Postbridge
Hound Tor Medieval Village
Hotel Endsleigh
Chaddlehanger
Peter Tavy
PARK
Wistman's Wood
Clapper Bridge
Haytor Granite Tramway
Rezare
Lamerton
Great Mis Tor 1768
Bellever
Bellever Forest
Bonehill
Sydenham Damerel
Rushford
FOREST
Widecombe in the Moor
Haytor Vale
Tutwell
Merrivale
Rundlestone
Two Bridges
Crockern Tor
Higher Dunstone
Venterdon
Horsebridge
Abbey
TAVISTOCK
Merrivale Settlement
Princetown
Dartmoor Prison
Tor Royal
B3357
Ponsworthy
Leusdon
Buckland in the Moor
Sigford
Luckett
Latchley
Middlemoor
Whitchurch
Sampford Spiney
Huccaby
Dartmeet
Lower Town
Caton
A38
Downgate
Chilsworthy
Brook
Hexworthy
Poundsgate
Gunnislake
St. Ann's Chapel
Grenofen
A386
1461
Whiteworks
Venford Resr.
Ashburton
Albaston
Drakewalls
Metherell
Horrabridge
Walkhampton
Holne
Hele
Harrowbarrow
Buckland Monachorum
Cater's Beam
1691 Ryder's Hill
Michelcombe
River Dart Adventures
Calstock
Dousland
Burrator Resr.
Scorriton
Combe
Yelverton
Sheepstor
1491
Buckfast
Dominick
Bere Alston
Meavy
Upper Plym Valley Prehistoric Sites
Landscove
Buckfastleigh
St. Mellion
Milton Combe
Clapper Bridge
Avon Dam

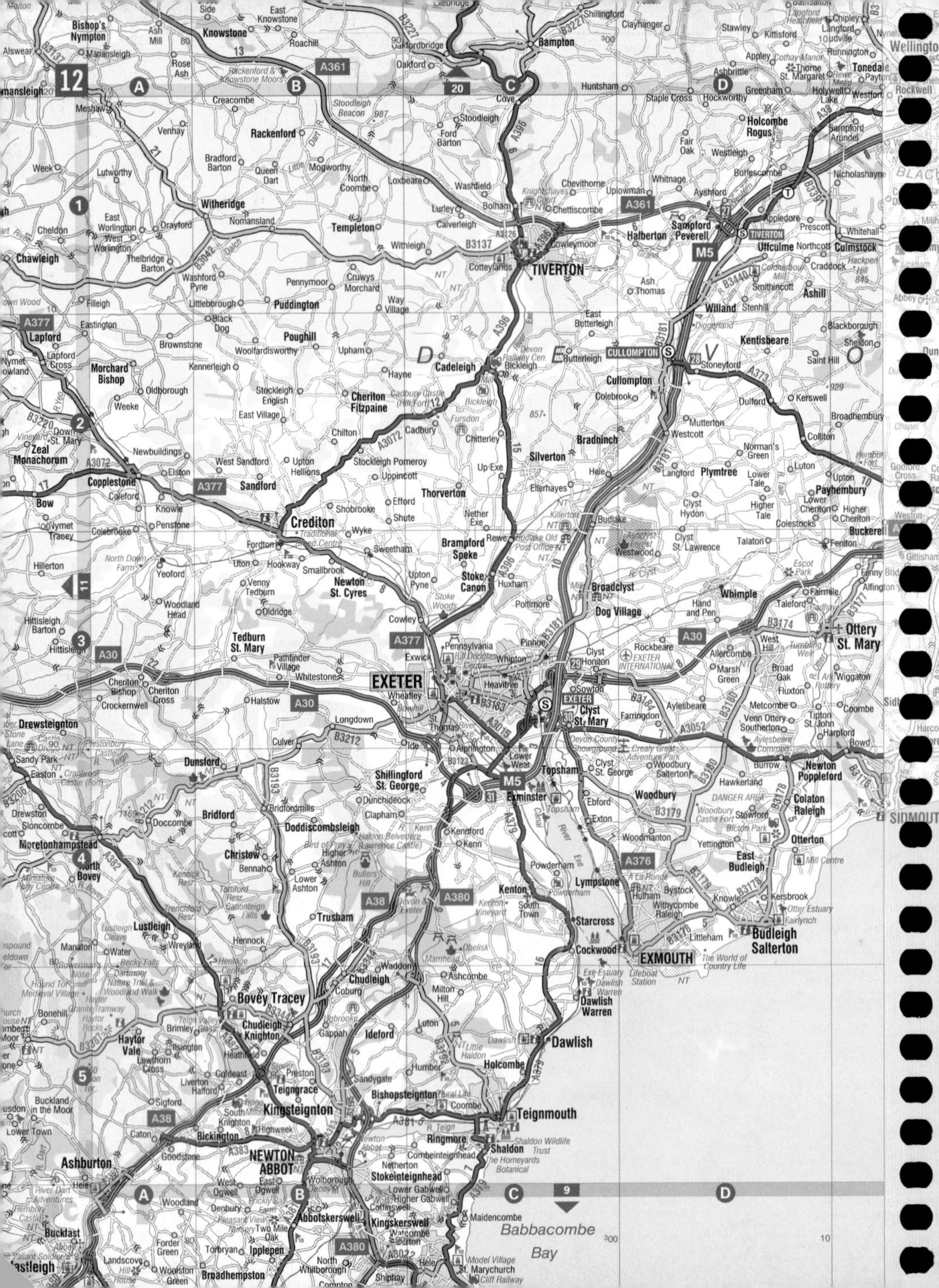

12
Bishop's Nympton
Knowstone
East Knowstone
Oakfordbridge
Oakford
Shillingford
Clayhanger
Bampton
Stawley
Kittisford
Wellington
Rackenford & Knowstone Moors
A361
20
Huntsham
Staple Cross
Hockworthy
Greenham
Holywell Lake
Tonedale
Westford
Rockwell Green
Creacombe
Stoodleigh Beacon
Cove
Stoodleigh
Rackenford
Ford Barton
Holcombe Rogus
Sampford Arundel
Witheridge
Templeton
Washfield
Chevithorne
Uplowman
Whitnage
Burlescombe
Nicholashayne
Chawleigh
Cheldon
East Worlington
West Worlington
Drayford
Nomansland
Calverleigh
Bolham
Chettiscombe
Halberton
Sampford Peverell
M5
Uffculme
Culmstock
TIVERTON
Cowleymoor
Cotteylands
Pennymoor
Cruwys Morchard
Puddington
Way Village
Ash Thomas
Willand
Ashill
Lapford
Poughill
Cadeleigh
Bickleigh
Butterleigh
CULLOMPTON
Kentisbeare
Morchard Bishop
Cheriton Fitzpaine
Cullompton
Colebrook
Dulford
Broadhembury
Zeal Monachorum
Copplestone
A377
Sandford
Upton Hellions
Stockleigh Pomeroy
Thorverton
Silverton
Bradninch
Plymtree
Payhembury
Crediton
Shobrooke
Shute
Nether Exe
Brampford Speke
Stoke Canon
Clyst Hydon
Buckerell
Newton St. Cyres
Broadclyst
Whimple
Dog Village
Ottery St. Mary
Tedburn St. Mary
Cheriton Bishop
A30
EXETER
Heavitree
Clyst Honiton
EXETER INTERNATIONAL
Clyst St. Mary
Drewsteignton
Dunsford
Shillingford St. George
Topsham
Exminster
Woodbury
Newton Poppleford
Colaton Raleigh
SIDMOUTH
Moretonhampstead
North Bovey
Bridford
Christow
Doddiscombsleigh
A38
A380
Kenton
Lympstone
A376
East Budleigh
Otterton
Lustleigh
Trusham
Starcross
Cockwood
EXMOUTH
Budleigh Salterton
Bovey Tracey
Chudleigh
Chudleigh Knighton
Ideford
Dawlish Warren
Dawlish
Haytor Vale
Holcombe
Kingsteignton
Teignmouth
Bishopsteignton
Shaldon
NEWTON ABBOT
Ashburton
Stokeinteignhead
Abbotskerswell
Kingskerswell
Ipplepen
Broadhempston
Babbacombe Bay
A
B
C
D
9
11

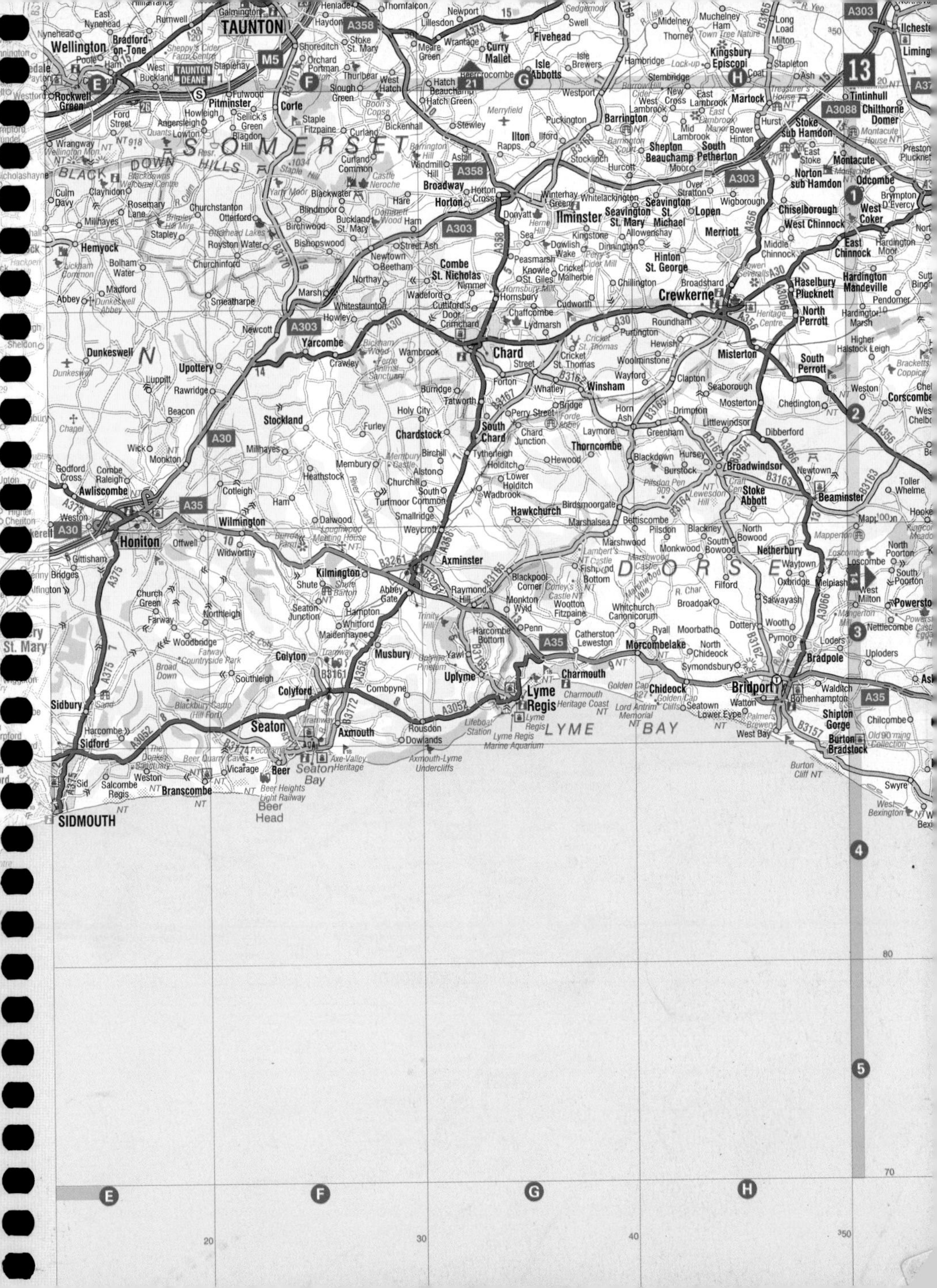
13
TAUNTON
TAUNTON DEANE
Wellington
Bradford-on-Tone
Rockwell Green
Pitminster
Corfe
Curry Mallet
Fivehead
Isle Abbotts
Kingsbury Episcopi
Martock
Barrington
Ilton
Shepton Beauchamp
South Petherton
Stoke sub Hamdon
Montacute
Norton sub Hamdon
Odcombe
West Coker
East Chinnock
Chiselborough
West Chinnock
Merriott
Hinton St. George
Crewkerne
Haselbury Plucknett
Hardington Mandeville
North Perrott
South Perrott
Misterton
S O M E R S E T
BLACK DOWN HILLS
Hemyock
Churchstanton
Broadway
Horton
Ilminster
Seavington St. Mary
Seavington St. Michael
Lopen
Combe St. Nicholas
Chard
Yarcombe
Dunkeswell
Upottery
Stockland
Chardstock
South Chard
Winsham
Thorncombe
Broadwindsor
Stoke Abbott
Beaminster
Netherbury
Awliscombe
Honiton
Wilmington
Axminster
Kilmington
Hawkchurch
Colyton
Musbury
Uplyme
Lyme Regis
Charmouth
Chideock
Morcombelake
Bridport
Bradpole
Shipton Gorge
Burton Bradstock
Colyford
Seaton
Axmouth
Beer
Branscombe
Sidbury
Sidford
SIDMOUTH
Beer Head
Seaton Bay
LYME BAY
D O R S E T
Golden Cap
Charmouth Heritage Coast
Axmouth-Lyme Undercliffs
A303
A358
A30
A35
A3052
A375
A3066
A3088
A356
M5
B3165
B3164
B3163
B3167
B3162
B3261
B3161
B3172
B3157
E
F
G
H
1
2
3
4
5
20
30
40
350
70
80
90
100

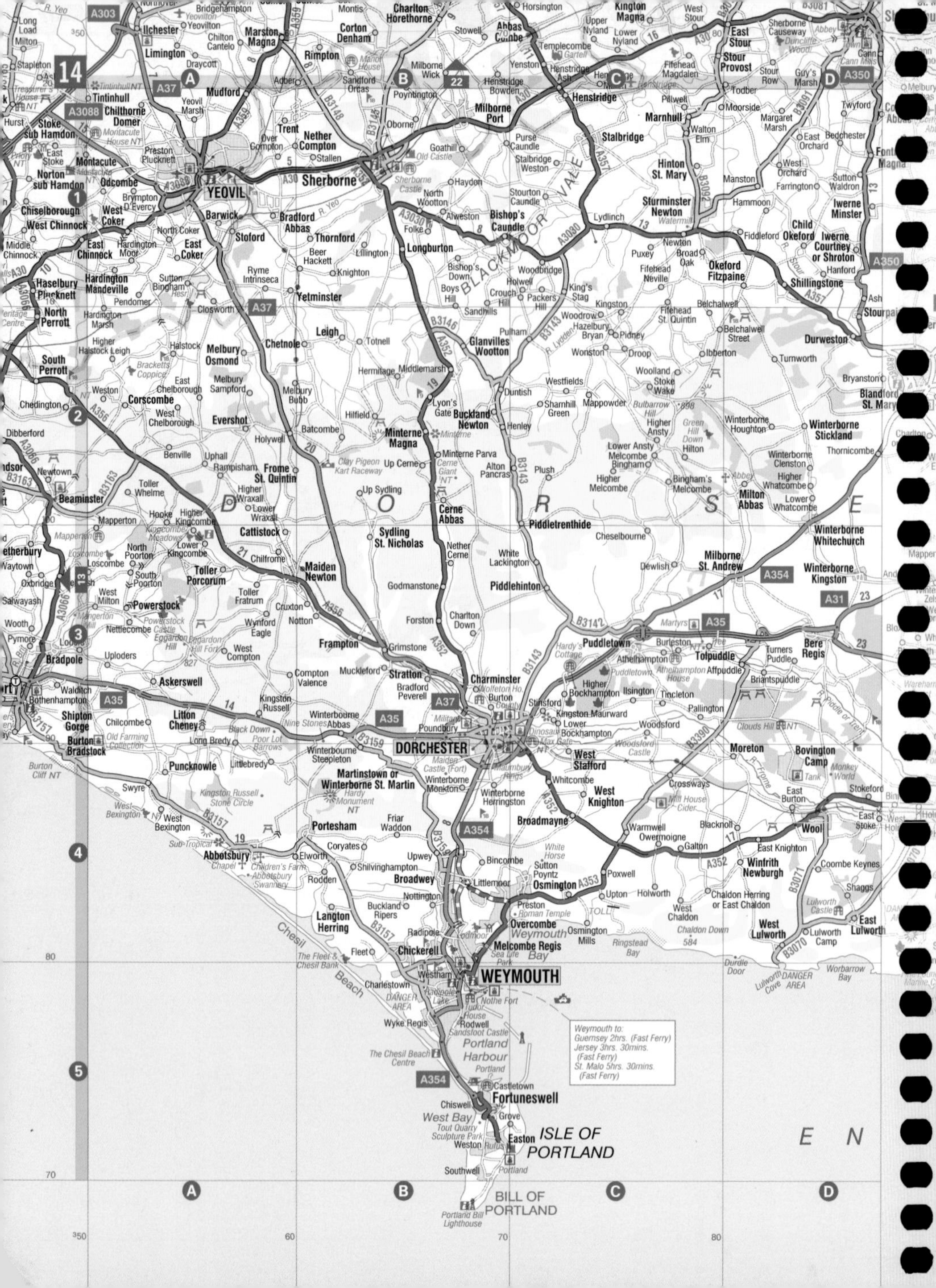

14
A303
Ilchester
Yeovilton
Bridgehampton
Chilton Cantelo
Marston Magna
Charlton Horethorne
Corton Denham
Montis
Rimpton
Stowell
Abbas Combe
Horsington
Upper Nyland
Lower Nyland
Templecombe
Kington Magna
West Stour
East Stour
Stour Provost
Sherborne Causeway
Fifehead Magdalen
Stour Row
Long Load
Milton
Stapleton
Limington
Draycott
Milborne Wick
22
Adber
Sandford Orcas
Poyntington
Yenston
Henstridge Ash
Henstridge Bowden
Henstridge
Todber
Guy's Marsh
A350
A37
A
B
C
D
Tintinhull
Mudford
Yeovil Marsh
A3088
Chilthorne Domer
Stoke sub Hamdon
East Stoke
Montacute
Montacute House NT
Norton sub Hamdon
Preston Plucknett
Over Compton
Trent
Nether Compton
Stallen
Oborne
B3148
B3145
Milborne Port
Goathill
Old Castle
Purse Caundle
Stalbridge
Stalbridge Weston
Pillwell
Moorside
Marnhull
Walton Elm
Twyford
Margaret Marsh
East Orchard
Bedchester
West Orchard
Fontmell Magna
Odcombe
YEOVIL
A30
Sherborne
Sherborne Castle
Haydon
North Wootton
Stourton Caundle
BLACKMOOR VALE
A357
Hinton St. Mary
B3092
Manston
Farrington
Sutton Waldron
Hammoon
Iwerne Minster
Brympton D'Evercy
1
Chiselborough
West Coker
West Chinnock
Barwick
Bradford Abbas
R. Yeo
A3030
Alweston
Bishop's Caundle
Sturminster Newton
Lydlinch
13
Child Okeford
Fiddleford
Iwerne Courtney or Shroton
Middle Chinnock
North Coker
East Chinnock
Hardington Moor
East Coker
Stoford
Thornford
Folke
Longburton
A3030
Newton
Broad Oak
Puxey
Hanford
Beer Hackett
Lillington
Knighton
Ryme Intrinseca
Bishop's Down
Woodbridge
Fifehead Neville
Okeford Fitzpaine
Shillingstone
A350
Haselbury Plucknett
Hardington Mandeville
Sutton Bingham
Yetminster
Boys Hill
Holwell
Crouch Hill
Packers Hill
King's Stag
Pendomer
Closworth
Sandhills
Kingston
Belchalwell
Ash
Stourpaine
North Perrott
Hardington Marsh
A37
B3146
Woodrow
Hazelbury Bryan
Pidney
Fifehead St. Quintin
Belchalwell Street
Durweston
Higher Halstock Leigh
Halstock
Melbury Osmond
Chetnole
Leigh
Totnell
Glanvilles Wootton
Pulham
B3143
R. Lydden
Droop
Wonston
Ibberton
Turnworth
South Perrott
Bracketts Coppice
A352
Hermitage
Middlemarsh
Woolland
Stoke Wake
Bryanston
East Chelborough
Melbury Sampford
Westfields
Duntish
Weston
Corscombe
Melbury Bubb
19
Lyon's Gate
Mappowder
Bulbarrow Hill
Blandford St. Mary
Chedington
2
A356
West Chelborough
Evershot
Hilfield
Buckland Newton
Sharnhill Green
Henley
Higher Ansty
Green Hill Down
Winterborne Houghton
Winterborne Stickland
Dibberford
Holywell
Batcombe
Minterne Magna
Minterne
Lower Ansty
Melcombe Bingham
Hilton
Benville
Uphall
20
Clay Pigeon Kart Raceway
Up Cerne
Minterne Parva
Cerne Giant NT
Alton Pancras
Plush
Winterborne Clenston
Thornicombe
Newtown
B3163
Rampisham
Frome St. Quintin
Higher Melcombe
Bingham's Melcombe
Abbey
Higher Whatcombe
Toller Whelme
Higher Wraxall
Lower Wraxall
Up Sydling
B3143
Milton Abbas
Lower Whatcombe
Beaminster
D
O
R
S
E
Hooke
Higher Kingcombe
Cerne Abbas
Piddletrenthide
Mapperton
Kingcombe Meadows
Cattistock
Sydling St. Nicholas
Cheselbourne
Winterborne Whitechurch
Netherbury
Waytown
Loscombe
North Poorton
Lower Kingcombe
21
Chilfrome
Nether Cerne
White Lackington
Dewlish
Milborne St. Andrew
A354
Winterborne Kingston
South Poorton
Toller Porcorum
Maiden Newton
Oxbridge
13
Salwayash
West Milton
Powerstock
Toller Fratrum
Godmanstone
Piddlehinton
A31
A3066
Powerstock Castle
Wynford Eagle
Cruxton
Notton
A356
Forston
Charlton Down
B3142
Martyrs
A35
Wooth
Pymore
3
Nettlecombe
Eggardon Hill
Eggardon Hill Fort
West Compton
Frampton
Grimstone
A352
Puddletown
Burleston
Tolpuddle
Turners Puddle
Bere Regis
23
Bradpole
Uploders
827
Hardy's Cottage
Athelhampton
Athelhampton House
Affpuddle
Briantspuddle
Askerswell
Compton Valence
Muckleford
Stratton
Bradford Peverell
Charminster
Wolfeton Ho.
Burton
Higher Bockhampton
Ilsington
Tincleton
Walditch
Bothenhampton
A35
Kingston Russell
14
Litton Cheney
A37
Stinsford
Kingston Maurward
Lower Bockhampton
Pallington
Shipton Gorge
B3157
Chilcombe
Black Down
Winterbourne Abbas
Nine Stones
A35
Poundbury
Woodsford
Clouds Hill NT
Burton Bradstock
Old Farming Collection
Long Bredy
Poor Lot Barrows
B3159
DORCHESTER
Max Gate
West Stafford
B3390
Moreton
Bovington Camp
Burton Cliff NT
Puncknowle
Littlebredy
Winterbourne Steepleton
Maiden Castle (Fort)
Maumbury Rings
Woodsford Castle
Tank
Monkey World
Martinstown or Winterborne St. Martin
Winterborne Monkton
Whitcombe
Crossways
Swyre
Kingston Russell Stone Circle
Hardy Monument NT
Winterborne Herringston
A352
West Knighton
Mill House Cider
East Burton
Stokeford
West Bexington
B3157
Portesham
Friar Waddon
A354
Broadmayne
Warmwell
Owermoigne
Blacknoll
Galton
17
Wool
East Stoke
Sub-Tropical
19
Abbotsbury
Coryates
Upwey
East Knighton
4
Chapel
Children's Farm
Abbotsbury Swannery
Elworth
Shilvinghampton
B3159
Bincombe
White Horse
Sutton Poyntz
A353
Poxwell
A352
Winfrith Newburgh
Coombe Keynes
B3071
B3070
Rodden
Broadwey
Littlemoor
Osmington
Upton
Holworth
Chaldon Herring or East Chaldon
Shaggs
Nottington
Preston
Roman Temple
West Chaldon
Lulworth Castle
Chesil
Langton Herring
Buckland Ripers
Overcombe
Weymouth Bay
Osmington Mills
Ringstead Bay
Chaldon Down
584
West Lulworth
East Lulworth
Lulworth Camp
B3157
Radipole
Fleet
The Fleet & Chesil Bank
Chickerell
Melcombe Regis
Sea Life Park
80
Durdle Door
Lulworth Cove
DANGER AREA
Worbarrow Bay
Beach
Charlestown
Westham
Radipole Lake
WEYMOUTH
Nothe Fort
DANGER AREA
Tudor House
Wyke Regis
Rodwell
Sandsfoot Castle
Weymouth to:
Guernsey 2hrs. (Fast Ferry)
Jersey 3hrs. 30mins. (Fast Ferry)
St. Malo 5hrs. 30mins. (Fast Ferry)
Portland Harbour
The Chesil Beach Centre
Portland
5
A354
Castletown
Fortuneswell
Chiswell
West Bay
Grove
Tout Quarry Sculpture Park
ISLE OF PORTLAND
Easton
Weston
Rufus
E N
70
Southwell
Portland
A
B
C
D
BILL OF PORTLAND
Portland Bill Lighthouse
350
60
70
80

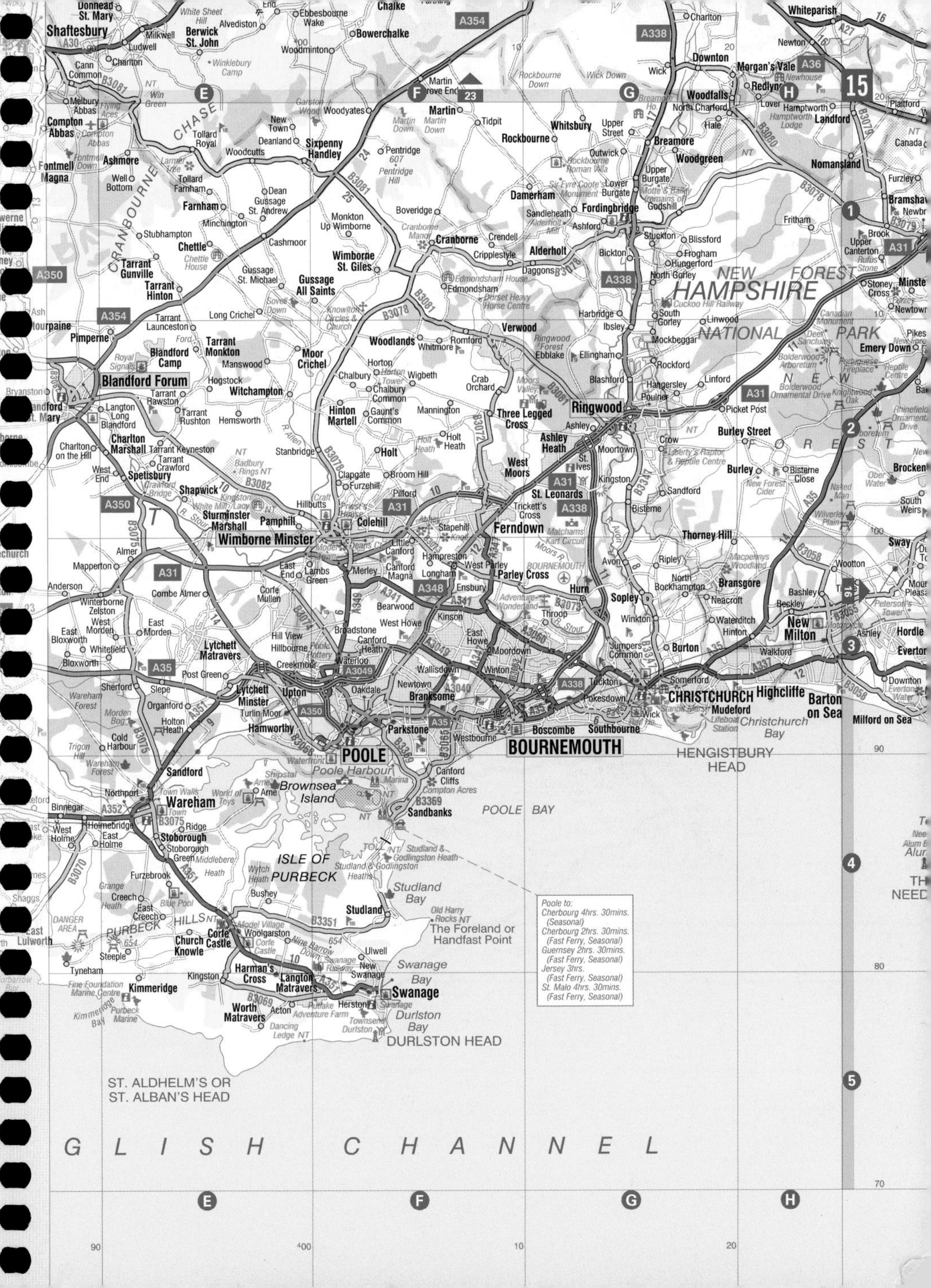
15
Shaftesbury
Donhead St. Mary
White Sheet Hill
Berwick St. John
Alvediston
Ebbesbourne Wake
Chalke
Bowerchalke
Woodminton
A354
A338
Charlton
Whiteparish
Newton
Downton
Morgan's Vale
A36
Wick
Redlynch
Newhouse
Woodfalls
North Charford
Hale
Lover
Hamptworth
Hamptworth Lodge
Landford
Plaitford
Canada
Cann Common
Charlton
Ludwell
Winklebury Camp
Martin Drove End
23
Rockbourne Down
Wick Down
Melbury Abbas
Compton Abbas
Win Green
Chase
Tollard Royal
New Town
Deanland
Woodcutts
Sixpenny Handley
Woodyates
Garston Wood
Martin
Martin Down
Tidpit
Whitsbury
Upper Street
Rockbourne
Breamore
Woodgreen
Fontmell Down
Fontmell Magna
Ashmore
Well Bottom
Larmer Tree
Tollard Farnham
Pentridge
Pentridge Hill
Rockbourne Roman Villa
Outwick
Upper Burgate
Lower Burgate
Sir Eyre Coote's Monument
Motte & Bailey (remains of)
Godshill
Nomansland
Furzley
Bramshaw
Cranborne
Farnham
Dean
Gussage St. Andrew
Minchington
Monkton Up Wimborne
Boveridge
Damerham
Sandleheath
Fordingbridge
Ashford
Alderholt Mill
Fritham
Brook
Upper Canterton
Rufus Stone
A31
Stubhampton
Chettle
Chettle House
Cashmoor
Cranborne Manor
Crendell
Cripplestyle
Alderholt
Daggons
Bickton
Stuckton
Blissford
Frogham
Hungerford
North Gorley
Tarrant Gunville
Tarrant Hinton
Gussage St. Michael
Gussage All Saints
Wimborne St. Giles
Edmondsham House
Edmondsham
Dorset Heavy Horse Centre
NEW FOREST
HAMPSHIRE
NATIONAL PARK
Stoney Cross
Minstead
Newtown
A350
A354
Tarrant Launceston
Long Crichel
Knowlton Circles & Church
Harbridge
Ibsley
South Gorley
Cuckoo Hill Railway
Linwood
Canadian Monument
Pimperne
Tarrant Monkton
Blandford Camp
Manswood
Moor Crichel
Woodlands
Whitmore
Romford
Verwood
Ringwood Forest
Ebblake
Ellingham
Mockbeggar
Rockford
Deer Sanctuary
Bolderwood Arboretum
Emery Down
Portuguese Fireplace
Reptile Centre
Blandford Forum
Royal Signals
Hogstock
Witchampton
Horton
Chalbury
Chalbury Common
Wigbeth
Crab Orchard
Moors Valley
Blashford
Hangersley
Poulner
Linford
Bolderwood Ornamental Drive
Knightwood Oak
Bryanston
Blandford St. Mary
Tarrant Rawston
Langton Long Blandford
Tarrant Rushton
Hemsworth
Hinton Martell
Gaunt's Common
Mannington
Three Legged Cross
Ringwood
Picket Post
Rhinefield Ornamental Drive
Charlton Marshall
Tarrant Keyneston
Tarrant Crawford
Badbury Rings NT
Charlton on the Hill
Holt
Holt Heath
Ashley
Ashley Heath
Moortown
Crow
Liberty's Raptor & Reptile Centre
Burley Street
Burley
Bisterne Close
Brockenhurst
Stanbridge
West End
Spetisbury
Crawford Bridge
Clapgate
Furzehill
Broom Hill
Pilford
West Moors
St. Ives
Kingston
Sandford
Naked Man
New Forest Cider
Ober Water
South Weirs
Shapwick
Kingston Lacy
B3082
White Mill
Hillbutts
Priest's House
Colehill
St. Leonards
Trickett's Cross
Bisterne
Wilverley Plain
Sturminster Marshall
Pamphill
Wimborne Minster
Stapehill
Ferndown
Matchams Kart Circuit
Thorney Hill
Sway
Almer
Mapperton
Little Canford
Dean's Court
Hampreston
Moors R.
Ripley
Macpennys Woodland
Wootton
A31
East End
Lambs Green
Merley
Canford Magna
Longham
West Parley
Parley Cross
Bournemouth
Avon
North Bockhampton
Bransgore
Bashley
Beckley
Anderson
Combe Almer
Corfe Mullen
A348
Ensbury
Hurn
Sopley
Neacroft
Peterson's Tower
Winterborne Zelston
Bearwood
Kinson
Adventure Wonderland
Throop
Winkton
Waterditch
Hinton
New Milton
Ashley
Hordle
East Bloxworth
West Morden
East Morden
Hill View
Broadstone
West Howe
East Howe
R. Stour
Jumpers Common
Burton
Walkford
Everton
Bloxworth
Whitefield
Lytchett Matravers
Hillbourne
Poole Pottery
Canford Heath
Moordown
Wallisdown
Winton
Tuckton
Somerford
A337
Downton
A35
Post Green
Creekmoor
Waterloo
A3049
Newtown
A338
Pokesdown
CHRISTCHURCH
Highcliffe
Barton on Sea
Milford on Sea
Sherford
Slepe
Lytchett Minster
Upton
Oakdale
Branksome
Wareham Forest
Morden Bog
Organford
Turlin Moor
A350
Parkstone
Boscombe
Southbourne
Wick
Stanpit Marsh
Mudeford
Lifeboat Station
Christchurch Bay
Holton Heath
Hamworthy
Westbourne
BOURNEMOUTH
Cold Harbour
Trigon Hill
POOLE
Waterfront
Poole Harbour
Marina
Canford Cliffs
Compton Acres
HENGISTBURY HEAD
Wareham Forest
Sandford
Shipstal
Arne
Brownsea Island
Town Walls
World of Toys
Northport
Sandbanks
Wareham
POOLE BAY
Binnegar
Holmebridge
West Holme
East Holme
Ridge
Stoborough
Stoborough Green
Middlebere Heath
ISLE OF PURBECK
Studland & Godlingston Heath
Toll
Furzebrook
Grange Heath
Creech Heath
Wytch Heath
Blue Pool
Studland Bay
Creech
East Creech
Bushey
Studland
Old Harry Rocks NT
The Foreland or Handfast Point
Danger Area
Purbeck Hills
Model Village
Woolgarston
B3351
East Lulworth
Church Knowle
Corfe Castle
Steeple
Nine Barrow Down
Swanage Railway
Ulwell
New Swanage
Swanage Bay
Tyneham
Kingston
Harman's Cross
Langton Matravers
Swanage
Fine Foundation Marine Centre
Kimmeridge
Herston
Kimmeridge Bay
Purbeck Marine
Worth Matravers
Acton
Putlake Adventure Farm
Townsend
Durlston
Durlston Bay
Dancing Ledge NT
DURLSTON HEAD
Poole to:
Cherbourg 4hrs. 30mins. (Seasonal)
Cherbourg 2hrs. 30mins. (Fast Ferry, Seasonal)
Guernsey 2hrs. 30mins. (Fast Ferry, Seasonal)
Jersey 3hrs. (Fast Ferry, Seasonal)
St. Malo 4hrs. 30mins. (Fast Ferry, Seasonal)
ST. ALDHELM'S OR ST. ALBAN'S HEAD
GLISH CHANNEL
16
E
F
G
H
1
2
3
4
5
90
400
10
20
80
70

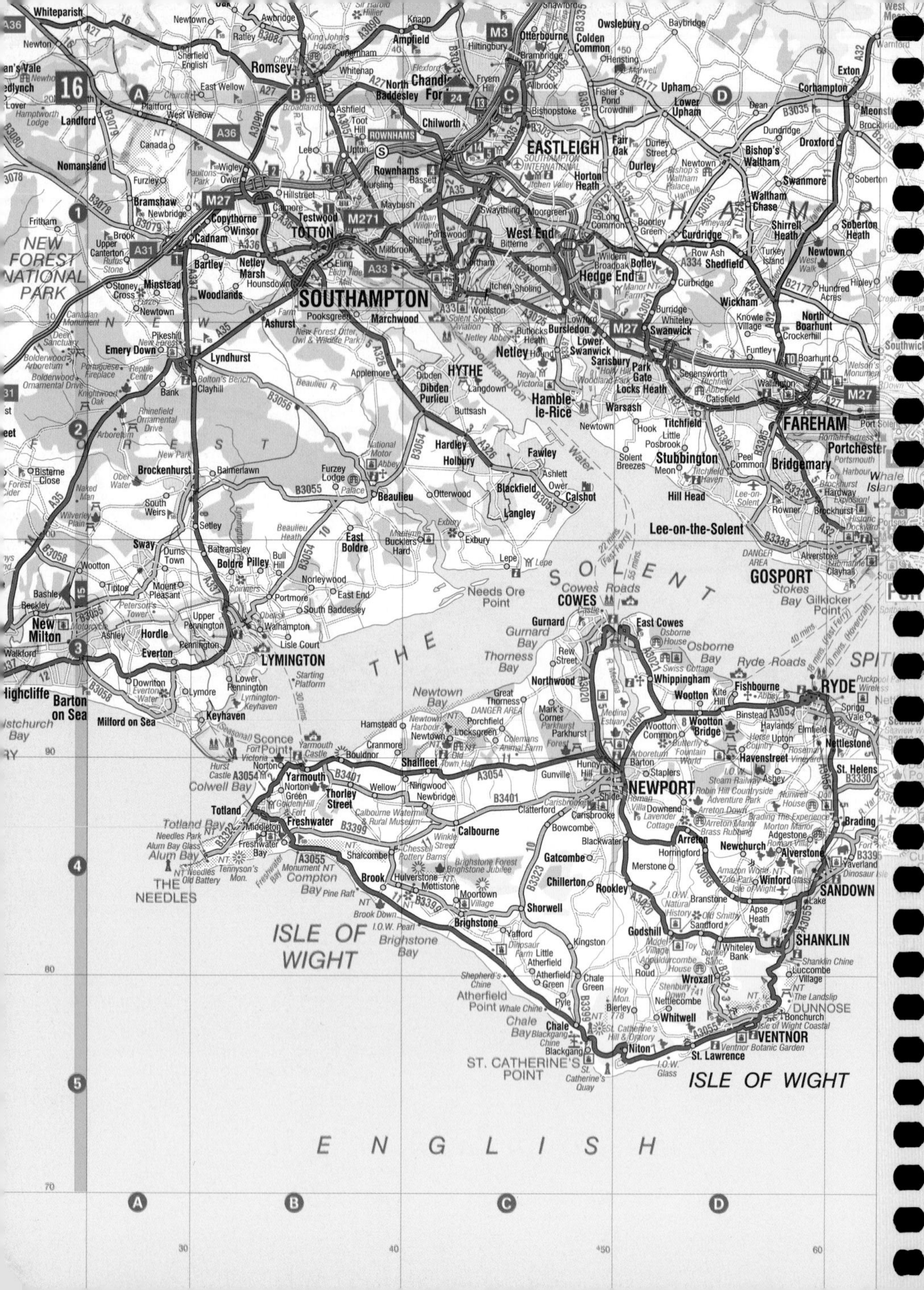

16
A
B
C
D
1
2
3
4
5
15
Whiteparish
Newton
Landford
Nomansland
Fritham
Brook
Upper Canterton
NEW FOREST NATIONAL PARK
Stoney Cross
Minstead
Newtown
Emery Down
Lyndhurst
Bank
Clayhill
Brockenhurst
Balmerlawn
Bisterne Close
South Weirs
Setley
Sway
Durns Town
Battramsley
Boldre
Pilley
Bull Hill
Wootton
Tiptoe
Mount Pleasant
Bashley
Beckley
New Milton
Ashley
Hordle
Upper Pennington
Pennington
Everton
Walkford
Highcliffe
Barton on Sea
Downton
Lymore
Lower Pennington
Keyhaven
Milford on Sea
LYMINGTON
Walhampton
Lisle Court
South Baddesley
Portmore
East End
Norleywood
East Boldre
Bucklers Hard
Exbury
Lepe
Beaulieu
Otterwood
Furzey Lodge
Romsey
Newtown
Awbridge
Ratley
Sherfield English
East Wellow
Plaitford
West Wellow
Canada
Wigley
Ower
Furzley
Bramshaw
Newbridge
Copythorne
Cadnam
Winsor
Bartley
Netley Marsh
Houndsdown
Woodlands
Ashurst
Pikeshill
TOTTON
Testwood
Calmore
Hillstreet
Nursling
Rownhams
Lee
Upton
Toot Hill
Ashfield
North Baddesley
Chilworth
Ampfield
Knapp
Cupernham
Whitenap
Chandler's Ford
SOUTHAMPTON
Pooksgreen
Marchwood
Eling
Millbrook
Shirley
Maybush
Bassett
Portswood
Swaythling
Bitterne
Northam
Thornhill
Sholing
Itchen
Woolston
Netley
Hound
Bursledon
Lowford
Bullocks Heath
HYTHE
Dibden
Dibden Purlieu
Applemore
Langdown
Buttsash
Hardley
Holbury
Fawley
Ashlett
Ower
Calshot
Blackfield
Langley
Hamble-le-Rice
EASTLEIGH
Fair Oak
Horton Heath
Durley
Durley Street
Bishopstoke
Allbrook
Fryern Hill
Hiltingbury
Otterbourne
Brambridge
Colden Common
Owslebury
Baybridge
Hensting
Fisher's Pond
Crowdhill
Upham
Lower Upham
West End
Moorgreen
Long Common
Boorley Green
Wildern
Broadoak
Hedge End
Botley
Curbridge
Burridge
Whiteley
Swanwick
Lower Swanwick
Sarisbury
Park Gate
Locks Heath
Warsash
Newtown
Hook
Titchfield
Little Posbrook
Solent Breezes
Stubbingdon
Meon
Hill Head
Lee-on-the-Solent
Peel Common
Bridgemary
Rowner
Brockhurst
Alverstoke
Clayhall
GOSPORT
Stokes Bay
Gilkicker Point
FAREHAM
Portchester
Catisfield
Segensworth
Wallington
Funtley
Boarhunt
North Boarhunt
Crockerhill
Knowle Village
Wickham
Shedfield
Row Ash
Curdridge
Waltham Chase
Shirrell Heath
Swanmore
Bishop's Waltham
Newtown
Droxford
Dundridge
Dean
Corhampton
Exton
Soberton
Soberton Heath
Newtown
Hundred Acres
Hipley
Turkey Island
HAMPSHIRE
THE SOLENT
Cowes Roads
Needs Ore Point
COWES
East Cowes
Gurnard
Gurnard Bay
Thorness Bay
Rew Street
Northwood
Whippingham
Osborne Bay
Ryde Roads
Wootton
Fishbourne
Kite Hill
RYDE
Binstead
Haylands
Elmfield
Spring Vale
Nettlestone
St. Helens
Wootton Common
Wootton Bridge
Havenstreet
Upton
Ashey
Newtown Bay
Great Thorness
Mark's Corner
Parkhurst
Porchfield
Hamstead
Newtown
Locksgreen
Cranmore
Shalfleet
Bouldnor
Yarmouth
Norton
Norton Green
Thorley Street
Wellow
Ningwood
Newbridge
Hunny Hill
Gunville
NEWPORT
Shide
Carisbrooke
Clatterford
Bowcombe
Blackwater
Staplers
Barton
Downend
Arreton
Horringford
Merstone
Newchurch
Adgestone
Alverstone
Brading
Yaverland
SANDOWN
Lake
Winford
Branstone
Apse Heath
Sandford
SHANKLIN
Godshill
Whiteley Bank
Roud
Wroxall
Luccombe Village
Bonchurch
DUNNOSE
VENTNOR
St. Lawrence
Whitwell
Nettlecombe
Niton
Chale
Chale Green
Blackgang
ST. CATHERINE'S POINT
Pyle
Atherfield Green
Little Atherfield
Kingston
Chillerton
Rookley
Gatcombe
Shorwell
Yafford
Brighstone
Mottistone
Hulverstone
Brook
Shalcombe
Calbourne
Freshwater
Middleton
Freshwater Bay
Totland
Totland Bay
Alum Bay
Colwell Bay
Compton Bay
Brighstone Bay
Atherfield Point
Chale Bay
THE NEEDLES
Sconce Point
ISLE OF WIGHT
ENGLISH
M27
M271
M3
A36
A31
A35
A33
A326
A3054
A3055
A3020
A3021
A3056
A32
A27
B3401
B3399
B3323
B3330
B3055
B3058
B3054
B3056
B3053
B3333
B3334
B3385
B3035
B3354
B3037
B3079
B3078
30
40
450
60
70
80
90

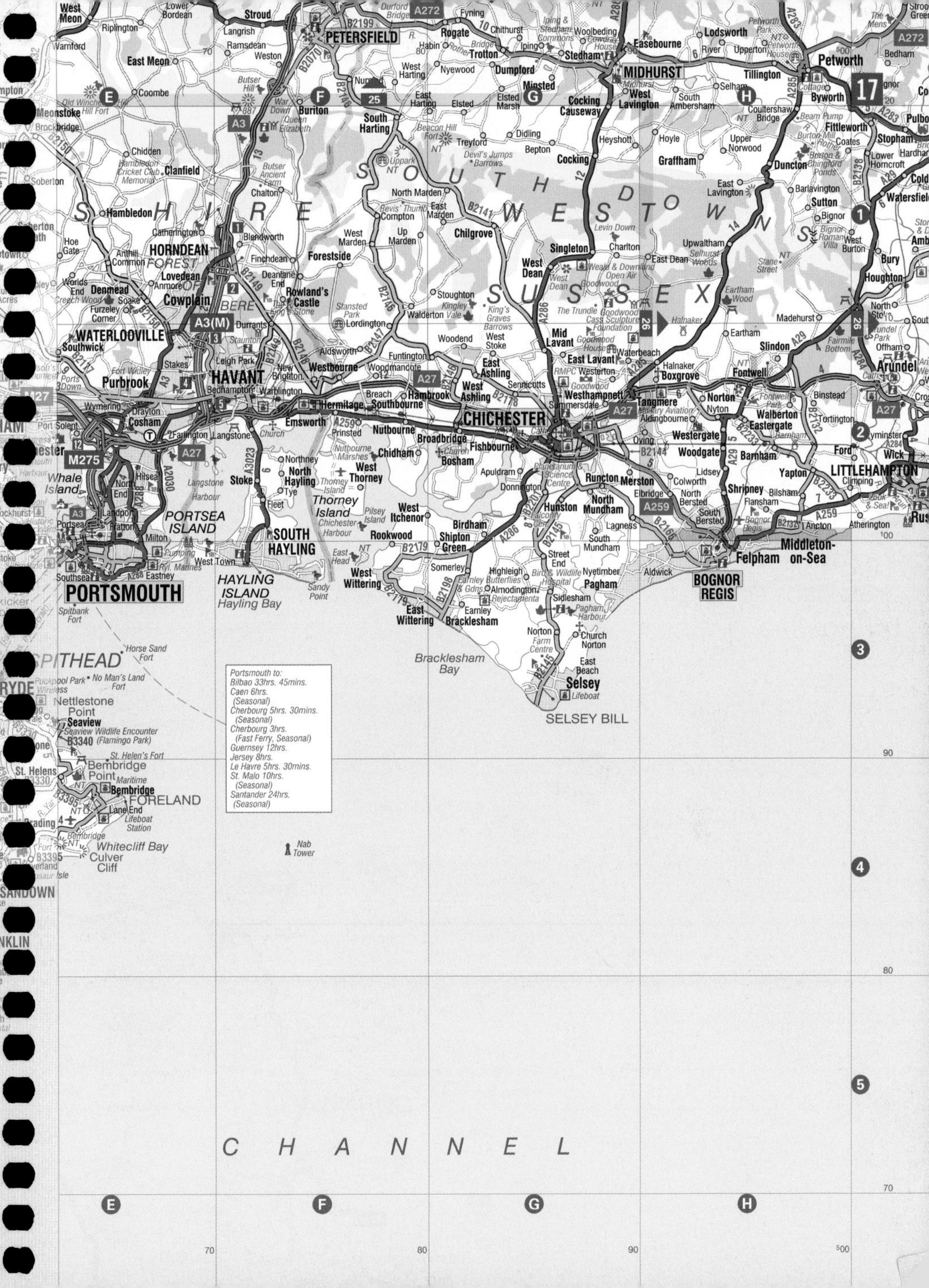

17
PETERSFIELD
MIDHURST
Petworth
HAVANT
CHICHESTER
PORTSMOUTH
WATERLOOVILLE
HORNDEAN
Cowplain
Purbrook
Cosham
SOUTH HAYLING
HAYLING ISLAND
Hayling Bay
PORTSEA ISLAND
Emsworth
Southbourne
Bosham
Selsey
SELSEY BILL
Bracklesham Bay
East Wittering
West Wittering
BOGNOR REGIS
Felpham
Middleton-on-Sea
LITTLEHAMPTON
Arundel
Tangmere
Singleton
West Dean
Cocking
Midhurst
Graffham
Duncton
Slindon
Fontwell
Barnham
Yapton
Pagham
Sidlesham
Birdham
Chidham
Fishbourne
Westhampnett
Boxgrove
Rowland's Castle
Clanfield
Hambledon
Denmead
Buriton
South Harting
Rogate
Trotton
Stedham
Easebourne
Lodsworth
SOUTH DOWNS
WEST SUSSEX
SPITHEAD
RYDE
Nettlestone Point
Seaview
St. Helens
Bembridge
FORELAND
Whitecliff Bay
Culver Cliff
SANDOWN
Nab Tower
Horse Sand Fort
No Man's Land Fort
C H A N N E L
Portsmouth to:
Bilbao 33hrs. 45mins.
Caen 6hrs.
(Seasonal)
Cherbourg 5hrs. 30mins.
(Seasonal)
Cherbourg 3hrs.
(Fast Ferry, Seasonal)
Guernsey 12hrs.
Jersey 8hrs.
Le Havre 5hrs. 30mins.
St. Malo 10hrs.
(Seasonal)
Santander 24hrs.
(Seasonal)
A3(M)
A27
A259
A286
A29
M27
M275
E
F
G
H
70
80
90
500

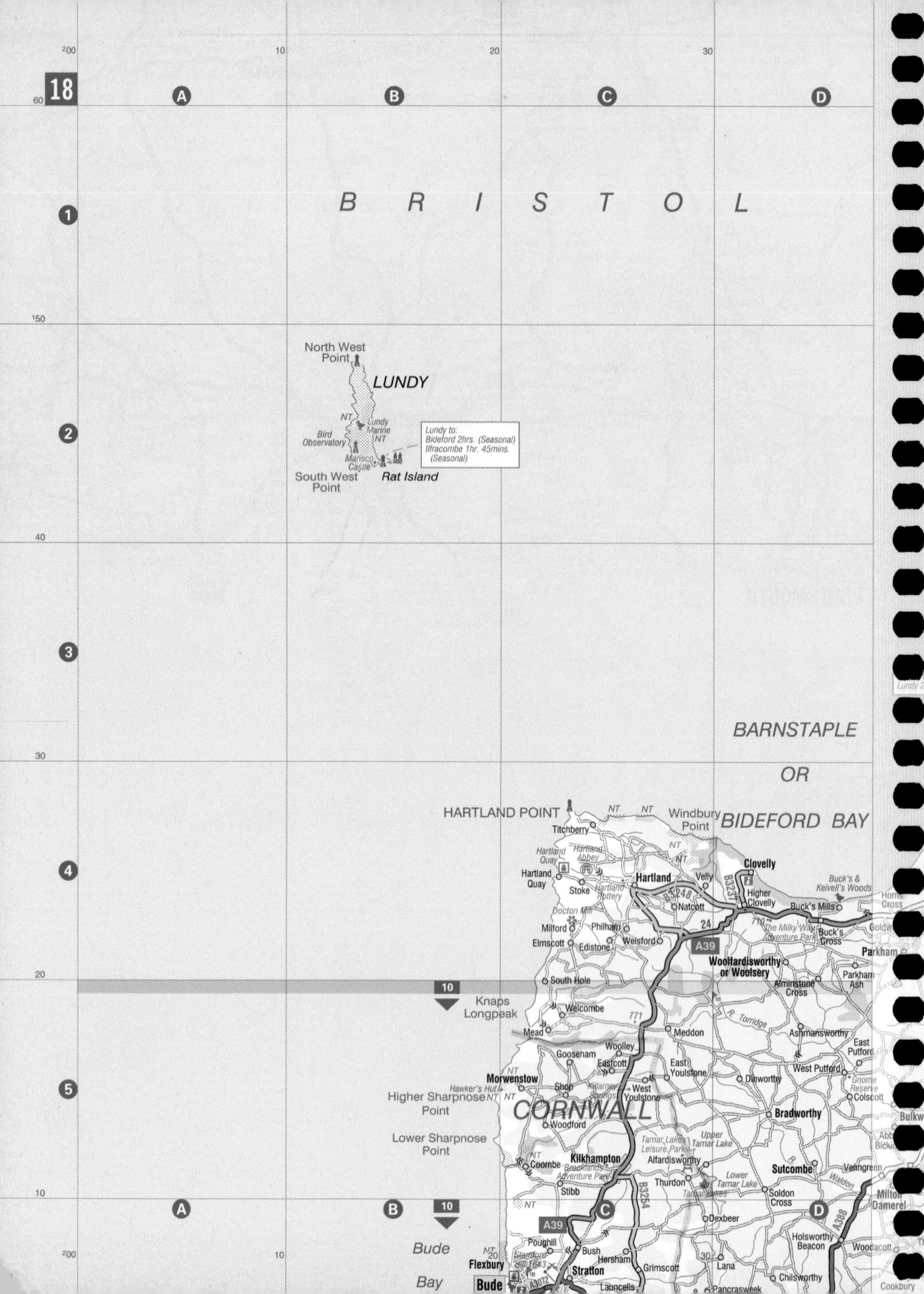
BRISTOL
North West Point
LUNDY
NT
Lundy Marine NT
Bird Observatory
Marisco Castle
South West Point
Rat Island
Lundy to:
Bideford 2hrs. (Seasonal)
Ilfracombe 1hr. 45mins. (Seasonal)
BARNSTAPLE
OR
BIDEFORD BAY
HARTLAND POINT
Windbury Point
Titchberry
Hartland Quay
Hartland Abbey
Hartland
Stoke
Hartland Pottery
Velly
Clovelly
Higher Clovelly
Natcott
Buck's & Keivell's Woods
Buck's Mills
Buck's Cross
Horns Cross
Docton Mill
Milford
Philham
Elmscott
Edistone
Welsford
The Milky Way Adventure Park
Woolfardisworthy or Woolsery
Alminstone Cross
Parkham
Parkham Ash
South Hole
Knaps Longpeak
Welcombe
Mead
Meddon
R. Torridge
Ashmansworthy
East Putford
West Putford
Gooseham
Woolley
Eastcott
East Youlstone
West Youlstone
Dinworthy
Morwenstow
Hawker's Hut
Shop
Killarney Springs
Higher Sharpnose Point
Lower Sharpnose Point
CORNWALL
Woodford
Bradworthy
Gnome Reserve
Colscott
Tamar Lakes Leisure Park
Upper Tamar Lake
Kilkhampton
Alfardisworthy
Coombe
Brocklands Adventure Park
Stibb
Thurdon
Lower Tamar Lake
Tamar Lakes
Sutcombe
Soldon Cross
Venngreen
Milton Damerel
Dexbeer
Holsworthy Beacon
Woodacott
Poughill
Bush
Bude Bay
Flexbury
Stamford Hill 1643
Hersham
Grimscott
Stratton
Bude
Launcells
Lana
Pancrasweek
Chilsworthy
Cookbury
A39
A3072
A388
B3248
B3237
B3254
10
A
B
C
D
1
2
3
4
5

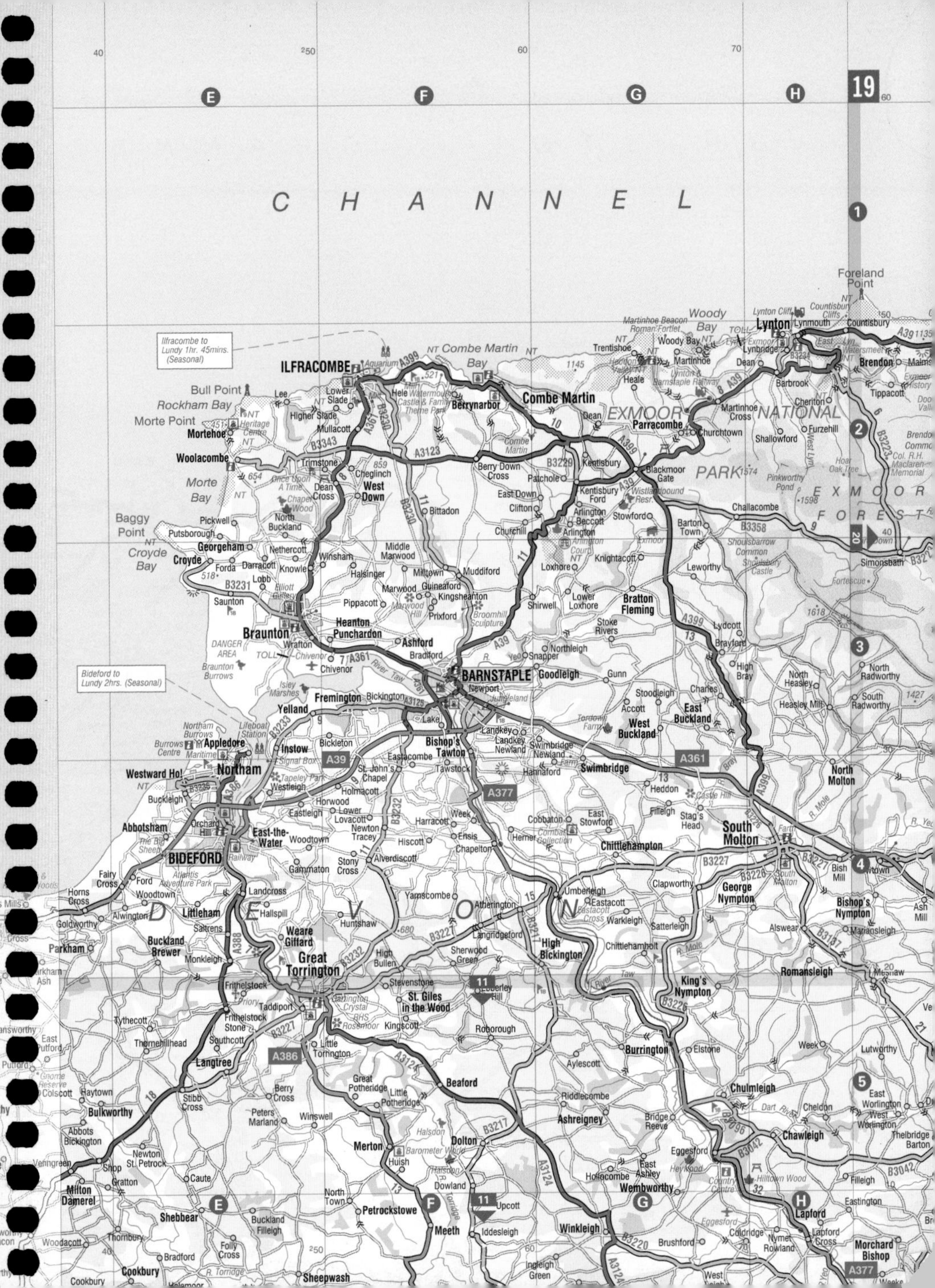
19
40
250
60
70
E
F
G
H
C H A N N E L
Foreland Point
Lynton Cliff
Countisbury Cliffs
Countisbury
Lynton
Lynmouth
Lynbridge
Brendon
Woody Bay
Martinhoe Beacon Roman Fortlet
Trentishoe
Martinhoe
Heale
Dean
Barbrook
Tippacott
Ilfracombe to Lundy 1hr. 45mins. (Seasonal)
ILFRACOMBE
Aquarium
Combe Martin Bay
Combe Martin
Berrynarbor
Hele
Watermouth Castle & Family Theme Park
Lee
Lower Slade
Higher Slade
Mullacott
Bull Point
Rockham Bay
Morte Point
Mortehoe
Woolacombe
Morte Bay
Trimstone
Cheglinch
West Down
Dean Cross
Berry Down Cross
Kentisbury
Kentisbury Ford
Blackmoor Gate
Patchole
East Down
Clifton
Churchill
Arlington
Arlington Court
Stowford
Parracombe
Churchtown
Martinhoe Cross
Cheriton
Furzehill
Shallowford
EXMOOR
NATIONAL
PARK
EXMOOR FOREST
Pinkworthy Pond
Challacombe
Barton Town
Shoulsbarrow Common
Simonsbath
Baggy Point
Putsborough
Pickwell
Georgeham
Croyde
Croyde Bay
Forda
Darracott
Nethercott
Knowle
North Buckland
Bittadon
Winsham
Middle Marwood
Halsinger
Milltown
Muddiford
Marwood
Guineaford
Kingsheanton
Pippacott
Prixford
Broomhill Sculpture
Saunton
Lobb
Braunton
Heanton Punchardon
Ashford
Wrafton
Chivenor
DANGER AREA
Braunton Burrows
Bradiford
Shirwell
Loxhore
Lower Loxhore
Knightacott
Bratton Fleming
Stoke Rivers
Northleigh
Snapper
Goodleigh
Lydcott
Brayford
High Bray
North Heasley
North Radworthy
South Radworthy
Heasley Mill
Bideford to Lundy 2hrs. (Seasonal)
BARNSTAPLE
Newport
Gunn
Stoodleigh
Accott
Charles
East Buckland
West Buckland
Fremington
Bickington
Yelland
Lake
Landkey
Landkey Newland
Swimbridge Newland
Swimbridge
Bishop's Tawton
Tawstock
Hannaford
Northam Burrows
Appledore
Instow
Bickleton
Eastacombe
St. John's Chapel
Westward Ho!
Northam
Westleigh
Holmacott
Horwood
Lower Lovacott
Eastleigh
Newton Tracey
Harracott
Week
Ensis
Chapelton
Heddon
Castle Hill
Filleigh
Stag's Head
North Molton
South Molton
Cobbaton
Combat Collection
East Stowford
Chittlehampton
Abbotsham
Orchard Hill
East-the-Water
Woodtown
Hiscott
BIDEFORD
Alverdiscott
Stony Cross
Gammaton
Atlantis Adventure Park
Fairy Cross
Ford
Horns Cross
Woodtown
Alwington
Landcross
Littleham
Hallspill
Yarnscombe
Huntshaw
Atherington
Umberleigh
Eastacott
Warkleigh
Satterleigh
Clapworthy
George Nympton
Bish Mill
Bishop's Nympton
Goldworthy
Saltrens
Weare Giffard
Langridgeford
High Bickington
Chittlehamholt
Alswear
Mariansleigh
Parkham
Buckland Brewer
Monkleigh
Great Torrington
High Bullen
Sherwood Green
Romansleigh
King's Nympton
Frithelstock
Taddiport
Stevenstone
St. Giles in the Wood
Ebberley Hill
Dartington Crystal
RHS Rosemoor
Kingscott
Roborough
Tythecott
Frithelstock Stone
Thornehillhead
Southcott
Little Torrington
East Putford
Langtree
Burrington
Elstone
Aylescott
Week
Lutworthy
Great Potheridge
Little Potheridge
Beaford
Berry Cross
Stibb Cross
Haytown
Bulkworthy
Peters Marland
Winswell
Riddlecombe
Ashreigney
Chulmleigh
Bridge Reeve
Cheldon
East Worlington
West Worlington
Chawleigh
Thelbridge Barton
Abbots Bickington
Halsdon
Merton
Barometer World
Dolton
Huish
Dowland
Eggesford
East Ashley
Heywood
Hollocombe
Wembworthy
Hilltown Wood
Filleigh
Newton St. Petrock
Shop
Venngreen
Gratton
Caute
Milton Damerel
North Town
Petrockstowe
Upcott
Eastington
Lapford
Shebbear
Buckland Filleigh
Meeth
Iddesleigh
Winkleigh
Brushford
Coldridge
Nymet Rowland
Lapford Cross
Morchard Bishop
Woodacott
Thornbury
Folly Cross
Bradford
Cookbury
Ingleigh Green
Sheepwash
West
A39
A361
A377
A386
A3124
A399
A388
B3227
B3217
B3232
B3226
B3358
B3220
B3042
B3096
B3123
B3230
B3231
B3233
B3343
B3229
B3137
A3123
A3125
11
20
D E V O N

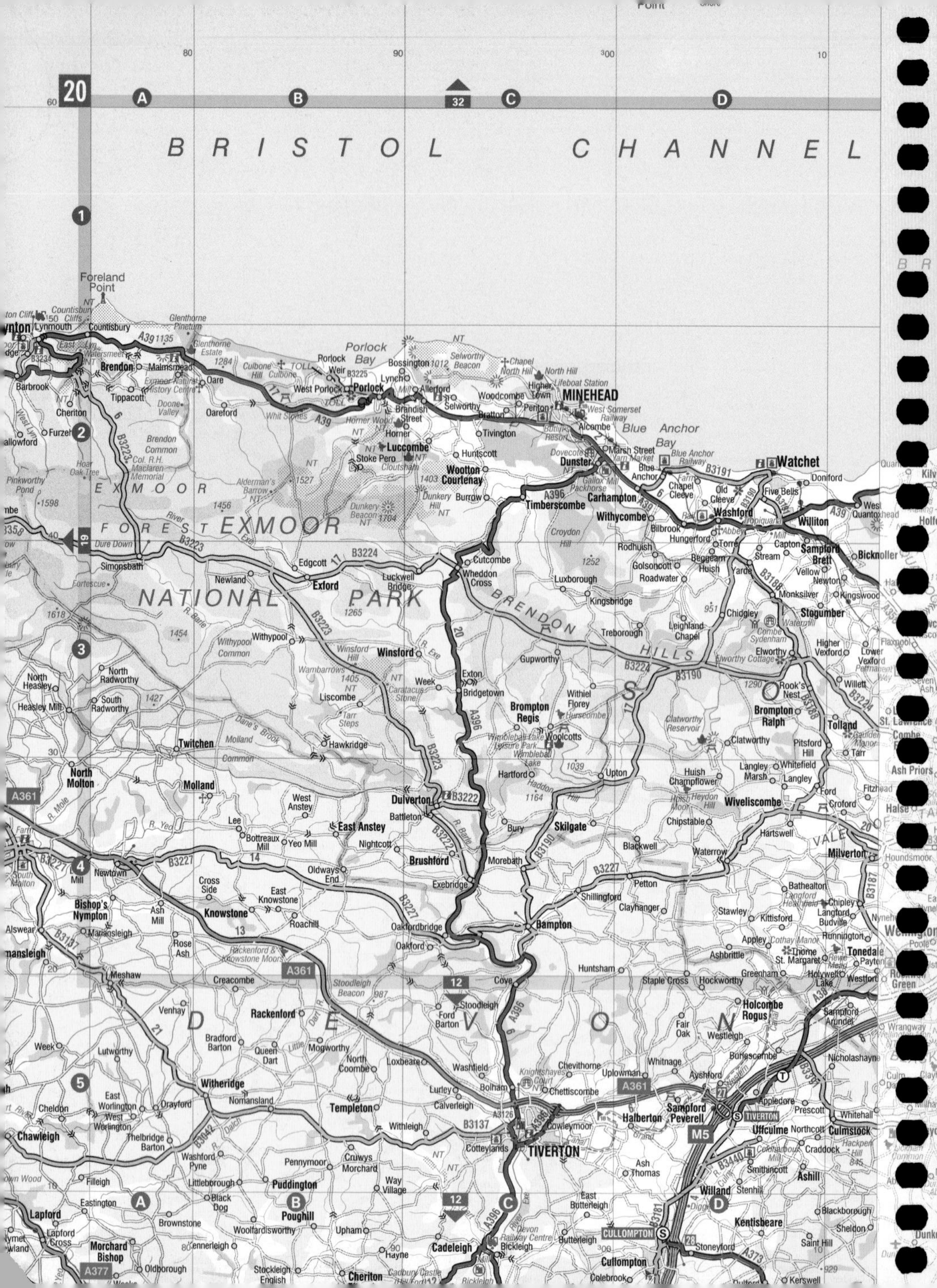
A
B
C
D
32
19
12
BRISTOL CHANNEL
EXMOOR
FOREST EXMOOR
NATIONAL PARK
BRENDON HILLS
SOMERSET
DEVON
VALE OF TAUNTON DEANE
Foreland Point
Countisbury Cliffs
Glenthorne Pinetum
Lynton
Lynmouth
Countisbury
Watersmeet
Barbrook
Brendon
Malmsmead
Oare
Tippacott
Exmoor Natural History Centre
Doone Valley
Oareford
Cheriton
Furzehill
Challacombe
Pinkworthy Pond
Hoar Oak Tree
Brendon Common
Col. R.H. Maclaren Memorial
Alderman's Barrow
Culbone Hill
Culbone
Porlock Bay
Porlock Weir
West Porlock
Porlock
Whit Stones
Bossington
Lynch
Allerford
Selworthy
Selworthy Beacon
Horner
Horner Wood
Brandish Street
Luccombe
Stoke Pero
Cloutsham
Dunkery Beacon
Dunkery Hill
Chapel
North Hill
Lifeboat Station
Higher Town
MINEHEAD
Woodcombe
Periton
Bratton
Tivington
West Somerset Railway
Alcombe
Butlin's Resort
Blue Anchor Bay
Marsh Street
Yarn Market
Dovecote
Dunster
Gallox Mill
Packhorse Bridge
Huntscott
Wootton Courtenay
Burrow
Timberscombe
Carhampton
Withycombe
Croydon Hill
Blue Anchor
Blue Anchor Railway
Chapel Cleeve
Old Cleeve
Washford
Watchet
Doniford
Five Bells
Williton
West Quantoxhead
Tropiquaria
Bilbrook
Hungerford
Torre
Abbey
Rodhuish
Beggearn Huish
Yarde
Stream
Capton
Sampford Brett
Bicknoller
Vellow
Newton
Monksilver
Kingswood
Golsoncott
Roadwater
Luxborough
Kingsbridge
Leighland Chapel
Chidgley
Combe Sydenham
Watermill
Stogumber
Treborough
Elworthy
Elworthy Cottage
Higher Vexford
Lower Vexford
Flaxpool
Rook's Nest
Willett
Brompton Ralph
Tolland
Gaulden Manor
Tarr
St. Lawrence Combe
Ash Priors
Simonsbath
Dure Down
Fortescue
Edgcott
Exford
Newland
Luckwell Bridge
Cutcombe
Wheddon Cross
Withypool
Withypool Common
Winsford Hill
Winsford
Wambarrows
Caratacus Stone
Liscombe
Tarr Steps
Hawkridge
Week
Exton
Bridgetown
Gupworthy
Withiel Florey
Brompton Regis
Hurscombe
Wimbleball Lake
Leisure Park
Woolcotts
Hartford
Haddon Hill
Upton
Clatworthy Reservoir
Clatworthy
Huish Champflower
Heydon Hill
Pitsford Hill
Langley Marsh
Whitefield
Langley
Wiveliscombe
Ford
Croford
Fitzhead
Halse
North Heasley
North Radworthy
Heasley Mill
South Radworthy
Twitchen
Molland Common
Dane's Brook
North Molton
Molland
West Anstey
Dulverton
Battleton
East Anstey
Nightcott
Bury
Skilgate
Chipstable
Hartswell
Milverton
Houndsmoor
Lee
Bottreaux Mill
Yeo Mill
Brushford
Morebath
Blackwell
Waterrow
South Molton
Newtown
Mill
Oldways End
Exebridge
Petton
Shillingford
Clayhanger
Bathealton
Langford Heathfield
Chipley
Langford Budville
Cross Side
East Knowstone
Knowstone
Roachill
Bishop's Nympton
Ash Mill
Rose Ash
Mariansleigh
Alswear
Oakfordbridge
Oakford
Bampton
Stawley
Kittisford
Runnington
Rackenford & Knowstone Moors
Appley
Cothay Manor
Thorne St. Margaret
Tonedale
Wellington
Ashbrittle
Huntsham
Greenham
Holywell Lake
Westford
Rockwell Green
Meshaw
Creacombe
Stoodleigh Beacon
Stoodleigh
Cove
Staple Cross
Hockworthy
Holcombe Rogus
Sampford Arundel
Venhay
Rackenford
Ford Barton
Fair Oak
Westleigh
Wrangway
Bradford Barton
Queen Dart
Mogworthy
Week
Lutworthy
North Coombe
Loxbeare
Washfield
Chevithorne
Uplowman
Whitnage
Burlescombe
Nicholashayne
Knightshayes Court
Ayshford
Witheridge
Nomansland
East Worlington
West Worlington
Drayford
Templeton
Lurley
Calverleigh
Bolham
Chettiscombe
Halberton
Sampford Peverell
Appledore
Prescott
Whitehall
Cheldon
Chawleigh
Thelbridge Barton
Withleigh
Cowleymoor
Cotteylands
TIVERTON
Uffculme
Northcott
Culmstock
Craddock
Coldharbour Mill
Hackpen Hill
Washford Pyne
Pennymoor
Cruwys Morchard
Ash Thomas
Smithincott
Ashill
Filleigh
Littleborough
Puddington
Way Village
Willand
Stenhill
Eastington
Black Dog
Poughill
East Butterleigh
Kentisbeare
Blackborough
Lapford
Lapford Cross
Brownstone
Woolfardisworthy
Upham
Cadeleigh
Devon Railway Centre
Bickleigh
Butterleigh
CULLOMPTON
Sheldon
Morchard Bishop
Kennerleigh
Hayne
Cullompton
Stoneyford
Saint Hill
Oldborough
Stockleigh English
Cheriton
Cadbury Castle
Colebrook
Kerswell
A39
A396
A361
A377
A373
A38
M5
B3223
B3224
B3225
B3190
B3188
B3191
B3222
B3227
B3137
B3042
B3187
B3181
B3440
B3391
TIVERTON
27
28
1
2
3
4
5
80
90
300
10
60
50
40
30
20
10

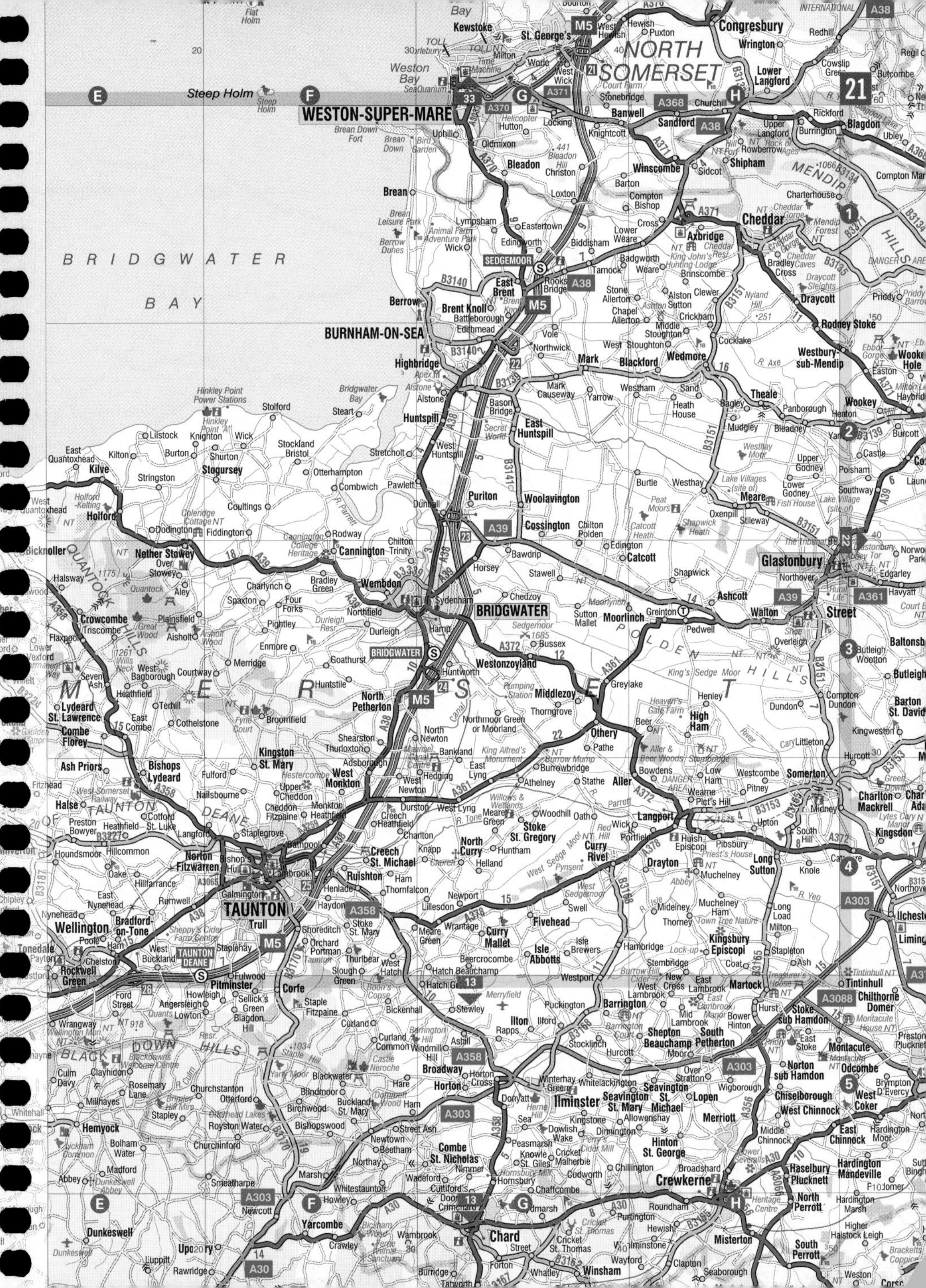
21
WESTON-SUPER-MARE
NORTH SOMERSET
BRIDGWATER BAY
BURNHAM-ON-SEA
BRIDGWATER
TAUNTON
Glastonbury
Street
Cheddar
Wellington
Chard
Ilminster
Crewkerne
Langport
Somerton
Highbridge
Wedmore
Axbridge
Congresbury
Banwell
Winscombe
Nether Stowey
Cannington
North Petherton
Bishops Lydeard
Wiveliscombe
Hemyock
Dunkeswell
Martock
South Petherton
Ilchester
Curry Rivel
Burnham-on-Sea
QUANTOCK HILLS
BLACK DOWN HILLS
MENDIP HILLS
POLDEN HILLS
TAUNTON DEANE
M5
A38
A39
A358
A303
A30
A361
A372
A378
A371
A368
A370
A3088
Steep Holm
Flat Holm

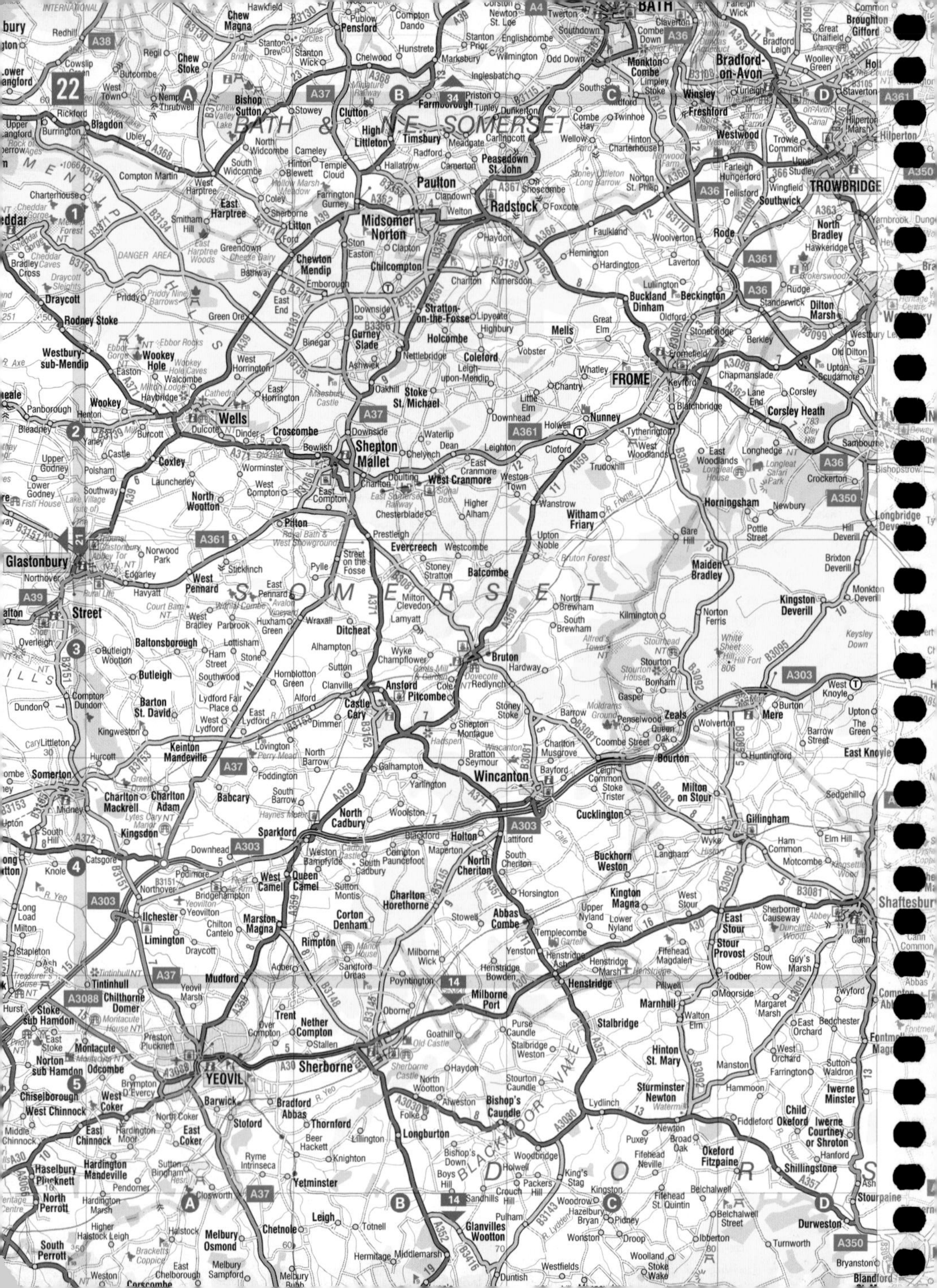
22
BATH & N.E. SOMERSET
SOMERSET
MENDIP HILLS
BLACKMOOR VALE
DORSET
BATH
Bradford-on-Avon
TROWBRIDGE
Chew Magna
Pensford
Compton Dando
Corston
Newton St. Loe
Twerton
Southdown
Claverton
Combe Down
Monkton Combe
Limpley Stoke
Winsley
Freshford
Westwood
Broughton Gifford
Great Chalfield
Holt
Staverton
Hilperton
Chew Stoke
Bishop Sutton
Stowey
Clutton
High Littleton
Timsbury
Farmborough
Priston
Marksbury
Chelwood
Hunstrete
Stanton Drew
Stanton Wick
Stanton Prior
Englishcombe
Wilmington
Odd Down
Inglesbatch
Dunkerton
Combe Hay
Twinhoe
Wellow
Hinton Charterhouse
Norton St. Philip
Farleigh Hungerford
Tellisford
Southwick
Wingfield
Trowle Common
Upper Studley
Hilperton Marsh
Blagdon
Rickford
Burrington
Ubley
Compton Martin
West Harptree
East Harptree
Nempnett Thrubwell
Butcombe
Regil
Redhill
West Town
Cowslip Green
Lower Langford
Upper Langford
Cheddar
Charterhouse
Cheddar Gorge
Bradley Cross
Draycott
Rodney Stoke
Westbury-sub-Mendip
Wookey Hole
Wookey
Wells
Easton
Priddy
Green Ore
West Horrington
East Horrington
Haybridge
Henton
Panborough
Bleadney
Yarley
Dulcote
Dinder
Croscombe
Burcott
Castle
Coxley
Polsham
Upper Godney
Lower Godney
Southway
Launcherley
Worminster
North Wootton
West Compton
Pilton
Glastonbury
Northover
Edgarley
Norwood Park
Sticklinch
West Pennard
East Pennard
Havyatt
Street
Overleigh
Butleigh Wootton
Butleigh
Baltonsborough
West Bradley
Parbrook
Huxham Green
Lottisham
Ham Street
Stone
Southwood
Barton St. David
Compton Dundon
Dundon
Kingweston
Lydford Fair Place
West Lydford
East Lydford
Keinton Mandeville
Littleton
Hurcott
Somerton
Charlton Mackrell
Charlton Adam
Midney
Babcary
Foddington
Lovington
North Barrow
South Barrow
Kingsdon
Catsgore
Knole
Long Load
Downhead
Podimore
Northover
Ilchester
Yeovilton
Bridgehampton
Limington
Chilton Cantelo
Draycott
Stapleton
Tintinhull
Chilthorne Domer
Yeovil Marsh
Mudford
Stoke sub Hamdon
East Stoke
Montacute
Norton sub Hamdon
Odcombe
Preston Plucknett
YEOVIL
Brympton D'Evercy
Chiselborough
West Chinnock
West Coker
East Coker
North Coker
Hardington Moor
East Chinnock
Middle Chinnock
Haselbury Plucknett
Hardington Mandeville
Pendomer
Sutton Bingham
Closworth
North Perrott
Hardington Marsh
Higher Halstock Leigh
Halstock
South Perrott
Weston
Corscombe
Melbury Osmond
Melbury Sampford
East Chelborough
Paulton
Midsomer Norton
Radstock
Peasedown St. John
Camerton
Radford
Carlingcott
Meadgate
Hallatrow
Temple Cloud
Cameley
Hinton Blewett
North Widcombe
South Widcombe
Coley
Litton
Sherborne
Farrington Gurney
Chewton Mendip
Emborough
Ston Easton
Clapton
Chilcompton
Clandown
Welton
Haydon
Shoscombe
Foxcote
Downside
Stratton-on-the-Fosse
Gurney Slade
Binegar
Holcombe
Nettlebridge
Ashwick
Oakhill
Coleford
Leigh-upon-Mendip
Stoke St. Michael
Shepton Mallet
Bowlish
Charlton
Doulting
Chelynch
West Cranmore
East Cranmore
Waterlip
Dean
East Compton
Chesterblade
Higher Alham
Prestleigh
Evercreech
Westcombe
Stoney Stratton
Batcombe
Street on the Fosse
Pylle
Milton Clevedon
Lamyatt
Ditcheat
Wraxall
Alhampton
Wyke Champflower
Hornblotton Green
Sutton
Clanville
Alford
Castle Cary
Ansford
Pitcombe
Cole
Bruton
Redlynch
Hardway
Dimmer
Galhampton
Yarlington
Shepton Montague
Stoney Stoke
Bratton Seymour
Wincanton
North Cadbury
Woolston
Sparkford
Weston Bampfylde
Blackford
Holton
Maperton
Compton Pauncefoot
South Cadbury
West Camel
Queen Camel
Sutton Montis
Charlton Horethorne
North Cheriton
South Cheriton
Marston Magna
Corton Denham
Rimpton
Sandford Orcas
Adber
Trent
Milborne Wick
Stowell
Abbas Combe
Templecombe
Horsington
Yenston
Henstridge
Henstridge Ash
Henstridge Marsh
Henstridge Bowden
Poyntington
Milborne Port
Oborne
Over Compton
Nether Compton
Stallen
Sherborne
Goathill
Purse Caundle
Stalbridge Weston
Stalbridge
Haydon
North Wootton
Stourton Caundle
Bishop's Caundle
Alweston
Folke
Bradford Abbas
Thornford
Barwick
Stoford
Longburton
Lillington
Beer Hackett
Knighton
Ryme Intrinseca
Yetminster
Bishop's Down
Boys Hill
Holwell
Woodbridge
Crouch Hill
Packers Hill
Sandhills
Pulham
King's Stag
Kingston
Woodrow
Hazelbury Bryan
Pidney
Droop
Glanvilles Wootton
Leigh
Totnell
Chetnole
Hermitage
Middlemarsh
Dunstish
Westfields
Woolland
Stoke Wake
Wonston
Lydlinch
Sturminster Newton
Hinton St. Mary
Marnhull
Walton Elm
Moorside
Pillwell
Todber
Stour Provost
East Stour
West Stour
Stour Row
Fifehead Magdalen
Kington Magna
Buckhorn Weston
Upper Nyland
Lower Nyland
Cucklington
Stoke Trister
Leigh Common
Bayford
Charlton Musgrove
Coombe Street
Bourton
Penselwood
Zeals
Queen Oak
Gasper
Stourton
Bonham
Milton on Stour
Gillingham
Wyke
Langham
Ham Common
Motcombe
Shaftesbury
Sherborne Causeway
Cann
Cann Common
Guy's Marsh
Margaret Marsh
Twyford
East Orchard
West Orchard
Bedchester
Fontmell Magna
Manston
Sutton Waldron
Farrington
Hammoon
Iwerne Minster
Child Okeford
Iwerne Courtney or Shroton
Fiddleford
Newton
Broad Oak
Puxey
Fifehead Neville
Okeford Fitzpaine
Shillingstone
Hanford
Belchalwell
Fifehead St. Quintin
Belchalwell Street
Ibberton
Turnworth
Durweston
Stourpaine
Ash
Bryanston
Blandford
Haydon
Faulkland
Hemington
Hardington
Kilmersdon
Charlton
Lipyeate
Highbury
Mells
Great Elm
Vobster
Whatley
Chantry
Little Elm
Downhead
Leighton
Nunney
Holwell
Cloford
Weston Town
Wanstrow
Witham Friary
Upton Noble
Bruton Forest
North Brewham
South Brewham
Kilmington
Alfred's Tower
FROME
Keyford
Blatchbridge
Tytherington
West Woodlands
Trudoxhill
Buckland Dinham
Lullington
Beckington
Oldford
Stonebridge
Berkley
Laverton
Woolverton
Rode
North Bradley
Hawkeridge
Yarnbrook
Standerwick
Rudge
Dilton Marsh
Chapmanslade
Lane End
Corsley
Corsley Heath
Cley Hill
East Woodlands
Longleat House
Longleat Safari Park
Longhedge
Crockerton
Horningsham
Newbury
Gare Hill
Maiden Bradley
Pottle Street
Norton Ferris
Kingston Deverill
Monkton Deverill
Brixton Deverill
Hill Deverill
Longbridge Deverill
Keysley Down
White Sheet Hill
Mere
Burton
West Knoyle
Wolverton
Barrow Street
Huntingford
Upton
The Green
East Knoyle
Sedgehill
Elm Hill
Westbury
Old Dilton
Upton Scudamore
Warminster
Bishopstrow
Sambourne
A4
A36
A37
A38
A39
A303
A350
A357
A359
A361
A362
A366
A367
A368
A371
A3030
A3088
A3098
A363
B3139
B3081
B3092
B3095
B3135
B3151
B3153
B3145
B3148
B3143
B3110
B3114
B3134
B3371
B3355
B3109
21
34
14

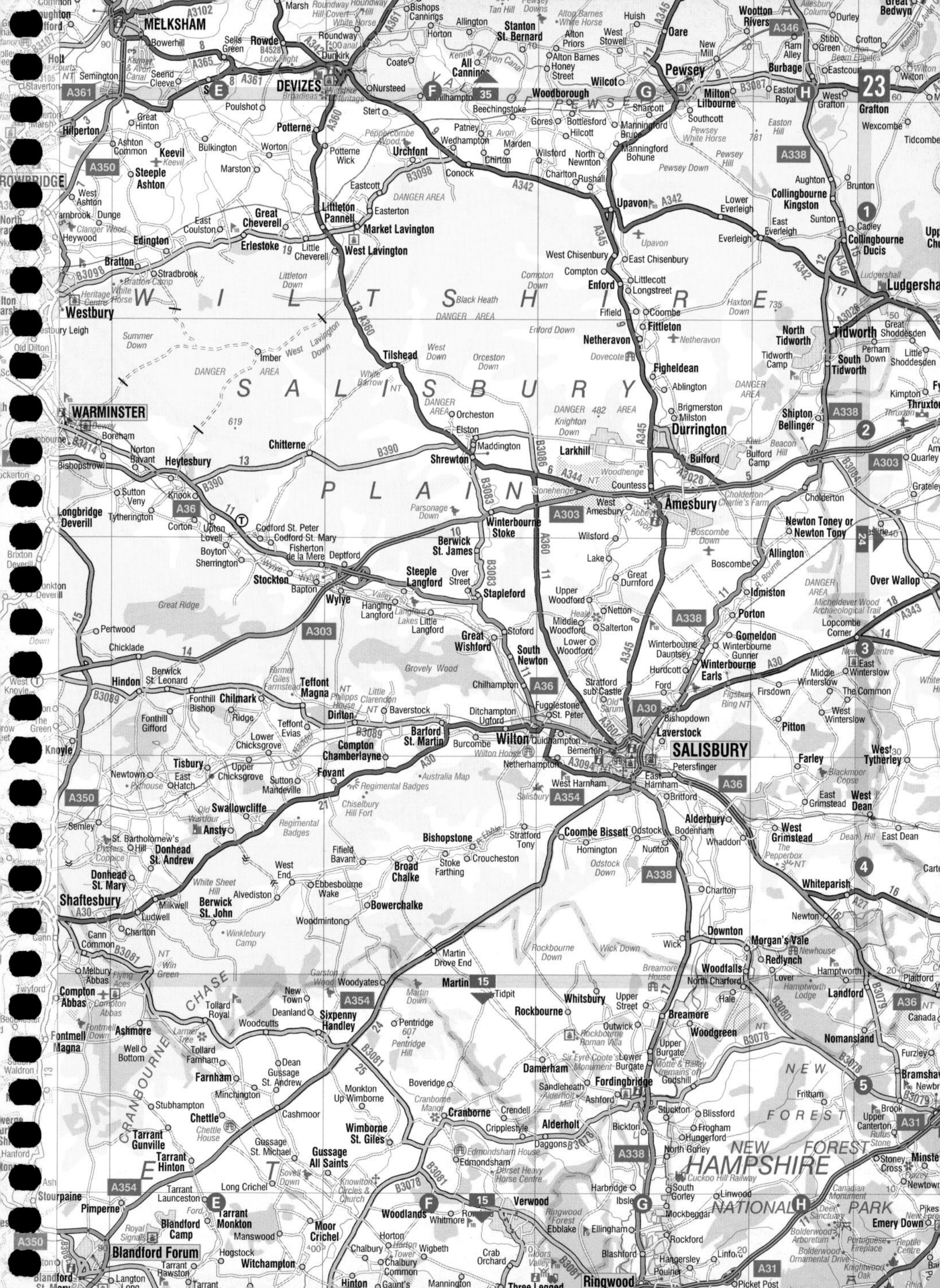
23
MELKSHAM
DEVIZES
Rowde
Bishops Cannings
Allington
Stanton St. Bernard
Huish
Oare
Wootton Rivers
Pewsey
Burbage
Milton Lilbourne
Grafton
Potterne
Urchfont
Keevil
Hilperton
Steeple Ashton
Great Cheverell
Littleton Pannell
Market Lavington
West Lavington
Erlestoke
Edington
Bratton
Westbury
Upavon
Enford
Netheravon
Fittleton
Figheldean
Durrington
Bulford
Larkhill
Ludgershall
Tidworth
North Tidworth
South Tidworth
Collingbourne Kingston
Collingbourne Ducis
W I L T S H I R E
S A L I S B U R Y
P L A I N
Imber
Tilshead
Shrewton
Chitterne
WARMINSTER
Heytesbury
Longbridge Deverill
Amesbury
Winterbourne Stoke
Berwick St. James
Stonehenge
Shipton Bellinger
Newton Toney or Newton Tony
Allington
Over Wallop
Stockton
Wylye
Steeple Langford
Stapleford
Great Wishford
South Newton
Hindon
Chilmark
Teffont Magna
Dinton
Barford St. Martin
Wilton
SALISBURY
Laverstock
Winterbourne Earls
Porton
Idmiston
Compton Chamberlayne
Fovant
Tisbury
Ansty
Swallowcliffe
Donhead St. Andrew
Donhead St. Mary
Shaftesbury
Berwick St. John
Bishopstone
Broad Chalke
Coombe Bissett
Alderbury
West Grimstead
West Dean
West Tytherley
Farley
Pitton
Whiteparish
Downton
Morgan's Vale
Redlynch
Woodfalls
Landford
Nomansland
Compton Abbas
Ashmore
Fontmell Magna
Sixpenny Handley
Martin
Rockbourne
Whitsbury
Breamore
Woodgreen
Damerham
Fordingbridge
Cranborne
Alderholt
Chettle
Tarrant Gunville
Tarrant Hinton
Wimborne St. Giles
Gussage All Saints
Pimperne
Tarrant Monkton
Blandford Camp
Blandford Forum
Moor Crichel
Witchampton
Woodlands
Verwood
Ringwood
CRANBOURNE CHASE
NEW FOREST
NEW FOREST NATIONAL PARK
HAMPSHIRE
Emery Down
Minstead
Bramshaw

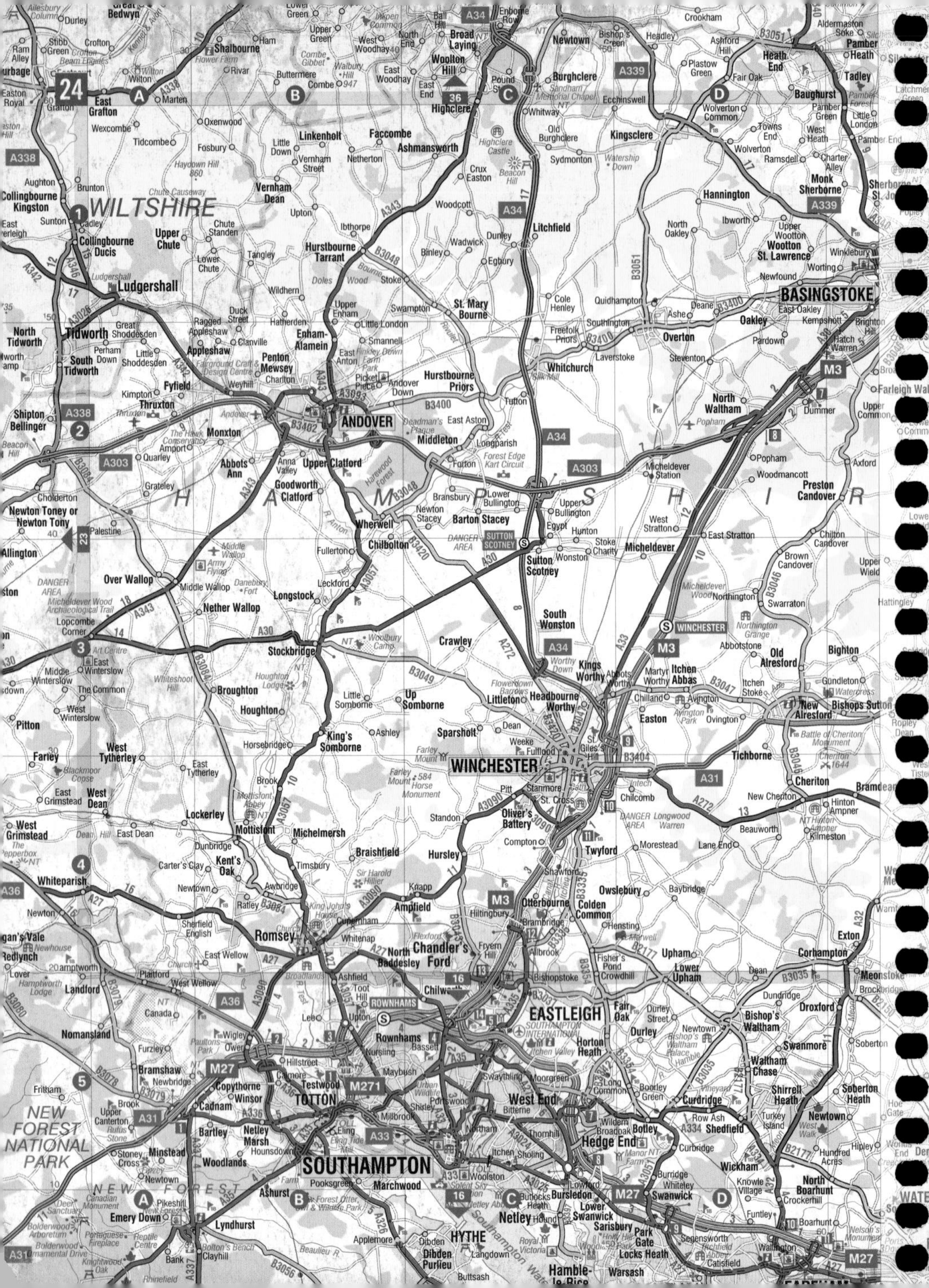
WILTSHIRE
H A M P S H I R E
NEW FOREST NATIONAL PARK
NEW FOREST
Great Bedwyn
Shalbourne
Ham
Durley
Stibb Green
Crofton
Ram Alley
Burbage
Wilton
Easton Royal
Grafton
East Grafton
Marten
Rivar
Buttermere
Combe
Oxenwood
Wexcombe
Tidcombe
Fosbury
Haydown Hill 860
Chute Causeway
Linkenholt
Little Down
Vernham Street
Vernham Dean
Faccombe
Netherton
Ashmansworth
Upper Green
Lower Green
Inkpen Common
West Woodhay
Combe Gibbet
Walbury Hill 947
East Woodhay
Ball Hill
North End
Broad Laying
Woolton Hill
East End
Highclere
Enborne Row
Pound St
Newtown
Bishop's Green
Burghclere
Sandham Memorial Chapel
Whitway
Old Burghclere
Highclere Castle
Beacon Hill
Sydmonton
Watership Down
Kingsclere
Ecchinswell
Crookham
Headley
Ashford Hill
Plastow Green
Fair Oak
Heath End
Aldermaston Soke
Pamber Heath
Tadley
Baughurst
Pamber Green
Pamber Forest
Little London
Wolverton Common
Wolverton
Towns End
West Heath
Ramsdell
Charter Alley
Monk Sherborne
Sherborne St. John
Pamber End
Hannington
North Oakley
Ibworth
Upper Wootton
Wootton St. Lawrence
Winklebury
Worting
Newfound
BASINGSTOKE
East Oakley
Kempshott
Brighton Hill
Hatch Warren
Oakley
Deane
Ashe
Quidhampton
Overton
Southington
Laverstoke
Freefolk Priors
Cole Henley
Whitchurch
Silk Mill
Steventon
Pardown
North Waltham
Dummer
Popham
Farleigh Wallop
Upper Common
Axford
Micheldever Station
Woodmancott
Preston Candover
Chilton Candover
Brown Candover
East Stratton
West Stratton
Micheldever
Micheldever Wood
Northington
Swarraton
Northington Grange
Abbotstone
Old Alresford
Bighton
Itchen Abbas
Avington
Avington Park
Itchen Stoke
Ovington
New Alresford
Bishops Sutton
Battle of Cheriton Monument
Cheriton 1644
Tichborne
Cheriton
New Cheriton
Hinton Ampner
Kilmeston
Bramdean
Beauworth
Lane End
Longwood Warren
Chilcomb
Morestead
Owslebury
Baybridge
Twyford
Shawford
Colden Common
Otterbourne
Hensting
Marwell
Upham
Lower Upham
Fisher's Pond
Crowdhill
Bishopstoke
Dean
Corhampton
Exton
Meonstoke
Brockbridge
Droxford
Dundridge
Bishop's Waltham
Swanmore
Soberton
Waltham Chase
Shirrell Heath
Soberton Heath
Newtown
Hundred Acres
Wickham
Curdridge
Shedfield
Turkey Island
North Boarhunt
Crockerhill
Boarhunt
Funtley
Knowle Village
Wallington
Catisfield
Titchfield Abbey
Segensworth
Park Gate
Locks Heath
Warsash
Sarisbury
Lower Swanwick
Swanwick
Burridge
Bursledon
Lowford
Hedge End
Botley
Wildern
Broadbank
Manor Farm
Long Common
Boorley Green
Horton Heath
Durley
Durley Street
Fair Oak
EASTLEIGH
SOUTHAMPTON INTERNATIONAL
Itchen Valley
West End
Moorgreen
Bitterne
Thornhill
Sholing
Itchen
Woolston
Netley
Netley Abbey
Butlocks Heath
Hound
Royal Victoria
Hamble-le-Rice
HYTHE
Dibden
Dibden Purlieu
Langdown
Buttsash
Applemore
Marchwood
Pooksgreen
Ashurst
New Forest Otter, Owl & Wildlife Park
Lyndhurst
Emery Down
Pikeshill
Bank
Clayhill
Bolton's Bench
Minstead
Stoney Cross
Newtown
Canadian Monument
Deer Sanctuary
Bolderwood Arboretum
Bolderwood Ornamental Drive
Portuguese Fireplace
Reptile Centre
Knightwood Oak
Rhinefield
Beaulieu R.
Southampton Water
SOUTHAMPTON
Woodlands
Netley Marsh
Hounsdown
Eling
Eling Tide Mill
Millbrook
TOTTON
Testwood
Calmore
Hillstreet
Shirley
Portswood
Northam
Swaythling
Bassett
Maybush
Nursling
Rownhams
ROWNHAMS
Upton
Lee
Toot Hill
Ashfield
Chilworth
North Baddesley
Chandler's Ford
Fryern Hill
Hiltingbury
Allbrook
Brambridge
Valley Park
Flexford
Cupernham
Whitenap
Romsey
King John's House
Sherfield English
East Wellow
West Wellow
Plaitford
Canada
Wigley
Ower
Paultons Park
Copythorne
Winsor
Cadnam
Bartley
Furzley
Bramshaw
Newbridge
Brook
Fritham
Upper Canterton
Rufus Stone
Nomansland
Landford
Hamptworth Lodge
Hamptworth
Lover
Redlynch
Newhouse
Newton
Whiteparish
Pepperbox
West Grimstead
East Grimstead
West Dean
East Dean
Dean Hill
Lockerley
Mottisfont
Mottisfont Abbey
Dunbridge
Kent's Oak
Carter's Clay
Newtown
Ratley
Awbridge
Timsbury
Michelmersh
Braishfield
Sir Harold Hillier
Ampfield
Knapp
Hursley
Standon
Compton
Oliver's Battery
St. Cross
Stanmore
Pitt
Farley Mount
584 Horse Monument
WINCHESTER
Fulflood
Weeke
St. Giles's Hill
Dean
Sparsholt
Littleton
Headbourne Worthy
Kings Worthy
Abbots Worthy
Martyr Worthy
Chilland
Easton
Worthy Down
Flowerdown Barrows
Crawley
Up Somborne
Little Somborne
Ashley
King's Somborne
Horsebridge
Brook
Houghton
Houghton Lodge
Broughton
Whiteshoot Hill
Stockbridge
Woolbury Camp
Longstock
Leckford
Nether Wallop
Danebury Fort
Middle Wallop
Over Wallop
Army Flying
Lopcombe Corner
Art Centre
East Winterslow
Middle Winterslow
The Common
West Winterslow
Pitton
Farley
West Tytherley
East Tytherley
Blackmoor Copse
Palestine
Allington
Newton Toney or Newton Tony
Cholderton
Beacon Hill
Grateley
Quarley
Amport
Monxton
Abbots Ann
Anna Valley
Upper Clatford
Goodworth Clatford
Harewood Forest
Wherwell
Chilbolton
Fullerton
Newton Stacey
Barton Stacey
Bransbury
Lower Bullington
Upper Bullington
Egypt
Hunton
Stoke Charity
Wonston
Sutton Scotney
SUTTON SCOTNEY
South Wonston
DANGER AREA
Fortun
Forest Edge Kart Circuit
Longparish
Middleton
East Aston
Deadman's Plaque
ANDOVER
Andover Down
Picket Piece
Hurstbourne Priors
Tufton
Shipton Bellinger
Kimpton
Thruxton
Fyfield
Weyhill
Penton Mewsey
Charlton
Appleshaw
Clanville
Ragged Appleshaw
Perham Down
Little Shoddesden
Great Shoddesden
South Tidworth
North Tidworth
Tidworth
Ludgershall
Collingbourne Ducis
Collingbourne Kingston
Aughton
Brunton
Sunton
Cadley
Upper Chute
Chute Standen
Lower Chute
Tangley
Wildhern
Hatherden
Duck Street
Enham-Alamein
Upper Enham
Little London
Smannell
East Anton
Finkley Down Farm Park
Swampton
St. Mary Bourne
Stoke
Doles Wood
Hurstbourne Tarrant
Ibthorpe
Upton
Binley
Wadwick
Dunley
Egbury
Litchfield
Woodcott
Crux Easton
Middle Wallop
Micheldever Wood Archaeological Trail
Flower Farm
WINCHESTER
A34
A339
A338
A343
A303
A30
A3057
A272
A31
A33
A36
A27
A35
A326
A337
A32
B3400
B3048
B3051
B3046
B3047
B3404
B3049
B3084
B3035
B2177
M3
M27
M271

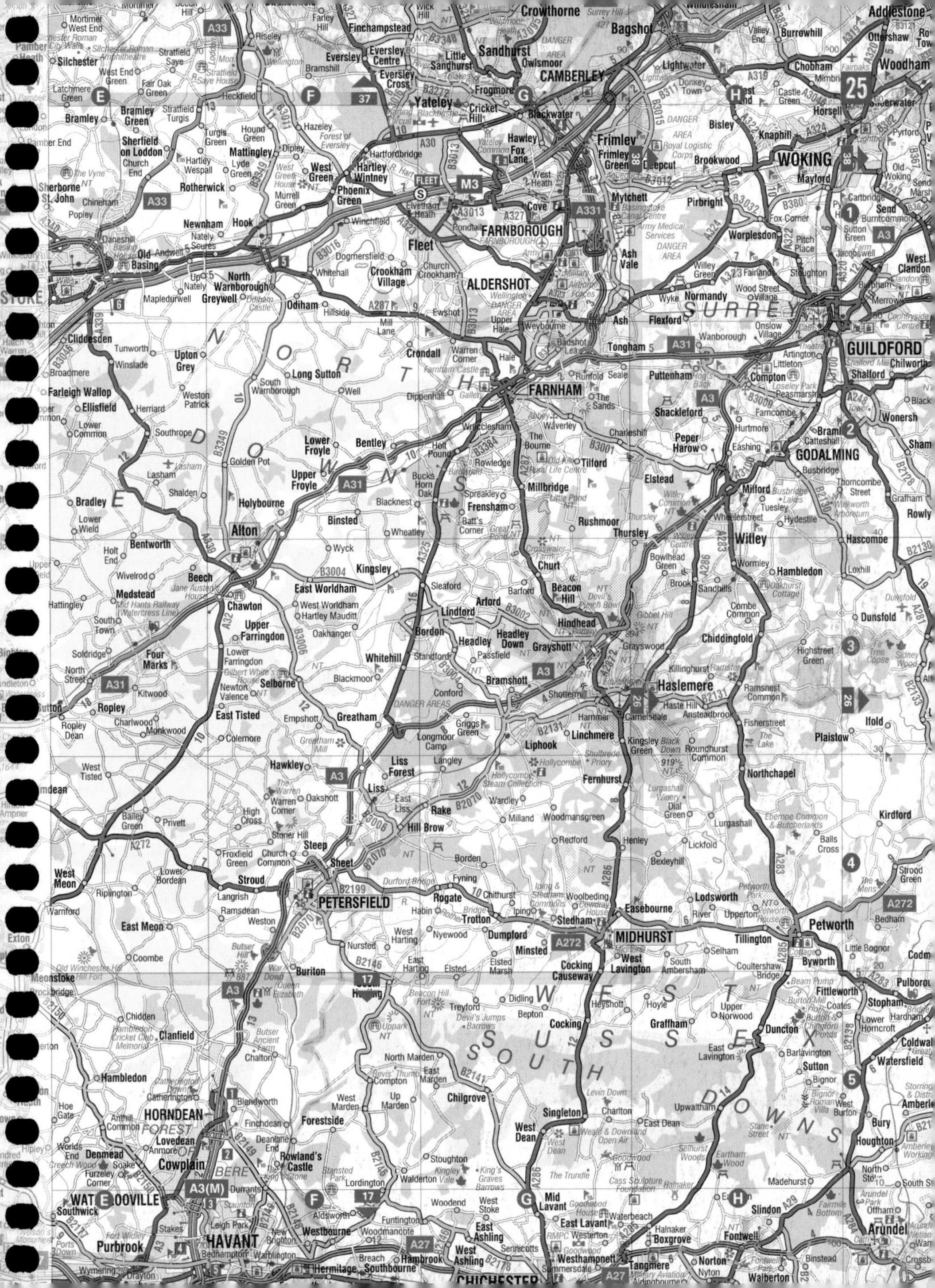

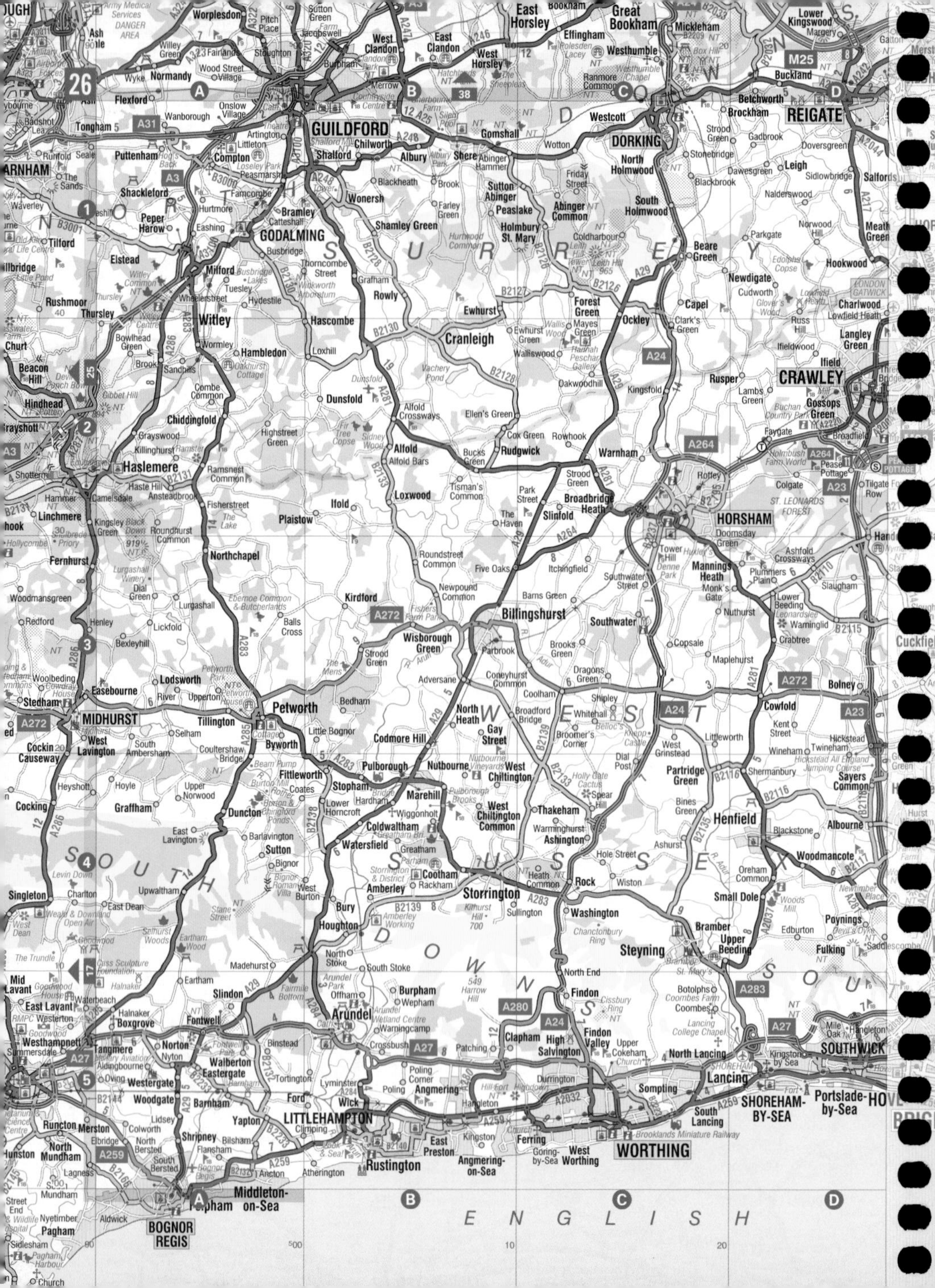
26
GUILDFORD
DORKING
REIGATE
CRAWLEY
HORSHAM
GODALMING
Haslemere
MIDHURST
Petworth
Billingshurst
Cranleigh
Pulborough
Arundel
LITTLEHAMPTON
WORTHING
BOGNOR REGIS
SHOREHAM-BY-SEA
Portslade-by-Sea
SOUTHWICK
Lancing
Steyning
Storrington
Henfield
Cowfold
Bolney
Worplesdon
East Horsley
Great Bookham
Mickleham
Lower Kingswood
West Clandon
East Clandon
West Horsley
Effingham
Westhumble
Normandy
Flexford
Tongham
Puttenham
Compton
Shalford
Chilworth
Albury
Shere
Gomshall
Westcott
Wotton
North Holmwood
South Holmwood
Betchworth
Brockham
Buckland
Leigh
Salfords
Shackleford
Wonersh
Bramley
Farncombe
Peper Harow
Tilford
Elstead
Milford
Witley
Thursley
Rushmoor
Hascombe
Hambledon
Ewhurst
Forest Green
Ockley
Capel
Beare Green
Newdigate
Charlwood
Hookwood
Rusper
Ifield
Langley Green
Dunsfold
Alfold
Loxwood
Rudgwick
Warnham
Broadbridge Heath
Slinfold
Plaistow
Kirdford
Wisborough Green
Chiddingfold
Hindhead
Grayshott
Fernhurst
Northchapel
Lodsworth
Easebourne
Stedham
Tillington
Byworth
Fittleworth
Stopham
Marehill
Coldwaltham
Watersfield
Amberley
Bury
Houghton
Duncton
Graffham
Sutton
Cocking
Singleton
Charlton
East Dean
West Dean
Mid Lavant
East Lavant
Boxgrove
Tangmere
Westhampnett
Fontwell
Slindon
Walberton
Westergate
Barnham
Yapton
Ford
Wick
Rustington
East Preston
Angmering
Angmering-on-Sea
Ferring
Goring-by-Sea
West Worthing
Findon
Washington
Ashington
Thakeham
West Chiltington
Nutbourne
Codmore Hill
West Grinstead
Partridge Green
Upper Beeding
Bramber
Small Dole
Poynings
Fulking
Albourne
Sayers Common
Hickstead
Mannings Heath
Southwater
Sompting
South Lancing
Middleton-on-Sea
Felpham
Pagham
North Mundham
Runcton
Merston
SOUTH DOWNS
SURREY
WEST SUSSEX
ENGLISH
A B C D
10
20
A3
A24
A27
A29
A31
A259
A264
A272
A280
A283
M25
A23

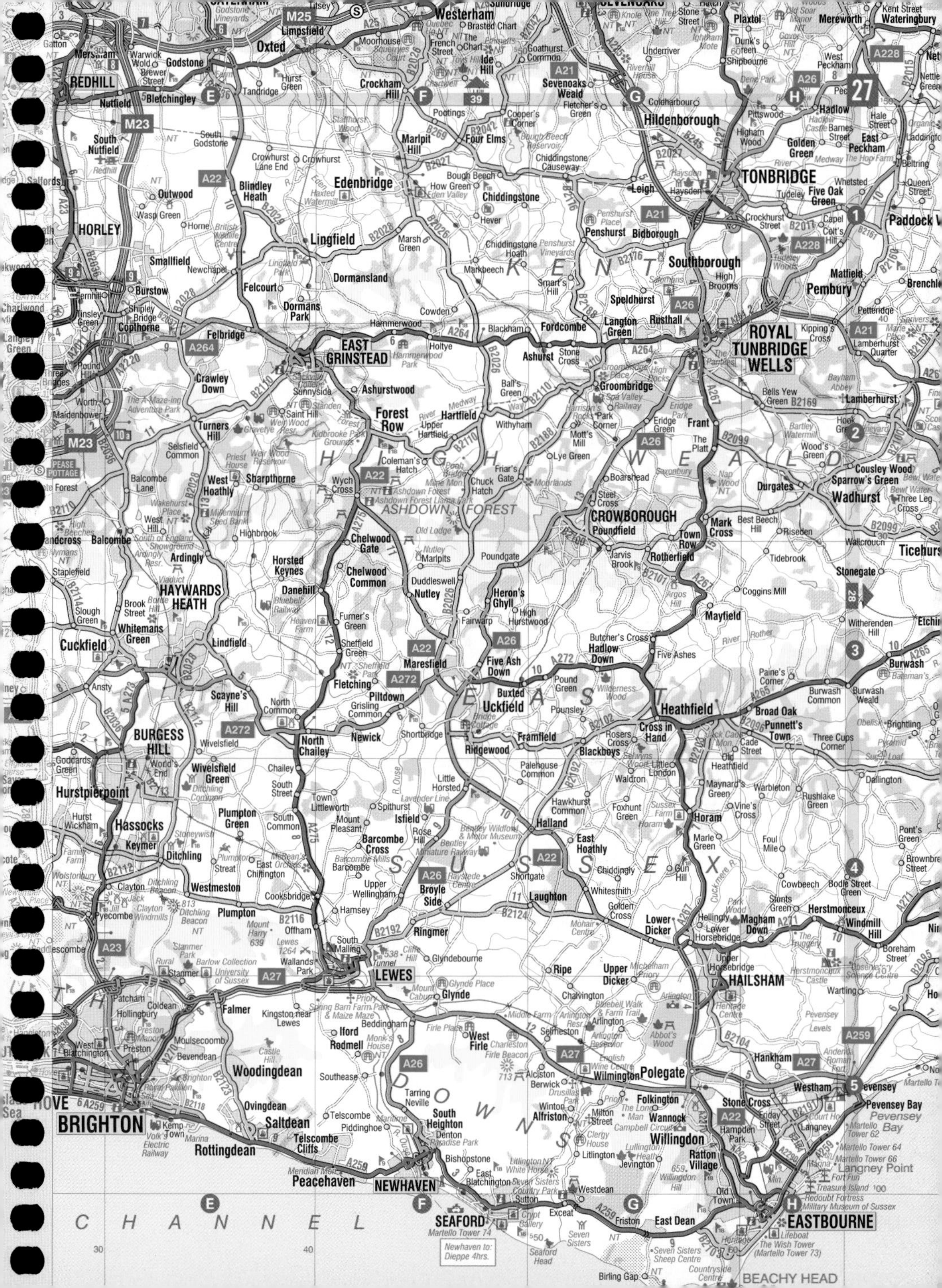

27
M25
Westerham
Limpsfield
Oxted
Godstone
REDHILL
Nutfield
Bletchingley
M23
South Nutfield
South Godstone
Tandridge
Hurst Green
Crockham Hill
Ide Hill
Sevenoaks Weald
Four Elms
Marlpit Hill
Edenbridge
Hildenborough
Leigh
TONBRIDGE
Plaxtol
Mereworth
Wateringbury
Shipbourne
Hadlow
Golden Green
East Peckham
Five Oak Green
Paddock Wood
Capel
Crowhurst
Outwood
HORLEY
Smallfield
Lingfield
Dormansland
Blindley Heath
Chiddingstone
Hever
Penshurst
Bidborough
Southborough
Matfield
Pembury
Speldhurst
Rusthall
Langton Green
Fordcombe
Ashurst
ROYAL TUNBRIDGE WELLS
Burstow
Copthorne
Felbridge
Felcourt
Dormans Park
Hammerwood
Holtye
Cowden
EAST GRINSTEAD
Crawley Down
Ashurstwood
Forest Row
Hartfield
Withyham
Groombridge
Frant
Lamberhurst
Wadhurst
Durgates
Turners Hill
Sharpthorne
West Hoathly
Wych Cross
Chuck Hatch
ASHDOWN FOREST
CROWBOROUGH
Poundfield
Rotherfield
Mark Cross
Ticehurst
Stonegate
Balcombe
Ardingly
Horsted Keynes
Chelwood Gate
Chelwood Common
Danehill
Nutley
Duddleswell
Heron's Ghyll
Mayfield
HAYWARDS HEATH
Cuckfield
Lindfield
Maresfield
Five Ash Down
Hadlow Down
Burwash
Fletching
Piltdown
Uckfield
Buxted
Heathfield
Cross in Hand
Broad Oak
Punnett's Town
Scayne's Hill
BURGESS HILL
Wivelsfield Green
North Chailey
Newick
Ridgewood
Framfield
Blackboys
Hurstpierpoint
Hassocks
Keymer
Ditchling
Plumpton Green
Plumpton
Westmeston
Barcombe Cross
Isfield
Halland
East Hoathly
Horam
Laughton
Broyle Side
Ringmer
Lower Dicker
Magham Down
Herstmonceux
Windmill Hill
LEWES
HAILSHAM
Upper Dicker
Glynde
Falmer
Woodingdean
Rodmell
Iford
West Firle
Polegate
Wilmington
Alfriston
Folkington
Wannock
Willingdon
Westham
Pevensey
Pevensey Bay
Stone Cross
Ratton Village
HOVE
BRIGHTON
Rottingdean
Saltdean
Telscombe Cliffs
Peacehaven
NEWHAVEN
SEAFORD
East Dean
EASTBOURNE
BEACHY HEAD
K E N T
H I G H   W E A L D
E A S T   S U S S E X
S O U T H   D O W N S
C H A N N E L
Newhaven to: Dieppe 4hrs.
A22
A21
A26
A264
A272
A27
A259
A23
A275
A228
A267

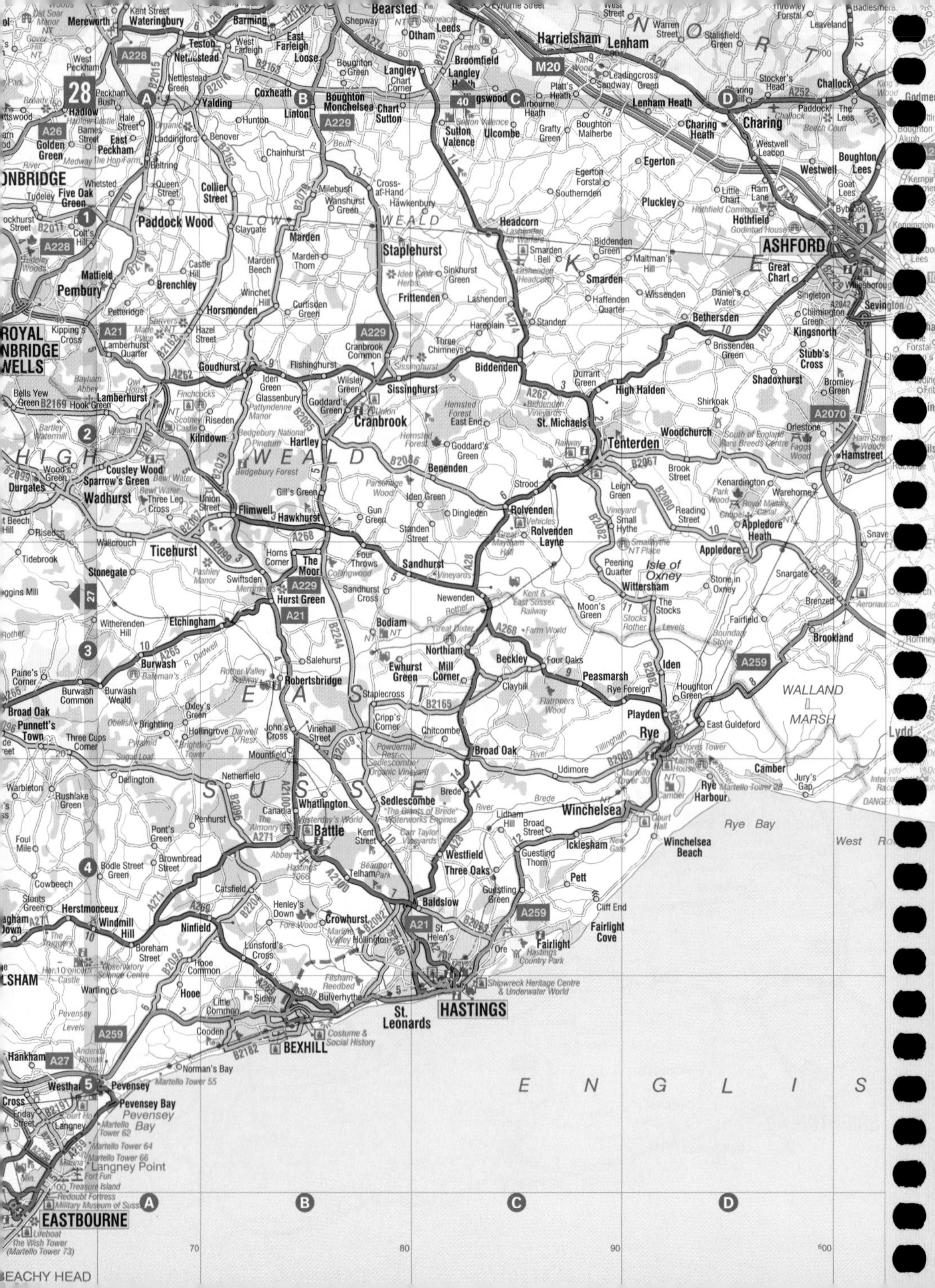28
Mereworth
Wateringbury
Kent Street
Barming
Bearsted
Shepway
Otham
Leeds
Harrietsham
Lenham
Warren Street
Stalisfield Green
Leaveland
West Peckham
Teston
Nettlestead
West Farleigh
East Farleigh
Loose
Boughton Green
Langley
Broomfield
M20
Leadingcross Green
Sandway
Platt's Heath
Stocker's Head
Challock
A228
Nettlestead Green
Coxheath
Chart Corner
Langley Heath
Peckham Bush
Hadlow
Yalding
Boughton Monchelsea
Chart Sutton
Kingswood
Fairbourne Heath
Lenham Heath
Charing Hill
Paddock
The Lees
Hale Street
Hadlow Castle
Hunton
Linton
A229
Sutton Valence
Ulcombe
Grafty Green
Boughton Malherbe
Charing Heath
Charing
Westwell Leacon
A26
Barnes Street
East Peckham
Golden Green
Laddingford
Benover
Chainhurst
Egerton
Boughton Aluph
Boughton Lees
The Hop Farm
Beltring
Egerton Forstal
Southernden
Little Chart
Ram Lane
Westwell
Goat Lees
TONBRIDGE
Whetsted
Tudeley
Five Oak Green
Queen Street
Collier Street
Milebush
Wanshurst Green
Cross-at-Hand
Hawkenbury
Pluckley
Hothfield Common
Hothfield
Bybrook
Paddock Wood
Claygate
LOW
WEALD
Marden
Headcorn
Lashenden Air Warfare
Godinton House
ASHFORD
Colt's Hill
A228
Marden Thorn
Staplehurst
Smarden Bell
Biddenden Green
Maltman's Hill
Great Chart
Castle Hill
Marden Beech
Sinkhurst Green
Smarden
Matfield
Brenchley
Frittenden
Lashenden
Haffenden Quarter
Wissenden
Daniel's Water
Singleton
Pembury
Winchet Hill
Curtisden Green
Horsmonden
Bethersden
Chilmington Green
Sevington
Pettéridge
Standen
Harepiain
Kingsnorth
Kipping's Cross
A21
Hazel Street
A229
Three Chimneys
Brissenden Green
Stubb's Cross
ROYAL TUNBRIDGE WELLS
Lamberhurst Quarter
Cranbrook Common
Sissinghurst
Biddenden
Goudhurst
Flishinghurst
Durrant Green
High Halden
Shadoxhurst
Bromley Green
Bayham Abbey
Owl House
A262
Iden Green
Wilsley Green
Glassenbury
Goddard's Green
Sissinghurst
Bells Yew Green
Lamberhurst
Hook Green
B2169
Finchcocks
Pattyndenne Manor
Cranbrook
Hemsted Forest
East End
Biddenden Vineyards
St. Michaels
Shirkoak
A2070
Orlestone
Bartley Watermill
Scotney Castle
Riseden
Kilndown
Bedgebury National Pinetum
Hartley
Tenterden
Woodchurch
South of England Rare Breeds Centre
Faggs Wood
Ham Street Woods
Hamstreet
HIGH
WEALD
Goddard's Green
Benenden
Wood's Green
Cousley Wood
Bewl Water
Sparrow's Green
Durgates
Wadhurst
Three Leg Cross
Bedgebury Forest
Gill's Green
Parsonage Wood
Iden Green
Strood
Leigh Green
Brook Street
Kenardington
Warehorne
Union Street
Flimwell
Hawkhurst
Gun Green
Dingleden
Rolvenden
Small Hythe
Park Wood
Royal Military Canal
Reading Street
Appledore Heath
Wallcrouch
Riseden
Standen Street
Rolvenden Layne
Smallhythe NT Place
Appledore
Snave
Tidebrook
Ticehurst
A268
Horns Corner
The Moor
Four Throws
Sandhurst
Great Maytham Hall
Peening Quarter
Isle of Oxney
Stonegate
Pashley Manor
Swiftsden
Merriments
Collingwood
Vineyards
Wittersham
Stone in Oxney
Snargate
A229
Sandhurst Cross
Newenden
Kent & East Sussex Railway
Moon's Green
The Stocks
Brenzett
Aeronautical
27
Hurst Green
A21
Witherenden Hill
Etchingham
Bodiam
NT
Great Dixter
A268
Farm World
Stocks Rother
Levels
Fairfield
Boundary Stone
Brookland
Rother
Burwash
A265
Batemans
Salehurst
Northiam
Beckley
Four Oaks
Peasmarsh
Iden
A259
Rother Valley Railway
Ewhurst Green
Mill Corner
Robertsbridge
Clayhill
Rye Foreign
Houghton Green
Paine's Corner
Burwash Common
Burwash Weald
EAST
Staplecross
B2165
Flatropers Wood
Playden
WALLAND MARSH
Broad Oak
Oxley's Green
Brightling
Hollingrove
Darwell Resr.
John's Cross
Vinehall Street
Cripp's Corner
Chitcombe
East Guldeford
Punnett's Town
Three Cups Corner
Brightling Tower
Powdermill Resr.
Sedlescombe Organic Vineyard
Broad Oak
Rye
Lydd
Sugar Loaf
Mountfield
Tillingham
Ypres Tower
Dallington
Netherfield
SUSSEX
Udimore
Lamb House
Martello Tower 30
Camber
Jury's Gap
Warbleton
Rushlake Green
Sedlescombe
"The Giants of Brede" Waterworks Engines
Brede
Rye Harbour
Martello Tower 28
Canadia
Whatlington
Battle
Lidham Hill
Broad Street
Winchelsea
Court Hall
Rye Bay
Penhurst
The Almonry
1066
A271
Kent Street
Carr Taylor Vineyards
Icklesham
Winchelsea Beach
West
Foul Mile
Pont's Green
Brownbread Street
Bodle Street Green
Abbey
Hastings 1066
Telham
Beauport Park
Westfield
Three Oaks
Guestling Thorn
Pett
Cowbeech
Catsfield
Baldslow
Guestling Green
Cliff End
Herstmonceux
Windmill Hill
Ninfield
Henley's Down
Fore Wood
Crowhurst
Marline Valley
Hollington
A21
St. Helen's
A259
Fairlight
Fairlight Cove
Boreham Street
Herstmonceux Castle
Observatory Science Centre
Hooe Common
Lunsford's Cross
Ore
Hastings Country Park
Wartling
Flisham Reedbed
Hooe
Little Common
Sidley
Bulverhythe
Shipwreck Heritage Centre & Underwater World
St. Leonards
HASTINGS
Pevensey Levels
A259
Cooden
Costume & Social History
BEXHILL
Hankham
A27
Norman's Bay
Martello Tower 55
Westham
Pevensey
Pevensey Bay
Pevensey Bay
ENGLISH
Langney
Martello Tower 62
Martello Tower 64
Martello Tower 66
Langney Point
Fort Fun
Treasure Island
Redoubt Fortress
Military Museum of Sussex
Lifeboat
The Wish Tower (Martello Tower 73)
EASTBOURNE
BEACHY HEAD
A
B
C
D
70
80
90
600

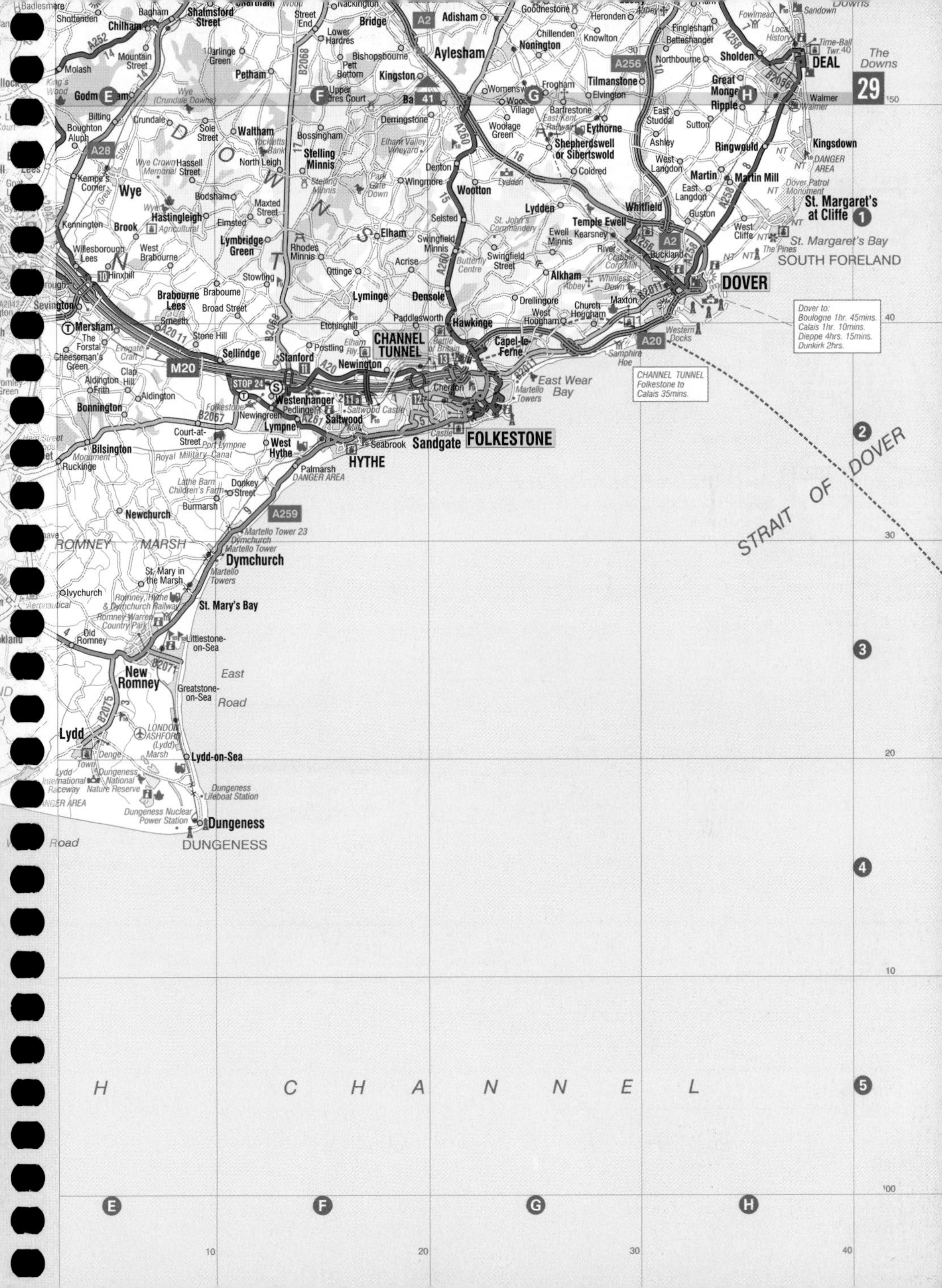

29
DEAL
DOVER
FOLKESTONE
CHANNEL TUNNEL
HYTHE
Sandgate
Aylesham
Adisham
Bridge
Chilham
Shalmsford Street
Molash
Godmersham
Wye
Brook
Hastingleigh
Elmsted
Waltham
Petham
Kingston
Barham
Bishopsbourne
Lower Hardres
Upper Hardres Court
Stelling Minis
Elham
Lyminge
Densole
Hawkinge
Paddlesworth
Capel-le-Ferne
Newington
Stanford
Postling
Sellindge
Westenhanger
Saltwood
Lympne
West Hythe
Seabrook
Cheriton
Nonington
Goodnestone
Eythorne
Shepherdswell or Sibertswold
Coldred
Lydden
Temple Ewell
Kearsney
River
Alkham
Whitfield
Tilmanstone
Elvington
Northbourne
Sholden
Great Mongeham
Ripple
Walmer
Sutton
East Studdal
Ashley
West Langdon
East Langdon
Martin
Martin Mill
Ringwould
Kingsdown
Guston
West Cliffe
St. Margaret's at Cliffe
St. Margaret's Bay
SOUTH FORELAND
The Downs
Wootton
Denton
Selsted
Swingfield Minnis
Swingfield Street
Acrise
Ottinge
Rhodes Minnis
Lymbridge Green
Stowting
Brabourne
Brabourne Lees
Smeeth
Mersham
Sevington
Kennington
Willesborough Lees
Hinxhill
Aldington
Aldington Frith
Bonnington
Bilsington
Ruckinge
Newchurch
Burmarsh
Dymchurch
ROMNEY MARSH
St. Mary in the Marsh
Ivychurch
St. Mary's Bay
Old Romney
New Romney
Littlestone-on-Sea
Greatstone-on-Sea
Lydd
Lydd-on-Sea
Dungeness
DUNGENESS
East Road
East Wear Bay
STRAIT OF DOVER
Dover to:
Boulogne 1hr. 45mins.
Calais 1hr. 10mins.
Dieppe 4hrs. 15mins.
Dunkirk 2hrs.
CHANNEL TUNNEL
Folkestone to
Calais 35mins.
M20
A20
A2
A256
A258
A259
A260
A261
A28
B2068
B2067
B2071
B2075
STOP 24
H C H A N N E L
E F G H
10 20 30 40

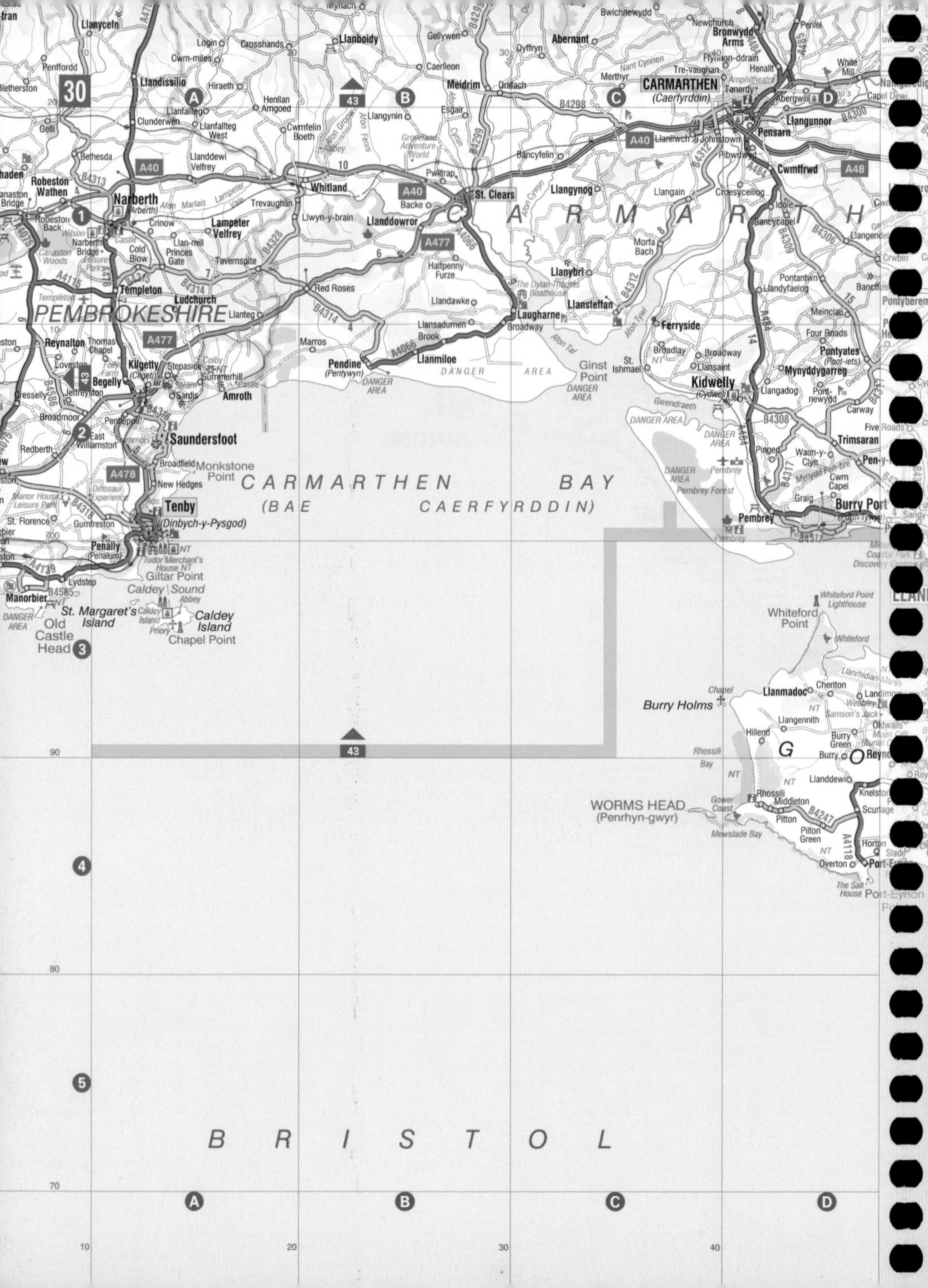

30
CARMARTHEN
(Caerfyrddin)
PEMBROKESHIRE
CARMARTHEN BAY
(BAE CAERFYRDDIN)
BRISTOL
Narberth
Whitland
St. Clears
Laugharne
Llansteffan
Kidwelly
Ferryside
Pendine
Saundersfoot
Tenby
(Dinbych-y-Pysgod)
Amroth
Kilgetty
Templeton
Penally
Manorbier
Caldey Island
St. Margaret's Island
Old Castle Head
Giltar Point
Monkstone Point
Chapel Point
Ginst Point
Pembrey
Burry Port
Trimsaran
Whiteford Point
Burry Holms
Llanmadoc
Llangennith
Rhossili
WORMS HEAD
(Penrhyn-gwyr)
Port-Eynon
Meidrim
Llanboidy
Llangynog
Llanddowror
Red Roses
Ludchurch
Begelly
Reynalton
Llangunnor
Cwmffrwd
Pontyates
Mynyddygarreg
DANGER AREA

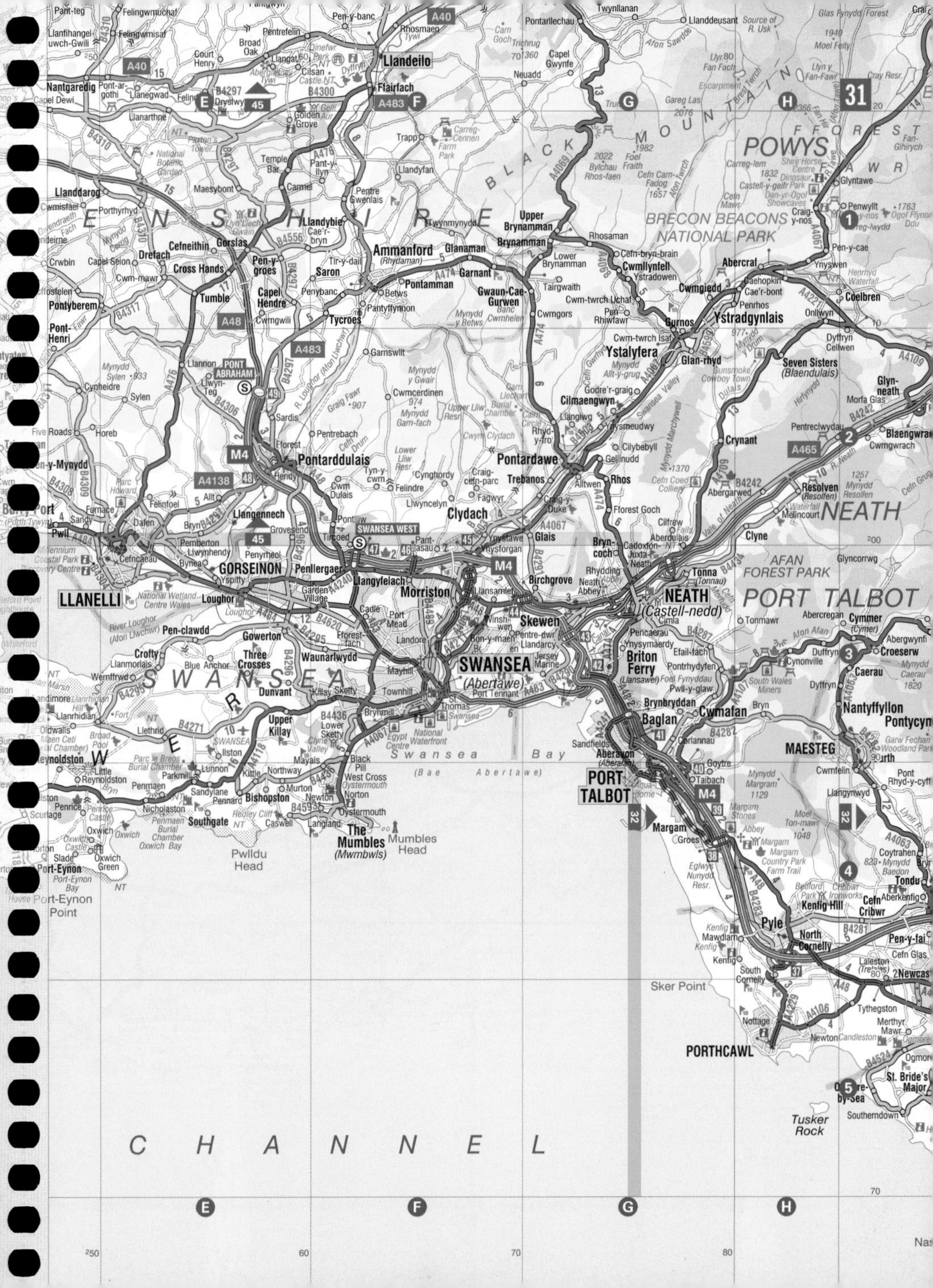

31
POWYS
BLACK MOUNTAIN
FFOREST FAWR
BRECON BEACONS NATIONAL PARK
NEATH
PORT TALBOT
AFAN FOREST PARK
SWANSEA
CHANNEL
Llandeilo
Ffairfach
Nantgaredig
Llanddarog
Cross Hands
Tumble
Gorslas
Llandybie
Ammanford
(Rhydaman)
Glanaman
Garnant
Brynamman
Upper Brynamman
Gwaun-Cae-Gurwen
Pontamman
Tycroes
Pontyberem
Pont-Henri
Ystalyfera
Ystradgynlais
Abercraf
Coelbren
Seven Sisters
(Blaendulais)
Glyn-neath
Crynant
Resolven
Cilmaengwyn
Pontardawe
Trebanos
Clydach
Pontarddulais
Llangennech
LLANELLI
GORSEINON
Loughor
Penllergaer
Llangyfelach
Morriston
Skewen
Birchgrove
NEATH
(Castell-nedd)
Tonna
Briton Ferry
(Llansawel)
Baglan
Cwmafan
SWANSEA
(Abertawe)
Swansea Bay
(Bae Abertawe)
PORT TALBOT
Margam
MAESTEG
Cymmer
Caerau
Nantyffyllon
Pyle
North Cornelly
PORTHCAWL
Sker Point
Tusker Rock
The Mumbles
(Mwmbwls)
Mumbles Head
Pwlldu Head
Port-Eynon
Port-Eynon Point
Gowerton
Three Crosses
Dunvant
Upper Killay
Bishopston
Southgate
Reynoldston
Pen-clawdd
Crofty
M4
A40
A48
A483
A465
SWANSEA WEST
PONT ABRAHAM
E
F
G
H
250
60
70
80

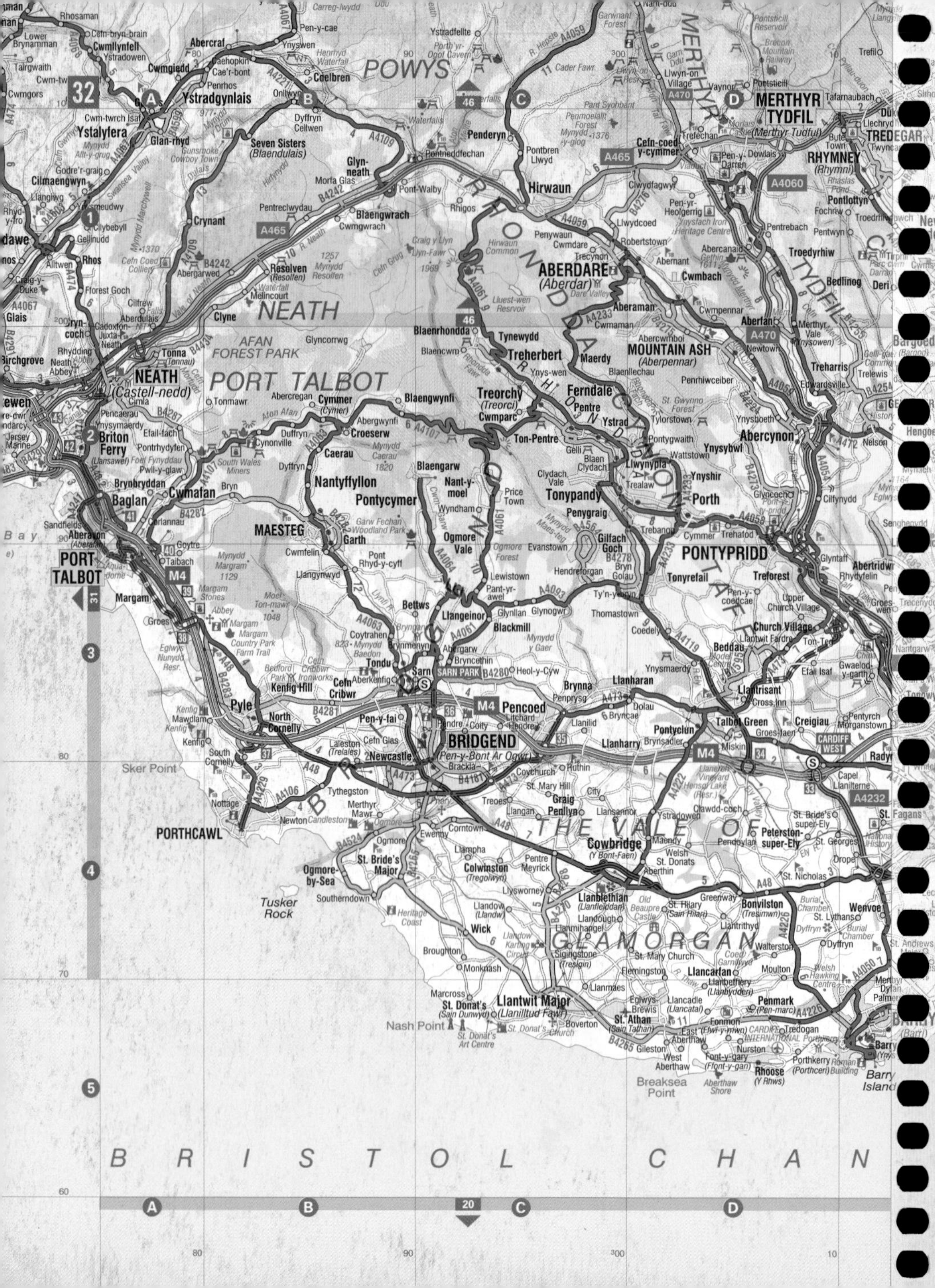

32
POWYS
MERTHYR TYDFIL
(Merthyr Tudful)
NEATH
PORT TALBOT
AFAN FOREST PARK
RHONDDA CYNON TAFF
BRIDGEND
THE VALE OF GLAMORGAN
BRISTOL CHAN
Rhosaman
Lower Brynamman
Cefn-bryn-brain
Cwmllynfell
Ystradowen
Tairgwaith
Cwm-tw
Cwmgors
Abercraf
Caehopkin
Cae'r-bont
Cwmgiedd
Penrhos
Ystradgynlais
Onllwyn
Coelbren
Pen-y-cae
Ynyswen
Ystradfellte
Porth yr Ogof Cavern
Henrhyd Waterfall
Cader Fawr
Garwnant Forest
Llwyn-on Village
Vaynor
Pontsticill
Trefil
Cwm-twrch Isaf
Ystalyfera
Glan-rhyd
Dyffryn Cellwen
Seven Sisters
(Blaendulais)
Gunsmoke Cowboy Town
Glyn-neath
Pontneddfechan
Penderyn
Pontbren Llwyd
Hirwaun
Cefn-coed y-cymmer
Trefechan
Pen-y-Darren
Dowlais
Tafarnaubach
Tredegar
Rhymney
(Rhymni)
Godre'r-graig
Cilmaengwyn
Llangiwg
Ynysmeudwy
Morfa Glas
Pont-Walby
Rhigos
Crynant
Pentreclwydau
Blaengwrach
Cwmgwrach
Clydach
Alltwen
Rhos
Gellinudd
Clydybeyll
Hirwaun Common
Craig y Llyn
Llyn-Fawr
Penywaun
Cwmdare
Trecynon
Robertstown
Abernant
Clwydfagwyr
Pen-yr-Heolgerrig
Ynysfach Iron Heritage Centre
Pentrebach
Abercanaid
Troedyrhiw
Pontlottyn
Fochriw
Pentwyn
Deri
Bedlinog
Cefn Coed Colliery
Abergarwed
Resolven
(Resolfen)
Melincourt
Cilfrew
Aberdulais
Clyne
Fforest Goch
Craig-y-Duke
Glais
Bryn-coch
Cadoxton-Juxta-Neath
Rhydding
Neath Abbey
Birchgrove
Tonna
(Tonnau)
Glyncorrwg
Blaenrhondda
Blaencwm
Tynewydd
Treherbert
Lluest-wen Resrvoir
Aberdare
(Aberdar)
Dare Valley
Cwmbach
Aberaman
Cwmaman
Abercwmboi
Mountain Ash
(Aberpennar)
Cwmpennar
Aberfan
Merthyr Vale
(Ynysowen)
Newtown
Treharris
Trelewis
Bargoed
Neath
(Castell-nedd)
Cimla
Tonmawr
Abercregan
Cymmer
(Cymer)
Blaengwynfi
Abergwynfi
Croeserw
Treorchy
(Treorci)
Cwmparc
Ynys-wen
Maerdy
Blaenllechau
Ferndale
Pentre
Ystrad
Ton-Pentre
Penrhiwceiber
Tylorstown
St. Gwynno Forest
Ynysboeth
Abercynon
Edwardsville
Nelson
Pencaerau
Briton Ferry
(Llansawel)
Efail-fach
Pontrhydyfen
Cynonville
South Wales Miners
Duffryn
Caerau
Mynydd Caerau
Blaengarw
Nant-y-moel
Gelli
Blaen Clydach
Llwynypia
Trealaw
Pontygwaith
Wattstown
Ynyshir
Ynysybwl
Pwll-y-glaw
Brynbryddan
Cwmafan
Bryn
Baglan
Nantyffyllon
Pontycymer
Wyndham
Price Town
Clydach Vale
Tonypandy
Penygraig
Porth
Glyncoch
Cilfynydd
Sandfields
Aberavon
(Aberafan)
Goytre
Taibach
Cwmfelin
Maesteg
Garth
Garw Fechan Woodland Park
Ogmore Vale
Ogmore Forest
Evanstown
Gilfach Goch
Trebanog
Cymmer
Trehafod
Pontypridd
Glyntaff
Abertridwr
Port Talbot
Margam
Mynydd Margam
Llangynwyd
Pont Rhyd-y-cyff
Lewistown
Pant-yr-awel
Hendreforgan
Bryn Golau
Tonyrefail
Treforest
Rhydyfelin
Margam Stones
Moel Ton-mawr
Bettws
Llangeinor
Glynllan
Glynogwr
Blackmill
Ty'n-y-coed
Thomastown
Pen-y-coedcae
Upper Church Village
Groes
Margam Country Park
Eglwys Nunydd Resr.
Coytrahen
Brynmenyn
Abergarw
Bryncethin
Mynydd y Gaer
Coedely
Church Village
Llantwit Fardre
Ton-Teg
Nantgarw
Tondu
Aberkenfig
Sarn
Sarn Park
Heol-y-Cyw
Brynna
Llanharan
Beddau
Ynysmaerdy
Gwaelod-y-garth
Efail Isaf
Kenfig Hill
Cefn Cribwr
Pyle
North Cornelly
Pen-y-fai
Pendre
Coity
Litchard
Hendre
Pencoed
Penprysg
Bryncae
Dolau
Llanilid
Llantrisant
Cross Inn
Talbot Green
Creigiau
Pentyrch
Morganstown
Kenfig
Mawdlam
South Cornelly
Laleston
(Trelales)
Cefn Glas
Newcastle
Bridgend
(Pen-y-Bont Ar Ogwr)
Brackla
Coychurch
Ruthin
Llanharry
Pontyclun
Brynsadler
Miskin
Groes-faen
Cardiff West
Radyr
Sker Point
Nottage
Tythegston
St. Mary Hill
Graig Penllyn
Llangan
Treoes
City
Llansannor
Ystradowen
Clawdd-coch
Llanerch Vineyard
Hensol Lake (Resr.)
Capel Llanilterne
St. Fagans
Porthcawl
Newton
Candleston
Merthyr Mawr
Corntown
Ewenny
Ogmore
Llampha
Colwinston
(Tregolwyn)
Pentre Meyrick
Cowbridge
(Y Bont-Faen)
Maendy
Welsh St. Donats
Aberthin
Pendoylan
Peterston-super-Ely
St. Bride's super-Ely
St. Georges
Drope
Ogmore-by-Sea
St. Bride's Major
Southerndown
Heritage Coast
Llysworney
Llanblethian
(Llanfleiddan)
Old Beaupre Castle
St. Hilary
(Sain Hilari)
Greenway
Bonvilston
(Tresimwn)
Llantrithyd
St. Nicholas
Wenvoe
St. Lythans
Dyffryn
Tusker Rock
Llandow
(Llandw)
Llandough
Llanmihangel
Wick
Llandow Karting Circuit
Sigingstone
(Tresigin)
St. Mary Church
Walterston
Broughton
Monknash
Flemingston
Llancarfan
Llanbethery
(Llanbydderi)
Moulton
Welsh Hawking Centre
Llanmaes
Marcross
St. Donat's
(Sain Dunwyd)
Llantwit Major
(Llanilltud Fawr)
Boverton
Nash Point
St. Donat's Art Centre
Eglwys Brewis
St. Athan
(Sain Tathan)
Llancadle
(Llancatal)
Penmark
(Pen-marc)
Fonmon
(Ffwl-y-mwn)
Tredogan
Cardiff International Airport
Porthkerry
(Porthceri)
Gileston
East Aberthaw
West Aberthaw
Font-y-gary
(Ffont-y-gari)
Nurston
Rhoose
(Y Rhws)
Barry
(Y Barri)
Barry Island
Breaksea Point
Aberthaw Shore
Bay
M4
A465
A470
A4060
A4059
A4061
A4107
A4063
A4064
A4093
A4119
A4222
A4232
A48
A473
A4229
A4106
A4265
A4226
A4050
A4225
B4242
B4282
B4283
B4280
B4281
B4524
B4270
B4255
31
20
46
A
B
C
D
1
2
3
4
5
80
90
300
10
70
60

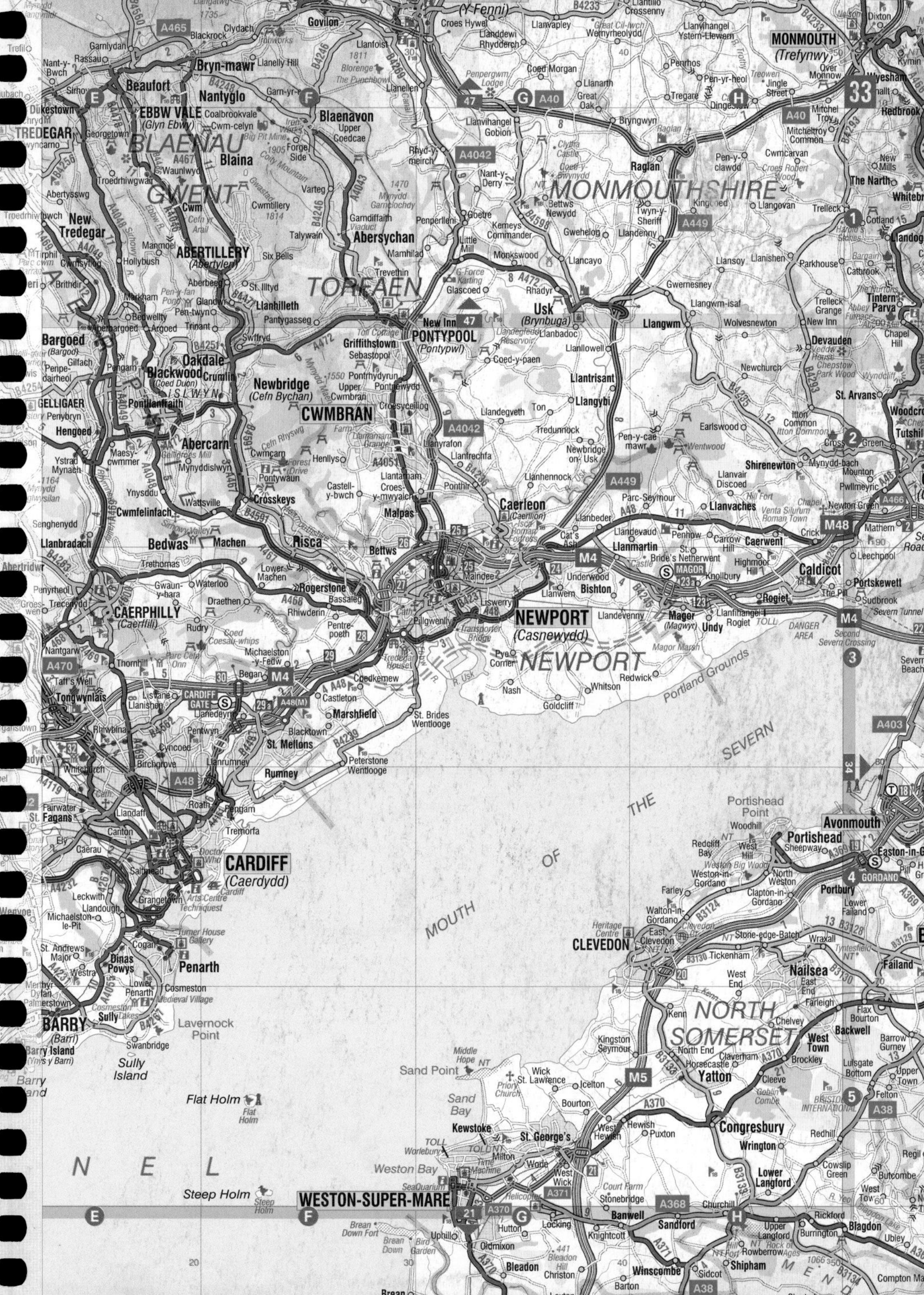
33
MONMOUTH
(Trefynwy)
MONMOUTHSHIRE
BLAENAU
GWENT
TORFAEN
EBBW VALE
(Glyn Ebwy)
TREDEGAR
Beaufort
Nantyglo
Bryn-mawr
Blaenavon
Govilon
Clydach
Blackrock
Blaina
ABERTILLERY
(Abertyleri)
New Tredegar
Abersychan
PONTYPOOL
(Pontypwl)
Griffithstown
New Inn
Usk
(Brynbuga)
Raglan
Llangwm
Devauden
St. Arvans
Tintern Parva
Llandogo
Trellech
Whitebrook
Redbrook
Bargoed
(Bargod)
GELLIGAER
Hengoed
Oakdale
Blackwood
(Coed Duon)
Crumlin
Newbridge
(Cefn Bychan)
CWMBRAN
Pontllanfraith
Abercarn
Crosskeys
Risca
Bedwas
Machen
Llanbradach
CAERPHILLY
(Caerffili)
Rogerstone
Bettws
Malpas
Caerleon
(Caerllion)
Llantrisant
Llangybi
Shirenewton
Caerwent
Caldicot
Portskewett
Magor
(Magwyr)
Undy
Rogiet
NEWPORT
(Casnewydd)
Llanmartin
Bishton
Tongwynlais
Taff's Well
Rhiwbina
St. Mellons
Rumney
Marshfield
Castleton
Peterstone Wentlooge
St. Brides Wentlooge
CARDIFF
(Caerdydd)
Llandaff
St. Fagans
Penarth
Dinas Powys
BARRY
(Barri)
Barry Island
Sully
Lavernock Point
Sully Island
Flat Holm
Steep Holm
SEVERN
THE
OF
MOUTH
NEL
Portishead
Portishead Point
Avonmouth
Portbury
CLEVEDON
Nailsea
Backwell
NORTH
SOMERSET
Yatton
Congresbury
Kewstoke
Sand Point
Sand Bay
St. George's
Weston Bay
WESTON-SUPER-MARE
Worle
Banwell
Sandford
Winscombe
Shipham
Blagdon
Bleadon
Uphill
Hutton
Locking
Churchill
Wrington
M4
M5
M48
A40
A449
A4042
A465
A470
A48
A370
A371
A368
A38
A403
A369

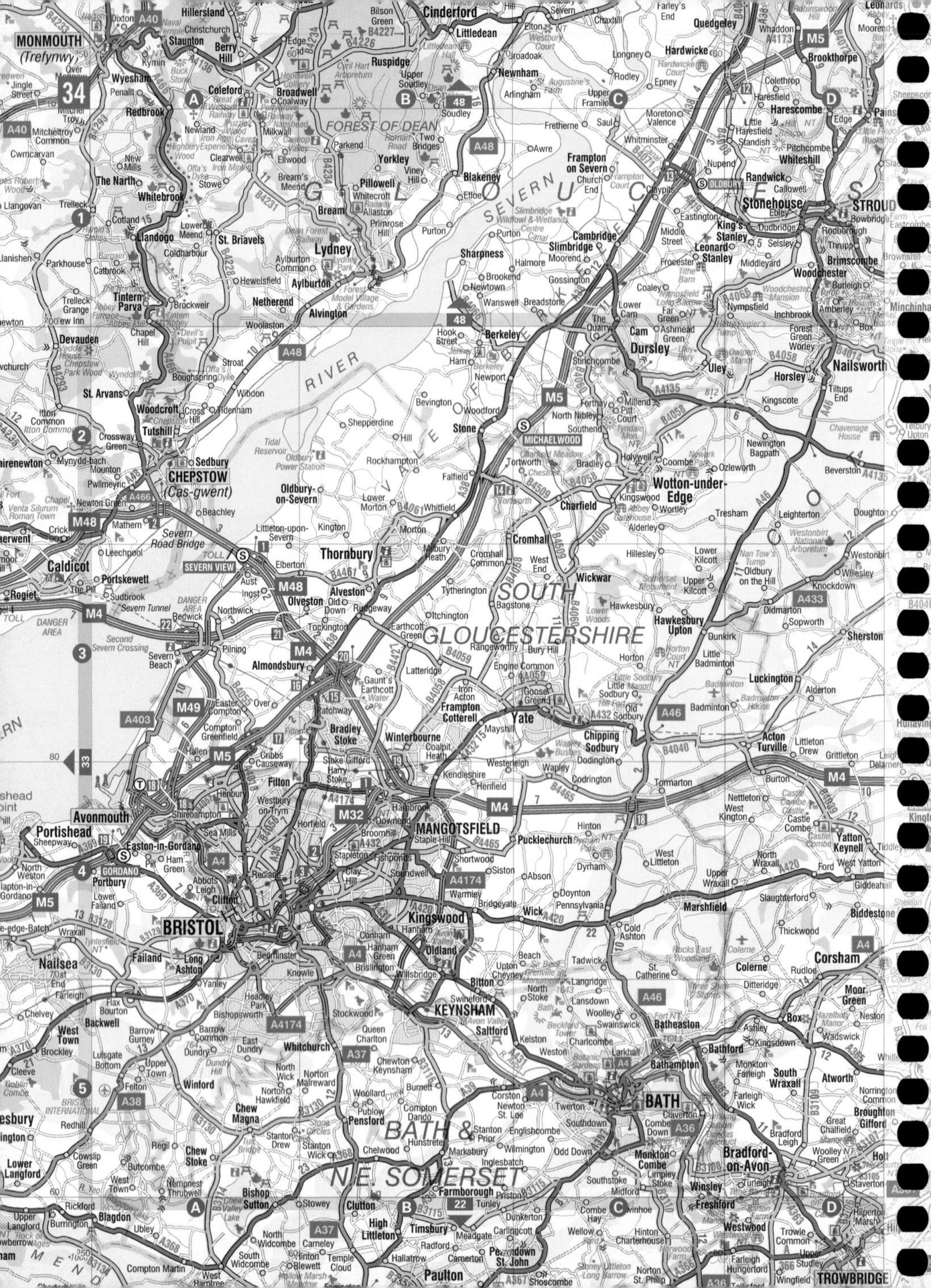

34
MONMOUTH
(Trefynwy)
Dixton
Hillersland
Christchurch
Staunton
Berry Hill
Cinderford
Littledean
Bilson Green
Ruspidge
Upper Soudley
Soudley
Elton
Westbury Court
Broadoak
Newnham
Arlingham
Upper Framilode
Longney
Rodley
Epney
Hardwicke
Quedgeley
Farley's End
Whaddon
Brookthorpe
Moorend
Wyesham
Penallt
Redbrook
Mitchel Troy
Mitchel Troy Common
Jingle Street
Coleford
Coalway
Broadwell
Newland
Milkwall
Clearwell
Ellwood
Parkend
Yorkley
Viney Hill
Two Bridges
FOREST OF DEAN
Blakeney
Awre
Fretherne
Saul
Moreton Valence
Whitminster
Frampton on Severn
Church End
Colethrop
Haresfield
Little Haresfield
Standish
Harescombe
Edge
Pitchcombe
Whiteshill
Randwick
Callowell
Cwmcaryan
New Mills
The Narth
Whitebrook
Stowe
Bream's Meend
Pillowell
Whitecroft
Bream
Allaston
Primrose Hill
Etloe
Purton
Slimbridge Wildfowl & Wetlands Centre
Claypits
OLDBURY
Eastington
Stonehouse
Ebley
STROUD
Bowbridge
Rodborough
Thrupp
Brimscombe
Llangovan
Trelleck
Cotland
Llandogo
Lower Meend
St. Briavels
Coldharbour
Lydney
Aylburton Common
Aylburton
Hewelsfield
Sharpness
Halmore
Cambridge
Slimbridge
Moorend
Gossington
Middle Street
King's Stanley
Leonard Stanley
Selsley
Frocester
Middleyard
Woodchester
Llanishen
Parkhouse
Catbrook
Trelleck Grange
Tintern Parva
Brockweir
Netherend
Alvington
Brookend
Newtown
Wanswell
Breadstone
Coaley
Nympsfield
Burleigh
Amberley
Minchinhampton
Inchbrook
Devauden
Chapel Hill
Woolaston
Hook Street
Berkeley
Ham
Newport
The Quarry
Lower Cam
Cam
Ashmead Green
Far Green
Dursley
Uley
Forest Green
Nailsworth
Horsley
Stinchcombe
Chepstow Park Wood
Stroat
Boughspring
St. Arvans
Tidenham
Woodcroft
Tutshill
Wibdon
RIVER SEVERN
Bevington
Woodford
Stone
Shepperdine
Hill
M5
MICHAELWOOD
North Nibley
Forthay
Millend
Pitt Court
Southend
Kingscote
Tiltups End
Itton Common
Crossway Green
Mynydd-bach
Mounton
Pwllmeyric
Shirenewton
Sedbury
CHEPSTOW
(Cas-gwent)
Tidal Reservoir
Oldbury Power Station
Rockhampton
Falfield
Tortworth
Bradley
Holywell
Coombe
Ozleworth
Newington Bagpath
Beverston
Oldbury-on-Severn
Lower Morton
Whitfield
Charfield
Kingswood
Wotton-under-Edge
Wortley
Alderley
Tresham
Leighterton
Doughton
Newton Green
Mathern
Beachley
Crick
Severn Road Bridge
Littleton-upon-Severn
Kington
Morton
Thornbury
Milbury Heath
Cromhall
Cromhall Common
West End
Hillesley
Lower Kilcott
Upper Kilcott
Oldbury on the Hill
Westonbirt
Westonbirt National Arboretum
Knockdown
Caldicot
Leechpool
Portskewett
Rogiet
The Pill
Sudbrook
Severn Tunnel
SEVERN VIEW
Aust
Ingst
Elberton
M48
Alveston
Olveston
Old Down
Rudgeway
Tytherington
Wickwar
SOUTH GLOUCESTERSHIRE
Bagstone
Hawkesbury
Hawkesbury Upton
Didmarton
Sopworth
Sherston
Northwick
Redwick
Second Severn Crossing
Tockington
Itchington
Earthcott Green
Rangeworthy
Bury Hill
Dunkirk
Little Badminton
Luckington
Severn Beach
Pilning
Almondsbury
M4
Latteridge
Engine Common
Horton
Little Sodbury
Badminton
Alderton
Easter Compton
Over
Gaunt's Earthcott
Patchway
Iron Acton
Frampton Cotterell
Goose Green
Yate
Old Sodbury
Bradley Stoke
Winterbourne
Coalpit Heath
Mayshill
Chipping Sodbury
Acton Turville
Littleton Drew
Grittleton
Compton Greenfield
Hallen
Cribbs Causeway
Stoke Gifford
Harry Stoke
Westerleigh
Wapley
Dodington
Codrington
Tormarton
Burton
Filton
Kendleshire
Henfield
Henbury
Westbury on Trym
Shirehampton
Avonmouth
Hambrook
Downend
Horfield
Broomhill
MANGOTSFIELD
Staple Hill
Nettleton
West Kington
Castle Combe
Yatton Keynell
Portishead
Sheepway
Easton-in-Gordano
Pill
Ham Green
Sea Mills
Redland
Stapleton
Fishponds
Soundwell
Clay Hill
Pucklechurch
Hinton
Dyrham
Shortwood
Siston
Abson
West Littleton
North Wraxall
West Yatton
Ford
North Weston
GORDANO
Portbury
Lower Failand
Abbots Leigh
Clifton
Warmley
Bridgeyate
Doynton
Pennsylvania
Upper Wraxall
Slaughterford
Giddeahall
Wick
Marshfield
Biddestone
BRISTOL
Wraxall
Failand
Long Ashton
Nailsea
Bedminster
Kingswood
Hanham
Conham
Hanham Green
Oldland
Cold Ashton
Tadwick
Thickwood
Corsham
Farleigh
Flax Bourton
Yanley
Knowle
Brislington
Willsbridge
Bitton
Beach
Upton Cheyney
St. Catherine
Colerne
Rudloe
Ditteridge
Moor Green
Chelvey
Backwell
Headley Park
Bishopsworth
Stockwood
Swineford
KEYNSHAM
North Stoke
Langridge
Lansdown
Woolley
Swainswick
Batheaston
Box
Ashley
Kingsdown
Neston
Wadswick
West Town
Brockley
Barrow Gurney
Barrow Common
Dundry
East Dundry
Queen Charlton
Saltford
Kelston
Charlcombe
Weston
Larkhall
Bathford
Bathampton
Monkton Farleigh
South Wraxall
Atworth
Cleeve
Lulsgate Bottom
Upper Town
Winford
Whitchurch
Chewton Keynsham
Burnett
North Wick
Norton Malreward
Norton Hawkfield
Corston
Newton St. Loe
Twerton
BATH
Claverton
Farleigh Wick
Norrington Common
Broughton Gifford
Felton
BRISTOL INTERNATIONAL
Redhill
Chew Magna
Woollard
Publow
Pensford
Compton Dando
BATH & N.E. SOMERSET
Stanton Prior
Englishcombe
Southdown
Combe Down
Great Chalfield
Regil
Stanton Drew
Stanton Wick
Chelwood
Hunstrete
Marksbury
Wilmington
Odd Down
Monkton Combe
Bradford Leigh
Bradford-on-Avon
Woolley Green
Holt
Cowslip Green
Butcombe
Chew Stoke
Inglesbatch
Limpley Stoke
Lower Langford
West Town
Nempnett Thrubwell
Bishop Sutton
Stowey
Clutton
Farmborough
Priston
Southstoke
Midford
Winsley
Turleigh
Staverton
Upper Langford
Rickford
Blagdon
Burrington
Ubley
High Littleton
Timsbury
Tunley
Dunkerton
Combe Hay
Wellow
Freshford
Westwood
Hilperton Marsh
North Widcombe
Cameley
Meadgate
Radford
Carlingcott
Hinton Charterhouse
Trowle Common
South Widcombe
Hinton Blewett
Temple Cloud
Hallatrow
Camerton
Peasedown St. John
Norton St. Philip
Farleigh Hungerford
Upper Studley
Compton Martin
West Harptree
Paulton
Shoscombe
Wingfield
TROWBRIDGE

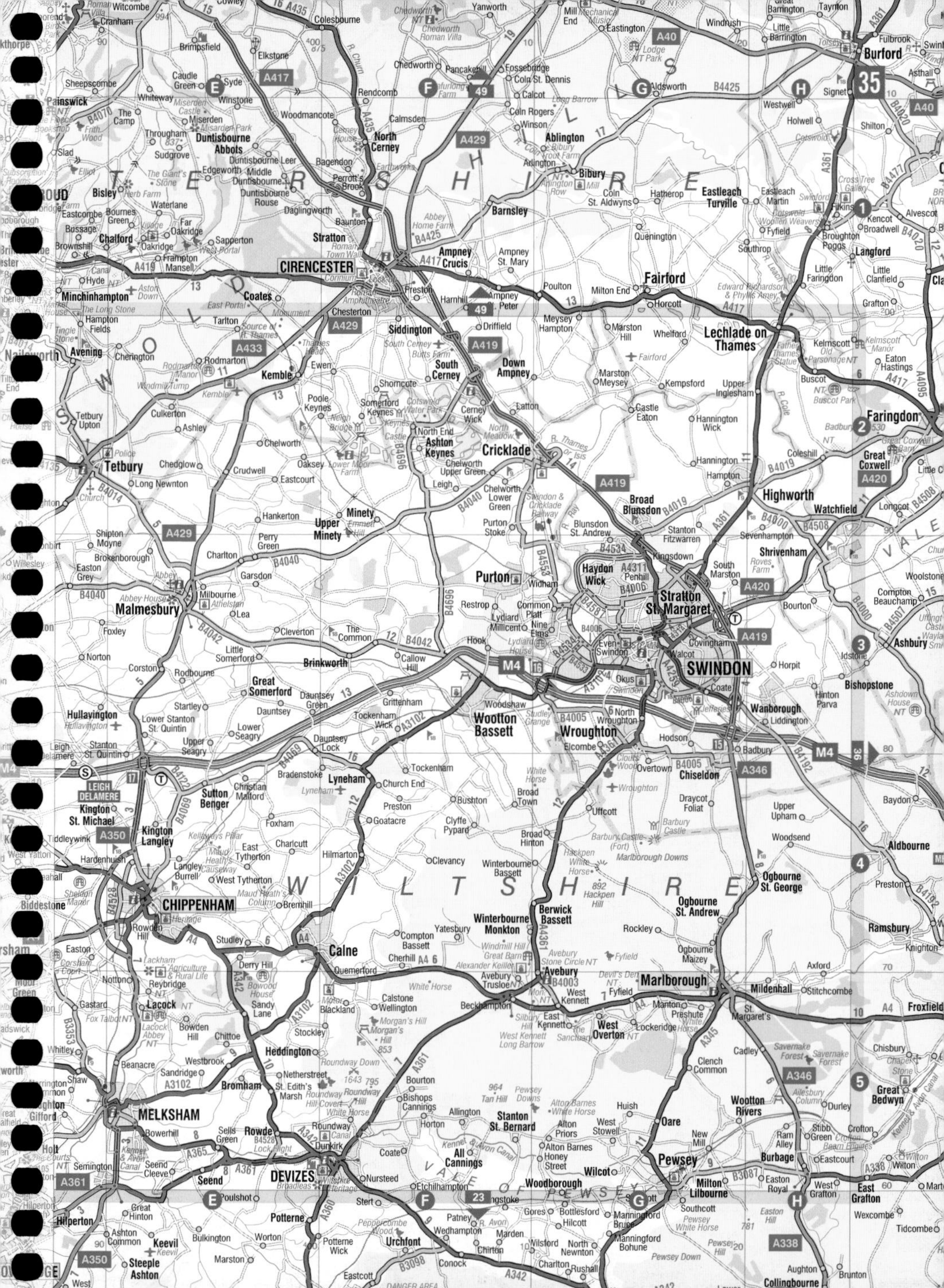

35
Witcombe
Cranham
Brimpsfield
Elkstone
Colesbourne
Yanworth
Chedworth Roman Villa
Mill End
Eastington
Great Barrington
Taynton
Little Barrington
Windrush
Burford
Fulbrook
Asthall
Caudle Green
Syde
Sheepscombe
Painswick
Whiteway
Winstone
Miserden
The Camp
Rendcomb
Chedworth
Pancakehill
Fossebridge
Coln St. Dennis
Calcot
Aldsworth
Westwell
Signet
Holwell
Shilton
Woodmancote
Calmsden
North Cerney
Coln Rogers
Winson
Ablington
Througham
Duntisbourne Abbots
Duntisbourne Leer
Middle Duntisbourne
Duntisbourne Rouse
Slad
Sudgrove
Edgeworth
Bagendon
Perrott's Brook
Arlington
Bibury
Coln St. Aldwyns
Hatherop
Eastleach Turville
Eastleach Martin
Kencot
Alvescot
Broadwell
Bisley
Waterlane
Daglingworth
Barnsley
Quenington
Fyfield
Broughton Poggs
Langford
Eastcombe
Bournes Green
Far Oakridge
Bussage
Chalford
Oakridge
Sapperton
Baunton
Stratton
Southrop
Little Faringdon
Little Clanfield
Brownshill
Frampton Mansell
CIRENCESTER
Ampney Crucis
Ampney St. Mary
Hyde
Minchinhampton
Aston Down
Coates
Preston
Harnhill
Ampney St. Peter
Poulton
Milton End
Fairford
Horcott
Grafton
Chesterton
Tarlton
Hampton Fields
Siddington
Driffield
Meysey Hampton
Marston Hill
Whelford
Lechlade on Thames
Kelmscott
Nailsworth
Avening
Cherington
Rodmarton
Kemble
Ewen
South Cerney
Down Ampney
Marston Meysey
Kempsford
Upper Inglesham
Buscot
Eaton Hastings
Tetbury Upton
Culkerton
Ashley
Poole Keynes
Somerford Keynes
Shorncote
Cerney Wick
Latton
Castle Eaton
Hannington Wick
Faringdon
Chelworth
North End
Ashton Keynes
Cricklade
Oaksey
Tetbury
Chedglow
Crudwell
Eastcourt
Chelworth Upper Green
Hannington
Coleshill
Great Coxwell
Long Newnton
Leigh
Chelworth Lower Green
Hampton
Broad Blunsdon
Highworth
Watchfield
Hankerton
Minety
Upper Minety
Purton Stoke
Blunsdon St. Andrew
Stanton Fitzwarren
Sevenhampton
Shipton Moyne
Perry Green
Longcot
Shrivenham
Brokenborough
Charlton
Kingsdown
Easton Grey
Garsdon
Haydon Wick
Penhill
South Marston
Woolstone
Purton
Widham
Milbourne
Restrop
Common Platt
Stratton St. Margaret
Compton Beauchamp
Malmesbury
Lea
Lydiard Millicent
Nine Elms
Bourton
Foxley
Cleverton
The Common
Even Swindon
Covingham
Ashbury
Idstone
Little Somerford
Norton
Brinkworth
Callow Hill
Hook
Walcot
SWINDON
Horpit
Corston
Rodbourne
Okus
Bishopstone
Great Somerford
Coate
Hinton Parva
Startley
Dauntsey Green
Dauntsey
Grittenham
Woodshaw
Hullavington
Lower Stanton St. Quintin
Tockenham Wick
Wootton Bassett
Wroughton
North Wroughton
Wanborough
Liddington
Lower Seagry
Upper Seagry
Elcombe
Hodson
Leigh Delamere
Stanton St. Quintin
Dauntsey Lock
Badbury
Overtown
Chiseldon
Bradenstoke
Tockenham
Lyneham
Church End
Christian Malford
Sutton Benger
Kington St. Michael
Bushton
Broad Town
Baydon
Draycot Foliat
Preston
Uffcott
Upper Upham
Kington Langley
Foxham
Goatacre
Clyffe Pypard
Broad Hinton
Woodsend
Tiddleywink
East Tytherton
Charlcutt
Barbury Castle (Fort)
Aldbourne
Hardenhuish
Langley Burrell
Hilmarton
Clevancy
Winterbourne Bassett
Marlborough Downs
West Tytherton
Hackpen Hill
Ogbourne St. George
Preston
Biddestone
CHIPPENHAM
Bremhill
W I L T S H I R E
Berwick Bassett
Ogbourne St. Andrew
Yatesbury
Winterbourne Monkton
Rockley
Ramsbury
Rowden Hill
Studley
Compton Bassett
Ogbourne Maizey
Knighton
Easton
Calne
Cherhill
Avebury
Axford
Derry Hill
Notton
Quemerford
Avebury Trusloe
West Kennett
Fyfield
Marlborough
Mildenhall
Stitchcombe
Reybridge
Lacock
Gastard
Sandy Lane
Calstone Wellington
Blackland
Beckhampton
East Kennett
West Overton
Manton
Preshute
Lockeridge
St. Margaret's
Froxfield
Bowden Hill
Chittoe
Stockley
Whitley
Westbrook
Heddington
Savernake Forest
Chisbury
Beanacre
Sandridge
Clench Common
Cadley
Shaw
Bromham
Netherstreet
St. Edith's Marsh
Bourton
Bishops Cannings
Great Bedwyn
MELKSHAM
Allington
Stanton St. Bernard
Alton Barnes
Huish
Oare
Wootton Rivers
Durley
Bowerhill
Sells Green
Rowde
Roundway
Horton
Alton Priors
West Stowell
New Mill
Ram Alley
Stibb Green
Crofton
Holt
Semington
Seend Cleeve
Seend
DEVIZES
Dunkirk
Coate
All Cannings
Honey Street
Wilcot
Pewsey
Burbage
Eastcourt
Wilton
Nursteed
Etchilhampton
Woodborough
Milton Lilbourne
Easton Royal
West Grafton
East Grafton
Great Hinton
Poulshot
Stert
Beechingstoke
Gores
Bottlesford
Manningford Bruce
Southcott
Hilperton
Potterne
Patney
Wexcombe
Ashton Common
Keevil
Bulkington
Worton
Potterne Wick
Urchfont
Wedhampton
Marden
Chirton
Wilsford
North Newnton
Manningford Bohune
Tidcombe
Steeple Ashton
Marston
Conock
Charlton
Rushall
Pewsey Down
Aughton
Brunton
Collingbourne
West
Eastcott
VALE OF PEWSEY
A40
A417
A429
A419
A433
A420
A4
A342
A361
A346
A350
A365
A3102
A338
A360
M4
B4425
B4040
B4042
B4019
B4696
B4553
B4005
B4069
B4192
B3098
LEIGH DELAMERE

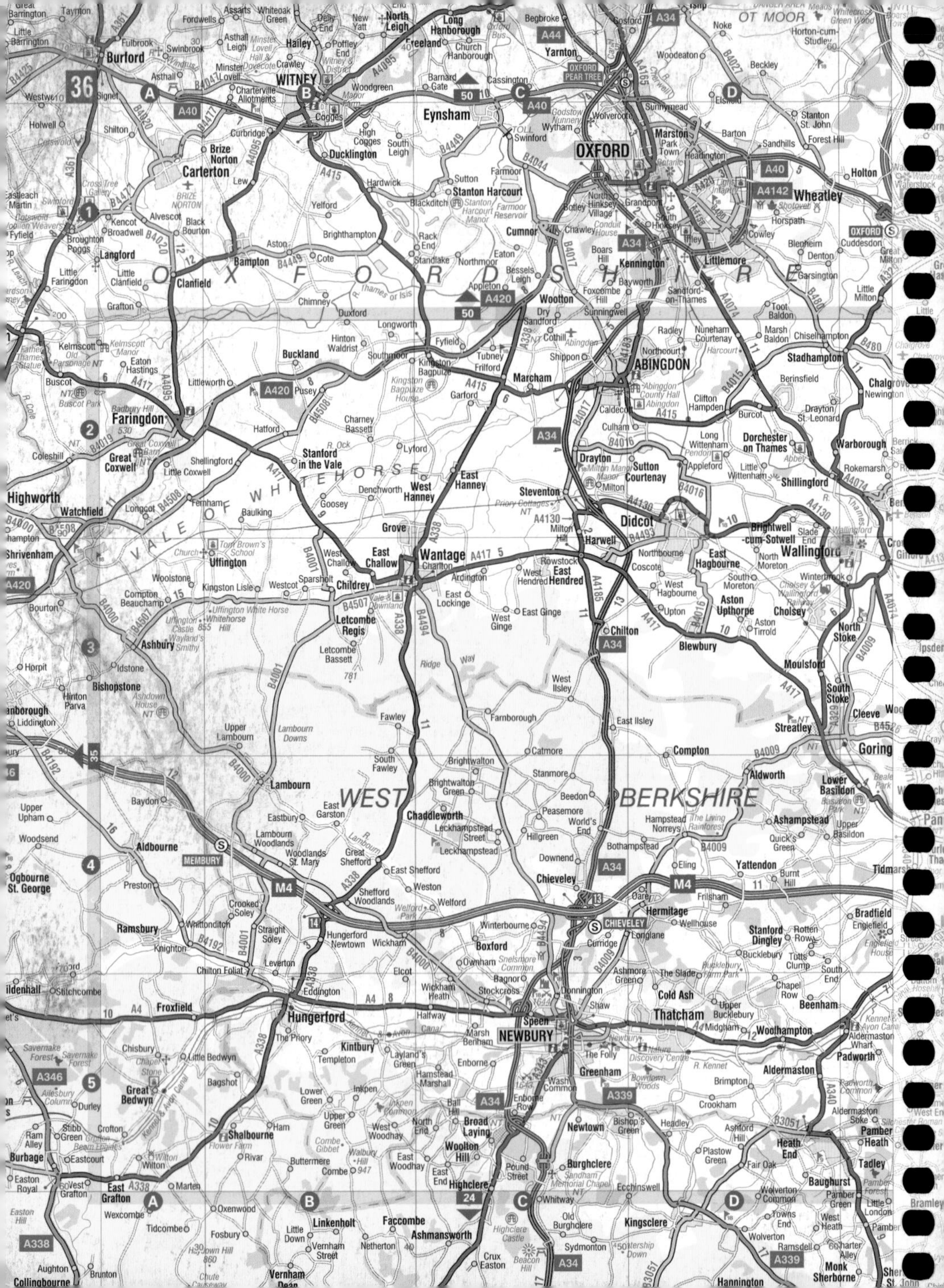

36
Burford
Witney
North Leigh
Long Hanborough
Hailey
Freeland
Begbroke
Yarnton
Kidlington
OT MOOR
Noke
Horton-cum-Studley
Woodeaton
Beckley
Carterton
Brize Norton
Eynsham
Cassington
Ducklington
Stanton Harcourt
Oxford
Wheatley
Holton
Marston
Headington
Botley
Cumnor
Kennington
Littlemore
Cowley
Garsington
Bampton
Clanfield
Aston
Cote
OXFORDSHIRE
Faringdon
Buckland
Kingston Bagpuize
Marcham
Abingdon
Radley
Nuneham Courtenay
Stadhampton
Chalgrove
Berinsfield
Dorchester on Thames
Warborough
Shillingford
Didcot
Drayton
Sutton Courtenay
Steventon
Harwell
Wallingford
Brightwell-cum-Sotwell
Cholsey
Wantage
Grove
East Challow
Childrey
Letcombe Regis
Stanford in the Vale
VALE OF WHITEHORSE
Highworth
Watchfield
Shrivenham
Uffington
Ashbury
Bishopstone
Chilton
Blewbury
East Hendred
Aston Upthorpe
Moulsford
South Stoke
Streatley
Goring
Compton
Aldworth
Lambourn
Farnborough
Chaddleworth
WEST BERKSHIRE
East Ilsley
West Ilsley
Lower Basildon
Ashampstead
Yattendon
Chieveley
Hermitage
Aldbourne
Ramsbury
Hungerford
Kintbury
Newbury
Thatcham
Cold Ash
Woolhampton
Bradfield
Aldermaston
Padworth
Greenham
Speen
Boxford
Great Bedwyn
Shalbourne
Burbage
Woolton Hill
Highclere
Burghclere
Kingsclere
Newtown
Tadley
Baughurst
Heath End
Pamber Heath
Linkenholt
Faccombe
Ashmansworth
Vernham Dean
Collingbourne
Froxfield
M4
A34
A338
A40
A420
A417
A4130
A339
A346
MEMBURY
CHIEVELEY
50
24
35

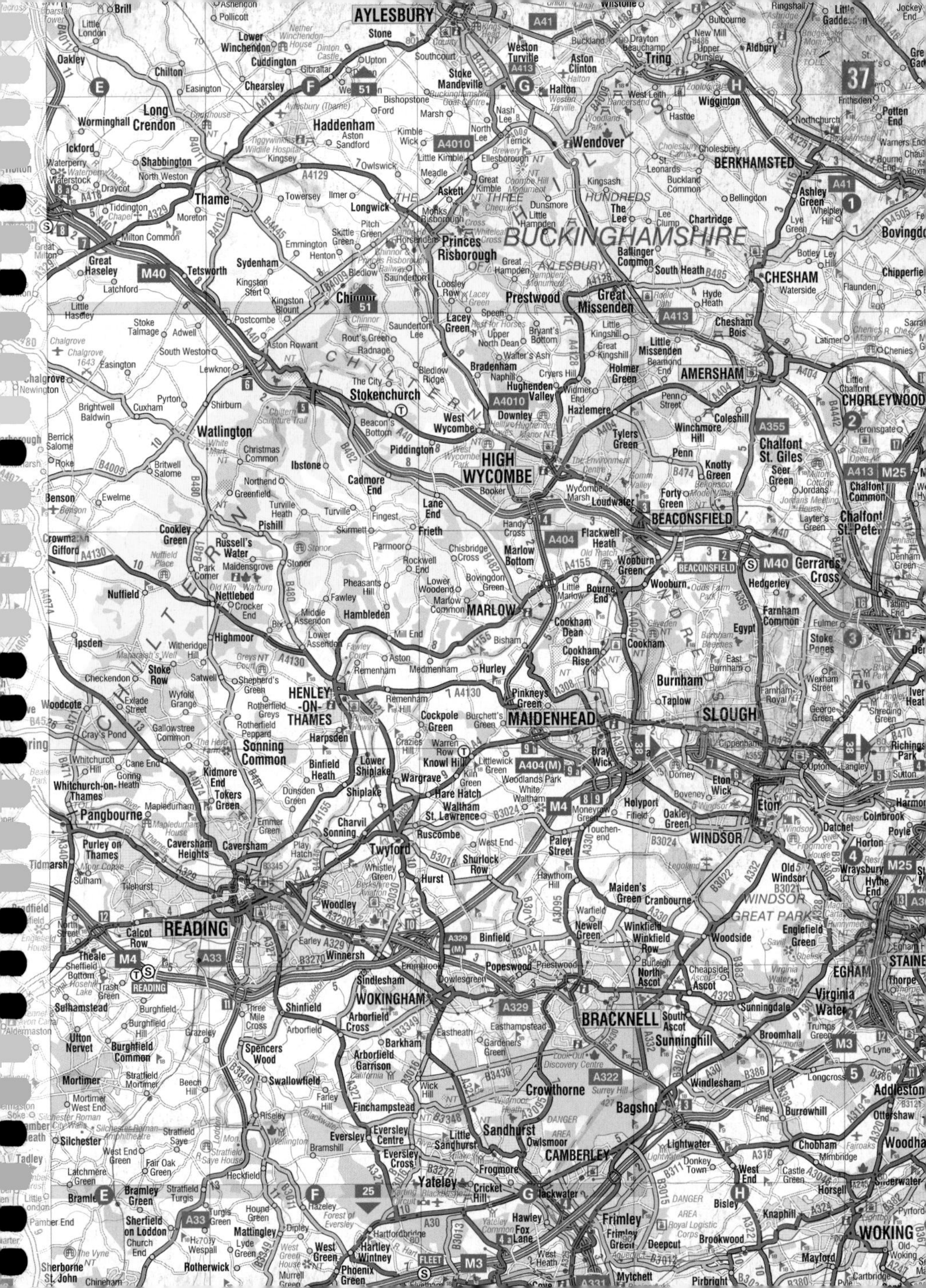

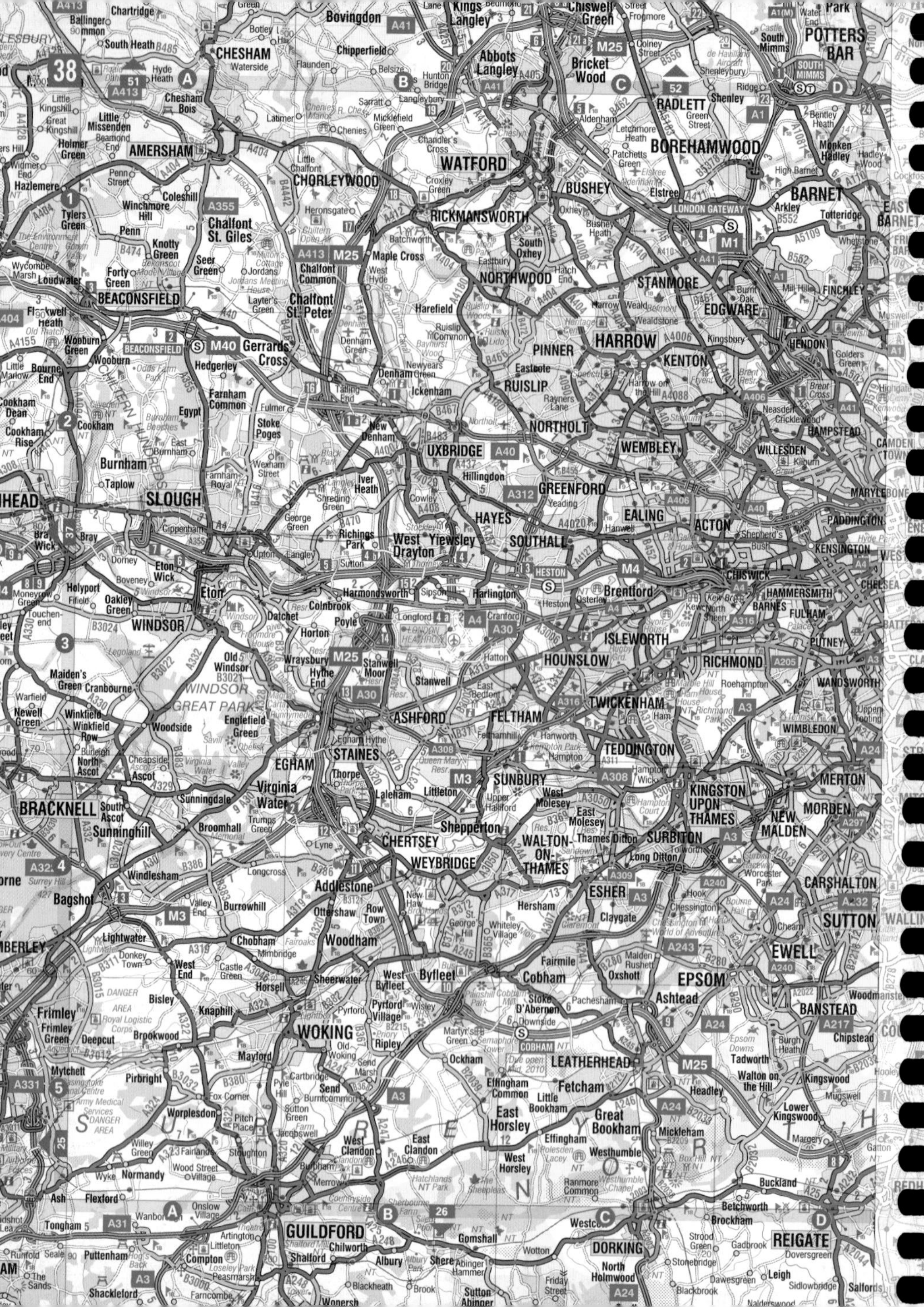
38
Chartridge
Bovingdon
Kings Langley
Chiswell Green
Potters Bar
Chesham
Chipperfield
Abbots Langley
Bricket Wood
Colney Street
South Mimms
Radlett
Shenley
Borehamwood
Amersham
Watford
Bushey
Elstree
Barnet
Chorleywood
Rickmansworth
London Gateway
Chalfont St. Giles
Maple Cross
South Oxhey
Northwood
Stanmore
Edgware
Finchley
Beaconsfield
Chalfont Common
Chalfont St. Peter
Harefield
Harrow
Pinner
Kenton
Hendon
Gerrards Cross
Denham
Ickenham
Ruislip
Northolt
Wembley
Hampstead
Willesden
Burnham
Stoke Poges
Uxbridge
Hillingdon
Greenford
Iver Heath
Slough
Hayes
Southall
Ealing
Acton
Paddington
Kensington
West Drayton
Yiewsley
Heston
Brentford
Chiswick
Hammersmith
Chelsea
Eton
Windsor
Datchet
Colnbrook
Harlington
Cranford
Isleworth
Fulham
Barnes
Putney
Hounslow
Richmond
Wandsworth
Twickenham
Feltham
Ashford
Staines
Egham
Teddington
Wimbledon
Bracknell
Ascot
Sunningdale
Virginia Water
Sunbury
Kingston upon Thames
Merton
Morden
New Malden
Chertsey
Shepperton
Walton-on-Thames
Surbiton
Weybridge
Addlestone
Esher
Carshalton
Sutton
Bagshot
Woodham
Cobham
Ewell
Epsom
Byfleet
Ashtead
Banstead
Frimley
Woking
Leatherhead
Fetcham
Great Bookham
East Horsley
West Horsley
Dorking
Guildford
Reigate
Shere

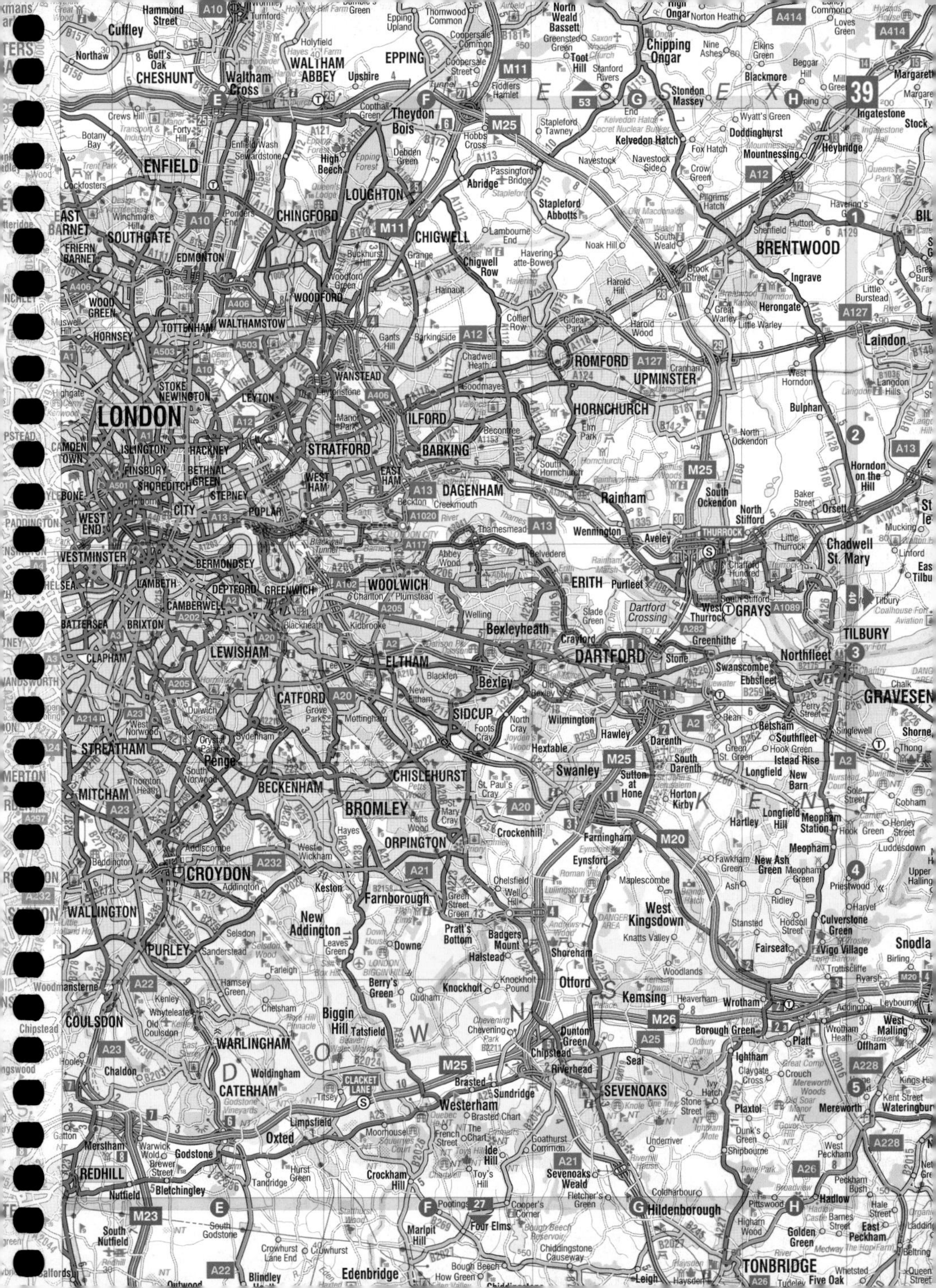

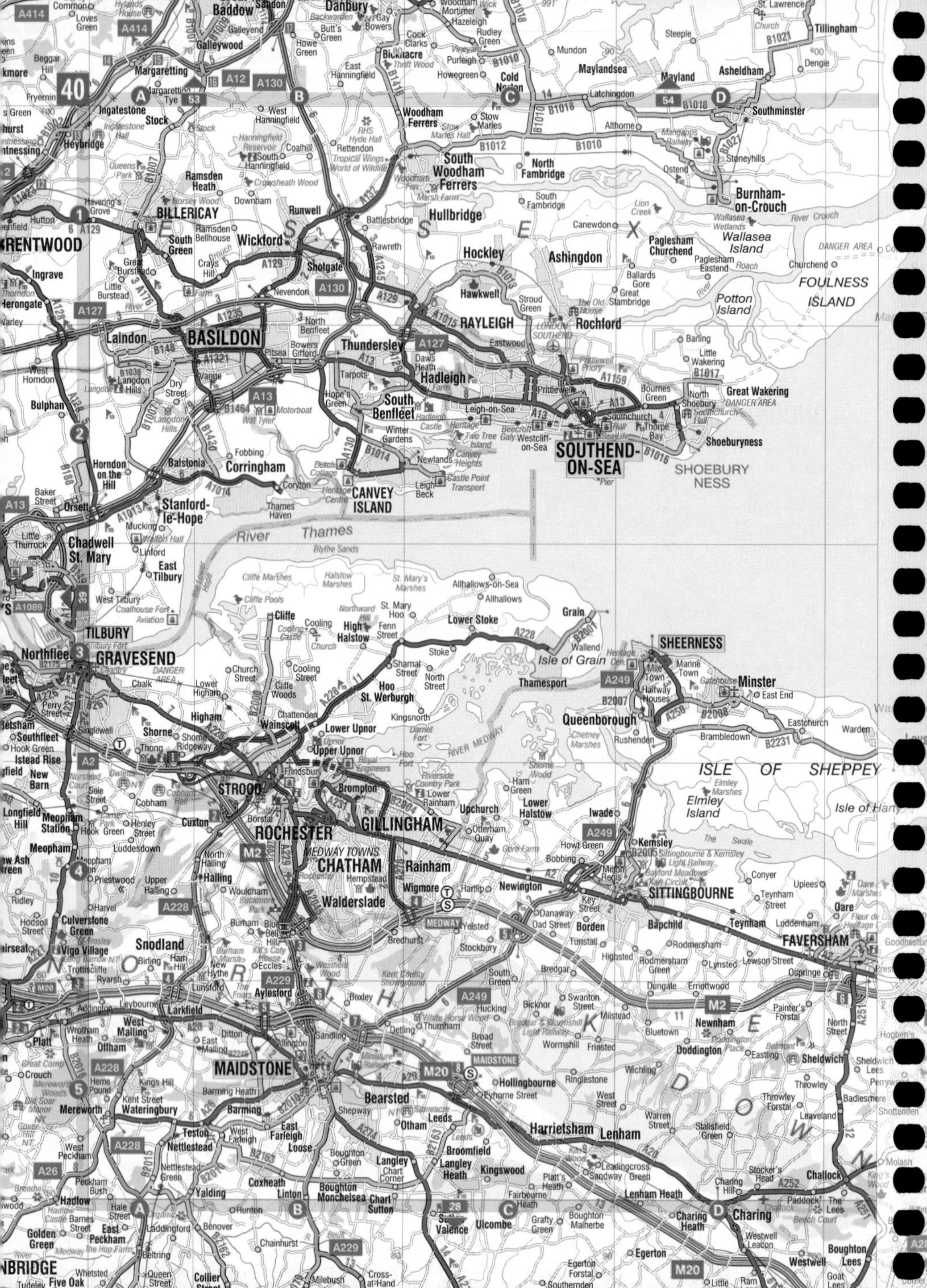

40
Baddow
Sandon
Danbury
Woodham Mortimer
Hazeleigh
St. Lawrence
Tillingham
Common
Loves Green
Galleywood
Gay Bowers
Butt's Green
Howe Green
Rudley Green
Steeple
Beggar Hill
Margaretting
Margaretting Tye
Bicknacre
East Hanningfield
Cock Clarks
Purleigh
Howegreen
Cold Norton
Mundon
Maylandsea
Mayland
Asheldham
Dengie
Ingatestone
Stock
West Hanningfield
Woodham Ferrers
Stow Maries
Latchingdon
Southminster
Fryerning
Heybridge
Hanningfield Reservoir
South Hanningfield
Coalhill
Rettendon
RHS Hyde Hall
Althorne
Stoneyhills
Ramsden Heath
South Woodham Ferrers
North Fambridge
Ostend
Burnham-on-Crouch
Downham
Runwell
Hullbridge
South Fambridge
Havering's Grove
BILLERICAY
Battlesbridge
Canewdon
River Crouch
Wallasea Island
Hutton
BRENTWOOD
Ramsden Bellhouse
South Green
Wickford
Rawreth
Hockley
Ashingdon
Paglesham Churchend
Paglesham Eastend
Churchend
FOULNESS ISLAND
Potton Island
Ingrave
Great Burstead
Crays Hill
Shotgate
Ballards Gore
Great Stambridge
Little Burstead
Nevendon
Hawkwell
Stroud Green
Herongate
Rochford
Laindon
BASILDON
North Benfleet
RAYLEIGH
Bowers Gifford
Thundersley
Eastwood
Barling
Little Wakering
Pitsea
Daws Heath
West Horndon
Langdon Hills
Dry Street
Vange
Tarpots
Hadleigh
Prittlewell
Great Wakering
Bulphan
Hope's Green
South Benfleet
Leigh-on-Sea
Bournes Green
North Shoebury
Winter Gardens
Southchurch
Thorpe Bay
Shoeburyness
Westcliff-on-Sea
SOUTHEND-ON-SEA
SHOEBURY NESS
Horndon on the Hill
Fobbing
Balstonia
Corringham
Newlands
Coryton
CANVEY ISLAND
Baker Street
Orsett
Stanford-le-Hope
Thames Haven
Mucking
River Thames
Little Thurrock
Chadwell St. Mary
Linford
East Tilbury
Allhallows-on-Sea
Allhallows
West Tilbury
Grain
Cliffe
Cooling
High Halstow
St. Mary Hoo
Lower Stoke
TILBURY
Northfleet
GRAVESEND
Fenn Street
Stoke
Wallend
SHEERNESS
Isle of Grain
Chalk
Church Street
Lower Higham
Cliffe Woods
Cooling Street
Sharnal Street
North Street
Hoo St. Werburgh
Thamesport
Mile Town
Marine Town
Minster
East End
Perry Street
Higham
Chattenden
Kingsnorth
Halfway Houses
Queenborough
Betsham
Southfleet
Shorne
Thong
Wainscott
Lower Upnor
Upper Upnor
Rushenden
Eastchurch
Brambledown
Warden
Istead Rise
Shorne Ridgeway
New Barn
Frindsbury
ISLE OF SHEPPEY
STROOD
Brompton
Sole Street
Cobham
Lower Rainham
Upchurch
Ham Green
Lower Halstow
Iwade
Elmley Island
Isle of Harty
Longfield Hill
Meopham Station
Henley Street
Cuxton
Borstal
ROCHESTER
GILLINGHAM
Otterham Quay
Luddesdown
Howt Green
Kemsley
Meopham
North Halling
CHATHAM
Rainham
Bobbing
Milton Regis
Halling
Upper Halling
Wouldham
Hempstead
Wigmore
Hartlip
Newington
SITTINGBOURNE
Conyer
Uplees
Ridley
Harvel
Walderslade
Key Street
Teynham Street
Oare
Culverstone Green
Burham
Blue Bell Hill
Danaway
Oad Street
Borden
Bapchild
Teynham
Luddenham
Snodland
Bredhurst
Yelsted
Tunstall
FAVERSHAM
Vigo Village
Stockbury
Rodmersham
Goodnestone
Birling
Ham Hill
Eccles
Highsted
Rodmersham Green
Lynsted
Lewson Street
Trottiscliffe
New Hythe
Bredgar
Ospringe
Ryarsh
Lunsford
South Green
Aylesford
Boxley
Dungate
Erriottwood
Leybourne
Larkfield
Hucking
Bicknor
Swanton Street
Milstead
Addington
West Malling
Detling
Thurnham
Wrotham Heath
Ditton
Painter's Forstal
North Street
Platt
Offham
East Malling
Sandling
Broad Street
Wormshill
Frinsted
Bluetown
Newnham
Doddington
Sheldwich
Hogben's
Crouch
MAIDSTONE
Eastling
Herne Pound
Kings Hill
Hollingbourne
Ringlestone
Wichling
Sheldwich Lees
Mereworth
Kent Street
Barming Heath
Eyhorne Street
Throwley
Wateringbury
Bearsted
West Street
Badlesmere
Barming
Shepway
Otham
Leeds
Throwley Forstal
Teston
West Farleigh
East Farleigh
Harrietsham
Lenham
Warren Street
Leaveland
Nettlestead
Loose
Stalisfield Green
West Peckham
Nettlestead Green
Boughton Green
Langley
Broomfield
Leadingcross Green
Langley Heath
Kingswood
Molash
Sandway
Coxheath
Chart Corner
Platt's Heath
Stocker's Head
Challock
Peckham Bush
Yalding
Linton
Boughton Monchelsea
Chart Sutton
Fairbourne Heath
Lenham Heath
Charing Hill
Hadlow
Hale Street
Hunton
Ulcombe
Sutton Valence
Grafty Green
Boughton Malherbe
Charing Heath
Charing
The Lees
Barnes Street
East Peckham
Laddingford
Benover
Westwell Leacon
Golden Green
Chainhurst
Egerton
Westwell
Boughton Lees
Beltring
Egerton Forstal
Goat Lees
TONBRIDGE
Whetsted
Queen Street
Collier Street
Milebush
Cross-at-Hand
Southernden
Five Oak
Little Chart
Ram Lane
MEDWAY TOWNS
NORTH DOWNS
ESSEX
KENT

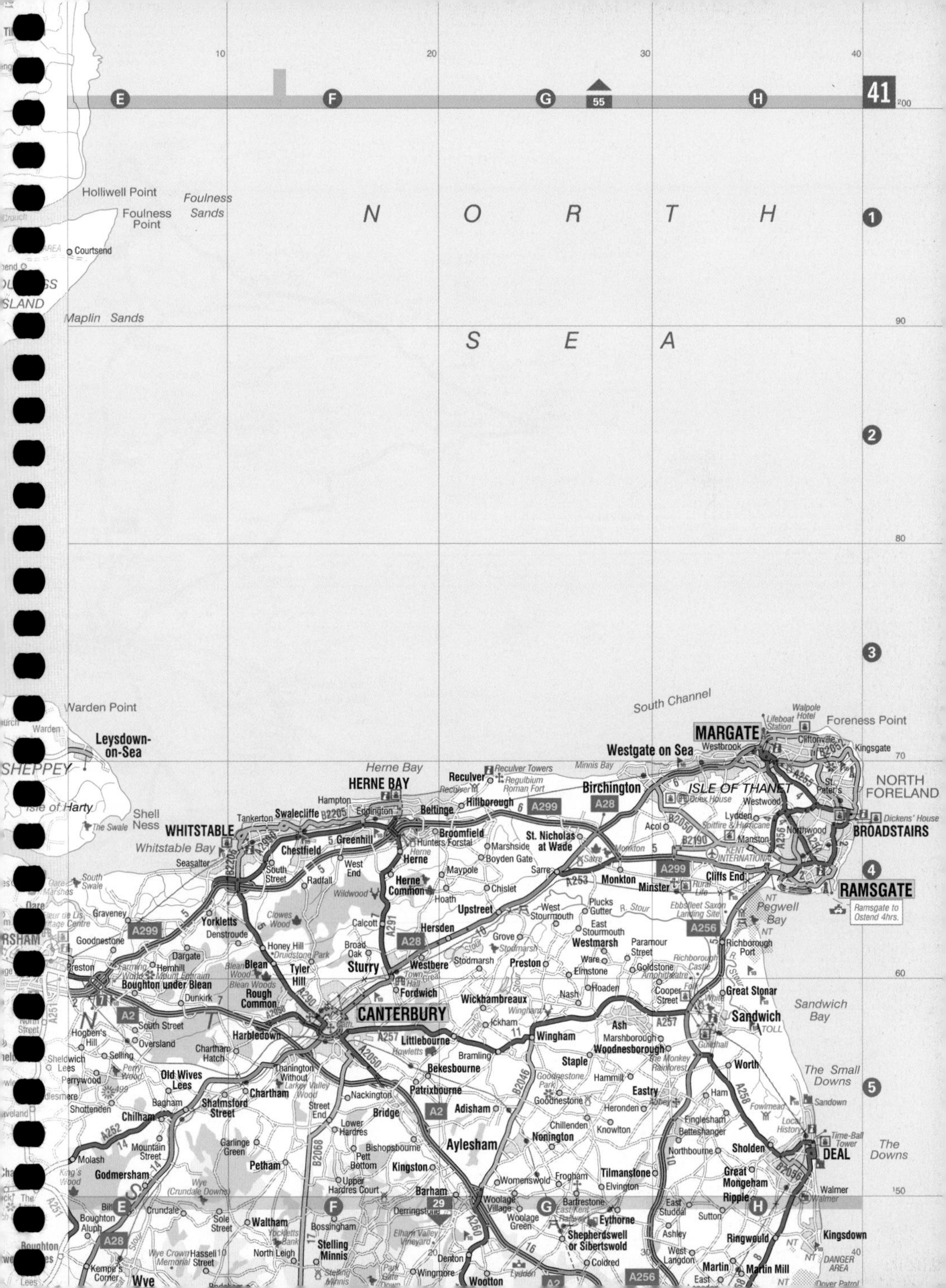

41
10
20
30
40
E
F
G
H
55
200
1
2
3
4
5
90
80
70
60
150
N O R T H
S E A
Holliwell Point
Foulness Point
Foulness Sands
Courtsend
Maplin Sands
Warden Point
South Channel
Leysdown-on-Sea
SHEPPEY
Isle of Harty
Shell Ness
The Swale
WHITSTABLE
Whitstable Bay
Seasalter
Tankerton
Swalecliffe
Chestfield
Herne Bay
HERNE BAY
Hampton
Eddington
Greenhill
Beltinge
Reculver
Reculver Towers
Regulbium Roman Fort
Hillborough
Broomfield
Hunters Forstal
Herne
Herne Common
Westgate on Sea
Minnis Bay
Birchington
MARGATE
Westbrook
Lifeboat Station
Walpole Hotel
Foreness Point
Cliftonville
Kingsgate
NORTH FORELAND
ISLE OF THANET
Quex House
Westwood
St. Peter's
Acol
Lydden
Spitfire & Hurricane
Northwood
Dickens' House
BROADSTAIRS
Manston
KENT INTERNATIONAL
St. Nicholas at Wade
Marshside
Boyden Gate
Sarre
Monkton
Minster
Rural Life
Cliffs End
RAMSGATE
Ramsgate to Ostend 4hrs.
Pegwell Bay
Ebbsfleet Saxon Landing Site
Richborough Port
Gare Marshes
South Swale
Graveney
Yorkletts
Denstroude
Goodnestone
South Street
Radfall
West End
Maypole
Chislet
Hoath
Wildwood
Clowes Wood
Calcott
Hersden
Upstreet
West Stourmouth
Plucks Gutter
East Stourmouth
Westmarsh
Paramour Street
Grove
Stodmarsh
Preston
Ware
Elmstone
Goldstone
Richborough Castle
Amphitheatre
Dargate
Hernhill
Farming World
Mount Ephraim
Honey Hill
Druidstone Park
Blean
Blean Wood
Blean Woods
Tyler Hill
Broad Oak
Sturry
Westbere
Fordwich
Town Hall
Boughton under Blean
Dunkirk
Rough Common
CANTERBURY
Wickhambreaux
Wingham
Nash
Hoaden
Cooper Street
Great Stonar
Sandwich
Sandwich Bay
TOLL
Ickham
Ash
Marshborough
Woodnesborough
The Monkey Rainforest
Staple
Hammill
Eastry
Goodnestone Park
Goodnestone
Heronden
Knowlton
Chillenden
Nonington
Worth
The Small Downs
Ham
Fowlmead
Sandown
South Street
Oversland
Harbledown
Chartham Hatch
Littlebourne
Howletts
Bramling
Bekesbourne
Patrixbourne
Hogben's Hill
Selling
Sheldwich Lees
Perry Wood
Perrywood
Old Wives Lees
Thanington Without
Larkey Valley Wood
Chartham
Nackington
Shottenden
Bagham
Shalmsford Street
Street End
Bridge
Adisham
Chilham
Lower Hardres
Aylesham
Finglesham
Betteshanger
Local History
Time-Ball Tower
Northbourne
Sholden
DEAL
The Downs
Molash
Mountain Street
Garlinge Green
Petham
Bishopsbourne
Pett Bottom
Kingston
King's Wood
Godmersham
Wye (Crundale Downs)
Upper Hardres Court
Barham
Womenswold
Frogham
Tilmanstone
Elvington
Great Mongeham
Ripple
Walmer
Crundale
Sole Street
Waltham
Derringstone
Woolage Village
Woolage Green
Barfrestone
East Kent Railway
Eythorne
East Studdal
Sutton
Boughton Aluph
Bossingham
Yocketts Bank
Elham Valley Vineyard
Shepherdswell or Sibertswold
Ashley
Ringwould
Kingsdown
Wye Crown Memorial
Hassell Street
North Leigh
Stelling Minnis
Denton
Coldred
West Langdon
Martin
Martin Mill
DANGER AREA
Kempe's Corner
Wye
Wingmore
Wootton
Lydden
East
Dover Patrol
Lees
A299
A28
A2
A257
A256
A253
A255
A290
A291
A2050
A252
A251
A260
A258
B2205
B2050
B2190
B2046
B2068
NT

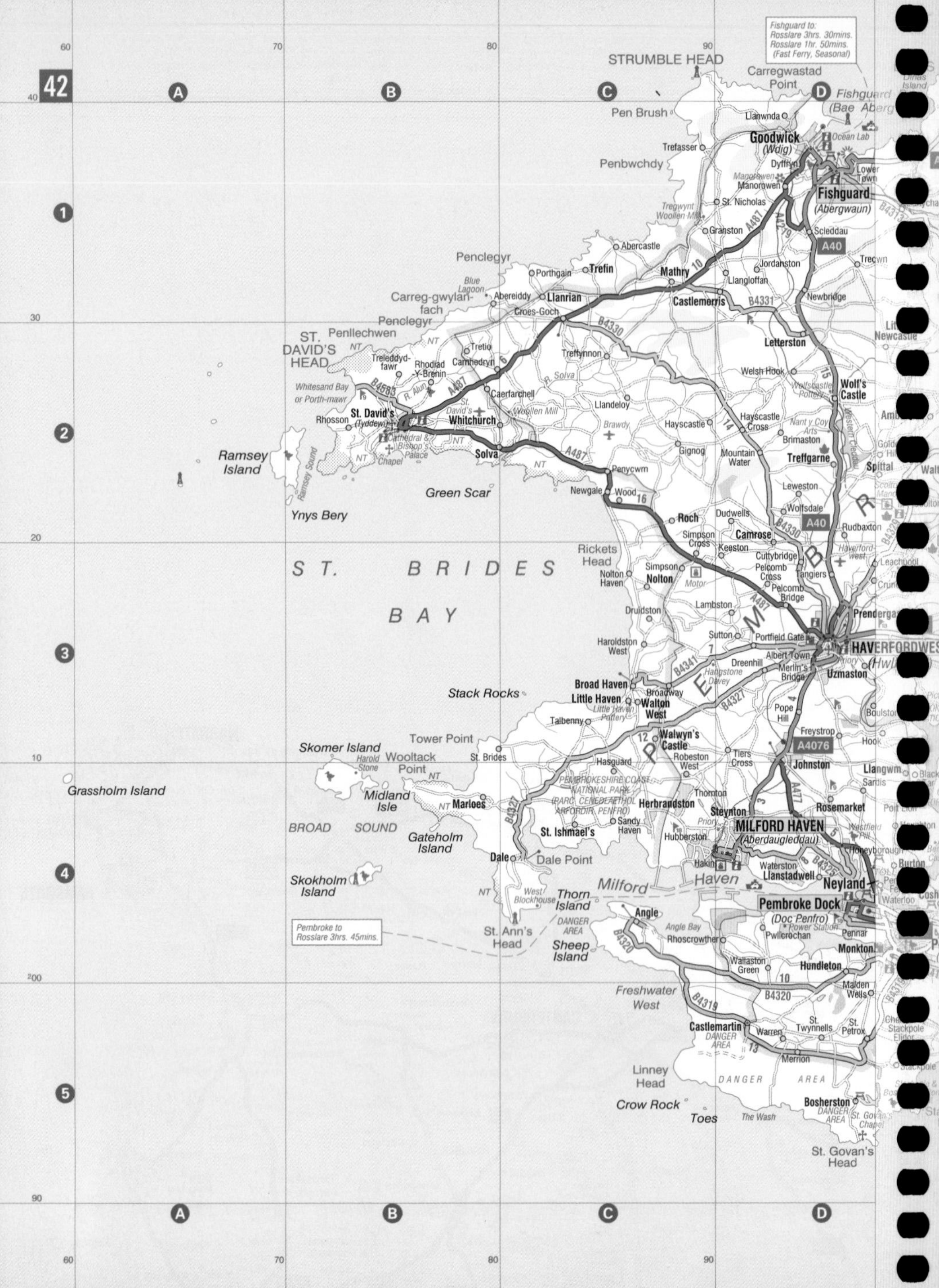
Fishguard to:
Rosslare 3hrs. 30mins.
Rosslare 1hr. 50mins.
(Fast Ferry, Seasonal)
STRUMBLE HEAD
Carregwastad Point
Fishguard (Bae Abergwaun)
Pen Brush
Llanwnda
Goodwick (Wdig)
Ocean Lab
Trefasser
Penbwchdy
Dyffryn
Manorowen
Lower Town
Fishguard (Abergwaun)
Tregwynt Woollen Mill
St. Nicholas
Granston
Scleddau
A40
A487
Abercastle
Jordanston
Trecwn
Penclegyr
Porthgain
Trefin
Mathry
Llangloffan
Blue Lagoon
Carreg-gwylan-fach
Abereiddy
Llanrian
Castlemorris
B4331
Newbridge
Croes-Goch
Penclegyr
ST. DAVID'S HEAD
Penllechwen
B4330
Letterston
Tretio
Treffynnon
Treleddyd-fawr
Rhodiad Y-Brenin
Carnhedryn
Welsh Hook
Wolf's Castle
Whitesand Bay or Porth-mawr
B4583
R. Alun
R. Solva
Caerfarchell
Wolfscastle Pottery
St. David's (Tyddewi)
Whitchurch
Llandeloy
Woollen Mill
Brawdy
Hayscastle
Hayscastle Cross
Nant y Coy Arts
Rhosson
Cathedral & Bishop's Palace
Chapel
Brimaston
Ramsey Island
Ramsey Sound
Solva
Gignog
Mountain Water
Treffgarne
Spittal
Penycwm
Green Scar
Newgale
Wood
Leweston
Wolfsdale
A40
Ynys Bery
Roch
Dudwells
Rudbaxton
Simpson Cross
Camrose
Rickets Head
Keeston
Cuttybridge
Haverfordwest
ST. BRIDES BAY
Nolton Haven
Simpson
Nolton
Motor
Pelcomb Cross
Tangiers
Pelcomb Bridge
Lambston
Druidston
Prendergast
Sutton
Portfield Gate
Haroldston West
HAVERFORDWEST
Albert Town
Dreenhill
Merlin's Bridge
Uzmaston
Hangstone Davey
B4341
Broad Haven
Broadway
Stack Rocks
Little Haven
Walton West
Little Haven Pottery
B4327
Talbenny
Pope Hill
Freystrop
Tower Point
Walwyn's Castle
A4076
Skomer Island
Harold Stone
Wooltack Point
St. Brides
Robeston West
Tiers Cross
Johnston
Llangwm
Grassholm Island
Hasguard
Sardis
PEMBROKESHIRE COAST NATIONAL PARK (PARC CENEDLAETHOL ARFORDIR PENFRO)
Midland Isle
Marloes
Herbrandston
Thornton
Rosemarket
BROAD SOUND
St. Ishmael's
Sandy Haven
Steynton
A477
Gateholm Island
Priory
MILFORD HAVEN (Aberdaugleddau)
Hubberston
Dale
Dale Point
Hakin
Honeyborough
Skokholm Island
Milford Haven
Waterston
Llanstadwell
Neyland
West Blockhouse
Thorn Island
Pembroke Dock (Doc Penfro)
Angle
Pembroke to Rosslare 3hrs. 45mins.
St. Ann's Head
DANGER AREA
Angle Bay
Power Station
Sheep Island
Rhoscrowther
Pwllcrochan
Pennar
Monkton
B4320
Wallaston Green
Hundleton
Freshwater West
B4319
Malden Wells
Castlemartin
DANGER AREA
Warren
St. Twynnells
St. Petrox
Merrion
Linney Head
DANGER AREA
Crow Rock
Toes
The Wash
Bosherston
St. Govan's Chapel
St. Govan's Head
A B C D
1 2 3 4 5
60 70 80 90
40 30 20 10 200 90

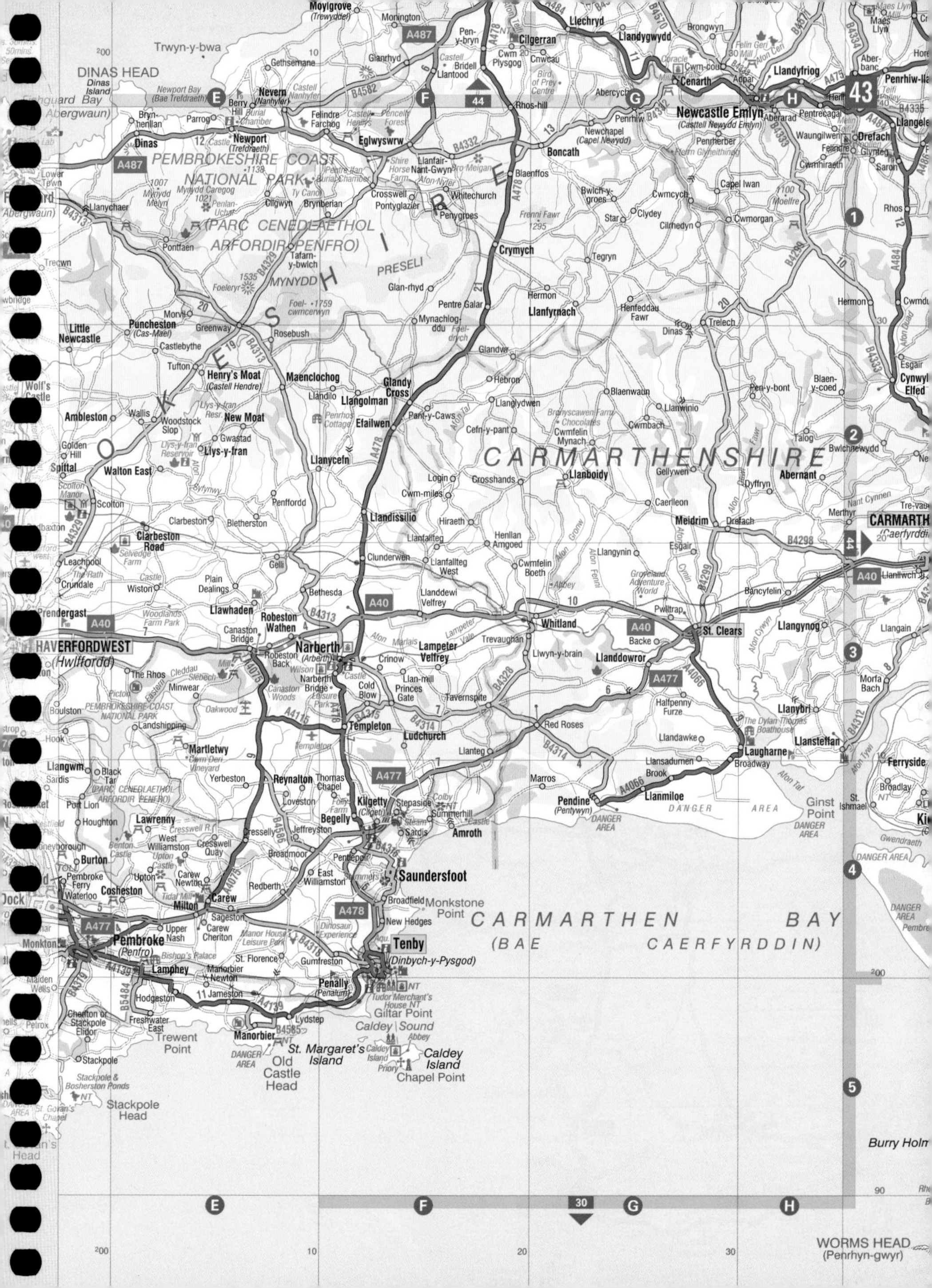

43
44
30
E
F
G
H
1
2
3
4
5
200
10
20
30
90
DINAS HEAD
Dinas Island
Trwyn-y-bwa
Newport Bay (Bae Trefdraeth)
Fishguard Bay
Moylgrove (Trewyddel)
Monington
Gethsemane
Glanrhyd
Nevern (Nanhyfer)
Castell Nanhyfer
Berry Hill
Parrog
Newport (Trefdraeth)
Dinas
Bryn-henllan
Felindre Farchog
Eglwyswrw
Llantood
Bridell
Pen-y-bryn
Cilgerran
Cwm Plysgog
Cnwcau
Rhos-hill
Llechryd
Llandygwydd
Brongwyn
Cenarth
Cwm-cou
Abercych
Adpar
Newcastle Emlyn (Castell Newydd Emlyn)
Aberarad
Llandyfriog
Pentrecagal
Penrhiw-llan
Llangeler
Drefach
Felindre
Waungilwen
Cwmhiraeth
Newchapel (Capel Newydd)
Penrhiw
Penrherber
Boncath
Blaenffos
Llanfair-Nant-Gwyn
Shire Horse Farm
Crosswell
Pontyglazier
Whitechurch
Penygroes
Brynberian
Cilgwyn
PEMBROKESHIRE COAST NATIONAL PARK
(PARC CENEDLAETHOL ARFORDIR PENFRO)
PEMBROKESHIRE
A487
A478
A40
A477
A4066
A478
B4332
B4582
B4313
B4329
B4314
B4328
B4298
B4299
B4333
B4316
B4318
B4585
B4584
A4075
A4115
A4139
Mynydd Carregog
Mynydd Melyn
Penlan-Uchaf
Pontfaen
Llanychaer
Lower Town
Trecwn
Tafarn-y-bwlch
PRESELI
MYNYDD
Foelcwmcerwyn
Foeleryr
Glan-rhyd
Crymych
Frenni Fawr
Capel Iwan
Cwmcych
Bwlch-y-groes
Star
Clydey
Cilrhedyn
Cwmorgan
Moelfre
Rhos
Tegryn
Hermon
Llanfyrnach
Pentre Galar
Henfeddau Fawr
Dinas
Trelech
Mynachlog-ddu
Cwmduad
Esgair
Cynwyl Elfed
Blaen-y-coed
Pen-y-bont
Glandwr
Hebron
Puncheston (Cas-Mael)
Morvil
Greenway
Rosebush
Little Newcastle
Castlebythe
Tufton
Henry's Moat (Castell Hendre)
Maenclochog
Llandilo
Llangolman
Glandy Cross
Blaenwaun
Llanglydwen
Llanwinio
Wolf's Castle
Ambleston
Wallis
Woodstock Slop
New Moat
Gwastad
Llys-y-fran
Llys-y-fran Reservoir
Penrhos Cottage
Efailwen
Pant-y-Caws
Cefn-y-pant
Brynyscawen Farm Chocolates
Cwmfelin Mynach
Cwmbach
Talog
Bwlchnewydd
Golden Hill
Spittal
Walton East
Llanycefn
Login
Crosshands
Llanboidy
Gellywen
Abernant
Dyffryn
CARMARTHENSHIRE
Cwm-miles
Caerlleon
Scolton Manor
Scolton
Penffordd
Llandissilio
Hiraeth
Meidrim
Drefach
Merthyr
CARMARTHEN (Caerfyrddin)
Clarbeston
Bletherston
Clarbeston Road
Llanfallteg
Henllan Amgoed
Esgair
Selvedge Farm
Clunderwen
Llanfallteg West
Cwmfelin Boeth
Llangynin
Leachpool
Crundale
Wiston
Plain Dealings
Gelli
Bethesda
Llanddewi Velfrey
Grogland Adventure World
Bancyfelin
Llanllwch
Prendergast
Llawhaden
Woodlands Farm Park
Robeston Wathen
Canaston Bridge
Lampeter Vale
Whitland
Pwlltrap
St. Clears
Trevaughan
Backe
Llangynog
Llangain
HAVERFORDWEST (Hwlffordd)
Narberth (Arberth)
Robeston Back
Crinow
Lampeter Velfrey
Llwyn-y-brain
Llanddowror
The Rhos
Slebech
Minwear
Canaston Woods
Narberth Bridge
Cold Blow
Llan-mill
Princes Gate
Tavernspite
Halfpenny Furze
Morfa Bach
Llanybri
Boulston
Oakwood
Landshipping
Templeton
Ludchurch
Red Roses
Llandawke
The Dylan Thomas Boathouse
Laugharne
Llansteffan
Ferryside
Hook
Martletwy
Cwm Deri Vineyard
Llangwm
Black Tar
Sardis
Yerbeston
Reynalton
Thomas Chapel
Kilgetty (Cilgeti)
Stepaside
Llanteg
Marros
Llansadurnen
Brook
Broadway
Llanmiloe
Pendine (Pentywyn)
DANGER AREA
Broadlay
St. Ishmael
Port Lion
Houghton
Lawrenny
Loveston
Begelly
Summerhill
Amroth
Colby NT
Ginst Point
West Williamston
Cresswell Quay
Cresselly
Jeffreyston
Sardis
Burton
Upton
Carew Newton
Broadmoor
Pentlepoir
Saundersfoot
East Williamston
Redberth
Pembroke Ferry
Waterloo
Cosheston
Milton
Carew
Tidal Mill
Sageston
Broadfield
Monkstone Point
CARMARTHEN BAY (BAE CAERFYRDDIN)
New Hedges
Upper Nash
Carew Cheriton
Manor House Leisure Park
Dinosaur Experience
Monkton
Pembroke (Penfro)
Bishop's Palace
St. Florence
Gumfreston
Tenby (Dinbych-y-Pysgod)
Lamphey
Manorbier Newton
Jameston
Penally (Penalun)
Tudor Merchant's House NT
Maiden Wells
Hodgeston
Cheriton or Stackpole Elidor
Freshwater East
Lydstep
Giltar Point
Caldey Sound
Trewent Point
Manorbier
St. Margaret's Island
Caldey Island
Priory
Chapel Point
Old Castle Head
Stackpole
Stackpole & Bosherston Ponds
Stackpole Head
St. Govan's Chapel
Burry Holm
WORMS HEAD (Penrhyn-gwyr)

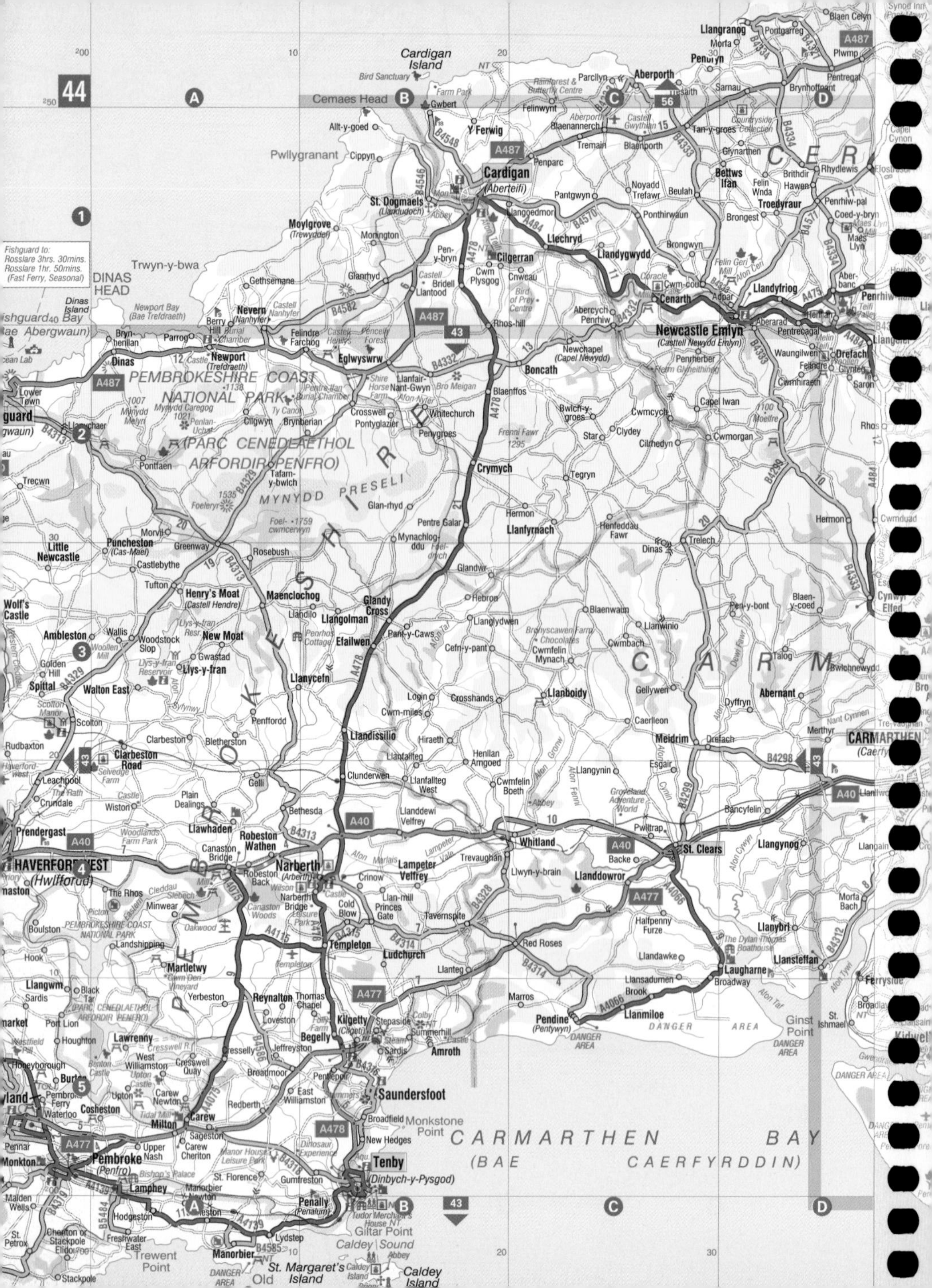

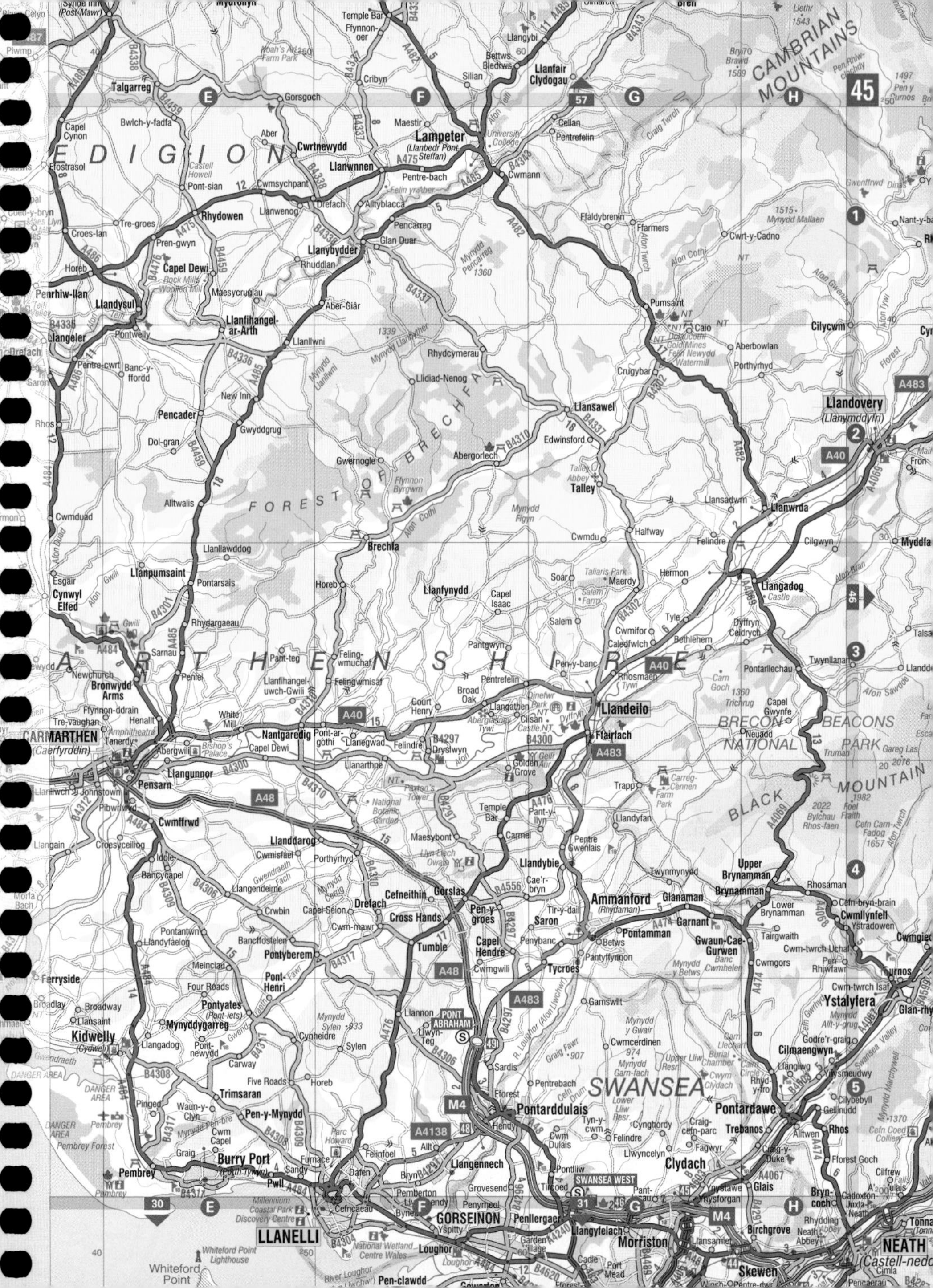

45
CAMBRIAN MOUNTAINS
CEREDIGION
CARMARTHENSHIRE
FOREST OF BRECHFA
BRECON BEACONS NATIONAL PARK
BLACK MOUNTAIN
SWANSEA
Lampeter
(Llanbedr Pont Steffan)
Llandovery
(Llanymddyfri)
Llandeilo
CARMARTHEN
(Caerfyrddin)
LLANELLI
NEATH
(Castell-nedd)
Llandysul
Llanybydder
Llanwnnen
Cwrtnewydd
Rhydowen
Capel Dewi
Llanfihangel-ar-Arth
Pencader
Talgarreg
Gorsgoch
Llanfair Clydogau
Cwmann
Pumsaint
Caio
Cilycwm
Llansawel
Talley
Abergorlech
Brechfa
Llanwrda
Llangadog
Llanfynydd
Pontarsais
Llanpumsaint
Cynwyl Elfed
Bronwydd Arms
Nantgaredig
Llangunnor
Pensarn
Cwmffrwd
Llanddarog
Cefneithin
Gorslas
Cross Hands
Drefach
Tumble
Pontyberem
Pont-Henri
Pontyates
(Pont-iets)
Kidwelly
(Cydweli)
Ferryside
Mynyddygarreg
Trimsaran
Pen-y-Mynydd
Burry Port
(Porth Tywyn)
Pembrey
Pwll
Llandybie
Ammanford
(Rhydaman)
Glanaman
Garnant
Gwaun-Cae-Gurwen
Saron
Tycroes
Pen-y-groes
Capel Hendre
Upper Brynamman
Brynamman
Cwmllynfell
Ystalyfera
Cilmaengwyn
Pontardawe
Trebanos
Clydach
Rhos
Pontarddulais
Llangennech
GORSEINON
Penllergaer
Llangyfelach
Morriston
Skewen
Loughor
Pen-clawdd
Whiteford Point
Whiteford Point Lighthouse
National Wetland Centre Wales
Millennium Coastal Park
Discovery Centre
Pembrey Forest
DANGER AREA
PONT ABRAHAM
SWANSEA WEST
M4
A40
A48
A483
A4138
A476
A485
A482
A4069
A474
B4300
B4310
B4337
Mynydd Llanllwni
Mynydd Pencarreg
Mynydd Mallaen
Mynydd Figyn
Carn Goch
Trichrug
Dolaucothi Gold Mines
National Botanic Garden
Carreg-Cennen
Dinefwr Park
Aberglasney
Dryslwyn
Llyn Llech Owain
Upper Lliw Resr.
Lower Lliw Resr.
Swansea Valley
30
57
46
E
F
G
H
1
2
3
4
5

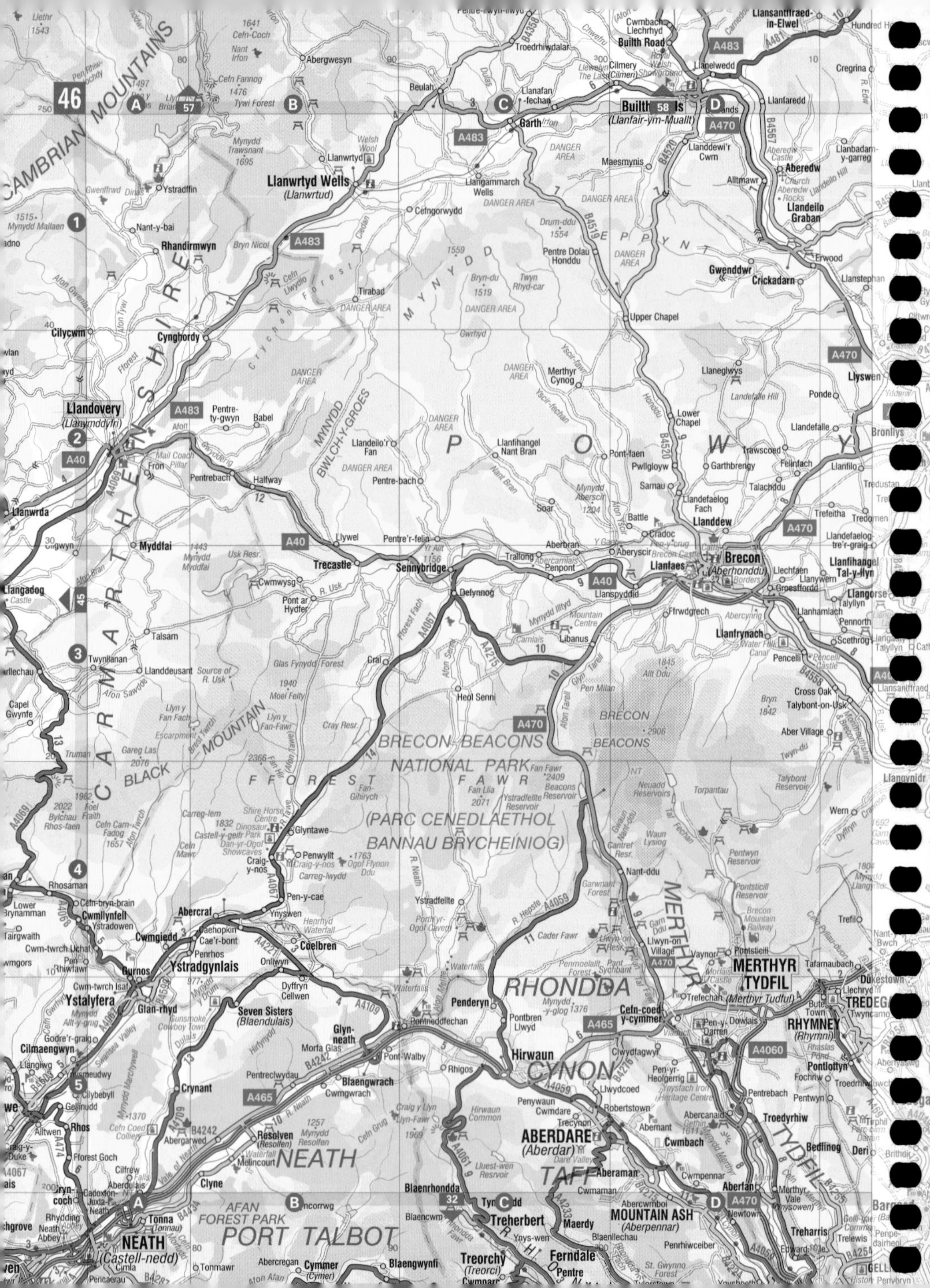

46
CAMBRIAN MOUNTAINS
CARMARTHENSHIRE
POWYS
MYNYDD EPPYNT
BRECON BEACONS NATIONAL PARK
(PARC CENEDLAETHOL BANNAU BRYCHEINIOG)
FFOREST FAWR
BLACK MOUNTAIN
BRECON BEACONS
MYNYDD BWLCH-Y-GROES
MERTHYR TYDFIL
RHONDDA CYNON TAFF
NEATH PORT TALBOT
AFAN FOREST PARK
57
58
45
32
A483
A470
A40
A4069
A4067
A4215
A4059
A465
A4109
A4221
A4068
A4060
A4061
A4233
B4358
B4519
B4520
B4567
B4558
B4242
B4599
B4434
Llanwrtyd Wells
(Llanwrtud)
Llandovery
(Llanymddyfri)
Builth Wells
(Llanfair-ym-Muallt)
Builth Road
Brecon
(Aberhonddu)
MERTHYR TYDFIL
(Merthyr Tudful)
ABERDARE
(Aberdar)
NEATH
(Castell-nedd)
MOUNTAIN ASH
(Aberpennar)
Ystradgynlais
Ystalyfera
Seven Sisters
(Blaendulais)
Glyn-neath
Hirwaun
Treherbert
Treorchy
(Treorci)
Ferndale
Maerdy
Resolven
(Resolfen)
Crynant
Cilycwm
Cynghordy
Rhandirmwyn
Ystradffin
Nant-y-bai
Abergwesyn
Beulah
Garth
Llanafan-fechan
Cilmery
(Cilmeri)
Llanelwedd
Llanfaredd
Aberedw
Llandeilo Graban
Erwood
Gwenddwr
Crickadarn
Llyswen
Upper Chapel
Lower Chapel
Merthyr Cynog
Llangammarch Wells
Maesmynis
Alltmawr
Tirabad
Cefngorwydd
Pentre Dolau Honddu
Llanfihangel Nant Bran
Pentre-bach
Llandeilo'r Fan
Pentre-ty-gwyn
Babel
Halfway
Pentrebach
Fron
Myddfai
Llanwrda
Trecastle
Sennybridge
Llywel
Pentre'r-felin
Defynnog
Trallong
Penpont
Aberbran
Aberyscir
Cradoc
Battle
Llanfaes
Llanspyddid
Ffrwdgrech
Libanus
Llanfrynach
Pencelli
Talybont-on-Usk
Cross Oak
Aber Village
Llandew
Llanddew
Felinfach
Trawscoed
Garthbrengy
Llandefalle
Bronllys
Llanfilo
Llangorse
Llanhamlach
Groesffordd
Llechfaen
Talyllyn
Cwmwysg
Pont ar Hydfer
Talsarn
Twynllanan
Llanddeusant
Crai
Heol Senni
Glyntawe
Penwyllt
Craig-y-nos
Pen-y-cae
Abercraf
Ynyswen
Coelbren
Onllwyn
Dyffryn Cellwen
Cwmgiedd
Gurnos
Glan-rhyd
Rhosaman
Cwmllynfell
Lower Brynamman
Ystradowen
Cilmaengwyn
Ynysmeudwy
Pontneddfechan
Penderyn
Pontbren Llwyd
Rhigos
Blaengwrach
Cwmgwrach
Pont-Walby
Nant-ddu
Ystradfellte
Llwyn-on Village
Vaynor
Pontsticill
Cefn-coed-y-cymmer
Trefechan
Dowlais
Pen-y-Darren
Abercanaid
Troedyrhiw
Aberfan
Merthyr Vale
Treharris
Bedlinog
Pentrebach
Pentwyn
Penywaun
Cwmdare
Trecynon
Robertstown
Llwydcoed
Abernant
Cwmbach
Aberaman
Cwmaman
Penrhiwceiber
Abercwmboi
Blaenllechau
Blaenrhondda
Blaencwm
Tynewydd
Ynys-wen
Tonna
(Tonnau)
Melincourt
Clyne
Rhos
Tonmawr
Cymmer
Abercregan
Blaengwynfi
RHYMNEY
(Rhymni)
TREDEGAR
Dukestown
Pontlottyn
Trefil
Tafarnaubach
Capel Gwynfe
Llangadog
Pen-y-fan
Fan Fawr
Fan Llia
DANGER AREA

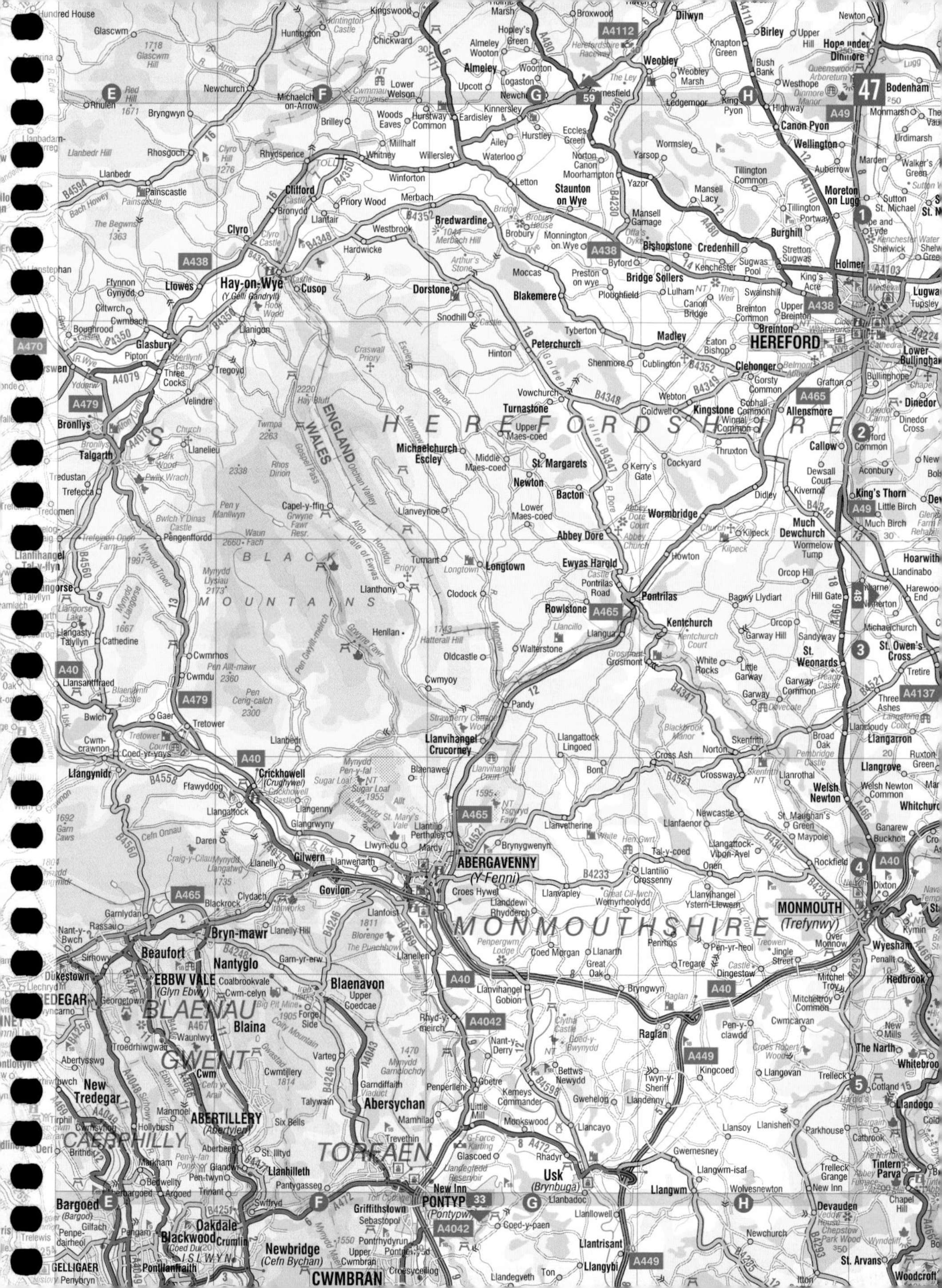

47
HEREFORDSHIRE
MONMOUTHSHIRE
BLAENAU GWENT
CAERPHILLY
TORFAEN
ENGLAND
WALES
BLACK MOUNTAINS
HEREFORD
ABERGAVENNY
(Y Fenni)
MONMOUTH
(Trefynwy)
Hay-on-Wye
(Y Gelli Gandryll)
Crickhowell
(Crughywel)
EBBW VALE
(Glyn Ebwy)
ABERTILLERY
(Abertyleri)
Blackwood
(Coed Duon)
Usk
(Brynbuga)
CWMBRAN
Newbridge
(Cefn Bychan)
Bargoed
(Bargod)
Weobley
Dilwyn
Kingswood
Huntington
Glascwm
Newchurch
Almeley
Eardisley
Kinnersley
Whitney
Clifford
Clyro
Painscastle
Llowes
Glasbury
Talgarth
Bronllys
Cusop
Dorstone
Bredwardine
Staunton on Wye
Peterchurch
Madley
Clehonger
Kingstone
Allensmore
Callow
Michaelchurch Escley
St. Margarets
Newton
Bacton
Abbey Dore
Wormbridge
Much Dewchurch
Ewyas Harold
Pontrilas
Kentchurch
Grosmont
Longtown
Clodock
Llanthony
Capel-y-ffin
Llanvihangel Crucorney
Pandy
Skenfrith
Cross Ash
St. Weonards
St. Owen's Cross
King's Thorn
Llangarron
Llangrove
Welsh Newton
Whitchurch
Monnow
Raglan
Dingestow
Mitchel Troy
Llandogo
Tintern Parva
Devauden
St. Arvans
Trelleck
Llangwm
Llantrisant
Llangybi
Abersychan
Blaenavon
Blaina
Brynmawr
Beaufort
Nantyglo
Gilwern
Govilon
Llanfoist
Cwm
New Tredegar
Canon Pyon
Wellington
Moreton on Lugg
Burghill
Credenhill
Bishopstone
Bridge Sollers
Holmer
Bodenham
Hope under Dinmore
Birley
A438
A4112
A49
A465
A40
A4042
A449
A479
A470
A4079
A4137
A466
A4103
B4348
B4352
B4350
B4521
B4233
B4347
B4598
B4558
B4560
59
33
48

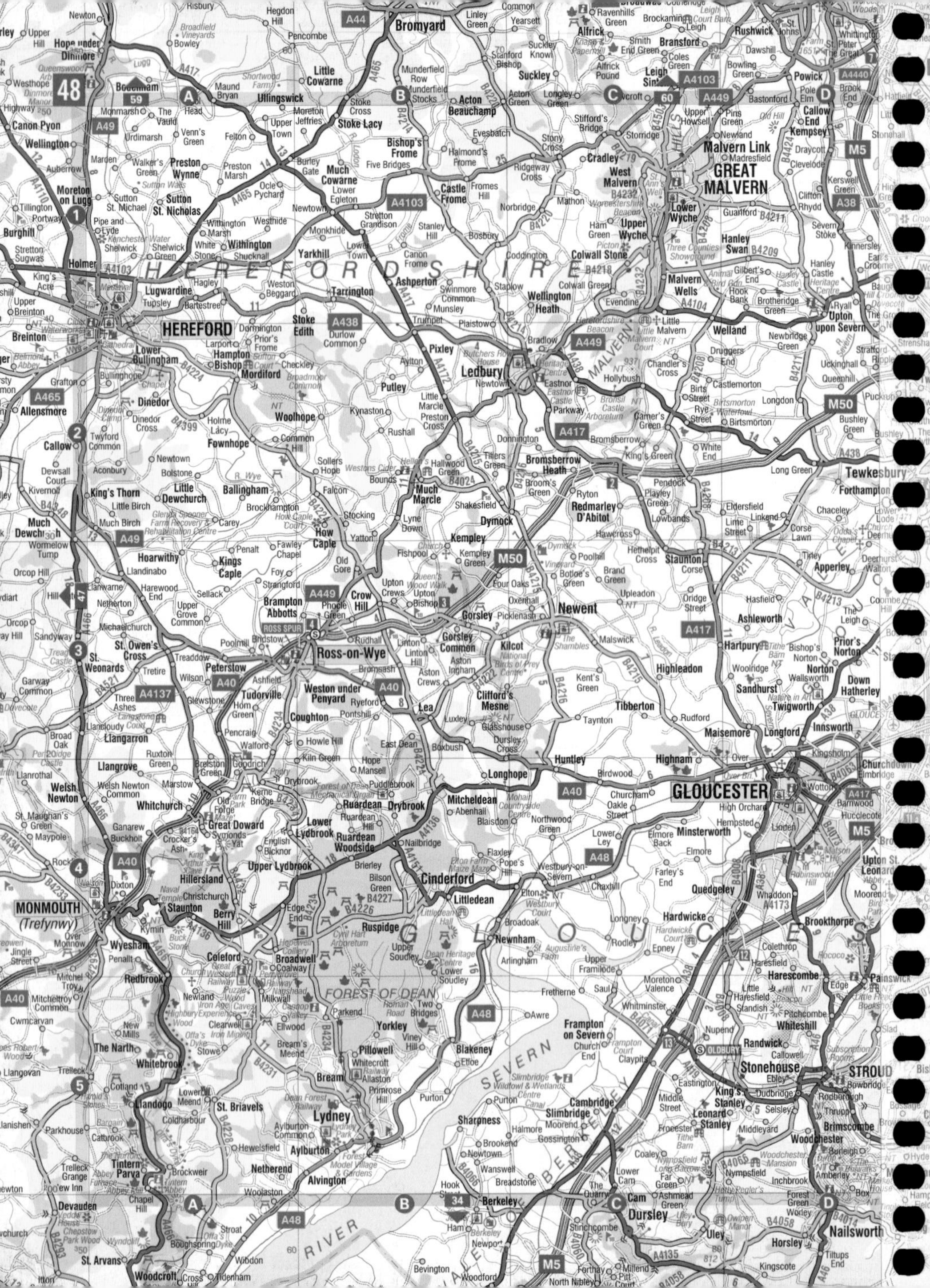

48
Bromyard
A44
A4103
A449
Little Cowarne
Ullingswick
Stoke Lacy
Acton Beauchamp
Suckley
Alfrick
Bransford
Rushwick
Leigh Sinton
Powick
Callow End
Kempsey
Canon Pyon
Wellington
Preston Wynne
Bishop's Frome
Much Cowarne
Castle Frome
Cradley
West Malvern
Malvern Link
GREAT MALVERN
Moreton on Lugg
Sutton St. Nicholas
Withington
Burghill
Holmer
HEREFORDSHIRE
Yarkhill
Ashperton
Tarrington
Colwall Stone
Upper Wyche
Hanley Swan
Malvern Wells
Wellington Heath
HEREFORD
Lugwardine
Stoke Edith
A438
Hampton Bishop
Mordiford
Pixley
Ledbury
Welland
Upton upon Severn
Putley
Woolhope
Allensmore
Dinedor
Fownhope
Callow
A465
A417
M50
Tewkesbury
Forthampton
Little Dewchurch
Ballingham
King's Thorn
Much Marcle
Bromsberrow Heath
Redmarley D'Abitot
Dymock
Kempley
How Caple
Much Dewchurch
A49
Hoarwithy
Kings Caple
Staunton
Apperley
Crow Hill
Brampton Abbotts
Newent
Ashleworth
Hartpury
Ross-on-Wye
Gorsley
Kilcot
St. Weonards
St. Owen's Cross
Peterstow
A40
A4137
Weston under Penyard
Tudorville
Coughton
Clifford's Mesne
Highleadon
Tibberton
Norton
Sandhurst
Down Hatherley
Twigworth
Llangarron
Lea
Maisemore
Longford
Innsworth
Welsh Newton
Huntley
Highnam
Longhope
GLOUCESTER
Whitchurch
Drybrook
Ruardean
Mitcheldean
Minsterworth
Great Doward
Lower Lydbrook
Ruardean Woodside
Upper Lydbrook
Cinderford
Littledean
A48
Hillersland
MONMOUTH
(Trefynwy)
Staunton
Berry Hill
Coleford
Broadwell
Ruspidge
Newnham
Quedgeley
Hardwicke
Brookthorpe
Wyesham
Redbrook
FOREST OF DEAN
Harescombe
Painswick
Yorkley
Whiteshill
Blakeney
Frampton on Severn
Randwick
Whitebrook
St. Briavels
Stonehouse
STROUD
Bream
Llandogo
Lydney
Sharpness
Cambridge
Slimbridge
Leonard Stanley
King's Stanley
Woodchester
Brimscombe
Aylburton
Tintern Parva
Netherend
Alvington
Berkeley
Cam
Dursley
Uley
Nailsworth
Devauden
M5
St. Arvans
Woodcroft
SEVERN
RIVER

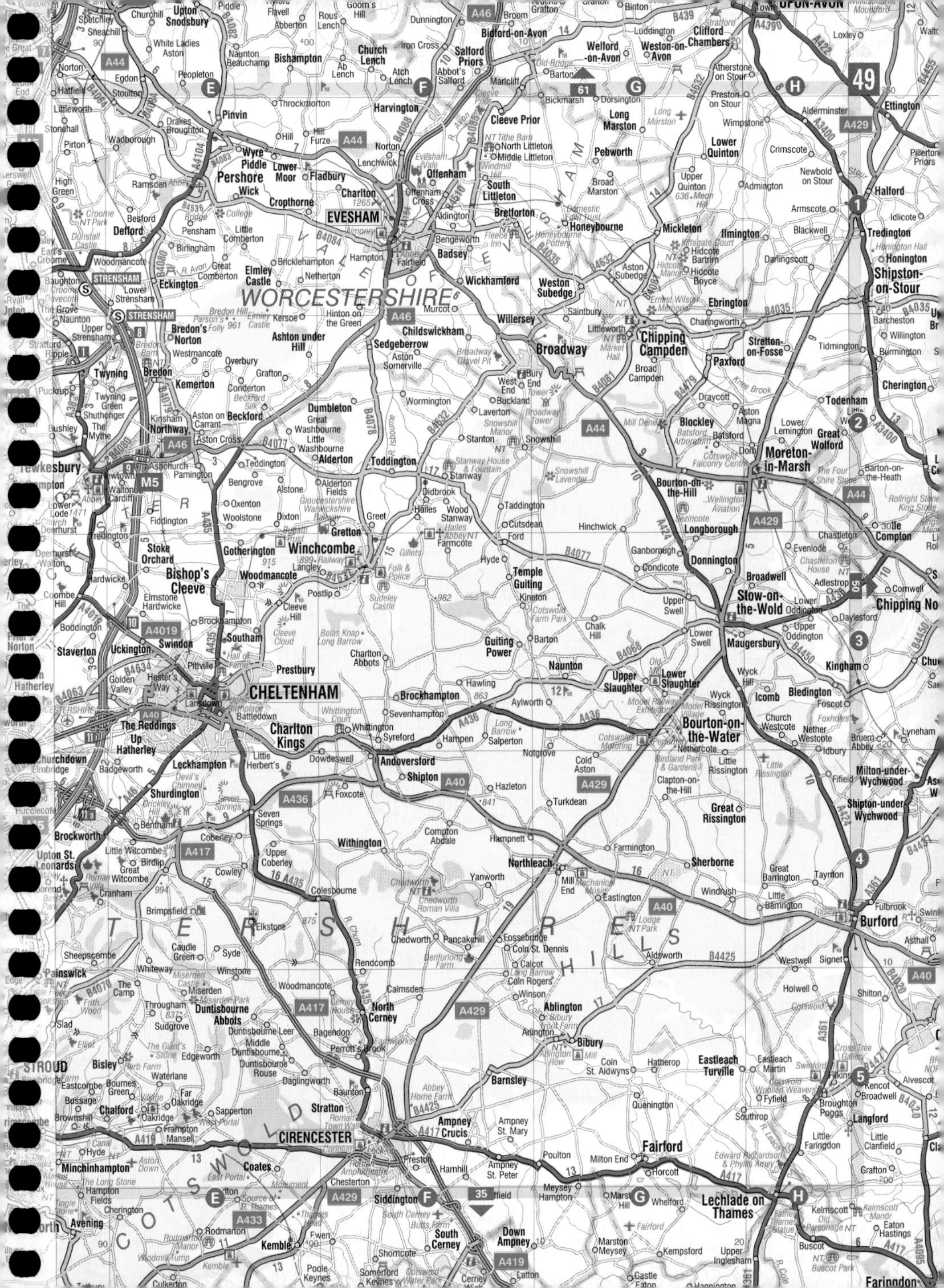

49
WORCESTERSHIRE
VALE OF EVESHAM
COTSWOLD HILLS
EVESHAM
CHELTENHAM
CIRENCESTER
STROUD
Tewkesbury
Pershore
Broadway
Chipping Campden
Moreton-in-Marsh
Stow-on-the-Wold
Bourton-on-the-Water
Winchcombe
Bishop's Cleeve
Northleach
Burford
Fairford
Lechlade on Thames
Bibury
Shipston-on-Stour
Bidford-on-Avon
Upton Snodsbury
Bishampton
Church Lench
Salford Priors
Welford-on-Avon
Weston-on-Avon
Clifford Chambers
Harvington
Cleeve Prior
Long Marston
Offenham
South Littleton
Bretforton
Honeybourne
Mickleton
Ilmington
Tredington
Eckington
Bredon
Bredon's Norton
Kemerton
Beckford
Ashton under Hill
Sedgeberrow
Childswickham
Willersey
Weston Subedge
Ebrington
Blockley
Toddington
Alderton
Dumbleton
Gretton
Temple Guiting
Guiting Power
Naunton
Upper Slaughter
Lower Slaughter
Longborough
Donnington
Broadwell
Kingham
Bledington
Icomb
Great Rissington
Sherborne
Milton-under-Wychwood
Shipton-under-Wychwood
Charlton Kings
Andoversford
Shipton
Withington
Leckhampton
Shurdington
Brockworth
Prestbury
Southam
Swindon
Uckington
Staverton
Painswick
Bisley
Chalford
Duntisbourne Abbots
North Cerney
Stratton
Ampney Crucis
Barnsley
Ablington
Eastleach Turville
Langford
Kemble
South Cerney
Down Ampney
Siddington
Coates
Minchinhampton
Avening
Faringdon

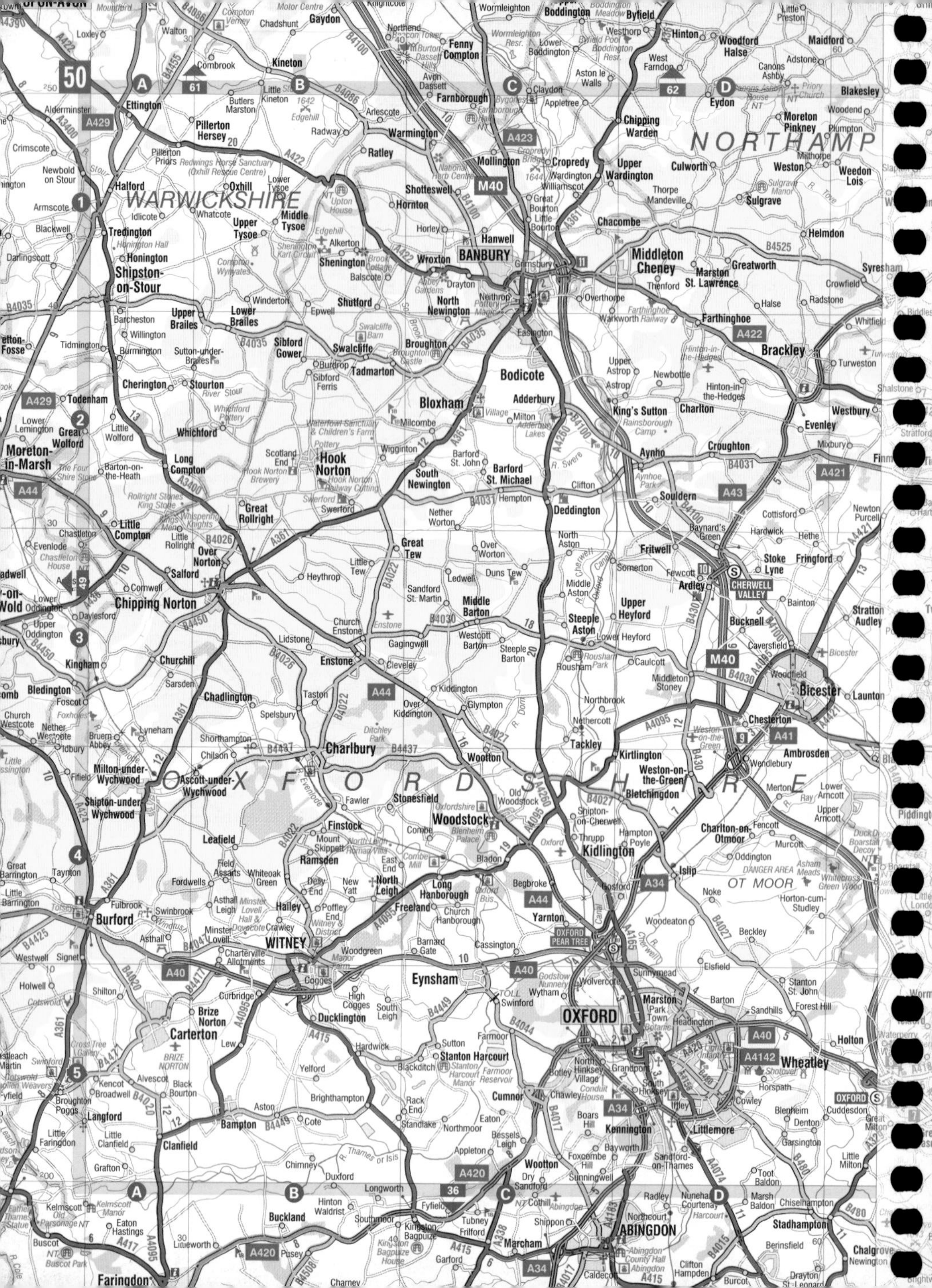

50
61
62
49
36
A
B
C
D
1
2
3
4
5
WARWICKSHIRE
NORTHAMP
O X F O R D S H I R E
Loxley
Walton
Chadshunt
Gaydon
Wormleighton
Boddington
Byfield
Little Preston
Compton Verney
Combrook
Kineton
Northend
Fenny Compton
Avon Dassett
Lower Boddington
Aston le Walls
Hinton
Woodford Halse
Maidford
West Farndon
Canons Ashby
Adstone
Ettington
Little Kineton
Butlers Marston
Farnborough
Claydon
Appletree
Eydon
Blakesley
Alderminster
Pillerton Hersey
Pillerton Priors
Edgehill
Arlescote
Radway
Warmington
Ratley
Mollington
Cropredy
Chipping Warden
Moreton Pinkney
Woodend
Plumpton
Crimscote
Newbold on Stour
Halford
Oxhill
Lower Tysoe
Upper Tysoe
Middle Tysoe
Whatcote
Idlicote
Shotteswell
Hornton
Horley
Hanwell
Wardington
Upper Wardington
Williamscot
Great Bourton
Little Bourton
Culworth
Weston
Weedon Lois
Thorpe Mandeville
Sulgrave
Armscote
Blackwell
Tredington
Honington
Darlingscott
Shipston-on-Stour
Alkerton
Shenington
Wroxton
BANBURY
Grimsbury
Drayton
Balscote
Chacombe
Middleton Cheney
Marston St. Lawrence
Greatworth
Helmdon
Syresham
Thenford
Crowfield
Barcheston
Willington
Winderton
Upper Brailes
Lower Brailes
Epwell
Shutford
North Newington
Neithrop
Overthorpe
Warkworth
Farthinghoe
Halse
Radstone
Whitfield
Tidmington
Burmington
Sutton-under-Brailes
Sibford Gower
Swalcliffe
Burdrop
Sibford Ferris
Tadmarton
Broughton
Easington
Bodicote
Upper Astrop
Astrop
Newbottle
Hinton-in-the-Hedges
Brackley
Turweston
Cherington
Stourton
Todenham
Whichford
Bloxham
Adderbury
Milton
Milcombe
King's Sutton
Charlton
Evenley
Westbury
Shalstone
Lower Lemington
Great Wolford
Little Wolford
Moreton-in-Marsh
Long Compton
Barton-on-the-Heath
Scotland End
Hook Norton
Wigginton
South Newington
Barford St. John
Barford St. Michael
Aynho
Croughton
Mixbury
Clifton
Souldern
Hempton
Deddington
Rollright Stones
Great Rollright
Swerford
Little Compton
Chastleton
Evenlode
Little Rollright
Over Norton
Salford
Nether Worton
Great Tew
Little Tew
Over Worton
Duns Tew
North Aston
Middle Aston
Somerton
Fritwell
Fewcott
Ardley
Baynard's Green
Hardwick
Hethe
Cottisford
Newton Purcell
Stoke Lyne
Fringford
Cornwell
Chipping Norton
Heythrop
Ledwell
Sandford St. Martin
Middle Barton
Steeple Aston
Upper Heyford
Lower Heyford
CHERWELL VALLEY
Bainton
Bucknell
Stratton Audley
Caversfield
Daylesford
Upper Oddington
Lower Oddington
Kingham
Churchill
Sarsden
Church Enstone
Lidstone
Enstone
Gagingwell
Westcott Barton
Steeple Barton
Rousham
Caulcott
Middleton Stoney
Bicester
Launton
Woodfield
Bledington
Foscot
Chadlington
Spelsbury
Taston
Cleveley
Kiddington
Over Kiddington
Glympton
Northbrook
Nethercott
Tackley
Chesterton
Church Westcote
Nether Westcote
Lyneham
Bruern Abbey
Idbury
Shorthampton
Chilson
Charlbury
Ditchley Park
Wootton
Kirtlington
Weston-on-the-Green
Wendlebury
Ambrosden
Fifield
Milton-under-Wychwood
Ascott-under-Wychwood
Shipton-under-Wychwood
Fawler
Stonesfield
Old Woodstock
Woodstock
Blenheim Palace
Bletchingdon
Shipton-on-Cherwell
Thrupp
Hampton Poyle
Kidlington
Charlton-on-Otmoor
Fencott
Murcott
Merton
Lower Arncott
Upper Arncott
Leafield
Finstock
Mount Skippett
Combe
Ramsden
Bladon
Oddington
Islip
OT MOOR
Great Barrington
Taynton
Little Barrington
Fordwells
Field Assarts
Whiteoak Green
East End
North Leigh
Delly End
New Yatt
Long Hanborough
Begbroke
Gosford
Noke
Horton-cum-Studley
Burford
Fulbrook
Swinbrook
Asthall Leigh
Hailey
Poffley End
Crawley
Freeland
Church Hanborough
Yarnton
Woodeaton
Beckley
Westwell
Signet
Asthall
Minster Lovell
Charterville Allotments
WITNEY
Woodgreen
Barnard Gate
Cassington
OXFORD PEAR TREE
Sunnymead
Elsfield
Holwell
Shilton
Curbridge
Cogges
High Cogges
South Leigh
Eynsham
Swinford
Wytham
Wolvercote
Marston
Barton
Stanton St. John
Forest Hill
Brize Norton
Carterton
Ducklington
OXFORD
Headington
Sandhills
Holton
Wheatley
Lew
Hardwick
Sutton
Stanton Harcourt
Farmoor
North Hinksey Village
Botley
Grandpont
South Hinksey
Iffley
Cowley
Horspath
Kencot
Broadwell
Alvescot
Black Bourton
Broughton Poggs
Yelford
Blackditch
Cumnor
Chawley
Brighthampton
Rack End
Boars Hill
Kennington
Littlemore
Blenheim
Cuddesdon
Denton
Great Milton
Langford
Aston
Bampton
Cote
Standlake
Northmoor
Eaton
Bessels Leigh
Wootton
Bayworth
Sandford-on-Thames
Garsington
Little Faringdon
Little Clanfield
Clanfield
Appleton
Foxcombe Hill
Sunningwell
Toot Baldon
Little Milton
Grafton
Chimney
Duxford
Dry Sandford
Cothill
Radley
Nuneham Courtenay
Marsh Baldon
Chiselhampton
Kelmscott
Kelmscott Manor
Longworth
Hinton Waldrist
Fyfield
Tubney
Frilford
Shippon
Northcourt
ABINGDON
Stadhampton
Buckland
Southmoor
Kingston Bagpuize
Eaton Hastings
Buscot
Buscot Park
Littleworth
Pusey
Garford
Marcham
Berinsfield
Chalgrove
Faringdon
Charney
Caldecott
Clifton Hampden
Burcot
Drayton St. Leonard
Newington
M40
A422
A423
A429
A44
A361
A3400
A4260
A4095
A40
A34
A41
A43
A421
A4142
A420
A415
A417
A338
A4074
A4183
A4165
B4035
B4026
B4022
B4030
B4031
B4100
B4525
B4027
B4437
B4450
B4449
B4044
B4017
B4020
B4477
B4425
B4015
B480
B430
B4086
B4455
B4451

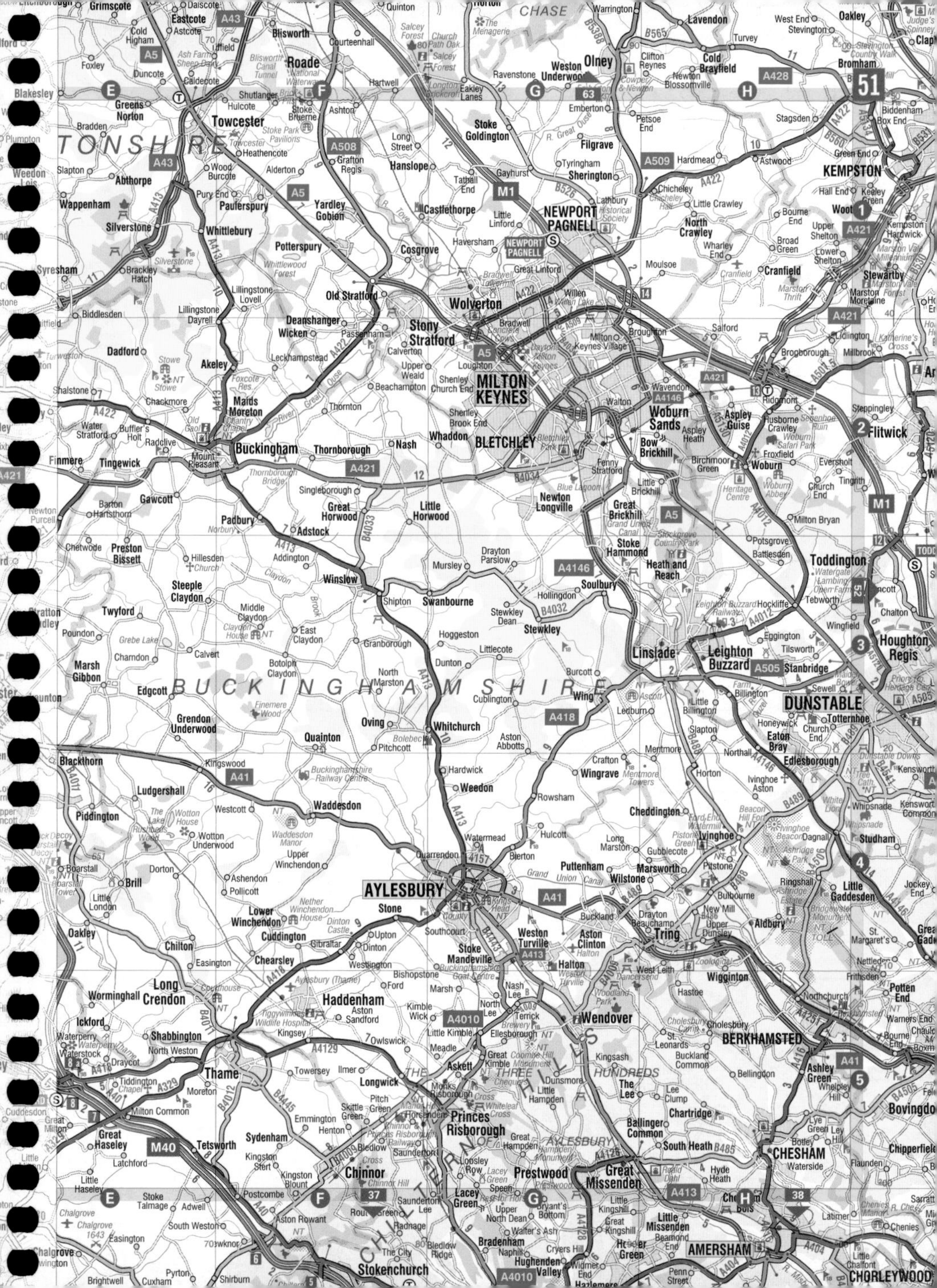

51
Grimscote
Eastcote
Cold Higham
Blisworth
Quinton
Courteenhall
Roade
Salcey Forest
The Menagerie
Warrington
Lavendon
Oakley
Stevington
Olney
Weston Underwood
Ravenstone
Clifton Reynes
Cold Brayfield
Turvey
Bromham
Newton Blossomville
Blakesley
Greens Norton
Towcester
Shutlanger
Stoke Bruerne
Hartwell
Ashton
Eakley Lanes
Emberton
Petsoe End
Stagsden
Biddenham
Box End
Stoke Goldington
Filgrave
Tyringham
Sherington
Hardmead
Astwood
Kempston
TONSHIRE
Weedon Lois
Slapton
Abthorpe
Heathencote
Wood Burcote
Alderton
Grafton Regis
Long Street
Hanslope
Gayhurst
Tathall End
Chicheley
Little Crawley
North Crawley
Hall End
Wappenham
Silverstone
Pury End
Paulerspury
Whittlebury
Yardley Gobion
Potterspury
Castlethorpe
Cosgrove
Little Linford
Newport Pagnell
Lathbury
Haversham
Great Linford
Bourne End
Upper Shelton
Lower Shelton
Broad Green
Wharley End
Moulsoe
Cranfield
Kempston Hardwick
Stewartby
Marston Moretaine
Syresham
Brackley Hatch
Lillingstone Lovell
Lillingstone Dayrell
Biddlesden
Old Stratford
Deanshanger
Wicken
Passenham
Wolverton
Bradwell
Willen
Milton Keynes Village
Broughton
Salford
Lidlington
Millbrook
Stony Stratford
Calverton
Upper Weald
Leckhampstead
Dadford
Stowe
Akeley
Shalstone
Maids Moreton
Chackmore
Beachampton
Thornton
Shenley Church End
Loughton
MILTON KEYNES
Walton
Wavendon
Woburn Sands
Aspley Guise
Aspley Heath
Ridgmont
Brogborough
Husborne Crawley
Steppingley
Flitwick
Water Stratford
Buffler's Holt
Radclive
Buckingham
Thornborough
Nash
Whaddon
Shenley Brook End
BLETCHLEY
Bow Brickhill
Birchmoor Green
Woburn
Froxfield
Eversholt
Finmere
Tingewick
Mount Pleasant
Singleborough
Great Horwood
Little Horwood
Newton Longville
Fenny Stratford
Little Brickhill
Great Brickhill
Tingrith
Church End
Barton Hartsthorn
Gawcott
Padbury
Adstock
Milton Bryan
Chetwode
Preston Bissett
Hillesden
Addington
Winslow
Mursley
Drayton Parslow
Stoke Hammond
Heath and Reach
Potsgrove
Battlesden
Toddington
Steeple Claydon
Shipton
Swanbourne
Hollingdon
Soulbury
Hockliffe
Tebworth
Chalton
Twyford
Middle Claydon
East Claydon
Stewkley Dean
Stewkley
Wingfield
Poundon
Hoggeston
Eggington
Tilsworth
Houghton Regis
Charndon
Calvert
Granborough
Littlecote
Linslade
Leighton Buzzard
Stanbridge
Marsh Gibbon
Botolph Claydon
North Marston
Dunton
Burcott
Sewell
BUCKINGHAMSHIRE
Edgcott
Cublington
Wing
Billington
DUNSTABLE
Grendon Underwood
Oving
Whitchurch
Ledburn
Little Billington
Honeywick
Totternhoe
Eaton Bray
Quainton
Pitchcott
Aston Abbotts
Slapton
Church End
Blackthorn
Kingswood
Hardwick
Crafton
Wingrave
Mentmore
Northall
Edlesborough
Ludgershall
Weedon
Horton
Ivinghoe Aston
Piddington
Westcott
Waddesdon
Rowsham
Cheddington
Whipsnade
Wotton Underwood
Upper Winchendon
Watermead
Hulcott
Long Marston
Ivinghoe
Dagnall
Studham
Boarstall
Brill
Dorton
Ashendon
Pollicott
Quarrendon
Bierton
Puttenham
Wilstone
Marsworth
Gubblecote
Pitstone
Ringshall
Little Gaddesden
AYLESBURY
Little London
Lower Winchendon
Stone
Weston Turville
Aston Clinton
Buckland
Drayton Beauchamp
Tring
New Mill
Bulbourne
Aldbury
Oakley
Chilton
Cuddington
Gibraltar
Upton
Dinton
Southcourt
Stoke Mandeville
Halton
West Leith
Wigginton
Easington
Chearsley
Westlington
Bishopstone
Hastoe
Worminghall
Long Crendon
Haddenham
Aston Sandford
Ford
Marsh
Kimble Wick
Nash Lee
North Lee
Wendover
Potten End
Ickford
Shabbington
Waterperry
Waterstock
Kingsey
Owlswick
Little Kimble
Ellesborough
Cholesbury
Northchurch
BERKHAMSTED
North Weston
Thame
Draycot
Tiddington
Towersey
Ilmer
Longwick
Meadle
Askett
Great Kimble
Kingsash
St. Leonards
Buckland Common
Bellingdon
Ashley Green
Whelpley Hill
Moreton
Milton Common
Great Milton
Great Haseley
Skittle Green
Pitch Green
Monks Risborough
Princes Risborough
Dunsmore
Little Hampden
The Lee
Lee Clump
Chartridge
Ballinger Common
Bovingdon
Sydenham
Emmington
Henton
Horsenden
Bledlow
Saunderton
Great Hampden
Hampden Row
South Heath
CHESHAM
Lye Green
Botley
Ley Hill
Chipperfield
Tetsworth
Latchford
Kingston Stert
Kingston Blount
Chinnor
Lacey Green
Speen
Loosley Row
Prestwood
Great Missenden
Hyde Heath
Waterside
Flaunden
Little Haseley
Stoke Talmage
Postcombe
Saunderton Lee
Bryant's Bottom
Upper North Dean
Little Kingshill
Great Kingshill
Little Missenden
Chalgrove
Adwell
South Weston
Aston Rowant
Radnage
Walter's Ash
Bradenham
Naphill
Cryers Hill
Hughenden Valley
Beamond End
AMERSHAM
Latimer
Chenies
Easington
The City
Bledlow Ridge
Stokenchurch
Widmer End
Hazlemere
Penn Street
Little Chalfont
CHORLEYWOOD
Brightwell
Cuxham
Pyrton
Shirburn
M1
M40
A5
A43
A413
A421
A422
A428
A509
A4146
A505
A418
A41
A4010
A4129
A329
A40
A4128
A404
A416
A4251
A4012
A5130
B4034
B4032
B4033
B526
B565
B485

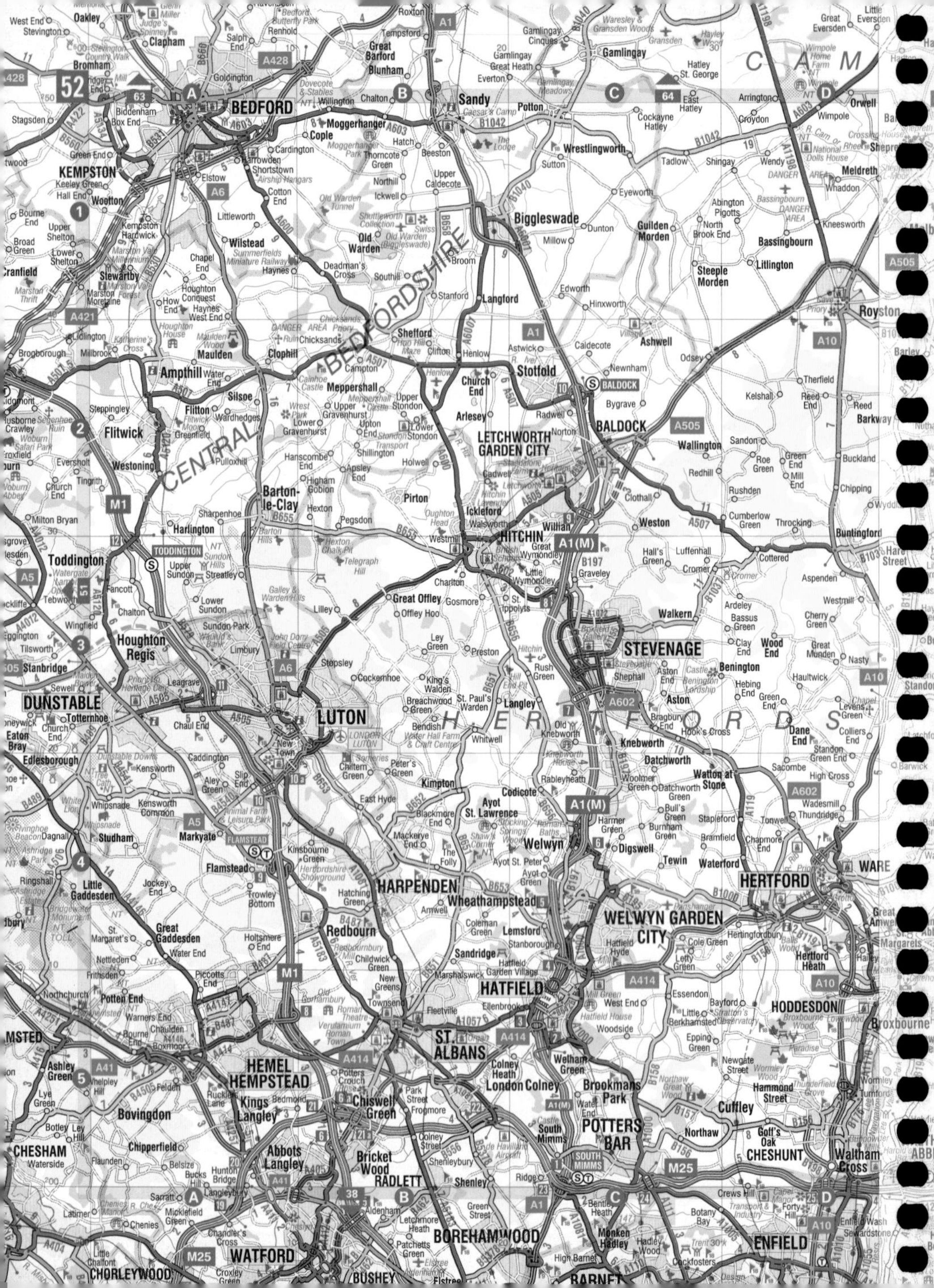

52
Oakley
West End
Stevington
Clapham
Bromham
Renhold
Roxton
Tempsford
Great Barford
Blunham
Gamlingay Cinques
Gamlingay
Gamlingay Great Heath
Everton
Hatley St. George
Great Eversden
Little Eversden
Wimpole
Orwell
C A M
Goldington
BEDFORD
Biddenham
Box End
Stagsden
Willington
Moggerhanger
Cople
Chalton
Sandy
Potton
Cockayne Hatley
East Hatley
Arrington
Croydon
Cardington
Harrowden
Shortstown
Green End
KEMPSTON
Keeley Green
Hall End
Wootton
Elstow
Cotton End
Hatch
Thorncote Green
Beeston
Northill
Upper Caldecote
Ickwell
Wrestlingworth
Sutton
Tadlow
Shingay
Wendy
Meldreth
Whaddon
Eyeworth
Biggleswade
Dunton
Guilden Morden
Abington Pigotts
North Brook End
Kneesworth
Bassingbourn
Bourne End
Upper Shelton
Kempston Hardwick
Broad Green
Lower Shelton
Cranfield
Stewartby
Marston Moretaine
Littleworth
Wilstead
Chapel End
Houghton Conquest
Haynes
Haynes West End
How End
Old Warden
Deadman's Cross
Southill
Broom
Millow
Steeple Morden
Litlington
Stanford
Langford
Edworth
Hinxworth
Royston
Lidlington
Brogborough
Millbrook
Maulden
Ampthill
Clophill
Chicksands
Shefford
Clifton
Henlow
Astwick
Caldecote
Ashwell
Newnham
Odsey
Therfield
Kelshall
Reed End
Reed
Barkway
BEDFORDSHIRE
CENTRAL
Campton
Meppershall
Upper Stondon
Upper Gravenhurst
Lower Gravenhurst
Upton End
Lower Stondon
Shillington
Church End
Stotfold
Arlesey
BALDOCK
Radwell
Norton
Bygrave
Silsoe
Flitton
Wardhedges
Greenfield
Steppingley
Flitwick
Westoning
Pulloxhill
Eversholt
Tingrith
Church End
LETCHWORTH GARDEN CITY
Wallington
Sandon
Roe Green
Green End
Mill End
Redhill
Buckland
Hanscombe End
Higham Gobion
Apsley End
Holwell
Barton-le-Clay
Hexton
Pegsdon
Pirton
Ickleford
Cadwell
Clothall
Rushden
Chipping
Cumberlow Green
Throcking
Buntingford
Milton Bryan
Harlington
Sharpenhoe
Walsworth
HITCHIN
Westmill
William
Weston
Toddington
TODDINGTON
Upper Sundon
Streatley
Great Wymondley
Little Wymondley
Hall's Green
Luffenhall
Cromer
Cottered
Aspenden
Fancott
Tebworth
Chalton
Lower Sundon
Charlton
Great Offley
Gosmore
St. Ippolyts
Lilley
Offley Hoo
Graveley
Walkern
Ardeley
Bassus Green
Westmill
Cherry Green
Wingfield
Eggington
Tilsworth
Houghton Regis
Sundon Park
Limbury
Stanbridge
Leagrave
Ley Green
Preston
STEVENAGE
Clay End
Wood End
Great Munden
Nasty
Stopsley
Cockernhoe
King's Walden
Rush Green
Shephall
Aston End
Benington
Hebing End
Haultwick
Standon
DUNSTABLE
Totternhoe
Church End
Eaton Bray
Edlesborough
LUTON
Chaul End
Breachwood Green
St. Paul's Walden
Langley
Old Knebworth
Aston
Bragbury End
Green End
Hook's Cross
Dane End
Levens Green
Colliers End
H E R T F O R D S
Bendish
Whitwell
Knebworth
Datchworth
Watton at Stone
Sacombe
High Cross
Caddington
Kensworth
Slip End
Aley Green
New Town
Chiltern Green
Peter's Green
East Hyde
Kimpton
Rableyheath
Codicote
Woolmer Green
Datchworth Green
Bull's Green
Whipsnade
Kensworth Common
Studham
Markyate
FLAMSTEAD
Dagnall
Blackmore End
Ayot St. Lawrence
Mackerye End
The Folly
Harmer Green
Digswell
Burnham Green
Stapleford
Tonwell
Wadesmill
Thundridge
Bramfield
Chapmore End
Tewin
Waterford
Welwyn
Ayot St. Peter
Ayot Green
Kinsbourne Green
Flamstead
Jockey End
Trowley Bottom
Ringshall
Little Gaddesden
Hatching Green
HARPENDEN
Wheathampstead
Amwell
HERTFORD
WARE
Great Gaddesden
St. Margaret's
Holtsmere End
Redbourn
Coleman Green
Lemsford
Stanborough
WELWYN GARDEN CITY
Hatfield Hyde
Cole Green
Hertingfordbury
Letty Green
Hertford Heath
Great Amwell
Hailey
Nettleden
Frithsden
Water End
Piccotts End
Childwick Green
Sandridge
Marshalswick
Hatfield Garden Village
HATFIELD
Essendon
Bayford
Little Berkhamsted
HODDESDON
Broxbourne
Northchurch
Potten End
Warners End
New Greens
Townsend
Fleetville
Ellenbrook
West End
Bourne End
Chaulden
Boxmoor
ST. ALBANS
Woodside
Epping Green
Newgate Street
Wormley
Turnfords
Ashley Green
Whelpley Hill
HEMEL HEMPSTEAD
Potters Crouch
Colney Heath
London Colney
Welham Green
Brookmans Park
Hammond Street
Lye Green
Felden
Kings Langley
Rucklers Lane
Bedmond
Chiswell Green
Park Street
Frogmore
Water End
Cuffley
Bovingdon
Botley
Ley Hill
Chipperfield
Abbots Langley
Colney Street
Bricket Wood
Shenleybury
South Mimms
POTTERS BAR
Northaw
Goff's Oak
CHESHUNT
Waltham Cross
CHESHAM
Waterside
Flaunden
Belsize
Hunton Bridge
Bucks Hill
RADLETT
Shenley
Ridge
SOUTH MIMMS
Crews Hill
Sarratt
Langleybury
Latimer
Chenies
Mickleffeld Green
Aldenham
Letchmore Heath
Green Street
Bentley Heath
Botany Bay
Forty Hill
Enfield Wash
Chandler's Cross
Patchetts Green
BOREHAMWOOD
Monken Hadley
Hadley Wood
ENFIELD
Little Chalfont
CHORLEYWOOD
Croxley Green
WATFORD
BUSHEY
Elstree
High Barnet
BARNET
Cockfosters

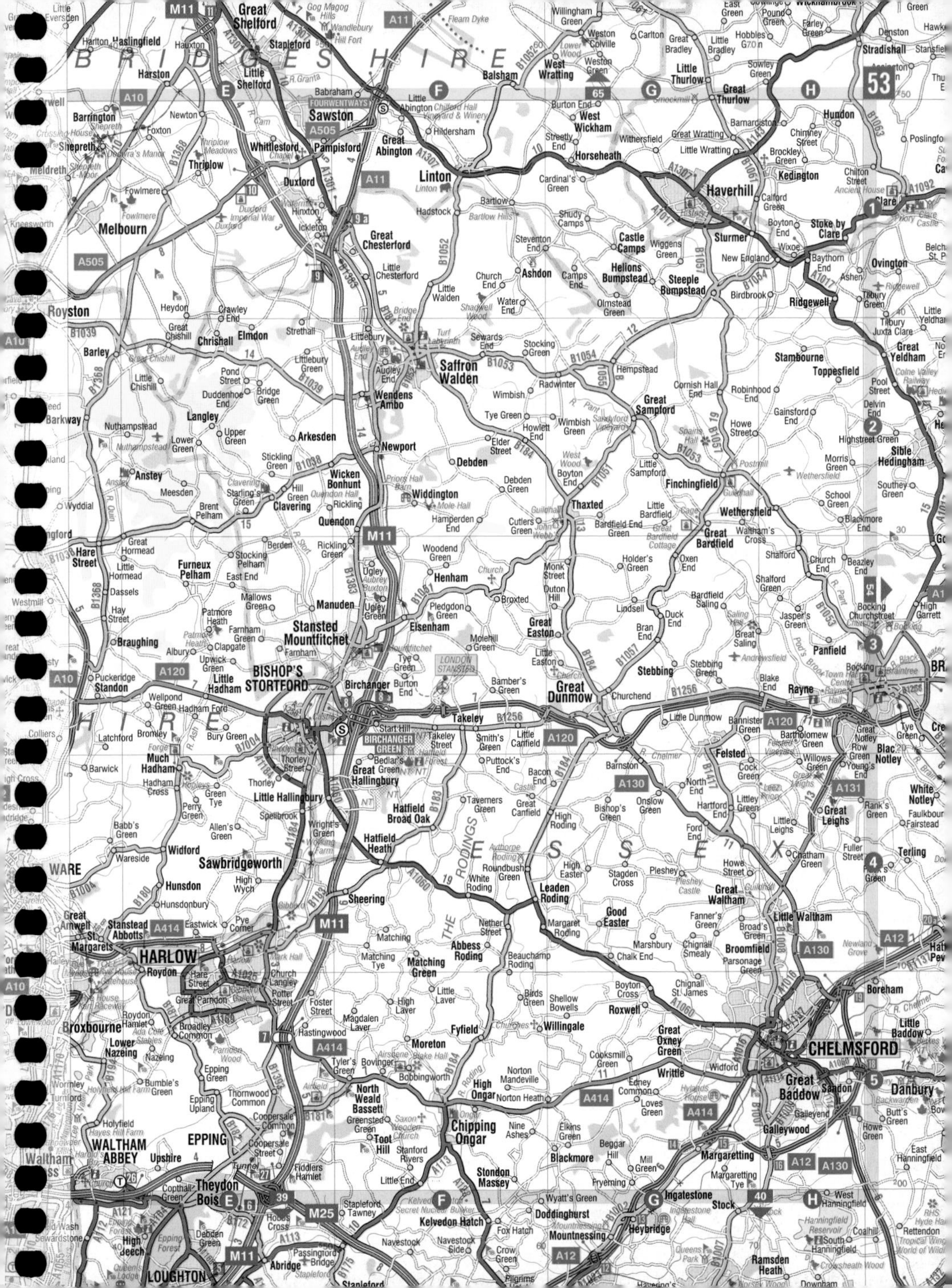
53
BRIDGESHIRE
ESSEX
M11
Great Shelford
Little Shelford
Stapleford
Hauxton
Harlton
Haslingfield
Harston
Gog Magog Hills
Wandlebury
Fleam Dyke
Balsham
West Wratting
Weston Colville
Willingham Green
Carlton
Great Bradley
Little Bradley
Little Thurlow
Great Thurlow
Sowley Green
Denston
Stradishall
Barrington
Shepreth
Foxton
Newton
Sawston
Babraham
Little Abington
Great Abington
Hildersham
Pampisford
Whittlesford
Thriplow
Duxford
Fowlmere
Melbourn
Meldreth
Hinxton
Ickleton
Great Chesterford
Little Chesterford
Linton
Hadstock
Bartlow
Horseheath
West Wickham
Burton End
Withersfield
Great Wratting
Little Wratting
Haverhill
Kedington
Barnardiston
Hundon
Chimney Street
Brockley Green
Poslingford
Chilton Street
Clare
Stoke by Clare
Calford Green
Boyton End
Wixoe
Sturmer
New England
Baythorn End
Ovington
Ashen
Ridgewell
Tilbury Green
Tilbury Juxta Clare
Little Yeldham
Great Yeldham
Cardinal's Green
Shudy Camps
Castle Camps
Steventon End
Ashdon
Church End
Camps End
Helions Bumpstead
Steeple Bumpstead
Wiggens Green
Olmstead Green
Birdbrook
Water End
Little Walden
Royston
Heydon
Crawley End
Great Chishill
Elmdon
Chrishall
Strethall
Littlebury
Littlebury Green
Audley End
Saffron Walden
Sewards End
Stocking Green
Radwinter
Hempstead
Stambourne
Toppesfield
Barley
Little Chishill
Pond Street
Duddenhoe End
Bridge Green
Wendens Ambo
Wimbish
Tye Green
Howlett End
Wimbish Green
Great Sampford
Cornish Hall End
Robinhood End
Gainsford End
Pool Street
Delvin End
Barkway
Nuthampstead
Langley
Upper Green
Lower Green
Arkesden
Newport
Elder Street
Debden
Little Sampford
Finchingfield
Howe Street
Highstreet Green
Sible Hedingham
Morris Green
Anstey
Stickling Green
Wicken Bonhunt
Clavering
Meesden
Hill Green
Rickling
Widdington
Debden Green
Boyton End
Thaxted
Little Bardfield
Wethersfield
Southey Green
School Green
Blackmore End
Wyddial
Brent Pelham
Quendon
Hamperden End
Cutlers Green
Bardfield End Green
Great Bardfield
Waltham's Cross
Great Hormead
Little Hormead
Hare Street
Berden
Rickling Green
Woodend Green
Henham
Monk Street
Holder's Green
Oxen End
Shalford
Church End
Beazley End
Furneux Pelham
Stocking Pelham
East End
Ugley
Ugley Green
Duton Hill
Lindsell
Shalford Green
Bardfield Saling
Dassels
Hay Street
Mallows Green
Manuden
Pledgdon Green
Broxted
Duck End
Jasper's Green
Bocking Churchstreet
High Garrett
Braughing
Patmore Heath
Farnham Green
Clapgate
Albury
Stansted Mountfitchet
Farnham
Elsenham
Molehill Green
Great Easton
Bran End
Great Saling
Panfield
Puckeridge
Standon
Upwick Green
Little Hadham
BISHOP'S STORTFORD
Birchanger
Tye Green
Burton End
LONDON STANSTED
Bamber's Green
Little Easton
Great Dunmow
Stebbing
Stebbing Green
Blake End
Rayne
Bocking
Wellpond Green
Hadham Ford
Latchford
Bromley
Bury Green
Start Hill
Takeley
Takeley Street
Smith's Green
Little Canfield
BIRCHANGER GREEN
Churchend
Little Dunmow
Bannister Green
Bartholomew Green
Great Notley
Black Notley
Barwick
Much Hadham
Thorley Street
Thorley
Great Hallingbury
Bedlar's Green
Puttock's End
Bacon End
Barnston
Felsted
Cock Green
Willows Green
Young's End
Hadham Cross
Green Tye
Perry Green
Little Hallingbury
Hatfield Broad Oak
Takeley
Taverners Green
Great Canfield
High Roding
North End
Onslow Green
Hartford End
Littley Green
Great Leighs
Little Leighs
White Notley
Faulkbourne
Fairstead
Babb's Green
Allen's Green
Spellbrook
Wright's Green
Hatfield Heath
Bishop's Green
Ford End
Fuller Street
Terling
Chatham Green
Wareside
Widford
Sawbridgeworth
White Roding
Roundbush Green
High Easter
Stagden Cross
Pleshey
Howe Street
Great Waltham
WARE
Hunsdon
High Wych
Hunsdonbury
Sheering
Leaden Roding
Good Easter
Little Waltham
Great Amwell
Stanstead Abbotts
St Margarets
Eastwick
Pye Corner
Matching
Nether Street
Margaret Roding
Fanner's Green
Broad's Green
Broomfield
HARLOW
Roydon
Hare Street
Great Parndon
Church Langley
Potter Street
Matching Tye
Matching Green
Abbess Roding
Beauchamp Roding
Marshbury
Chignall Smealy
Chalk End
Parsonage Green
Boreham
Broxbourne
Roydon Hamlet
Broadley Common
Foster Street
High Laver
Little Laver
Magdalen Laver
Birds Green
Shellow Bowells
Boyton Cross
Roxwell
Chignall St James
Lower Nazeing
Nazeing
Hastingwood
Moreton
Fyfield
Willingale
Great Oxney Green
CHELMSFORD
Little Baddow
Epping Green
Bumble's Green
Tyler's Green
Bovinger
Bobbingworth
Cooksmill Green
Writtle
Widford
Great Baddow
Sandon
Danbury
Epping Upland
Thornwood Common
North Weald Bassett
High Ongar
Norton Mandeville
Norton Heath
Edney Common
Loves Green
Butt's Green
Holyfield
Coopersale Common
Greensted Green
Chipping Ongar
Nine Ashes
Elkins Green
Galleywood
Howe Green
WALTHAM ABBEY
EPPING
Upshire
Coopersale Street
Toot Hill
Stanford Rivers
Blackmore
Beggar Hill
Mill Green
Margaretting
East Hanningfield
Fiddlers Hamlet
Little End
Stondon Massey
Fryerning
Margaretting Tye
Copthall Green
Theydon Bois
Stapleford Tawney
Wyatt's Green
Doddinghurst
Ingatestone
Stock
West Hanningfield
Hobbs Cross
Kelvedon Hatch
Fox Hatch
Mountnessing
Heybridge
South Hanningfield
Rettendon
High Beech
Debden Green
Navestock
Navestock Side
Crow Green
Passingford Bridge
Abridge
Ramsden Heath
LOUGHTON
Stapleford
Pilgrims
Downham

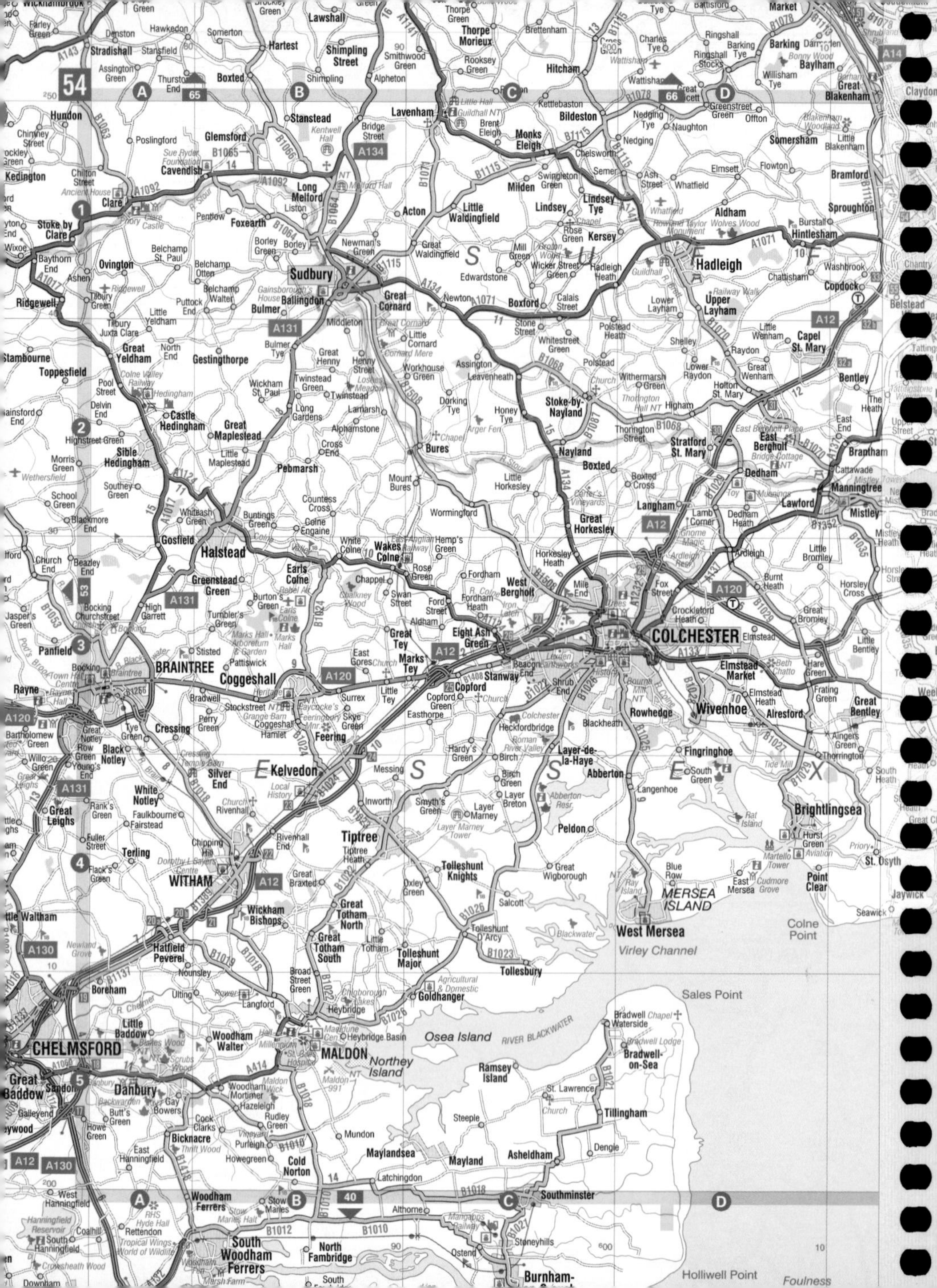

54
A
B
C
D
65
66
40
1
2
3
4
5
Lawshall
Thorpe Green
Thorpe Morieux
Brettenham
Battisford
Market
Farley Green
Denston
Hawkedon
Somerton
Hartest
Shimpling Street
Smithwood Green
Rooksey Green
Charles Tye
Ringshall
Ringshall Stocks
Barking Tye
Barking
Darmsden
Bonny Wood
Baylham
Stradishall
Stansfield
Assington Green
Thurston End
Boxted
Shimpling
Alpheton
Hitcham
Wattisham
Great Bricett
Greenstreet Green
Offton
Willisham Tye
Great Blakenham
Claydon
Hundon
Stanstead
Lavenham
Little Hall
Guildhall NT
Brent Eleigh
Kettlebaston
Bildeston
Nedging Tye
Naughton
Nedging
Blakenham Woodland
Somersham
Little Blakenham
Chimney Street
Poslingford
Glemsford
Sue Ryder Foundation
Kentwell Hall
Bridge Street
Monks Eleigh
Chelsworth
Kedington
Chilton Street
Cavendish
Long Melford
Melford Hall
Milden
Swingleton Green
Semer
Ash Street
Whatfield
Elmsett
Flowton
Bramford
Ancient House
Clare
Clare Castle
Priory
Liston
Acton
Little Waldingfield
Lindsey
Lindsey Tye
Chapel
Aldham
Sproughton
Stoke by Clare
Pentlow
Foxearth
Rose Green
Kersey
Whatfield
Rowland Taylor Monument
Wolves Wood
Burstall
Hintlesham
Wixoe
Baythorn End
Belchamp St. Paul
Borley Green
Borley
Newman's Green
Great Waldingfield
Mill Green
Wicker Street Green
Hadleigh Heath
Hadleigh
Washbrook
Chantry
Ovington
Belchamp Otten
Sudbury
Edwardstone
Guildhall
Chattisham
Copdock
Ashen
Ridgewell
Tilbury Green
Belchamp Walter
Puttock End
Gainsborough's House
Ballingdon
Bulmer
Great Cornard
Newton
Boxford
Calais Street
Lower Layham
Railway Walk
Upper Layham
Belstead
Tilbury Juxta Clare
Little Yeldham
Middleton
Little Cornard
Cornard Mere
Stone Street
Whitestreet Green
Polstead Heath
Little Wenham
Capel St. Mary
Stambourne
Toppesfield
Great Yeldham
North End
Gestingthorpe
Bulmer Tye
Great Henny
Henny Street
Workhouse Green
Assington
Leavenheath
Polstead
Shelley
Lower Raydon
Raydon
Great Wenham
Bentley
Tattingstone
Colne Valley Railway
Hedingham
Pool Street
Wickham St. Paul
Twinstead Green
Twinstead
Loshes Meadow
Dorking Tye
Church
Withermarsh Green
Thorington Hall NT
Holton St. Mary
The Heath
Delvin End
Castle Hedingham
Long Gardens
Lamarsh
Honey Tye
Stoke-by-Nayland
Higham
Great Maplestead
Alphamstone
Arger Fen
Thorington Street
East End
East Bergholt Place
East Bergholt
Brantham
Highstreet Green
Sible Hedingham
Little Maplestead
Cross End
Chapel
Bures
Nayland
Stratford St. Mary
Bridge Cottage NT
Morris Green
Wethersfield
Pebmarsh
Boxted
Dedham
Cattawade
Mistley Towers
Southey Green
Mount Bures
Little Horkesley
Boxted Cross
Carter's Vineyards
Toy
Munnings
Manningtree
School Green
Countess Cross
Wormingford
Langham
Lamb Corner
Dedham Heath
Lawford
Mistley
Blackmore End
Whiteash Green
Buntings Green
Colne Engaine
Great Horkesley
Gnome Magic
Gosfield
Halstead
White Colne
Wakes Colne
East Anglian Railway
Hemp's Green
Horkesley Heath
Ardleigh
Ardleigh Resr.
Little Bromley
Church End
Beazley End
Earls Colne
Rose Green
Chappel
Fordham
West Bergholt
Mile End
Fox Street
Burnt Heath
Horsley Cross
Greenstead Green
Rebel Air
Coalkney Wood
Swan Street
Fordham Heath
Iron Latch
Crockleford Heath
Great Bromley
High Garrett
Burton's Green
Bocking Churchstreet
Ford Street
Jasper's Green
Tumbler's Green
Aldham
Great Tey
Eight Ash Green
COLCHESTER
Elmstead
Little Bentley
Panfield
Marks Hall Arboretum & Garden
Marks Hall
Stisted
East Gores
Marks Tey
Beth Chatto
Hare Green
Bocking
Town Hall Centre
BRAINTREE
Pattiswick
Coggeshall
Beacon End
Layer de la Haye
Stanway
Copford
Elmstead Market
Frating Green
Rayne
Bradwell
Stockstreet
Paycocke's
Grange Barn
Coggeshall Hamlet
Surrex
Little Tey
Copford Green
Church
Shrub End
Bourne Mill NT
Rowhedge
Wivenhoe
Elmstead Heath
Alresford
Great Bentley
Bartholomew Green
Great Notley
Tye Green
Cressing
Perry Green
Feeringbury Mnr.
Skye Green
Feering
Easthorpe
Colchester Zoo
Heckfordbridge
Roman River Valley
Blackheath
Aingers Green
Thorrington
Notley Row Green
Black Notley
Cressing Temple Barn
Hardy's Green
Birch
Fingringhoe
Young's End
Silver End
Kelvedon
Messing
Abberton
South Green
Tide Mill
South Heath
Great Leighs
Rank's Green
White Notley
Local History
Inworth
Birch Green
Layer Breton
Abberton Resr.
Langenhoe
Brightlingsea
Faulkbourne
Fairstead
Church
Rivenhall
Smyth's Green
Layer Marney
Layer Marney Tower
Peldon
Rat Island
Great Clacton
Fuller Street
Terling
Chipping Hill
Dorothy L. Sayers Centre
Rivenhall End
Tiptree
Tiptree Heath
Martello Tower
Hurst Green
Priory
Aviation
St. Osyth
Flack's Green
WITHAM
Great Braxted
Tolleshunt Knights
Oxley Green
Great Wigborough
Blue Row
Ray Island
East Mersea
Cudmore Grove
Point Clear
MERSEA ISLAND
Jaywick
Little Waltham
Wickham Bishops
Great Totham North
Salcott
Seawick
West Mersea
Colne Point
Newland Grove
Hatfield Peverel
Great Totham South
Little Totham
Tolleshunt D'Arcy
Blackwater
Virley Channel
Tolleshunt Major
Tollesbury
Boreham
Nounsley
Broad Street Green
Agricultural & Domestic
Ulting
Sales Point
R. Chelmer
Langford
Chigborough Lakes
Heybridge
Goldhanger
Bradwell Waterside
Chapel
Little Baddow
Maldon Cen.
Heybridge Basin
Osea Island
RIVER BLACKWATER
Bradwell Lodge
CHELMSFORD
Woodham Walter
Millennium
St. Giles Hospital
MALDON
Northey Island
NT
Bradwell-on-Sea
Maldon 991
Ramsey Island
Great Baddow
Sandon
Danbury
Woodham Mortimer
Maldon Wick
St. Lawrence
Galleyend
Backwarden
Gay Bowers
Hazeleigh
Church
Butt's Green
Cock Clarks
Rudley Green
Steeple
Tillingham
Howe Green
Bicknacre
Thrift Wood
Vineyard
Purleigh
Mundon
East Hanningfield
Howegreen
Cold Norton
Maylandsea
Mayland
Asheldham
Dengie
Latchingdon
West Hanningfield
Woodham Ferrers
Stow Maries
Southminster
RHS Hyde Hall
Stow Maries Halt
Althorne
Mangapps Railway
Hanningfield Reservoir
Coalhill
Rettendon
South Hanningfield
Tropical Wings World of Wildlife
South Woodham Ferrers
North Fambridge
Stoneyhills
Ostend
Crowsheath Wood
Marsh Farm
South
Burnham-
Holliwell Point
Foulness
Downham
A134
A1092
B1065
B1066
B1064
A131
A1017
A1124
A120
A12
A130
A133
B1115
A1071
B1068
A1141
B1078
A14
B1070
B1087
B1508
B1029
A137
B1352
B1035
B1027
B1024
B1022
B1025
B1026
B1023
B1018
B1019
B1137
A414
B1010
B1012
B1018
B1021
A132
A1060
A143
B1063
B1053
B1256
A1232

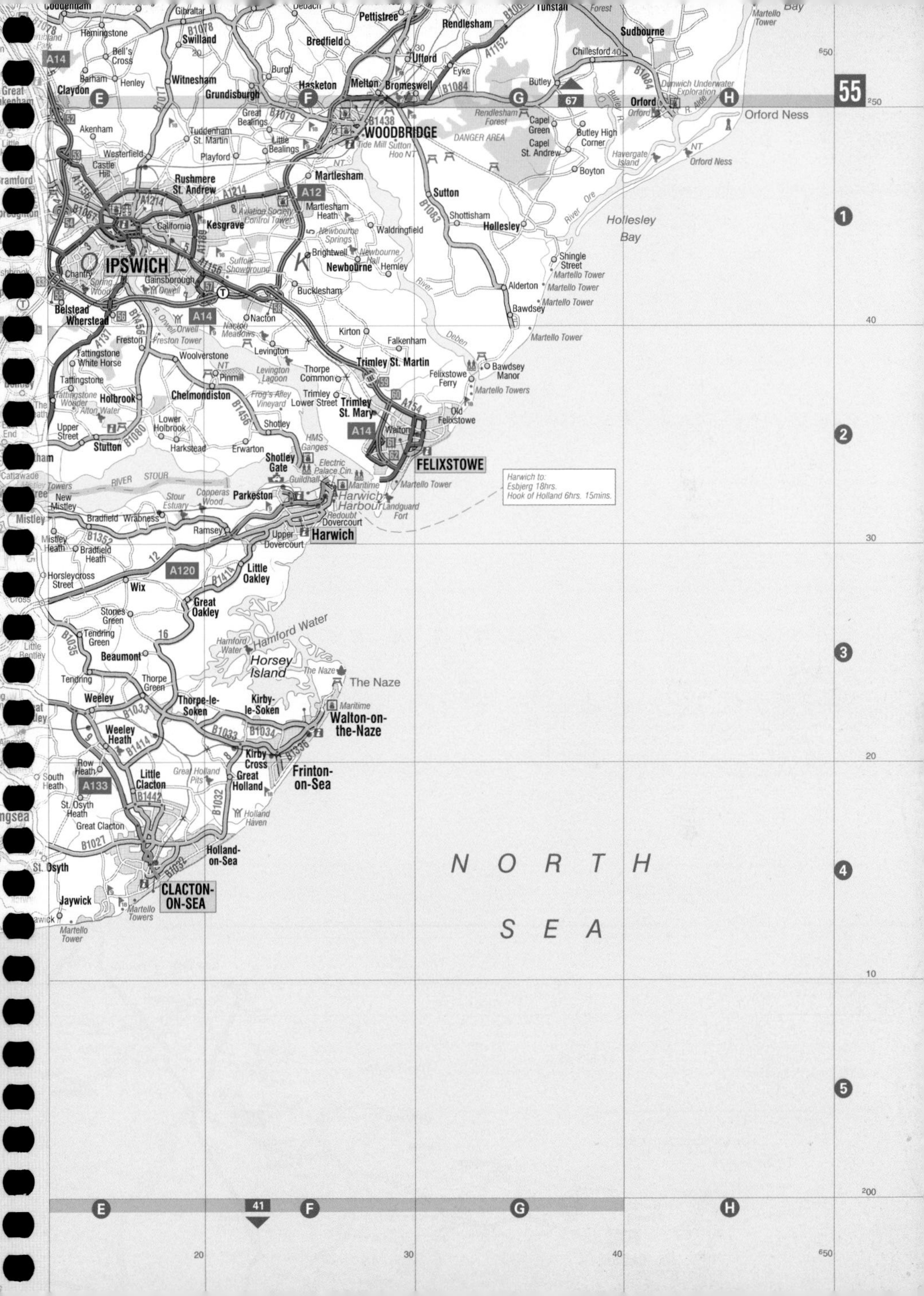
55
Hemingstone
Gibraltar
Swilland
Pettistree
Rendlesham
Tunstall Forest
Sudbourne
Martello Tower
Bay
Bell's Cross
Bredfield
Ufford
Chillesford
A14
Barham
Henley
Witnesham
Burgh
Eyke
Butley
Claydon
Grundisburgh
Hasketon
Melton
Bromeswell
B1084
67
Dunwich Underwater Exploration
Orford
R. Alde
Great Blakenham
Great Bealings
B1079
B1438
Rendlesham Forest
Capel Green
Butley High Corner
Orford Ness
Akenham
Tuddenham St. Martin
Little Bealings
WOODBRIDGE
Tide Mill
Sutton Hoo NT
DANGER AREA
Capel St. Andrew
Havergate Island
NT
Orford Ness
Westerfield
Playford
NT
Castle Hill
Boyton
Bramford
Martlesham
Rushmere St. Andrew
A12
Sutton
A1214
Martlesham Heath
Aviation Society Control Tower
Shottisham
Hollesley
River Ore
Hollesley Bay
A1156
California
Kesgrave
B1083
Newbourne Springs
Waldringfield
A1189
Brightwell
Newbourne Hall
IPSWICH
Suffolk Showground
Newbourne
Hemley
Shingle Street
Martello Tower
Chantry
Spring Wood
Gainsborough
Orwell
River Deben
Alderton
Martello Tower
Bucklesham
Martello Tower
Belstead
Wherstead
A14
Nacton
Bawdsey
B1456
Orwell
Nacton Meadows
Kirton
Martello Tower
A137
Freston
Freston Tower
Levington
Falkenham
Deben
Tattingstone White Horse
Woolverstone
Trimley St. Martin
Bawdsey Manor
NT
Pinmill
Levington Lagoon
Thorpe Common
Felixstowe Ferry
Tattingstone
Martello Towers
Tattingstone Wonder
Holbrook
Chelmondiston
Frog's Alley Vineyard
Trimley Lower Street
Trimley St. Mary
A154
Alton Water
Lower Holbrook
B1456
Shotley
Old Felixstowe
Upper Street
A14
Walton
Stutton
B1080
Harkstead
Erwarton
HMS Ganges
Shotley Gate
Electric Palace Cin.
FELIXSTOWE
Harwich to:
Esbjerg 18hrs.
Hook of Holland 6hrs. 15mins.
Cattawade
RIVER STOUR
Guildhall
Maritime
Martello Tower
New Mistley
Stour Estuary
Copperas Wood
Parkeston
Harwich Harbour
Landguard Fort
Mistley
Bradfield
Wrabness
Redoubt
Dovercourt
Ramsey
Harwich
Mistley Heath
B1352
Bradfield Heath
Upper Dovercourt
12
A120
Little Oakley
Horsleycross Street
B1414
Wix
Great Oakley
Stones Green
Hamford Water
Tendring Green
16
Hamford Water
B1035
Horsey Island
Beaumont
The Naze
The Naze
Tendring
Thorpe Green
Maritime
Weeley
Thorpe-le-Soken
Kirby-le-Soken
Walton-on-the-Naze
B1033
Weeley Heath
B1033
B1034
B1414
Kirby Cross
B1336
Row Heath
Great Holland Pits
Frinton-on-Sea
South Heath
A133
Little Clacton
Great Holland
B1442
B1032
St. Osyth Heath
Holland Haven
Great Clacton
B1027
Holland-on-Sea
St. Osyth
B1032
NORTH
SEA
CLACTON-ON-SEA
Jaywick
Martello Towers
Martello Tower
1
2
3
4
5
E
F
G
H
41
20
30
40
650
250
40
30
20
10
200

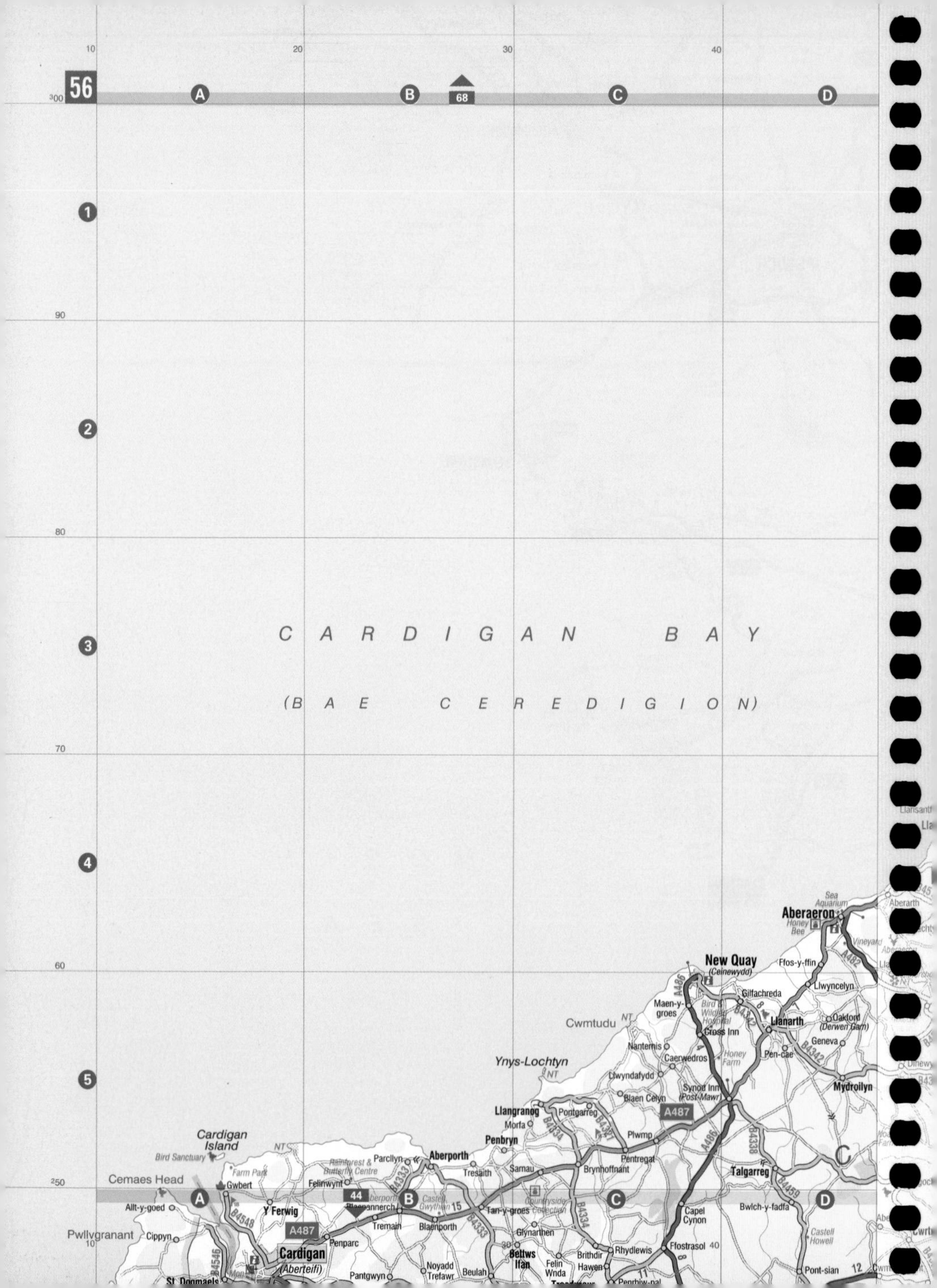
68
CARDIGAN BAY
(BAE CEREDIGION)
Cardigan Island
Bird Sanctuary
Cemaes Head
Gwbert
Farm Park
Allt-y-goed
Y Ferwig
Pwllygranant
Cippyn
Cardigan
(Aberteifi)
Penparc
Parcllyn
Rainforest & Butterfly Centre
Felinwynt
Aberporth
Blaenannerch
Tremain
Blaenporth
Castell Gwythian
Tresaith
Penbryn
Llangranog
Morfa
Pontgarreg
Ynys-Lochtyn
Cwmtudu
Sarnau
Tan-y-groes
Countryside Collection
Glynarthen
Brynhoffnant
Pentregat
Plwmp
Bettws Ifan
Felin Wnda
Brithdir
Hawen
Rhydlewis
Noyadd Trefawr
Beulah
Pantgwyn
Blaen Celyn
Llwyndafydd
Caerwedros
Nanternis
Synod Inn
(Post-Mawr)
Maen-y-groes
Cross Inn
Honey Farm
New Quay
(Ceinewydd)
Gilfachreda
Llanarth
Pen-cae
Oakford
(Derwen Gam)
Geneva
Mydroilyn
Llwyncelyn
Ffos-y-ffin
Aberaeron
Sea Aquarium
Honey Bee
Vineyard
Talgarreg
Capel Cynon
Fostrasol
Bwlch-y-fadfa
Castell Howell
Pont-sian
A487
A486
A482
B4548
B4546
B4333
B4334
B4321
B4342
B4338
B4459
44

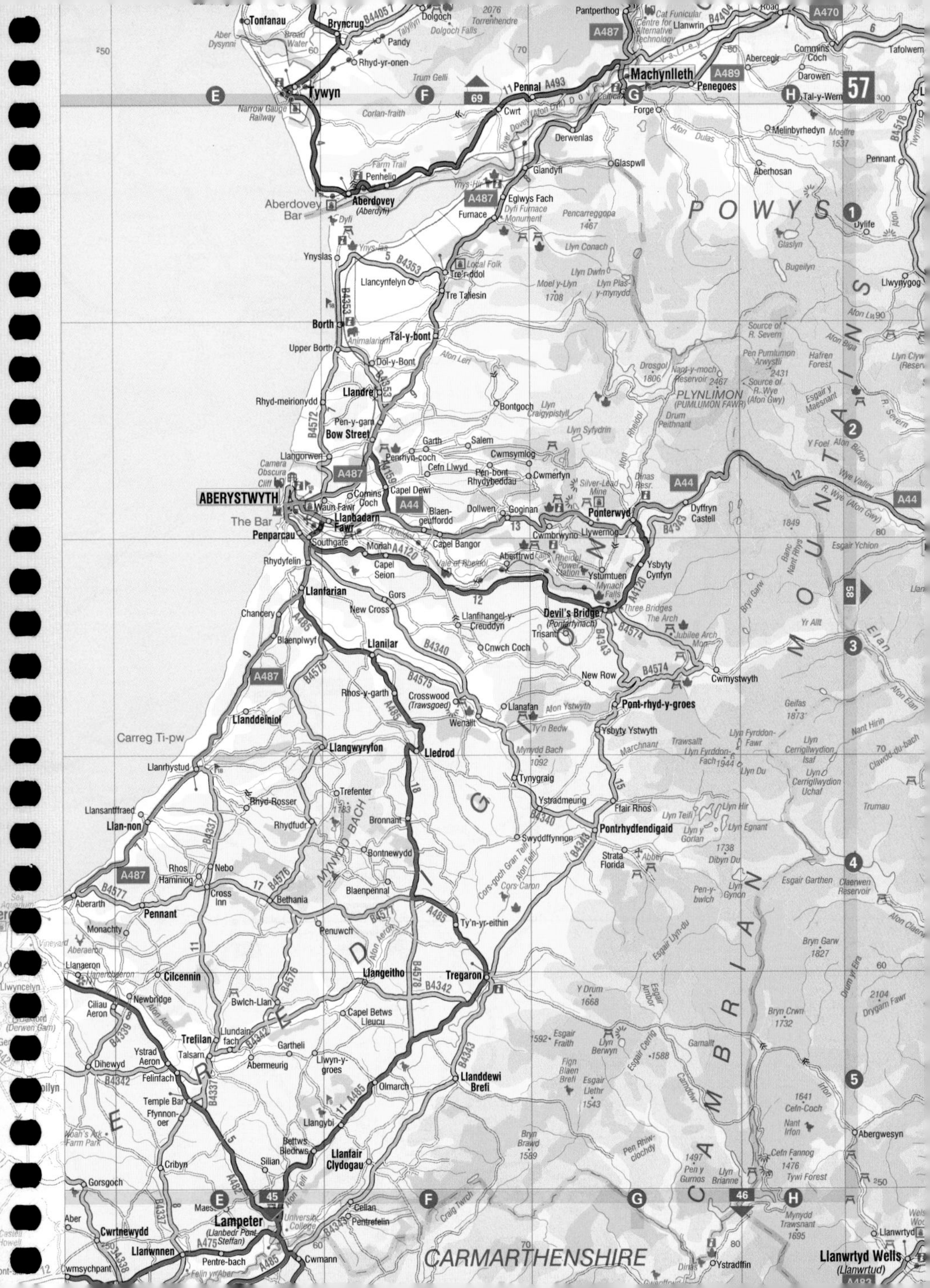
Tonfanau
Bryncrug
Dolgoch
Pandy
Rhyd-yr-onen
Tywyn
Narrow Gauge Railway
Aberdovey
(Aberdyfi)
Aberdovey Bar
Penhelig
Pennal
Cwrt
Machynlleth
Penegoes
Pantperthog
Centre for Alternative Technology
Llanwrin
Commins Coch
Darowen
Abercegir
Tal-y-Wern
Forge
Derwenlas
Glandyfi
Glaspwll
Eglwys Fach
Furnace
Dyfi Furnace Monument
Pencarreggopa 1467
Melinbyrhedyn
Aberhosan
Pennant
POWYS
Dylife
Glaslyn
Bugeilyn
Llwynygog
Ynyslas
Llancynfelyn
Tre'r-ddol
Tre Taliesin
Borth
Upper Borth
Animalarium
Tal-y-bont
Dol-y-Bont
Llandre
Rhyd-meirionydd
Pen-y-garn
Bow Street
Bontgoch
Llyn Craigypistyll
Drosgol 1806
Nant-y-moch Reservoir
Pen Pumlumon Arwystli 2431
Source of R. Severn
Source of R. Wye
PLYNLIMON (PUMLUMON FAWR)
Drum Peithnant
Hafren Forest
Llangorwen
Camera Obscura
Cliff
ABERYSTWYTH
The Bar
Waun Fawr
Comins Coch
Capel Dewi
Llanbadarn Fawr
Penparcau
Southgate
Penrhyn-coch
Garth
Salem
Cefn Llwyd
Cwmsymlog
Pen-bont Rhydybeddau
Cwmerfyn
Silver-Lead Mine
Blaen-geuffordd
Dollwen
Goginan
Ponterwyd
Dyffryn Castell
Cwmbrwyno
Llywernog
Capel Bangor
Moriah
Capel Seion
Rhydyfelin
Aberffrwd
Rheidol Power Station
Vale of Rheidol
Ystumtuen
Ysbyty Cynfyn
Mynach Falls
Llanfarian
Gors
New Cross
Chancery
Llanfihangel-y-Creuddyn
Devil's Bridge (Pontarfynach)
Trisant
Jubilee Arch
Blaenplwyf
Llanilar
Cnwch Coch
New Row
Cwmystwyth
Rhos-y-garth
Crosswood (Trawsgoed)
Wenallt
Llanafan
Pont-rhyd-y-groes
Ysbyty Ystwyth
Llanddeiniol
Carreg Ti-pw
Llangwyryfon
Lledrod
Mynydd Bach 1092
Tynygraig
Llanrhystud
Trefenter
Rhyd-Rosser
Rhydfudr
Bronnant
Ystradmeurig
Ffair Rhos
Pontrhydfendigaid
Swyddffynnon
Llansantffraed
Llan-non
MYNYDD BACH
Bontnewydd
Strata Florida
Rhos Haminiog
Nebo
Cross Inn
Bethania
Blaenpennal
Cors Caron
Ty'n-yr-eithin
Aberarth
Pennant
Monachty
Aberaeron
Penuwch
Llanaeron
Cilcennin
Llangeitho
Tregaron
Ciliau Aeron
Newbridge
Bwlch-Llan
Capel Betws Lleucu
Y Drum 1668
Trefilan
Llundain-fach
Talsarn
Ystrad Aeron
Gartheli
Abermeurig
Llwyn-y-groes
Dihewyd
Felinfach
Temple Bar
Ffynnon-oer
Olmarch
Llanddewi Brefi
Llangybi
Bettws Bledrws
Silian
Cribyn
Llanfair Clydogau
Gorsgoch
Maesy
Lampeter (Llanbedr Pont Steffan)
University College
Cellan
Pentrefelin
Cwrtnewydd
Llanwnnen
Pentre-bach
Cwmann
Cwmsychpant
CARMARTHENSHIRE
CEREDIGION
CAMBRIAN MOUNTAINS
Llyn Teifi
Llyn Egnant
Claerwen Reservoir
Llyn Brianne
Ystradffin
Cefn Fannog 1476
Tywi Forest
Abergwesyn
Llanwrtyd Wells (Llanwrtud)
Mynydd Trawsnant 1695
Pen Rhiw-clochdy
Bryn Brawd 1589
A487
A44
A485
A4120
B4343
B4574
B4340
B4342
B4337
B4576
B4577
B4578
B4353
B4572
A475
A482
A489
A493
A470
69
45
46
58

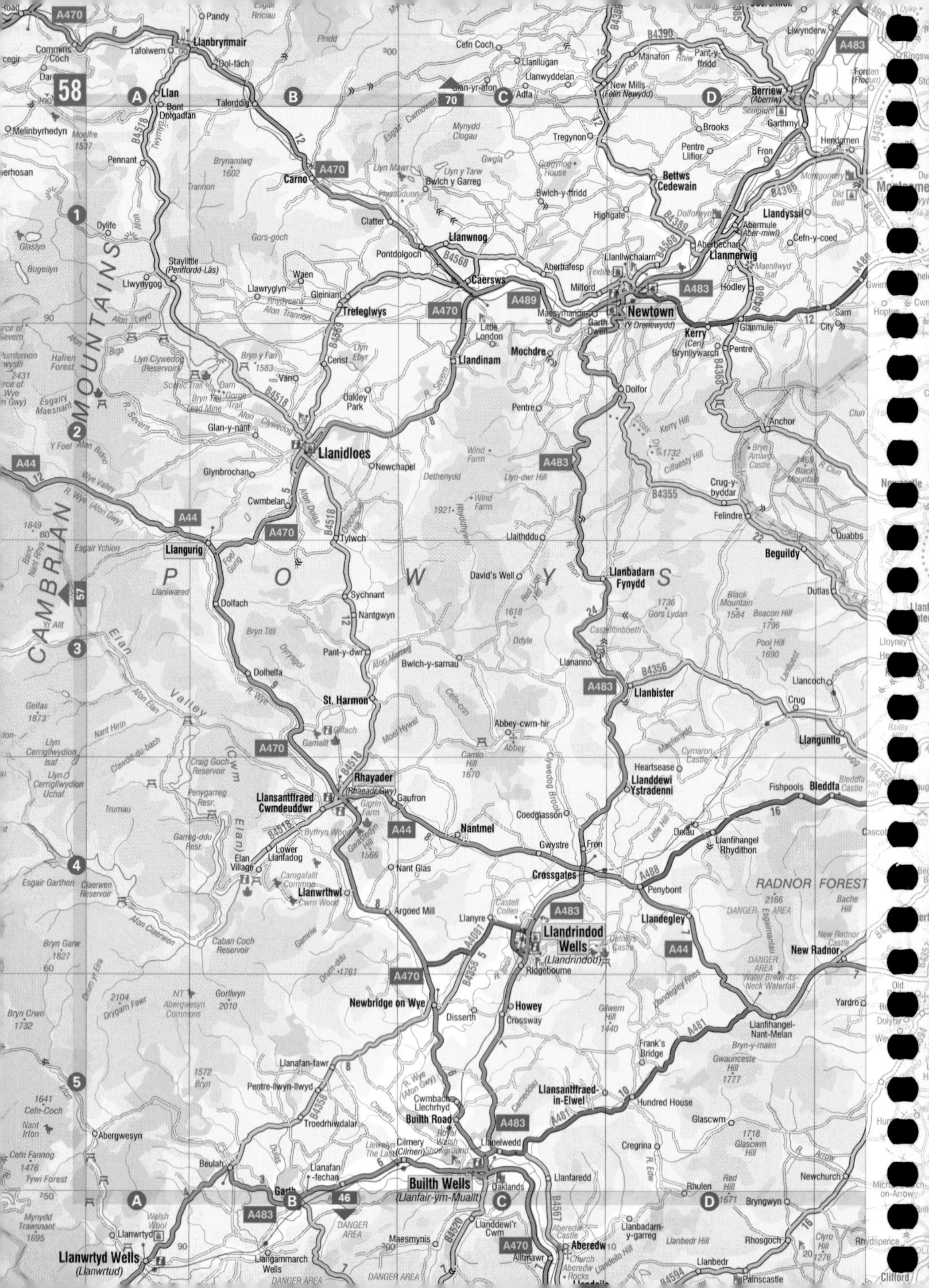
58
CAMBRIAN MOUNTAINS
P O W Y S
RADNOR FOREST
A B C D
1 2 3 4 5
70
57
46
A470
A44
A483
A489
A488
A481
A4081
B4518
B4568
B4569
B4389
B4390
B4386
B4368
B4355
B4356
B4358
B4567
B4520
B4594
Llanbrynmair
Tafolwern
Dol-fâch
Pandy
Commins Coch
Llan
Bont Dolgadfan
Talerddig
Melinbyrhedyn
Moelfre 1537
Pennant
Carno
Brynamlwg 1602
Dylife
Staylittle (Penffordd-Lâs)
Llwynygog
Glaslyn
Bugeilyn
Hafren Forest
Pumlumon Fawr 2431
Esgair Maesnant
Llyn Clywedog (Reservoir)
Bryn y Fan 1583
Van
Dam
Gorge Trail
Scenic Trail
Bryn Tail Lead Mine
Glan-y-nant
Llanidloes
Newchapel
Glynbrochan
Cwmbelan
Llangurig
Tylwch
Dolfach
Llaniwared
Esgair Ychion
Y Foel
Sychnant
Nantgwyn
Pant-y-dwr
Bwlch-y-sarnau
Dolhelfa
St. Harmon
Elan Valley
Geifas 1873
Llyn Cerrigllwydion Isaf
Llyn Cerrigllwydion Uchaf
Nant Hirin
Craig Goch Reservoir
Penygarreg Resr.
Garreg-ddu Resr.
Trumau
Rhayader (Rhaeadr Gwy)
Llansantffraed Cwmdeuddwr
Gaufron
Gigrin Farm
Gwastedyn Hill 1566
Nantmel
Lower Llanfadog
Elan Village
Esgair Garthen
Claerwen Reservoir
Carngafallt Common
Llanwrthwl
Cwrn Wood
Nant Glas
Argoed Mill
Caban Coch Reservoir
Bryn Garw 1827
Drum-ddu 1761
2104 Drygarn Fawr
Abergwesyn Commons
Gorllwyn 2010
Bryn Crwn 1732
Newbridge on Wye
Disserth
Howey
Crossway
Llanafan-fawr
1572 Bryn
Pentre-llwyn-llwyd
1641 Cefn-Coch
Nant Irfon
Abergwesyn
Cefn Fannog 1476
Tywi Forest
Troedrhiwdalar
Cwmbach Llechrhyd
Builth Road
Cilmery (Cilmeri)
Llywelyn The Last
Royal Welsh Showground
Beulah
Llanafan -fechan
Garth
Builth Wells (Llanfair-ym-Muallt)
Llanelwedd
Oaklands
Llanfaredd
Llanddewi'r Cwm
Maesmynis
DANGER AREA
Llanwrtyd
Llanwrtyd Wells (Llanwrtud)
Welsh Wool
Mynydd Trawsnant 1695
Llangammarch Wells
Alltmawr
Aberedw
Aberedw Castle
Llandeilo Hill
Llanbadarn-y-garreg
Llanbedr Hill
Llanbedr
Painscastle
Rhosgoch
Clyro Hill 1276
Rhydspence
Clifford
Cefn Coch
Llanllugan
Llanwyddelan
Glan-yr-afon
Adfa
Mynydd Clogau
Gwgla
Llyn Mawr
Llyn y Tarw
Bwlch y Garreg
Clatter
Llanwnog
Pontdolgoch
Caersws
Waen
Gleiniant
Llawryglyn
Trefeglwys
Cerist
Oakley Park
Little London
Llandinam
Mochdre
Pentre
Dolfor
Tregynon
Bwlch-y-ffridd
Highgate
Aberhafesp
Milford
Llanllwchaiarn
Maesymandir
Garth Owen
Newtown (Y Drenewydd)
New Mills (Felin Newydd)
Manafon
Pant-y-ffridd
Berriew (Aberriw)
Brooks
Pentre Llifior
Fron
Bettws Cedewain
Garthmyl
Forden (Ffordun)
Hendomen
Montgomery
Llandyssil
Abermule (Aber-miwl)
Aberbechan
Llanmerewig
Maenllwyd Isaf
Cefn-y-coed
Hodley
Kerry (Ceri)
Brynllywarch
Glanmule
Pentre
Sarn
Kerry Hill
Cilfaesty Hill
Anchor
Bryn Amlwg Castle
Black Mountain
Crug-y-byddar
Felindre
Quabbs
Beguildy
Clun
Wind Farm
Dethenydd
Llyn-dwr Hill
1921 Rhydithwyl
Llaithddu
David's Well
Red Lion Hill
Llanbadarn Fynydd
1618
Ddyle
1736 Gors Lydan
Black Mountain 1584
Beacon Hill 1796
Castell-y-Blaidd
Pool Hill 1690
Dutlas
Llananno
Llanbister
Llancoch
Crug
Cefn-crin
Moel Hywel
Abbey-cwm-hir
Camlo Hill 1670
Heartsease
Llanddewi Ystradenni
Cymaron Castle
Llangunllo
Fishpools
Bleddfa
Coedglasson
Gwystre
Fron
Dolau
Llanfihangel Rhydithon
Crossgates
Penybont
Castell Collen
Llanyre
Llandrindod Wells (Llandrindod)
Ridgebourne
Llandegley
New Radnor
DANGER AREA
2166
Bache Hill
Water Break-its-Neck Waterfall
Llandegley Rhos
Gilwern Hill 1440
Llanfihangel-Nant-Melan
Bryn-y-maen
Frank's Bridge
Gwaunceste Hill 1777
Llansantffraed-in-Elwel
Hundred House
Glascwm
1718 Glascwm Hill
Cregrina
Rhulen
Red Hill 1671
Bryngwyn
Newchurch
Yardro
R. Wye
R. Severn
R. Ithon
R. Edw
R. Arrow
Afon Elan
Afon Claerwen
Irfon

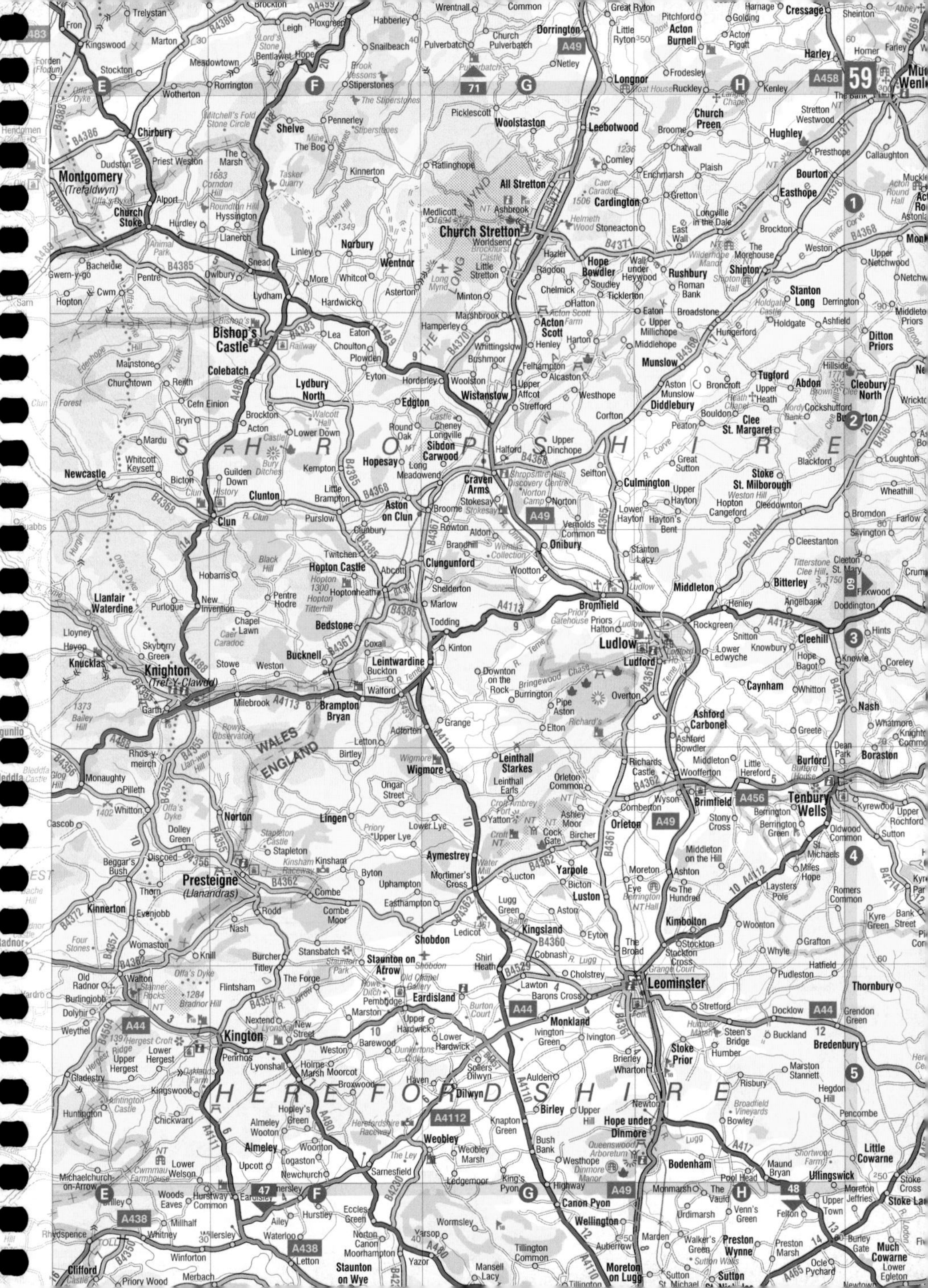

59
Trelystan
Brockton
Wrentnall
Common
Great Ryton
Pitchford
Cressage
Sheinton
Fron
Leigh
Ploxgreen
Habberley
Dorrington
Golding
Acton Burnell
Acton Pigott
Kingswood
Marton
Lord's Stone
Snailbeach
Pulverbatch
Church Pulverbatch
Little Ryton
A49
Harley
Homer
Farley
Meadowtown
Bentlawnt
Hope
Brook Vessons
Netley
Frodesley
A458
Much Wenlock
Forden (Ffodun)
Stockton
Rorrington
Stiperstones
71
Longnor
Moat House
Ruckley
Kenley
The Bank
Wotherton
The Stiperstones
Langley Chapel
Stretton Westwood
Offa's Dyke
Mitchell's Fold Stone Circle
Shelve
Pennerley
Picklescott
Woolstaston
Leebotwood
Church Preen
Hendomen
Chirbury
Mine
The Bog
Broome
Chatwall
Hughley
B4386
Dudston
Priest Weston
The Marsh
Comley
Presthope
Callaughton
Montgomery (Trefaldwyn)
Corndon Hill
Tasker Quarry
Kinnerton
Ratlinghope
Enchmarsh
Plaish
Offa's Dyke
Roundton Hill
Caer Caradoc
Bourton
Alport
Hyssington
Linley Hill
All Stretton
Cardington
Gretton
Easthope
Acton Round Hall
Muckley
Church Stoke
Hurdley
Medlicott
Ashbrook
Longville in the Dale
Llanerch
Church Stretton
Helmeth Wood
Stoneacton
East Wall
Brockton
Astonlan
Animal Park
Linley
Norbury
Worldsend
Brockhurst Castle
Hazler
Hope Bowdler
Wall under Heywood
Wilderhope Manor
The Morehouse
Weston
Upper Netchwood
Bacheldre
Snead
Wentnor
Little Stretton
Ragdon
Rushbury
Shipton
Netchwood
Gwern-y-go
Pentre
B4385
Owlbury
More
Whitcot
Long Mynd
Chelmick
Soudley
Roman Bank
Shipton Hall
Hopton
Cwm
Lydham
Hardwick
Asterton
Minton
Hatton
Ticklerton
Stanton Long
Derrington
Holdgate Castle
Middleton Priors
Sarn
Eaton
Upper Millichope
Broadstone
Marshbrook
Acton Scott
Acton Scott Farm
Hungerford
Holdgate
Ashfield
Bishop's Castle
Lea
Eaton
Hamperley
Henley
Middlehope
Ditton Priors
Choulton
Railway
Whittingslow
Mainstone
Plowden
Bushmoor
Munslow
Churchtown
Colebatch
Eyton
Horderley
Woolston
Felhampton
Alcaston
Hillside
Reilth
Lydbury North
Wistanstow
Upper Affcot
Aston Munslow
Broncroft
Tugford
Abdon
Cleobury North
Clun Forest
Cefn Einion
Edgton
Strefford
Westhope
Upper Heath
Heath Chapel
Brown Clee
Walcott Hall
Diddlebury
Brockton
Castle
Cockshutford
Nordy Bank
Corfton
Bouldon
Clee St. Margaret
Burwarton
Bryn
Acton
Lower Down
Round Oak
Cheney Longville
Peaton
Mardu
S H R O P S H I R E
Sibdon Carwood
Halford
Upper Dinchope
Whitcott Keysett
Bury Ditches
Hopesay
Blackford
Loughton
Seifton
Great Sutton
Stoke St. Milborough
Kempton
Long Meadowend
Craven Arms
Shropshire Hills Discovery Centre
Culmington
Weston Hill
Newcastle
Bicton
Guilden Down
Clun
Clunton
Little Brampton
Aston on Clun
Norton Camp
Upper Hayton
Wheathill
B4368
History
Broome
Stokesay
Stokesay Castle
Norton
Hopton Cangeford
Cleedownton
Quabbs
Purslow
Clunbury
Rowton
Aldon
A49
Lower Hayton
Hayton's Bent
Bromdon
Farlow
Vernolds Common
Brandhill
Onibury
Silvington
Cleestanton
Twitchen
Black Hill
Hopton Castle
Clungunford
Wernlas Collection
Stanton Lacy
Titterstone Clee Hill
Cleeton St. Mary
Hobarris
Abcott
Wootton
Middleton
Bitterley
Crump
Pentre Hodre
Hoptonheath
Hopton Titterhill
Shelderton
Ludlow
Fixwood
Llanfair Waterdine
Purlogue
New Invention
Marlow
Bromfield
Henley
Angelbank
Doddington
Chapel Lawn
Bedstone
Todding
Priory Gatehouse
Priors Halton
Rockgreen
Lloyney
Caer Caradoc
Coxall
Snitton
Cleehill
Hints
Heyop
Skyborry Green
Bucknell
Leintwardine
Kinton
Ludlow
Knowbury
Lower Ledwyche
Knucklas
Knighton (Tref-Y-Clawdd)
Stowe
Weston
Buckton
Ludford
Hope Bagot
Knowle
Coreley
Walford
Downton on the Rock
Bringewood Chase
Caynham
Whitton
Garth
Milebrook
A4113
Brampton Bryan
Burrington
Pipe Aston
Overton
Bailey Hill
Llangunllo
Grange
Rowlys Observatory
WALES
ENGLAND
Adforton
Richard's Castle
Elton
Ashford Carbonel
Ashford Bowdler
Nash
Whatmore
Knighton Common
Greete
Rhos-y-meirch
Letton
Birtley
Leinthall Starkes
Middleton
Burford
Boraston
Dean Park
Bleddfa
Monaughty
Wigmore
Richards Castle
Woofferton
Little Hereford
Burford House
Pilleth
Ongar Street
Leinthall Earls
Orleton Common
B4362
Wyson
Brimfield
A456
Tenbury Wells
Kyrewood
Upper Rochford
Whitton
Offa's Dyke
Norton
Lingen
Croft Ambrey Fort
Yatton
Ashley Moor
Comberton
Orleton
A49
Stony Cross
Berrington
Berrington Green
Oldwood Common
Sutton
Cascob
Dolley Green
Stapleton Castle
Priory
Upper Lye
Lower Lye
Croft NT
Cock Gate
Bircher
St. Michaels
Stapleton
Middleton on the Hill
Miles Hope
Beggar's Bush
Discoed
Kinsham
Kinsham Raceway
Byton
Aymestrey
Water Mill
Yarpole
Moreton
Ashton
Eye
Berrington Hall
Laysters Pole
Presteigne (Llanandras)
Thorn
Uphampton
Mortimer's Cross
Lucton
Bicton
Luston
The Hundred
Romers Common
Kyre Park
Kinnerton
Evenjobb
Combe
Easthampton
Lugg Green
Aston
Kimbolton
Woonton
Bank Street
Kyre Green
Rodd
Nash
Combe Moor
Kingsland
Eyton
Stockton
Grafton
Four Stones
Womaston
Ledicot
Shobdon
B4360
The Broad
Stockton Cross
Whyle
New Radnor
Knill
Stansbatch
Staunton Park
Staunton on Arrow
Shobdon
Shirl Heath
Cobnash
Cholstrey
Hatfield
Walton
Burcher
Titley
The Forge
Old Chapel Gallery
B4529
Leominster
Grange Court
Pudleston
Old Radnor
Burlingjobb
Stanner Rocks NT
Offa's Dyke
Bradnor Hill
Flintsham
Eardisland
Lawton
Barons Cross
Thornbury
Dolyhir
Pembridge
Burton Court
A44
Monkland
Stretford
Docklow
A44
Grendon Green
Weythel
A44
Nextend
Lyonshall
New Street
Marston
Upper Hardwick
Lower Hardwick
Ivington Green
Ivington
Humber Marsh
Steen's Bridge
Buckland
Bredenbury
Hergest Croft
Kington
Penrhos
Weston
Barewood
Dunkertons Cider
Stoke Prior
Humber
Hergest Ridge
Upper Hergest
Lower Hergest
Holme Marsh
Moorcot
Haven
Sollers Dilwyn
Brierley
Wharton
Marston Stannett
Gladestry
Oaklands Farm
Kingswood
Broxwood
Aulden
Risbury
Hegdon Hill
H E R E F O R D S H I R E
Dilwyn
Birley
Upper Hill
Newton
Broadfield Vineyards
Huntington
Huntington Castle
Chickward
Hopley's Green
Almeley Wooton
Herefordshire Raceway
A4112
Knapton Green
Hope under Dinmore
Bowley
Pencombe
Almeley
Woonton
Weobley
Weobley Marsh
Bush Bank
Queenswood Arboretum
Lugg
Shortwood Farm
Little Cowarne
Upcott
Logaston
The Ley
Westhope
Dinmore Manor
Bodenham
Maund Bryan
Ullingswick
Michaelchurch-on-Arrow
Lower Welson
Cwmmau Farmhouse
Newchurch
Sarnesfield
Ledgemoor
King's Pyon
Highway
Pool Head
Moreton Jeffries
Stoke Cross
Eardisley
Woods Eaves
Hurstway Common
47
Kinnersley
Canon Pyon
A49
Monmarsh
The Vauld
48
Stoke Lacy
Upper Town
Felton
A438
Millhalf
Ailey
Hurstley
Eccles Green
Wormsley
Wellington
Urdimarsh
Venn's Green
Rhydspence
Whitney
Willersley
Waterloo
Norton Canon
Yarsop
Marden
Walker's Green
Preston Wynne
Preston Marsh
Burley Gate
Much Cowarne
Winforton
A438
Moorhampton
Tillington Common
Auberrow
Sutton Walls
Lower Egleton
Clifford
Clifford Castle
Priory Wood
Merbach
Letton
Staunton on Wye
Yazor
Mansell Lacy
Moreton on Lugg
Sutton St. Michael
Sutton St. Nicholas
Ocle Pychard

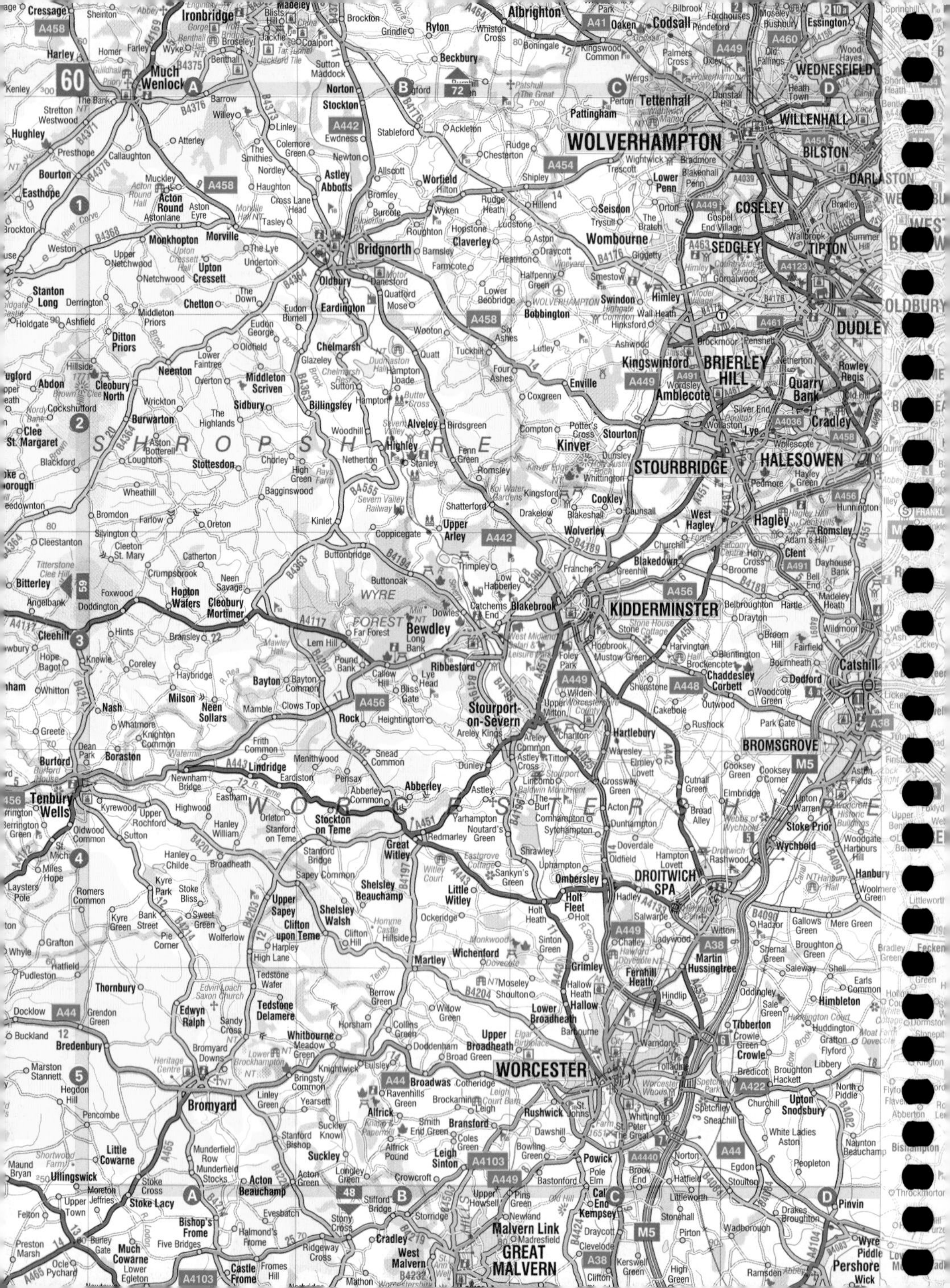

60
72
59
48
Ironbridge
Much Wenlock
Albrighton
Codsall
WOLVERHAMPTON
WEDNESFIELD
WILLENHALL
BILSTON
DARLASTON
Tettenhall
Pattingham
COSELEY
SEDGLEY
TIPTON
Wombourne
Bridgnorth
Worfield
Claverley
Morville
Monkhopton
Upton Cressett
Oldbury
Eardington
Himley
Swindon
Bobbington
DUDLEY
Kingswinford
BRIERLEY HILL
Quarry Bank
Amblecote
Rowley Regis
Cradley
Lye
STOURBRIDGE
HALESOWEN
Kinver
Stourton
Enville
Chelmarsh
Highley
Alveley
Billingsley
Neenton
Cleobury North
Ditton Priors
Middleton Scriven
Sidbury
Burwarton
Stottesdon
SHROPSHIRE
Cookley
Wolverley
Hagley
West Hagley
Clent
Romsley
Upper Arley
KIDDERMINSTER
Bewdley
WYRE FOREST
Cleobury Mortimer
Hopton Wafers
Cleehill
Bitterley
Stourport-on-Severn
Hartlebury
BROMSGROVE
Catshill
Dodford
Chaddesley Corbett
Rock
Bayton
Milson
Neen Sollars
Burford
Tenbury Wells
Lindridge
Abberley
Stockton on Teme
Great Witley
WORCESTERSHIRE
Ombersley
Holt Fleet
DROITWICH SPA
Wychbold
Hanbury
Stoke Prior
Upper Sapey
Shelsley Beauchamp
Shelsley Walsh
Clifton upon Teme
Martley
Wichenford
Little Witley
Grimley
Hallow
Fernhill Heath
Martin Hussingtree
Himbleton
Tibberton
Crowle
Edwyn Ralph
Tedstone Delamere
Thornbury
Bredenbury
Bromyard
Whitbourne
Lower Broadheath
Upper Broadheath
WORCESTER
Broadwas
Alfrick
Suckley
Leigh Sinton
Bransford
Rushwick
Powick
Kempsey
Upton Snodsbury
Pinvin
Pershore
Acton Beauchamp
Stoke Lacy
Bishop's Frome
Much Cowarne
Little Cowarne
Ullingswick
Cradley
West Malvern
Malvern Link
GREAT MALVERN
Castle Frome
M5
A458
A442
A454
A449
A456
A448
A44
A4103
A38
A422
A4440

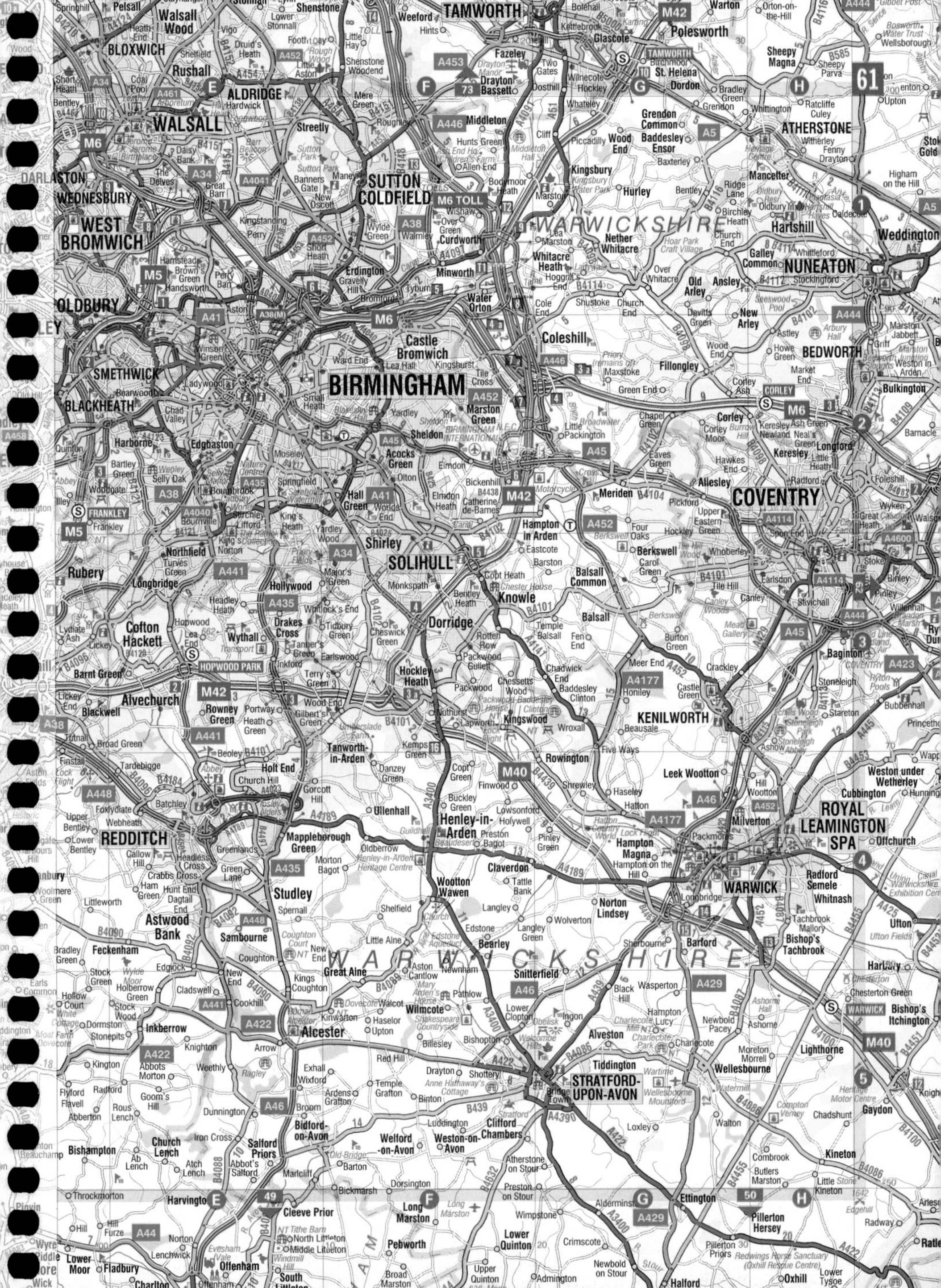

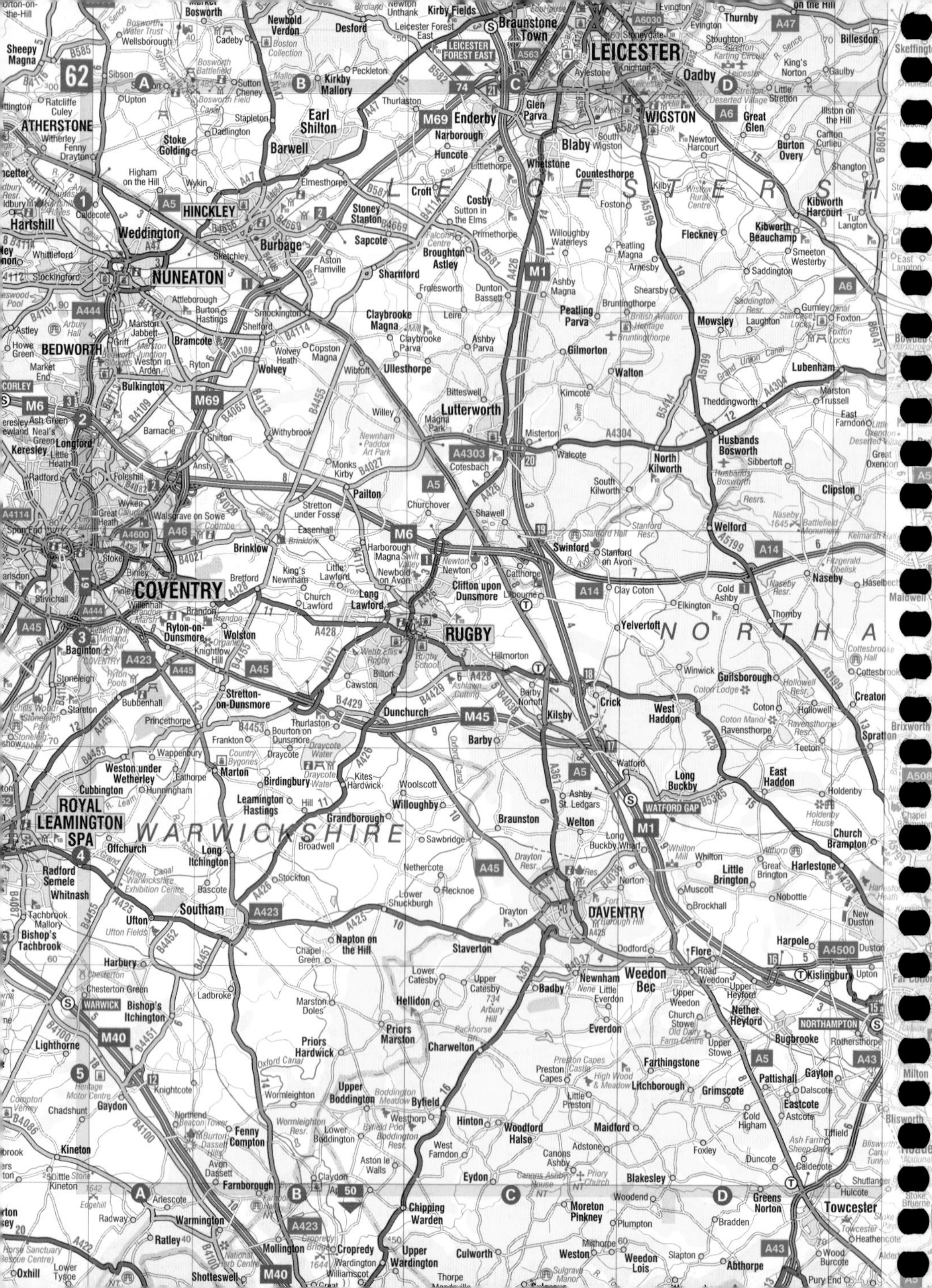
62
LEICESTER
LEICESTER FOREST EAST
Braunstone Town
Kirby Fields
Desford
Newbold Verdon
Market Bosworth
Cadeby
Sheepy Magna
Sibson
Sutton Cheney
Kirkby Mallory
Peckleton
Oadby
Thurnby
Billesdon
Stoughton
King's Norton
Gaulby
Aylestone
Knighton
Little Stretton
ATHERSTONE
Ratcliffe Culey
Upton
Stapleton
Earl Shilton
Thurlaston
Enderby
Glen Parva
WIGSTON
Great Glen
Witherley
Fenny Drayton
Stoke Golding
Dadlington
Barwell
Narborough
Huncote
Blaby
South Wigston
Newton Harcourt
Burton Overy
Carlton Curlieu
Higham on the Hill
Wykin
Elmesthorpe
Littlethorpe
Whetstone
Countesthorpe
Kilby
Shangton
Hartshill
Caldecote
HINCKLEY
Croft
Cosby
Sutton in the Elms
Stoney Stanton
Foston
Wistow Rural Centre
Kibworth Harcourt
Tur Langton
Weddington
Burbage
Sapcote
Primethorpe
Fleckney
Kibworth Beauchamp
Smeeton Westerby
Whittleford
Sketchley
Aston Flamville
Broughton Astley
Willoughby Waterleys
Peatling Magna
Arnesby
Saddington
NUNEATON
Stockingford
Sharnford
Frolesworth
Dunton Bassett
Ashby Magna
Shearsby
Attleborough
Burton Hastings
Smockington
Claybrooke Magna
Leire
Peatling Parva
Bruntingthorpe
Mowsley
Laughton
Gumley
Foxton
Foxton Locks
Astley
Arbury Hall
Marston Jabbett
BEDWORTH
Griff
Shelford
Bramcote
Wolvey Heath
Copston Magna
Claybrooke Parva
Ashby Parva
Gilmorton
Saddington Resr.
Market End
Weston in Arden
Ryton
Wolvey
Wibtoft
Ullesthorpe
Walton
Lubenham
Bulkington
Kimcote
Theddingworth
Marston Trussell
Ash Green
Longford
Keresley
Barnacle
Withybrook
Willey
Bitteswell
Lutterworth
Magna Park
Misterton
Walcote
Husbands Bosworth
North Kilworth
Sibbertoft
East Farndon
Great Oxendon
Shilton
Newnham Paddox Art Park
Cotesbach
Little Heath
Radford
Foleshill
Ansty
Monks Kirby
Pailton
South Kilworth
Clipston
Wyken
Stretton under Fosse
Churchover
Shawell
Walsgrave on Sowe
Coombe
Easenhall
Brinklow
Harborough Magna
Stanford Hall
Swinford
Stanford on Avon
Stanford Resr.
Welford
Naseby
Spon End
Great Heath
Stoke
Binley
King's Newnham
Little Lawford
Newbold on Avon
Newton
Catthorpe
Clay Coton
Cold Ashby
Elkington
Haselbech
Maidwell
COVENTRY
Bretford
Pinley
Willenhall
Long Lawford
Church Lawford
Clifton upon Dunsmore
Lilbourne
Yelvertoft
Thornby
Stivichall
Brandon
Ryton-on-Dunsmore
Wolston
RUGBY
Hillmorton
Baginton
Coventry Airport
Knightlow Hill
Bilton
Webb Ellis Rugby
Rugby School
Winwick
Guilsborough
Cottesbrooke Hall
Cottesbrooke
Stoneleigh
Ryton Pools
Cawston
Ashlawn Cutting
Barby Nortoft
Crick
West Haddon
Coton Lodge
Hollowell
Creaton
Bubbenhall
Stretton-on-Dunsmore
Stareton
Princethorpe
Thurlaston
Dunchurch
Kilsby
Coton Manor
Ravensthorpe
Spratton
Brixworth
Frankton
Bourton on Dunsmore
Draycote
Draycote Water
Barby
Teeton
Wappenbury
Country Bygones
Weston under Wetherley
Eathorpe
Marton
Birdingbury
Kites Hardwick
Woolscott
Watford
Long Buckby
East Haddon
Holdenby
Cubbington
Hunningham
Leamington Hastings
Hill
Grandborough
Willoughby
Ashby St. Ledgars
WATFORD GAP
Holdenby House
ROYAL LEAMINGTON SPA
WARWICKSHIRE
Braunston
Welton
Long Buckby Wharf
Church Brampton
Offchurch
Long Itchington
Broadwell
Sawbridge
Whilton
Althorp
Little Brington
Great Brington
Harlestone
Radford Semele
Whitnash
Union Canal
Warwickshire Exhibition Centre
Stockton
Nethercote
Flecknoe
Drayton Resr.
Norton
Bascote
Lower Shuckburgh
Muscott
Brockhall
Nobottle
New Duston
Tachbrook Mallory
Ufton
Southam
Drayton
DAVENTRY
Borough Hill
Bishop's Tachbrook
Ufton Fields
Napton on the Hill
Staverton
Dodford
Flore
Harpole
Duston
Chapel Green
Harbury
Chesterton
Chesterton Green
Lower Catesby
Upper Catesby
Badby
Newnham
Weedon Bec
Little Everdon
Road Weedon
Upper Heyford
Kislingbury
Upton
WARWICK
Bishop's Itchington
Ladbroke
Marston Doles
Hellidon
Arbury Hill
Upper Weedon
Church Stowe
Nether Heyford
NORTHAMPTON
Everdon
Priors Marston
Priors Hardwick
Charwelton
Upper Stowe
Bugbrooke
Rothersthorpe
Lighthorne
Oxford Canal
Preston Capes
Farthingstone
Pattishall
Gayton
Heritage Motor Centre
Knightcote
Wormleighton
Upper Boddington
Byfield
High Wood & Meadow
Litchborough
Grimscote
Dalscote
Milton
Compton Verney
Chadshunt
Gaydon
Westhorp
Little Preston
Eastcote
Astcote
Northend
Burton Dassett Hills
Fenny Compton
Lower Boddington
Hinton
Woodford Halse
Maidford
Cold Higham
Tiffield
Blisworth
Wormleighton Resr.
Boddington Resr.
Adstone
Foxley
Ash Farm Sheep Dairy
Kineton
Avon Dassett
Aston le Walls
West Farndon
Canons Ashby
Duncote
Caldecote
Little Kineton
Claydon
Eydon
Canons Ashby House
Priory Church
Blakesley
Edgehill
Arlescote
Farnborough
Woodend
Greens Norton
Shutlanger
Hulcote
Radway
Warmington
Chipping Warden
Moreton Pinkney
Plumpton
Bradden
Towcester
Ratley
Mollington
Cropredy
Wardington
Upper Wardington
Williamscot
Culworth
Weston
Weedon Lois
Slapton
Abthorpe
Heathencote
Wood Burcote
Pury End
Oxhill
Lower Tysoe
Shotteswell
National Herb Centre
Thorpe Mandeville
Sulgrave Manor
M1
M6
M40
M45
M69
A5
A45
A423
A428
A4303
A4304
A14
A6
A47
A444
A46
A43
A4500
A5199
A426
A425
A361
A563
A6030
A508
B4429
B4455
B4453
B4027
B5385
NORTH A
LEICESTERSH
50
74

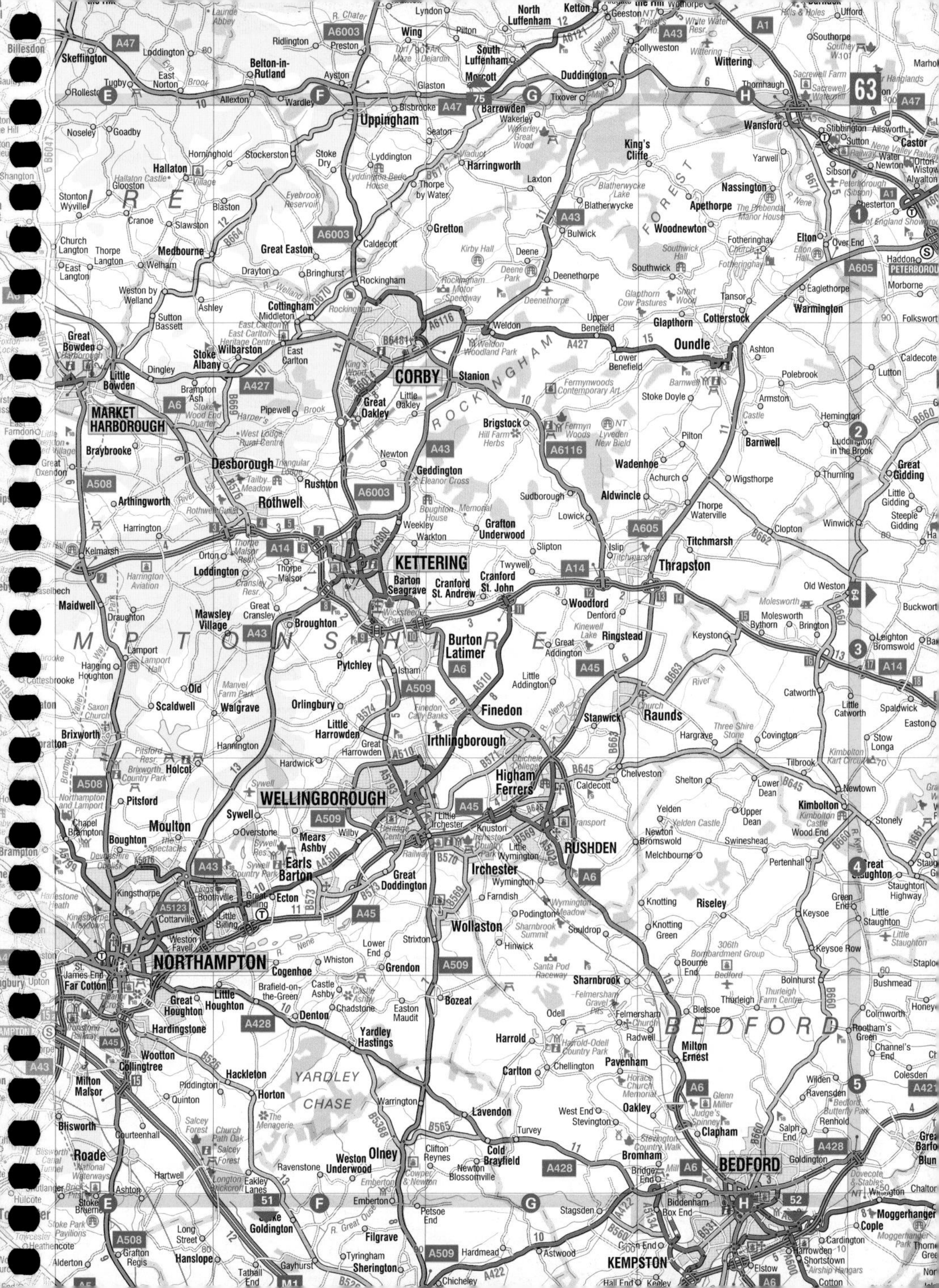

Billesdon
Skeffington
Loddington
Tugby
East Norton
Rolleston
Allexton
Wardley
Belton-in-Rutland
Ayston
Ridlington
Preston
Lyndon
Wing
Pilton
North Luffenham
South Luffenham
Morcott
Ketton
Geeston
Collyweston
Duddington
Tixover
Glaston
Bisbrooke
Barrowden
Wakerley
Uppingham
Seaton
Wittering
Thornhaugh
Wansford
Southorpe
Ufford
Stibbington
Sutton
Ailsworth
Castor
Yarwell
Water Newton
Orton
Wistow
Alwalton
Noseley
Goadby
Horninghold
Stockerston
Stoke Dry
Lyddington
Harringworth
Hallaton
Glooston
Stonton Wyville
Cranoe
Blaston
Slawston
Thorpe by Water
Laxton
King's Cliffe
Blatherwycke
Nassington
Apethorpe
Woodnewton
Fotheringhay
Elton
Over End
Haddon
Gretton
Bulwick
Church Langton
Thorpe Langton
East Langton
Medbourne
Welham
Great Easton
Caldecott
Drayton
Bringhurst
Rockingham
Deene
Deenethorpe
Southwick
Weston by Welland
Ashley
Sutton Bassett
Cottingham
Middleton
East Carlton
Great Bowden
Stoke Albany
Wilbarston
Dingley
Little Bowden
Brampton Ash
Weldon
Upper Benefield
Lower Benefield
Glapthorn
Cotterstock
Tansor
Eaglethorpe
Warmington
Morborne
Folksworth
Oundle
Ashton
Caldecote
Polebrook
Lutton
CORBY
Stanion
Great Oakley
Little Oakley
MARKET HARBOROUGH
Braybrooke
Pipewell
Brigstock
Stoke Doyle
Armston
Hemington
Barnwell
Luddington in the Brook
Great Gidding
Little Gidding
Steeple Gidding
Pilton
Wadenhoe
Achurch
Wigsthorpe
Thurning
Great Oxendon
Desborough
Newton
Geddington
Rushton
Arthingworth
Rothwell
Sudborough
Aldwincle
Lowick
Thorpe Waterville
Clopton
Winwick
Harrington
Weekley
Warkton
Grafton Underwood
Slipton
Titchmarsh
Thrapston
Islip
Kelmarsh
Orton
Loddington
Thorpe Malsor
KETTERING
Barton Seagrave
Cranford St. Andrew
Cranford St. John
Twywell
Woodford
Denford
Old Weston
Buckworth
Maidwell
Draughton
Great Cransley
Mawsley Village
Broughton
Burton Latimer
Great Addington
Ringstead
Keyston
Molesworth
Bythorn
Brington
Leighton Bromswold
Lamport
Hanging Houghton
Pytchley
Isham
Little Addington
Catworth
Little Catworth
Spaldwick
Old
Walgrave
Scaldwell
Orlingbury
Finedon
Stanwick
Raunds
Hargrave
Covington
Easton
Stow Longa
Brixworth
Little Harrowden
Great Harrowden
Irthlingborough
Hannington
Hardwick
Holcot
Pitsford
Higham Ferrers
Chelveston
Caldecott
Shelton
Lower Dean
Tilbrook
Newtown
Kimbolton
Stonely
WELLINGBOROUGH
Sywell
Moulton
Overstone
Mears Ashby
Wilby
Little Irchester
Knuston
Yelden
Upper Dean
Newton Bromswold
Swineshead
Melchbourne
Pertenhall
Chapel Brampton
Boughton
Earls Barton
Great Doddington
Irchester
Little Wymington
RUSHDEN
Wymington
Great Staughton
Staughton Highway
Kingsthorpe
Boothville
Great Billing
Little Billing
Ecton
Cottarville
Weston Favell
Farndish
Podington
Souldrop
Knotting
Knotting Green
Riseley
Green End
Keysoe
Little Staughton
Wollaston
Strixton
Hinwick
Keysoe Row
NORTHAMPTON
Far Cotton
Cogenhoe
Lower End
Whiston
Grendon
Sharnbrook
Bourne End
Bolnhurst
Bushmead
Great Houghton
Little Houghton
Brafield-on-the-Green
Castle Ashby
Chadstone
Easton Maudit
Bozeat
Denton
Odell
Felmersham
Bletsoe
Thurleigh
Colmworth
Hardingstone
Yardley Hastings
Harrold
Radwell
Milton Ernest
Rootham's Green
Channel's End
Wootton
Collingtree
Milton Malsor
Hackleton
Carlton
Chellington
Pavenham
Colesden
Wilden
Ravensden
Piddington
Quinton
Horton
YARDLEY CHASE
Warrington
Lavendon
West End
Stevington
Oakley
Blisworth
Courteenhall
Turvey
Clapham
Renhold
Salph End
Roade
Olney
Weston Underwood
Clifton Reynes
Cold Brayfield
Newton Blossomville
Bromham
Bridge End
BEDFORD
Goldington
Hartwell
Ashton
Ravenstone
Eakley Lanes
Emberton
Biddenham
Box End
Stagsden
Willington
Moggerhanger
Cople
Stoke Bruerne
Stoke Goldington
Petsoe End
Filgrave
Kempston
Cardington
Harrowden
Shortstown
Long Street
Hanslope
Grafton Regis
Alderton
Tyringham
Sherington
Gayhurst
Hardmead
Astwood
KEMPSTON
Elstow
Cotton End
Chicheley
Tathall End
Hall End
Keeley
BEDFORD
FOREST
ROCKINGHAM
A47
A6003
A1
A43
A605
A6116
A427
A6
A508
A14
A6003
A45
A509
A5123
A428
A422
M1
B660
B645
B663
B662
B570
B569
B565
B5388
B526
63
64
51
52
75

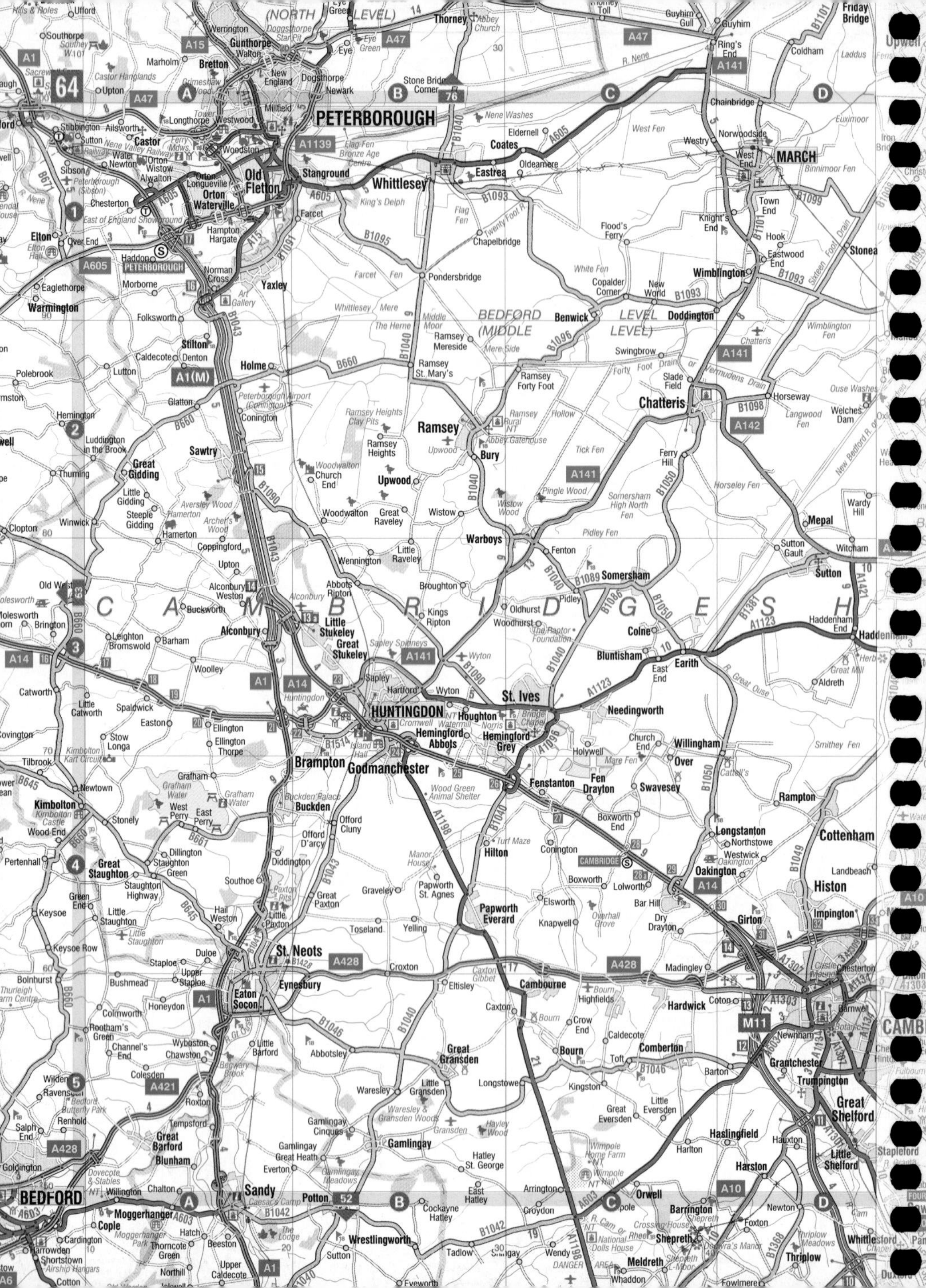
64
PETERBOROUGH
(NORTH LEVEL)
Ufford
Southorpe
Werrington
Gunthorpe
Walton
Dogsthorpe
Thorney
Abbey Church
Guyhirn Gull
Guyhirn
Friday Bridge
Ring's End
Coldham
Upwell
Marholm
Bretton
New England
Eye
Eye Green
Castor Hanglands
Upton
Millfield
Newark
Stone Bridge Corner
Nene Washes
Chainbridge
Longthorpe
Westwood
Stibbington
Ailsworth
Castor
Sutton
Woodston
Water Newton
Orton Wistow
Nene Valley Railway
Flag Fen Bronze Age Centre
Coates
Eldernell
Eastrea
Oldeamere
West Fen
Westry
Norwoodside
MARCH
Binnimoor Fen
Sibson
Alwalton
Orton Longueville
Old Fletton
Orton Waterville
Stanground
Whittlesey
King's Delph
Town End
Chesterton
East of England Showground
Farcet
Flag Fen
Twenty Foot R.
Flood's Ferry
Knight's End
Hook
Elton
Over End
Haddon
Hampton Hargate
Chapelbridge
Eastwood End
Stonea
Norman Cross
Morborne
Yaxley
Farcet Fen
Pondersbridge
White Fen
Copalder Corner
New World
Wimblington
Sixteen Foot Drain
Eaglethorpe
Warmington
Art Gallery
Whittlesey Mere
The Herne
Middle Moor
BEDFORD (MIDDLE LEVEL)
Benwick
Doddington
Folksworth
Ramsey Mereside
Mere Side
Swingbrow
Chatteris
Wimblington Fen
Stilton
Caldecote
Denton
Holme
Ramsey St. Mary's
Forty Foot Drain
Vermuden's Drain
Slade Field
Polebrook
Lutton
Ramsey Forty Foot
Horseway
Ouse Washes
Armston
Glatton
Peterborough Airport (Conington)
Conington
Ramsey Heights Clay Pits
Ramsey
Ramsey Rural NT
Hollow
Langwood Fen
Welches Dam
Hemington
Ramsey Heights
Abbey Gatehouse
Upwood
Bury
Tick Fen
Ferry Hill
Luddington in the Brook
Sawtry
Thurning
Great Gidding
Woodwalton
Church End
Upwood
Pingle Wood
Horseley Fen
Somersham High North Fen
Little Gidding
Aversley Wood
Steeple Gidding
Hamerton
Archer's Wood
Winwick
Great Raveley
Wistow
Wistow Wood
Mepal
Wardy Hill
Clopton
Coppingford
Warboys
Pidley Fen
Sutton Gault
Witcham
Upton
Wennington
Little Raveley
Fenton
Somersham
Sutton
Old Weston
Alconbury Weston
Abbots Ripton
Broughton
Pidley
Molesworth
C A M B R I D G E S H
Buckworth
Kings Ripton
Oldhurst
Woodhurst
The Raptor Foundation
Haddenham End
Haddenham
Brington
Alconbury
Little Stukeley
Colne
Leighton Bromswold
Barham
Great Stukeley
Sapley Spinneys
Wyton
Bluntisham
Earith
Woolley
Sapley
Hartford
East End
Great Mill
Aldreth
Catworth
Little Catworth
Spaldwick
Huntingdon
HUNTINGDON
Houghton
St. Ives
Needingworth
Easton
Ellington
Cromwell
Watermill
Norris
Hemingford Abbots
Hemingford Grey
Holywell
Church End
Willingham
Over
Stow Longa
Ellington Thorpe
Island Hall
Mare Fen
Smithey Fen
Covington
Kimbolton Kart Circuit
Brampton
Godmanchester
Tilbrook
Grafham
Fenstanton
Fen Drayton
Swavesey
Lower Dean
Newtown
Grafham Water
Wood Green Animal Shelter
Rampton
Kimbolton
Kimbolton Castle
Buckden Palace
Buckden
Offord Cluny
Boxworth End
Stonely
West Perry
East Perry
Offord D'arcy
Longstanton
Northstowe
Cottenham
Wood End
Manor House
Turf Maze
Hilton
Conington
Pertenhall
Dillington
Staughton Green
Great Staughton
Diddington
CAMBRIDGE
Westwick
Oakington
Landbeach
Southoe
Papworth St. Agnes
Boxworth
Lolworth
Staughton Highway
Great Paxton
Graveley
Papworth Everard
Elsworth
Histon
Green End
Keysoe
Little Staughton
Hail Weston
Little Paxton
Overhall Grove
Bar Hill
Impington
Toseland
Yelling
Knapwell
Dry Drayton
Girton
Keysoe Row
St. Neots
Staploe
Duloe
Upper Staploe
Croxton
Caxton Gibbet
Cambourne
Madingley
Chesterton
Bolnhurst
Thurleigh Farm Centre
Bushmead
Eatons Socon
Eynesbury
Eltisley
Bourn Highfields
Colmworth
Honeydon
Caxton
Hardwick
Coton
Barnwell
CAMBR
Rootham's Green
Bourn
Crow End
Caldecote
Wyboston
Chawston
Little Barford
Abbotsley
Great Gransden
Comberton
Newnham
Grantchester
Channel's End
Colesden
Toft
Barton
Wilden
Ravensden
Bedford Butterfly Park
Roxton
Waresley
Little Gransden
Longstowe
Kingston
Trumpington
Fulbourn
Renhold
Tempsford
Waresley & Gransden Woods
Great Eversden
Little Eversden
Great Shelford
Salph End
Great Barford
Gamlingay Cinques
Hayley Wood
Gransden
Haslingfield
Hauxton
Blunham
Gamlingay
Gamlingay Great Heath
Hatley St. George
Wimpole Home Farm NT
Harlton
Little Shelford
Stapleford
Goldington
Dovecote & Stables NT
Everton
Gamlingay Meadows
Wimpole Hall NT
Harston
BEDFORD
Willington
Chalton
Sandy
Caesar's Camp
Potton
Cockayne Hatley
East Hatley
Arrington
Croydon
Orwell
Barrington
Shepreth
Newton
Moggerhanger
Cople
Hatch
The Lodge
Wrestlingworth
Crossing House
National Dolls House
Foxton
Thriplow Meadows
Whittlesford
Cardington
Harrowden
Shortstown
Airship Hangars
Moggerhanger Park
Thorncote Green
Beeston
Tadlow
Shingay
Wendy
Docwra's Manor
Meldreth
Thriplow
Upper Caldecote
Northill
Sutton
DANGER AREA
Whaddon
Fowlmere
Cotton
Eyeworth
A1
A1(M)
A14
A15
A47
A141
A142
A428
A421
A603
A605
A1139
A1123
A1096
A1198
A1307
A1303
A1301
A10
A6
M11
B660
B645
B661
B1040
B1043
B1046
B1042
B1050
B1089
B1090
B1093
B1095
B1096
B1098
B1099
B1101
B1368
B1514
B1049
B1086
B1381

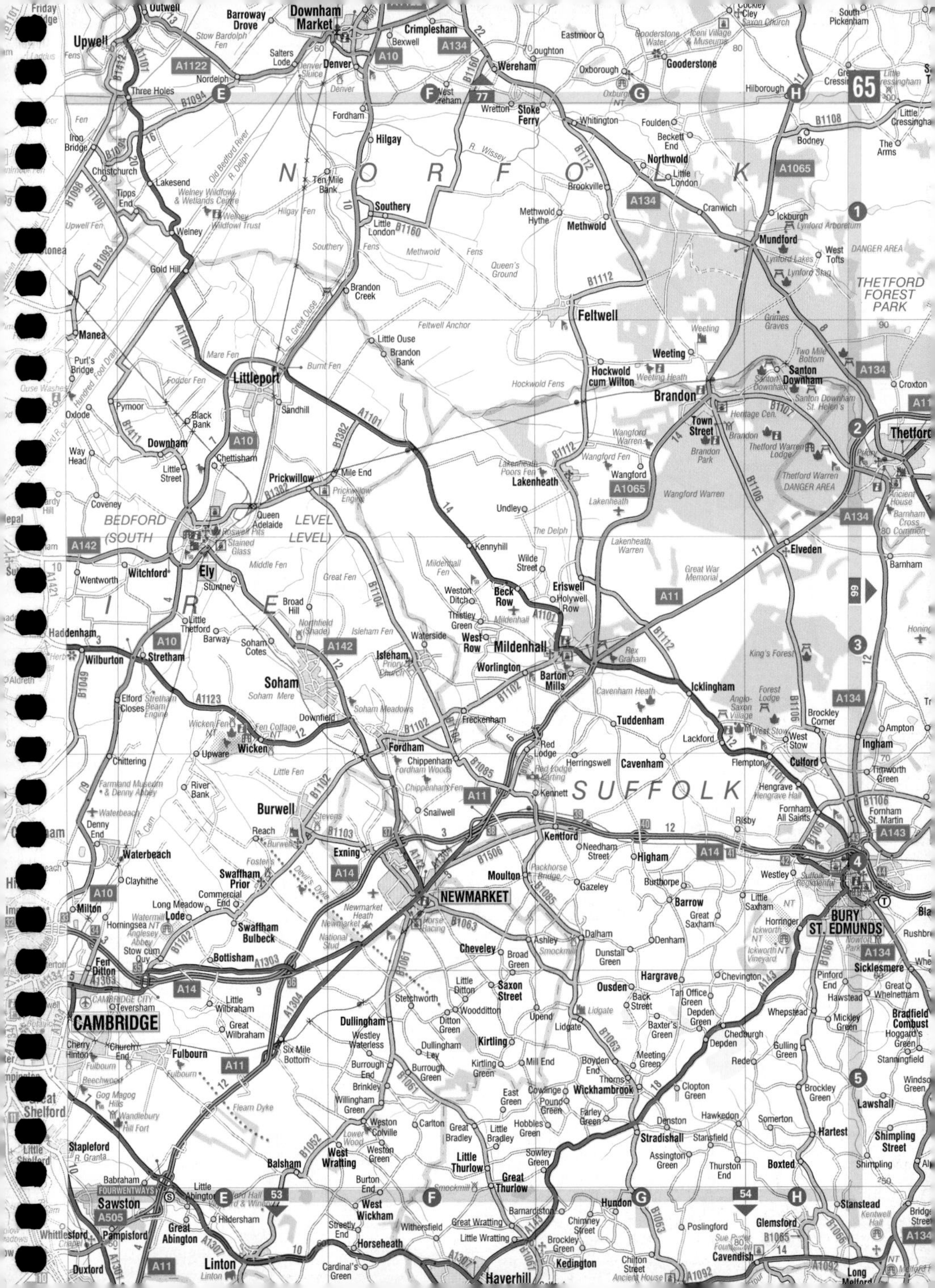

65
NORFOLK
SUFFOLK
ISLE OF ELY
BEDFORD (SOUTH LEVEL)
THETFORD FOREST PARK
Downham Market
Outwell
Barroway Drove
Crimplesham
Upwell
Bexwell
Denver
Salters Lode
Nordelph
Three Holes
Wereham
Eastmoor
Oxborough
Gooderstone
Cockley Cley
South Pickenham
Hilborough
Stoke Ferry
Wretton
West Dereham
Whitington
Foulden
Beckett End
Bodney
Little Cressingham
The Arms
Fordham
Hilgay
Ten Mile Bank
Southery
Little London
Northwold
Cranwich
Ickburgh
Mundford
West Tofts
Methwold Hythe
Methwold
Brookville
Iron Bridge
Christchurch
Lakesend
Tipps End
Welney
Gold Hill
Brandon Creek
Feltwell
Weeting
Hockwold cum Wilton
Brandon
Santon Downham
Croxton
Manea
Little Ouse
Brandon Bank
Littleport
Sandhill
Pymoor
Oxlode
Black Bank
Downham
Chettisham
Little Street
Prickwillow
Mile End
Queen Adelaide
Coveney
Lakenheath
Wangford
Undley
Town Street
Thetford
Elveden
Barnham
Ely
Stuntney
Witchford
Wentworth
Kennyhill
Wilde Street
Eriswell
Holywell Row
Beck Row
Weston Ditch
Thistley Green
West Row
Mildenhall
Worlington
Barton Mills
Icklingham
Haddenham
Wilburton
Stretham
Little Thetford
Barway
Soham Cotes
Broad Hill
Soham
Isleham
Waterside
Downfield
Freckenham
Tuddenham
Elford Closes
Wicken
Upware
Fordham
Chippenham
Red Lodge
Herringswell
Cavenham
Lackford
Flempton
West Stow
Culford
Ingham
Ampton
Brockley Corner
Timworth Green
Hengrave
Fornham All Saints
Fornham St. Martin
Chittering
River Bank
Burwell
Reach
Snailwell
Kennett
Kentford
Needham Street
Higham
Risby
Denny End
Waterbeach
Exning
NEWMARKET
Moulton
Gazeley
Westley
Swaffham Prior
Commercial End
Clayhithe
Milton
Long Meadow
Lode
Horningsea
Swaffham Bulbeck
Stow cum Quy
Bottisham
Fen Ditton
Cheveley
Ashley
Dalham
Denham
Barrow
Burthorpe
Great Saxham
Little Saxham
Horringer
BURY ST. EDMUNDS
Rushbrooke
Broad Green
Dunstall Green
Hargrave
Chevington
Sicklesmere
CAMBRIDGE
Teversham
Little Wilbraham
Great Wilbraham
Saxon Street
Little Ditton
Stetchworth
Woodditton
Ditton Green
Dullingham
Westley Waterless
Ousden
Back Street
Tan Office Green
Depden Green
Whepstead
Pinford End
Hawstead
Great Whelnetham
Bradfield Combust
Cherry Hinton
Church End
Fulbourn
Six Mile Bottom
Kirtling
Upend
Lidgate
Baxter's Green
Chedburgh
Depden
Mickley Green
Hoggard's Green
Burrough End
Dullingham Ley
Kirtling Green
Mill End
Boyden End
Meeting Green
Rede
Gulling Green
Stanningfield
Burrough Green
Brinkley
Willingham Green
Thorns
Wickhambrook
Cowlinge
Pound Green
Farley Green
Clopton Green
Brockley Green
Windsor Green
Great Shelford
East Green
Hobbles Green
Lawshall
Carlton
Weston Colville
Great Bradley
Little Bradley
Denston
Hawkedon
Somerton
Hartest
Shimpling Street
Stradishall
Stansfield
Stapleford
West Wratting
Weston Green
Balsham
Little Thurlow
Great Thurlow
Sowley Green
Assington Green
Thurston End
Boxted
Shimpling
Little Shelford
Babraham
Burton End
Sawston
Little Abington
Great Abington
Hildersham
West Wickham
Withersfield
Great Wratting
Barnardiston
Hundon
Chimney Street
Poslingford
Glemsford
Stanstead
Bridge Street
Whittlesford
Pampisford
Streetly End
Horseheath
Little Wratting
Brockley Green
Kedington
Chilton Street
Cavendish
Duxford
Linton
Cardinal's Green
Haverhill
Long Melford

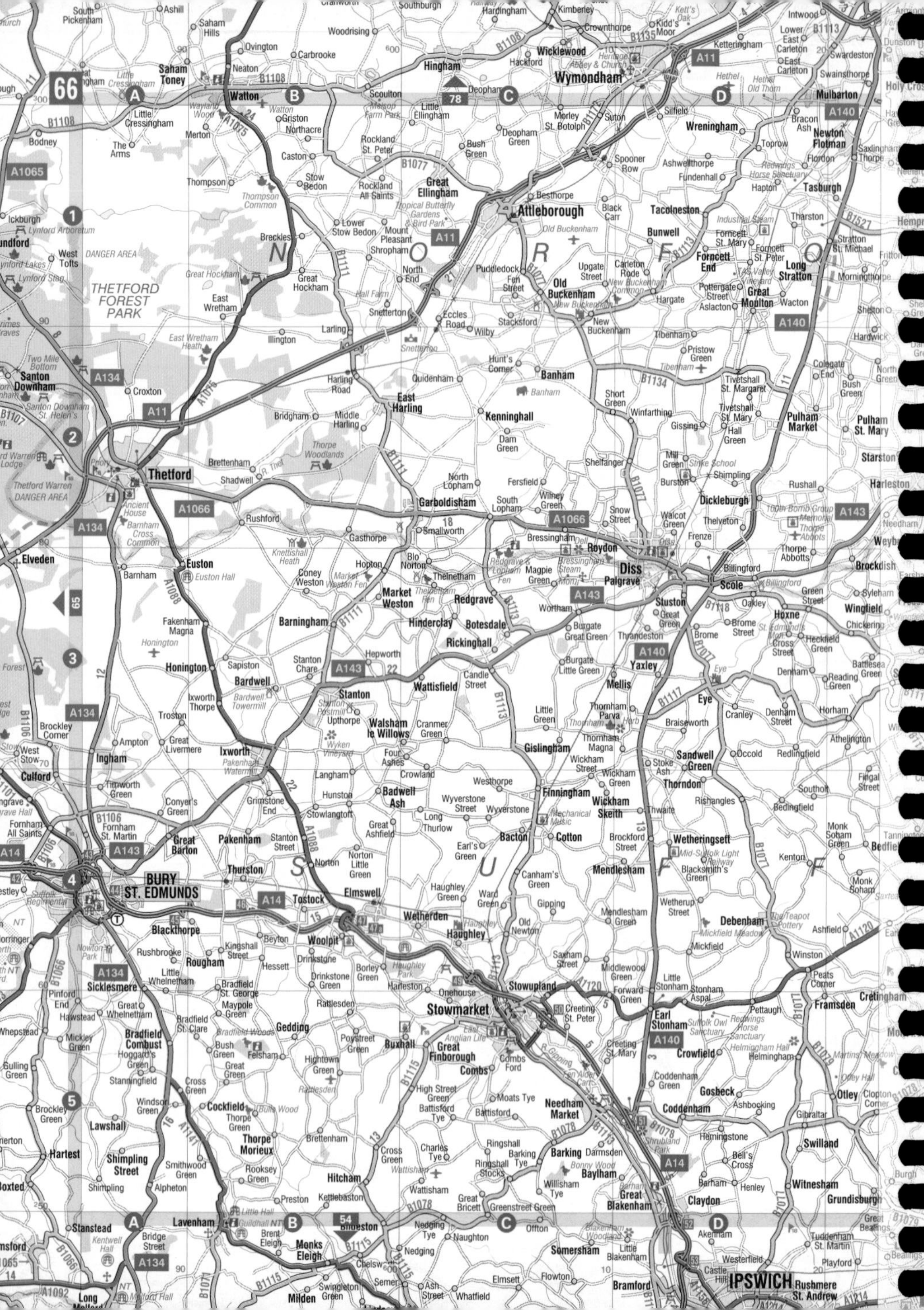
66
A
B
C
D
78
54
65
1
2
3
4
5
South Pickenham
Ashill
Saham Hills
Cranworth
Southburgh
Hardingham
Kimberley
Kett's Oak
Kidd's Moor
Intwood
Crownthorpe
Woodrising
Ovington
Carbrooke
Saham Toney
Neaton
Watton
B1108
Hingham
Wicklewood
Hackford
Wymondham
Heritage Abbey & Church
B1135
Ketteringham
Lower East Carleton
East Carleton
Swardeston
Swainsthorpe
A11
Hethel
Hethel Old Thorn
Mulbarton
Holy Cross
Little Cressingham
Scoulton
Melsop Farm Park
Deopham
Little Ellingham
Morley St. Botolph
Suton
Silfield
Wreningham
Bracon Ash
Newton Flotman
A140
Wayland Wood
Griston
Northacre
Merton
Bodney
The Arms
B1108
Rockland St. Peter
Bush Green
Deopham Green
Caston
Spooner Row
Toprow
Saxlingham Thorpe
Flordon
Ashwellthorpe
Fundenhall
Redwings Horse Sanctuary
A1065
Thompson
Stow Bedon
Rockland All Saints
B1077
Great Ellingham
Besthorpe
Hapton
Tasburgh
Thompson Common
Tropical Butterfly Gardens & Bird Park
Attleborough
Black Carr
Tacolneston
Ickburgh
Lynford Arboretum
Mundford
Lower Stow Bedon
Mount Pleasant
Old Buckenham
Industrial Steam
Tharston
B1527
Hempnall
Breckles
Shropham
Bunwell
Forncett St. Mary
Forncett St. Peter
Stratton St. Michael
Fritton
West Tofts
DANGER AREA
Lynford Lakes
Lynford Stag
N
O
R
F
O
Puddledock
Fen Street
Upgate Street
Carleton Rode
Forncett End
Long Stratton
Morningthorpe
Great Hockham
Great Hockham
North End
New Buckenham Common
Pottergate Street
Great Moulton
THETFORD FOREST PARK
East Wretham
Hall Farm
Buckenham
Hargate
Aslacton
Wacton
Snetterton
Grimes Graves
Larling
Eccles Road
Wilby
Stacksford
New Buckenham
Tibenham
Hardwick
Illington
East Wretham Heath
Snetterton
Pristow Green
Two Mile Bottom
Hunt's Corner
Tibenham
Colegate End
Santon Downham
A134
Harling Road
Quidenham
Banham
B1134
Tivetshall St. Margaret
Bush Green
Croxton
Santon Downham St. Helen's
East Harling
Banham
Short Green
Winfarthing
Tivetshall St. Mary
Pulham Market
Pulham St. Mary
A11
Bridgham
Middle Harling
Kenninghall
Gissing
Hall Green
Thorpe Woodlands
Dam Green
Mill Green
Starke School
Starston
Thetford Warren Lodge
Brettenham
Shelfanger
Burston
Shimpling
Thetford
Shadwell
North Lopham
Fersfield
Rushall
Harleston
Thetford Warren DANGER AREA
Ancient House
Garboldisham
South Lopham
Winney Green
Snow Street
Dickleburgh
100th Bomb Group Memorial
A1066
A1066
Walcot Green
Thelveton
A143
Rushford
Smallworth
Thorpe Abbotts
Barnham Cross Common
Gasthorpe
Bressingham
Frenze
Needham
A134
Elveden
Knettishall Heath
Hopton
Blo' Norton
Roydon
Diss
Thorpe Abbotts
Weybread
Euston
Euston Hall
Coney Weston
Thelnetham
Redgrave & Lopham Fen
Magpie Green
Bressingham Steam
Billingford
Brockdish
Barnham
Market Weston Fen
Thelnetham Fen
Palgrave
Scole
Billingford
Market Weston
Redgrave
Wortham
A143
Sluston
Great Green
Syleham
Green Street
Wingfield
Fakenham Magna
Barningham
Hinderclay
Botesdale
Burgate Great Green
Oakley
Brome
Brome Street
Hoxne
Chickering
Rickinghall
Thrandeston
St. Edmund's Mon.
Cross Street
Heckfield Green
Honington
A140
Sapiston
Stanton Chare
Hepworth
Burgate Little Green
Yaxley
Denham
Battisea Green
Reading Green
Honington
Bardwell
A143
Wattisfield
Candle Street
Mellis
Eye
Stanton
Bardwell Towermill
Ixworth Thorpe
Stanton Postmill
Upthorpe
Little Green
Thornham Parva
Thornham Herb
B1117
Braiseworth
Cranley
Denham Street
Horham
Brockley Corner
Troston
Walsham le Willows
Cranmer Green
Thornham Magna
Athelington
Ampton
Great Livermere
Wyken Vineyard
Gislingham
Sandwell Green
Occold
Redlingfield
West Stow
Ingham
Ixworth
Four Ashes
Wickham Street
Stoke Ash
Culford
Pakenham Watermill
Langham
Crowland
Wickham Green
Thorndon
Fingal Street
Timworth Green
Hunston
Westhorpe
Finningham
Southolt
Conyer's Green
Grimstone End
Badwell Ash
Wyverstone Street
Wyverstone
Wickham Skeith
Thwaite
Rishangles
Bedingfield
Fornham All Saints
B1106
Fornham St. Martin
Stowlangtoft
Great Ashfield
Long Thurlow
Mechanical Music
Monk Soham Green
A14
A143
Great Barton
Pakenham
Stanton Street
Bacton
Cotton
Brockford Street
Wetheringsett
Kenton
Bedfield
Earl's Green
Mid-Suffolk Light Railway
Westley
BURY ST. EDMUNDS
Thurston
Norton
Norton Little Green
S
U
F
Mendlesham
Blacksmith's Green
Suffolk Regimental
A14
Tostock
Elmswell
Haughley Green
Ward Green
Canham's Green
Monk Soham
Gipping
Horringer
Blackthorpe
Wetherden
Haughley
Old Newton
Mendlesham Green
Wetherup Street
Debenham
The Teapot Pottery
Ashfield
A1120
Nowton Park
Rushbrooke
Kingshall Street
Beyton
Woolpit
Mickfield Meadow
Mickfield
Drinkstone
Hessett
Rougham
Borley Green
Haughley Park
Saxham Street
Winston
A134
Little Whelnetham
Drinkstone Green
Harleston
Middlewood Green
Little Stonham
Peats Corner
Sicklesmere
Bradfield St. George
Onehouse
Stowupland
A1120
Forward Green
Stonham Aspal
Framsden
Cretingham
Pinford End
Great Whelnetham
Maypole Green
Rattlesden
Stowmarket
Creeting St. Peter
Pettaugh
Hawstead
Bradfield St. Clare
Earl Stonham
Suffolk Owl Sanctuary
Redwings Horse Sanctuary
Whepstead
Mickley Green
Bradfield Combust
Bradfield Woods
Gedding
Poystreet Green
Buxhall
East Anglian Life
A140
Hoggard's Green
Felsham
Great Finborough
Creeting St. Mary
Helmingham Hall
Crowfield
Helmingham
Bush Green
Hightown Green
Combs
Combs Ford
Gipping
Bulling Green
Great Green
Fen Alder Carr
Coddenham Green
Otley Hall
Stanningfield
Rattlesden
Cross Green
High Street Green
Moats Tye
Gosbeck
Otley
Clopton Corner
Brockley Green
Windsor Green
Cockfield
Bulls Wood
Battisford Tye
Battisford
Needham Market
Coddenham
Ashbocking
Gibraltar
Lawshall
Thorpe Green
Brettenham
Barking
Darmsden
B1078
Shrubland Park
Hemingstone
Swilland
Hartest
Shimpling Street
Smithwood Green
Thorpe Morieux
Cross Green
Charles Tye
Ringshall
Barking Tye
Bell's Cross
Bonny Wood
Rooksey Green
Wattisham
Ringshall Stocks
Baylham
A14
Boxted
Shimpling
Alpheton
Hitcham
Wattisham
Williship Tye
Barham
Henley
Witnesham
Grundisburgh
Preston
Kettlebaston
Great Bricett
Great Blakenham
Claydon
Little Hall
Guildhall NT
B1078
Greenstreet Green
Great Bealings
Stanstead
Lavenham
Bildeston
Offton
Akenham
Tuddenham St. Martin
Bridge Street
Brent Eleigh
Nedging Tye
Blakenham Woodland
Kentwell Hall
Monks Eleigh
Naughton
Somersham
A134
Nedging
Little Blakenham
Westerfield
Playford
Chelsworth
B1115
Long Melford
Melford Hall
Milden
Swingleton Green
Semer
Ash Street
Whatfield
Elmsett
Flowton
Bramford
Castle Hill
IPSWICH
Rushmere St. Andrew
A1092
B1065
B1066
B1106
A1075
A1088
B1111
B1113
B1077
B1118
B1115
A1141

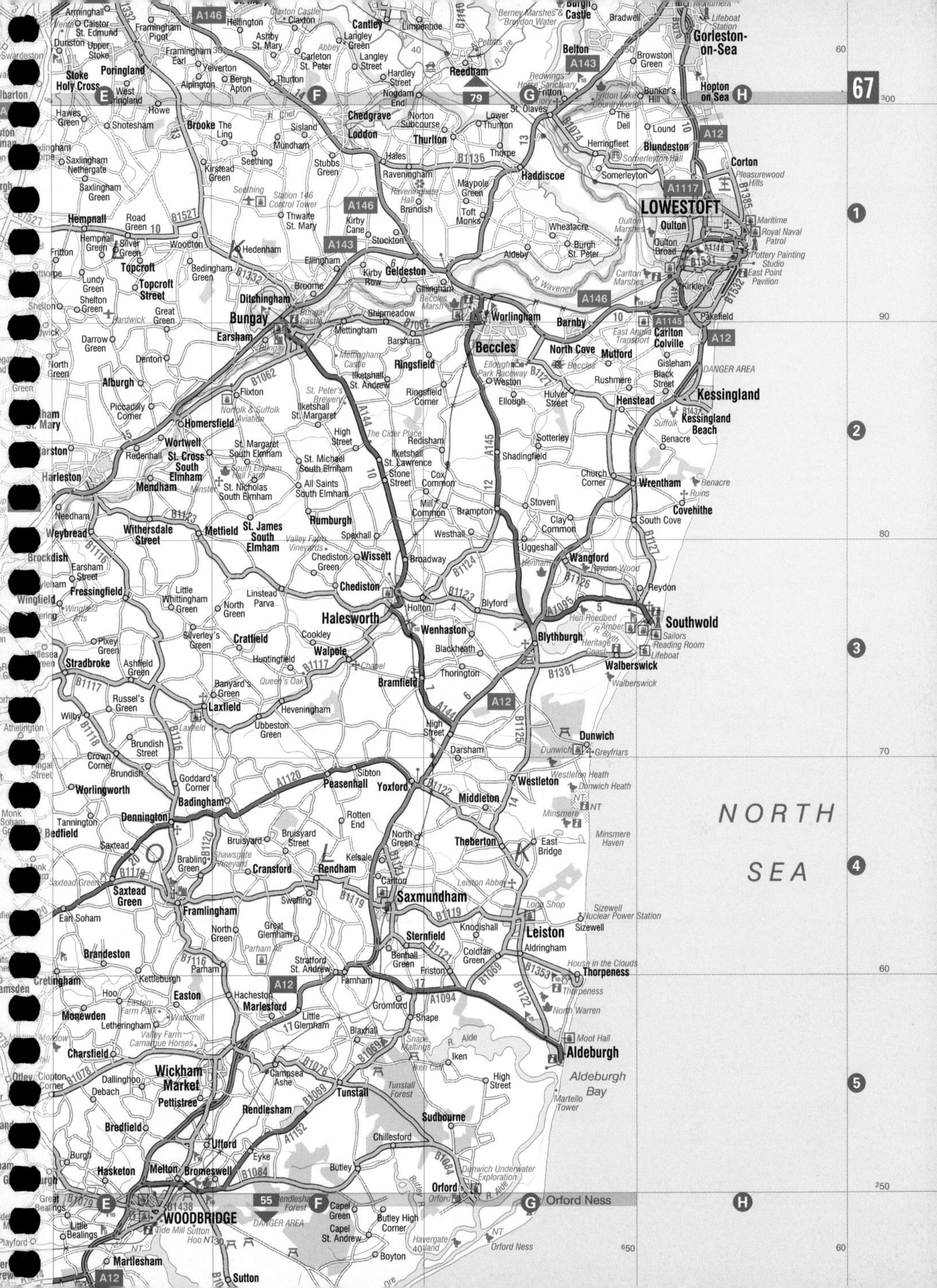
Arminghall
Caistor St. Edmund
Dunston
Upper Stoke
Framingham Pigot
Framingham Earl
A146
Hellington
Ashby St. Mary
Claxton Castle
Claxton
Cantley
Langley Green
Limpenhoe
Berney Marshes & Breydon Water
Burgh Castle
Bradwell
Lifeboat Station
Gorleston-on-Sea
Carleton St. Peter
Langley Street
Hardley Street
Nogdam End
Belton
A143
Browston Green
Stoke Holy Cross
Poringland
Yelverton
Alpington
Bergh Apton
Thurton
Reedham
Redwings Horse Sanctuary
Fritton
Fritton Lake Countryworld
Bunker's Hill
Hopton on Sea
West Poringland
Howe
79
St. Olaves
Hawes Green
Shotesham
Brooke
The Ling
Chedgrave
Loddon
Sisland
Mundham
Norton Subcourse
Thurlton
Lower Thurlton
The Dell
Lound
Herringfleet
Blundeston
Somerleyton Hall
Somerleyton
Corton
Pleasurewood Hills
Saxlingham Nethergate
Saxlingham Green
Kirstead Green
Seething
Stubbs Green
Hales
Raveningham
Raveningham Hall
B1136
Thorpe
Haddiscoe
Maypole Green
Toft Monks
A1117
LOWESTOFT
Seething
Station 146 Control Tower
Thwaite St. Mary
A146
Kirby Cane
Brundish
Hempnall
Road Green
B1527
Hempnall Green
Silver Green
Woodton
Hedenham
A143
Stockton
Ellingham
Oulton Marshes
Oulton
Oulton Broad
Wheatacre
Burgh St. Peter
Aldeby
Maritime
Royal Naval Patrol
Pottery Painting Studio
East Point Pavilion
Fritton
Topcroft
Topcroft Street
Lundy Green
Shelton Green
Bedingham Green
B1332
Ditchingham
Broome
Kirby Row
Geldeston
Gillingham
Beccles Marsh
Carlton Marshes
R. Waveney
A146
Kirkley
B1531
B1532
Hardwick
Great Green
Bungay
Bungay Castle
Shipmeadow
Worlingham
Barnby
A1145
Pakefield
Carlton Colville
East Anglia Transport
Darrow Green
Earsham
Mettingham
B1062
Barsham
Beccles
North Cove
Mutford
A12
Denton
Mettingham Castle
Ilketshall St. Andrew
Ringsfield
Ellough Park Raceway
Weston
Beccles
Gisleham
Black Street
Rushmere
DANGER AREA
North Green
Alburgh
B1062
Flixton
Norfolk & Suffolk Aviation
St. Peter's Brewery
Ringsfield Corner
Ellough
B1127
Hulver Street
Henstead
Kessingland
Kessingland Beach
Suffolk
Piccadilly Corner
Homersfield
Ilketshall St. Margaret
A144
High Street
The Cider Place
Redisham
Ilketshall St. Lawrence
A145
Sotterley
Shadingfield
Benacre
Wortwell
Redenhall
St. Cross South Elmham
St. Margaret South Elmham
St. Michael South Elmham
Stone Street
Cox Common
Church Corner
Wrentham
Benacre Ruins
Harleston
Mendham
St. Nicholas South Elmham
All Saints South Elmham
Mill Common
Brampton
Stoven
Covehithe
Needham
B1123
Withersdale Street
Metfield
St. James South Elmham
Rumburgh
Clay Common
South Cove
Weybread
Valley Farm Vineyards
Spexhall
Westhall
Uggeshall
B1127
Brockdish
B1116
Earsham Street
Chediston Green
Wissett
Broadway
B1124
Wangford
Henham
Reydon Wood
B1126
Reydon
Fressingfield
Little Whittingham Green
North Green
Linstead Parva
Chediston
B1123
Holton
Blyford
A1095
Southwold
Wingfield
Halesworth
Wenhaston
Hen Reedbed
Amber
Sailors Reading Room
Lifeboat
Pixey Green
Silverley's Green
Cratfield
Cookley
Walpole
Blackheath
Blythburgh
Heritage Coast
R. Blyth
Stradbroke
Ashfield Green
Huntingfield
B1117
Chapel
Thorington
B1387
Walberswick
B1117
Queen's Oak
Bramfield
Banyard's Green
Russel's Green
Laxfield
Heveningham
A144
A12
B1125
Wilby
B1118
Ubbeston Green
High Street
Dunwich
Brundish Street
B1116
Darsham
Dunwich Greyfriars
Crown Corner
Brundish
Goddard's Corner
A1120
Sibton
Peasenhall
Yoxford
B1122
Westleton
Westleton Heath
Dunwich Heath
Worlingworth
Badingham
Middleton
Minsmere
NT
NORTH SEA
Dennington
Tannington
Bedfield
Rotten End
Bruisyard
Bruisyard Street
North Green
Theberton
East Bridge
Minsmere Haven
Saxtead
Shawsgate Vineyard
Brabling Green
Cransford
Kelsale
Rendham
B1120
Carlton
Saxtead Green
B1119
Leiston Abbey
Framlingham
Swefling
B1119
Saxmundham
Long Shop
Sizewell Nuclear Power Station
Sizewell
Earl Soham
North Green
Great Glemham
Knodishall
Leiston
Sternfield
Aldringham
Brandeston
Parham Air
Benhall Green
B1121
Coldfair Green
B1069
House in the Clouds
Thorpeness
B1353
Cretingham
B7116
Parham
Kettleburgh
Stratford St. Andrew
Farnham
Friston
A12
A1094
B1122
Hoo
Easton
Hacheston
Marlesford
Gromford
North Warren
Monewden
Easton Farm Park
Letheringham
Watermill
Little Glemham
Snape
Valley Farm Camargue Horses
Blaxhall
Snape Maltings
R. Alde
Moot Hall
Charsfield
B1069
Iken
Aldeburgh
Wickham Market
Campsea Ashe
B1078
Iken Cliff
Aldeburgh Bay
Otley
Clopton Corner
B1078
Dallinghoo
Debach
Pettistree
Tunstall
High Street
Tunstall Forest
Martello Tower
Rendlesham
B1069
Bredfield
Sudbourne
A1152
Ufford
Chillesford
Burgh
Eyke
Hasketon
Melton
Bromeswell
B1084
Butley
B1084
Dunwich Underwater Exploration
Orford
R. Alde
Great Bealings
B1079
B1438
55
Rendlesham Forest
Capel Green
Orford Ness
WOODBRIDGE
DANGER AREA
Butley High Corner
Little Bealings
Tide Mill
Sutton Hoo NT
Capel St. Andrew
Havergate Island
NT
Orford Ness
Playford
Martlesham
Boyton
A12
Sutton
E
F
G
H
1
2
3
4
5
60
300
90
80
70
60
250
650
60

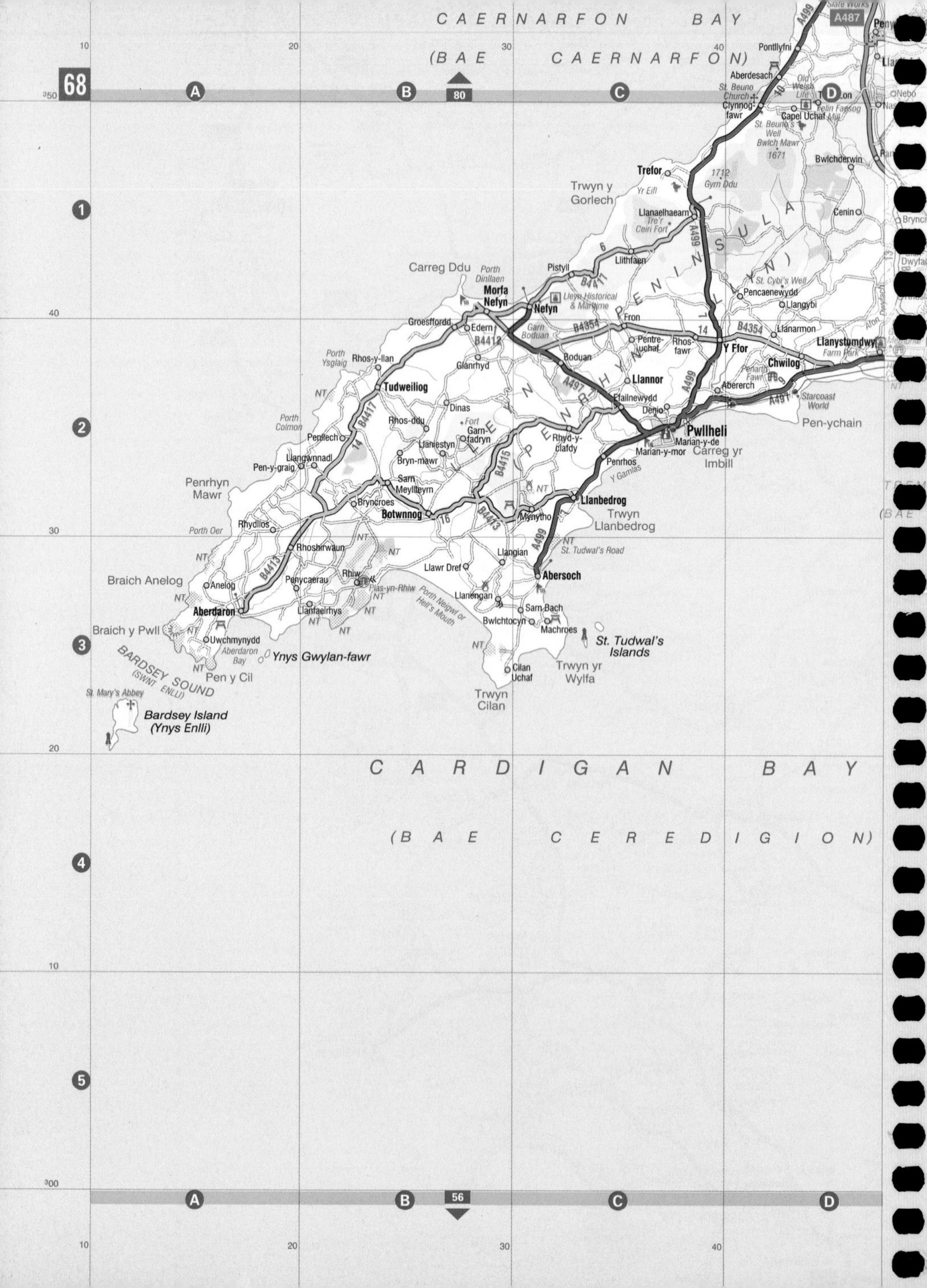
CAERNARFON BAY
(BAE CAERNARFON)
80
56
A487
A499
Pontllyfni
Aberdesach
St. Beuno Church
Clynnog-fawr
Old Welsh Life
Felin Faesog Mill
Capel Uchaf
Nebo
St. Beuno's Well
Bwlch Mawr 1671
Bwlchderwin
Trefor
1712 Gyrn Ddu
Yr Eifl
Trwyn y Gorlech
Llanaelhaearn
Tre'r Ceiri Fort
Cenin
Bryncir
Llithfaen
Pistyll
Carreg Ddu
Porth Dinllaen
Morfa Nefyn
Nefyn
Lleyn Historical & Maritime
B4417
St. Cybi's Well
Pencaenewydd
Llangybi
Fron
B4354
Llanarmon
Llanystumdwy
Groesffordd
Edern
Garn Boduan
Pentre-uchaf
Rhos-fawr
Y Ffor
Farm Park
B4412
Boduan
Chwilog
Porth Ysglaig
Rhos-y-llan
Glanrhyd
Llannor
Penarth Fawr
Abererch
A497
A499
Tudweiliog
Efailnewydd
A491
Starcoast World
Dinas
Denio
Porth Colmon
Rhos-ddu
Fort
Garn-fadryn
Pwllheli
Pen-ychain
PENRHYN LLYN
LLEYN PENINSULA
Penllech
Llaniestyn
Rhyd-y-clafdy
Marian-y-de
Marian-y-mor
Carreg yr Imbill
Llangwnnadl
Bryn-mawr
Pen-y-graig
B4415
Penrhos
Y Gamlas
Sarn Meyllteyrn
Penrhyn Mawr
Bryncroes
Llanbedrog
Botwnnog
B4413
Mynytho
Trwyn Llanbedrog
Rhydlios
Porth Oer
NT
Rhoshirwaun
St. Tudwal's Road
Llangian
Braich Anelog
Anelog
Penycaerau
Rhiw
Plas-yn-Rhiw
Llawr Dref
Abersoch
Porth Neigwl or Hell's Mouth
Llanengan
Aberdaron
Llanfaelrhys
Sarn Bach
Bwlchtocyn
Machroes
Braich y Pwll
Uwchmynydd
Aberdaron Bay
St. Tudwal's Islands
BARDSEY SOUND (SWNT ENLLI)
Ynys Gwylan-fawr
Pen y Cil
Cilan Uchaf
Trwyn yr Wylfa
St. Mary's Abbey
Trwyn Cilan
Bardsey Island (Ynys Enlli)
CARDIGAN BAY
(BAE CEREDIGION)

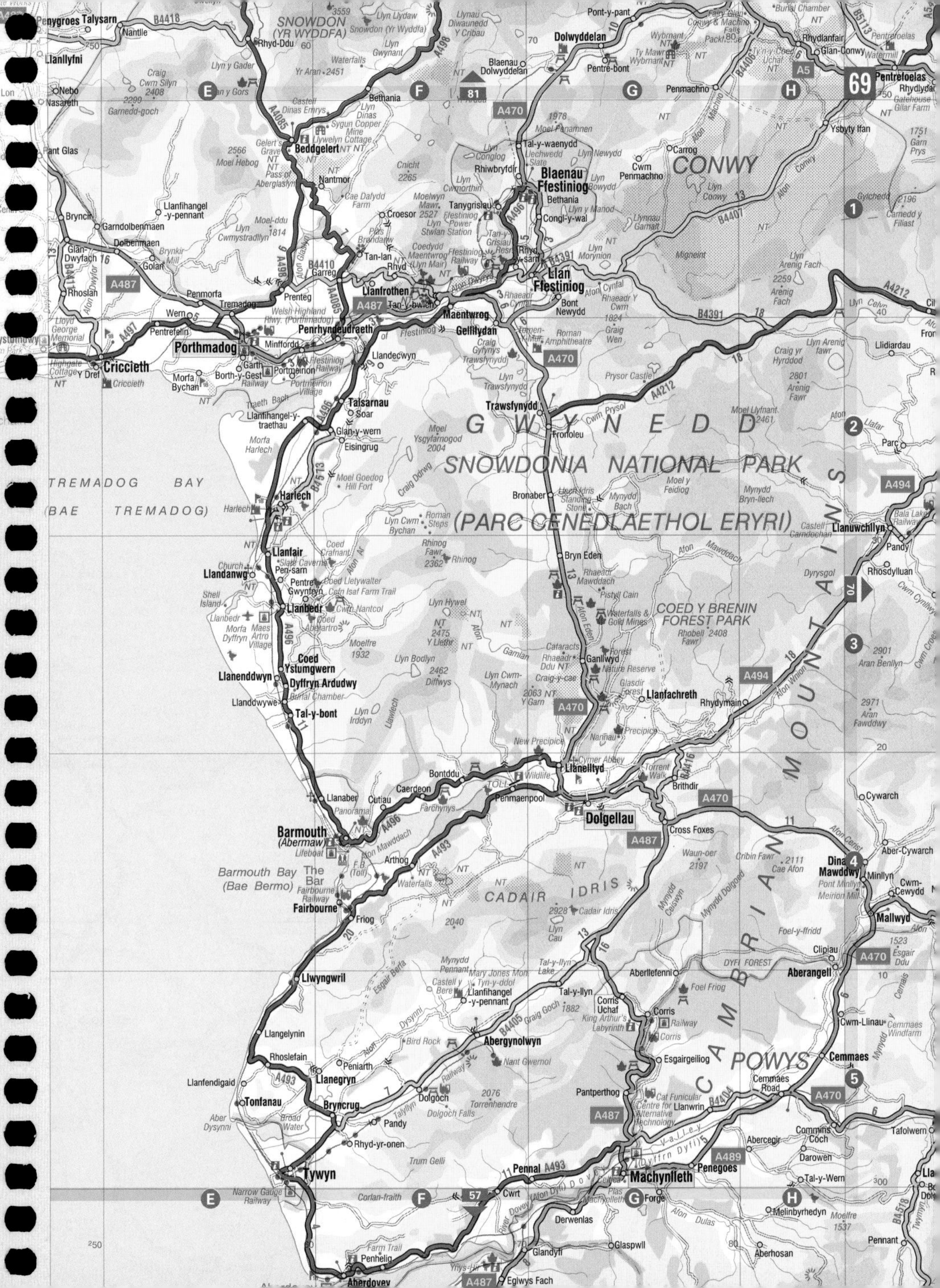

69
81
70
57
E
F
G
H
1
2
3
4
5
SNOWDON (YR WYDDFA)
CONWY
GWYNEDD
SNOWDONIA NATIONAL PARK
(PARC CENEDLAETHOL ERYRI)
CAMBRIAN MOUNTAINS
POWYS
TREMADOG BAY
(BAE TREMADOG)
Barmouth Bay
(Bae Bermo)
CADAIR IDRIS
COED Y BRENIN FOREST PARK
DYFI FOREST
Penygroes
Talysarn
Nantlle
Rhyd-Ddu
Llanllyfni
Nebo
Nasareth
Pant Glas
Beddgelert
Bethania
Nantmor
Llanfihangel-y-pennant
Bryncir
Garndolbenmaen
Dolbenmaen
Golan
Glan-Dwyfach
Rhoslan
Penmorfa
Tremadog
Prenteg
Garreg
Wern
Pentrefelin
Porthmadog
Criccieth
Y Dref
Minffordd
Penrhyndeudraeth
Garth
Borth-y-Gest
Portmeirion
Morfa Bychan
Llanfrothen
Tan-y-bwlch
Maentwrog
Gellilydan
Croesor
Tan-lan
Rhyd
Tanygrisiau
Blaenau Ffestiniog
Rhiwbryfdir
Tal-y-waenydd
Congl-y-wal
Llan Ffestiniog
Bont Newydd
Dolwyddelan
Blaenau Dolwyddelan
Pentre-bont
Pont-y-pant
Penmachno
Cwm Penmachno
Carrog
Rhydlanfair
Glan-Conwy
Pentrefoelas
Ysbyty Ifan
Llandecwyn
Talsarnau
Soar
Llanfihangel-y-traethau
Glan-y-wern
Eisingrug
Harlech
Llanfair
Llandanwg
Pen-sarn
Pentre Gwynfryn
Llanbedr
Coed Ystumgwern
Llanenddwyn
Dyffryn Ardudwy
Llanddwywe
Tal-y-bont
Llanaber
Cutiau
Caerdeon
Bontddu
Barmouth
(Abermaw)
Arthog
Fairbourne
Friog
Llwyngwril
Llangelynin
Rhoslefain
Llanfendigaid
Tonfanau
Llanegryn
Peniarth
Bryncrug
Pandy
Rhyd-yr-onen
Tywyn
Aberdovey
Penhelig
Trawsfynydd
Fronoleu
Bronaber
Bryn Eden
Ganllwyd
Llanfachreth
Llanelltyd
Penmaenpool
Dolgellau
Brithdir
Cross Foxes
Rhydymain
Llanuwchllyn
Pandy
Rhosdylluan
Parc
Lliidiardau
Dinas Mawddwy
Minllyn
Aber-Cywarch
Cywarch
Mallwyd
Cwm-Cewydd
Clipiau
Aberangell
Cwm-Llinau
Cemmaes
Cemmaes Road
Aberllefenni
Tal-y-llyn
Corris
Corris Uchaf
Esgairgeiliog
Pantperthog
Llanwrin
Abergynolwyn
Dolgoch
Llanfihangel-y-pennant
Pennal
Cwrt
Machynlleth
Forge
Penegoes
Derwenlas
Glandyfi
Glaspwll
Eglwys Fach
Abercegir
Commins Coch
Darowen
Tal-y-Wern
Melinbyrhedyn
Aberhosan
Pennant
Tafolwern
A487
A470
A496
A498
A4085
A497
A493
A494
A4212
A489
A5
B4410
B4391
B4407
B4418
B4405
B4404
B4416

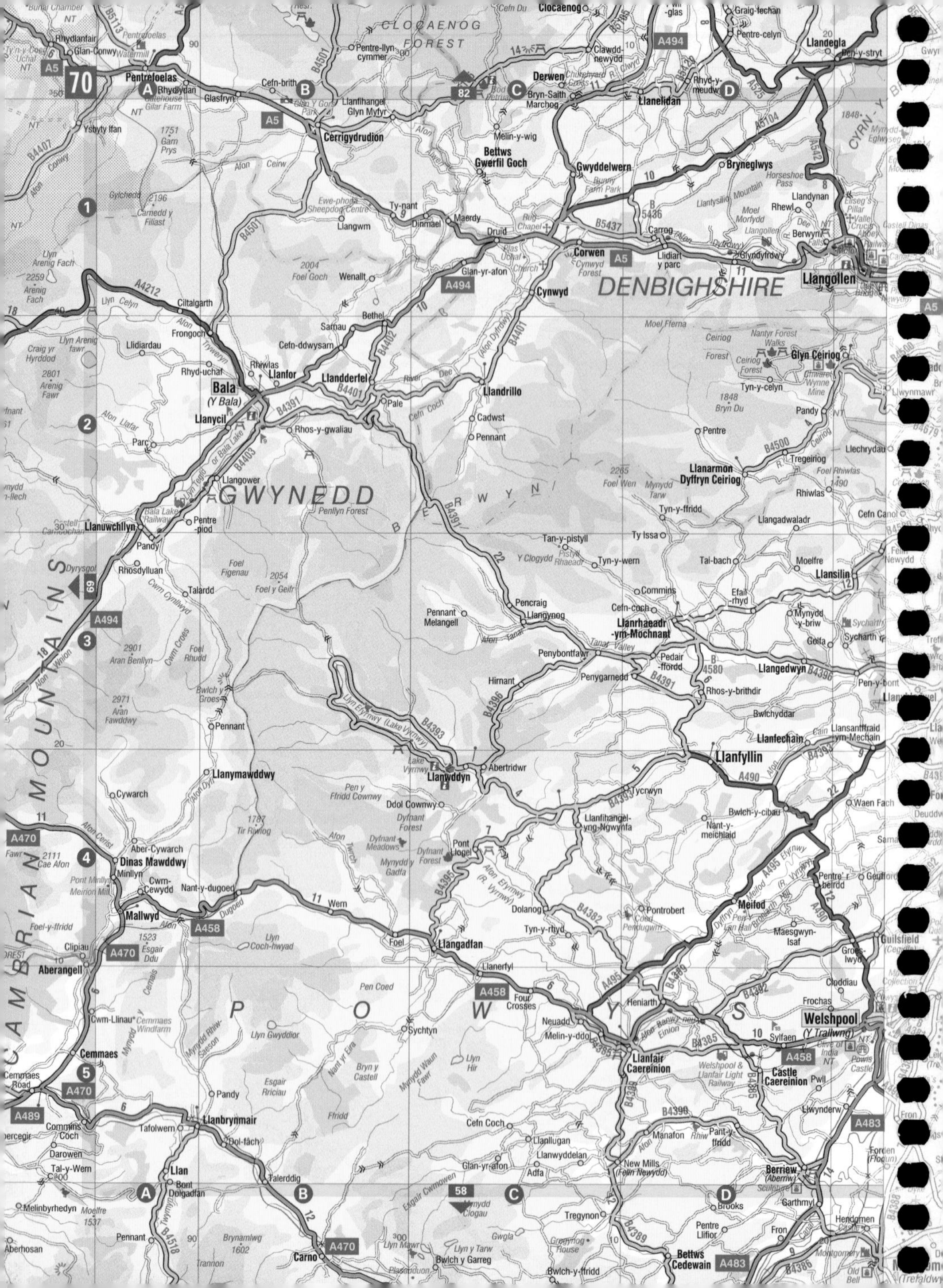
70
DENBIGHSHIRE
GWYNEDD
POWYS
CAMBRIAN MOUNTAINS
BERWYN
CLOCAENOG FOREST
Bala
(Y Bala)
Corwen
Llangollen
Welshpool
(Y Trallwng)
Llanfyllin
Llanwddyn
Llanfair Caereinion
Cerrigydrudion
Pentrefoelas
Llanrhaeadr -ym-Mochnant
Llanarmon Dyffryn Ceiriog
Dinas Mawddwy
Mallwyd
Llangadfan
Llanbrynmair
Carno
Cemmaes
Aberangell
Llanuwchllyn
Llandrillo
Llandderfel
Cynwyd
Gwyddelwern
Derwen
Llanelidan
Meifod
Berriew
Bettws Cedewain
Castle Caereinion
Llansilin
Llangedwyn
Llangynog
Llanymawddwy
Llyn Efyrnwy (Lake Vyrnwy)
Llyn Tegid or Bala Lake
A5
A494
A470
A458
A495
A490
A483
A4212
A489
A525
A542
A5104
B4391
B4393
B4401
B4402
B4403
B4396
B4395
B4382
B4385
B4390
B4389
B4518
B4580
B4500
B5437
82
58
69

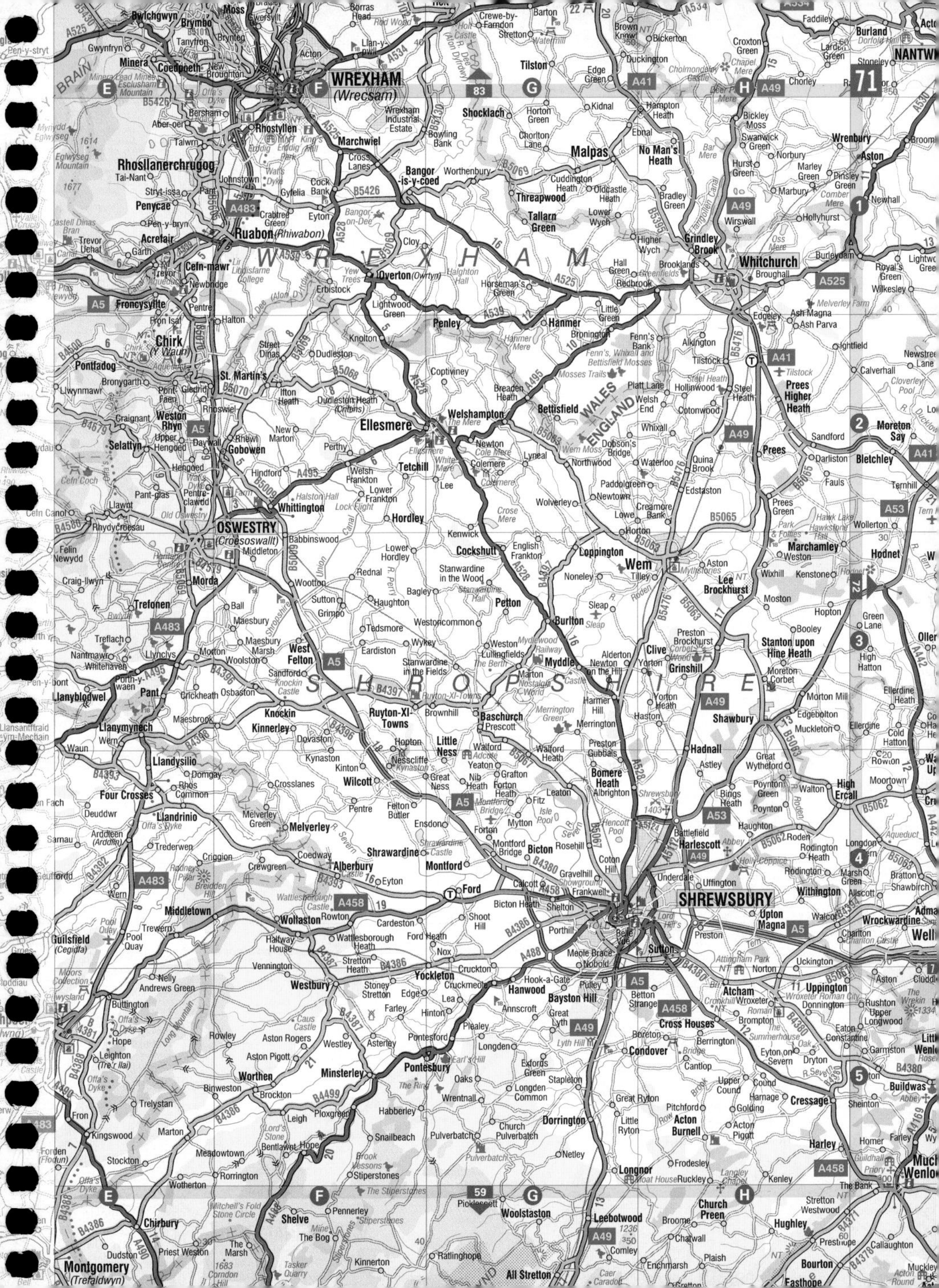
71
WREXHAM
(Wrecsam)
W R E X H A M
S H R O P S H I R E
WALES
ENGLAND
OSWESTRY
(Croesoswallt)
SHREWSBURY
Whitchurch
Ellesmere
Wem
Malpas
Ruabon (Rhiwabon)
Chirk
(Y Waun)
Overton (Owrtyn)
Bangor-is-y-coed
Rhosllanerchrugog
Brymbo
Minera
Coedpoeth
Rhostyllen
Marchwiel
Cefn-mawr
Acrefair
Froncysyllte
St. Martin's
Gobowen
Whittington
Welshampton
Hanmer
Penley
Tetchill
Hordley
Cockshutt
Loppington
Petton
Burlton
Myddle
Clive
Grinshill
Shawbury
Hadnall
Baschurch
Ruyton-XI-Towns
Little Ness
Knockin
Kinnerley
Llanymynech
Llanyblodwel
Pant
Morda
Trefonen
West Felton
Llandysilio
Four Crosses
Llandrinio
Melverley
Alberbury
Shrawardine
Montford
Bicton
Ford
Middletown
Wollaston
Guilsfield
Westbury
Yockleton
Hanwood
Bayston Hill
Condover
Cross Houses
Atcham
Upton Magna
Withington
Uppington
Wrockwardine
Cressage
Acton Burnell
Dorrington
Longnor
Leebotwood
Church Preen
Hughley
Bourton
Harley
Pontesbury
Minsterley
Worthen
Chirbury
Montgomery
(Trefalldwyn)
Shelve
Woolstaston
All Stretton
Prees
Prees Higher Heath
Moreton Say
Bletchley
Hodnet
Marchamley
Lee Brockhurst
Stanton upon Hine Heath
High Ercall
Harlescott
Bettisfield
Tilston
Shocklach
Threapwood
No Man's Heath
Grindley Brook
Wrenbury
Aston
Burland
NANTWICH
Bomere Heath
Wilcott
Selattyn
Weston Rhyn
Llangollen Canal
Offa's Dyke
A483
A5
A49
A41
A525
A528
A495
A458
A53
B5069
B4386
83
59
72
E
F
G
H
1
2
3
4
5

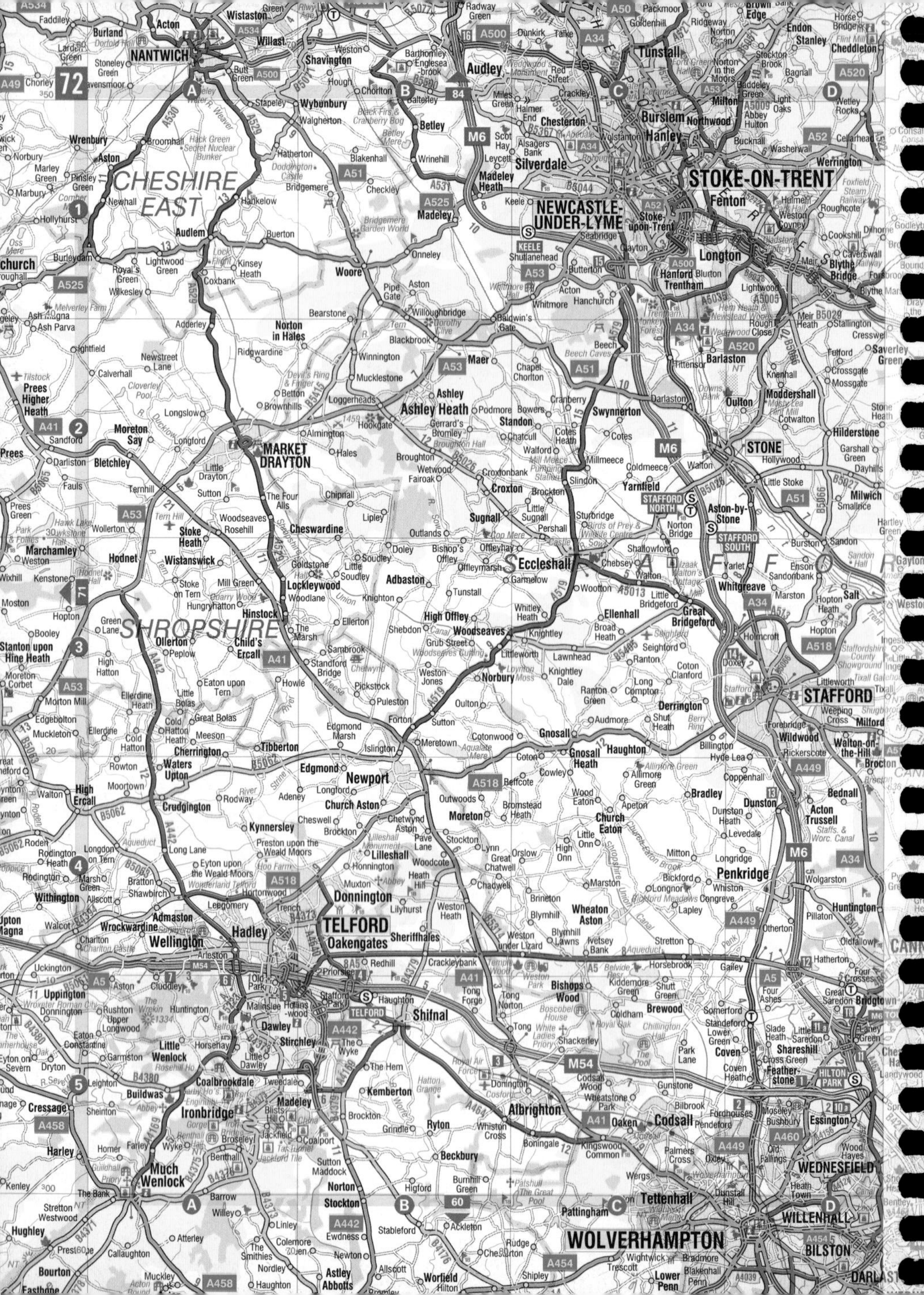

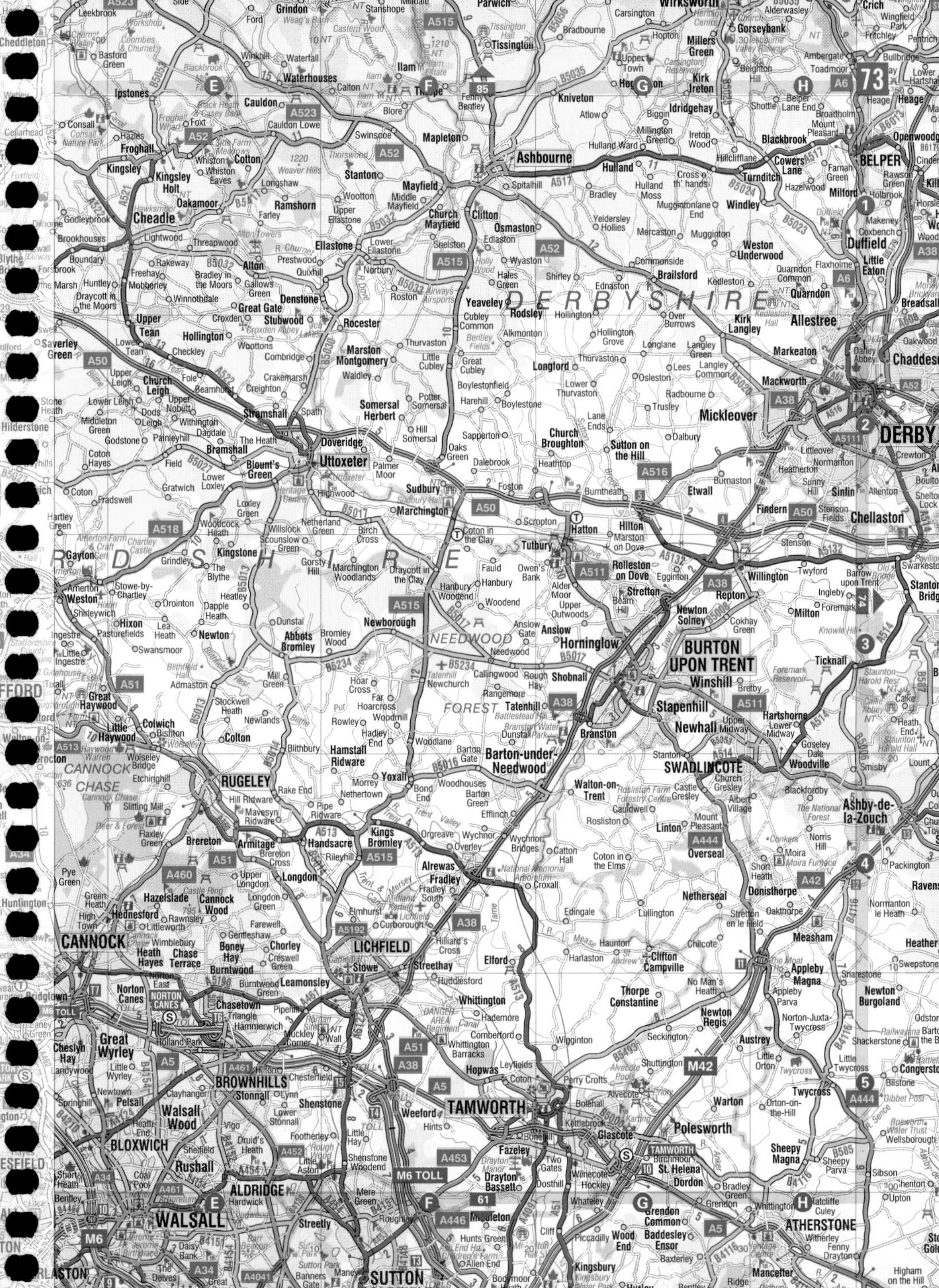

73
DERBYSHIRE
DERBY
BURTON UPON TRENT
SWADLINCOTE
Ashbourne
Uttoxeter
Cheadle
RUGELEY
LICHFIELD
TAMWORTH
CANNOCK
BROWNHILLS
WALSALL
ALDRIDGE
BLOXWICH
ATHERSTONE
SUTTON COLDFIELD
BELPER
Ashby-de-la-Zouch
CANNOCK CHASE
NEEDWOOD FOREST
74
85
61

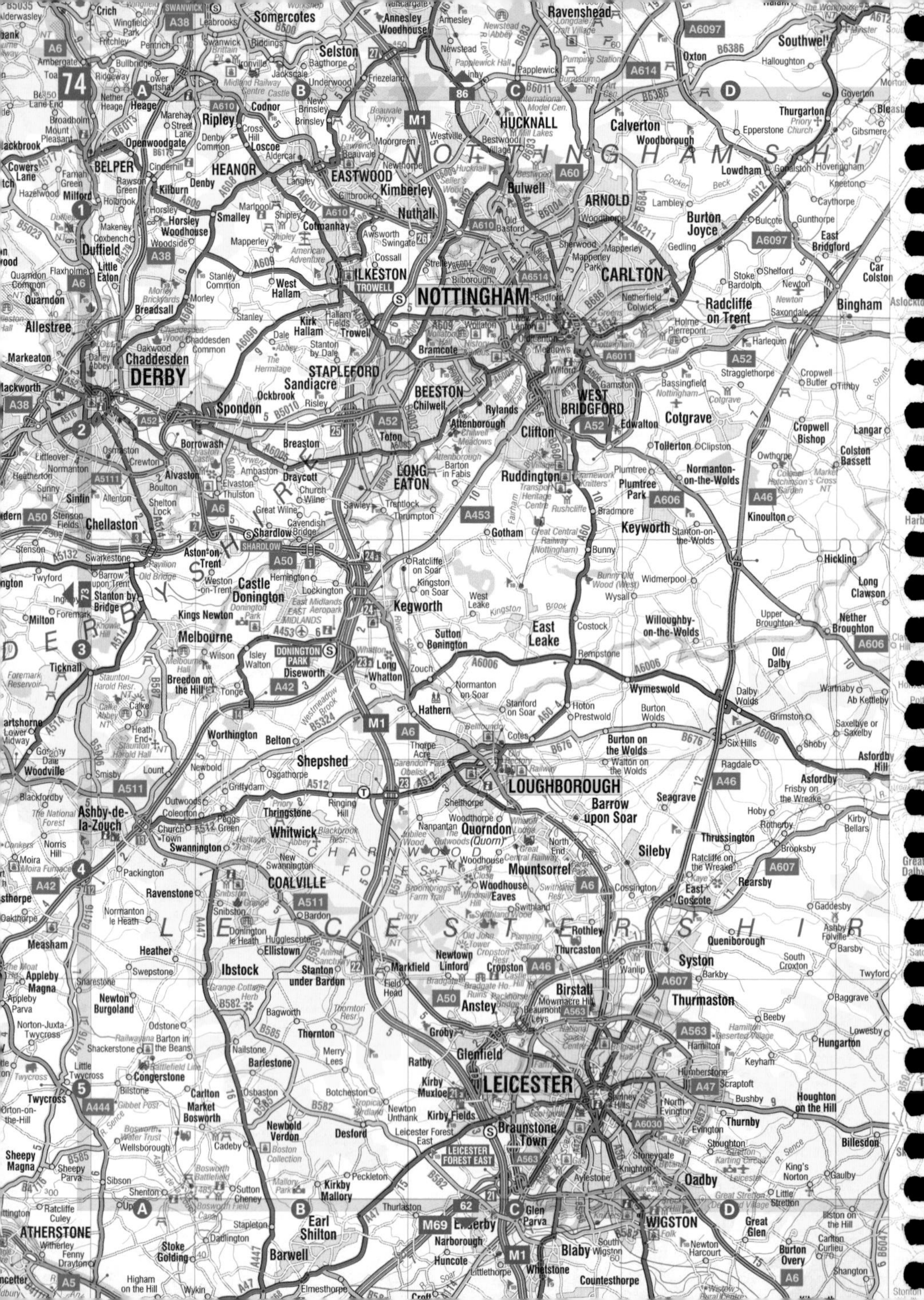
A
B
C
D
NOTTINGHAMSHI
DERBYSHIRE
LEICESTERSHIR
CHARNWOOD FOREST
NOTTINGHAM
DERBY
LEICESTER
LOUGHBOROUGH
Somercotes
Ravenshead
Southwell
Selston
Annesley Woodhouse
Crich
Wingfield Park
Fritchley
Pentrich
Ambergate
Heage
Ripley
Codnor
HUCKNALL
Calverton
Thurgarton
Oxton
Papplewick
Linby
Newstead
Underwood
Jacksdale
Ironville
Swanwick
Leabrooks
Riddings
BELPER
HEANOR
EASTWOOD
Kimberley
Bulwell
ARNOLD
CARLTON
Lowdham
Burton Joyce
Gedling
Radcliffe on Trent
Bingham
Milford
Duffield
Little Eaton
Quarndon
Allestree
Chaddesden
Spondon
Ockbrook
Borrowash
ILKESTON
TROWELL
Kirk Hallam
Sandiacre
STAPLEFORD
BEESTON
Chilwell
Bramcote
Attenborough
WEST BRIDGFORD
Clifton
Edwalton
Cotgrave
Ruddington
Keyworth
LONG EATON
Draycott
Breaston
Sawley
Chellaston
Alvaston
Shardlow
SHARDLOW
Aston-on-Trent
Castle Donington
Kegworth
Melbourne
Gotham
Bunny
East Leake
Sutton Bonington
Hathern
Shepshed
DONINGTON PARK
Diseworth
Long Whatton
Breedon on the Hill
Ashby-de-la-Zouch
Whitwick
COALVILLE
Quorndon (Quorn)
Mountsorrel
Barrow upon Soar
Sileby
Syston
Thurmaston
Birstall
Anstey
Glenfield
Ibstock
Markfield
Groby
Ratby
Kirby Muxloe
Braunstone Town
LEICESTER FOREST EAST
Oadby
WIGSTON
Blaby
Enderby
Narborough
Earl Shilton
Barwell
Desford
Market Bosworth
Twycross
ATHERSTONE
Measham
Appleby Magna
Wymeswold
Burton on the Wolds
Asfordby
Hungarton
Houghton on the Hill
Great Glen
Countesthorpe
Whetstone
M1
M69
A6
A38
A52
A42
A50
A46
A60
A453
A511
A606
A607
A6097
A563
A47
A6006
A614
A610
A6514
A6011
A5111
A444
A5
A6030
73

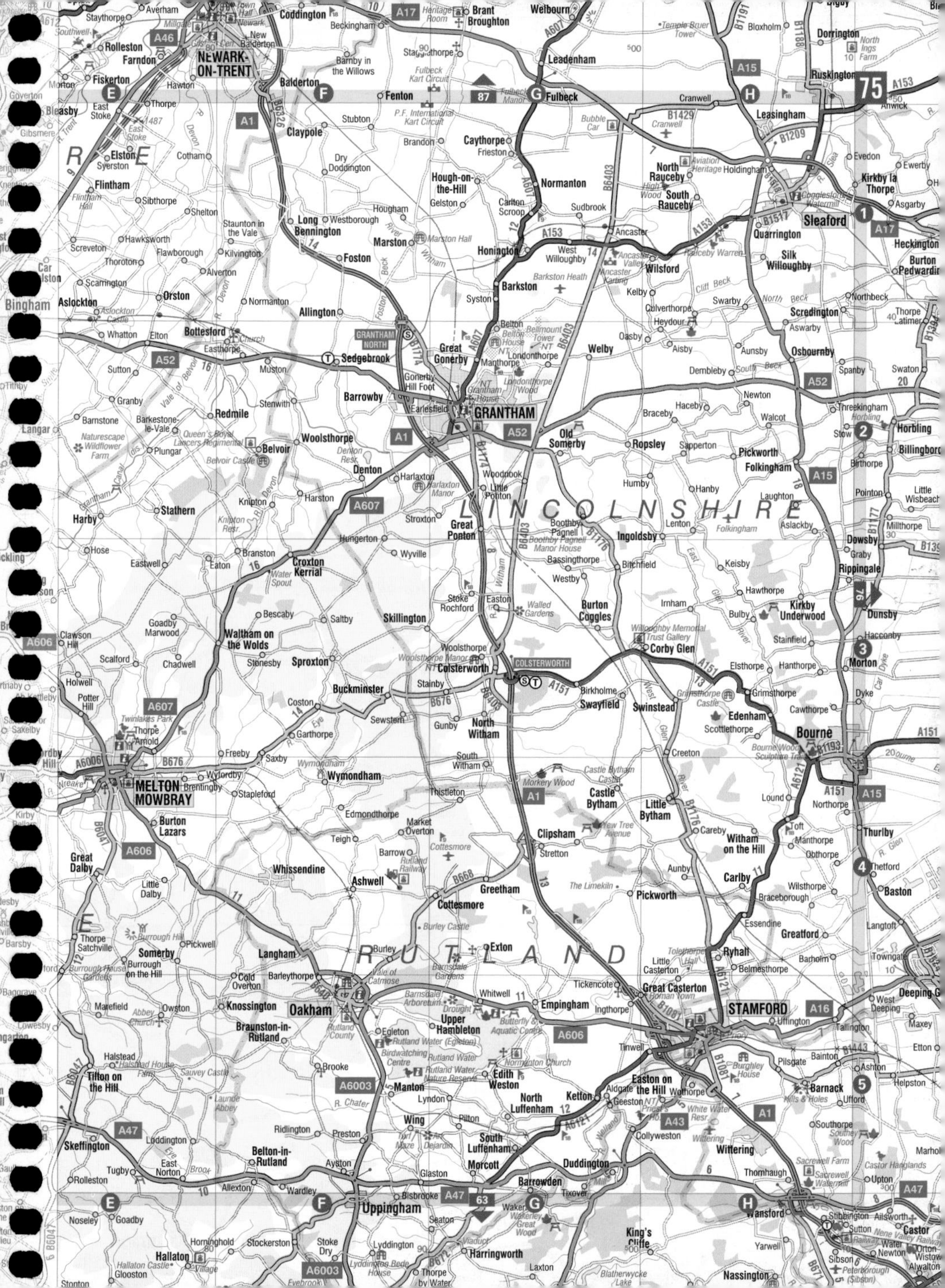
75
NEWARK-ON-TRENT
GRANTHAM
Sleaford
LINCOLNSHIRE
RUTLAND
MELTON MOWBRAY
Oakham
STAMFORD
Uppingham
Bourne
Corby Glen
Colsterworth
Bottesford
Belvoir
Waltham on the Wolds
Croxton Kerrial
Ancaster
Leadenham
Fulbeck
Caythorpe
Long Bennington
Barkston
Great Gonerby
Ropsley
Folkingham
Castle Bytham
Empingham
Ketton
Wittering
Wansford
Deeping
Market Overton
Cottesmore
Greetham
Exton
Langham
Edith Weston
Morcott
Harringworth
King's Cliffe
Rutland Water
A1
A52
A607
A17
A15
A153
A151
A606
A6003
A47
A43
A16
A6121
A46
B6403
87
63

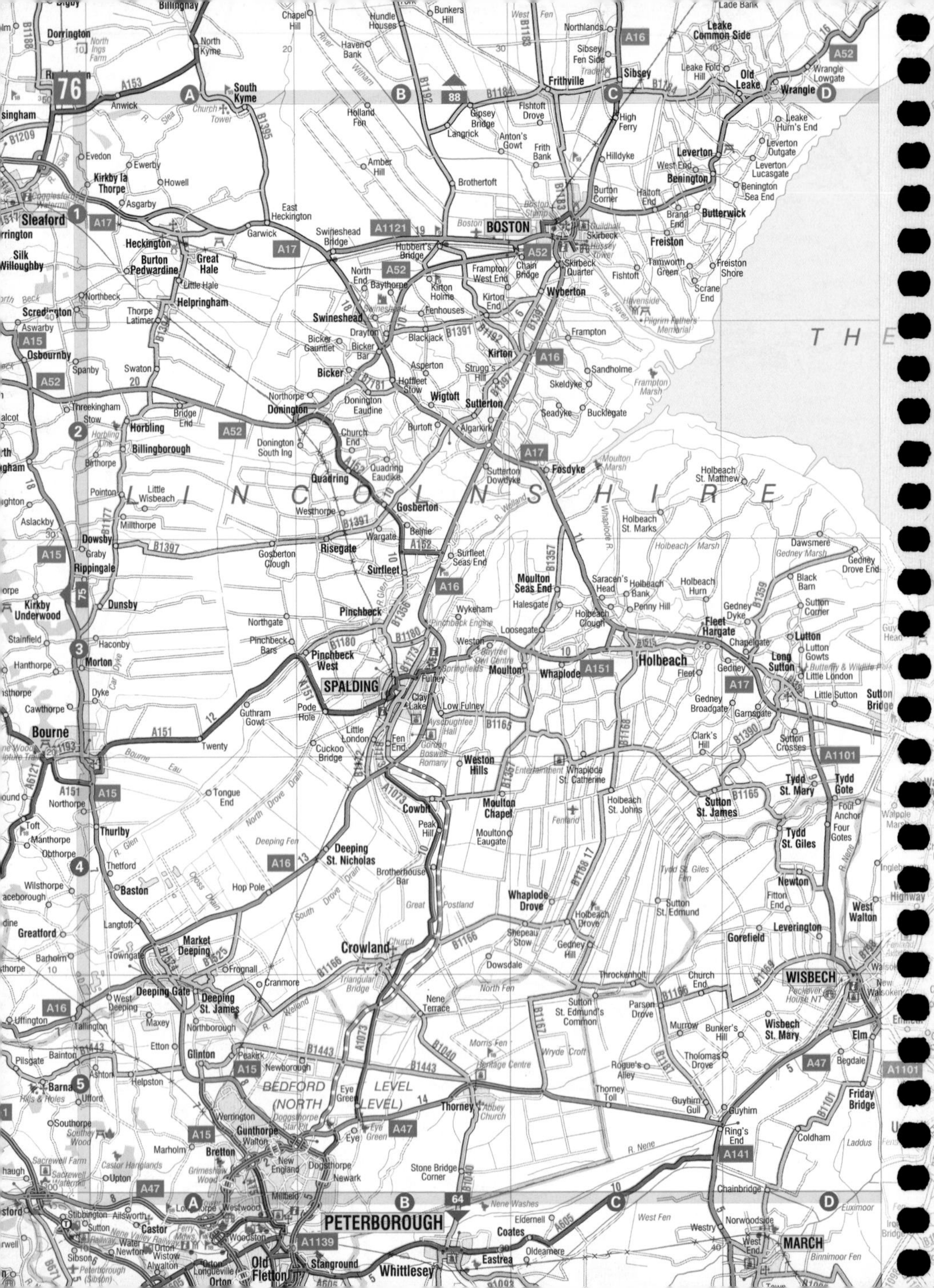

76
88
64
LINCOLNSHIRE
THE
BOSTON
SPALDING
PETERBOROUGH
WISBECH
MARCH
Sleaford
Bourne
Holbeach
Crowland
Whittlesey
Dorrington
North Kyme
South Kyme
Anwick
Evedon
Ewerby
Howell
Kirkby la Thorpe
Asgarby
Heckington
Burton Pedwardine
Great Hale
Little Hale
Helpringham
Garwick
East Heckington
Swineshead Bridge
Hubbert's Bridge
Chapel Hill
Hundle Houses
Haven Bank
Holland Fen
Amber Hill
Brothertoft
Bunkers Hill
Gipsey Bridge
Langrick
Anton's Gowt
Frith Bank
Fishtoft Drove
Frithville
Northlands
Sibsey Fen Side
Sibsey
High Ferry
Hilldyke
Burton Corner
Leake Common Side
Lade Bank
Leake Fold Hill
Old Leake
Wrangle
Wrangle Lowgate
Leake Hurn's End
Leverton
Leverton Outgate
Leverton Lucasgate
West End
Benington
Benington Sea End
Haltoft End
Brand End
Butterwick
Freiston
Freiston Shore
Tamworth Green
Fishtoft
Scrane End
Skirbeck
Skirbeck Quarter
Wyberton
Frampton
Frampton West End
Chain Bridge
Kirton Holme
Kirton End
Kirton
Fenhouses
North End
Baythorpe
Swineshead
Drayton
Bicker Gauntlet
Bicker Bar
Bicker
Blackjack
Asperton
Hoffleet Stow
Wigtoft
Strugg's Hill
Sutterton
Sandholme
Skeldyke
Seadyke
Bucklegate
Frampton Marsh
Algarkirk
Burtoft
Fosdyke
Moulton Marsh
Sutterton Dowdyke
Donington
Donington Eaudike
Donington South Ing
Church End
Quadring
Quadring Eaudike
Gosberton
Westhorpe
Belnie
Wargate
Risegate
Gosberton Clough
Surfleet
Surfleet Seas End
Pinchbeck
Northgate
Pinchbeck Bars
Pinchbeck West
Pode Hole
Guthram Gowt
Twenty
Little London
Cuckoo Bridge
Fen End
Fulney
Low Fulney
Clay Lake
Weston
Moulton
Whaplode
Weston Hills
Moulton Chapel
Moulton Eaugate
Cowbit
Peak Hill
Brotherhouse Bar
Whaplode Drove
Holbeach Drove
Shepeau Stow
Gedney Hill
Dowsdale
Holbeach St. Johns
Whaplode St. Catherine
Moulton Seas End
Halesgate
Loosegate
Holbeach Clough
Saracen's Head
Holbeach Bank
Penny Hill
Holbeach Hurn
Holbeach St. Marks
Holbeach St. Matthew
Dawsmere
Gedney Drove End
Black Barn
Gedney Dyke
Sutton Corner
Fleet Hargate
Chapelgate
Lutton
Lutton Gowts
Long Sutton
Little London
Little Sutton
Sutton Bridge
Gedney
Fleet
Gedney Broadgate
Garnsgate
Clark's Hill
Sutton Crosses
Sutton St. James
Tydd St. Mary
Tydd Gote
Four Gotes
Tydd St. Giles
Newton
Fitton End
Leverington
Gorefield
West Walton
Sutton St. Edmund
Throckenholt
Church End
Sutton St. Edmund's Common
Parson Drove
Murrow
Bunker's Hill
Wisbech St. Mary
Tholomas Drove
Rogue's Alley
Thorney Toll
Guyhirn
Guyhirn Gull
Ring's End
Elm
Begdale
Friday Bridge
Coldham
Chainbridge
Norwoodside
Westry
West End
Thorney
Eye
Eye Green
Stone Bridge Corner
Nene Terrace
Eldernell
Coates
Eastrea
Oldeamere
Newborough
Peakirk
Glinton
Northborough
Deeping St. James
Deeping Gate
West Deeping
Market Deeping
Frognall
Cranmore
Deeping St. Nicholas
Hop Pole
Tongue End
Langtoft
Baston
Thurlby
Northorpe
Thetford
Obthorpe
Manthorpe
Toft
Dyke
Cawthorpe
Morton
Haconby
Hanthorpe
Stainfield
Kirkby Underwood
Dunsby
Rippingale
Graby
Dowsby
Aslackby
Millthorpe
Pointon
Little Wisbeach
Birthorpe
Billingborough
Horbling
Threekingham
Stow
Bridge End
Spanby
Swaton
Osbournby
Aswarby
Scredington
Northbeck
Thorpe Latimer
Silk Willoughby
Wilsthorpe
Greatford
Barholm
Tallington
Uffington
Maxey
Etton
Bainton
Ashton
Helpston
Pilsgate
Barnack
Ufford
Southorpe
Marholm
Upton
Bretton
Werrington
Gunthorpe
Walton
New England
Dogsthorpe
Newark
Millfield
Westwood
Longthorpe
Ailsworth
Castor
Sutton
Stibbington
Water Newton
Orton Waterville
Alwalton
Orton Longueville
Woodston
Old Fletton
Stanground
BEDFORD LEVEL (NORTH LEVEL)
Deeping Fen
North Fen
Morris Fen
West Fen
Binnimoor Fen
Laddus
Euximoor
Nene Washes
R. Nene
R. Welland
R. Witham
R. Glen
Bourne Eau
Whaplode R.
The Haven
Holbeach Marsh
Gedney Marsh
Postland
Great Postland
Fenland
Wryde Croft
Pilgrim Fathers' Memorial
Boston Stump
Guildhall
Hussey Tower
Peckover House NT
Heritage Centre
Abbey Church
Triangular Bridge
Butterfly & Wildlife Park
Baytree Owl Centre
Springfields
Ayscoughfee Hall
Gordon Boswell Romany
Pinchbeck Engine
Sacrewell Farm
Castor Hanglands
Nene Valley Railway
Ferry Meadows
A17
A52
A15
A16
A151
A1121
A1073
A1101
A47
A141
A605
A1139
A153
B1184
B1192
B1183
B1395
B1391
B1397
B1181
B1180
B1173
B1165
B1166
B1168
B1167
B1187
B1357
B1359
B1390
B1169
B1040
B1443
B1524
B1525
B1177
B1209
B1188

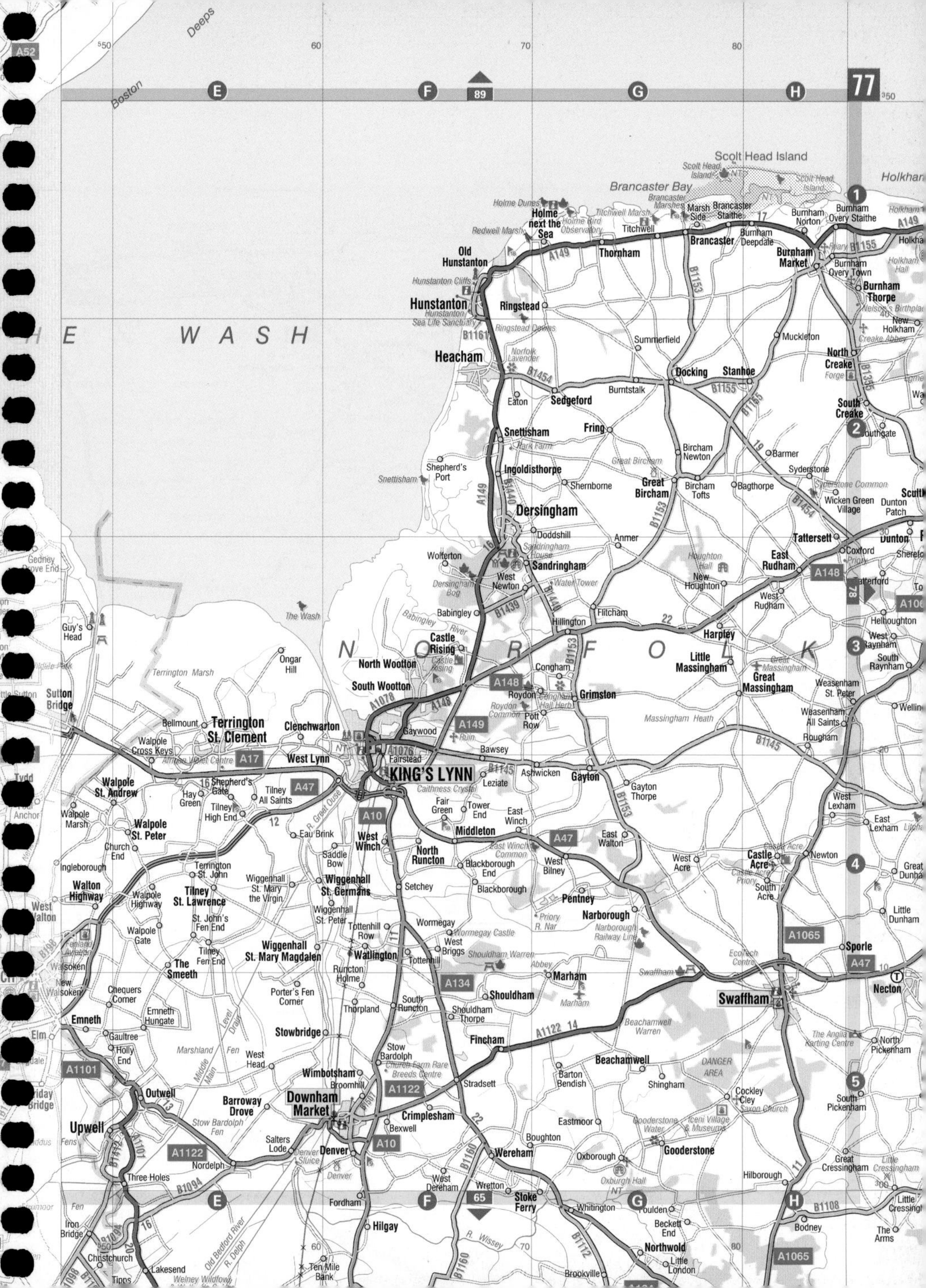
THE WASH
NORFOLK
Scolt Head Island
Brancaster Bay
Hunstanton
Old Hunstanton
Holme next the Sea
Thornham
Titchwell
Brancaster
Brancaster Staithe
Burnham Deepdale
Burnham Market
Burnham Overy Staithe
Burnham Norton
Burnham Overy Town
Burnham Thorpe
Ringstead
Heacham
Sedgeford
Docking
Stanhoe
Snettisham
Ingoldisthorpe
Dersingham
Sandringham
Great Bircham
Bircham Newton
Bircham Tofts
Fring
Shernborne
Anmer
Flitcham
Hillington
Harpley
Little Massingham
Great Massingham
East Rudham
West Rudham
Tattersett
Castle Rising
North Wootton
South Wootton
Grimston
Congham
Roydon
Gaywood
KING'S LYNN
West Lynn
Terrington St. Clement
Clenchwarton
Walpole St. Andrew
Walpole St. Peter
Sutton Bridge
Tilney All Saints
Tilney St. Lawrence
Middleton
North Runcton
West Winch
Wiggenhall St. Germans
Wiggenhall St. Mary Magdalen
Watlington
Gayton
Ashwicken
Narborough
Pentney
West Bilney
East Winch
Castle Acre
West Acre
Swaffham
Sporle
Necton
Marham
Shouldham
Fincham
Stradsett
Downham Market
Denver
Crimplesham
Wereham
Stoke Ferry
Beachamwell
Gooderstone
Oxborough
Upwell
Outwell
Emneth
Hilgay
Northwold
A10
A17
A47
A148
A149
A134
A1122
A1065
A1078
A1076
A1101
B1153
B1155
B1454
B1145
B1439
B1440
B1160
B1112
B1108
89
65
78

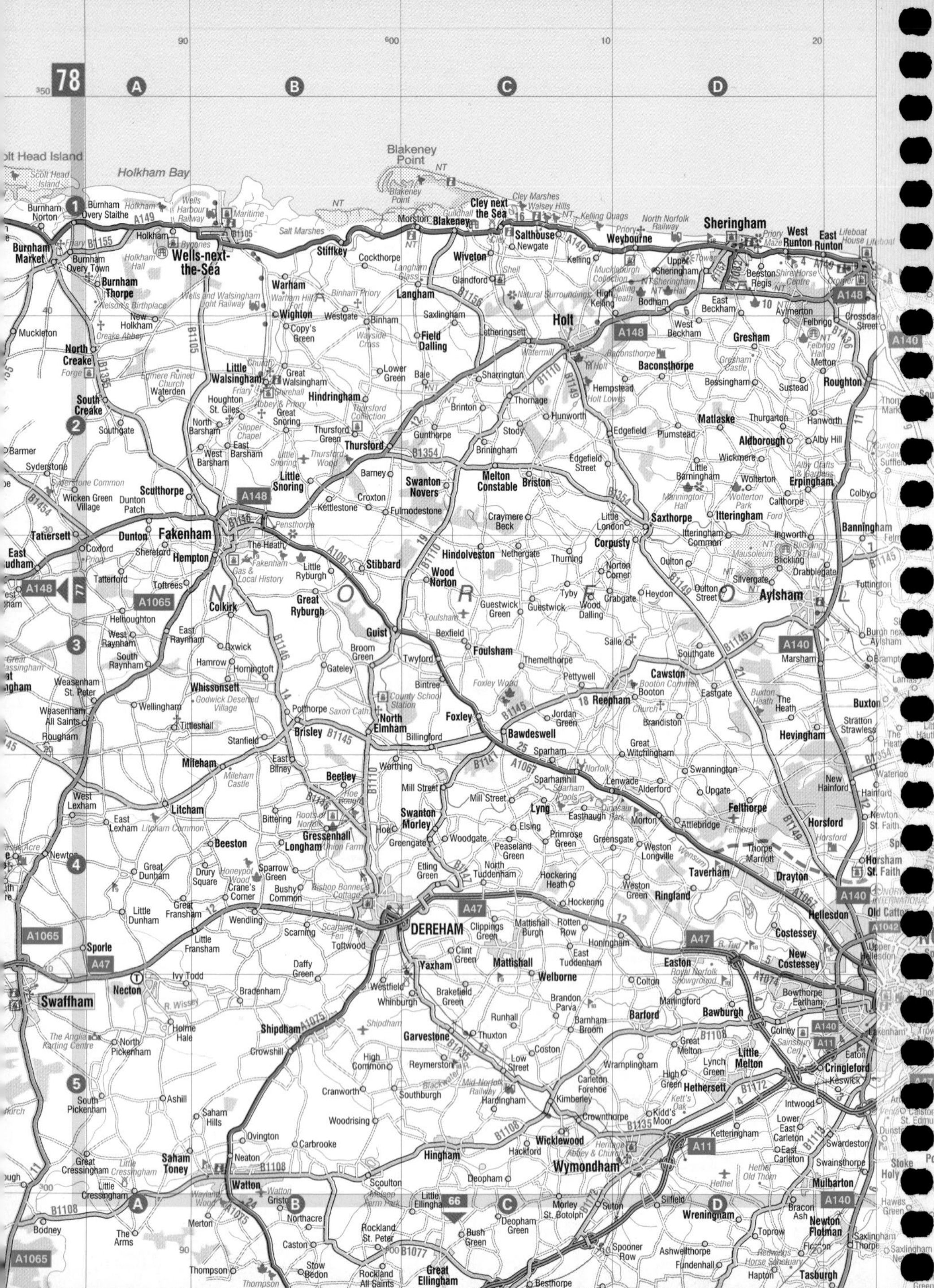
90
600
10
20
A
B
C
D
350
Scolt Head Island
Scolt Head Island
Holkham Bay
Blakeney Point
NT
Blakeney Point
Burnham Norton
Burnham Overy Staithe
Holkham
Wells Harbour Railway
Maritime
A149
B1105
Salt Marshes
Morston
Blakeney
Guildhall
Cley next the Sea
Cley Marshes
Walsey Hills
Kelling Quags
North Norfolk Railway
Sheringham
Priory Maze
West Runton
East Runton
Lifeboat House
Burnham Market
Friary
B1155
Burnham Overy Town
Holkham Hall
Bygones
Wells-next-the-Sea
Stiffkey
Cockthorpe
Salthouse
Newgate
Weybourne
Kelling
Upper Sheringham
Beeston Regis
Shire Horse Centre
Cromer
Burnham Thorpe
Nelson's Birthplace
Warham
Warham Hill Fort
Binham Priory
Langham Glass
Langham
Wiveton
Glandford
Shell
Muckleburgh Collection
Kelling Heath
Sheringham Hall
A148
Wells and Walsingham Light Railway
Wighton
Westgate
Binham
Saxlingham
B1156
Natural Surroundings
High Kelling
Bodham
East Beckham
Aylmerton
Crossdale Street
Muckleton
Creake Abbey
New Holkham
Copy's Green
Wayside Cross
Field Dalling
Letheringsett
Holt
Watermill
West Beckham
Gresham
Felbrigg
Felbrigg Hall
Metton
A140
North Creake
Forge
B1355
B1105
Egmere Ruined Church
Waterden
Little Walsingham
Shirehall
Great Walsingham
Lower Green
Bale
Sharrington
B1110
B1149
Baconsthorpe
Baconsthorpe Castle
Gresham Castle
Bessingham
Sustead
Roughton
South Creake
Houghton St. Giles
Friary
Abbey & Priory
Hindringham
Thursford Collection
Brinton
Thornage
Hempstead
Holt Lowes
Hunworth
Southgate
North Barsham
Great Snoring
Slipper Chapel
Thursford Green
Gunthorpe
Stody
Edgefield
Plumstead
Matlaske
Thurgarton
Hanworth
Barmer
Syderstone
West Barsham
East Barsham
Thursford
Briningham
Aldborough
Alby Hill
Thursford Wood
B1354
Little Snoring
Edgefield Street
Little Barningham
Wickmere
Alby Crafts & Gardens
Syderstone Common
Barney
Swanton Novers
Melton Constable
Briston
Mannington Hall
Wolterton
Wolterton Park
Erpingham
Calthorpe
Colby
Wicken Green Village
Sculthorpe
Dunton Patch
Croxton
Kettlestone
Fulmodestone
Craymere Beck
Little London
Saxthorpe
Itteringham
Ford
B1454
Tattersett
Coxford
Dunton
Fakenham
B1146
Pensthorpe
Hindolveston
Nethergate
Corpusty
Itteringham Common
Ingworth
Blickling
Blickling Hall
Mausoleum
Banningham
Thurning
East Rudham
Sherford
Hempton
The Heath
Fakenham
Gas & Local History
Little Ryburgh
A1067
Stibbard
Wood Norton
Norton Corner
Oulton
Drabblegate
Tatterford
Toftrees
Colkirk
Great Ryburgh
Guestwick Green
Guestwick
Tyby
Crabgate
Wood Dalling
Heydon
Oulton Street
Silvergate
Aylsham
Tuttington
A148
77
A1065
Helhoughton
Foulsham
West Raynham
East Raynham
Oxwick
Guist
Bexfield
Foulsham
Salle
B1145
Burgh next Aylsham
South Raynham
Hamrow
Horningtoft
B1146
Broom Green
Twyford
Themelthorpe
Southgate
Marsham
Weasenham St. Peter
Whissonsett
Godwick Deserted Village
Gateley
Bintree
Foxley Wood
Pettywell
Cawston
Booton Common
Booton
Eastgate
Buxton Heath
The Heath
Buxton
County School Station
Reepham
Church
Brandiston
Weasenham All Saints
Wellingham
Tittleshall
Potthorpe
Saxon Cath.
North Elmham
Foxley
Jordan Green
Stratton Strawless
Rougham
Stanfield
Brisley
B1145
Billingford
Bawdeswell
Great Witchingham
Hevingham
Mileham
Mileham Castle
East Bilney
Worthing
B1147
A1067
Sparham
Swannington
New Hainford
Beetley
Mill Street
Sparhamhill
Sparham Pools
Lenwade
Alderford
Upgate
Hainford
West Lexham
Litcham
Bittering
Roots of Norfolk
Hoe Rough
B1110
Mill Street
Lyng
Easthaugh
Dinosaur Park
Morton
Attlebridge
Felthorpe
Horsford
Newton St. Faith
East Lexham
Litcham Common
Gressenhall
Union Farm
Swanton Morley
Hoe
Greengate
Woodgate
Elsing
Peaseland Green
Primrose Green
Greensgate
Weston Longville
Thorpe Marriott
Horsford
Newton
Beeston
Longham
Etling Green
North Tuddenham
Taverham
Drayton
Horsham St. Faith
Great Dunham
Drury Square
Honeypot Wood
Sparrow Green
Crane's Corner
Bushy Common
Bishop Bonner's Cottage
Hockering Heath
Weston Green
Ringland
Hockering
A140
Little Dunham
Great Fransham
Wendling
A47
DEREHAM
Clippings Green
Mattishall Burgh
Rotten Row
Honingham
A47
Hellesdon
A1065
Sporle
Little Fransham
Scarning
Scarning Fen
Toftwood
Clint Green
Yaxham
Mattishall
East Tuddenham
Welborne
Easton
Royal Norfolk Showground
Costessey
New Costessey
A47
Ivy Todd
Necton
Daffy Green
Westfield
Whinburgh
Brakefield Green
Colton
Swaffham
Bradenham
R. Wissey
Brandon Parva
Marlingford
Bowthorpe
Earlham
Runhall
Barnham Broom
Barford
Bawburgh
The Anglia Karting Centre
North Pickenham
Holme Hale
Shipdham
A1075
Shipdham
Garvestone
Thuxton
Colney
A140
Crowshill
High Common
Reymerston
Coston
Low Street
Great Melton
Lynch Green
Little Melton
Sainsbury Cen.
A11
Cringleford
Keswick
South Pickenham
Ashill
Cranworth
Southburgh
Blackwater
Mid-Norfolk Railway
Hardingham
Wramplingham
Carleton Forehoe
High Green
Hethersett
Kett's Oak
Kimberley
B1172
Intwood
Saham Hills
Woodrising
Crownthorpe
Kidd's Moor
B1135
Lower East Carleton
Ovington
Carbrooke
B1108
Wicklewood
Heritage Abbey & Church
Ketteringham
A11
East Carleton
Swardeston
Great Cressingham
Little Cressingham
Saham Toney
Neaton
B1108
Hingham
Hackford
Wymondham
Hethel Old Thorn
Swainsthorpe
Little Cressingham
Watton
Scoulton
Deopham
Hethel
Mulbarton
Wayland Wood
Watton
Griston
Melsop Farm Park
Little Ellingham
66
Morley St. Botolph
Silfield
Wreningham
A140
Bracon Ash
B1108
Bodney
The Arms
Merton
Northacre
Rockland St. Peter
Bush Green
Deopham Green
Suton
Newton Flotman
Toprow
Saxlingham Thorpe
A1065
Caston
B1077
Spooner Row
Ashwellthorpe
Flordon
Redwings Horse Sanctuary
Thompson
Stow Bedon
Rockland All Saints
Great Ellingham
Besthorpe
Fundenhall
Hapton
Tasburgh
Thompson Common

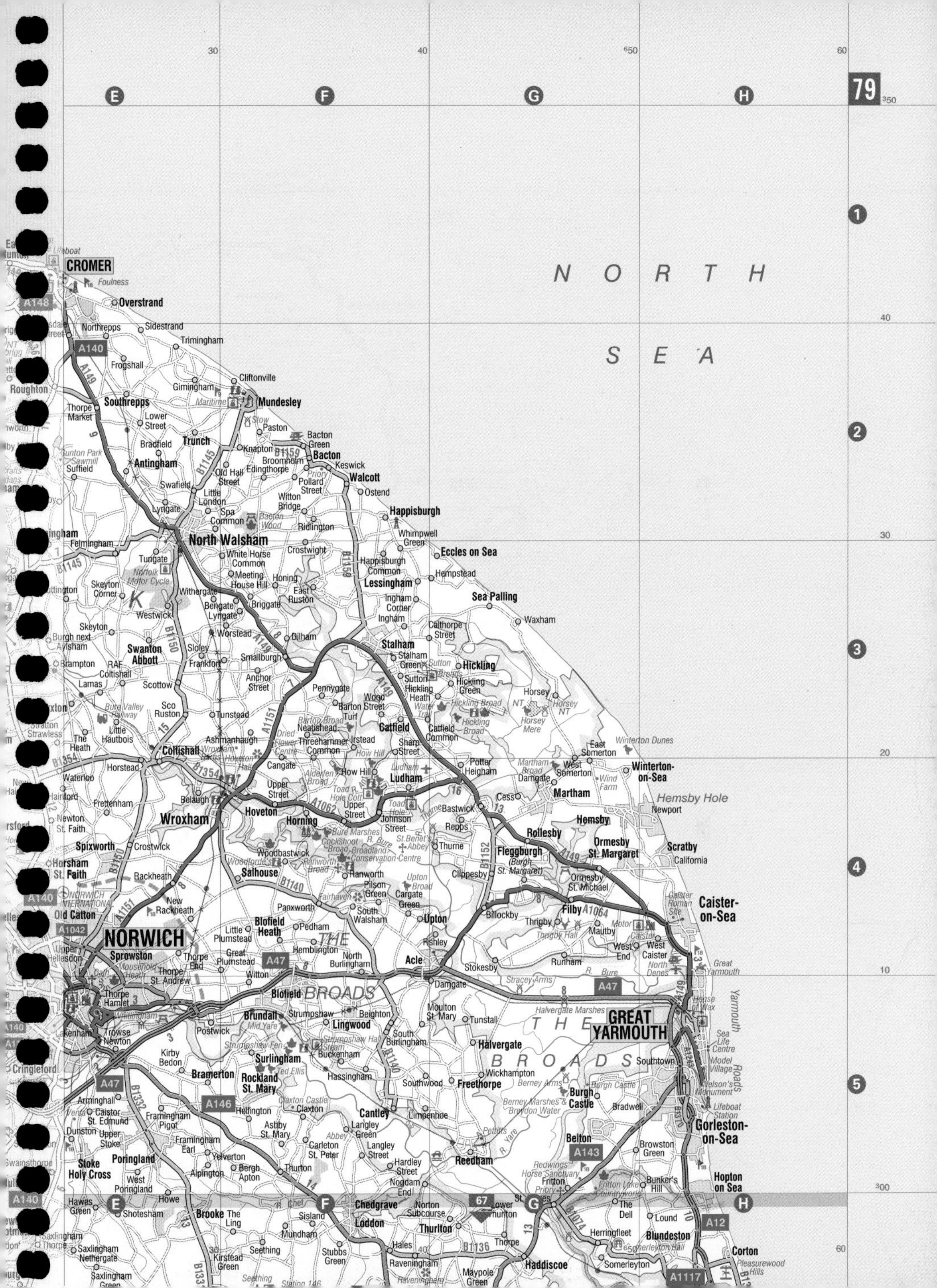
NORTH SEA
CROMER
Overstrand
Northrepps
Sidestrand
Trimingham
Mundesley
Southrepps
Trunch
Bacton
Walcott
Happisburgh
North Walsham
Eccles on Sea
Lessingham
Sea Palling
Waxham
Stalham
Hickling
Horsey
Winterton-on-Sea
Hemsby Hole
Martham
Hemsby
Scratby
Caister-on-Sea
Ormesby St. Margaret
Rollesby
Fleggburgh
Filby
Coltishall
Wroxham
Hoveton
Horning
Ludham
Potter Heigham
Acle
NORWICH
Sprowston
Blofield
THE BROADS
GREAT YARMOUTH
Gorleston-on-Sea
Hopton on Sea
Reedham
Cantley
Brundall
Loddon
Haddiscoe
Blundeston
Corton
Poringland
Stoke Holy Cross
A140
A149
A47
A146
A143
A12
A1117
A1151
A1062
A1064
B1145
B1150
B1159
B1152
B1354
B1140
B1136

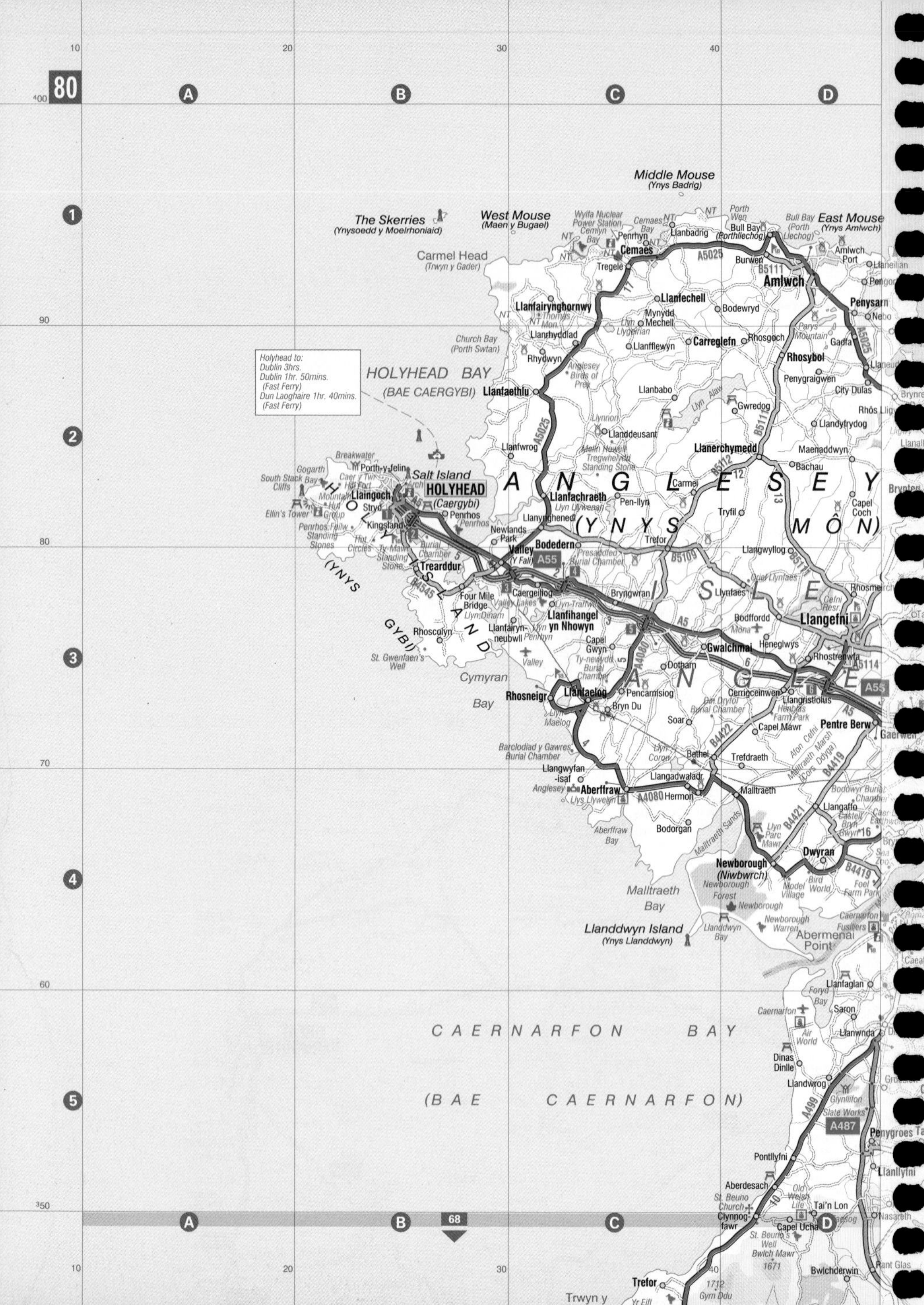
Holyhead to:
Dublin 3hrs.
Dublin 1hr. 50mins. (Fast Ferry)
Dun Laoghaire 1hr. 40mins. (Fast Ferry)
Middle Mouse (Ynys Badrig)
The Skerries (Ynysoedd y Moelrhoniaid)
West Mouse (Maen y Bugael)
East Mouse (Ynys Amlwch)
Carmel Head (Trwyn y Gader)
Church Bay (Porth Swtan)
HOLYHEAD BAY (BAE CAERGYBI)
HOLYHEAD (Caergybi)
Salt Island
South Stack Cliffs
HOLY ISLAND (YNYS GYBI)
ANGLESEY (YNYS MÔN)
Cemaes
Amlwch
Llanfechell
Llanfaethlu
Llanerchymedd
Llangefni
Valley (Y Fali)
Bodedern
Trearddur
Rhosneigr
Llanfaelog
Aberffraw
Newborough (Niwbwrch)
Dwyran
Pentre Berw
Gwalchmai
Llanfihangel yn Nhowyn
Rhosybol
Carreglefn
Penysarn
Malltraeth Bay
Llanddwyn Island (Ynys Llanddwyn)
Cymyran Bay
Aberffraw Bay
CAERNARFON BAY (BAE CAERNARFON)
Penygroes
Llanllyfni
Trefor
Pontllyfni
Aberdesach
Clynnog-fawr
Dinas Dinlle
Llandwrog
A55
A5
A5025
A4080
B4545
B5109
B5111
B5112
A487
A499

68

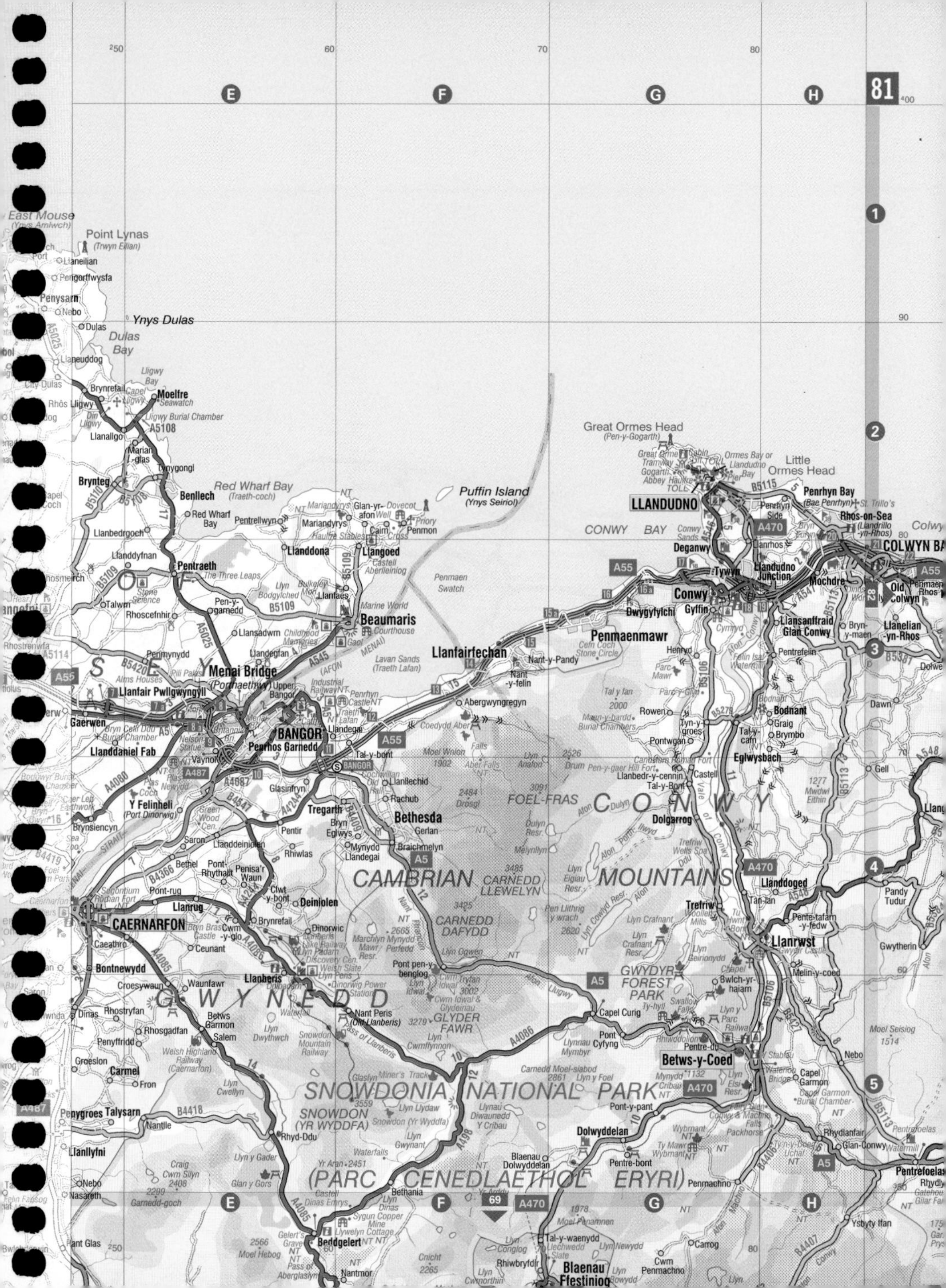

East Mouse
Point Lynas
Ynys Dulas
Dulas Bay
Moelfre
Red Wharf Bay
Benllech
Puffin Island
Great Ormes Head
Little Ormes Head
LLANDUDNO
Penrhyn Bay
Rhos-on-Sea
COLWYN BAY
CONWY BAY
Deganwy
Conwy
Llandudno Junction
Mochdre
Old Colwyn
Beaumaris
Llangoed
Pentraeth
Menai Bridge
Llanfair Pwllgwyngyll
Llanfairfechan
Penmaenmawr
Dwygyfylchi
BANGOR
Gaerwen
Llanddaniel Fab
Y Felinheli
Bethesda
Tregarth
Llanrwst
CAERNARFON
Llanrug
Deiniolen
Llanberis
Bontnewydd
CAMBRIAN MOUNTAINS
CONWY
GWYNEDD
Capel Curig
Betws-y-Coed
Dolwyddelan
SNOWDONIA NATIONAL PARK
(PARC CENEDLAETHOL ERYRI)
Beddgelert
Blaenau Ffestiniog
Penygroes
Talysarn
Llanllyfni
A55
A5
A470
A487
A4086
A498

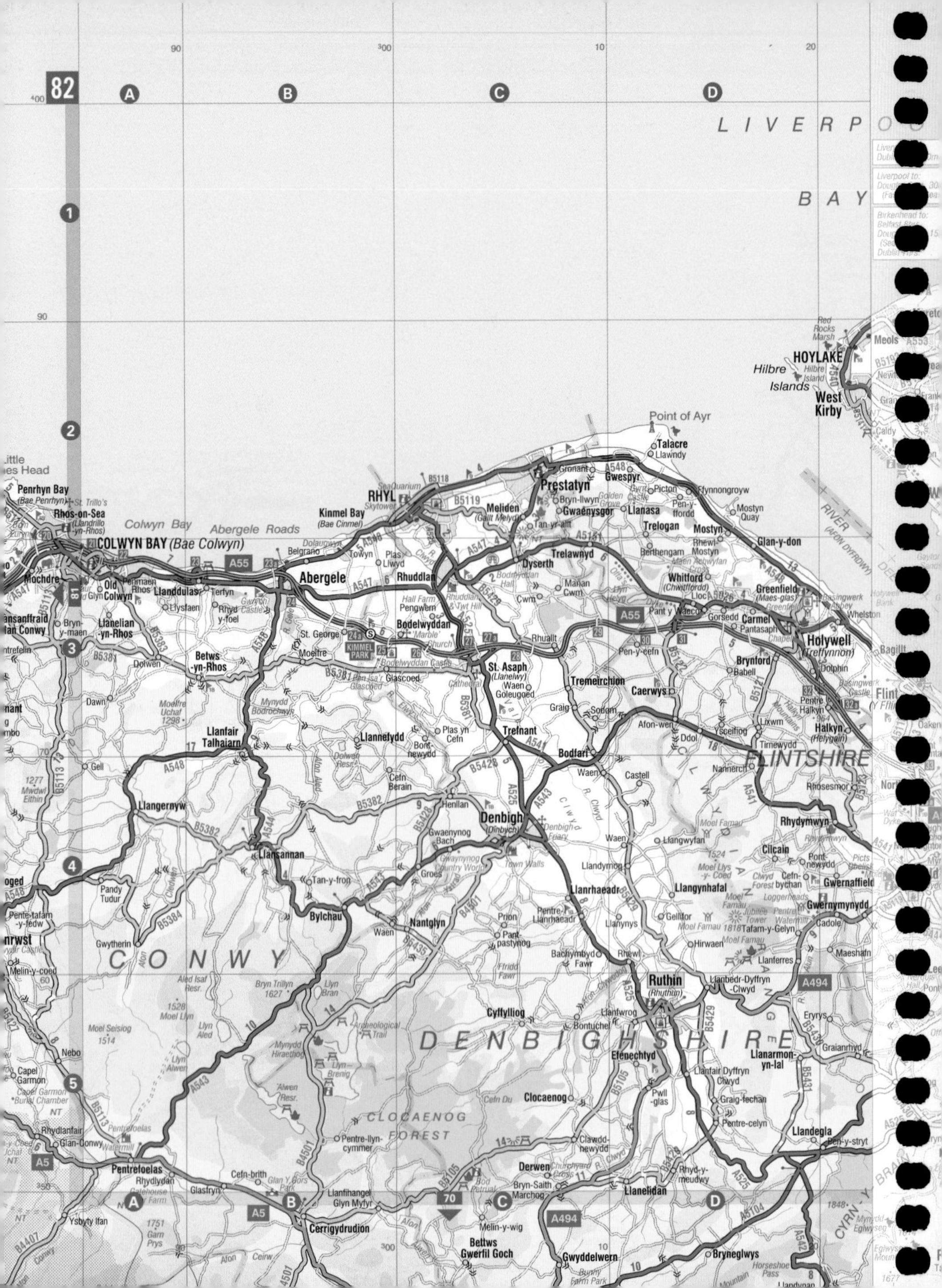
A
B
C
D
LIVERPOOL BAY
Liverpool to: Douglas
Birkenhead to: Belfast, Douglas, Dublin
Red Rocks Marsh
HOYLAKE
Meols
Hilbre Islands
West Kirby
Caldy
Point of Ayr
Talacre
Llawndy
Little Ormes Head
Penrhyn Bay (Bae Penrhyn)
St. Trillo's
Rhos-on-Sea (Llandrillo -yn-Rhos)
Colwyn Bay
Abergele Roads
COLWYN BAY (Bae Colwyn)
Sea Quarium
RHYL
Skytower
Kinmel Bay (Bae Cinmel)
Gronant
Gwespyr
Prestatyn
Picton
Ffynnongroyw
Mostyn Quay
Meliden (Gallt Melyd)
Bryn-llwyn
Gwaenysgor
Golden Grove
Llanasa
Pen-y-ffordd
Tan-yr-allt
Trelogan
Mostyn
Glan-y-don
RIVER DEE (AFON DYFRDWY)
Dolaugwyn
Towyn
Belgrano
Plas Llwyd
Dyserth
Trelawnyd
Berthengam
Rhewl-Mostyn
Maen Achwyfan Cross
Mochdre
Old Colwyn
Penmaen Rhos
Llanddulas
Terfyn
Abergele
Rhuddlan
Bodrhyddan Hall
Marian Cwm
Whitford (Chwitffordd)
Greenfield (Maes-glas)
Basingwerk Abbey
Llysfaen
Rhyd-y-foel
Gwrych Castle
Hall Farm
Pengwern
Rhuddlan & Twt Hill
Cwm
Llyn Helyg
Offa's Dyke
Pant y Waco
Lloc
Gorsedd
Carmel
Pantasaph
Whelston
Llansanffraid Glan Conwy
Bryn-y-maen
Llanelian -yn-Rhos
St. George
Bodelwyddan
'Marble' Church
KIMMEL PARK
Rhuallt
Holywell (Treffynnon)
Bagillt
Dolphin
Betws -yn-Rhos
Dolwen
Moelfre
Bodelwyddan Castle
Pen Isa'r Glascoed
Glascoed
Cathedral
St. Asaph (Llanelwy)
Waen Goleugoed
Pen-y-cefn
Tremeirchion
Brynford
Babell
Caerwys
Basingwerk Castle
Flint (Y Fflint)
Pentre Halkyn
Halkyn (Helygain)
Dawn
Moelfre Uchaf 1298
Mynydd Bodrochwyn
Graig
Sodom
Afon-wen
Ysceifiog
Lixwm
Ddol
Halkyn Mountains
Llanfair Talhaiarn
Llannefydd
Plas yn Cefn
Bont-newydd
Dolwen Resr.
Trefnant
Bodfari
Tirnewydd
FLINTSHIRE
Gell
1277 Mwdwl Eithin
Cefn Berain
Waen
Castell
Nannerch
Rhosesmor
Llangernyw
Henllan
Denbigh (Dinbych)
Denbigh Friary
Clwyd
Moel Famau
Rhydymwyn
Gwaenynog Bach
Llansannan
Town Walls
Waen
Llangwyfan
Cilcain
Pont-newydd
Pandy Tudur
Tan-y-fron
Groes
Gwaynynog Country World
Llandyrnog
Moel Llys-y-Coed
Cefn-bychan
Gwernaffield
Llanrhaeadr
Llangynhafal
Loggerheads
Gwernymynydd
Pentre-tafarn -y-fedw
Bylchau
Nantglyn
Prion
Pentre Llanrhaeadr
Llanynys
Gellifor
Jubilee Tower
Pentre Watermill
Cadole
Llanrwst
Gwytherin
Waen
Pant-pastynog
Hirwaen
Tafarn-y-Gelyn
CONWY
Bachymbyd Fawr
Rhewl
Moel Famau 1818
Llanferres
Maeshafn
Melin-y-coed
Aled Isaf Resr.
Bryn Trillyn 1627
Llyn Bran
Ffridd Fawr
Ruthin (Rhuthun)
Llanbedr-Dyffryn -Clwyd
1528 Moel Llyn
Llyn Aled
Cyffylliog
Bontuchel
Llanfwrog
Eryrys
Moel Seisiog 1514
Archeological Trail
Mynydd Hiraethog
DENBIGHSHIRE
Llanarmon-yn-Ial
Graianrhyd
Nebo
Llyn Alwen
Llyn Brenig
Efenechtyd
Llanfair Dyffryn Clwyd
Capel Garmon
Capel Garmon Burial Chamber
Alwen Resr.
Cefn Du
Clocaenog
Pwll-glas
Graig-fechan
CLOCAENOG FOREST
Pentre-celyn
Rhydlanfair
Pentrefoelas
Glan-Conwy
Gatehouse Watermill
Pentre-llyn-cymmer
Clawdd-newydd
Llandegla
Pen-y-stryt
Pentrefoelas
Rhydlydan
Cefn-brith
Glan Y Gors Park
Derwen
Churchyard Cross
Bryn-Saith Marchog
Rhyd-y-meudwy
Llanelidan
Glasfryn
Llanfihangel Glyn Myfyr
Bod Petrual
CYRN-Y-BRAIN
Ysbyty Ifan
1751 Garn Prys
Cerrigydrudion
Melin-y-wig
Mynydd Eglwyseg
Bettws Gwerfil Goch
Gwyddelwern
Bryneglwys
Horseshoe Pass
Bunny Farm Park
Llandynan
A55
A5
A494
A548
A547
A525
A543
A541
A544
A5104
B5105
70
81

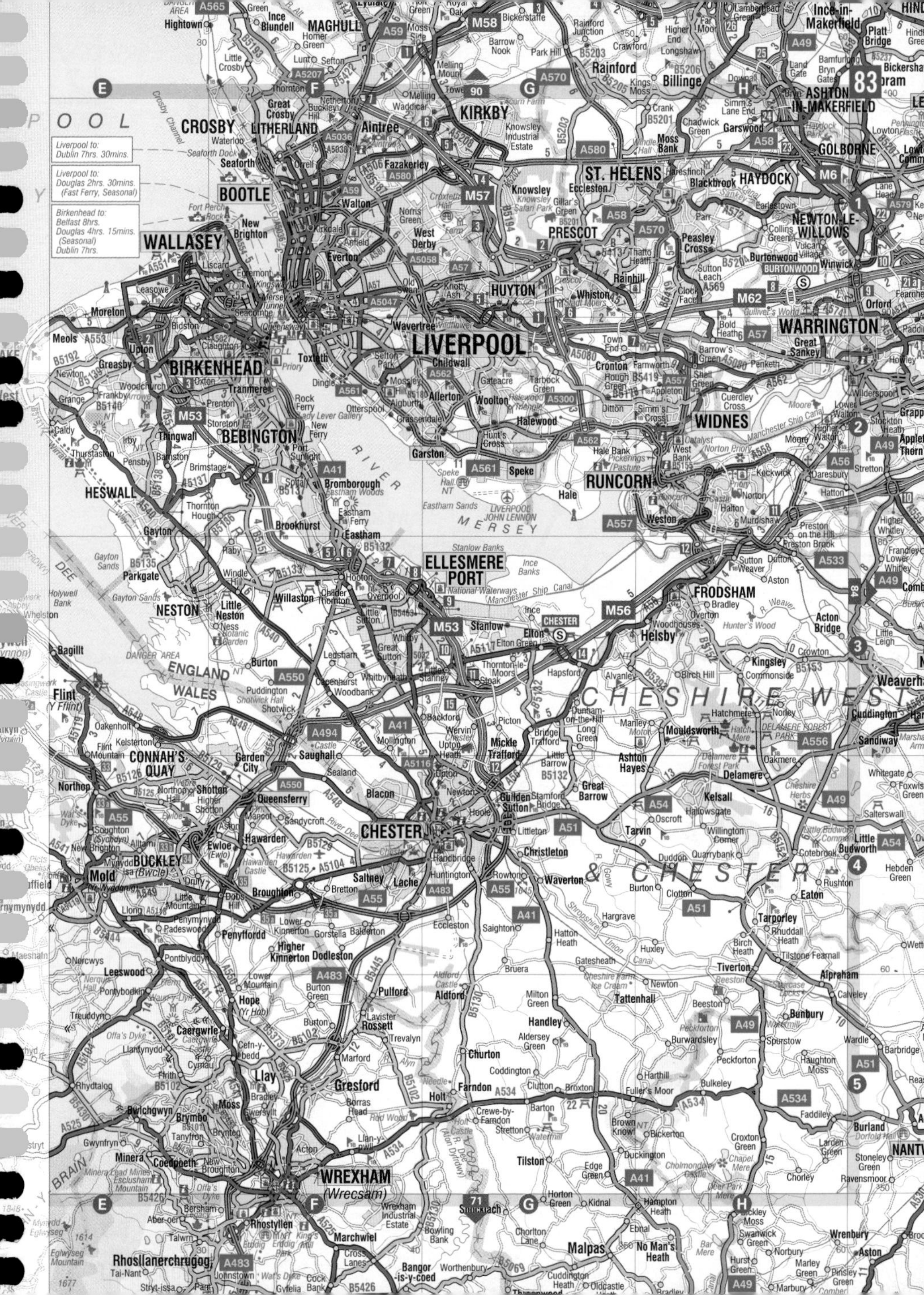
83
Liverpool to:
Dublin 7hrs. 30mins.
Liverpool to:
Douglas 2hrs. 30mins.
(Fast Ferry, Seasonal)
Birkenhead to:
Belfast 8hrs.
Douglas 4hrs. 15mins.
(Seasonal)
Dublin 7hrs.
LIVERPOOL
BIRKENHEAD
WALLASEY
BOOTLE
CROSBY
LITHERLAND
KIRKBY
MAGHULL
ST. HELENS
HAYDOCK
ASHTON-IN-MAKERFIELD
GOLBORNE
NEWTON-LE-WILLOWS
WARRINGTON
HUYTON
PRESCOT
WIDNES
RUNCORN
BEBINGTON
HESWALL
ELLESMERE PORT
FRODSHAM
CHESTER
CONNAH'S QUAY
BUCKLEY
Mold
WREXHAM
(Wrecsam)
Flint
Neston
Helsby
Malpas
Tarporley
Gresford
Holt
Llay
Rhosllanerchrugog
Bangor-is-y-coed
CHESHIRE WEST & CHESTER
ENGLAND
WALES
RIVER MERSEY
LIVERPOOL JOHN LENNON
Manchester Ship Canal
M53
M56
M57
M58
M62
M6
A41
A55
A483
A49
A51
A534
A550
E
F
G
H
90
84
71

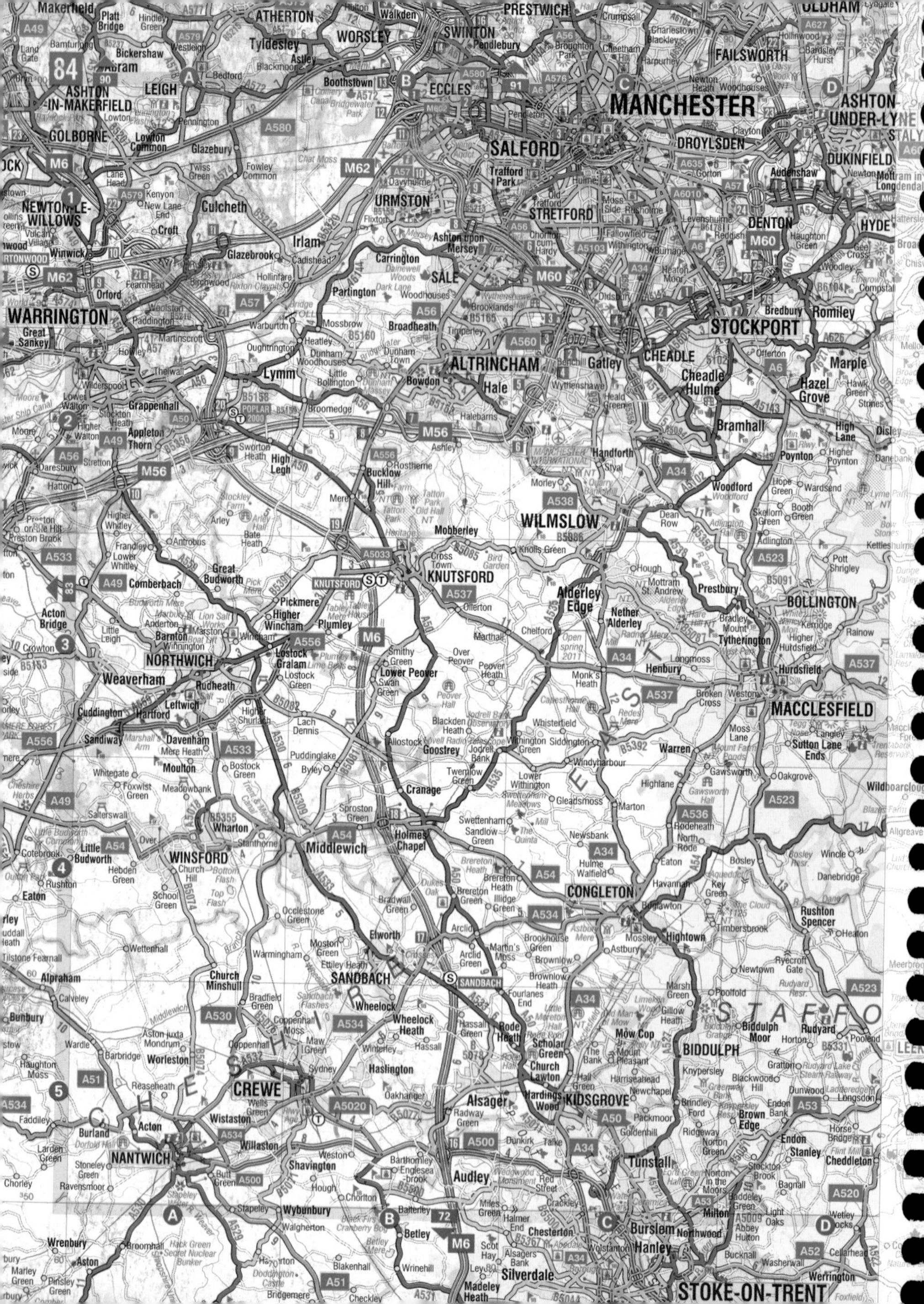

84
90
91
83
72
A
B
C
D
Makerfield
Platt Bridge
Hindley Green
ATHERTON
Tyldesley
WORSLEY
Walkden
SWINTON
Pendlebury
PRESTWICH
Crumpsall
OLDHAM
Charlestown
Blackley
Broughton Park
Cheetham Hill
Harpurhey
FAILSWORTH
Hollinwood
Bardsley
Hurst
Bamfurlong
Bickershaw
Abram
Westleigh
Astley
Blackmoor
Boothstown
ECCLES
Newton Heath
Woodhouses
ASHTON-IN-MAKERFIELD
LEIGH
Bedford
MANCHESTER
ASHTON-UNDER-LYNE
STALYBRIDGE
Lowton
Pennington
Pendleton
SALFORD
DROYLSDEN
Clayton
DUKINFIELD
GOLBORNE
Lowton Common
Glazebury
Chat Moss
Trafford Park
Gorton
Audenshaw
Newton
Mottram in Longdendale
Lane Head
Twiss Green
Fowley Common
Davyhulme
Kenyon
New Lane End
Culcheth
URMSTON
Flixton
Old Trafford
STRETFORD
Hulme
Moss Side
Rusholme
Levenshulme
Reddish
DENTON
HYDE
NEWTON-LE-WILLOWS
Vulcan Village
Croft
Irlam
Ashton upon Mersey
Chorlton-cum-Hardy
Fallowfield
Withington
Burnage
Haughton Green
Gee Cross
Winwick
Glazebrook
Cadishead
Carrington
Dainewell Woods
Heaton Moor
Woodley
Chisworth
Compstall
Orford
Fearnhead
Birchwood
Hollinfare
Partington
SALE
Dark Lane
Woodhouses
Didsbury
Bredbury
Romiley
WARRINGTON
Woolston
Paddington
Martinscroft
Warburton
Mossbrow
Broadheath
Brooklands
Timperley
STOCKPORT
Great Sankey
Howley
Heatley
Oughtrington
Dunham Woodhouses
Dunham Town
ALTRINCHAM
Gatley
CHEADLE
Offerton
Marple
Mellor
Thelwall
Lymm
Little Bollington
Bowdon
Hale
Benchill
Wythenshawe
Cheadle Hulme
Hazel Grove
Wilderspool
Grappenhall
Moore
Lower Walton
Higher Walton
Stockton Heath
Appleton Thorn
Broomedge
Halebarns
Heald Green
Bramhall
High Lane
Disley
Daresbury
Stretton
Hatton
Swerton Heath
High Legh
Ashley
Rostherne
Manchester International
Handforth
Styal
Poynton
Higher Poynton
Bucklow Hill
Morley
Woodford
Hope Green
Wardsend
Preston on the Hill
Preston Brook
Higher Whitley
Frandley
Lower Whitley
Antrobus
Stockley Farm
Arley
Bate Heath
Mere
Tatton Park
Old Hall
Mobberley
WILMSLOW
Dean Row
Adlington
Skellorn Green
Booth Green
Lyme Park
Cross Town
Bird Garden
Knolls Green
Kettleshulme
Comberbach
Great Budworth
Pickmere
KNUTSFORD
Hough
Mottram St. Andrew
Prestbury
Pott Shrigley
Acton Bridge
Little Leigh
Anderton
Marbury
Lion Salt Works
Barnton
Winnington
Higher Wincham
Wincham
Plumley
Tabley House
Ollerton
Alderley Edge
Nether Alderley
Bradley Mount
Tytherington
BOLLINGTON
Kerridge
Rainow
Higher Hurdsfield
Crowton
NORTHWICH
Weaverham
Lostock Gralam
Lostock Green
Smithy Green
Lower Peover
Swan Green
Over Peover
Peover Heath
Marthall
Chelford
Open spring 2011
Henbury
Longmoss
Monk's Heath
Broken Cross
Weston
Hurdsfield
MACCLESFIELD
Rudheath
Leftwich
Hartford
Cuddington
Sandiway
Davenham
Mere Heath
Higher Shurlach
Lach Dennis
Peover Hall
Blackden Heath
Jodrell Bank Observatory
Withington Green
Whisterfield
Siddington
Redes Mere
Moss Lane
Langley
Sutton Lane Ends
Allostock
Goostrey
Jodrell Bank
Moulton
Bostock Green
Puddinglake
Byley
Twemlow Green
Cranage
Lower Withington
Windyharbour
Warren
Gawsworth
Gawsworth Hall
Oakgrove
Whitegate
Foxwist Green
Meadowbank
Highlane
Wildboarclough
Cheshire Herbs
Swettenham Meadows
Gleadsmoss
Marton
Salterswall
Wharton
Sproston Green
Holmes Chapel
Swettenham
Sandlow Green
The Quinta
Newsbank
Rodeheath
North Rode
Allgreave
Cotebrook
Little Budworth
Over
WINSFORD
Stanthorne
Middlewich
Bosley
Wincle
Rushton
Hebden Green
Church Hill
Brereton Heath
Hulme Walfield
Eaton
Danebridge
Eaton
School Green
Top Flash
Bradwall Green
Brereton Green
Illidge Green
CONGLETON
Havannah
Key Green
The Cloud
Rushton Spencer
Wettenhall
Occlestone Green
Elworth
Arclid
Brookhouse Green
Buglawton
Mossley
Hightown
Timbersbrook
Heaton
Tilstone Fearnall
Warmingham
Moston Green
Ettiley Heath
Arclid Green
Martin's Moss
Brownlow
Astbury
Newtown
Ryecroft Gate
Meerbrook
Alpraham
Church Minshull
SANDBACH
Brownlow Heath
Marsh Green
Poolfold
Rudyard Resr.
Calveley
Bradfield Green
Sandbach Flashes
Fourlanes End
Bunbury
Coppenhall Moss
Wheelock
Wheelock Heath
Hassall Green
Rode Heath
Mow Cop
Gillow Heath
Biddulph Grange
Biddulph Moor
Rudyard
Poolend
Aston juxta Mondrum
Wardle
Barbridge
Coppenhall
Maw Green
Winterley
Hassall
Scholar Green
Mount Pleasant
The Bank
BIDDULPH
Horton
LEEK
Haughton Moss
Worleston
Sydney
Haslington
Church Lawton
Harriseahead
Knypersley
Gratton
Rudyard Lake Steam Railway
Reaseheath
CREWE
Oakhanger
Alsager
Hall Green
Newchapel
Blackwood Hill
Dunwood
Longsdon
Faddiley
Wells Green
Wistaston
Radway Green
Hardings Wood
KIDSGROVE
Packmoor
Brindley Ford
Brown Edge
Endon Bank
Burland
Acton
Goldenhill
Ridgeway
Horse Bridge
Larden Green
Willaston
Dunkirk
Talke
Norton Green
Endon
Stanley
Cheddleton
NANTWICH
Weston
Barthomley
Englesea-brook
Tunstall
Stoneley Green
Shavington
Audley
Red Street
Norton in the Moors
Stockton Brook
Chorley
Ravensmoor
Butt Green
Hough
Bagnall
Stapeley
Chorlton
Wybunbury
Betley
Miles Green
Crackley
Baddeley Green
Light Oaks
Milton
Wetley Rocks
Walgherton
Halmer End
Chesterton
Burslem
Northwood
Abbey Hulton
Wrenbury
Broomhall
Hack Green Secret Nuclear Bunker
Scot Hay
Alsagers Bank
Wolstanton
Hanley
Aston
Hatherton
Blakenhall
Wrinehill
Leycett
Silverdale
Bucknall
Washerwall
Cellarhead
Marley Green
Pinsley Green
Doddington Castle
Bridgemere
Madeley
Madeley Heath
Checkley
STOKE-ON-TRENT
Werrington
CHESHIRE
EAST
STAFFO
M6
M62
M60
M56
A49
A579
A580
A572
A577
A56
A576
A6
A627
A635
A57
A6010
A5103
A34
A560
A556
A538
A533
A50
A5033
A537
A535
A54
A530
A536
A534
A523
A51
A500
A5020
A520
A53
A52
A626

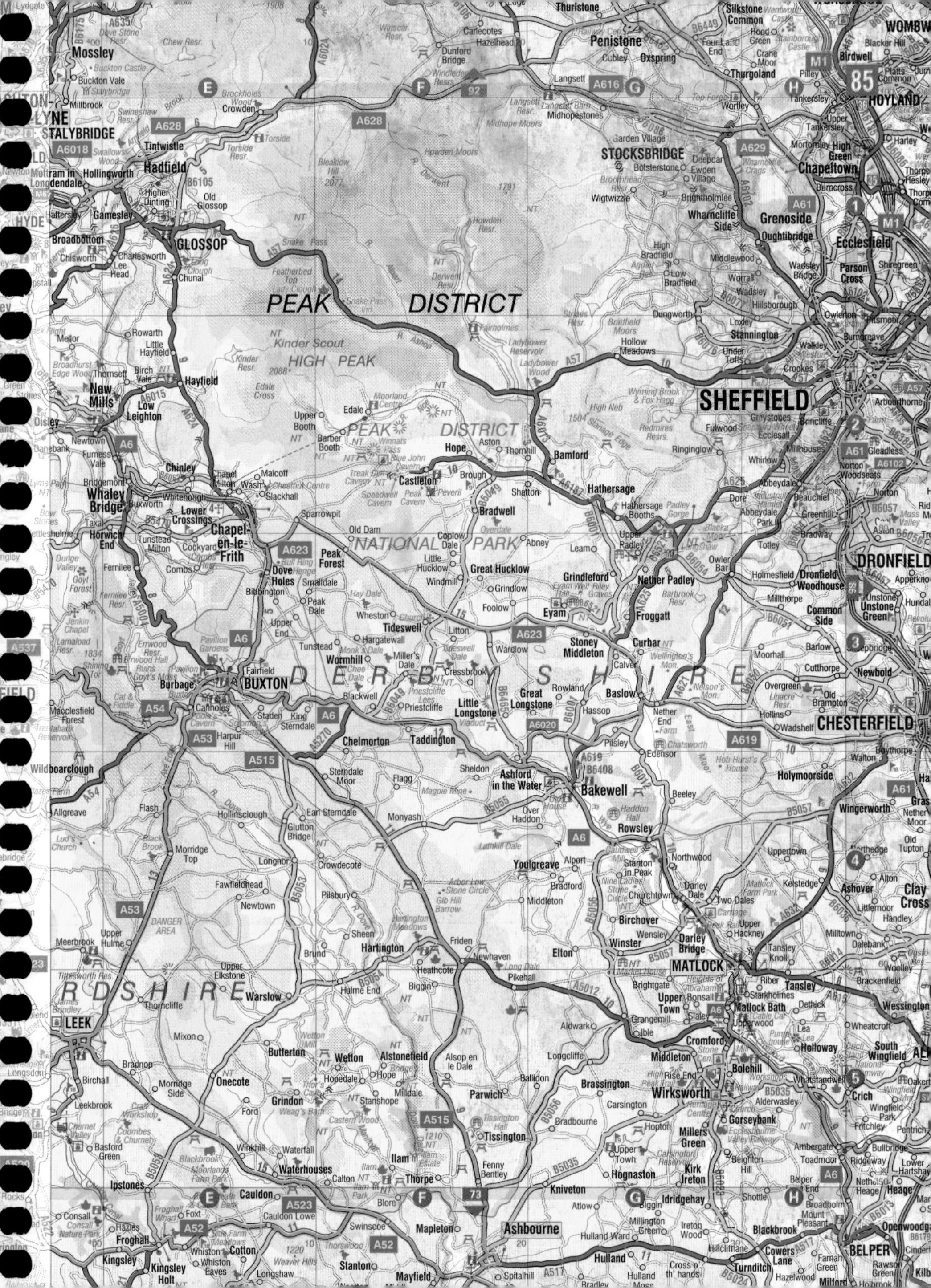

PEAK DISTRICT
HIGH PEAK
Kinder Scout
PEAK DISTRICT
NATIONAL PARK
DERBYSHIRE
RDSHIRE
85
Mossley
Stalybridge
Hyde
Mottram in Longdendale
Hollingworth
Hadfield
Tintwistle
Glossop
Gamesley
Broadbottom
Charlesworth
Chisworth
Chunal
Crowden
Penistone
Oxspring
Langsett
Thurgoland
Stocksbridge
Midhopestones
Deepcar
Chapeltown
Hoyland
Grenoside
Oughtibridge
Ecclesfield
Wharncliffe Side
Parson Cross
Sheffield
Stannington
Hollow Meadows
Fulwood
Ringinglow
Dore
Totley
Dronfield
Dronfield Woodhouse
Unstone
Chesterfield
Newbold
Holymoorside
Wingerworth
Ashover
Clay Cross
Tansley
Matlock
Matlock Bath
Cromford
Wirksworth
Darley Dale
Darley Bridge
Winster
Birchover
Youlgreave
Bakewell
Rowsley
Ashford in the Water
Baslow
Calver
Curbar
Froggatt
Grindleford
Eyam
Stoney Middleton
Hathersage
Bamford
Hope
Castleton
Edale
Bradwell
Great Hucklow
Tideswell
Wormhill
Buxton
Burbage
Chapel-en-le-Frith
Chinley
Whaley Bridge
New Mills
Hayfield
Disley
Dove Holes
Peak Forest
Little Longstone
Great Longstone
Taddington
Chelmorton
Monyash
Hartington
Longnor
Warslow
Leek
Onecote
Butterton
Wetton
Alstonefield
Ilam
Thorpe
Tissington
Parwich
Brassington
Kirk Ireton
Idridgehay
Ashbourne
Mayfield
Cauldon
Waterhouses
Kingsley
Kingsley Holt
Cotton
Froghall
Ipstones
Belper
Crich
South Wingfield
Heage
Ambergate
Wildboarclough
Macclesfield Forest
Allgreave
Meerbrook
Upper Hulme
Flash
Ladybower Reservoir
Snake Pass
Chatsworth
A6
A57
A61
A623
A625
A628
A629
A616
A515
A53
A54
A52
A523
A619
M1

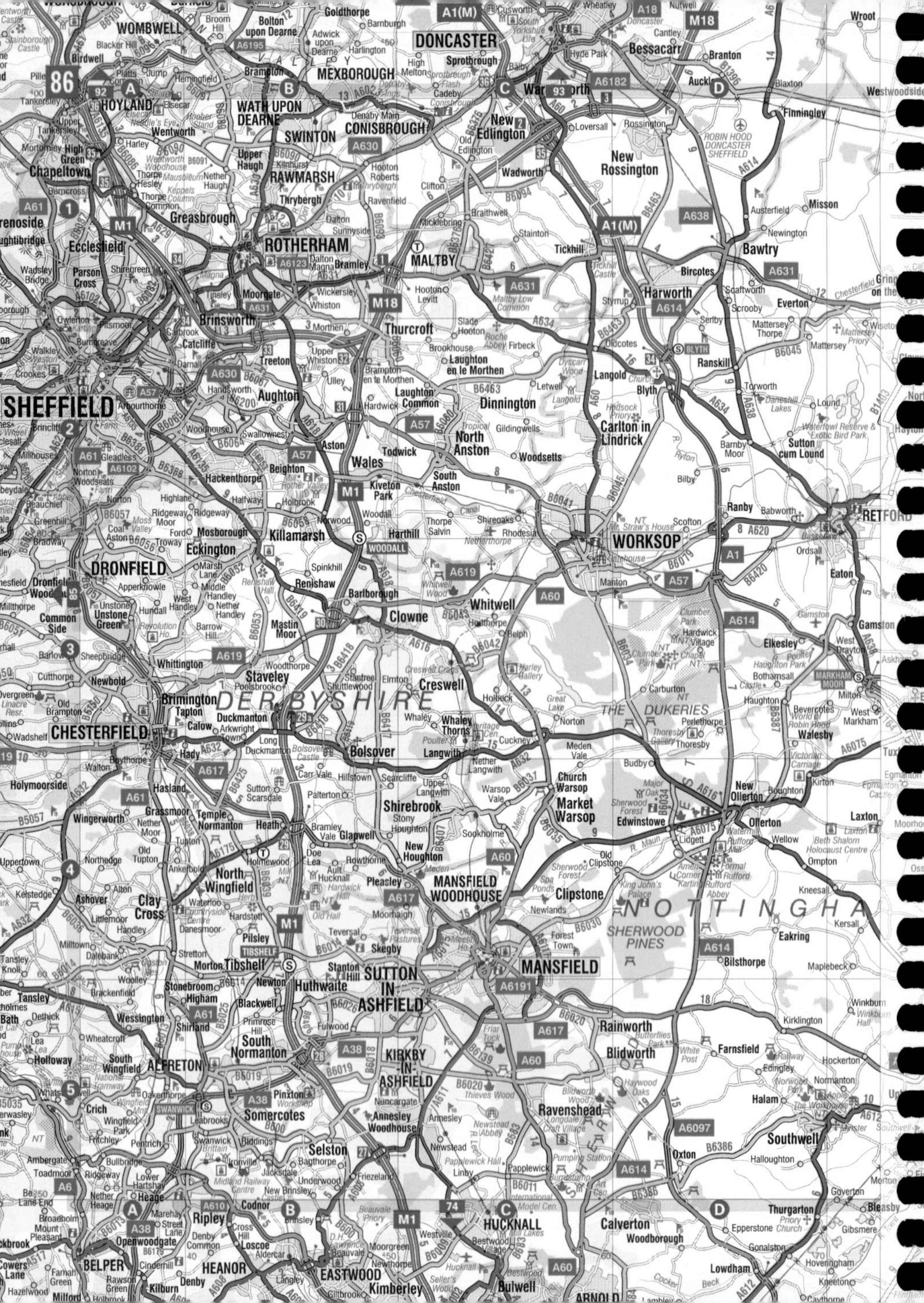

WOMBWELL
Goldthorpe
Bolton upon Dearne
DONCASTER
Bessacarr
Branton
Wroot
M18
A1(M)
A18
MEXBOROUGH
Sprotbrough
Blaxton
Westwoodside
HOYLAND
Elsecar
WATH UPON DEARNE
Conisbrough
New Edlington
Warmsworth
A6182
Auckley
Finningley
Tankersley
SWINTON
CONISBROUGH
A630
Loversall
Rossington
ROBIN HOOD DONCASTER SHEFFIELD
Wentworth
Chapeltown
RAWMARSH
Wadworth
New Rossington
Thrybergh
Greasbrough
ROTHERHAM
Ecclesfield
MALTBY
Tickhill
A1(M)
A638
Bawtry
Austerfield
Misson
Newington
Parson Cross
A6123
Bramley
A631
Bircotes
Harworth
Everton
Brinsworth
M18
Thurcroft
Styrrup
A614
Scrooby
Catcliffe
Treeton
Laughton en le Morthen
Oldcotes
BLYTH
Ranskill
Mattersey
SHEFFIELD
A630
A57
Aughton
Dinnington
Langold
Blyth
Torworth
Laughton Common
Carlton in Lindrick
Barnby Moor
Sutton cum Lound
North Anston
Woodsetts
A57
Beighton
Wales
Todwick
South Anston
Hackenthorpe
M1
Kiveton Park
Ranby
Babworth
RETFORD
Mosborough
Killamarsh
Harthill
WORKSOP
A620
A1
Ordsall
Eckington
WOODALL
Eaton
DRONFIELD
Renishaw
A619
Barlborough
Whitwell
A60
A57
Manton
Clowne
Gamston
A614
Common Side
Unstone Green
Mastin Moor
Elkesley
Staveley
Creswell
Whittington
A619
MARKHAM MOOR
Brimington
DERBYSHIRE
THE DUKERIES
CHESTERFIELD
Duckmanton
Bolsover
Langwith
Cuckney
Walesby
A617
A632
Holymoorside
Shirebrook
Church Warsop
Market Warsop
New Ollerton
Ollerton
Laxton
Wingerworth
Temple Normanton
Heath
Edwinstowe
Glapwell
New Houghton
North Wingfield
Clay Cross
MANSFIELD WOODHOUSE
Clipstone
A60
NOTTINGHA
SHERWOOD PINES
Eakring
Ashover
A617
M1
TIBSHELF
Tibshelf
Skegby
MANSFIELD
A614
Bilsthorpe
Morton
SUTTON IN ASHFIELD
Huthwaite
A6191
Tansley
Higham
A61
Shirland
Wessington
Blackwell
Rainworth
A617
Kirklington
South Normanton
Blidworth
Farnsfield
ALFRETON
A38
KIRKBY-IN-ASHFIELD
A60
Hockerton
South Wingfield
Crich
Pinxton
Somercotes
Ravenshead
SWANWICK
A38
Halam
Southwell
A6097
Selston
A614
Oxton
Ambergate
A6
Ripley
Codnor
HUCKNALL
Calverton
Woodborough
Thurgarton
BELPER
HEANOR
EASTWOOD
Kimberley
Bulwell
Lowdham
A60
74
M1

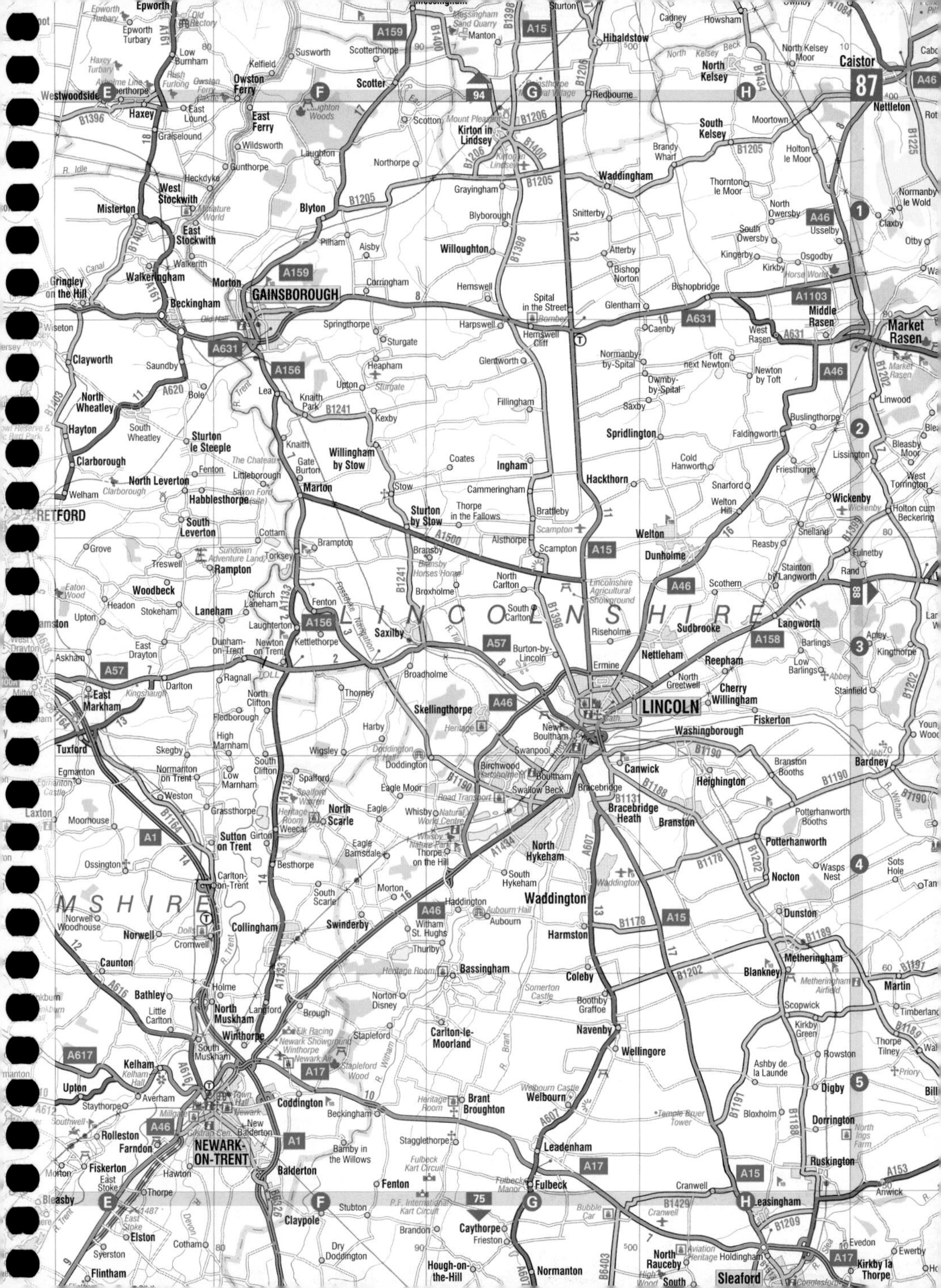

87
94
75
88
E
F
G
H
1
2
3
4
5
LINCOLNSHIRE
MSHIRE
LINCOLN
GAINSBOROUGH
NEWARK-ON-TRENT
RETFORD
Sleaford
Caistor
Market Rasen
Epworth
Epworth Turbary
Haxey
Westwoodside
Owston Ferry
East Ferry
Scotter
Scotterthorpe
Susworth
Kelfield
Low Burnham
East Lound
Graiseland
Wildsworth
Gunthorpe
Heckdyke
West Stockwith
East Stockwith
Misterton
Walkeringham
Walkerith
Gringley on the Hill
Beckingham
Morton
Laughton
Laughton Woods
Northorpe
Blyton
Pilham
Aisby
Corringham
Springthorpe
Sturgate
Heapham
Upton
Kexby
Knaith Park
Knaith
Gate Burton
Lea
Willingham by Stow
Stow
Marton
Sturton by Stow
Coates
Kirton in Lindsey
Grayingham
Blyborough
Willoughton
Hemswell
Harpswell
Hemswell Cliff
Spital in the Street
Glentworth
Fillingham
Ingham
Cammeringham
Brattleby
Scampton
Thorpe in the Fallows
Aisthorpe
North Carlton
South Carlton
Hibaldstow
Redbourne
Manton
Messingham Sand Quarry
Scawby
Cadney
Howsham
North Kelsey
North Kelsey Moor
South Kelsey
Moortown
Nettleton
Brandy Wharf
Waddingham
Holton le Moor
Thornton le Moor
Snitterby
North Owersby
South Owersby
Usselby
Atterby
Bishop Norton
Kingerby
Kirkby
Osgodby
Glentham
Bishopbridge
Caenby
Middle Rasen
West Rasen
Normanby-by-Spital
Owmby-by-Spital
Toft next Newton
Newton by Toft
Saxby
Spridlington
Faldingworth
Buslingthorpe
Linwood
Lissington
Bleasby Moor
Friesthorpe
Snarford
Cold Hanworth
Hackthorn
Welton Hill
Wickenby
West Torrington
Holton cum Beckering
Snelland
Welton
Dunholme
Reasby
Fulnetby
Rand
Stainton by Langworth
Scothern
Langworth
Sudbrooke
Riseholme
Nettleham
Reepham
Apley
Kingthorpe
Barlings
Low Barlings
Stainfield
North Greetwell
Cherry Willingham
Fiskerton
Washingborough
Ermine
Burton-by-Lincoln
Lincolnshire Agricultural Showground
Clayworth
Saundby
North Wheatley
South Wheatley
Hayton
Bole
Clarborough
Sturton le Steeple
North Leverton
Welham
Fenton
Littleborough
Habblesthorpe
South Leverton
Cottam
Grove
Treswell
Rampton
Torksey
Brampton
Woodbeck
Headon
Stokeham
Laneham
Church Laneham
Upton
Askham
East Drayton
Dunham-on-Trent
Newton on Trent
Laughterton
Kettlethorpe
Saxilby
Bransby
Broxholme
Darlton
Ragnall
East Markham
Tuxford
North Clifton
Thorney
Broadholme
Skellingthorpe
Fledborough
High Marnham
Skegby
Harby
Doddington
Wigsley
Normanton on Trent
Low Marnham
South Clifton
Spalford
Egmanton
Weston
Grassthorpe
Eagle Moor
Eagle
North Scarle
Whisby
Laxton
Moorhouse
Sutton on Trent
Girton
Eagle Barnsdale
Thorpe on the Hill
Ossington
Besthorpe
Carlton-on-Trent
South Scarle
Morton
Swinderby
Norwell Woodhouse
Norwell
Cromwell
Collingham
Caunton
Bathley
Holme
North Muskham
Little Carlton
Langford
Winthorpe
South Muskham
Kelham
Averham
Upton
Staythorpe
Rolleston
Farndon
Fiskerton
East Stoke
Hawton
Thorpe
Bleasby
Elston
Syerston
Flintham
Cotham
Coddington
Balderton
New Balderton
Beckingham
Barnby in the Willows
Stapleford
Stapleford Wood
Brough
Norton Disney
Thurlby
Bassingham
Witham St. Hughs
Haddington
Aubourn
Carlton-le-Moorland
Brant Broughton
Stragglethorpe
Fenton
Stubton
Claypole
Brandon
Caythorpe
Frieston
Dry Doddington
Hough-on-the-Hill
Normanton
Fulbeck
Leadenham
Welbourn
Wellingore
Navenby
Boothby Graffoe
Coleby
Harmston
Waddington
North Hykeham
South Hykeham
Swallow Beck
Birchwood
Boultham
New Boultham
Swanpool
Bracebridge
Bracebridge Heath
Canwick
Branston
Heighington
Branston Booths
Bardney
Potterhanworth
Potterhanworth Booths
Nocton
Wasps Nest
Sots Hole
Dunston
Metheringham
Blankney
Martin
Scopwick
Kirkby Green
Timberland
Thorpe Tilney
Rowston
Ashby de la Launde
Digby
Bloxholm
Dorrington
Ruskington
Cranwell
Leasingham
Anwick
North Rauceby
Holdingham
Evedon
Ewerby
Kirkby la Thorpe
A159
A15
A46
A1103
A631
A156
A620
A57
A1500
A158
A1133
A1
A1434
A607
A616
A617
A612
A17
A153
B1396
B1400
B1398
B1206
B1205
B1434
B1225
B1403
B1241
B1164
B1190
B1188
B1131
B1178
B1202
B1189
B1191
B1191
B1429
B1209
B6403
B6326

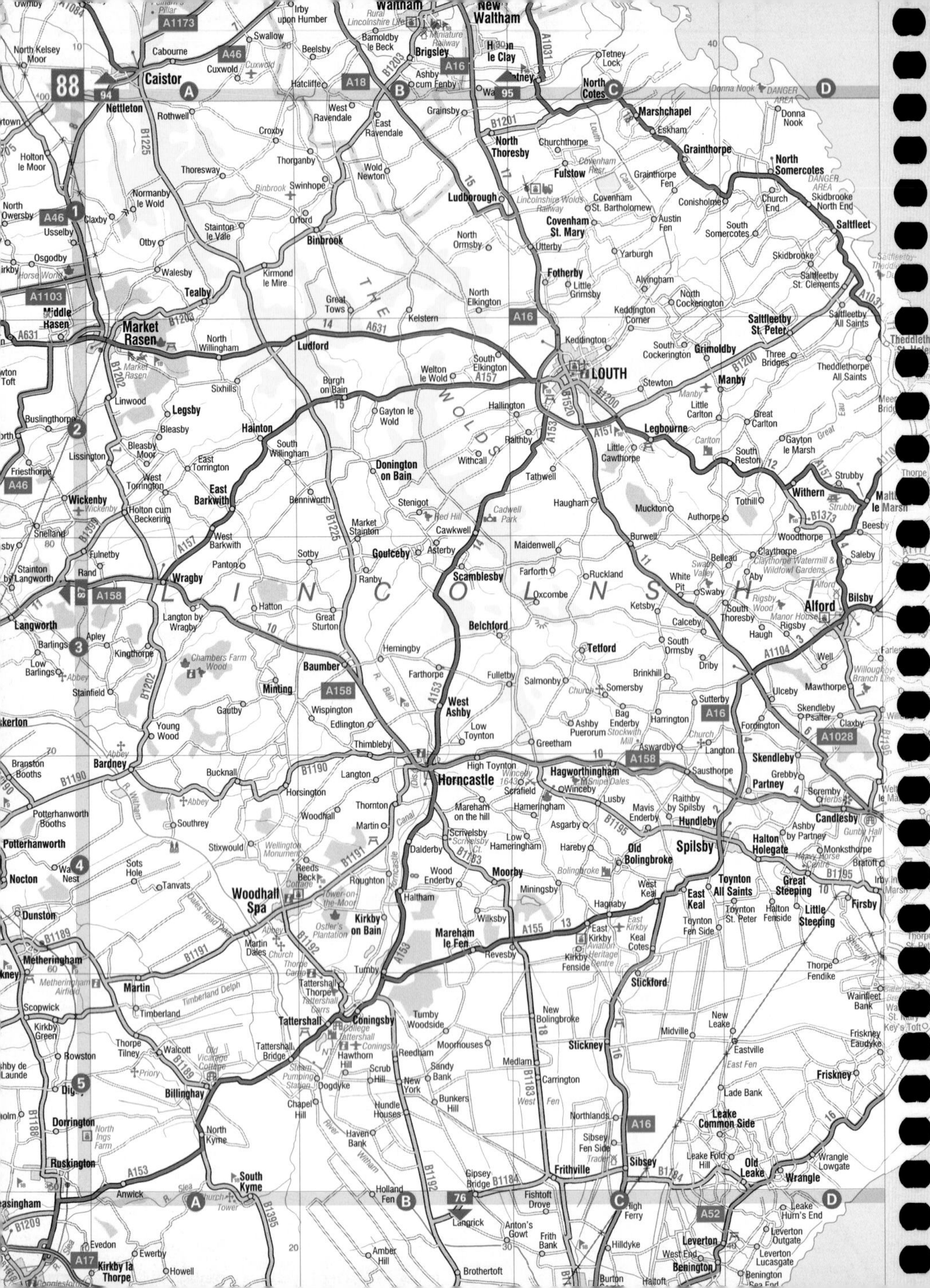

88
94
95
76
A B C D
1 2 3 4 5
Caistor
Nettleton
Cabourne
Swallow
Cuxwold
Irby upon Humber
Barnoldby le Beck
Brigsley
Waltham
New Waltham
Holton le Clay
Tetney
Tetney Lock
Ashby cum Fenby
Beelsby
Hatcliffe
Rothwell
North Kelsey Moor
Holton le Moor
North Owersby
Usselby
Claxby
Normanby le Wold
Osgodby
Otby
Walesby
Tealby
Middle Rasen
Market Rasen
Stainton le Vale
Kirmond le Mire
Binbrook
Orford
Thoresway
Thorganby
Croxby
West Ravendale
East Ravendale
Wold Newton
Swinhope
Grainsby
North Thoresby
Ludborough
Churchthorpe
Fulstow
North Cotes
Marshchapel
Eskham
Grainthorpe
Grainthorpe Fen
Donna Nook
North Somercotes
Conisholme
Church End
Skidbrooke North End
Saltfleet
South Somercotes
Skidbrooke
Saltfleetby St. Clements
Saltfleetby All Saints
Saltfleetby St. Peter
Covenham St. Bartholomew
Covenham St. Mary
Austin Fen
North Ormsby
Utterby
Yarburgh
Fotherby
Little Grimsby
Alvingham
North Cockerington
Keddington Corner
Keddington
South Cockerington
Grimoldby
Three Bridges
Theddlethorpe All Saints
LOUTH
Stewton
Manby
Little Carlton
Great Carlton
Legbourne
Little Cawthorpe
Gayton le Marsh
South Reston
Withern
Strubby
Tothill
Authorpe
Muckton
Burwell
Woodthorpe
Beesby
Claythorpe
Belleau
Aby
Saleby
Swaby
White Pit
South Thoresby
Alford
Bilsby
Haugh
Rigsby
Well
Calceby
Ketsby
South Ormsby
Driby
Ulceby
Mawthorpe
Skendleby Psalter
Claxby
Fordington
Skendleby
Grebby
Partney
Scremby
Candlesby
Ashby by Partney
Halton Holegate
Monksthorpe
Bratoft
Irby in the Marsh
Great Steeping
Little Steeping
Firsby
Halton Fenside
Toynton All Saints
Toynton St. Peter
Toynton Fen Side
East Keal
West Keal
Spilsby
Hundleby
Raithby by Spilsby
Mavis Enderby
Sausthorpe
Langton
Aswardby
Sutterby
Harrington
Brinkhill
Somersby
Bag Enderby
Ashby Puerorum
Tetford
Salmonby
Fulletby
Belchford
Oxcombe
Ruckland
Farforth
Maidenwell
Haugham
Tathwell
Raithby
Hallington
Withcall
South Elkington
Welton le Wold
North Elkington
Kelstern
Great Tows
Ludford
North Willingham
Sixhills
Legsby
Linwood
Bleasby
Bleasby Moor
Buslingthorpe
Lissington
Friesthorpe
Wickenby
Holton cum Beckering
West Torrington
East Torrington
Hainton
South Willingham
Burgh on Bain
Gayton le Wold
Donington on Bain
Benniworth
East Barkwith
West Barkwith
Snelland
Fulnetby
Rand
Stainton by Langworth
Wragby
Panton
Sotby
Market Stainton
Stenigot
Cawkwell
Asterby
Goulceby
Ranby
Scamblesby
Langworth
Barlings
Low Barlings
Apley
Kingthorpe
Langton by Wragby
Hatton
Great Sturton
Stainfield
Gautby
Minting
Baumber
Hemingby
Farthorpe
West Ashby
Low Toynton
Greetham
Wispington
Edlington
Thimbleby
Young Wood
Bardney
Branston Booths
Bucknall
Horsington
Langton
Horncastle
High Toynton
Scrafield
Winceby
Hagworthingham
Lusby
Hameringham
Mareham on the hill
Asgarby
Hareby
Old Bolingbroke
Low Hameringham
Scrivelsby
Dalderby
Moorby
Wood Enderby
Miningsby
Hagnaby
Wilksby
East Kirkby
Keal Cotes
Kirkby Fenside
Revesby
Mareham le Fen
Stickford
Haltham
Kirkby on Bain
Roughton
Martin
Thornton
Woodhall
Reeds Beck
Woodhall Spa
Martin Dales
Tumby
Tattershall Thorpe
Tattershall
Coningsby
Tumby Woodside
Tattershall Bridge
Hawthorn Hill
Scrub Hill
Dogdyke
Chapel Hill
Reedham
Moorhouses
Sandy Bank
New York
Bunkers Hill
Hundle Houses
Haven Bank
Medlam
New Bolingbroke
Carrington
Stickney
Midville
New Leake
Eastville
Lade Bank
Leake Common Side
Northlands
Sibsey Fen Side
Sibsey
Frithville
Leake Fold Hill
Old Leake
Wrangle
Wrangle Lowgate
Friskney
Friskney Eaudyke
Wainfleet Bank
Thorpe Fendike
Gipsey Bridge
Fishtoft Drove
Holland Fen
Langrick
Anton's Gowt
Frith Bank
Hilldyke
High Ferry
Leverton
West End
Benington
Leake Hurn's End
Leverton Outgate
Leverton Lucasgate
Benington Sea End
Brothertoft
Amber Hill
Southrey
Stixwould
Potterhanworth Booths
Potterhanworth
Nocton
Wasps Nest
Sots Hole
Tanvats
Dunston
Metheringham
Martin
Timberland
Scopwick
Kirkby Green
Rowston
Thorpe Tilney
Walcott
Billinghay
Digby
Dorrington
Ruskington
North Kyme
South Kyme
Anwick
Evedon
Ewerby
Howell
Kirkby la Thorpe
A1173 A46 A16 A18 B1203 B1225 A1103 A631 B1202 A157 A158 B1399 B1201 A1031 A153 B1520 B1200 A1104 A1028 B1373 B1196 B1190 B1191 B1192 B1183 B1195 A155 A16 B1189 B1188 A153 B1395 B1184 A52 A17 B1209
LINCOLNSHIRE
THE WOLDS

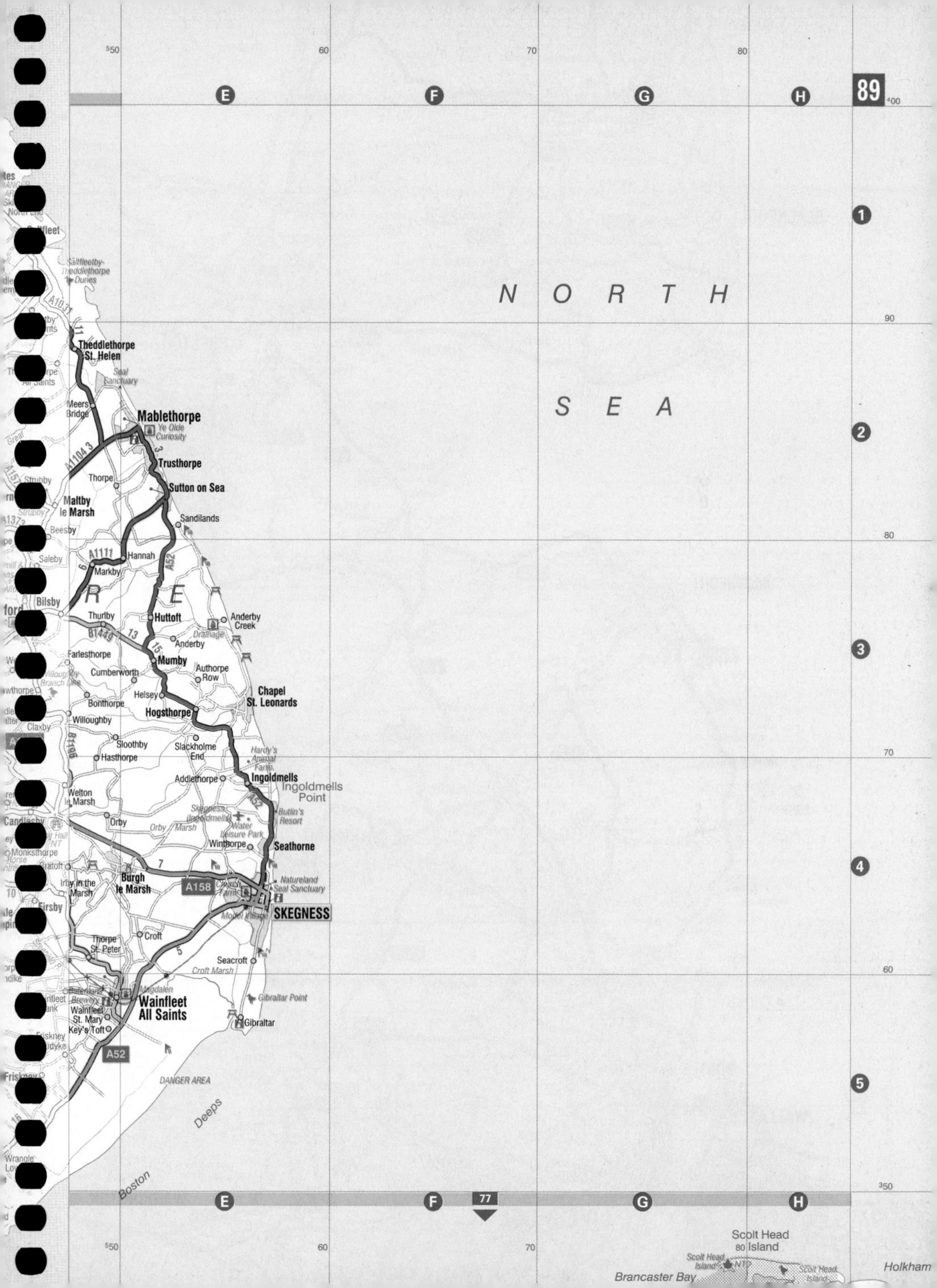
NORTH
SEA
Theddlethorpe St. Helen
Seal Sanctuary
Mablethorpe
Ye Olde Curiosity
Trusthorpe
Sutton on Sea
Sandilands
Meers Bridge
Thorpe
Maltby le Marsh
Beesby
Saleby
Markby
Hannah
A1111
A52
A1104
Bilsby
Thurlby
Huttoft
Anderby Creek
Anderby
Mumby
Authorpe Row
Farlesthorpe
Cumberworth
Helsey
Bonthorpe
Hogsthorpe
Chapel St. Leonards
Willoughby
Claxby
Sloothby
Hasthorpe
Slackholme End
Hardy's Animal Farm
Addlethorpe
Ingoldmells
Ingoldmells Point
Welton le Marsh
Orby
Butlin's Resort
Water Leisure Park
Winthorpe
Seathorne
Burgh le Marsh
Irby in the Marsh
A158
Natureland Seal Sanctuary
Church Farm
SKEGNESS
Firsby
Thorpe St. Peter
Croft
Seacroft
Croft Marsh
Gibraltar Point
Wainfleet All Saints
Wainfleet St. Mary
Key's Toft
Gibraltar
A52
DANGER AREA
Deeps
Boston
E
F
G
H
1
2
3
4
5
550
60
70
80
400
90
80
70
60
350
77
Scolt Head Island
Brancaster Bay
Holkham

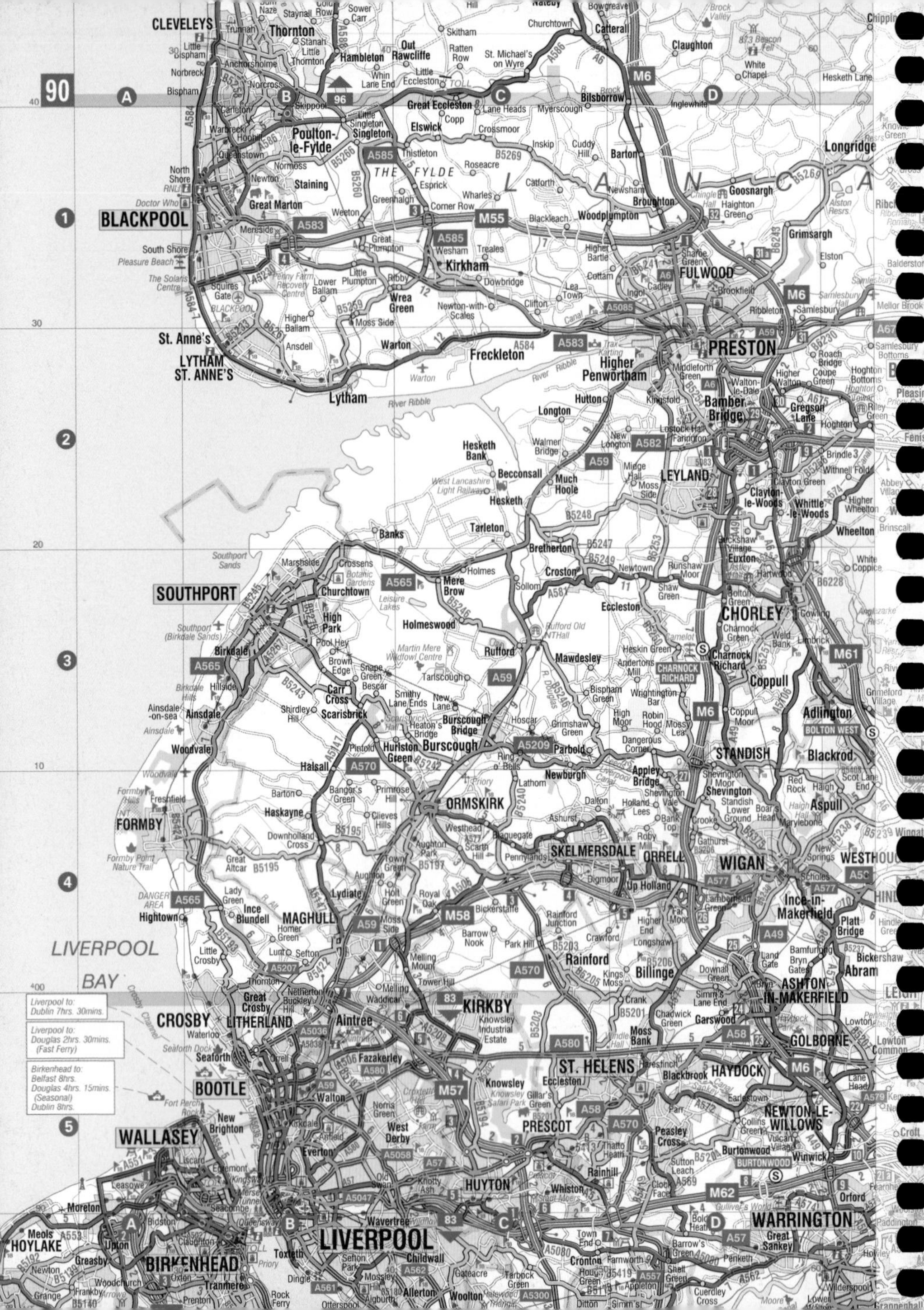
CLEVELEYS
Thornton
Hambleton
Out Rawcliffe
Skitham
Churchtown
Catterall
Claughton
Little Bispham
Norbreck
Bispham
Little Eccleston
St. Michael's on Wyre
Bilsborrow
Inglewhite
White Chapel
Hesketh Lane
96
Skippool
Poulton-le-Fylde
Singleton
Great Eccleston
Elswick
Myerscough
Longridge
THE FYLDE
Staining
Great Marton
Weeton
Esprick
Roseacre
Catforth
Inskip
Barton
Goosnargh
Broughton
BLACKPOOL
North Shore
Doctor Who
Kirkham
Wesham
Treales
Woodplumpton
Blackleach
Grimsargh
South Shore
Pleasure Beach
Squires Gate
Lytham St. Anne's
St. Anne's
LYTHAM ST. ANNE'S
Lytham
Warton
Freckleton
Wrea Green
Moss Side
Ansdell
Higher Ballam
Lower Ballam
Newton-with-Scales
Clifton
Lea Town
Cottam
Ingol
FULWOOD
Brookfield
Ribbleton
Samlesbury
PRESTON
Higher Penwortham
River Ribble
Hutton
Longton
Walmer Bridge
New Longton
Bamber Bridge
Walton-le-Dale
Gregson Lane
Hoghton
Farington
Lostock Hall
Hesketh Bank
Becconsall
Hesketh
Much Hoole
LEYLAND
Moss Side
Tarleton
Clayton-le-Woods
Whittle-le-Woods
Wheelton
Banks
Bretherton
Croston
Euxton
Southport Sands
Marshside
Crossens
Churchtown
Mere Brow
Holmes
Sollom
Newtown
Eccleston
CHORLEY
SOUTHPORT
Birkdale
Holmeswood
Rufford
Mawdesley
Heskin Green
Charnock Richard
Coppull
Adlington
Ainsdale-on-sea
Ainsdale
Scarisbrick
Burscough
Burscough Bridge
Parbold
Newburgh
Appley Bridge
STANDISH
Blackrod
Woodvale
Halsall
Barton
Lathom
Shevington
Aspull
FORMBY
Freshfield
Haskayne
ORMSKIRK
Aughton
Skelmersdale
ORRELL
WIGAN
Dalton
Ashurst
Upholland
Great Altcar
Lydiate
Lady Green
Ince Blundell
Hightown
MAGHULL
Ince-in-Makerfield
Platt Bridge
Bickerstaffe
Rainford
Billinge
Abram
LIVERPOOL BAY
Little Crosby
Lunt
Sefton
Melling
Thornton
Great Crosby
Netherton
KIRKBY
Knowsley Industrial Estate
ASHTON-IN-MAKERFIELD
Garswood
CROSBY
LITHERLAND
Aintree
Waterloo
Seaforth
BOOTLE
Fazakerley
Walton
ST. HELENS
Eccleston
Haydock
GOLBORNE
Lowton
Liverpool to:
Dublin 7hrs. 30mins.
Liverpool to:
Douglas 2hrs. 30mins.
(Fast Ferry)
Birkenhead to:
Belfast 8hrs.
Douglas 4hrs. 15mins.
(Seasonal)
Dublin 8hrs.
New Brighton
WALLASEY
Knowsley
PRESCOT
NEWTON-LE-WILLOWS
West Derby
Everton
Rainhill
Burtonwood
Winwick
HUYTON
Whiston
Moreton
Hoylake
Upton
Greasby
BIRKENHEAD
Tranmere
LIVERPOOL
Wavertree
Toxteth
Childwall
Woolton
Cronton
Farnworth
Great Sankey
WARRINGTON
Orford
Penketh
M6
M55
M58
M57
M62
M61
A583
A585
A59
A565
A570
A580
A58
A57

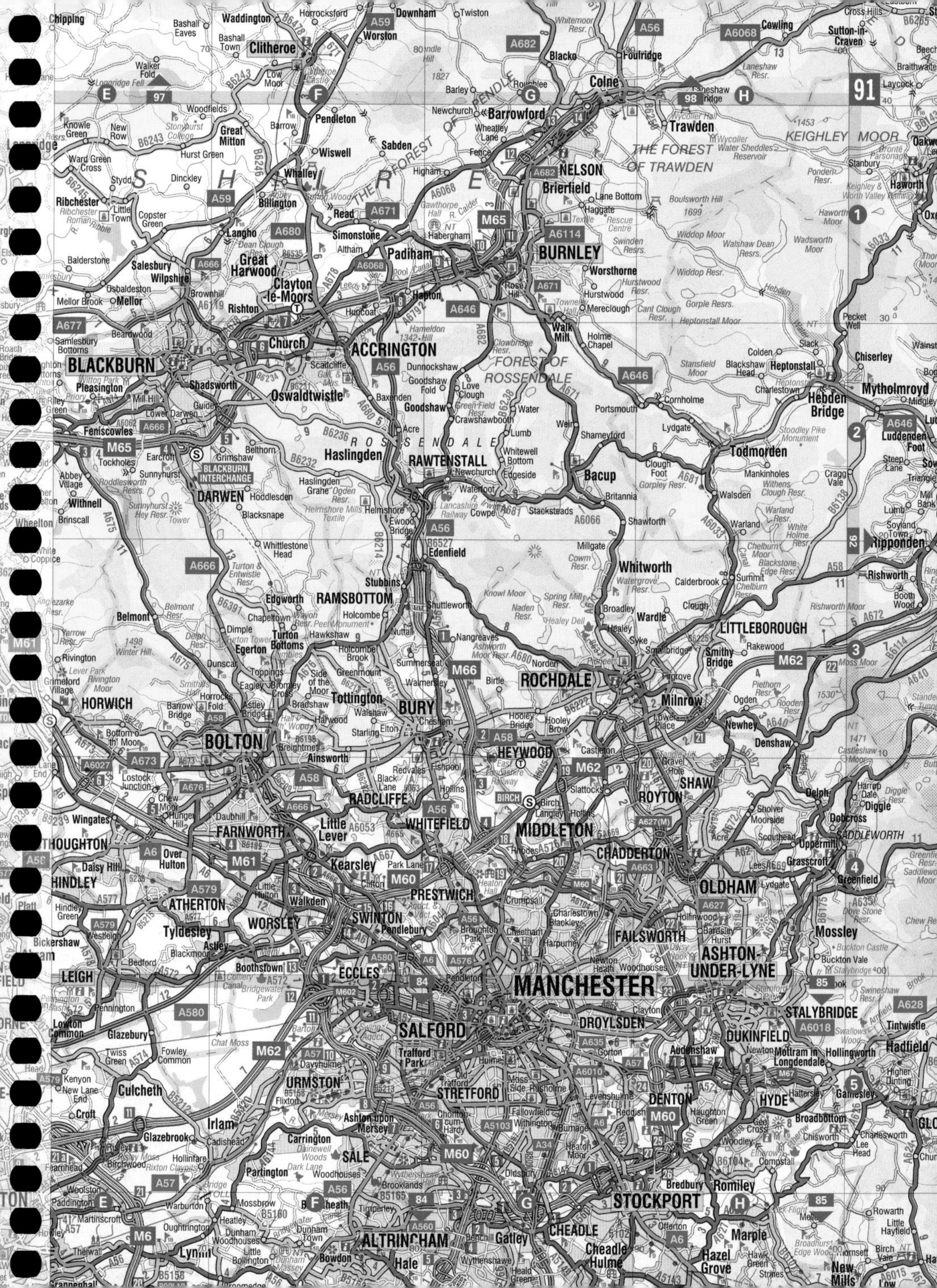

91
Chipping
Bashall Eaves
Waddington
Horrocksford
Downham
Twiston
Bashall Town
Clitheroe
Worston
Blacko
Foulridge
Cowling
Sutton-in-Craven
Cross Hills
Walker Fold
Low Moor
Longridge Fell
97
Barley
Roughlee
Colne
Laneshaw Bridge
98
Laycock
Woodfields
Pendleton
Newchurch
Barrowford
Trawden
Knowle Green
New Row
Great Mitton
Barrow
Sabden
Wheatley Lane
Keighley Moor
Oakworth
Longridge
Ward Green Cross
Hurst Green
Wiswell
The Forest of Pendle
Fence
The Forest of Trawden
Stydd
Dinckley
Whalley
Higham
Nelson
Stanbury
Haworth
Ribchester
Little Town
Billington
Brierfield
Lane Bottom
Copster Green
Read
Haggate
Boulsworth Hill
Langho
Simonstone
Habergham
Burnley
Altham
Padiham
Balderstone
Salesbury
Great Harwood
Wilpshire
Clayton-le-Moors
Worsthorne
Hurstwood
Mellor Brook
Mellor
Osbaldeston
Rishton
Hapton
Huncoat
Rose Hill
Mereclough
Pecket Well
Beardwood
Samlesbury Bottoms
Church
Accrington
Walk Mill
Holme Chapel
Blackburn
Scaitcliffe
Dunnockshaw
Forest of Rossendale
Colden
Slack
Heptonstall
Chiserley
Pleasington
Shadsworth
Oswaldtwistle
Goodshaw Fold
Love Clough
Blackshaw Head
Charlestown
Hebden Bridge
Mytholmroyd
Mill Hill
Lower Darwen
Baxenden
Goodshaw
Water
Cornholme
Portsmouth
Midgley
Feniscowles
Guide
Acre
Crawshawbooth
Lumb
Lydgate
Luddenden Foot
Tockholes
Earcroft
Grimshaw
Belthorn
Haslingden
Rossendale
Rawtenstall
Whitewell Bottom
Weir
Sharneyford
Todmorden
Abbey Village
Sunnyhurst
Blackburn Interchange
Newchurch
Edgeside
Bacup
Clough Foot
Mankinholes
Steep Lane
Cragg Vale
Darwen
Hoddlesden
Haslingden Grane
Waterfoot
Walsden
Withnell
Brinscall
Blacksnape
Helmshore
Cowpe
Stacksteads
Britannia
Wheelton
Ewood Bridge
Shawforth
Warland
Soyland Town
Ripponden
Whittlestone Head
Edenfield
Millgate
White Coppice
Whitworth
Rishworth
Stubbins
Calderbrook
Summit
Ramsbottom
Booth Wood
Edgworth
Shuttleworth
Broadley
Belmont
Chapeltown
Holcombe
Wardle
Clough
Littleborough
Dimple
Turton Bottoms
Nuttall
Egerton
Hawkshaw
Nangreaves
Healey
Rakewood
Rivington
Holcombe Brook
Smallbridge
Smithy Bridge
Dunscar
Toppings
Summerseat
Norden
M62
Moss Moor
Grimeford Village
Greenmount
Rochdale
Eagley
Bromley Cross
Side of the Moor
Walmersley
Birtle
Firgrove
Horwich
Tottington
Bury
Milnrow
Ogden
Barrow Bridge
Horrocks Fold
Astley Bridge
Bradshaw
Walshaw
Chesham
Hooley Bridge
Hooley Brow
Lower Place
Harwood
Elton
Starling
Newhey
Bottom o' th' Moor
Bolton
Heywood
Castleton
Denshaw
Breightmet
Ainsworth
Lostock Junction
Redvales
Fishpool
Gravel Hole
Black Lane
Shaw
Chew Moor
Hunger Hill
Radcliffe
Hollins
Slattocks
Royton
Birch
Delph
Harrop Dale
Diggle
Wingates
Daubhill
Langley
Little Lever
Whitefield
Middleton
Shelver Moorside
Dobcross
Farnworth
Westhoughton
Over Hulton
Kearsley
Park Lane
Rhodes
Chadderton
Uppermill
Saddleworth
Daisy Hill
Grasscroft
Clifton
Prestwich
Oldham
Greenfield
Hindley
Walkden
Lydgate
Little Hulton
Atherton
Swinton
Pendlebury
Crumpsall
Charlestown
Blackley
Failsworth
Hollinwood
Bardsley
Hurst
Mossley
Hindley Green
Tyldesley
Worsley
Broughton Park
Cheetham Hill
Harpurhey
Ashton-under-Lyne
Bickershaw
Westleigh
Astley
Blackmoor
Newton Heath
Woodhouses
Buckton Vale
Bedford
Boothstown
Leigh
Eccles
84
Pendleton
Manchester
85
Stalybridge
Pennington
Swineshaw
Tintwistle
Lowton Common
Salford
Clayton
Droylsden
Dukinfield
Glazebury
Chat Moss
Hadfield
Twiss Green
Fowley Common
Trafford Park
Gorton
Audenshaw
Mottram in Longdendale
Hollingworth
Davyhulme
Hulme
Kenyon
New Lane End
Culcheth
Urmston
Stretford
Old Trafford
Moss Side
Rusholme
Levenshulme
Denton
Hyde
Gamesley
Flixton
Reddish
Haughton Green
Croft
Irlam
Ashton upon Mersey
Chorlton-cum-Hardy
Fallowfield
Withington
Burnage
Broadbottom
Glazebrook
Carrington
Heaton Moor
Gee Cross
Charlesworth
Cadishead
Sale
Chisworth
Risley
Hollinfare
Woodley
Lee Head
Birchwood
Partington
Compstall
Fearnhead
Woodhouses
Brooklands
Bredbury
Romiley
Didsbury
Woolston
Paddington
Stockport
Martinscroft
Warburton
Mossbrow
Timperley
Heatley
Gatley
Cheadle
Offerton
Marple
Rowarth
Little Hayfield
Oughtrington
Dunham Woodhouses
Dunham Town
Thelwall
Lymm
Altrincham
Benchill
Cheadle Hulme
Hazel Grove
Bowdon
Little Bollington
Dunham Massey
Hale
Wythenshawe
Hawk Green
Strines
Birch Vale
New Mills
Grappenhall
M6
M60
M61
M62
M65
M66
M67
M602
A56
A59
A671
A680
A666
A646
A58
A6
A57
A580
A682
A6068
A6114
A677
A673
A676
A579
A572
A6027
A627(M)
A663
A6010
A5103
A34
A635
A6018
A628

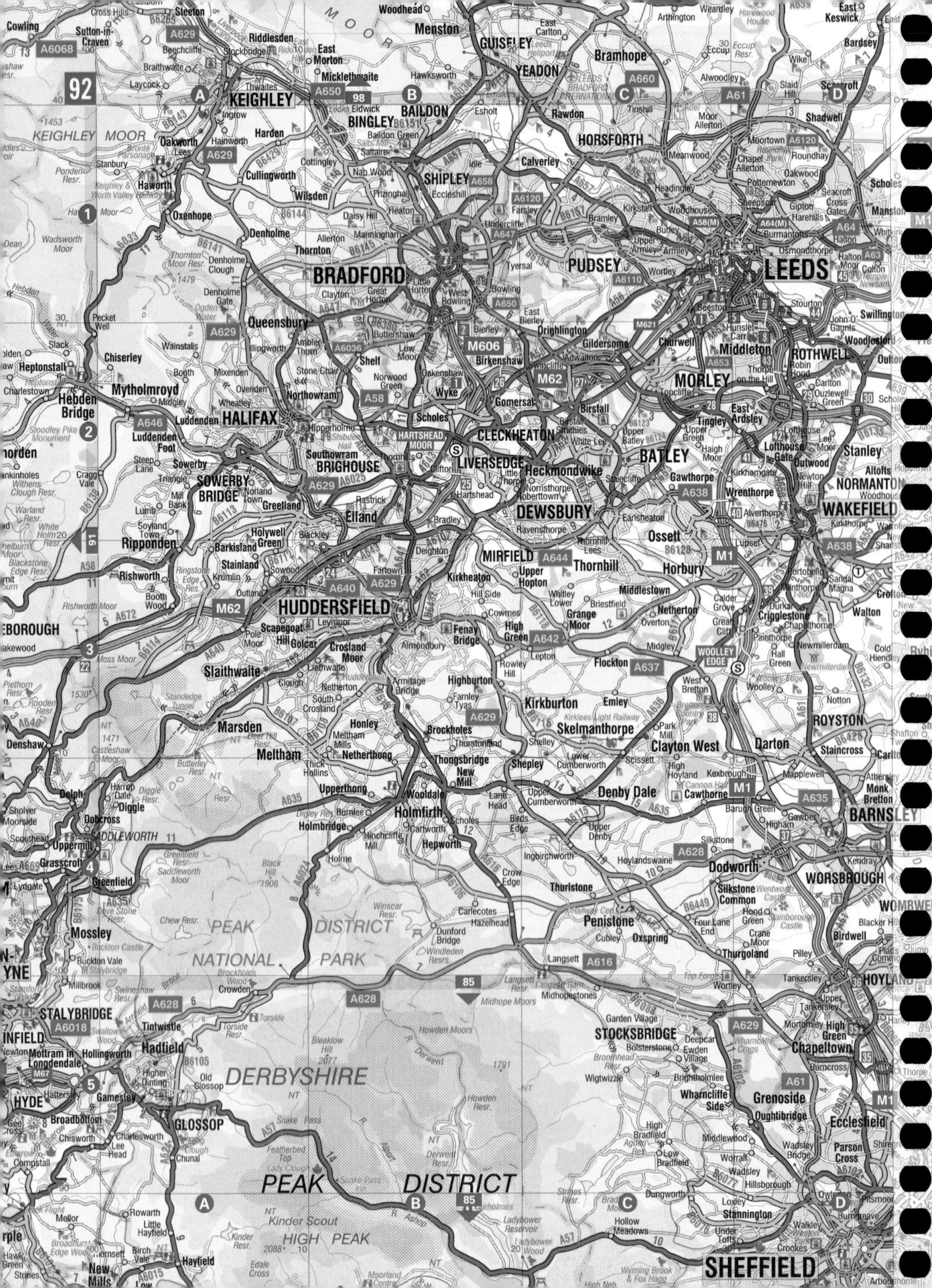
Cross Hills
Steeton
Cowling
Sutton-in-Craven
A6068
A629
Riddlesden
East Morton
Menston
GUISELEY
East Carlton
Bramhope
Arthington
Weardley
Harewood House
East Keswick
Bardsey
Eccup Resr.
Beechcliffe
Stockbridge
Braithwaite
Mickletwaite
Hawksworth
YEADON
Leeds Bradford International
A660
Alwoodley
Wike
Laycock
Thwaites
KEIGHLEY
A650
98
BAILDON
Esholt
Tinshill
A61
Slaid Hill
Scarcroft
KEIGHLEY MOOR
1453
Ingrow
Eldwick
BINGLEY
Rawdon
Moor Allerton
Shadwell
Oakworth
Hainworth
Harden
Baildon Green
HORSFORTH
Moortown
A6120
Lees
Saltaire
Meanwood
Chapel Allerton
Roundhay
Stanbury
A629
Cottingley
Calverley
Ponden Resr.
Haworth
Cullingworth
Nab Wood
Idle
SHIPLEY
A658
Oakwood
Keighley & Worth Valley Railway
Wilsden
Eccleshill
Potternewton
Scholes
Frizinghall
A6120
Farsley
Headingley
Seacroft
Oxenhope
Daisy Hill
Heaton
Kirkstall
Woodhouse
Sheepscar
Gipton
Cross Gates
Harehills
Manston
Denholme
Allerton
Manningham
Undercliffe
Bramley
Burley
A58(M)
A64(M)
Burmantofts
A64
Whitkirk
Wadsworth Moor
A647
Upper Armley
Armley
Halton
Thornton
Osmondthorpe
Thornton Moor Resr.
Denholme Clough
Tyersal
PUDSEY
Wortley
Holbeck
LEEDS
Halton Moor
Colton
1479
BRADFORD
Little Horton
Bowling
A6110
Temple Newsam
Denholme Gate
Clayton
Great Horton
West Bowling
A650
Hunslet
Stourton
Pecket Well
Ogden Water
Beeston
John O' Gaunts
Swillington
Queensbury
Buttershaw
Bierley
East Bierley
Drighlington
M621
Hunslet Carr
Woodlesford
A629
Ambler Thorn
A6036
Low Moor
M606
Gildersome
Churwell
Middleton
ROTHWELL
Slack
Wainstalls
Illingworth
Shelf
Birkenshaw
Adwalton
Oulton
Chiserley
Booth
Stone Chair
Norwood Green
Oakenshaw
Swincliffe
M62
A653
Robin Hood
Heptonstall
Mixenden
Wyke
MORLEY
Thorpe on the Hill
Carlton
Charlestown
Mytholmroyd
Ovenden
Northowram
A58
Gomersal
Topcliffe
Oulton
Hebden Bridge
Midgley
Wheatley
Scholes
Birstall
East Ardsley
Oulzewell Green
Stoodley Pike Monument
A646
Luddenden
HALIFAX
Hipperholme
CLECKHEATON
Upper Batley
Tingley
Lofthouse
Luddenden Foot
Shibden Hall
HARTSHEAD MOOR
Birstall Smithies
White Lee
Upper Green
Lee Moor
Stanley
Todmorden
Sowerby
Southowram
BRIGHOUSE
Thornhills
LIVERSEDGE
Heckmondwike
BATLEY
Haigh Moor
Lofthouse Gate
Outwood
Steep Lane
Cragg Vale
Triangle
SOWERBY BRIDGE
Norland Town
A629
A6025
Clifton
Little Thorpe
Staincliffe
Gawthorpe
Kirkhamgate
Altofts
Newton Hill
NORMANTON
Withens Clough Resr.
Mill Bank
Greetland
Rastrick
Hartshead
Norristhorpe
Roberttown
A638
Wrenthorpe
Woodhouse
Warland Resr.
Lumb
DEWSBURY
Earlsheaton
Alverthorpe
WAKEFIELD
Kirkthorpe
White Holme Resr.
Soyland Town
Holywell Green
Elland
Bradley
Ravensthorpe
Ossett
Lupset
91
Ripponden
Barkisland
Blackley
Deighton
MIRFIELD
A644
Thornhill Lees
M1
A638
Blackstone Edge Resr.
Stainland
Sowood
B6128
A58
Rishworth
Ringstone Edge Res.
Krumlin
Outlane
Fartown
A640
A629
Kirkheaton
Upper Hopton
Thornhill
Horbury
Portobello
Milnthorpe
Sandal Magna
Crofton
Booth Wood
Rishworth Moor
Whitley Lower
Middlestown
M62
HUDDERSFIELD
Hill Side
Briestfield
Netherton
Calder Grove
Durkar
Walton
A672
Scapegoat Hill
Leymoor
Cowmes
Grange Moor
Overton
Crigglestone
Chapelthorne
LITTLEBOROUGH
Pole Moor
Golcar
Fenay Bridge
High Green
A642
Great Cliff
Painthorpe
Wakewood
Moss Moor
Crosland Moor
Almondbury
Lepton
Midgley
WOOLLEY EDGE
Hall Green
Newmillerdam
Cold Hiendley
Ryhill
Slaithwaite
Linthwaite
Rowley Hill
Flockton
A637
Piethorn Resr.
Clough
Netherton
Armitage Bridge
Highburton
West Bretton
Woolley
Notton
1530
Standedge Tunnel
South Crosland
Farnley Tyas
Kirkburton
Emley
A629
Kirklees Light Railway
Marsden
Honley
Brockholes
Skelmanthorpe
Park Mill
ROYSTON
Denshaw
Meltham Mills
1471
Castleshaw Resr.
Meltham
Netherthong
Thurstonland
Shelley
Clayton West
Darton
Staincross
Shafton
Carlton
Thick Hollins
Thongsbridge
Shepley
Lower Cumberworth
Scissett
High Hoyland
Butterley Resr.
New Mill
Kexbrough
Cannon Hall
Mapplewell
Delph
Harrop Dale
Diggle
Upperthong
Wooldale
Lane Head
Upper Cumberworth
Denby Dale
M1
Cawthorne
Athersley
Monk Bretton
Dobcross
A635
A635
A635
Barugh Green
Gawber
BARNSLEY
Sholver
Moorside
SADDLEWORTH
Digley Res.
Burnlee
Holmfirth
Birds Edge
Upper Denby
Higham
Scouthead
Uppermill
Holmbridge
Hinchcliffe Mill
Cartworth
Hepworth
Scholes
A628
Silkstone
Kendray
Grasscroft
Greenfield Resr.
Saddleworth Moor
Black Hill
1908
Holme
Ingbirchworth
Hoylandswaine
Dodworth
WORSBROUGH
Lydgate
Greenfield
Crow Edge
Thurlstone
Silkstone Common
Wentworth Castle
WOMBWELL
Dove Stone Resr.
Winscar Resr.
Carlecotes
Hazelhead
Penistone
Hood Green
Stainborough Castle
Blacker Hill
Chew Resr.
PEAK
DISTRICT
Mossley
Buckton Castle
Dunford Bridge
Cubley
Oxspring
Four Lane End
Crane Moor
Birdwell
Buckton Vale
NATIONAL
PARK
Windleden Resrs.
Thurgoland
Pilley
Langsett
A616
Platts Common
Brockholes Resr.
Crowden
Langsett Resr.
Langsett Barn
Midhopestones
Top Forge
Wortley
Tankersley
HOYLAND
Millbrook
Swineshaw Resr.
85
Midhope Moors
Upper Tankersley
STALYBRIDGE
A628
A628
A629
A6018
Tintwistle
Torside
Torside Resr.
Howden Moors
Garden Village
Mortomley
High Green
DUKINFIELD
Hadfield
STOCKSBRIDGE
Deepcar
Bolsterstone
Ewden Village
Wharncliffe Crags
Chapeltown
Mottram in Longdendale
Hollingworth
Bleaklow Hill
2077
Broomhead Resr.
Burncross
M67
B6105
Old Glossop
DERBYSHIRE
1791
Wigtwizzle
Brightholmlee
A61
Higher Dinting
HYDE
Hattersley
Gamesley
Howden Resr.
Wharncliffe Side
Grenoside
Thorpe
Broadbottom
GLOSSOP
Snake Pass
High Bradfield
Oughtibridge
Ecclesfield
Charlesworth
Chisworth
Middlewood
Lee Head
Chunal
Featherbed Top
Lady Clough
Derwent Resr.
Agden Resr.
Low Bradfield
Worrall
Wadsley Bridge
Parson Cross
Compstall
Snake Pass Inn
Wadsley
Hillsborough
PEAK
DISTRICT
Strines Resr.
Dungworth
Loxley
Owlerton
Pitsmoor
85
Kinder Scout
Stannington
Burngreave
Rowarth
Little Hayfield
Ladybower Reservoir
Hollow Meadows
Walkley
Mellor
HIGH PEAK
Kinder Resr.
Broadhurst Edge Wood
2088
Birch Vale
Thornsett
Ladybower Wood
A57
Under Tofts
Crookes
Hayfield
New Mills
Edale Cross
Moorland Centre
Wyming Brook & Fox Hagg
SHEFFIELD
Arbourthorne

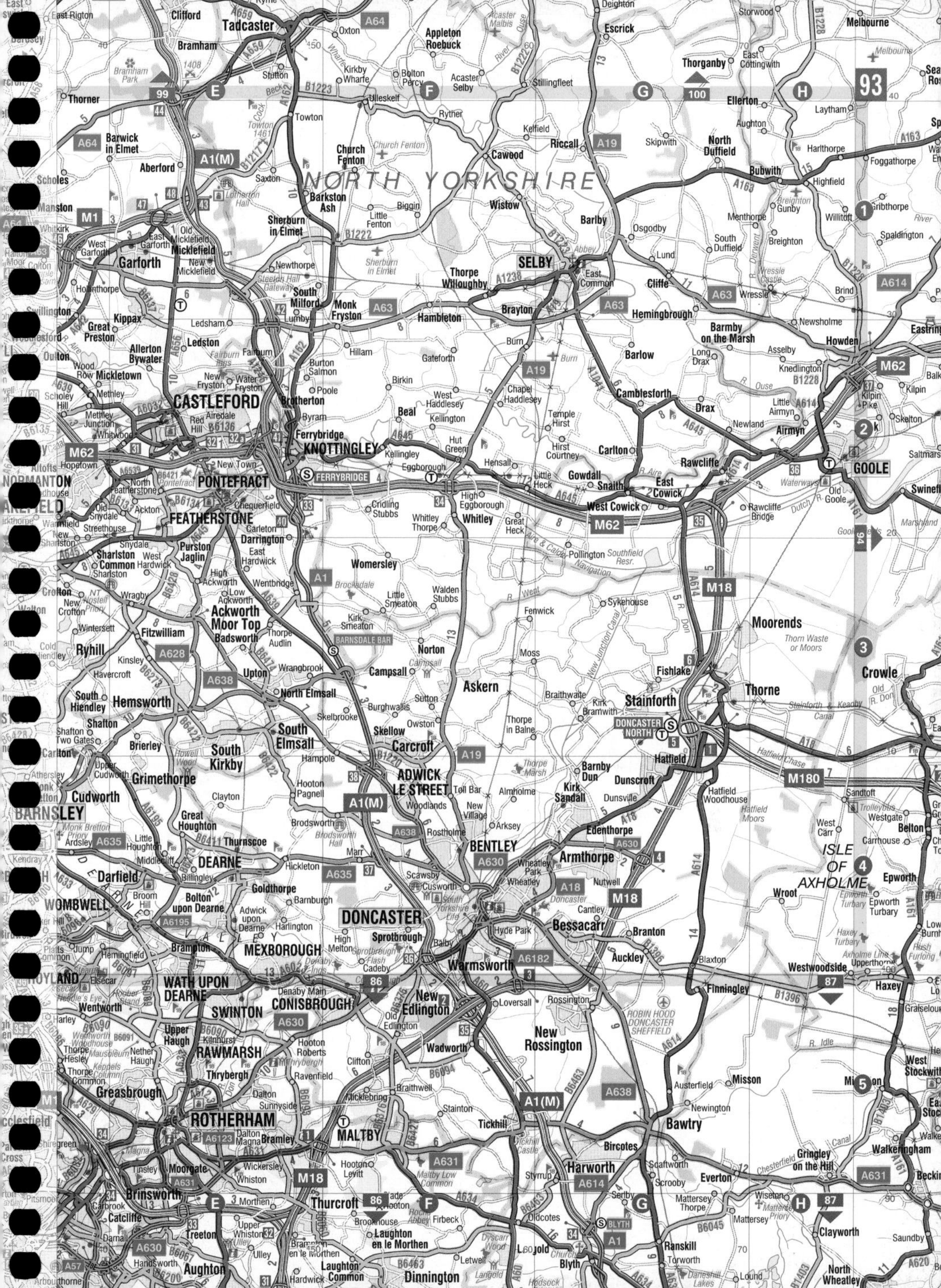

93
NORTH YORKSHIRE
Tadcaster
Clifford
Bramham
East Rigton
Thorner
Barwick in Elmet
Aberford
Scholes
Garforth
Kippax
Great Preston
Allerton Bywater
Castleford
Pontefract
Featherstone
Knottingley
Ferrybridge
Selby
Escrick
Deighton
Riccall
Cawood
Sherburn in Elmet
South Milford
Monk Fryston
Church Fenton
Barkston Ash
Appleton Roebuck
Acaster Selby
Stillingfleet
Thorganby
Ellerton
Melbourne
Storwood
Bubwith
North Duffield
Skipwith
Barlby
Osgodby
Hemingbrough
Cliffe
Wressle
Howden
Barmby on the Marsh
Barlow
Drax
Camblesforth
Carlton
Snaith
Rawcliffe
Goole
Airmyn
Hambleton
Brayton
Thorpe Willoughby
Beal
Kellington
Eggborough
Whitley
Womersley
Norton
Campsall
Askern
Moss
Fenwick
Sykehouse
Fishlake
Stainforth
Thorne
Moorends
Crowle
Hatfield
Dunscroft
Kirk Sandall
Barnby Dun
Armthorpe
Edenthorpe
Bentley
Adwick le Street
Carcroft
Skellow
Owston
Sutton
South Elmsall
South Kirkby
Hemsworth
Ackworth Moor Top
Upton
North Elmsall
Grimethorpe
Cudworth
Barnsley
Darfield
Wombwell
Dearne
Thurnscoe
Goldthorpe
Bolton upon Dearne
Mexborough
Wath upon Dearne
Swinton
Conisbrough
Rawmarsh
Rotherham
Greasbrough
Brinsworth
Catcliffe
Treeton
Aughton
Maltby
Thurcroft
Dinnington
Laughton en le Morthen
Tickhill
Harworth
Bircotes
Bawtry
Blyth
Doncaster
Sprotbrough
Warmsworth
Bessacarr
Cantley
Branton
Auckley
New Rossington
Finningley
Misson
Haxey
Epworth
Isle of Axholme
Belton
Gringley on the Hill
Everton
Clayworth
Ranskill
Walkeringham
North Wheatley
Robin Hood Doncaster Sheffield
A1(M)
A1
M1
M18
M62
M180
A19
A63
A64
A614
A630
A631
A635
A638
A628
A6195
A6182
A6123
A620
A161
A18
A162
A645
99
100
86
87
94

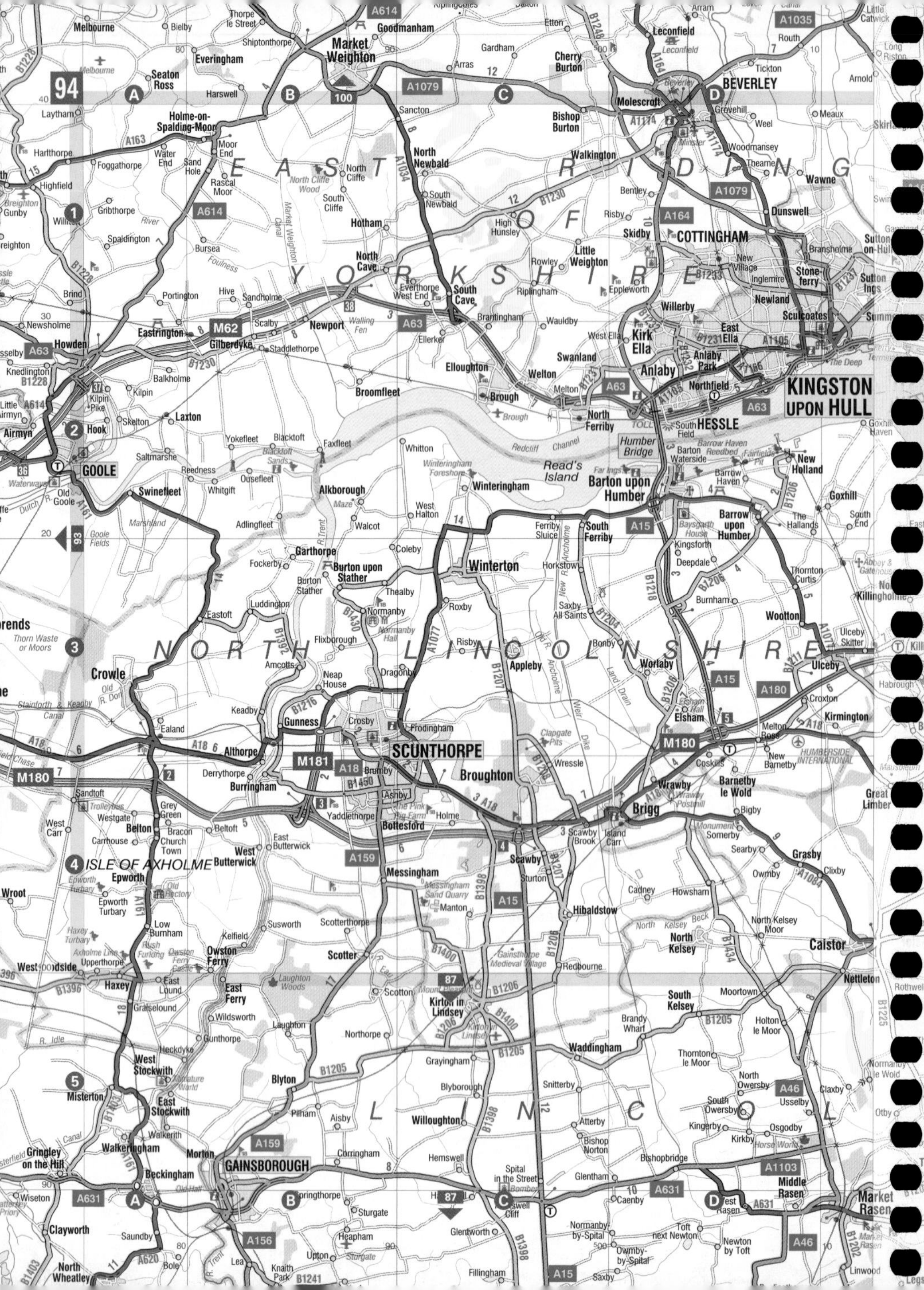

94
EAST RIDING OF YORKSHIRE
NORTH LINCOLNSHIRE
LINCOL
KINGSTON UPON HULL
Melbourne
Bielby
Thorpe le Street
Goodmanham
Market Weighton
Etton
Leconfield
Arram
Routh
Little Catwick
Long Riston
Seaton Ross
Everingham
Shiptonthorpe
Gardham
Cherry Burton
Tickton
BEVERLEY
Arnold
Harswell
Arras
Molescroft
Laytham
Holme-on-Spalding-Moor
Sancton
Bishop Burton
Grovehill
Weel
Meaux
Moor End
Water End
Sand Hole
Hartlthorpe
Foggathorpe
North Newbald
Walkington
Woodmansey
Thearne
Wawne
Highfield
Rascal Moor
North Cliffe
South Cliffe
South Newbald
Bentley
Breighton
Gunby
Willitoft
Gribthorpe
Spaldington
Bursea
Hotham
High Hunsley
Risby
Skidby
COTTINGHAM
Dunswell
Bransholme
Sutton-on-Hull
North Cave
Rowley
Little Weighton
New Village
Inglemire
Stoneferry
Sutton Ings
Brind
Portington
Hive
Sandholme
Everthorpe
West End
South Cave
Riplingham
Eppleworth
Newland
Willerby
Sculcoates
Newsholme
Eastrington
Scalby
Newport
Walling Fen
Brantingham
Wauldby
Kirk Ella
West Ella
East Ella
Asselby
Howden
Gilberdyke
Staddlethorpe
Ellerker
Swanland
Anlaby
Anlaby Park
Knedlington
Balkholme
Elloughton
Welton
Northfield
The Deep
Kilpin Pike
Kilpin
Broomfleet
Brough
Melton
North Ferriby
HESSLE
Little Airmyn
Airmyn
Hook
Skelton
Laxton
South Field
Humber Bridge
Barrow Haven
Goxhill Haven
GOOLE
Saltmarshe
Yokefleet
Blacktoft
Faxfleet
Whitton
Redcliff Channel
Barton Waterside
New Holland
Reedness
Ousefleet
Whitgift
Winteringham Foreshore
Read's Island
Barton upon Humber
Old Goole
Swinefleet
Alkborough
Winteringham
Goxhill
West Halton
Ferriby Sluice
South Ferriby
Barrow upon Humber
The Hallands
South End
Adlingfleet
Walcot
Baysgarth House
Goole Fields
Marshland
Kingsforth
Deepdale
Garthorpe
Coleby
Fockerby
Burton upon Stather
Burton Stather
Winterton
Horkstow
Thornton Curtis
Thealby
Luddington
Normanby
Roxby
Saxby All Saints
Burnham
Eastoft
Normanby Hall
Wootton
Thorn Waste or Moors
Flixborough
Risby
Bonby
Ulceby Skitter
Amcotts
Appleby
Worlaby
Ulceby
Crowle
Neap House
Dragonby
Habrough
Old R. Don
Stainforth & Keadby Canal
Keadby
Crosby
Elsham
Croxton
Gunness
Frodingham
Kirmington
Ealand
Althorpe
SCUNTHORPE
Clapgate Pits
Melton Ross
Wressle
Broughton
Coskills
New Barnetby
HUMBERSIDE INTERNATIONAL
Derrythorpe
Burringham
Brumby
Ashby
Wrawby
Barnetby le Wold
Sandtoft
Trolleybus
Bigby
Great Limber
Grey Green
Westgate
Yaddlethorpe
The Pink Pig Farm
Holme
Brigg
Bottesford
Belton
Bracon
Church Town
Beltoft
Scawby Brook
Island Carr
Somerby
West Carr
Carrhouse
West Butterwick
East Butterwick
Searby
Grasby
Clixby
ISLE OF AXHOLME
Scawby
Sturton
Owmby
Epworth
Messingham
Wroot
Epworth Turbary
Old Rectory
Messingham Sand Quarry
Cadney
Howsham
Manton
Hibaldstow
Low Burnham
Susworth
Scotterthorpe
North Kelsey Moor
Kelfield
North Kelsey
Caistor
Haxey Turbary
Axholme Line
Upperthorpe
Owston Ferry
Scotter
Gainsthorpe Medieval Village
Redbourne
Westwoodside
Haxey
East Lound
East Ferry
Laughton Woods
Nettleton
Rothwell
Scotton
Mount Pleasant
Kirton in Lindsey
South Kelsey
Moortown
Graiselound
Wildsworth
Brandy Wharf
Holton le Moor
Laughton
Northorpe
Gunthorpe
Waddingham
Thornton le Moor
Heckdyke
West Stockwith
Grayingham
Normanby le Wold
Misterton
Blyton
North Owersby
Claxby
Blyborough
Snitterby
South Owersby
Usselby
East Stockwith
Pilham
Aisby
Willoughton
Otby
Walkerith
Atterby
Kingerby
Osgodby
Walkeringham
Bishop Norton
Kirkby
Horse World
Gringley on the Hill
Morton
Corringham
Hemswell
Spital in the Street
Bishopbridge
Glentham
Middle Rasen
GAINSBOROUGH
Beckingham
Wiseton
Springthorpe
Caenby
West Rasen
Market Rasen
Clayworth
Sturgate
Normanby-by-Spital
Toft next Newton
Heapham
Glentworth
Owmby-by-Spital
Newton by Toft
Saundby
North Wheatley
Bole
Upton
Lea
Knaith Park
Fillingham
Saxby
Linwood
A614
A1035
A1079
A163
A614
B1230
A1034
A164
A1174
A63
M62
B1228
A1079
B1233
B1231
A1105
A165
B1237
A63
A15
B1206
B1218
A1077
B1430
B1392
A18
M180
M181
B1216
B1450
B1207
B1204
A180
B1211
A159
A1084
B1398
B1400
B1206
B1205
B1434
A46
B1225
A161
B1396
B1403
A631
A620
A156
B1241
A1103
B1202
93
87
100

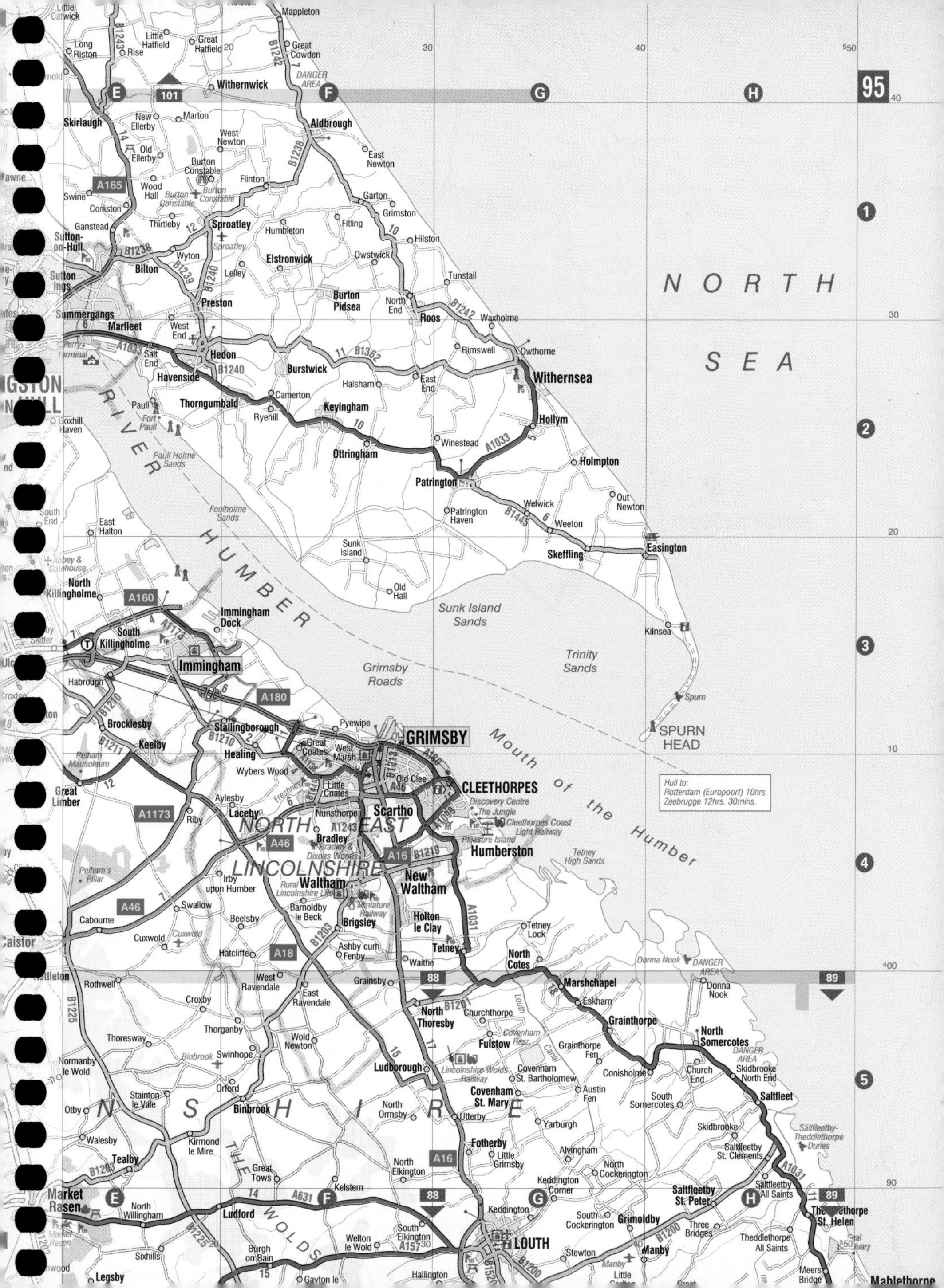

NORTH SEA
RIVER HUMBER
Mouth of the Humber
Mappleton
Great Cowden
Little Hatfield
Great Hatfield
Long Riston
Rise
Withernwick
DANGER AREA
Skirlaugh
New Ellerby
Marton
Old Ellerby
West Newton
Aldbrough
East Newton
Burton Constable
Wood Hall
Flinton
Swine
Coniston
Garton
Grimston
Ganstead
Thirtleby
Sproatley
Humbleton
Fitling
Hilston
Sutton-on-Hull
Wyton
Bilton
Elstronwick
Owstwick
Lelley
Sutton Ings
Tunstall
Preston
Burton Pidsea
North End
Roos
Summergangs
Marfleet
West End
Waxholme
Salt End
Hedon
Rimswell
Owthorne
Burstwick
Withernsea
Havenside
Halsham
East End
Camerton
Thorngumbald
Paull
Fort Paull
Ryehill
Keyingham
Hollym
Goxhill Haven
Winestead
Ottringham
Paull Holme Sands
Holmpton
Patrington
Out Newton
Welwick
Patrington Haven
Weeton
Foulholme Sands
South End
East Halton
Sunk Island
Skeffling
Easington
Abbey & Gatehouse
North Killingholme
Old Hall
Sunk Island Sands
Immingham Dock
Kilnsea
South Killingholme
Immingham
Trinity Sands
Grimsby Roads
Habrough
Spurn
SPURN HEAD
Brocklesby
Stallingborough
Pyewipe
GRIMSBY
Keelby
Great Coates
Healing
West Marsh
Pelham Mausoleum
Wybers Wood
Old Clee
Hull to: Rotterdam (Europoort) 10hrs. Zeebrugge 12hrs. 30mins.
Great Limber
Little Coates
CLEETHORPES
Aylesby
Discovery Centre
The Jungle
Laceby
Nunsthorpe
Scartho
Cleethorpes Coast Light Railway
Riby
NORTH EAST LINCOLNSHIRE
Bradley
Bradley & Dixons Woods
Pleasure Island
Humberston
Tetney High Sands
Pelham's Pillar
Irby upon Humber
Rural Lincolnshire Life
Waltham
New Waltham
Swallow
Barnoldby le Beck
Miniature Railway
Cabourne
Holton le Clay
Beelsby
Brigsley
Tetney Lock
Cuxwold
Ashby cum Fenby
Tetney
Caistor
Hatcliffe
Waithe
North Cotes
Donna Nook
Grainsby
Marshchapel
Rothwell
West Ravendale
East Ravendale
North Thoresby
Eskham
Croxby
Churchthorpe
Thorganby
Grainthorpe
Covenham Res.
North Somercotes
Thoresway
Wold Newton
Fulstow
Grainthorpe Fen
Normanby le Wold
Binbrook
Swinhope
Ludborough
Covenham St. Bartholomew
Conisholme
Church End
Skidbrooke North End
Lincolnshire Wolds Railway
Stainton le Vale
Orford
Covenham St. Mary
Austin Fen
Saltfleet
Otby
Binbrook
North Ormsby
Utterby
South Somercotes
Walesby
Yarburgh
Skidbrooke
Saltfleetby-Theddlethorpe Dunes
Kirmond le Mire
Fotherby
Little Grimsby
Alvingham
Saltfleetby St. Clements
Tealby
THE WOLDS
North Elkington
North Cockerington
Great Tows
Keddington Corner
Saltfleetby All Saints
Saltfleetby St. Peter
Kelstern
Market Rasen
North Willingham
Ludford
Keddington
South Cockerington
Grimoldby
Theddlethorpe St. Helen
South Elkington
Three Bridges
LOUTH
Manby
Theddlethorpe All Saints
Welton le Wold
Burgh on Bain
Sixhills
Stewton
Legsby
Hallington
Meers Bridge
Mablethorpe
LINCOLNSHIRE
NORTH
SEA

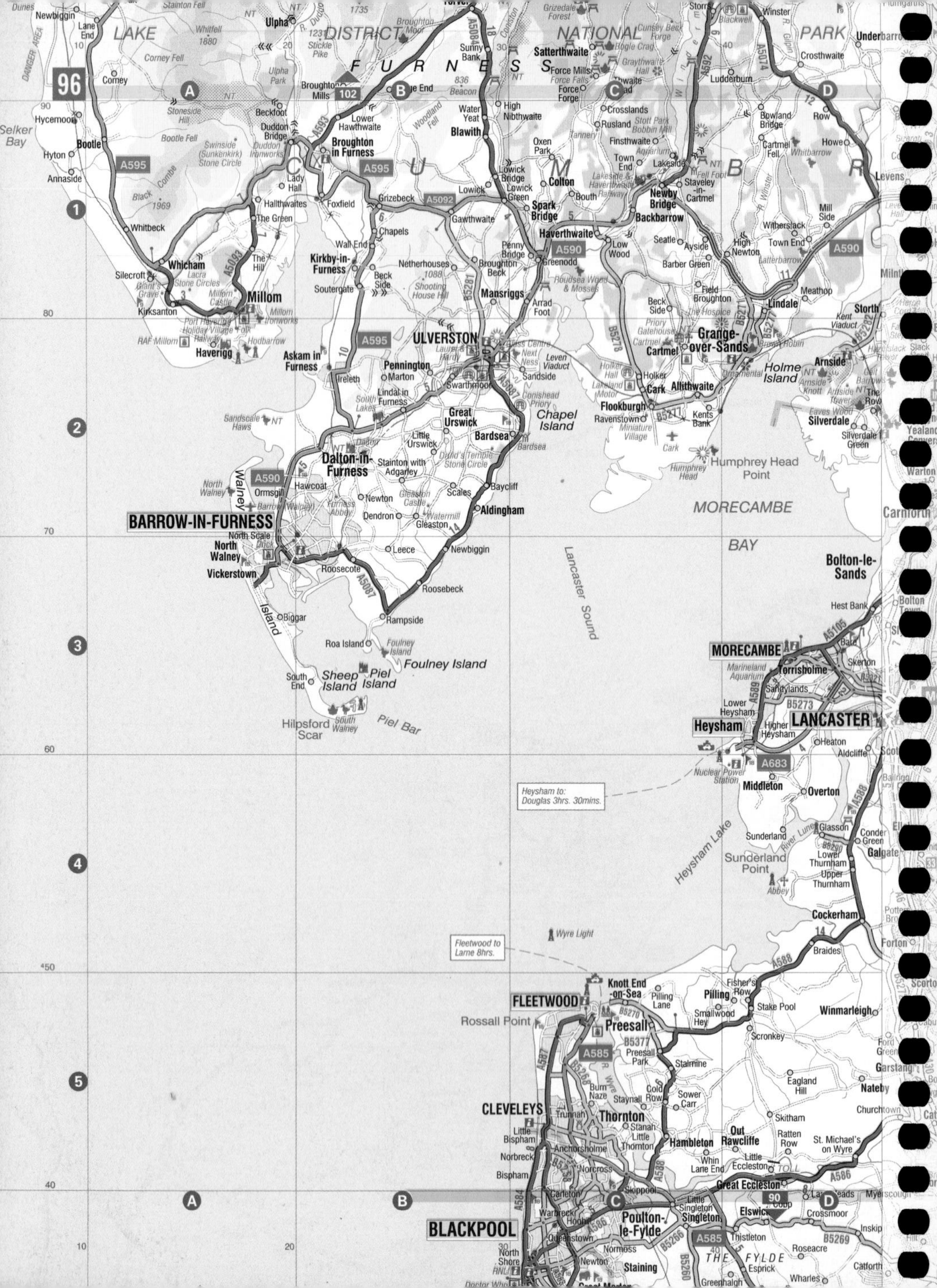
96
102
90
LAKE
DISTRICT
NATIONAL
PARK
FURNESS
CUMBRIA
A
B
C
D
1
2
3
4
5
10
20
30
40
80
70
60
50
Dunes
Newbiggin
Lane End
DANGER AREA
Whitfell 1880
Corney Fell
Corney
Stainton Fell
Ulpha
1735
Broughton Moor
Stickle Pike
Ulpha Park
Broughton Mills
Stoneside Hill
Beckfoot
Duddon Bridge
Bootle Fell
Swinside (Sunkenkirk) Stone Circle
Duddon Ironworks
Selker Bay
Hycemoor
Bootle
Hyton
Annaside
A595
Black Combe 1969
Lady Hall
Halfthwaites
The Green
Whitbeck
Whicham
The Hill
A5093
Silecroft
Giant's Grave
Lacra Stone Circles
Millom Castle
Millom
Kirksanton
Port Haverigg Holiday Village
Folk
Millom Ironworks
RAF Millom
Haverigg
Hodbarrow
Lower Hawthwaite
Broughton in Furness
Woodland Fell
Foxfield
Grizebeck
A5092
Gawthwaite
Chapels
Wall End
Kirkby-in-Furness
Netherhouses 1088
Beck Side
Soutergate
Shooting House Hill
Askam in Furness
Ireleth
A595
Sunny Bank
A5084
Coniston
836 Beacon
Water Yeat
Blawith
High Nibthwaite
Lowick Bridge
Lowick
Lowick Green
Penny Bridge
Greenodd
Broughton Beck
B5281
Mansriggs
Arrad Foot
ULVERSTON
Laurel & Hardy
Pennington
Marton
Lindal in Furness
South Lakes
Swarthmoor
A5087
Conishead Priory
Bardsea
Great Urswick
Little Urswick
Dalton-in-Furness
Stainton with Adgarley
Druid's Temple Stone Circle
Sandscale Haws
North Walney
Walney
A590
Ormsgill
Hawcoat
Furness Abbey
Newton
Gleaston Castle
Watermill
Gleaston
Scales
Baycliff
Aldingham
Dendron
BARROW-IN-FURNESS
North Scale
Dock
North Walney
Vickerstown
Leece
Newbiggin
Roosecote
Roosebeck
Rampside
Walney Island
Biggar
Roa Island
Foulney Island
Sheep Island
Piel Island
South End
Hilpsford Scar
South Walney
Piel Bar
Chapel Island
Leven Viaduct
Sandside
Grizedale Forest
Cunsey Beck Forge
Bogie Crag
Satterthwaite
Force Mills
Force Falls
Force Forge
Graythwaite Hall
Thwaite Head
Crosslands
Rusland
Stott Park Bobbin Mill
Finsthwaite
Oxen Park
Town End
Aquarium
Lakeside
Lakeside & Haverthwaite Railway
Colton
Bouth
Spark Bridge
Haverthwaite
A590
Roudsea Wood & Mosses
Newby Bridge
Backbarrow
Fell Foot
Staveley-in-Cartmel
Low Wood
Seatle
Ayside
Barber Green
Field Broughton
The Hospice
Beck Side
B5278
Priory Gatehouse
Cartmel
Grange-over-Sands
Holker Hall
Holker
Lakeland Motor
Cark
Allithwaite
Flookburgh
B5277
Ravenstown
Miniature Village
Kents Bank
Humphrey Head
Humphrey Head Point
Storrs
Blackwell
Winster
Windermere
A592
A5074
Ludderburn
Bowland Bridge
Cartmel Fell
Whitbarrow
Crosthwaite
Underbarrow
Row
Howe
Levens
Witherslack
Mill Side
High Newton
Town End
Latterbarrow
Lindale
Meathop
B5277
Brown Robin
Kent Viaduct
Storth
Holme Island
Arnside
Arnside Knott
Arnside Tower
The Row
Eaves Wood
Silverdale
Silverdale Green
Yealand Conyers
Warton
Carnforth
Slack
MORECAMBE BAY
Lancaster Sound
Bolton-le-Sands
Hest Bank
A5105
MORECAMBE
Marineland Aquarium
Torrisholme
Skerton
Sandylands
A589
B5273
Lower Heysham
Higher Heysham
Heysham
LANCASTER
Heaton
Aldcliffe
A683
Nuclear Power Station
Middleton
Overton
Heysham to: Douglas 3hrs. 30mins.
A588
Sunderland
River Lune
Glasson
Conder Green
Galgate
Lower Thurnham
Upper Thurnham
Sunderland Point
Abbey
Heysham Lake
Cockerham
Wyre Light
Fleetwood to Larne 8hrs.
Braides
Forton
Knott End-on-Sea
FLEETWOOD
Pilling Lane
Pilling
Fisher's Row
Smallwood Hey
Stake Pool
Winmarleigh
Rossall Point
Preesall
B5270
B5377
A585
Preesall Park
Scronkey
Stalmine
Eagland Hill
Garstang
Nateby
A587
Burn Naze
Staynall
Cold Row
Sower Carr
CLEVELEYS
Trunnah
Thornton
Stanah
Little Thornton
Hambleton
Out Rawcliffe
Skitham
Ratten Row
Churchtown
St. Michael's on Wyre
Little Bispham
Norbreck
Anchorsholme
Norcross
Whin Lane End
Little Eccleston
TOLL
A586
Bispham
A588
Skippool
Great Eccleston
Carleton
A584
Little Singleton
Singleton
Elswick
Copp
Crossmoor
Myerscough
Warbreck
Hoohill
Poulton-le-Fylde
BLACKPOOL
Queenstown
A586
B5266
A585
Thistleton
Inskip
B5269
North Shore
Normoss
Newton
THE FYLDE
Staining
B5260
Esprick
Roseacre
Greenhalgh
Wharles
Catforth

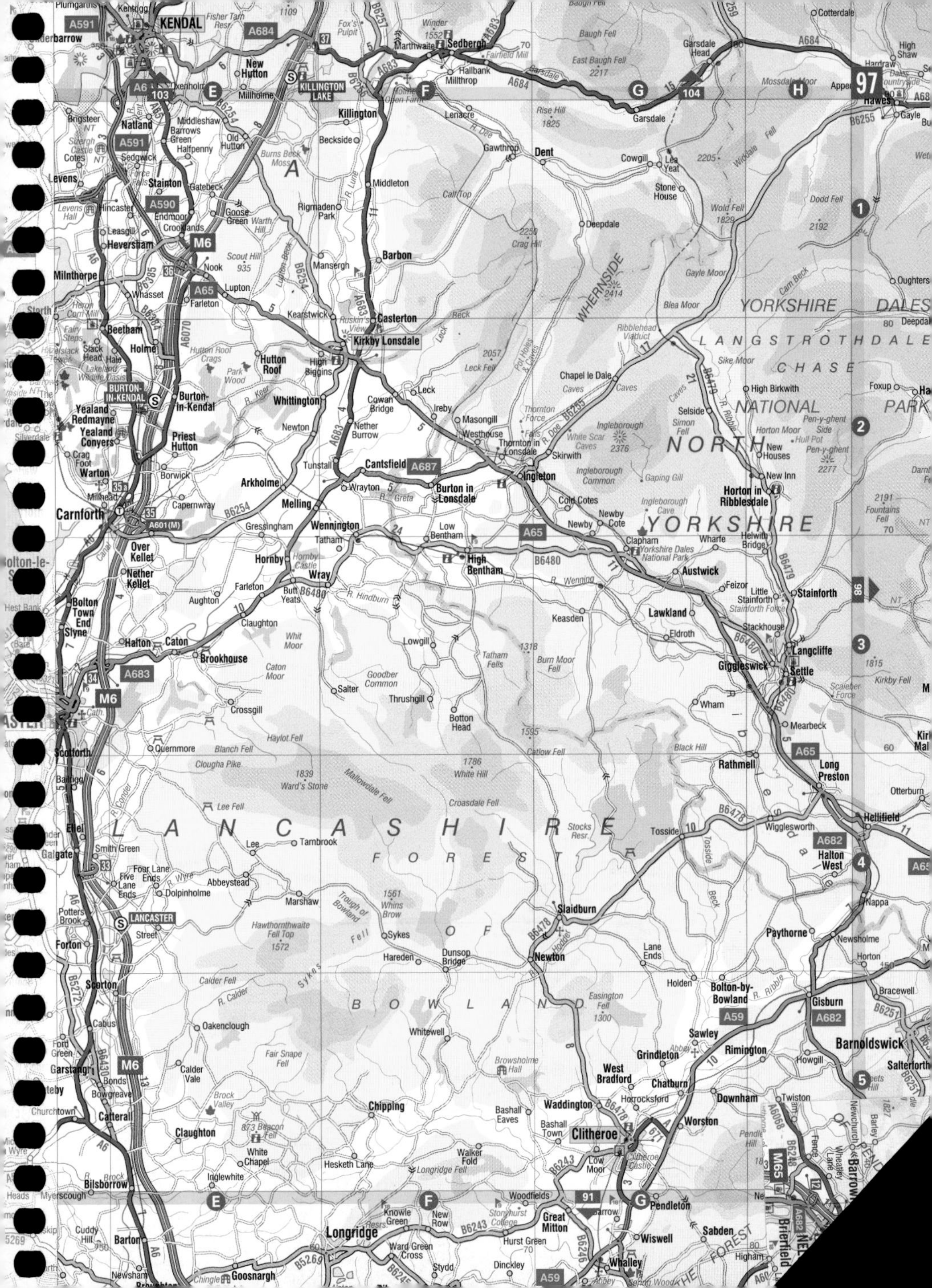

97
KENDAL
A591
A684
A6
103
M6
A590
A65
A683
A687
A601(M)
B6254
B6480
B6255
B6479
B6478
A682
A59
B6243
A6068
M65
104
91
98
E
F
G
H
Kentrigg
Plumgarths
Underbarrow
Fisher Tarn Resr.
Oxenholme
New Hutton
Millholme
KILLINGTON LAKE
Killington
Fox's Pulpit
Winder 1552
Marthwaite
Sedbergh
Fairfield Mill
Hallbank
Millthrop
Baugh Fell
East Baugh Fell 2217
Garsdale Head
Garsdale
Cotterdale
High Shaw
Hardraw
Appersett
Hawes
Gayle
Brigsteer
Natland
Middleshaw
Barrows Green
Halfpenny
Old Hutton
Sizergh Castle
Cotes
Sedgwick
Levens
Stainton
Gatebeck
Beckside
Burns Beck Moss
Lenacre
Rise Hill 1825
Gawthrop
Dent
Cowgill
Lea Yeat
Stone House
Widdale Fell
Wold Fell 1829
Dodd Fell 2192
Middleton
Rigmaden Park
Calf Top
Deepdale
Hincaster
Endmoor
Goose Green
Crooklands
Leasgill
Heversham
Nook
Scout Hill 935
Warth Hill
Crag Hill 2250
Mansergh
Barbon
WHERNSIDE 2414
Gayle Moor
Oughtershaw
Milnthorpe
Lupton
Whasset
Farleton
Kearstwick
Casterton
Ruskin's View
Kirkby Lonsdale
Blea Moor
YORKSHIRE DALES
Deepdale
Ribblehead Viaduct
LANGSTROTHDALE CHASE
Sike Moor
Storth
Heron Corn Mill
Fairy Steps
Beetham
Slack Head
Hale
Holme
Hutton Roof Crags
Hutton Roof
Park Wood
High Biggins
2057 Leck Fell
Pot Holes & Caves
Chapel le Dale
Caves
High Birkwith
Foxup
NATIONAL PARK
Lakeland Wildlife Oasis
BURTON-IN-KENDAL
Burton-in-Kendal
Yealand Redmayne
Yealand Conyers
Silverdale
Whittington
Cowan Bridge
Leck
Ireby
Masongill
Thornton Force
Ingleborough 2376
White Scar Caves
Selside
Simon Fell
Horton Moor
Pen-y-ghent Side
Hull Pot
Pen-y-ghent 2277
NORTH
Priest Hutton
Newton
Nether Burrow
Westhouse
Thornton in Lonsdale
Skirwith
New Houses
New Inn
Crag Foot
Warton
Borwick
Tunstall
Cantsfield
Ingleton
Ingleborough Common
Gaping Gill
Horton in Ribblesdale
Millhead
Arkholme
Wrayton
Burton in Lonsdale
Cold Cotes
Ingleborough Cave
Fountains Fell 2191
Carnforth
Capernwray
Melling
Newby
Newby Cote
YORKSHIRE
Gressingham
Wennington
Low Bentham
Clapham
Yorkshire Dales National Park
Wharfe
Helwith Bridge
Over Kellet
Hornby
Hornby Castle
Tatham
High Bentham
Austwick
Nether Kellet
Farleton
Wray
R. Wenning
Feizor
Little Stainforth
Stainforth
Stainforth Force
Bolton-le-Sands
Bolton Town End
Slyne
Aughton
Butt Yeats
R. Hindburn
Keasden
Lawkland
Stackhouse
Claughton
Whit Moor
Lowgill
Tatham Fells
1318
Burn Moor Fell
Eldroth
Langcliffe
1815
Kirkby Fell
Halton
Caton
Brookhouse
Caton Moor
Goodber Common
Giggleswick
Settle
Scaleber Force
Salter
Thrushgill
Botton Head
Wham
Crossgill
Quernmore
Haylot Fell
1595
Mearbeck
Scotforth
Blanch Fell
Clougha Pike
Catlow Fell
Black Hill
Rathmell
Long Preston
1839 Ward's Stone
Mallowdale Fell
1786 White Hill
Otterburn
Lee Fell
Croasdale Fell
Hellifield
Ellel
LANCASHIRE
Stocks Resr.
Tosside
Wigglesworth
Galgate
Smith Green
Lee
Tambrook
FOREST
Halton West
Four Lane Ends
Five Lane Ends
Abbeystead
Dolphinholme
R. Wyre
Nappa
Marshaw
Trough of Bowland
1561 Whins Brow
Slaidburn
Potters Brook
LANCASTER
Hawthornthwaite Fell Top 1572
Street
Sykes
OF
Paythorne
Newsholme
Forton
Hareden
Dunsop Bridge
Newton
Lane Ends
Horton
Calder Fell
Scorton
Holden
Bolton-by-Bowland
R. Ribble
Gisburn
Bracewell
BOWLAND
Easington Fell 1300
Cabus
Oakenclough
Sawley
Barnoldswick
Rimington
Grindleton
Howgill
Salterforth
Whitewell
Fair Snape Fell
Browsholme Hall
Calder Vale
West Bradford
Chatburn
Garstang
Bonds
Bowgreave
Horrocksford
Downham
Twiston
Churchtown
Brock Valley
Catterall
Chipping
Waddington
Bashall Eaves
Bashall Town
Clitheroe
Worston
Claughton
873 Beacon Fell
White Chapel
Walker Fold
Low Moor
Clitheroe Castle
Inglewhite
Hesketh Lane
Longridge Fell
Bilsborrow
Myerscough
Woodfields
Pendleton
Knowle Green
New Row
Stonyhurst College
Great Mitton
Barrow
Barrowford
Cuddy Hill
Barton
Longridge
Hurst Green
Wiswell
Sabden
Brierfield
Ward Green Cross
Higham
Newsham
Goosnargh
Stydd
Dinckley
Whalley
Chingle Hall

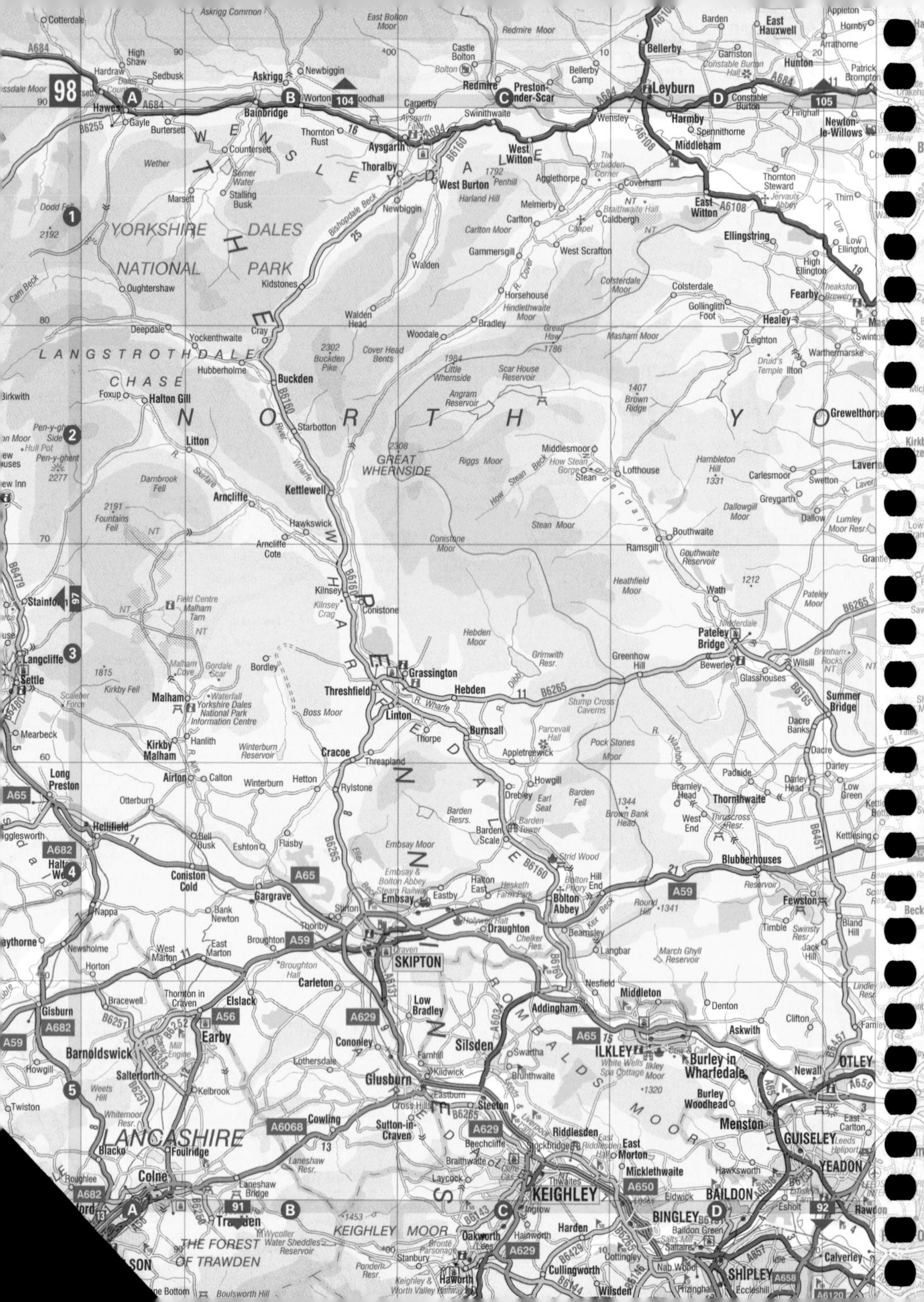
98
Askrigg Common
East Bolton Moor
Redmire Moor
Barden
East Hauxwell
Appleton
Hornby
Cotterdale
A684
High Shaw
Hardraw
Sedbusk
Askrigg
Newbiggin
Castle Bolton
Bellerby
Bellerby Camp
Bellerby
Garriston
Constable Burton Hall
Hunton
Arrathorne
Patrick Brompton
Hawes
Gayle
Burtersett
Bainbridge
Worton
104
Carperby
Aysgarth Falls
Redmire
Preston-under-Scar
Leyburn
Wensley
Constable Burton
Finghall
105
Harmby
Spennithorne
Newton-le-Willows
Middleham
B6255
Thornton Rust
Aysgarth
Swinithwaite
West Witton
B6160
A6108
Countersett
Semer Water
Stalling Busk
Marsett
Wether
Dodd Fell
2192
Thoralby
West Burton
1792 Penhill
Agglethorpe
Coverham
The Forbidden Corner
Thornton Steward
Jervaulx Abbey
Thirn
East Witton
Harland Hill
Melmerby
Carlton
Braithwaite Hall
Caldbergh
Chapel
Newbiggin
YORKSHIRE DALES
NATIONAL PARK
WENSLEYDALE
Bishopdale Beck
Carlton Moor
Gammersgill
West Scrafton
Ellingstring
Low Ellington
High Ellington
Walden
Cam Beck
Oughtershaw
Kidstones
Horsehouse
Hindlethwaite Moor
Coverdale Moor
Colsterdale
Gollinglith Foot
Fearby
Theakston Brewery
Healey
Walden Head
Woodale
Bradley
Great Haw 1786
Masham Moor
Leighton
Swinton
Warthermarske
Deepdale
Yockenthwaite
Cray
LANGSTROTHDALE
CHASE
Hubberholme
2302 Buckden Pike
Cover Head Bents
1984 Little Whernside
Scar House Reservoir
Druid's Temple
Ilton
Buckden
Foxup
Halton Gill
Birkwith
Angram Reservoir
1407 Brown Ridge
NORTH YO
Grewelthorpe
Pen-y-ghent Side
Hull Pot
Pen-y-ghent
2277
Starbotton
Litton
2308 GREAT WHERNSIDE
Riggs Moor
Middlesmoor
How Stean Gorge
Stean
Lofthouse
Hambleton Hill 1331
Carlesmoor
Swetton
Laverton
Greygarth
Darnbrook Fell
Skirfare
Wharfe
Kettlewell
Arncliffe
How Stean Beck
Nidderdale
Dallowgill Moor
Dallow
Lumley Moor Resr.
2191 Fountains Fell
Hawkswick
Arncliffe Cote
Stean Moor
Conistone Moor
Bouthwaite
Ramsgill
Gouthwaite Reservoir
Grantley
B6479
B6160
Kilnsey
Kilnsey Crag
Conistone
Heathfield Moor
1212
Wath
Pateley Moor
B6265
Stainforth
97
Field Centre Malham Tarn
Hebden Moor
Nidderdale
Pateley Bridge
Langcliffe
Settle
1815
Kirkby Fell
Malham Cove
Gordale Scar
Bordley
Grassington
Grimwith Resr.
Greenhow Hill
Bewerley
Glasshouses
Wilsill
Brimham Rocks
Scaleber Force
Malham
Waterfall Yorkshire Dales National Park Information Centre
Threshfield
Hebden
Dibb
Stump Cross Caverns
Summer Bridge
B6165
Boss Moor
Linton
R. Wharfe
Burnsall
Thorpe
Parcevall Hall
Appletreewick
Pock Stones Moor
R. Washburn
Dacre Banks
Dacre
Mearbeck
Kirkby Malham
Hanlith
Winterburn Reservoir
Cracoe
Threapland
Howgill
Padside
Darley
Darley Head
Low Green
Long Preston
Airton
Calton
Winterburn
Hetton
Rylstone
Drebley
Earl Seat
Barden Fell
1344 Brown Bank Head
Bramley Head
Thornthwaite
West End
Thruscross Resr.
B6451
A65
Otterburn
Hellifield
Barden Resrs.
Barden Scale
Barden Tower
Kettlesing
A682
Bell Busk
Eshton
Flasby
Embsay Moor
B6265
Strid Wood
Blubberhouses
Coniston Cold
Embsay & Bolton Abbey Steam Railway
Halton East
Hesketh Farm Park
Bolton Priory
Hill End
A59
Gargrave
Embsay
Eastby
Bolton Abbey
Round Hill 1341
Fewston
Nappa
Bank Newton
Stirton
Thorlby
Holywell Halt
Draughton
Chelker Res.
Beamsley
Kex Beck
Timble
Swinsty Resr.
Bland Hill
Newsholme
West Marton
East Marton
Broughton
A59
SKIPTON
Langbar
March Ghyll Reservoir
Jack Hill
Horton
Broughton Hall
Carleton
B6160
Nesfield
Middleton
Gisburn
Bracewell
Thornton in Craven
Elslack
A56
Low Bradley
Addingham
Denton
Clifton
Farnley
A682
B6251
B6252
Mill Engine
Earby
A629
A6034
A65
Askwith
Barnoldswick
Cononley
Silsden
ILKLEY
White Wells Spa Cottage
Ilkley Moor
Burley in Wharfedale
A6038
A659
OTLEY
Newall
Howgill
Salterforth
B6383
Lothersdale
Farnhill
Kildwick
Swartha
Brunthwaite
Leeds & Liverpool Canal
ROMBALDS MOOR
Weets Hill
Kelbrook
Glusburn
Eastburn
Steeton
1320
Burley Woodhead
Twiston
Whitemoor Resr.
Cross Hills
B6265
Menston
East Carlton
LANCASHIRE
A6068
Cowling
Sutton-in-Craven
A629
Riddlesden
GUISELEY
Blacko
Foulridge
13
Laneshaw Resr.
Beechcliffe
Stockbridge
East Riddlesden Hall
East Morton
Leeds Heliport
Roughlee
Colne
Braithwaite
Laycock
Micklethwaite
Hawksworth
YEADON
A682
Laneshaw Bridge
Thwaites
KEIGHLEY
A650
Eldwick
BAILDON
Esholt
92
Rawdon
91
Trawden
1453
KEIGHLEY MOOR
Ingrow
B6143
BINGLEY
Baildon Green
Wycoller
Water Sheddles Reservoir
Oakworth
Hainworth
Harden
Saltaire
Salts Mill
THE FOREST OF TRAWDEN
Brontë Parsonage
A629
B6429
Cottingley
A657
Idle
Calverley
SON
Ponden Resr.
Stanbury
Cullingworth
Nab Wood
Haworth
Keighley & Worth Valley Railway
B6144
Wilsden
Frizinghall
SHIPLEY
A658
Eccleshill
Boulsworth Hill

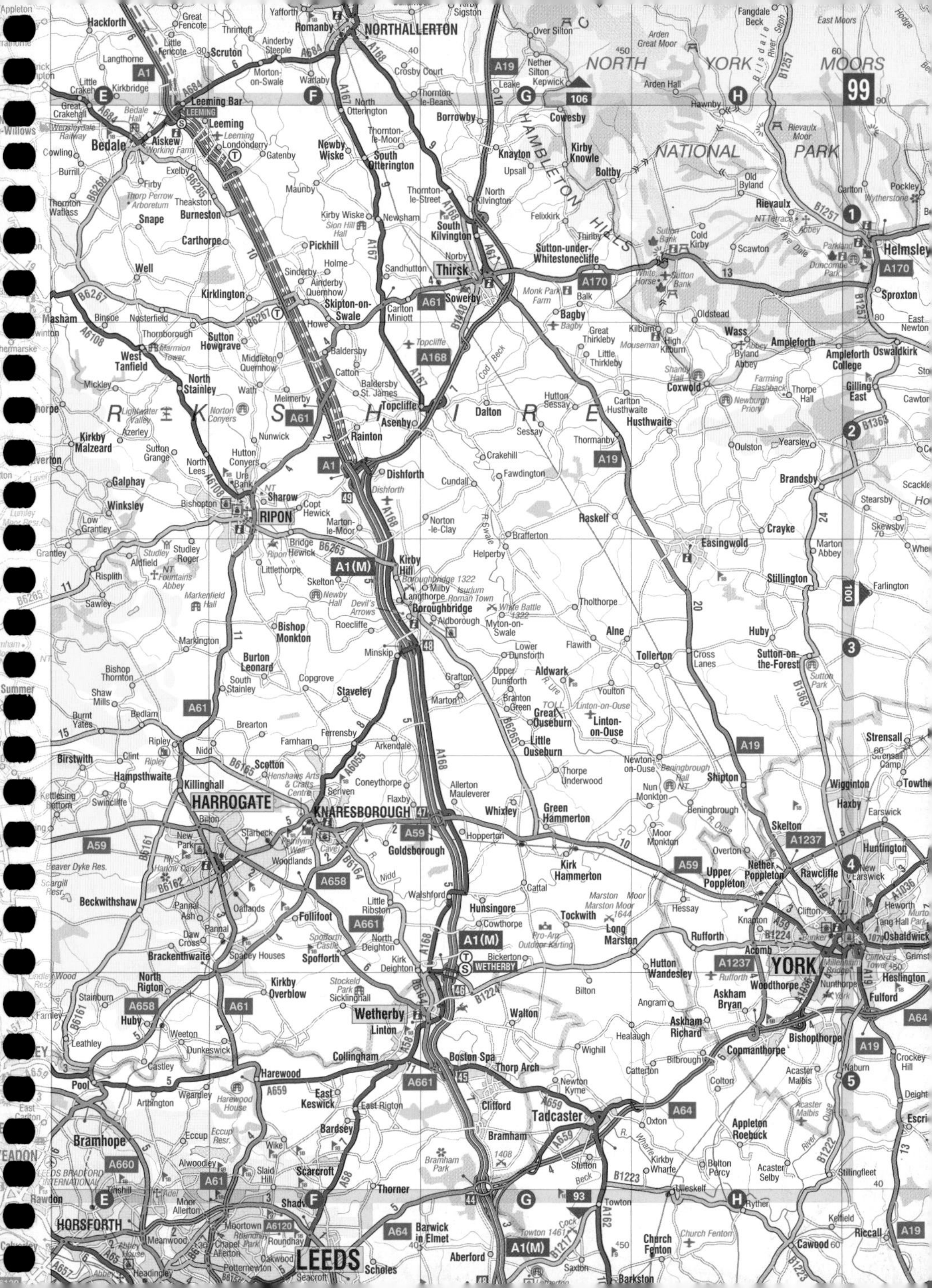

99
NORTH YORK MOORS
NATIONAL PARK
HAMBLETON HILLS
YORKSHIRE
NORTHALLERTON
Romanby
Yafforth
Brompton
Kirby Sigston
Over Silton
Nether Silton
Kepwick
Leake
Arden Great Moor
Arden Hall
Fangdale Beck
Bilsdale
River Seph
East Moors
Hawnby
Rievaulx Moor
Hackforth
Great Fencote
Little Fencote
Thrintoft
Scruton
Ainderby Steeple
Morton-on-Swale
Warlaby
Crosby Court
Thornton-le-Beans
Langthorne
Little Crakehall
Great Crakehall
Kirkbridge
Leeming Bar
LEEMING
Leeming
Bedale
Bedale Hall
Wensleydale Railway
Aiskew
Londonderry
Gatenby
Cowling
Burrill
Exelby
Firby
Thorp Perrow Arboretum
Theakston
Snape
Burneston
Thornton Watlass
Carthorpe
Well
Kirklington
Masham
Binsoe
Nosterfield
Thornborough
Sutton Howgrave
West Tanfield
Marmion Tower
Middleton Quernhow
Mickley
North Stainley
Wath
Norton Conyers
Melmerby
Lightwater Valley
Azerley
Kirkby Malzeard
Nunwick
Sutton Grange
Hutton Conyers
North Lees
Ure Bank
Galphay
Sharow
Winksley
Bishopton
RIPON
Copt Hewick
Low Grantley
Marton-le-Moor
Grantley
Studley Roger
Aldfield
NT Fountains Abbey
Risplith
Sawley
Markenfield Hall
Bridge Hewick
Littlethorpe
Skelton
Newby Hall
Devil's Arrows
Kirby Hill
Boroughbridge 1322
Milby
Isurium Roman Town
Langthorpe
Boroughbridge
Aldborough
Roecliffe
Bishop Monkton
Markington
Burton Leonard
Minskip
Bishop Thornton
South Stainley
Copgrove
Staveley
Shaw Mills
Burnt Yates
Bedlam
Brearton
Ferrensby
Farnham
Arkendale
Ripley
Nidd
Clint
Birstwith
Hampsthwaite
Scotton
Killinghall
HARROGATE
KNARESBOROUGH
Coneythorpe
Flaxby
Scriven
Bilton
Starbeck
New Park
Harlow Carr
Beaver Dyke Res.
Woodlands
Goldsborough
Beckwithshaw
Pannal Ash
Oatlands
Pannal
Follifoot
Little Ribston
Daw Cross
Brackenthwaite
Spacey Houses
Spofforth
Spofforth Castle
North Deighton
Kirk Deighton
North Rigton
Kirkby Overblow
Stockeld Park
Sicklinghall
Wetherby
Linton
Stainburn
Huby
Weeton
Dunkeswick
Leathley
Castley
Pool
Harewood
Harewood House
Arthington
Weardley
East Keswick
Collingham
Bramhope
Eccup
Eccup Resr.
Bardsey
Wike
Alwoodley
Slaid Hill
Scarcroft
Thorner
Shadwell
Moor Allerton
Moortown
Roundhay
Chapel Allerton
Meanwood
Potternewton
Headingley
Oakwood
LEEDS
Seacroft
Scholes
Barwick in Elmet
Aberford
HORSFORTH
Rawdon
LEEDS BRADFORD INTERNATIONAL
YEADON
North Otterington
Thornton-le-Moor
Newby Wiske
South Otterington
Maunby
Kirby Wiske
Sion Hill
Newsham
Pickhill
Holme
Sinderby
Ainderby Quernhow
Sandhutton
Skipton-on-Swale
Carlton Miniott
Howe
Baldersby
Topcliffe
Catton
Baldersby St. James
Asenby
Rainton
Dishforth
Thornton-le-Street
North Kilvington
South Kilvington
Thirsk
Sowerby
Norby
Borrowby
Cowesby
Knayton
Upsall
Kirby Knowle
Boltby
Felixkirk
Thirlby
Sutton-under-Whitestonecliffe
Sutton Bank
White Horse
Cold Kirby
Scawton
Old Byland
Rievaulx
Carlton
Pockley
Wytherstone
Helmsley
Duncombe Park
Sproxton
Monk Park Farm
Balk
Bagby
Great Thirkleby
Little Thirkleby
Kilburn
High Kilburn
Mouseman
Oldstead
Wass
Byland Abbey
Ampleforth
Ampleforth College
Oswaldkirk
Gilling East
Coxwold
Shandy Hall
Newburgh Priory
Farming Flashback
Thorpe Hall
Dalton
Hutton Sessay
Sessay
Carlton Husthwaite
Husthwaite
Thormanby
Crakehill
Fawdington
Cundall
Norton-le-Clay
Brafferton
Helperby
Raskelf
Easingwold
Oulston
Yearsley
Brandsby
Crayke
Stearsby
Skewsby
Marton Abbey
Stillington
Farlington
Huby
Sutton-on-the-Forest
Sutton Park
White Battle 1322
Myton-on-Swale
Tholthorpe
Lower Dunsforth
Upper Dunsforth
Flawith
Alne
Tollerton
Cross Lanes
Aldwark
Youlton
Grafton
Marton
Branton Green
Great Ouseburn
Little Ouseburn
Linton-on-Ouse
Thorpe Underwood
Newton-on-Ouse
Beningbrough Hall
Nun Monkton
Beningbrough
Shipton
Allerton Mauleverer
Whixley
Green Hammerton
Hopperton
Kirk Hammerton
Moor Monkton
Overton
Strensall
Strensall Camp
Wigginton
Towthorpe
Haxby
Earswick
Skelton
Nether Poppleton
Upper Poppleton
Rawcliffe
Huntington
New Earswick
Hessay
Clifton
Heworth
Tang Hall Park
Osbaldwick
Knapton
Acomb
YORK
Cattal
Marston Moor
Marston Moor 1644
Walshford
Hunsingore
Cowthorpe
Tockwith
Long Marston
Rufforth
Pro-Am Outdoor Karting
Bickerton
WETHERBY
Hutton Wandesley
Bilton
Askham Bryan
Woodthorpe
Nunthorpe
Heslington
Fulford
Angram
Askham Richard
Bishopthorpe
Healaugh
Walton
Boston Spa
Thorp Arch
Wighill
Catterton
Bilbrough
Copmanthorpe
Acaster Malbis
Naburn
Crockey Hill
Deighton
Newton Kyme
Clifford
Tadcaster
Bramham
Bramham Park
Colton
Oxton
Appleton Roebuck
Stutton
Kirkby Wharfe
Bolton Percy
Acaster Selby
Stillingfleet
Escrick
Towton
Towton 1461
Ulleskelf
Ryther
Kelfield
Church Fenton
Riccall
Cawood
Saxton
Barkston

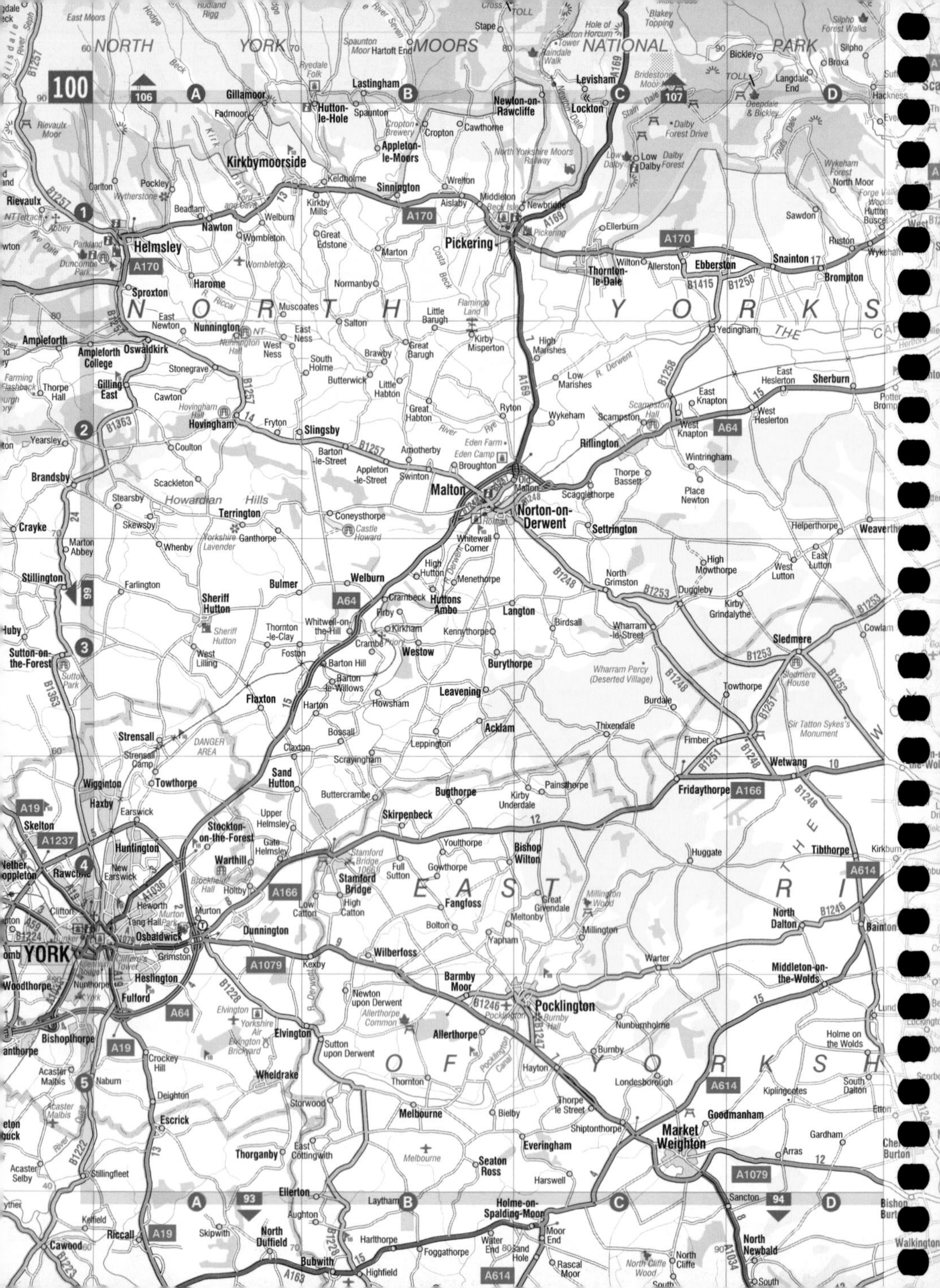
100
NORTH YORK MOORS NATIONAL PARK
NORTH YORKS
EAST RIDING OF YORKSHIRE
Howardian Hills
A B C D
106
107
93
94
99
Gillamoor
Lastingham
Hutton-le-Hole
Spaunton
Fadmoor
Kirkbymoorside
Appleton-le-Moors
Cropton
Cawthorne
Newton-on-Rawcliffe
Levisham
Lockton
Stape
Hole of Horcum
Bickley
Broxa
Langdale End
Hackness
Dalby Forest Drive
Low Dalby
Keldholme
Sinnington
Wrelton
Aislaby
Middleton
Newbridge
Pickering
Ellerburn
Thornton-le-Dale
Wilton
Allerston
Ebberston
Snainton
Brompton
Ruston
Wykeham
Sawdon
North Moor
Hutton Buscel
Rievaulx
Helmsley
Carlton
Pockley
Beadlam
Nawton
Welburn
Wombleton
Kirkby Mills
Great Edstone
Marton
Normanby
Harome
Sproxton
Duncombe Park
East Newton
Nunnington
Muscoates
Salton
East Ness
West Ness
South Holme
Little Barugh
Great Barugh
Kirby Misperton
Flamingo Land
High Marishes
Low Marishes
Ampleforth
Ampleforth College
Oswaldkirk
Stonegrave
Gilling East
Thorpe Hall
Cawton
Hovingham
Fryton
Slingsby
Brawby
Butterwick
Little Habton
Great Habton
Ryton
Wykeham
Scampston
East Knapton
West Knapton
Rillington
East Heslerton
West Heslerton
Sherburn
Yedingham
Yearsley
Coulton
Brandsby
Scackleton
Barton-le-Street
Appleton-le-Street
Amotherby
Swinton
Broughton
Eden Camp
Malton
Old Malton
Norton-on-Derwent
Scagglethorpe
Thorpe Bassett
Wintringham
Place Newton
Settrington
Stearsby
Terrington
Skewsby
Crayke
Ganthorpe
Coneysthorpe
Castle Howard
Whenby
Marton Abbey
Whitewall Corner
High Hutton
Menethorpe
Farlington
Stillington
Sheriff Hutton
Bulmer
Welburn
Crambeck
Huttons Ambo
Langton
Birdsall
North Grimston
Duggleby
High Mowthorpe
Helperthorpe
West Lutton
East Lutton
Weaverthorpe
Kirby Grindalythe
Huby
Sutton-on-the-Forest
Thornton-le-Clay
Whitwell-on-the-Hill
Firby
Kirkham
Crambe
Westow
Kennythorpe
Wharram-le-Street
Wharram Percy (Deserted Village)
Sledmere
Sledmere House
Cowlam
West Lilling
Foston
Barton Hill
Barton-le-Willows
Burythorpe
Leavening
Howsham
Harton
Flaxton
Acklam
Thixendale
Burdale
Towthorpe
Fimber
Sir Tatton Sykes's Monument
Strensall
Strensall Camp
Bossall
Claxton
Scrayingham
Leppington
Wetwang
Fridaythorpe
Wigginton
Towthorpe
Sand Hutton
Buttercrambe
Bugthorpe
Kirby Underdale
Painsthorpe
Haxby
Earswick
Upper Helmsley
Gate Helmsley
Skirpenbeck
Skelton
Huntington
Stockton-on-the-Forest
Warthill
Youlthorpe
Bishop Wilton
Huggate
Tibthorpe
Kirkburn
Nether Poppleton
Rawcliffe
New Earswick
Holtby
Stamford Bridge
Full Sutton
Gowthorpe
Low Catton
High Catton
Fangfoss
Great Givendale
Millington
North Dalton
Bainton
Clifton
Heworth
Tang Hall
Murton
Dunnington
Bolton
Meltonby
Yapham
YORK
Osbaldwick
Grimston
Wilberfoss
Kexby
Warter
Middleton-on-the-Wolds
Woodthorpe
Heslington
Nunthorpe
Fulford
Elvington
Newton upon Derwent
Barmby Moor
Pocklington
Nunburnholme
Lund
Bishopthorpe
Sutton upon Derwent
Allerthorpe
Allerthorpe Common
Burnby
Holme on the Wolds
Acaster Malbis
Naburn
Crockey Hill
Wheldrake
Thornton
Hayton
Londesborough
South Dalton
Deighton
Storwood
Melbourne
Bielby
Thorpe le Street
Shiptonthorpe
Goodmanham
Kiplingcotes
Etton
Escrick
Market Weighton
Gardham
Cherry Burton
Arras
Acaster Selby
Stillingfleet
Thorganby
East Cottingwith
Seaton Ross
Everingham
Harswell
Ellerton
Laytham
Holme-on-Spalding-Moor
Sancton
Bishop Burton
Kelfield
Aughton
Riccall
Skipwith
North Duffield
Harlthorpe
Moor End
Water End
Sand Hole
North Newbald
Walkington
Cawood
Bubwith
Foggathorpe
Rascal Moor
North Cliffe
North Cliffe Wood
Highfield
A170
A169
A64
A166
A614
A1079
A19
A1237
A1036
A163
A1034
B1257
B1363
B1248
B1253
B1251
B1252
B1246
B1247
B1228
B1222
B1223
B1224
B1415
B1258

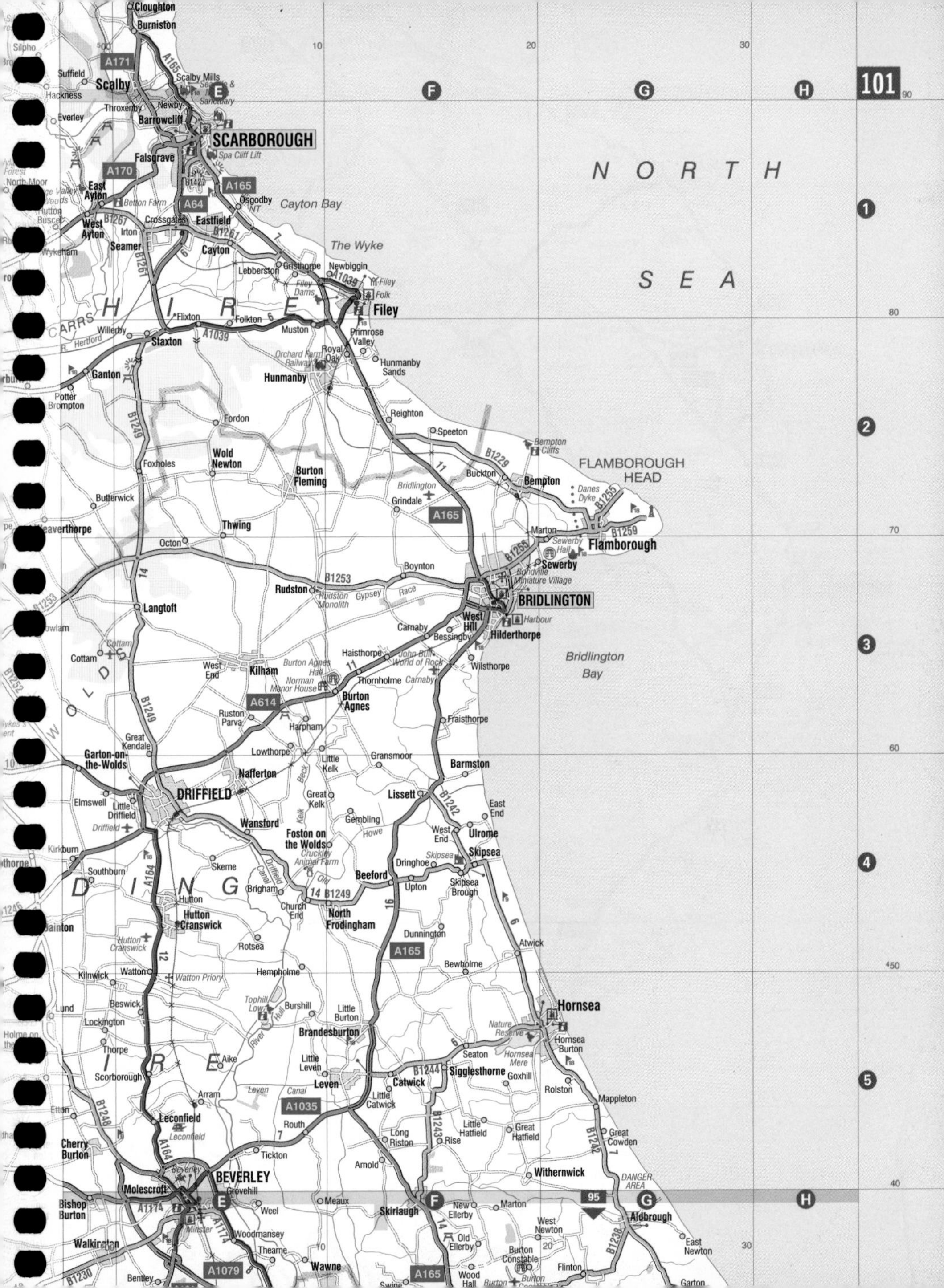

NORTH SEA
FLAMBOROUGH HEAD
Bridlington Bay
Cayton Bay
The Wyke
SCARBOROUGH
BRIDLINGTON
DRIFFIELD
BEVERLEY
Cloughton
Burniston
Scalby Mills
Sea Life & Marine Sanctuary
Suffield
Scalby
Hackness
Silpho
Throxenby
Newby
Everley
Barrowcliff
Spa Cliff Lift
Falsgrave
North Moor
East Ayton
Betton Farm
Osgodby
Hutton Buscel
West Ayton
Crossgates
Eastfield
Irton
Seamer
Cayton
Wykeham
Lebberston
Gristhorpe
Newbiggin
Filey Dams
Filey
Folk
Flixton
Folkton
Muston
Willerby
R. Hertford
CARRS
Staxton
Primrose Valley
Orchard Farm Railway
Royal Oak
Hunmanby Sands
Ganton
Hunmanby
Potter Brompton
Fordon
Reighton
Speeton
Bempton Cliffs
Foxholes
Wold Newton
Burton Fleming
Buckton
Bempton
Danes Dyke
Bridlington
Grindale
Butterwick
Weaverthorpe
Thwing
Marton
Sewerby Hall
Flamborough
Octon
Boynton
Sewerby
Bondville Miniature Village
Rudston
Rudston Monolith
Gypsey Race
Langtoft
Carnaby
West Hill
Bessingby
Harbour
Hilderthorpe
Cottam
Haisthorpe
John Bull World of Rock
Wilsthorpe
West End
Kilham
Burton Agnes Hall
Norman Manor House
Thornholme
Burton Agnes
Ruston Parva
Harpham
Fraisthorpe
Great Kendale
Lowthorpe
Little Kelk
Gransmoor
Garton-on-the-Wolds
Nafferton
Barmston
Elmswell
Little Driffield
Great Kelk
Lissett
East End
Driffield
Wansford
Gembling
Ulrome
Foston on the Wolds
Skipsea
Cruckley Animal Farm
Kirkburn
Southburn
Skerne
Dringhoe
Beeford
Upton
Skipsea Brough
Hutton
Brigham
Church End
North Frodingham
Hutton Cranswick
Dunnington
Rotsea
Atwick
Kilnwick
Watton
Watton Priory
Hempholme
Bewholme
Lund
Beswick
Tophill Low
Burshill
Little Burton
Hornsea
Lockington
River Hull
Brandesburton
Nature Reserve
Hornsea Mere
Hornsea Burton
Thorpe
Aike
Little Leven
Seaton
Scorborough
Leven
Sigglesthorne
Goxhill
Catwick
Rolston
Arram
Leven Canal
Little Catwick
Mappleton
Etton
Leconfield
Routh
Little Hatfield
Great Hatfield
Great Cowden
Cherry Burton
Long Riston
Rise
Tickton
Arnold
Withernwick
DANGER AREA
Molescroft
Grovehill
Bishop Burton
Meaux
New Ellerby
Marton
Aldbrough
Weel
Skirlaugh
West Newton
Minster
Woodmansey
Old Ellerby
East Newton
Walkington
Thearne
Burton Constable
Wawne
Flinton
Bentley
Wood Hall
Garton
A171
A165
A170
A64
A1039
A614
A1035
A164
A1174
A1079
B1261
B1249
B1229
B1255
B1259
B1253
B1242
B1244
B1243
B1248
B1238
B1230
B1252
E
F
G
H
1
2
3
4
5
10
20
30
40
50
60
70
80
90
95

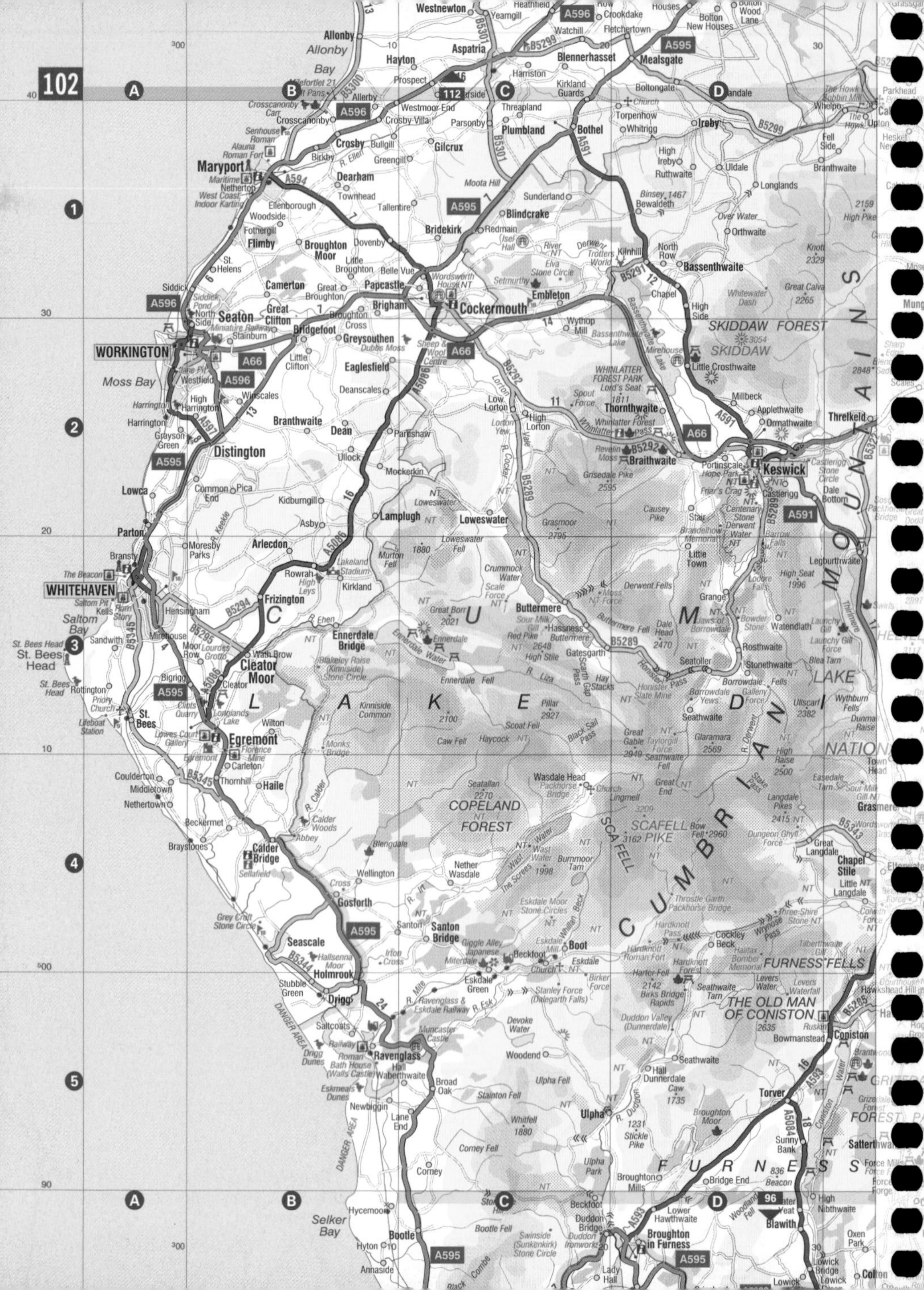
A
B
C
D
1
2
3
4
5
40
30
20
10
500
90
300
Westnewton
Allonby
Allonby Bay
Aspatria
Hayton
Blennerhasset
Mealsgate
Fletchertown
Bolton New Houses
A596
A595
B5299
B5301
B5300
112
Crosscanonby
Crosby
Gilcrux
Plumbland
Bothel
Torpenhow
Ireby
Uldale
Maryport
Dearham
Ellenborough
Flimby
Broughton Moor
Dovenby
Bridekirk
Blindcrake
Sunderland
Bewaldeth
Bassenthwaite
Camerton
Great Clifton
Seaton
Papcastle
Brigham
Cockermouth
Embleton
WORKINGTON
Moss Bay
Bridgefoot
Greysouthen
Eaglesfield
A66
A594
A591
Harrington
High Harrington
Distington
Branthwaite
Dean
Lowca
Parton
Moresby Parks
Arlecdon
Lamplugh
Loweswater
Keswick
Portinscale
Braithwaite
Thornthwaite
WHINLATTER FOREST PARK
SKIDDAW FOREST
SKIDDAW
Threlkeld
B5292
B5289
A5086
A597
WHITEHAVEN
Saltom Bay
St. Bees Head
Hensingham
Frizington
Kirkland
Cleator Moor
Ennerdale Bridge
Ennerdale Water
Buttermere
Crummock Water
Grange
Rosthwaite
Seatoller
B5294
B5295
B5345
St. Bees
Egremont
Cleator
Wilton
Haile
Thornhill
Carleton
Pillar
Great Gable
Glaramara
Scoat Fell
Haycock
Caw Fell
Seatallan
COPELAND FOREST
Wasdale Head
SCAFELL PIKE
SCA FELL
Bow Fell
Langdale Pikes
Grasmere
Chapel Stile
Beckermet
Braystones
Calder Bridge
Sellafield
Wellington
Nether Wasdale
Gosforth
Santon Bridge
Seascale
Holmrook
Drigg
Boot
Eskdale Green
Beckfoot
Ravenglass
Muncaster Castle
Devoke Water
Waberthwaite
Broad Oak
Ulpha
Seathwaite
Cockley Beck
Hardknott Pass
Wrynose Pass
FURNESS FELLS
THE OLD MAN OF CONISTON
Coniston
Torver
Bowmanstead
Corney
Broughton Mills
Bridge End
Beckfoot
Duddon Bridge
Broughton in Furness
Blawith
Lowick
Selker Bay
Hycemoor
Bootle
Annaside
Hyton
A593
A5084
B5285
B5343
B5344
96
DANGER AREA
L A K E
C U M B R I A N
M O U N T A I N S
F U R N E S S
LAKE DISTRICT NATIONAL

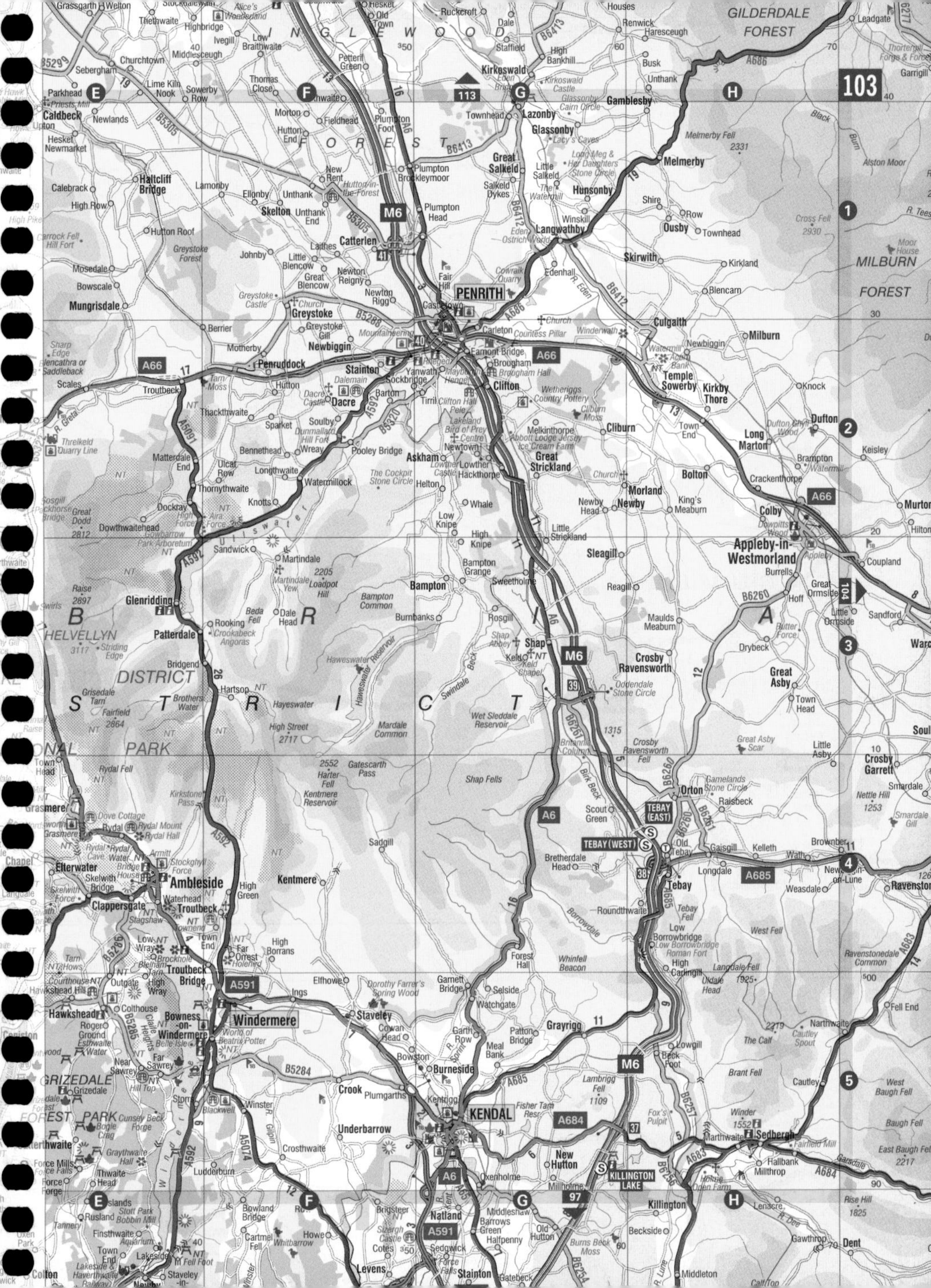
GILDERDALE FOREST
I N G L E W O O D F O R E S T
PENRITH
KENDAL
Windermere
Ambleside
Appleby-in-Westmorland
M6
A66
A6
A591
A592
A685
A684
A683
A686
A5091
A5074
B5305
B6413
B6412
B6260
B5284
B5285
B5286
B5320
B6261
B6257
B6255
B6254
B6263
B5299
113
104
97
E
F
G
H
1
2
3
4
5
TEBAY (EAST)
TEBAY (WEST)
KILLINGTON LAKE
Caldbeck
Hesket Newmarket
Sebergham
Parkhead
Churchtown
Welton
Thethwaite
Highbridge
Ivegill
Middlesceugh
Low Braithwaite
Lime Kiln Nook
Sowerby Row
Newlands
Thomas Close
Petteril Green
Morton
Fieldhead
Plumpton Foot
Hutton End
Plumpton
Brockleymoor
New Rent
Hutton-in-the-Forest
Kirkoswald
Lazonby
Glassonby
Gamblesby
Melmerby
Great Salkeld
Little Salkeld
Salkeld Dykes
Hunsonby
Langwathby
Ousby
Skirwith
Kirkland
Blencarn
Culgaith
Milburn
Newbiggin
Temple Sowerby
Kirkby Thore
Knock
Dufton
Long Marton
Bolton
Brampton
Keisley
Crackenthorpe
Colby
Murton
Hilton
Coupland
Burrells
Hoff
Great Ormside
Little Ormside
Sandford
Drybeck
Great Asby
Town Head
Little Asby
Crosby Garrett
Smardale
Nettle Hill 1253
Ravenstonedale Common
Fell End
Narthwaite
The Calf
Cautley Spout
Cautley
West Baugh Fell
Baugh Fell
East Baugh Fell 2217
Sedbergh
Millthrop
Hallbank
Marthwaite
Rise Hill 1825
Dent
Gawthrop
Lenacre
Calebrack
Haltcliff Bridge
High Row
Hutton Roof
Greystoke Forest
Mosedale
Bowscale
Mungrisdale
Berrier
Motherby
Penruddock
Troutbeck
Scales
Hutton
Skelton
Unthank
Ellonby
Lamonby
Johnby
Little Blencow
Great Blencow
Newton Reigny
Newton Rigg
Catterlen
Laithes
Plumpton Head
Fair Hill
Greystoke
Greystoke Castle
Greystoke Gill
Newbiggin
Stainton
Sockbridge
Yanwath
Eamont Bridge
Brougham
Brougham Hall
Carleton
Countess Pillar
Clifton
Dacre
Dacre Castle
Dalemain
Barton
Tirril
Soulby
Sparket
Thackthwaite
Bennethead
Wreay
Pooley Bridge
Matterdale End
Ulcat Row
Longthwaite
Watermillock
Thornythwaite
Dockray
Knotts
Aira Force
Ullswater
Dowthwaitehead
Great Dodd 2812
Askham
Lowther Castle
Lowther
Hackthorpe
Helton
Whale
Low Knipe
High Knipe
Martindale
Sandwick
Loadpot Hill 2205
Bampton
Bampton Grange
Bampton Common
Burnbanks
Rosgill
Sweetholme
Shap
Shap Abbey
Keld
Haweswater Reservoir
Melkinthorpe
Great Strickland
Little Strickland
Cliburn
Morland
Newby
Newby Head
King's Meaburn
Sleagill
Reagill
Maulds Meaburn
Crosby Ravensworth
Oddendale Stone Circle
Crosby Ravensworth Fell
Orton
Raisbeck
Gaisgill
Kelleth
Brownber
Newbiggin-on-Lune
Weasdale
Ravenstonedale
Longdale
Old Tebay
Tebay
Tebay Fell
Roundthwaite
Low Borrowbridge
High Carlingill
Langdale Fell 1925
West Fell
Borrowdale
Bretherdale Head
Scout Green
Shap Fells
Wet Sleddale Reservoir
Mardale Common
Swindale Beck
High Street 2717
Hayeswater
Hartsop
Brothers Water
Patterdale
Rooking
Glenridding
HELVELLYN 3117
Raise 2897
Fairfield 2864
Grisedale Tarn
Striding Edge
Bridgend
Harter Fell 2552
Gatescarth Pass
Kentmere Reservoir
Kirkstone Pass
Rydal Fell
Grasmere
Rydal
Rydal Mount
Dove Cottage
Elterwater
Skelwith Bridge
Clappersgate
Waterhead
Troutbeck
High Green
Town End
Kentmere
Sadgill
High Borrans
Far Orrest
Low Wray
Troutbeck Bridge
Outgate
High Wray
Hawkshead
Hawkshead Hill
Colthouse
Bowness-on-Windermere
Far Sawrey
Near Sawrey
Hill Top
Grizedale
GRIZEDALE FOREST PARK
Storrs
Winster
Ludderburn
Cunsey
Satterthwaite
Force Mills
Thwaite Head
Graythwaite Hall
Esthwaite Water
Ings
Elfhowe
Staveley
Cowan Head
Bowston
Burneside
Crook
Plumgarths
Underbarrow
Crosthwaite
Kentrigg
Garnett Bridge
Selside
Watchgate
Forest Hall
Whinfell Beacon
Grayrigg
Patton Bridge
Meal Bank
Lambrigg Fell 1109
Fisher Tarn Resr
Lowgill
Beck Foot
Brant Fell
Fox's Pulpit
New Hutton
Millholme
Oxenholme
Killington
Natland
Middleshaw
Barrows Green
Halfpenny
Old Hutton
Beckside
Sedgwick
Sizergh Castle
Brigsteer
Levens
Stainton
Gatebeck
Middleton
Howe
Cotes
Bowland Bridge
Cartmel Fell
Whitbarrow
Lakeside
Finsthwaite
Rusland
Town End
Colton
Newby Bridge
Staveley-in-Cartmel
Fell Foot
Black Burn
Melmerby Fell 2331
Alston Moor
Cross Fell 2930
Moor House
MILBURN FOREST
R. Tees
Leadgate
Garrigill
Ruckcroft
Dale
Staffield
Renwick
Haresceugh
High Bankhill
Busk
Unthank
Houses
Shire
Row
Townhead
Winskill
Edenhall
Cliburn Moss
Wetheriggs Country Pottery
Winderwath
Acorn Bank
Town End
B
A
R
I
HELVELLYN
DISTRICT
S T R I C T
NATIONAL PARK

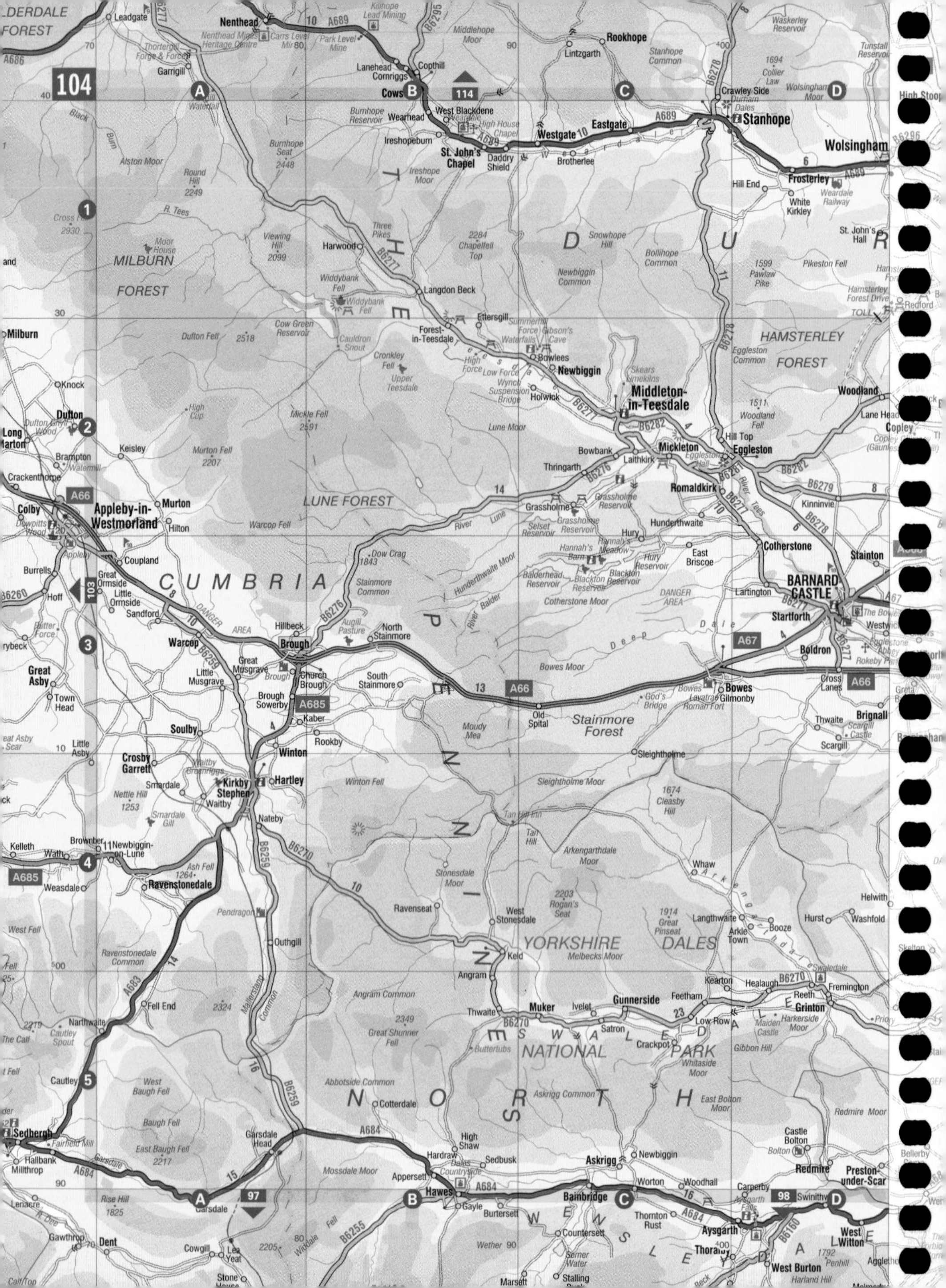

104
114
103
97
98
Nenthead
Nenthead Mines Heritage Centre
Carrs Level Mine
Killhope Lead Mining
Park Level Mine
Middlehope Moor
Rookhope
Lintzgarth
Stanhope Common
Waskerley Reservoir
Tunstall Reservoir
1694 Collier Law
Wolsingham Moor
Leadgate
Thortergill Forge & Force
Garrigill
Lanehead
Cornriggs
Copthill
Cows
West Blackdene
Wearhead
Burnhope Reservoir
High House Chapel
Ireshopeburn
St. John's Chapel
Daddry Shield
Westgate
Eastgate
Brotherlee
Crawley Side
Durham Dales
Stanhope
Wolsingham
Frosterley
Weardale Railway
Hill End
White Kirkley
St. John's Hall
Ashgill Waterfall
Black Burn
Alston Moor
Burnhope Seat 2448
Round Hill 2249
Ireshope Moor
R. Tees
Cross Fell 2930
Moor House
MILBURN FOREST
Viewing Hill 2099
Three Pikes
Harwood
2284 Chapelfell Top
Snowhope Hill
Bollihope Common
Newbiggin Common
1599 Pawlaw Pike
Pikeston Fell
Hamsterley Forest Drive
Redford
Widdybank Fell
Langdon Beck
Cow Green Reservoir
Cauldron Snout
Ettersgill
Summerhill Force
Gibson's Cave
Forest-in-Teesdale
Waterfalls
Dufton Fell
2518
Milburn
Cronkley Fell
Upper Teesdale
High Force
Low Force
Wynch Suspension Bridge
Bowlees
Newbiggin
Holwick
Skears Limekilns
Middleton-in-Teesdale
HAMSTERLEY FOREST
Eggleston Common
1511 Woodland Fell
Woodland
Lane Head
Copley
Knock
Dutton
Dufton Ghyll Wood
High Cup
Mickle Fell 2591
Lune Moor
Hill Top
Eggleston
Eggleston Hall
Long Marton
Keisley
Brampton
Murton Fell 2207
Bowbank
Laithkirk
Mickleton
Thringarth
Romaldkirk
River Tees
Crackenthorpe
Colby
Appleby-in-Westmorland
Murton
Hilton
LUNE FOREST
Warcop Fell
Grassholme
Grassholme Reservoir
Selset Reservoir
Hury
Hunderthwaite
Kinninvie
Cotherstone
Hannah's Meadow
Hury Reservoir
East Briscoe
Stainton
BARNARD CASTLE
Burrells
Coupland
Great Ormside
Little Ormside
Dow Crag 1843
Hunderthwaite Moor
Balderhead Reservoir
Blackton Reservoir
Stainmore Common
Cotherstone Moor
DANGER AREA
Lartington
Startforth
Hoff
Sandford
CUMBRIA
River Balder
Warcop
Hillbeck
Brough
Augill Pasture
North Stainmore
Deepdale
Boldron
Great Musgrave
Little Musgrave
Church Brough
South Stainmore
Bowes Moor
Bowes
Rokeby Park
Cross Lanes
Great Asby
Town Head
Brough Sowerby
Kaber
Old Spital
Stainmore Forest
Gilmonby
God's Bridge
Lavatrae Roman Fort
Thwaite
Brignall
Scargill Castle
Scargill
Soulby
Winton
Rookby
Moudy Mea
Sleightholme
Little Asby
Crosby Garrett
Waitby Greenriggs
Smardale
Kirkby Stephen
Hartley
Winton Fell
Sleightholme Moor
1674 Cleasby Hill
Nettle Hill 1253
Waitby
Smardale Gill
Nateby
Tan Hill Inn
Tan Hill
Arkengarthdale Moor
Kelleth
Wath
Brownber
Newbiggin-on-Lune
Ash Fell 1264
Ravenstonedale
Weasdale
Stonesdale Moor
Whaw
Helwith
Pendragon
Ravenseat
West Stonesdale
2203 Rogan's Seat
1914 Great Pinseat
Langthwaite
Arkle Town
Booze
Hurst
Washfold
West Fell
Outhgill
Ravenstonedale Common
YORKSHIRE DALES
Melbecks Moor
Keld
Angram
Swaledale
Kearton
Healaugh
Reeth
Fremington
Angram Common
Fell End
2324
Mallerstang Common
Thwaite
Muker
Ivelet
Gunnerside
Feetham
Low Row
Grinton
Harkerside Moor
Maiden Castle
Northwaite
Cautley Spout
The Calf
2219
2349 Great Shunner Fell
Satron
Crackpot
Buttertubs
NATIONAL
PARK
Whitaside Moor
Gibbon Hill
Cautley
West Baugh Fell
Abbotside Common
Askrigg Common
East Bolton Moor
Redmire Moor
Cotterdale
NORTH
Baugh Fell
Sedbergh
Fairfield Mill
Garsdale Head
East Baugh Fell 2217
High Shaw
Hardraw
Sedbusk
Askrigg
Newbiggin
Castle Bolton
Bolton Castle
Bellerby
Redmire
Preston-under-Scar
Hallbank
Millthrop
Mossdale Moor
Appersett
Dales Countryside Museum
Worton
Woodhall
Carperby
Aysgarth Falls
Swinithwaite
Hawes
Gayle
Burtersett
Bainbridge
Thornton Rust
Aysgarth
Lenacre
Rise Hill 1825
Garsdale
R. Dee
Countersett
West Witton
Gawthrop
Dent
Cowgill
Lea Yeat
2205
Widdale Fell
Wether Fell
WENSLEYDALE
Semer Water
Thoralby
1792 Penhill
West Burton
Harland Hill
Stone House
Marsett
Stalling Busk
A686
A689
A66
A67
A685
A683
A684
B6277
B6295
B6278
B6296
B6282
B6276
B6279
B6281
B6260
B6259
B6270
B6255
B6160

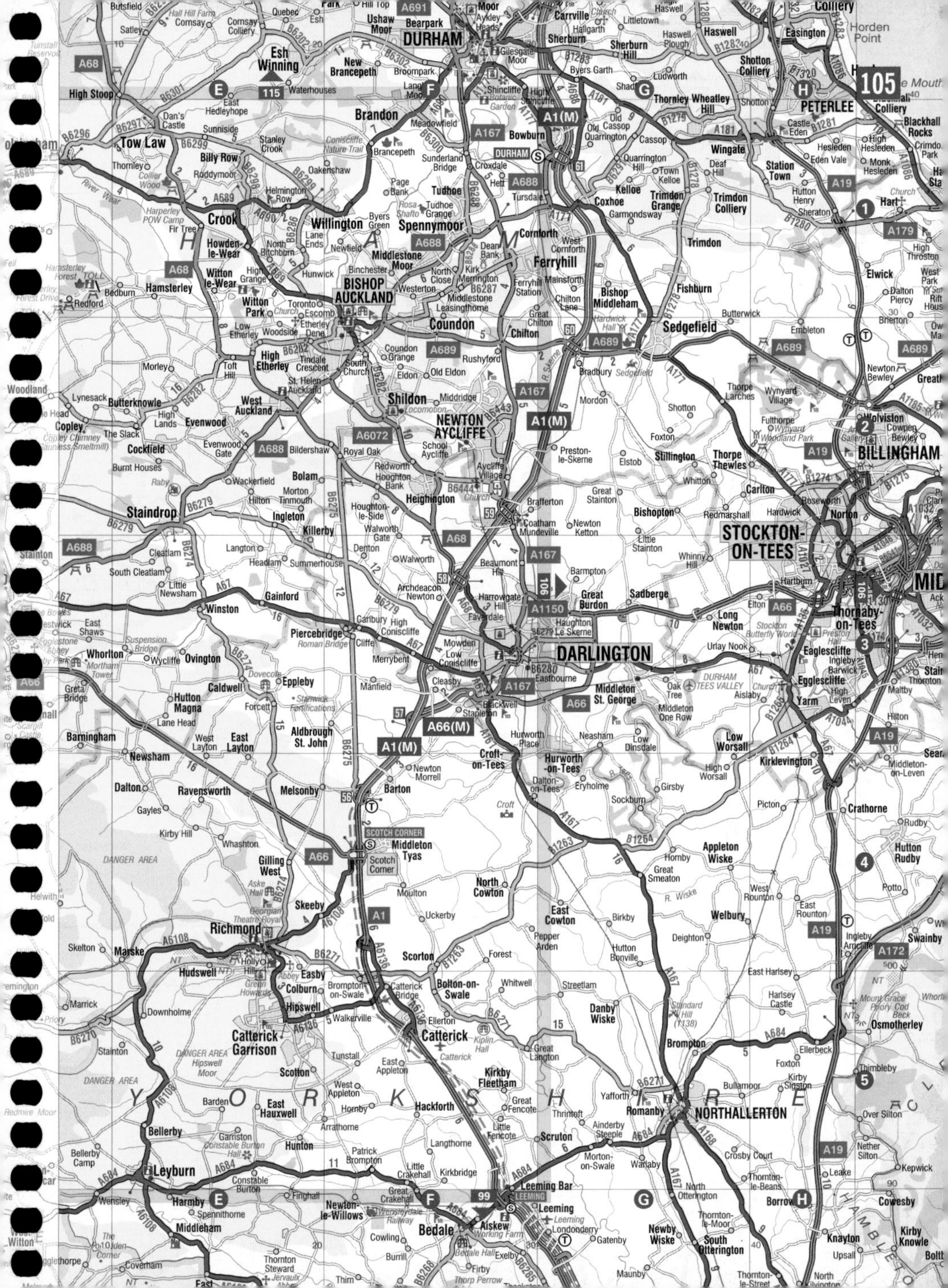

105
DURHAM
Esh Winning
Brandon
Tow Law
Crook
Willington
Spennymoor
Bishop Auckland
Coundon
Chilton
Ferryhill
Shildon
Newton Aycliffe
Sedgefield
Peterlee
Wingate
Trimdon
Fishburn
Billingham
Stockton-on-Tees
Thornaby-on-Tees
Darlington
Middleton St. George
Yarm
Eaglescliffe
Egglescliffe
Staindrop
Gainford
Piercebridge
Winston
Barnard Castle
Richmond
Catterick Garrison
Catterick
Scotch Corner
Middleton Tyas
Croft-on-Tees
Hurworth-on-Tees
Northallerton
Romanby
Bedale
Leyburn
Leeming
Leeming Bar
Middleham
Osmotherley
Crathorne
Hutton Rudby
Appleton Wiske
Great Smeaton
Brompton
North Cowton
East Cowton
Scorton
Brompton-on-Swale
Colburn
Hipswell
Hudswell
Marske
Skeeby
Gilling West
Melsonby
Barton
Aldbrough St. John
Ravensworth
Newsham
Barningham
Whorlton
Ovington
Caldwell
Eppleby
Ingleton
Killerby
Heighington
Bolam
Cockfield
Evenwood
West Auckland
Butterknowle
Hamsterley
Witton-le-Wear
Witton Park
High Etherley
Howden-le-Wear
Billy Row
Sherburn
Bowburn
Kelloe
Coxhoe
Cornforth
Trimdon Grange
Trimdon Colliery
Bishop Middleham
Thorpe Thewles
Stillington
Bishopton
Great Burdon
Sadberge
Long Newton
Low Worsall
Kirklevington
Welbury
Danby Wiske
Hackforth
Kirkby Fleetham
Scruton
Hunton
East Hauxwell
Bellerby
Newton-le-Willows
Aiskew
South Otterington
Newby Wiske
Borrowby
Knayton
Kirby Knowle
Cowesby
Y O R K S H I R E
A1(M)
A1
A66
A66(M)
A67
A68
A167
A177
A181
A19
A689
A688
A684
A6108
A1150
A6072
A172
A179
SCOTCH CORNER
DURHAM
LEEMING

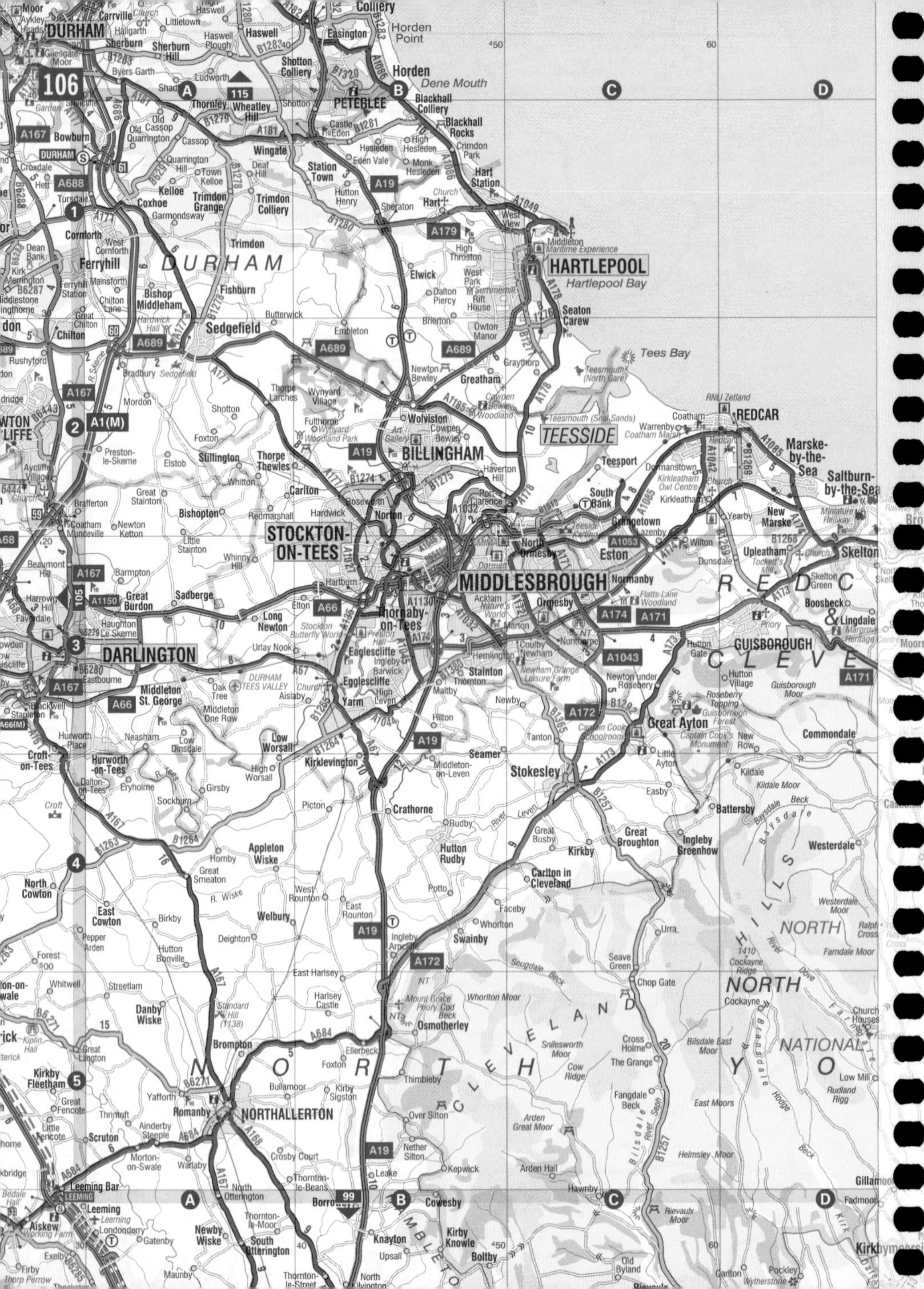
DURHAM
HARTLEPOOL
Hartlepool Bay
Tees Bay
TEESSIDE
REDCAR
BILLINGHAM
STOCKTON-ON-TEES
MIDDLESBROUGH
DARLINGTON
GUISBOROUGH
NORTHALLERTON
PETERLEE
Sedgefield
Ferryhill
Stokesley
Great Ayton
Yarm
Eston
Saltburn-by-the-Sea
Marske-by-the-Sea
Osmotherley
DURHAM
REDCAR & CLEVELAND
CLEVELAND HILLS
NORTH YORK MOORS NATIONAL PARK
NORTH
Horden
Dene Mouth
Horden Point
Blackhall Rocks
Seaton Carew
Thornaby-on-Tees
Skelton
Leeming Bar
Leeming
Kirkbymoorside

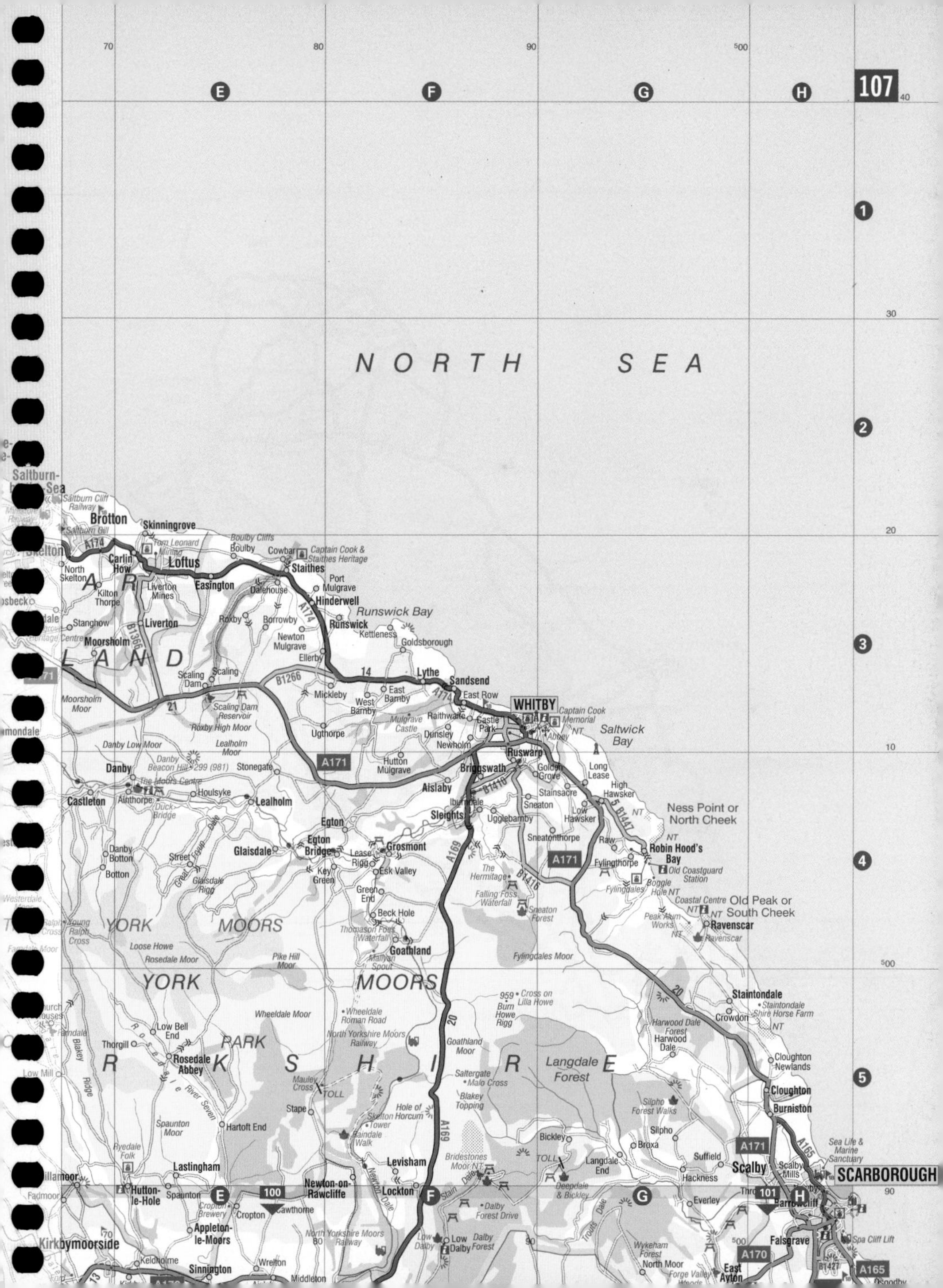

NORTH SEA
WHITBY
SCARBOROUGH
Saltburn-by-the-Sea
Brotton
Skinningrove
Loftus
Carlin How
Easington
Staithes
Hinderwell
Runswick Bay
Runswick
Kettleness
Goldsborough
Lythe
Sandsend
East Row
Captain Cook Memorial
Saltwick Bay
Ruswarp
Briggswath
Aislaby
Sleights
Grosmont
Egton
Egton Bridge
Glaisdale
Lealholm
Danby
Castleton
Ainthorpe
Houlsyke
Robin Hood's Bay
Fylingthorpe
Ravenscar
Old Peak or South Cheek
Ness Point or North Cheek
Goathland
Beck Hole
Staintondale
Cloughton
Burniston
Scalby
Hackness
Levisham
Lockton
Newton-on-Rawcliffe
Lastingham
Hutton-le-Hole
Cropton
Appleton-le-Moors
Kirkbymoorside
Sinnington
Rosedale Abbey
Langdale Forest
Fylingdales Moor
NORTH YORK MOORS
YORK MOORS
PARK
YORKSHIRE
A171
A174
A169
A165
A170
B1266
B1416
B1447
Falsgrave
East Ayton
Sea Life & Marine Sanctuary
Spa Cliff Lift

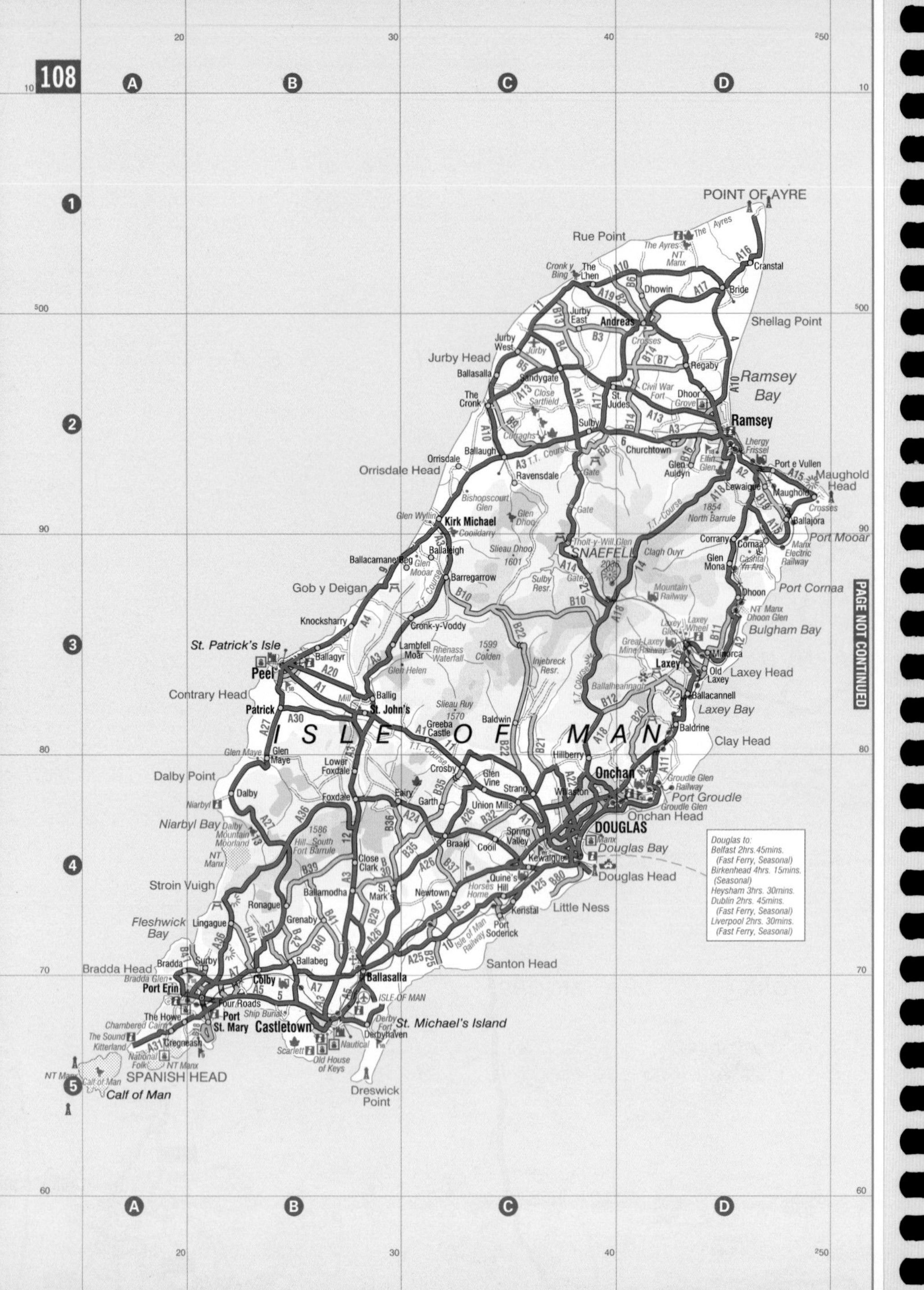

POINT OF AYRE

Rue Point

Cranstal
Bride

Dhowin

Shellag Point

Jurby
East
Andreas
B3
Crosses
Regaby

Jurby Head

Jurby
West
Ballasalla
Sandygate
St.
Judes

*Ramsey
Bay*

The
Cronk
Close
Sartfield

Civil War
Fort
Dhoor
Grove

Ramsey

Orrisdale
Ballaugh
Sulby
Churchtown
A3
Lhergy
Frissel
Port e Vullen

Orrisdale Head
Ravensdale
Gate
Glen D
Auldyn
Lewaigue
Maughold
Maughold
Head

Bishopscourt
Glen
Glen
Dhoo
1854
North Barrule
Crosses
Ballajora

Glen Wyllin
Kirk Michael
Coolidarry
Gate
Corrany
Cornaa
Port Mooar

Ballaugh
Tholt-y-Will Glen
Clagh Ouyr
Mark
Electric
Railway

Ballacarnane Beg Glen
Mooar
Sulby
Resr.
Glen
Mona
Dhoon
Port Cornaa

Gob y Deigan
Barregarrow
B10
SNAEFELL
2036
Mountain
Railway
Dhoon

Knocksharry
Cronk-y-Voddy
1599
Colden
Gate
Bulgham Bay

St. Patrick's Isle
Ballagyr
Lambfell
Moar
Rhenass
Waterfall
Injebreck
Resr.
Great Laxey
Mine Railway
Laxey
Wheel
Minorca

Peel
Ballaugh
Glen Helen
Laxey
Old
Laxey
Laxey Head

Contrary Head
Patrick
Ballig
St. John's
Slieau Ruy
1570
Baldwin
Greeba
Castle
Ballafhannagh
Ballacannell
Laxey Bay

ISLE OF MAN
Baldrine
Clay Head

Dalby Point
Glen Maye
Glen
Maye
Lower
Foxdale
Crosby
Glen
Vine
Strang
Hillberry
Onchan
Groudle Glen
Railway
Port Groudle
Groudle Glen

Niarbyl Bay
Dalby
Niarbyl
Dalby
Mooar
1586
Hill South
Fort Barrule
Foxdale
Fairy
Garth
Union Mills
Wharton
Onchan Head

Stroin Vuigh
NT Manx
Close
Clark
Ballamodha
St.
Mark
Newtown
Braaid
Cooil
Spring
Valley
DOUGLAS
Douglas Bay

Fleshwick
Bay
Lingague
Ronague
Grenaby
Horses
Home
Quine's Hill
Kerrstal
Little Ness
Douglas Head

Bradda Head
Bradda
Surby
Ballabeg
St. Mark
Port
Soderick
Santon Head

Bradda Glen
Port Erin
Colby
Ballasalla
ISLE OF MAN

The Howe
Four
Roads
Port
St. Mary
Castletown

Chambered Cairn
Cregneash
Ship Burial
Derby
Fort
Derbyhaven
St. Michael's Island

The Sound
Kitterland
National
Folk
NT Manx
Scarlett
Old House
of Keys
Nautical

Calf of Man
SPANISH HEAD

Calf of Man
Dreswick
Point

PAGE NOT CONTINUED

Douglas to:
Belfast 2hrs. 45mins.
(Fast Ferry, Seasonal)
Birkenhead 4hrs. 15mins.
(Seasonal)
Heysham 3hrs. 30mins.
Dublin 2hrs. 45mins.
(Fast Ferry, Seasonal)
Liverpool 2hrs. 30mins.
(Fast Ferry, Seasonal)

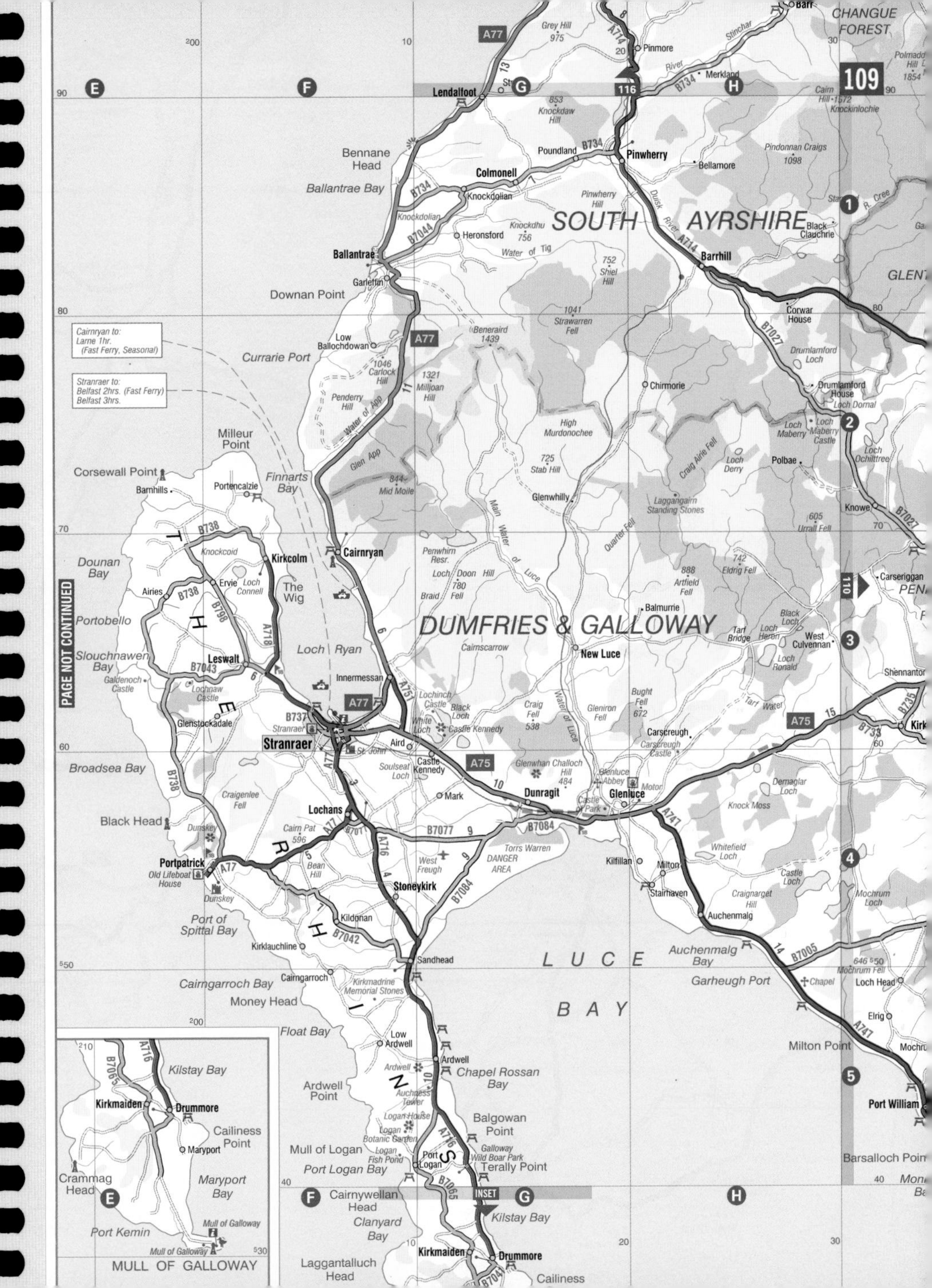

109

SOUTH AYRSHIRE

DUMFRIES & GALLOWAY

MULL OF GALLOWAY

LUCE BAY

CHANGUE FOREST

Cairnryan to:
Larne 1hr.
(Fast Ferry, Seasonal)

Stranraer to:
Belfast 2hrs. (Fast Ferry)
Belfast 3hrs.

PAGE NOT CONTINUED

INSET

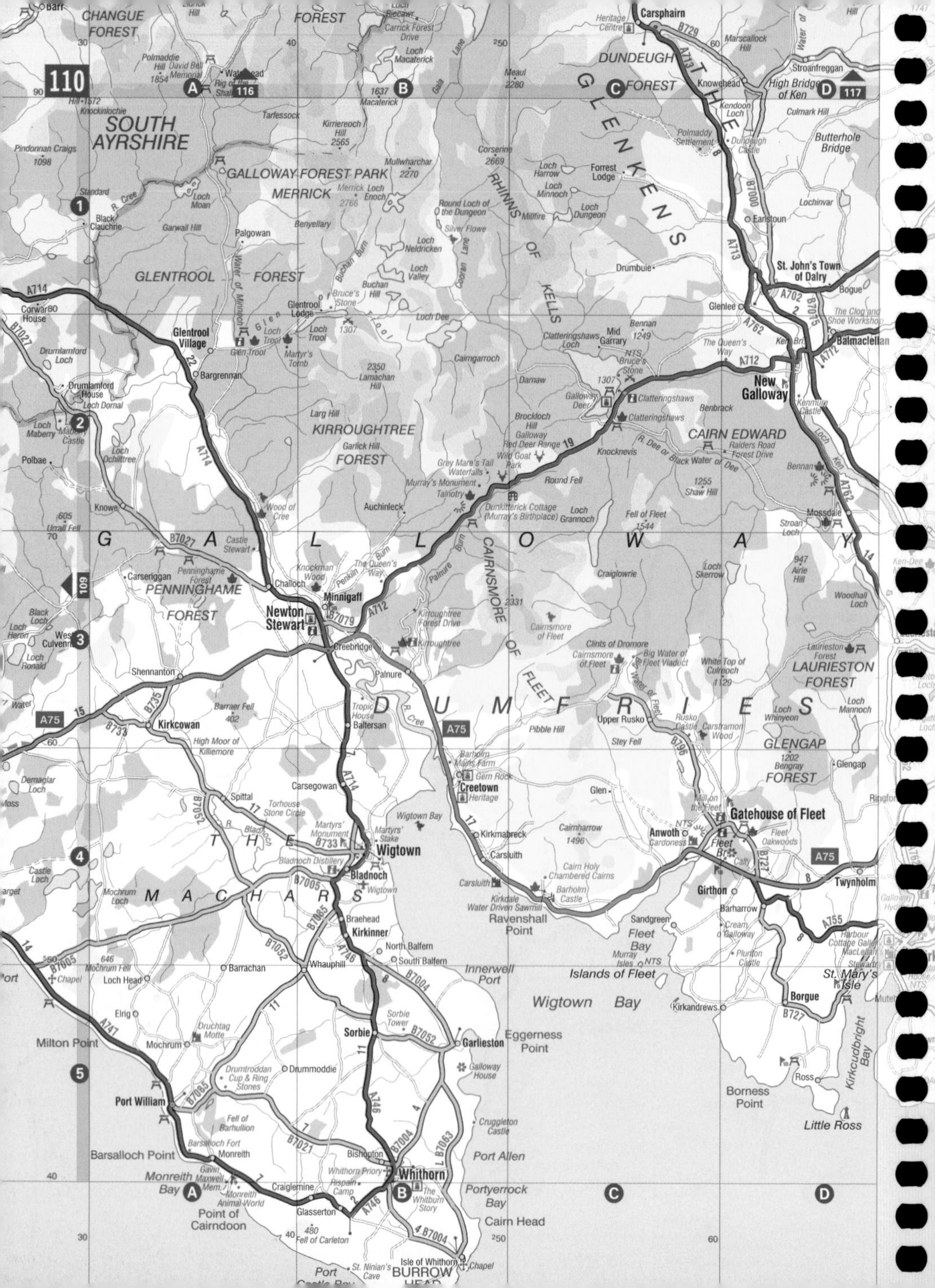

CHANGUE FOREST
SOUTH AYRSHIRE
GALLOWAY FOREST PARK
MERRICK
GLENTROOL FOREST
KIRROUGHTREE FOREST
DUNDEUGH FOREST
THE GLENKENS
RHINNS OF KELLS
GALLOWAY
DUMFRIES
PENNINGHAME FOREST
CAIRNSMORE OF FLEET
LAURIESTON FOREST
GLENGAP FOREST
THE MACHARS
CAIRN EDWARD
116
117
109
Carsphairn
High Bridge of Ken
Butterhole Bridge
St. John's Town of Dalry
Balmaclellan
New Galloway
Glentrool Village
Bargrennan
Newton Stewart
Minnigaff
Creebridge
Palnure
Kirkcowan
Shennanton
Creetown
Gatehouse of Fleet
Anwoth
Twynholm
Wigtown
Bladnoch
Kirkinner
Whauphill
Sorbie
Garlieston
Port William
Monreith
Whithorn
Isle of Whithorn
Glasserton
Mochrum
Borgue
Kirkandrews
Ross
Little Ross
Wigtown Bay
Islands of Fleet
Fleet Bay
Ravenshall Point
Eggerness Point
Innerwell Port
Port Allen
Portyerrock Bay
Cairn Head
Burrow Head
Point of Cairndoon
Monreith Bay
Barsalloch Point
Milton Point
Borness Point
Kirkcudbright Bay
St. Mary's Isle
A714
A712
A75
A713
A762
A746
A747
B7027
B7079
B733
B735
B7052
B7005
B7004
B7063
B7021
B7085
B796
B727
B729
B7000
A702
B7075
A755

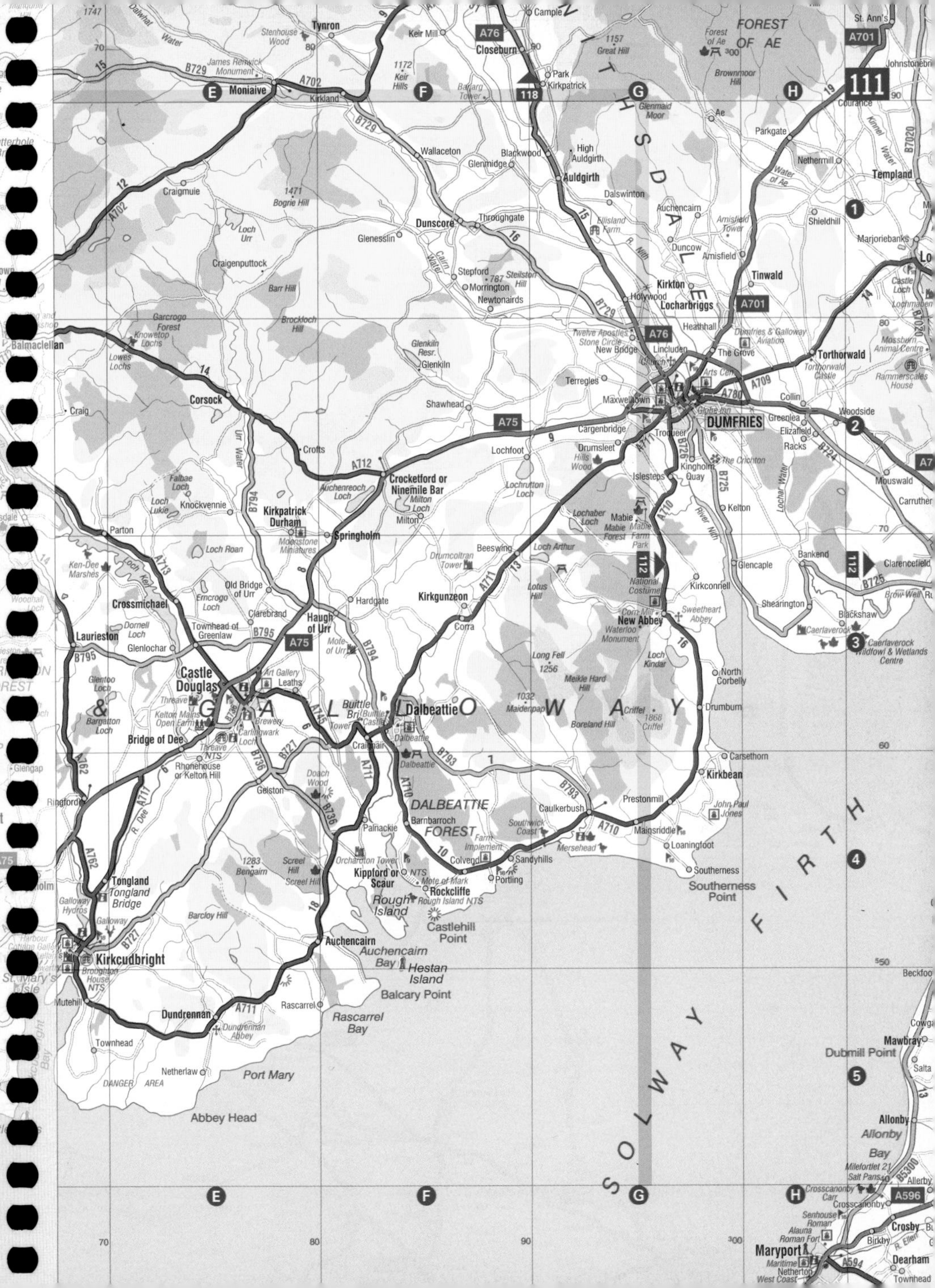

NITHSDALE
FOREST OF AE
Tynron
Moniaive
Kirkland
Closeburn
Park
Kirkpatrick
Ae
Auldgirth
Dunscore
Holywood
Kirkton
Locharbriggs
Amisfield
Tinwald
Templand
Torthorwald
Lincluden
Maxwelltown
DUMFRIES
Terregles
Cargenbridge
Lochfoot
Crocketford or Ninemile Bar
Corsock
Balmaclellan
Crossmichael
Laurieston
Springholm
Kirkpatrick Durham
Haugh of Urr
Castle Douglas
Bridge of Dee
Dalbeattie
GALLOWAY
Kirkgunzeon
Beeswing
New Abbey
Glencaple
Caerlaverock
Kirkbean
Carsethorn
Southerness
Southerness Point
Caulkerbush
Colvend
Sandyhills
Rockcliffe
Kippford or Scaur
Rough Island
Castlehill Point
Auchencairn
Auchencairn Bay
Hestan Island
Balcary Point
Rascarrel Bay
Dundrennan
Kirkcudbright
Tongland
Ringford
Townhead
Netherlaw
Port Mary
Abbey Head
DALBEATTIE FOREST
SOLWAY FIRTH
Dubmill Point
Mawbray
Allonby
Allonby Bay
Crosby
Dearham
Maryport
E
F
G
H
70
80
90
300

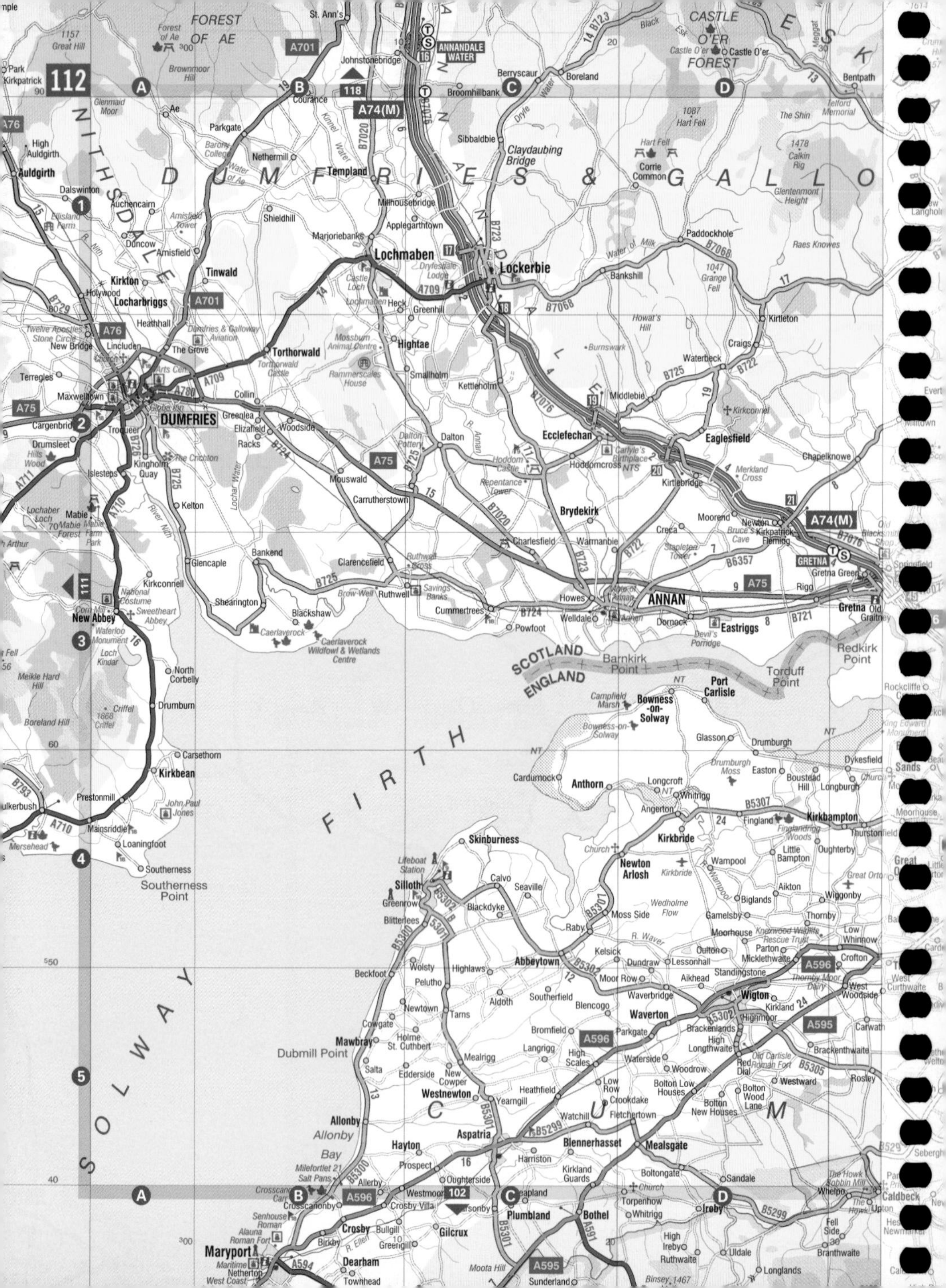
112
A
B
C
D
118
111
102
1
2
3
4
5
FOREST OF AE
Forest of Ae
Great Hill
Kirkpatrick
Ae
St. Ann's
A701
Johnstonebridge
ANNANDALE WATER
A74(M)
Berryscaur
Boreland
Broomhillbank
CASTLE O'ER FOREST
Castle O'er
Bentpath
Telford Memorial
The Shin
Hart Fell
Glenmaid Moor
Courance
Parkgate
Barony College
Nethermill
High Auldgirth
Auldgirth
NITHSDALE
DUMFRIES & GALLOWAY
Templand
Sibbaldbie
Claydaubing Bridge
Corrie Common
Calkin Rig
Glentenmont Height
Dalswinton
Auchencairn
Ellisland Farm
Millhousebridge
Shieldhill
Amisfield Tower
Applegarthtown
Marjoriebanks
Duncow
Amisfield
Lochmaben
Lockerbie
Dryfesdale Lodge
Paddockhole
Raes Knowes
Tinwald
Kirkton
Holywood
Locharbriggs
Castle Loch
Heck
Greenhill
Bankshill
Grange Fell
Kirtleton
Heathhall
Twelve Apostles Stone Circle
New Bridge
Lincluden
Dumfries & Galloway Aviation
The Grove
Torthorwald
Torthorwald Castle
Mossburn Animal Centre
Hightae
Rammerscales House
Smallholm
Howat's Hill
Burnswark
Craigs
Waterbeck
Terregles
Maxwelltown
Collin
Kettleholm
Middlebie
Kirkconnel
A75
Cargenbridge
DUMFRIES
Greenlea
Elizafield
Woodside
Racks
Troqueer
Drumsleet
Hills Wood
Kingholm Quay
The Crichton
Dalton
Dalton Pottery
Hoddom Castle
Ecclefechan
Carlyle's Birthplace NTS
Hoddomcross
Eaglesfield
Chapelknowe
Merkland Cross
Kirtlebridge
Islesteps
Mouswald
Repentance Tower
Kelton
Carrutherstown
Brydekirk
Moorend
Newton
Kirkpatrick Fleming
Bruce's Cave
Lochaber Loch
Mabie
Mabie Forest
Mabie Farm Park
Glencaple
Bankend
Clarencefield
Charlesfield
Warmanbie
Creca
Stapleton Tower
GRETNA
Gretna Green
Ruthwell Cross
Savings Banks
Ruthwell
Brow Well
Kirkconnell
National Costume
Sweetheart Abbey
New Abbey
Shearington
Blackshaw
Cummertrees
Howes
ANNAN
Rigg
Gretna
Old Graitney
Powfoot
Welldale
Dornock
Eastriggs
Devil's Porridge
Caerlaverock
Caerlaverock Wildfowl & Wetlands Centre
Waterloo Monument
Loch Kindar
Meikle Hard Hill
North Corbelly
SCOTLAND
ENGLAND
Barnkirk Point
Torduff Point
Redkirk Point
Port Carlisle
Campfield Marsh
Bowness-on-Solway
Drumburn
Criffel
Boreland Hill
Glasson
Drumburgh
Drumburgh Moss
Easton
Dykesfield
Carsethorn
Kirkbean
Cardurnock
Anthorn
Longcroft
Whitrigg
Boustead Hill
Longburgh
Prestonmill
John Paul Jones
Angerton
Fingland
Kirkbampton
Finglandrigg Woods
Thurstonfield
Mersehead
Mainsriddle
Loaningfoot
Southerness
Southerness Point
Skinburness
Kirkbride
Little Bampton
Oughterby
Newton Arlosh
Wampool
Lifeboat Station
Silloth
Greenrow
Calvo
Seaville
Biglands
Aikton
Wiggonby
Great Orton
Blackdyke
Blitterlees
Moss Side
Wedholme Flow
Gamelsby
Thornby
Raby
Moorhouse
Low Whinnow
Knowewood Wildlife Rescue Trust
Parton
Micklethwaite
Crofton
Kelsick
Dundraw
Oulton
Lessonhall
Abbeytown
Wolsty
Highlaws
Moor Row
Aikhead
Standingstone
Beckfoot
Pelutho
Southerfield
Waverbridge
Wigton
Thornby Moor Dairy
West Woodside
Kirkland
Aldoth
Blencogo
Newtown
Tarns
Waverton
Highmoor
Cowgate
Brackenlands
A596
A595
Carwath
Bromfield
Parkgate
High Longthwaite
Mawbray
Holme St. Cuthbert
Langrigg
High Scales
Waterside
Brackenthwaite
Dubmill Point
Mealrigg
Salta
Edderside
New Cowper
Woodrow
Red Dial
Old Carlisle Roman Fort
Westward
Rosley
SOLWAY FIRTH
Low Row
Bolton Low Houses
Bolton Wood Lane
Westnewton
Yearngill
Heathfield
Crookdake
Allonby
Allonby Bay
Watchill
Fletchertown
Bolton New Houses
Aspatria
CUMBRIA
Hayton
Blennerhasset
Mealsgate
Prospect
Harriston
Kirkland Guards
Boltongate
Sandale
Milefortlet 21 Salt Pans
Allerby
Oughterside
The Howk Bobbin Mill
Crosscanonby
Westmoor
Crosby Villa
Plumbland
Whelpo
Caldbeck
Church
Torpenhow
Bothel
Whitrigg
Ireby
Senhouse Roman Museum
Alauna Roman Fort
Crosby
Bullgill
Gilcrux
Birkby
Greengill
Fell Side
Upton
High Ireby
Maryport
Maritime Museum
Netherton
West Coast
Dearham
Ruthwaite
Uldale
Branthwaite
Moota Hill
Longlands
Townhead
Sunderland
Binsey 1467
A594
A591
B5299
B5300
B5301
B5302
B5305
B5307
B6357
B7068
B7076
B7020
B721
B722
B723
B724
B725
B726
B729
A76
A709
A710
A711
A780

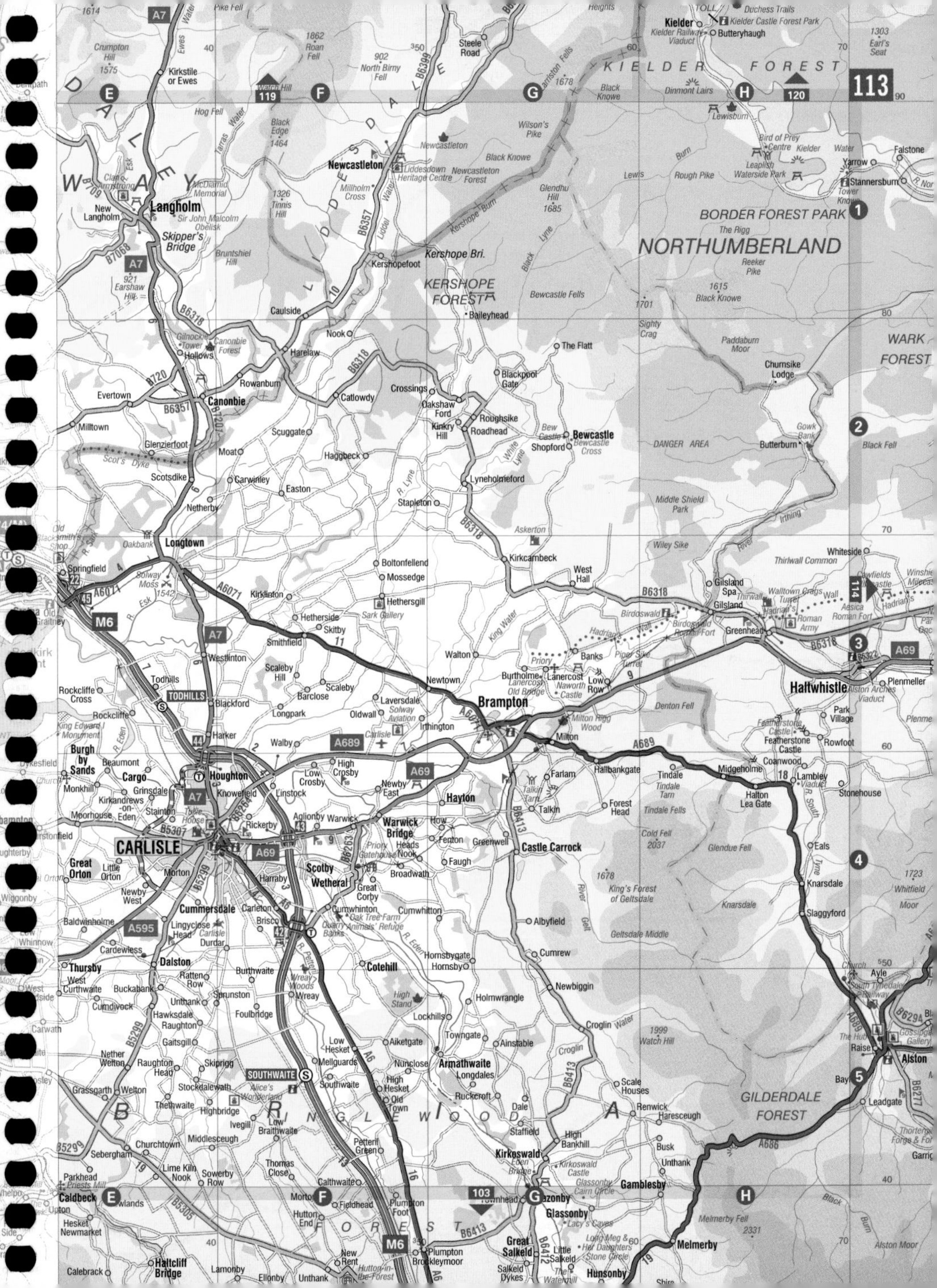

113
Kielder
Kielder Castle Forest Park
Duchess Trails
Butteryhaugh
Kielder Railway Viaduct
KIELDER FOREST
120
1303 Earl's Seat
Dinmont Lairs
Lewisburn
Bird of Prey Centre
Kielder Water
Leaplish Waterside Park
Falstone
Yarrow
Stannersburn
Tower Knowe
BORDER FOREST PARK
NORTHUMBERLAND
The Rigg
Reeker Pike
1615 Black Knowe
Rough Pike
Wilson's Pike
Black Knowe
Glendhu Hill 1685
Garriston Fells
1678
Steele Road
Pike Fell
1862 Roan Fell
902 North Birny Fell
Watch Hill
119
Crumpton Hill 1575
Kirkstile or Ewes
Hog Fell
Black Edge 1464
LIDDESDALE
ESKDALE
WAUCHOPEDALE
Newcastleton
Liddesdown Heritage Centre
Newcastleton Forest
Millholm Cross
1326 Tinnis Hill
Clan Armstrong
McDiarmid Memorial
New Langholm
Langholm
Sir John Malcolm Obelisk
Skipper's Bridge
Bruntshiel Hill
921 Earshaw Hill
Kershope Bri.
Kershopefoot
KERSHOPE FOREST
Baileyhead
Bewcastle Fells
1701
Sighty Crag
Caulside
Nook
Gilnockie Tower
Canonbie Forest
Hollows
Harelaw
Rowanburn
Canonbie
Evertown
Milltown
Scot's Dike
Glenzierfoot
Scotsdike
Moat
Catlowdy
Crossings
Oakshaw Ford
Kinkry Hill
Roughsike
Roadhead
Blackpool Gate
The Flatt
Paddaburn Moor
Churnsike Lodge
WARK FOREST
Bew Castle
Bewcastle
Bewcastle Cross
Shopford
DANGER AREA
Butterburn
Gowk Bank
Black Fell
Scuggate
Haggbeck
Carwinley
Easton
Netherby
Lyneholmeford
Stapleton
Middle Shield Park
Askerton
Wiley Sike
Longtown
Oakbank
Springfield
Solway Moss
1542
Kirkcambeck
Boltonfellend
Mossedge
Kirklinton
Hethersgill
Sark Gallery
Hetherside
Skitby
Smithfield
West Hall
Gilsland Spa
Gilsland
Thirlwall Common
Whiteside
Walltown Crags
Birdoswald
Birdoswald Roman Fort
Roman Army
Aesica Roman Fort
Hadrian's Wall
Greenhead
Walton
Westlinton
Banks
Piper Sike Turret
Lanercost Priory
Burtholme
Lanercost
Naworth Castle
Low Row
Haltwhistle
Alston Arches Viaduct
Plenmeller
Todhills
TODHILLS
Rockcliffe Cross
Rockcliffe
Scaleby Hill
Scaleby
Barclose
Blackford
Longpark
Newtown
Laversdale
Oldwall
Solway Aviation
Brampton
Denton Fell
Park Village
Featherstone Castle
Rowfoot
King Edward I Monument
Harker
Walby
Carlisle
Irthington
Milton Rigg Wood
Milton
Hallbankgate
Tindale
Tindale Tarn
Midgeholme
Coanwood
Lambley
Lambley Viaduct
Stonehouse
Burgh by Sands
Beaumont
Cargo
Houghton
High Crosby
Low Crosby
Newby East
Hayton
Farlam
Talkin Tarn
Talkin
Forest Head
Tindale Fells
Halton Lea Gate
Dykesfield
Monkhill
Grinsdale
Kirkandrews-on-Eden
Knowefield
Linstock
Moorhouse
Stainton
Tullie House
Rickerby
Aglionby
Warwick
Warwick Bridge
How
Fenton
Greenwell
Castle Carrock
Cold Fell 2037
Glendue Fell
Eals
CARLISLE
Great Orton
Little Orton
Morton
Harraby
Scotby
Wetheral
Priory Gatehouse
Heads Nook
Faugh
Broadwath
1678
King's Forest of Geltsdale
Knarsdale
1723 Whitfield Moor
Newby West
Cummersdale
Carleton
Great Corby
Cumwhinton
Oak Tree Farm
Quarry Animals' Refuge
Quarry Banks
Cumwhitton
Albyfield
Geltsdale Middle
Slaggyford
Baldwinholme
Lingyclose Head
Carlisle Durdar
Brisco
Cardewlees
Thursby
Dalston
Cotehill
Hornsbygate
Hornsby
Cumrew
West Curthwaite
Ratten Row
Burthwaite
Wreay Woods
Wreay
Sprunston
Buckabank
Cumdivock
Unthank
Hawksdale
Raughton
Foulbridge
High Stand
Lockhills
Holmwrangle
Newbiggin
Ayle
South Tynedale Railway
Gaitsgill
Croglin
Croglin Water
1999 Watch Hill
The Hub
Gossipgate Gallery
Alston
Raise
Towngate
Aikelgate
Ainstable
Armathwaite
Longdales
Low Hesket
Mellguards
Nunclose
Nether Welton
Raughton Head
Skiprigg
SOUTHWAITE
Southwaite
High Hesket
Old Town
Alice's Wonderland
Grassgarth
Welton
Stockdalewath
Ruckcroft
Scale Houses
Bayle
Leadgate
Thethwaite
Highbridge
Ivegill
Low Braithwaite
INGLEWOOD FOREST
Dale
Renwick
Haresceugh
GILDERDALE FOREST
Middlesceugh
Churchtown
Sebergham
Petteril Green
Staffield
High Bankhill
Busk
Kirkoswald
Eden Bridge
Kirkoswald Castle
Unthank
Thorntons Forge & Fold
Garrigill
Lime Kiln Nook
Sowerby Row
Thomas Close
Calthwaite
Glassonby Cairn Circle
Gamblesby
Parkhead
Priests Mill
Caldbeck
Howlands
Upton
Morton
Fieldhead
Plumpton Foot
103
Townhead
Lazonby
Glassonby
Lacy's Caves
Hutton End
Hesket Newmarket
Melmerby Fell 2331
Long Meg & Her Daughters Stone Circle
Melmerby
Great Salkeld
Little Salkeld
Alston Moor
Calebrack
Haltcliff Bridge
Lamonby
Ellonby
Unthank
New Rent
Hutton-in-the-Forest
Plumpton
Brockleymoor
Salkeld Dykes
The Watermill
Hunsonby
M6
A7
A6
A69
A689
A595
A6071
A686
B6318
B6357
B6399
B6413
B6263
B5299
B5307
B5305
B6412
B6322
B6277
B6294
B7068
B709
B720
B7201

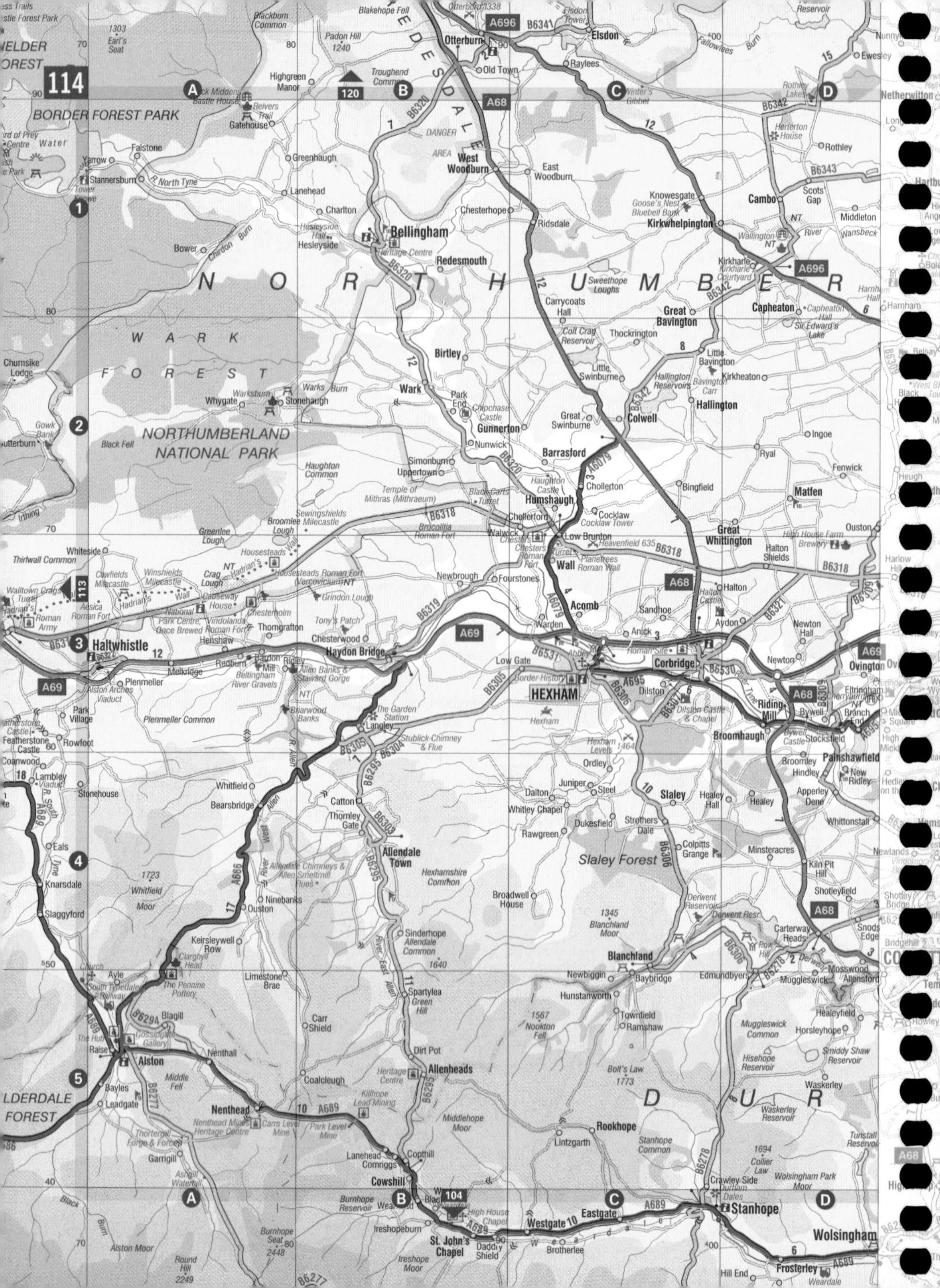
114
KIELDER FOREST
BORDER FOREST PARK
Blakehope Fell
Otterburn
A696
B6341
Elsdon
Elsdon Tower
Reservoir
Blackburn Common
1303 Earl's Seat
Padon Hill 1240
Highgreen Manor
Troughend Common
120
Black Middens Bastle House
Reivers Trail
Gatehouse
Old Town
Raylees
Winter's Gibbet
Fallowlees Burn
Rothley Lakes
Netherwitton
Ewesley
Nunnykirk
B6342
B6320
REDESDALE
A68
DANGER AREA
West Woodburn
East Woodburn
Herterton House
Rothley
B6343
Falstone
Yarrow
Stannersburn
Tower Knowe
R. North Tyne
Greenhaugh
Lanehead
Charlton
Bird of Prey Centre
Kielder Water
Chesterhope
Ridsdale
Knowesgate
Goose's Nest Bluebell Bank
Cambo
Scots' Gap
Kirkwhelpington
Middleton
Wallington
River Wansbeck
Hesleyside Hall
Hesleyside
Bellingham
Heritage Centre
Redesmouth
Bower
Chirdon Burn
Kirkharle
Kirkharle Courtyard
A696
N O R T H U M B E R
Sweethope Loughs
Carrycoats Hall
Great Bavington
Capheaton
Capheaton Hall
Sir Edward's Lake
Harnham
WARK FOREST
Colt Crag Reservoir
Thockrington
Little Bavington
Birtley
Chirnsike Lodge
Little Swinburne
Hallington Reservoirs
Bavington Carr
Kirkheaton
Belsay
Warksburn
Stonehaugh
Whygate
Warks Burn
Wark
Park End
Chipchase Castle
Hallington
Great Swinburne
Colwell
Gunnerton
Gowk Bank
Butterburn
Black Fell
NORTHUMBERLAND NATIONAL PARK
Nunwick
Barrasford
Ingoe
Haughton Common
Simonburn
Uppertown
A6079
Ryal
Fenwick
Haughton Castle
Chollerton
Bingfield
Temple of Mithras (Mithraeum)
Black Carts Turret
Humshaugh
Matfen
Irthing
Sewingshields Milecastle
B6318
Brocolitia Roman Fort
Chollerford
Cocklaw
Cocklaw Tower
Broomlee Lough
Greenlee Lough
Walwick
Chesters Roman Fort
Low Brunton
Heavenfield 635
Great Whittington
High House Farm Brewery
Ouston
Whiteside
Housesteads
Halton Shields
Thirlwall Common
Hadrian's Wall
Planetrees Roman Wall
Wall
B6318
Cawfields Milecastle
Winshields Milecastle
Crag Lough
Housesteads Roman Fort (Vercovicium)
Newbrough
Fourstones
A68
Halton
Walltown Crags
113
Aesica Roman Fort
Hadrian's Wall
Steel Rigg
Once Brewed
National Park Centre
Vindolanda Roman Fort
Chesterholm
Grindon Lough
Halton Castle
Acomb
Sandhoe
Aydon
Roman Army
Thorngrafton
Tony's Patch
B6319
Warden
B6321
Newton Hall
Haltwhistle
Henshaw
A69
Chesterwood
Anick
Roman Site
B6322
Melkridge
Redburn
Bardon Mill
Ridley
Haydon Bridge
B6531
Abbey
Corbridge
Newton
Ovington
Allen Banks & Staward Gorge
Low Gate
Border History
A69
Plenmeller
Alston Arches Viaduct
Bellingham River Gravels
B6305
HEXHAM
A695
Dilston
B6530
Riding Mill
A68
Eltringham
Park Village
NT
Briarwood Banks
The Garden Station
Hexham
Dilston Castle & Chapel
Bywell
Branch End
Plenmeller Common
Featherstone Castle
Langley
Stublick Chimney & Flue
Broomhaugh
Bywell Castle
Stocksfield
Rowfoot
B6305
B6304
Hexham Levels
Painshawfield
Coanwood
Lambley Viaduct
R. South Tyne
Stonehouse
Whitfield
R. Allen
Ordley
Broomley
New Ridley
Hindley
Bearsbridge
Catton
Juniper
Steel
Slaley
Healey Hall
Healey
Apperley Dene
A689
Thornley Gate
B6295
B6303
Dalton
Whitley Chapel
Rawgreen
Dukesfield
Strothers Dale
Whittonstall
Eals
West Allen
Allendale Town
B6306
Colpitts Grange
Minsteracres
Newlands
Allendale Chimneys & Allen Smeltmill Flues
Slaley Forest
Kiln Pit Hill
Knarsdale
1723
Whitfield Moor
A686
Hexhamshire Common
Broadwell House
Derwent Reservoir
Shotleyfield
Slaggyford
Ninebanks
Ouston
1345 Blanchland Moor
Derwent Resr
A68
Carterway Heads
Snods Edge
Keirsleywell Row
Sinderhope
Allendale Common
1640
Pow Hill
Blanchland
B6306
Church
Ayle
South Tynedale Railway
Clarghyll Head
The Pennine Pottery
Limestone Brae
Spartylea
Green Hill
Newbiggin
Baybridge
Edmundbyers
B6278
Muggleswick
Mosswood
Allensford
Hunstanworth
Townfield
Ramshaw
Healeyfield
B6294
Blagill
Carr Shield
1567 Nookton Fell
Muggleswick Common
Horsleyhope
The Hub
Gossipgate Gallery
Dirt Pot
Smiddy Shaw Reservoir
Raise
Alston
Nenthall
Middle Fell
Coalcleugh
Heritage Centre
Allenheads
Bolt's Law 1773
Hisehope Reservoir
Bayles
Leadgate
B6277
Nenthead
A689
Killhope Lead Mining
Waskerley
ALLERDALE FOREST
D U R
Waskerley Reservoir
Nenthead Mines Heritage Centre
Carrs Level Mine
Park Level Mine
Middlehope Moor
Rookhope
Thortergill Forge & Force
Garrigill
Lanehead
Copthill
Cornriggs
Lintzgarth
Stanhope Common
Tunstall Reservoir
1694 Collier Law
Ashgill Waterfall
Cowshill
Wolsingham Park Moor
Crawley Side
Durham Dales
A
B
104
C
D
Burnhope Reservoir
Wearhead
Killhope Burn
High House Chapel
Westgate
Eastgate
A689
Stanhope
Ireshopeburn
St. John's Chapel
Daddry Shield
Brotherlee
Wolsingham
Black Burn
Alston Moor
Burnhope Seat 2448
Round Hill 2249
Ireshope Moor
B6277
Hill End
Frosterley
Weardale

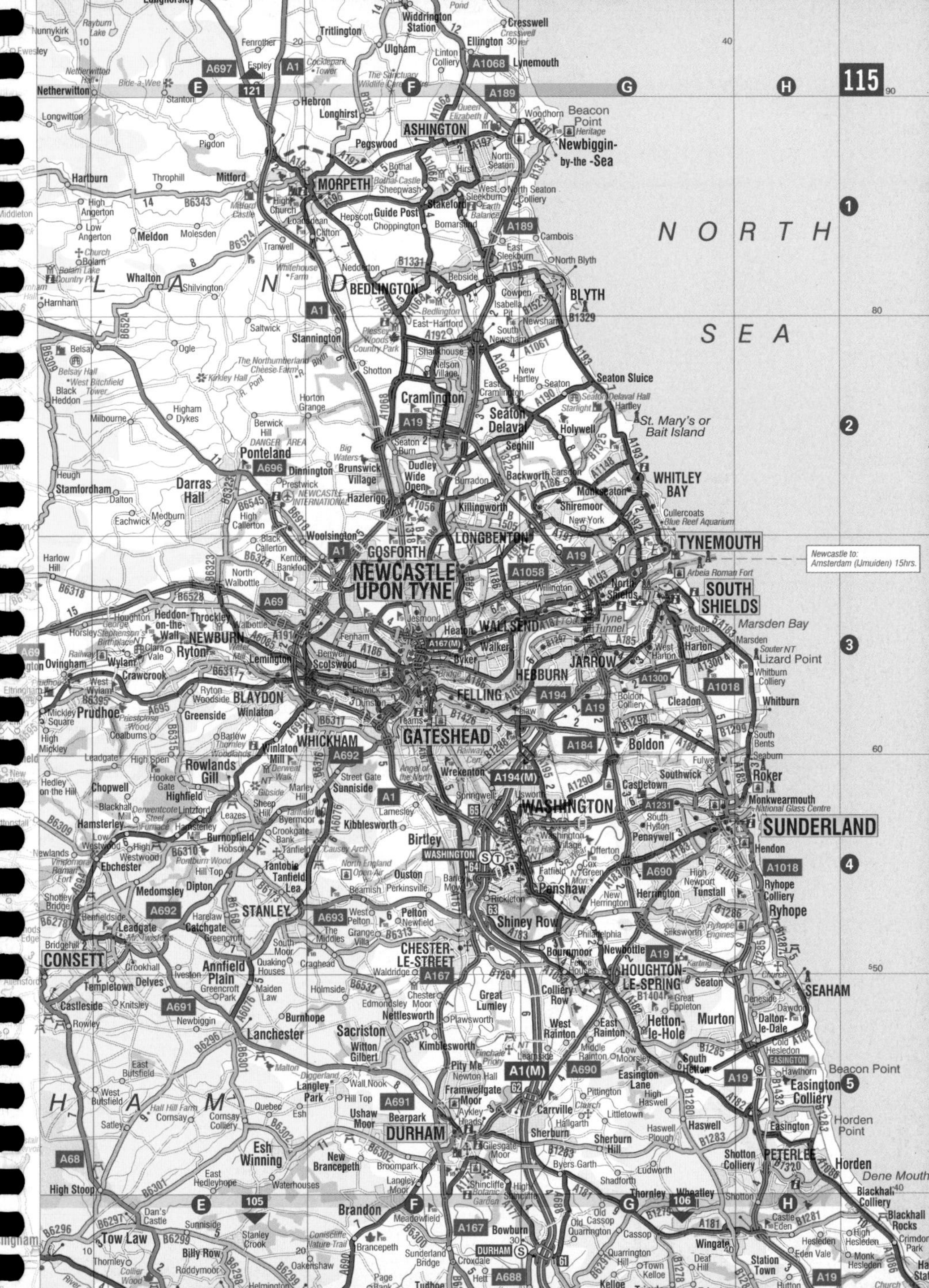
NORTH SEA
Newcastle to:
Amsterdam (IJmuiden) 15hrs.
Longhorsley
Widdrington Station
Cresswell
Tritlington
Ellington
Ulgham
Linton Colliery
Lynemouth
Netherwitton
Hebron
Longhirst
ASHINGTON
Woodhorn
Beacon Point
Newbiggin-by-the -Sea
Pegswood
MORPETH
Hartburn
Mitford
Bothal
Sheepwash
Stakeford
North Seaton
North Seaton Colliery
Cambois
Guide Post
Choppington
Bomarsund
Meldon
Molesden
Whalton
Shilvington
BEDLINGTON
East Sleekburn
North Blyth
BLYTH
Cowpen
Isabella Pit
Newsham
Belsay
Ogle
Saltwick
Stannington
Shotton
Cramlington
Seaton Delaval
Seaton Sluice
Hartley
St. Mary's or Bait Island
Holywell
Black Heddon
Milbourne
Higham Dykes
Berwick Hill
Ponteland
Dinnington
Brunswick Village
Hazlerigg
Seghill
Backworth
Earsdon
Monkseaton
WHITLEY BAY
Cullercoats
Blue Reef Aquarium
Darras Hall
Stamfordham
Dalton
Eachwick
Medburn
High Callerton
Woolsington
Killingworth
Shiremoor
New York
LONGBENTON
GOSFORTH
TYNEMOUTH
NEWCASTLE UPON TYNE
North Walbottle
SOUTH SHIELDS
Marsden Bay
Marsden
Souter NT
Lizard Point
Whitburn Colliery
Whitburn
Heddon-on-the-Wall
Throckley
NEWBURN
Ryton
Wylam
Crawcrook
Lemington
Benwell
Scotswood
Fenham
Jesmond
Heaton
Byker
Walker
WALLSEND
Tyne Tunnel
HEBBURN
JARROW
Harton
Westoe
Cleadon
Ovingham
Prudhoe
BLAYDON
Winlaton
Greenside
WHICKHAM
GATESHEAD
FELLING
Boldon
Boldon Colliery
Rowlands Gill
Chopwell
Highfield
Sunniside
Lamesley
Kibblesworth
Birtley
Wrekenton
WASHINGTON
Usworth
Castletown
Southwick
Roker
Monkwearmouth
National Glass Centre
SUNDERLAND
Hendon
Pennywell
South Hylton
Offerton
Hamsterley
Burnopfield
Ebchester
Tanfield
Tantobie
Dipton
Medomsley
STANLEY
Ouston
Pelton
Perkinsville
Penshaw
Herrington
Tunstall
Ryhope
Ryhope Colliery
Shiney Row
CONSETT
Leadgate
Catchgate
Annfield Plain
Delves
Templetown
CHESTER-LE-STREET
Bournmoor
Newbottle
HOUGHTON-LE-SPRING
Seaton
SEAHAM
Castleside
Lanchester
Burnhope
Sacriston
Witton Gilbert
Great Lumley
Colliery Row
West Rainton
East Rainton
Hetton-le-Hole
Murton
Dalton-le-Dale
Dawdon
Kimblesworth
Pity Me
Newton Hall
Framwellgate Moor
Easington Lane
Beacon Point
Easington Colliery
Langley Park
Ushaw Moor
Bearpark
DURHAM
Carrville
Sherburn
Haswell
Easington
Horden Point
Esh Winning
New Brancepeth
Sherburn Hill
Shotton Colliery
PETERLEE
Horden
Dene Mouth
High Stoop
Brandon
Thornley
Wheatley
Blackhall Colliery
Blackhall Rocks
Tow Law
Billy Row
Bowburn
Wingate
Station Town
Hesleden
Tudhoe
Kelloe

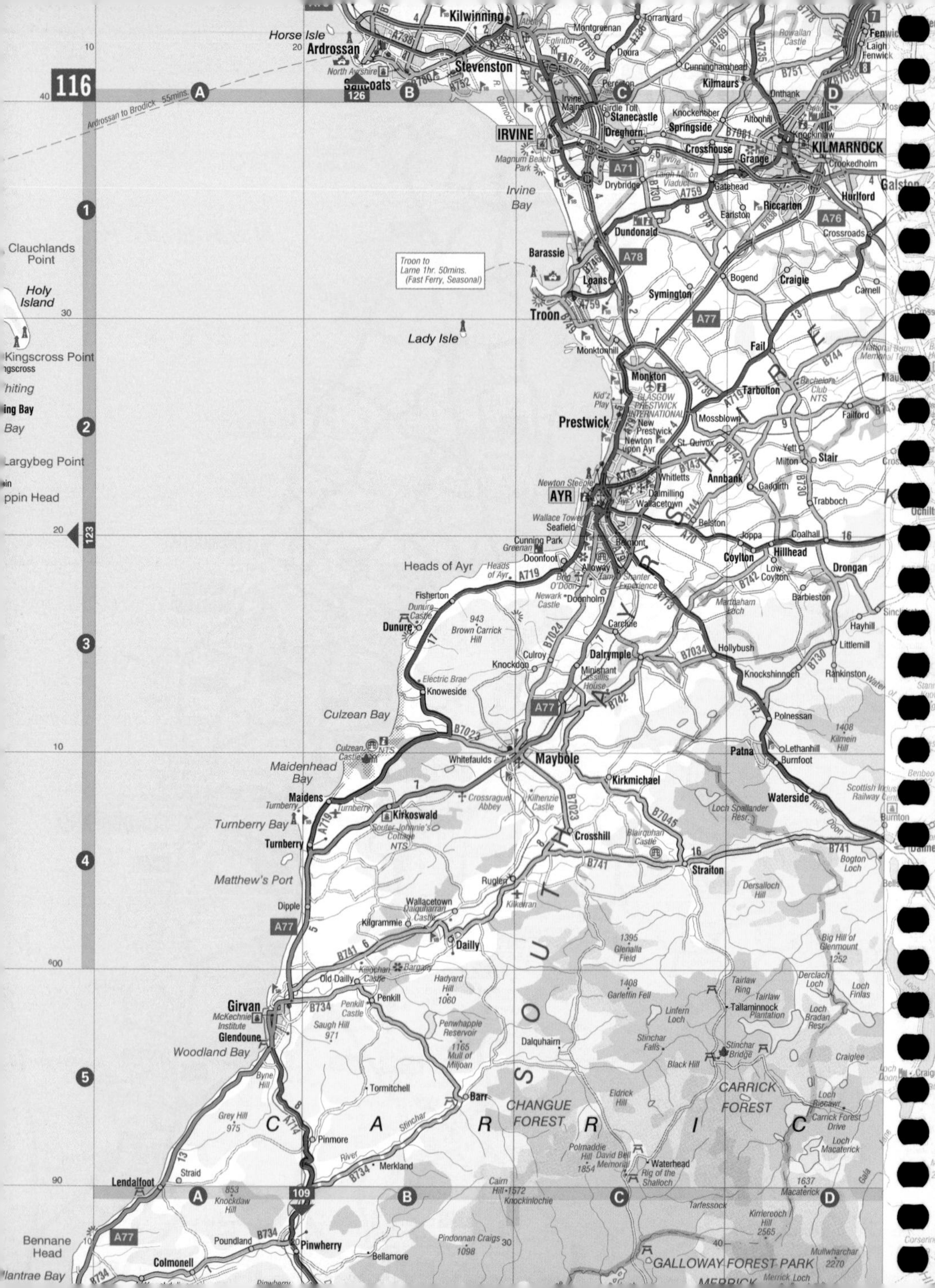
Kilwinning
Horse Isle
Ardrossan
Stevenston
Saltcoats
North Ayrshire
Ardrossan to Brodick 55mins.
Montgreenan
Torranyard
Doura
Cunninghamhead
Kilmaurs
Fenwick
Laigh Fenwick
Rowallan Castle
Irvine Mains
Girdle Toll
Stanecastle
Dreghorn
Springside
Knockentiber
Altonhill
Crosshouse
Grange
KILMARNOCK
Crookedholm
IRVINE
Magnum Beach Park
Drybridge
Laigh Milton Viaduct
Gatehead
Galston
Hurlford
Irvine Bay
Earlston
Riccarton
Dundonald
Crossroads
Clauchlands Point
Holy Island
Barassie
Troon to Larne 1hr. 50mins. (Fast Ferry, Seasonal)
Loans
Symington
Bogend
Craigie
Carnell
Troon
Lady Isle
Kingscross Point
Monktonhill
Fail
Monkton
GLASGOW PRESTWICK INTERNATIONAL
Kid'z Play
Tarbolton
Bachelors' Club NTS
Prestwick
Mossblown
Failford
New Prestwick
Newton upon Ayr
St. Quivox
Largybeg Point
Yett
Milton
Stair
Newton Steeple
AYR
Whitletts
Annbank
Dalmilling
Wallacetown
Gadgirth
Trabboch
Wallace Tower
Seafield
Belston
Cunning Park
Greenan
Doonfoot
Belmont
Joppa
Coalhall
Coylton
Hillhead
Low Coylton
Drongan
Heads of Ayr
Alloway
Brig O'Doon
Tam O'Shanter Experience
Fisherton
Dunure Castle
Dunure
Newark Castle
Doonholm
Martnaham Loch
Barbieston
Hayhill
943 Brown Carrick Hill
Carcluie
Dalrymple
Hollybush
Littlemill
Culroy
Knockdon
Minishant
Cassillis House
Knockshinnoch
Rankinston
Electric Brae
Knoweside
Culzean Bay
Polnessan
1408 Kilmein Hill
Culzean Castle NTS
Maybole
Whitefaulds
Patna
Lethanhill
Burnfoot
Maidenhead Bay
Kirkmichael
Maidens
Turnberry
Crossraguel Abbey
Kilhenzie Castle
Kirkoswald
Souter Johnnie's Cottage NTS
Loch Spallander Resr.
Waterside
Scottish Industrial Railway Centre
River Doon
Turnberry Bay
Crosshill
Blairquhan Castle
Straiton
Bogton Loch
Matthew's Port
Rugles
Kilkerran
Dersalloch Hill
Dipple
Wallacetown
Dalquharran Castle
Kilgrammie
Dailly
1395 Glenalla Field
Big Hill of Glenmount 1252
Bargany
Old Dailly
Killochan Castle
Hadyard Hill 1060
Derclach Loch
Loch Finlas
Girvan
McKechnie Institute
Penkill
Penkill Castle
1408 Garleffin Fell
Tairlaw Ring
Tairlaw
Tallaminnock Plantation
Linfern Loch
Glendoune
Saugh Hill 971
Penwhapple Reservoir
Loch Bradan Resr.
Woodland Bay
Dalquhairn
Stinchar Falls
Stinchar Bridge
Craiglee
Byne Hill
1165 Mull of Miljoan
Black Hill
Tormitchell
Barr
CHANGUE FOREST
CARRICK FOREST
Eldrick Hill
Loch Riecawr
Carrick Forest Drive
Grey Hill 975
Pinmore
Stinchar
River
Loch Macaterick
Merkland
Polmaddie Hill 1854
David Bell Memorial
Waterhead
Rig of the Shalloch
Straid
Lendalfoot
Cairn Hill 1572
Knockinlochie
1637 Macaterick
853 Knockdaw Hill
Tarfessock
Kirriereoch Hill 2565
Bennane Head
Poundland
Pinwherry
Pindonnan Craigs 1098
Mullwharchar 2270
Colmonell
Bellamore
GALLOWAY FOREST PARK
Ballantrae Bay
MERRICK
Merrick Loch
SOUTH AYRSHIRE
CARRICK
126
123
109

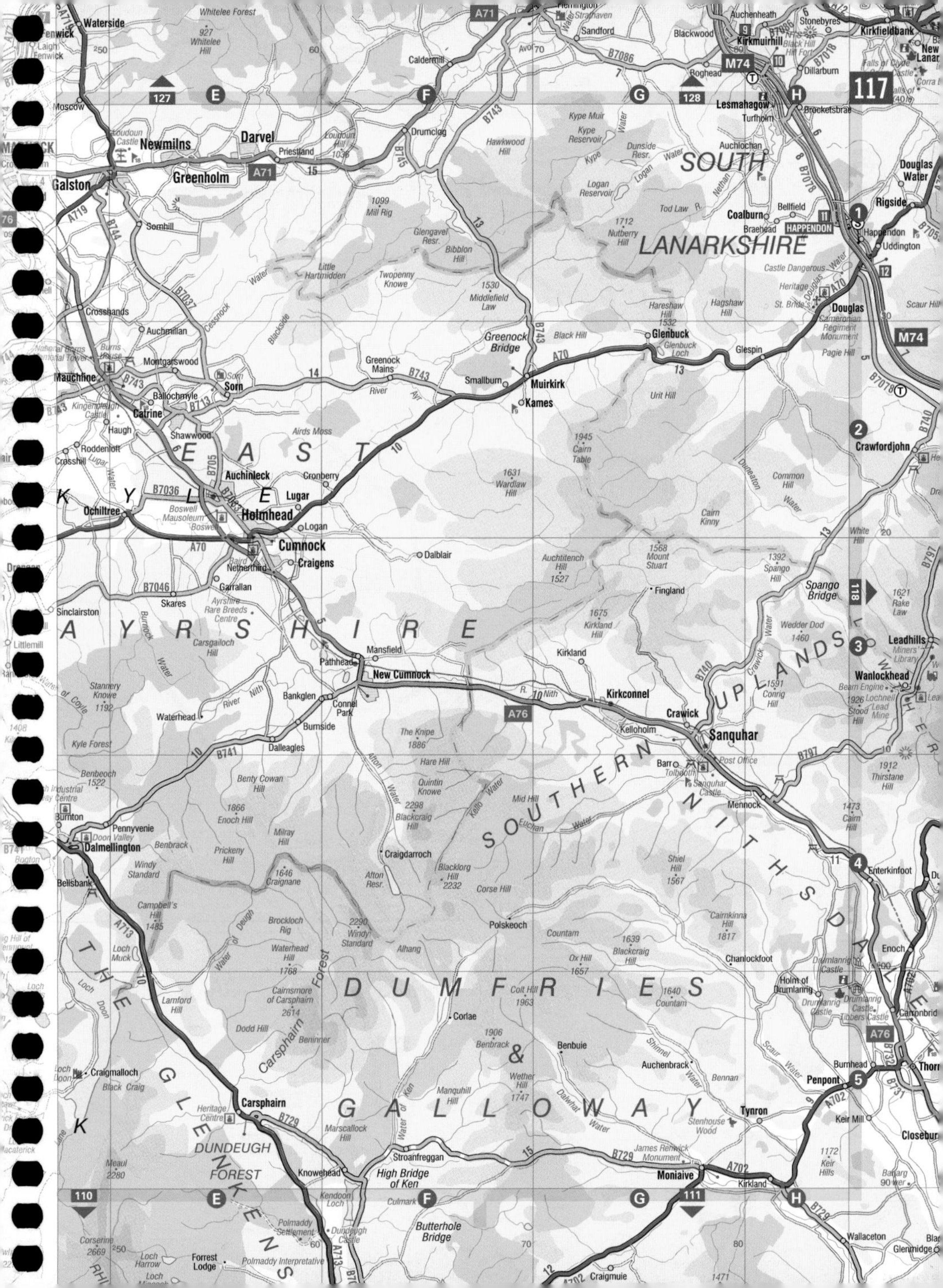

117
SOUTH
LANARKSHIRE
EAST
AYRSHIRE
KYLE
DUMFRIES
&
GALLOWAY
SOUTHERN
UPLANDS
NITHSDALE
THE GLENKENS
LOWTHER
Waterside
Fenwick
Whitelee Forest
Whitelee Hill
Strathaven
Sandford
Auchenheath
Stonebyres
Kirkfieldbank
Blackwood
Kirkmuirhill
Caldermill
New Lanark
Dillarburn
Boghead
Lesmahagow
Brocketsbrae
Turfholm
Moscow
Newmilns
Darvel
Drumclog
Priestland
Loudoun Hill
Kype Muir
Kype Reservoir
Hawkwood Hill
Dunside Resr.
Auchlochan
Douglas Water
Galston
Greenholm
Logan Reservoir
Tod Law
Coalburn
Bellfield
Braehead
Rigside
Happendon
Uddington
Sornhill
Mill Rig
Glengavel Resr.
Bibblon Hill
Nutberry Hill
Little Hartmidden
Twopenny Knowe
Middlefield Law
Castle Dangerous
Hareshaw Hill
Hagshaw Hill
Douglas
Crosshands
Auchmillan
Greenock Bridge
Black Hill
Glenbuck
Glenbuck Loch
Glespin
Pagie Hill
Mauchline
Montgarswood
Greenock Mains
Smallburn
Muirkirk
Kames
Sorn
Ballochmyle
Catrine
Haugh
Shawwood
Airds Moss
Urit Hill
Cairn Table
Crawfordjohn
Roddenloft
Crosshill
Auchinleck
Cronberry
Lugar
Wardlaw Hill
Common Hill
Ochiltree
Boswell Mausoleum
Holmhead
Logan
Cairn Kinny
Cumnock
Craigens
Dalblair
Netherthird
Auchtitench Hill
Mount Stuart
Spango Hill
White Hill
Garrallan
Skares
Sinclairston
Ayrshire Rare Breeds Centre
Fingland
Spango Bridge
Rake Law
Kirkland Hill
Wedder Dod
Leadhills
Carsgailoch Hill
Mansfield
Pathhead
Kirkland
New Cumnock
Bankglen
Connel Park
Kirkconnel
Crawick
Wanlockhead
Stannery Knowe
Waterhead
Burnside
Dalleagles
Kelloholm
Sanquhar
Conrig Hill
Stood Hill
Lochnell Lead Mine
Kyle Forest
The Knipe
Hare Hill
Barr
Post Office
Tolbooth
Sanquhar Castle
Thirstane Hill
Benbeoch
Benty Cowan Hill
Quintin Knowe
Mid Hill
Mennock
Burnton
Pennyvenie
Enoch Hill
Blackcraig Hill
Cairn Hill
Dalmellington
Benbrack
Prickeny Hill
Milray Hill
Craigdarroch
Windy Standard
Craignane
Afton Resr.
Blackforg Hill
Corse Hill
Shiel Hill
Enterkinfoot
Bellsbank
Campbell's Hill
Brockloch Rig
Polskeoch
Countam
Cairnkinna Hill
Loch Muck
Waterhead Hill
Alhang
Blackcraig Hill
Ox Hill
Chanlockfoot
Enoch
Drumlanrig Castle
Holm of Drumlanrig
Carsphairn Forest
Cairnsmore of Carsphairn
Colt Hill
Lamford Hill
Dodd Hill
Corlae
Beninner
Benbrack
Benbuie
Carronbridge
Tibbers Castle
Shinnel Water
Scaur Water
Auchenbrack
Bennan
Burnhead
Penpont
Thornhill
Craigmalloch
Black Craig
Wether Hill
Manquhill Hill
Dalwhat Water
Carsphairn
Heritage Centre
Tynron
Stenhouse Wood
Keir Mill
Closeburn
Marscallock Hill
DUNDEUGH FOREST
Stroanfreggan
James Renwick Monument
Moniaive
Kirkland
Keir Hills
Meaul
Knowehead
High Bridge of Ken
Kendoon Loch
Culmark
Butterhole Bridge
Polmaddy Settlement
Dundeugh Castle
Wallaceton
Glenmidge
Corserine
Loch Harrow
Forrest Lodge
Polmaddy Interpretative
Craigmuie
M74
A71
A70
A76
A702
A713
B729
B741
B743
127
128
110
111
118

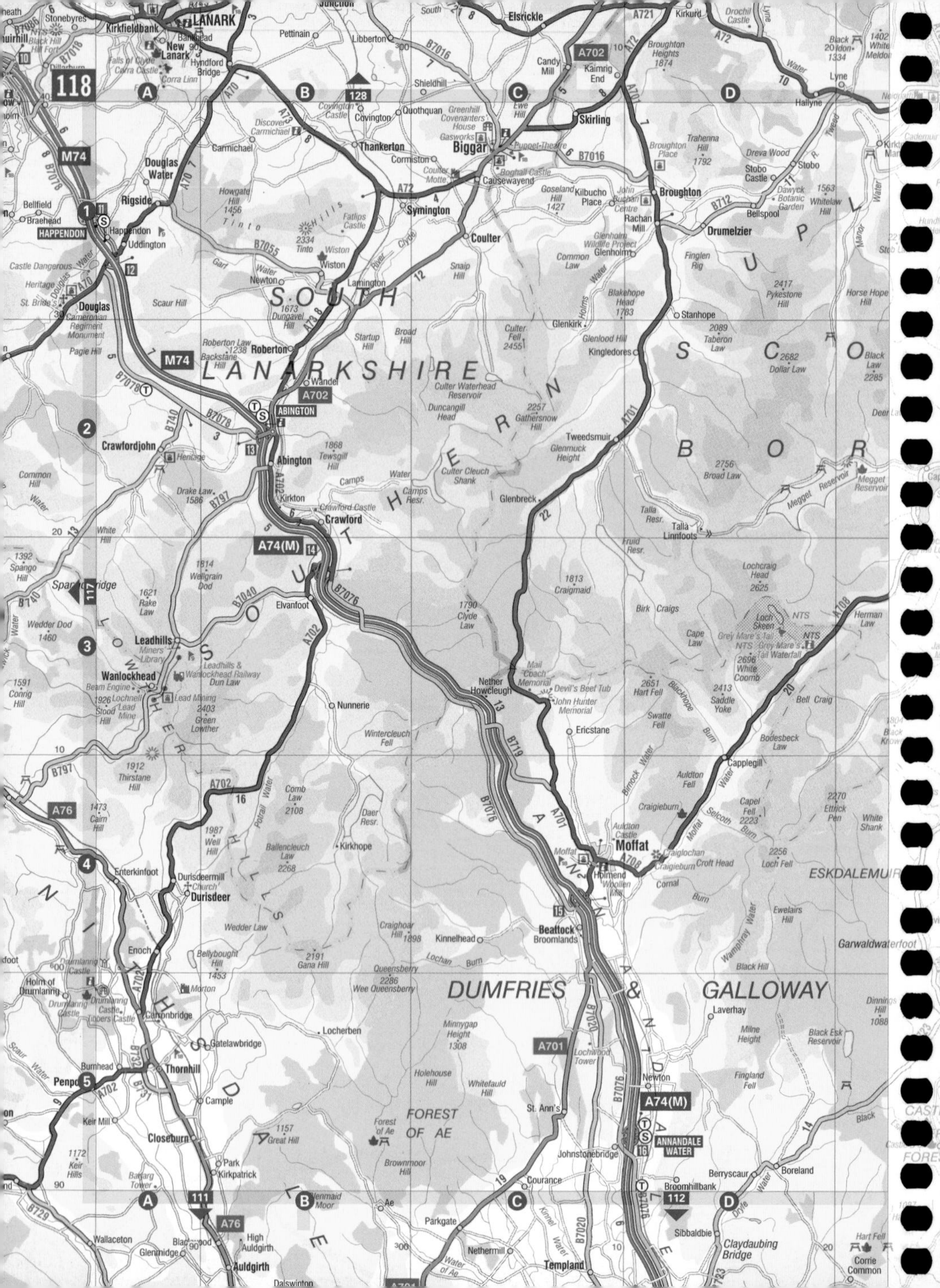

118
LANARK
Kirkfieldbank
Stonebyres
New Lanark
Falls of Clyde
Corra Castle
Corra Linn
Hyndford Bridge
Pettinain
Libberton
Elsrickle
Kirkurd
Drochil Castle
Candy Mill
Kaimrig End
Broughton Heights 1874
Black Meldon 1334
Lyne
Hallyne
Shieldhill
Covington Castle
Covington
Quothquan
Greenhill Covenanters' House
Gasworks
Biggar
Puppet Theatre
Skirling
Trahenna Hill 1792
Broughton Place
Dreva Wood
Stobo Castle
Stobo
Discover Carmichael
Carmichael
Thankerton
Cormiston
Coulter Motte
Boghall Castle
Causewayend
Goseland Hill 1427
Kilbucho Place
John Buchan Centre
Broughton
Dawyck Botanic Garden
Bellspool
Whitelaw Hill 1563
Douglas Water
Rigside
Howgate Hill 1456
Tinto Hills
Fatlips Castle
Symington
Coulter
Rachan Mill
Drumelzier
M74
Bellfield
Braehead
HAPPENDON
Happendon
Uddington
Castle Dangerous
Heritage
St. Bride's
Douglas
Cameronian Regiment Monument
2334 Tinto
Wiston
Newton
Lamington
Snaip Hill
Common Law
Glenholm Wildlife Project
Glenholm
Blakehope Head 1783
Finglen Rig
2417 Pykestone Hill
Horse Hope Hill
Scaur Hill
SOUTH
1673 Dungavel Hill
Startup Hill
Broad Hill
Culter Fell 2455
Glenkirk
Stanhope
2089 Taberon Law
Pagie Hill
Robertson Law 1238
Backstane Hill
Roberton
LANARKSHIRE
Wandel
Glenlood Hill
Kingledores
2682 Dollar Law
Black Law 2285
A702
ABINGTON
Culter Waterhead Reservoir
Duncangill Head
2257 Gathersnow Hill
Tweedsmuir
Crawfordjohn
Heritage
Abington
1868 Tewsgill Hill
Glenmuck Height
2756 Broad Law
Common Hill
Drake Law 1586
Camps Water
Camps Resr.
Culter Cleuch Shank
Glenbreck
Megget Reservoir
Kirkton
Crawford Castle
Crawford
Talla Resr.
Talla Linnfoots
White Hill
A74(M)
Fruid Resr.
1392 Spango Hill
1814 Wellgrain Dod
1813 Craigmaid
Lochcraig Head 2625
Spango Bridge
117
1621 Rake Law
Elvanfoot
1790 Clyde Law
Birk Craigs
Loch Skeen
NTS
Herman Law
Wedder Dod 1460
Leadhills
Miners' Library
Cape Law
Grey Mare's Tail Waterfall
Wanlockhead
Beam Engine
Lochnell Lead Mine
Leadhills & Wanlockhead Railway
Dun Law
Lead Mining
Mail Coach Memorial
Nether Howcleugh
Devil's Beef Tub
John Hunter Memorial
2651 Hart Fell
2696 White Coomb
2413 Saddle Yoke
Bell Craig
1591 Conrig Hill
1926 Stood Hill
2403 Green Lowther
Nunnerie
Ericstane
Swatte Fell
Wintercleuch Fell
Bodesbeck Law
1912 Thirstane Hill
Capplegill
Auldton Fell
A76
1473 Cairn Hill
Comb Law 2108
Daer Resr.
Craigieburn
Capel Fell 2223
2270 Ettrick Pen
White Shank
1987 Well Hill
Ballencleuch Law 2268
Kirkhope
Auldton Castle
Moffat
Craiglochan
Craigieburn
Croft Head
2256 Loch Fell
Enterkinfoot
Durisdeermill
Durisdeer
Holmend
Woollen Mill
Cornal
ESKDALEMUIR
Beattock
Broomlands
Ewelairs Hill
Wedder Law
Craighoar Hill 1898
Kinnelhead
Garwaldwaterfoot
Enoch
Bellybought Hill 1453
2191 Gana Hill
Queensberry 2286
Wee Queensberry
Black Hill
Drumlanrig Castle
Holm of Drumlanrig
Morton
DUMFRIES
&
GALLOWAY
Laverhay
Carronbridge
Locherben
Minnygap Height 1308
Milne Height
Black Esk Reservoir
Gatelawbridge
A701
Lochwood Tower
Burnhead
Penpont
Thornhill
Holehouse Hill
Whitefauld Hill
Newton
Fingland Fell
Cample
Keir Mill
1157 Great Hill
FOREST OF AE
Forest of Ae
St. Ann's
ANNANDALE WATER
Closeburn
Brownmoor Hill
Johnstonebridge
Berryscaur
Boreland
1172 Keir Hills
Park
Kirkpatrick
Barjarg Tower
Courance
Broomhillbank
111
Glenmaid Moor
112
Ae
Parkgate
Sibbaldbie
Claydaubing Bridge
Wallaceton
Blackwood
High Auldgirth
Glenmidge
Nethermill
Templand
Corrie Common
Auldgirth
Dalswinton
Hart Fell
Water of Ae
Kinnel Water
NITHSDALE
LOWTHER HILLS
SOUTHERN UPLANDS
SCOTTISH BORDERS
ANNANDALE

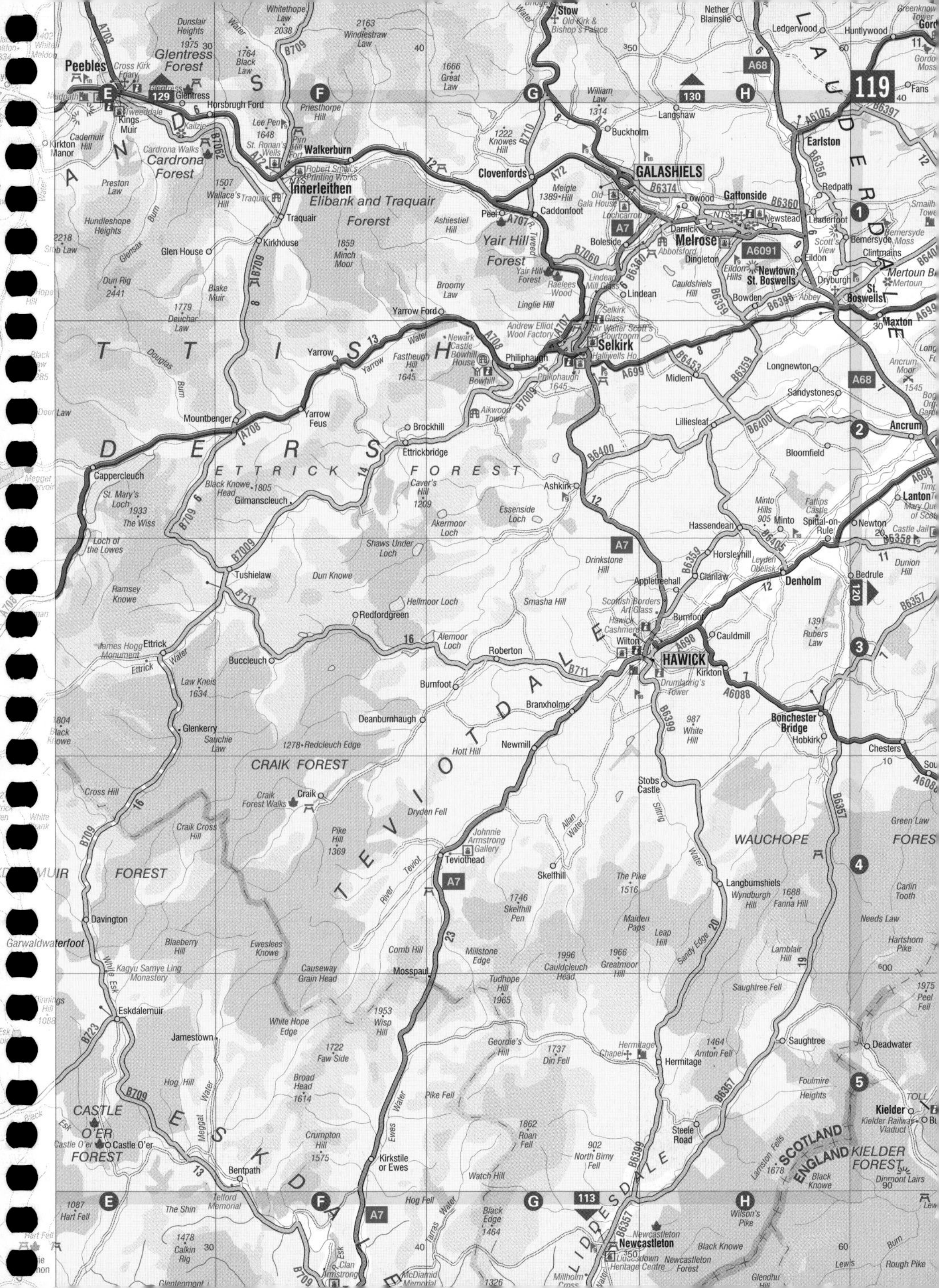
119
Peebles
Glentress Forest
Glentress
Horsbrugh Ford
Kings Muir
Kirkton Manor
Cademuir Hill
Cardrona Walks
Cardrona Forest
Kailzie
Cross Kirk Friary
Neidpath
Tweeddale
Dunslair Heights
1975
Whitehope Law
2038
2163 Windlestraw Law
1764 Black Law
1666 Great Law
Priesthorpe Hill
Lee Pen
1648 St. Ronan's Wells
Pirn Hill Fort
Walkerburn
Robert Smail's Printing Works
Innerleithen
Elibank and Traquair Forest
1507 Wallace's Hill
Traquair
Preston Law
Hundleshope Heights
2218 Stob Law
Glen House
Kirkhouse
1859 Minch Moor
Glensax Burn
Dun Rig 2441
Blake Muir
1779 Deuchar Law
Douglas Burn
Stow
Old Kirk & Bishop's Palace
Nether Blainslie
Ledgerwood
Huntlywood
Fans
William Law
1314
Buckholm
Langshaw
1222 Knowes Hill
Clovenfords
GALASHIELS
Earlston
Redpath
Meigle 1389 Hill
Old Gala House
Lochcarron
Caddonfoot
Peel
Ashiestiel Hill
Yair Hill Forest
Lowood
Gattonside
Newstead
Leaderfoot
Darnick
Melrose
Abbotsford
Boleside
Bemersyde
Bemersyde Moss
Scott's View
Clintmains
Dingleton
Eildon
Eildon Hills
Newtown St. Boswells
Dryburgh
St. Boswells
Mertoun
Mertoun House
Cauldshiels Hill
Bowden
Abbey
Lindean
Lindean Mill Glass
Raelees Wood
Yair Hill Forest
Linglie Hill
Broomy Law
Maxton
Selkirk Glass
Sir Walter Scott's Courtroom
Andrew Elliot Wool Factory
Selkirk
Halliwells Ho
Yarrow Ford
Newark Castle
Bowhill House
Bowhill
Philiphaugh
Philiphaugh 1645
Yarrow
Yarrow Water
Fastheugh Hill 1645
Midlem
Longnewton
Ancrum Moor 1545
Sandystones
Mountbenger
Yarrow Feus
Aikwood Tower
Brockhill
Ettrickbridge
Lilliesleaf
Ancrum
Bloomfield
Cappercleuch
Megget Reservoir
St. Mary's Loch
1933 The Wiss
Black Knowe Head 1805
Gilmanscleuch
Caver's Hill 1209
Akermoor Loch
Ashkirk
Essenside Loch
Minto Hills 905
Minto
Fatlips Castle
Spittal-on-Rule
Lanton
Newton
Castle Jail
Loch of the Lowes
Shaws Under Loch
Hassendean
Horsleyhill
Leyden Obelisk
Drinkstone Hill
Tushielaw
Dun Knowe
Appletreehall
Clarilaw
Denholm
Bedrule
Dunion Hill
Ramsey Knowe
Hellmoor Loch
Smasha Hill
Scottish Borders Art Glass
Hawick Cashmere
Burnfoot
Cauldmill
Redfordgreen
1391 Rubers Law
Ettrick
James Hogg Monument
Ettrick Water
Buccleuch
Alemoor Loch
Roberton
Wilton
HAWICK
Kirkton
Drumlanrig's Tower
Law Kneis 1634
Burnfoot
Branxholme
987 White Hill
Bonchester Bridge
Hobkirk
Chesters
1804 Black Knowe
Glenkerry
Sauchie Law
Deanburnhaugh
1278 Redcleuch Edge
Hott Hill
Newmill
CRAIK FOREST
Cross Hill
Craik Forest Walks
Craik
Dryden Fell
Stobs Castle
Slitrig
Green Law
Craik Cross Hill
Pike Hill 1369
Johnnie Armstrong Gallery
Teviothead
Allan Water
WAUCHOPE FOREST
ESKDALEMUIR FOREST
River Teviot
Skelfhill
The Pike 1516
Langburnshiels
Wyndburgh Hill
1688 Fanna Hill
Carlin Tooth
1746 Skelfhill Pen
Maiden Paps
Leap Hill
Sandy Edge
Needs Law
Davington
Garwaldwaterfoot
Blaeberry Hill
Eweslees Knowe
Comb Hill
Millstone Edge
1996 Cauldcleuch Head
1966 Greatmoor Hill
Lamblair Hill
Hartshorn Pike
Kagyu Samye Ling Monastery
Causeway Grain Head
Mosspaul
Tudhope Hill 1965
Saughtree Fell
1975 Peel Fell
Eskdalemuir
White Hope Edge
1953 Wisp Hill
1088
Jamestown
1722 Faw Side
Geordie's Hill
1737 Din Fell
Hermitage Chapel
Hermitage
1464 Arnton Fell
Saughtree
Deadwater
Hog Hill
Meggat Water
Broad Head 1614
Pike Fell
Foulmire Heights
Kielder
Kielder Railway Viaduct
CASTLE O'ER FOREST
Castle O'er
Crumpton Hill 1575
Ewes Water
1862 Roan Fell
902 North Birny Fell
Steele Road
Larriston Fells 1678
SCOTLAND
ENGLAND
KIELDER FOREST
Black Knowe
Dinmont Lairs
Kirkstile or Ewes
Watch Hill
Bentpath
1087 Hart Fell
The Shin
Telford Memorial
Hog Fell
Tarras Water
Black Edge 1464
Wilson's Pike
Newcastleton
Liddesdale Heritage Centre
Newcastleton Forest
Black Knowe
Lewis
Rough Pike
Burn
1478 Calkin Rig
Clan Armstrong
McDiamid Memorial
1326
Millholm Cross
Glendhu Hill
Glentenmont
LAUDERDALE
SELKIRKSHIRE
ETTRICK FOREST
TEVIOTDALE
ESKDALE
LIDDESDALE
A703
A72
A707
A708
A7
A68
A699
A698
A6091
A6105
A6088
B709
B7062
B710
B6374
B6360
B6356
B6359
B6398
B6453
B6400
B7009
B711
B6405
B6358
B6357
B6399
B723
129
130
120
113
E
F
G
H
1
2
3
4
5

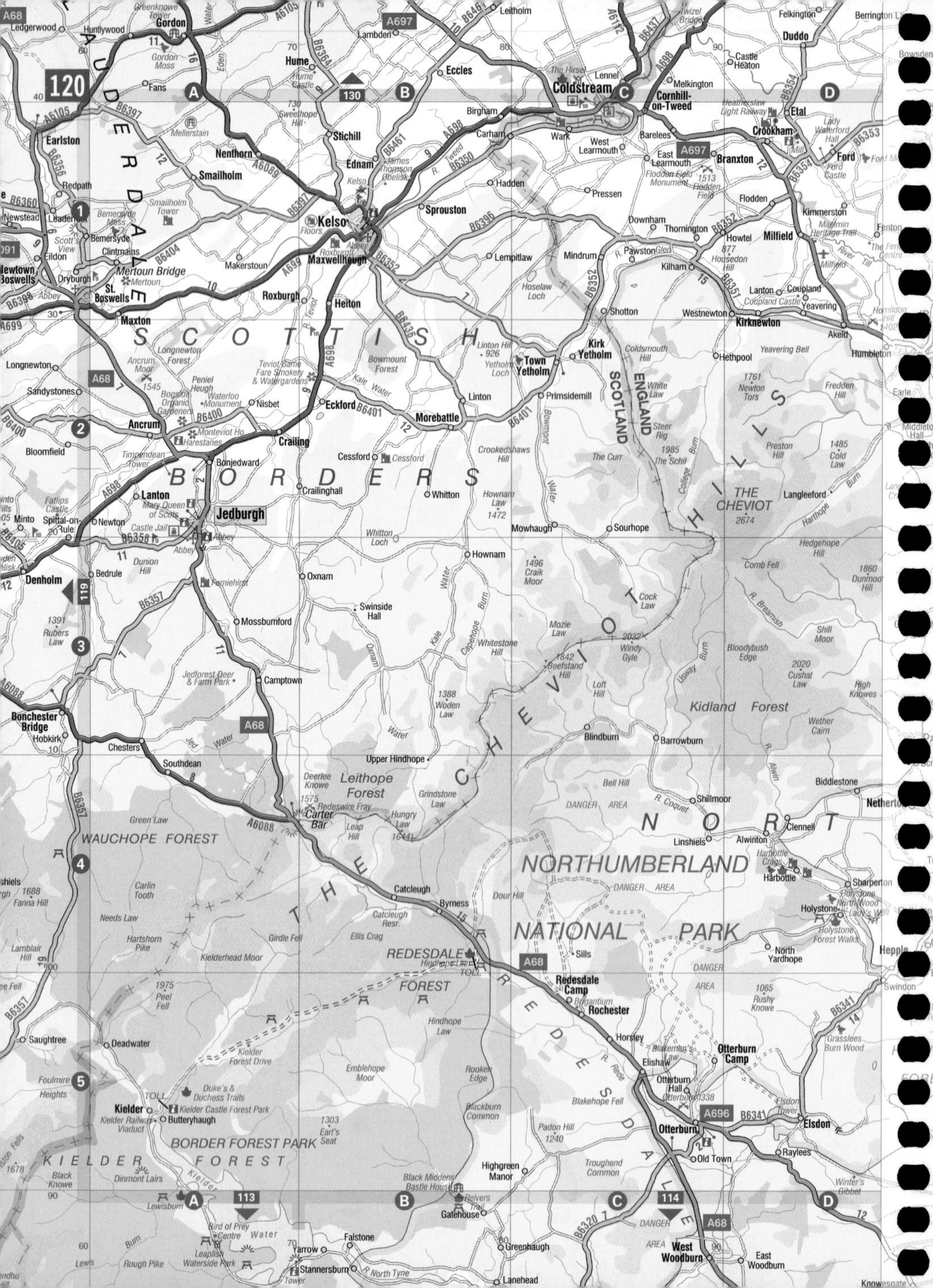

120
A68
Ledgerwood
Huntlywood
Gordon
Greenknowe Tower
Gordon Moss
Fans
A
B
C
D
130
A697
Lambden
Leitholm
Hume
Hume Castle
Eccles
Coldstream
The Hirsel
Lennel
Twizel Bridge
Castle Heaton
Duddo
Felkington
Berrington Law
Melkington
Cornhill-on-Tweed
Heatherslaw Light Railway
Etal
Crookham
Lady Waterford Hall
Ford
Ford Castle
Branxton
Flodden Field Monument
1513 Flodden Field
Flodden
Kimmerston
Milfield
Maelmin Heritage Trail
Fenton
Earlston
Mellerstain
Sweethope Hill
Stichill
Nenthorn
Smailholm
Smailholm Tower
Ednam
James Thomson Obelisk
Kelso
Floors
Roxburgh
Birgham
Carham
Wark
West Learmouth
East Learmouth
Barelees
Hadden
Pressen
Sprouston
Redpath
Leaderfoot
Newstead
Bemersyde Moss
Bemersyde
Scott's View
Clintmains
Eildon
Newtown St. Boswells
Dryburgh
Abbey
Mertoun Bridge
Mertoun
St. Boswells
Makerstoun
Maxwellheugh
Lempitlaw
Mindrum
Pawston
Downham
Thornington
Howtel
Kilham
Housedon Hill
Hoselaw Loch
Shotton
Lanton
Coupland
Coupland Castle
Yeavering
Westnewton
Kirknewton
Akeld
Humbleton
Maxton
Heiton
SCOTTISH
Longnewton
Longnewton Forest
Ancrum Moor
Teviot Game Fare Smokery & Watergardens
Bowmont Forest
Linton Hill
Yetholm Loch
Town Yetholm
Kirk Yetholm
Coldsmouth Hill
Yeavering Bell
Hethpool
Sandystones
Peniel Heugh
Waterloo Monument
Bogside Organic Gardeners
Nisbet
Eckford
Kale Water
Linton
Primsidemill
SCOTLAND
ENGLAND
White Law
Newton Tors
Fredden Hill
Earle
Ancrum
Monteviot Ho
Harestanes
Crailing
Morebattle
Steer Rig
Middleton Hall
Bloomfield
Timpendean Tower
Bonjedward
Cessford
Crookedshaws Hill
The Curr
The Schil
Preston Hill
Cold Law
BORDERS
Crailinghall
Whitton
Hownam Law
THE CHEVIOT
Langleeford
Lanton
Mary Queen of Scots
Jedburgh
Fatlips Castle
Minto
Spittal-on-Rule
Newton
Castle Jail
Whitton Loch
Mowhaugh
Sourhope
Hedgehope Hill
Dunion Hill
Bedrule
Denholm
119
Ferniehirst
Oxnam
Hownam
Craik Moor
Comb Fell
Dunmoor Hill
Swinside Hall
Cock Law
Rubers Law
Mossburnford
Mozie Law
Windy Gyle
Shill Moor
Whitestone Hill
Beefstand Hill
Bloodybush Edge
Cushat Law
High Knowes
Jedforest Deer & Farm Park
Camptown
Loft Hill
Kidland Forest
Bonchester Bridge
Hobkirk
Woden Law
Wether Cairn
Blindburn
Barrowburn
Chesters
Southdean
Jed Water
Upper Hindhope
Deerlee Knowe
Leithope Forest
Grindstone Law
Bell Hill
Shillmoor
Biddlestone
Netherton
Green Law
Carter Bar
Redeswire Fray
Hungry Law
Leap Hill
DANGER AREA
NORT
Linshiels
Alwinton
Clennell
WAUCHOPE FOREST
NORTHUMBERLAND
Harbottle Crags
Harbottle
Sharperton
Carlin Tooth
Fanna Hill
Catcleugh
Byrness
Dour Hill
Holystone
Lady's Well
Needs Law
Catcleugh Resr.
Ellis Crag
THE
NATIONAL
PARK
Holystone Forest Walks
Hartshorn Pike
Girdle Fell
REDESDALE
Sills
North Yardhope
Hepple
Lamblair Hill
Kielderhead Moor
FOREST
Redesdale Camp
Bremenium
Rochester
Peel Fell
Rushy Knowe
Swindon
Hindhope Law
Horsley
Grasslees Burn Wood
Saughtree
Deadwater
Kielder Forest Drive
Blakeman's Law
Otterburn Camp
Elishaw
Emblehope Moor
Rooken Edge
Foulmire Heights
Otterburn Hall
Duke's & Duchess Trails
Blakehope Fell
Kielder
Kielder Castle Forest Park
Butteryhaugh
Kielder Railway Viaduct
Blackburn Common
Elsdon Tower
Elsdon
Otterburn
Earl's Seat
Padon Hill
Old Town
Raylees
BORDER FOREST PARK
KIELDER FOREST
Highgreen Manor
Troughend Common
Black Knowe
Dinmont Lairs
Black Middens Bastle House
Winter's Gibbet
Lewisburn
113
Reivers Trail
Gatehouse
114
Bird of Prey Centre
Falstone
Greenhaugh
West Woodburn
East Woodburn
Rough Pike
Leaplish Waterside Park
Yarrow
Stannersburn
Tower
R. North Tyne
Lanehead
Knowesgate

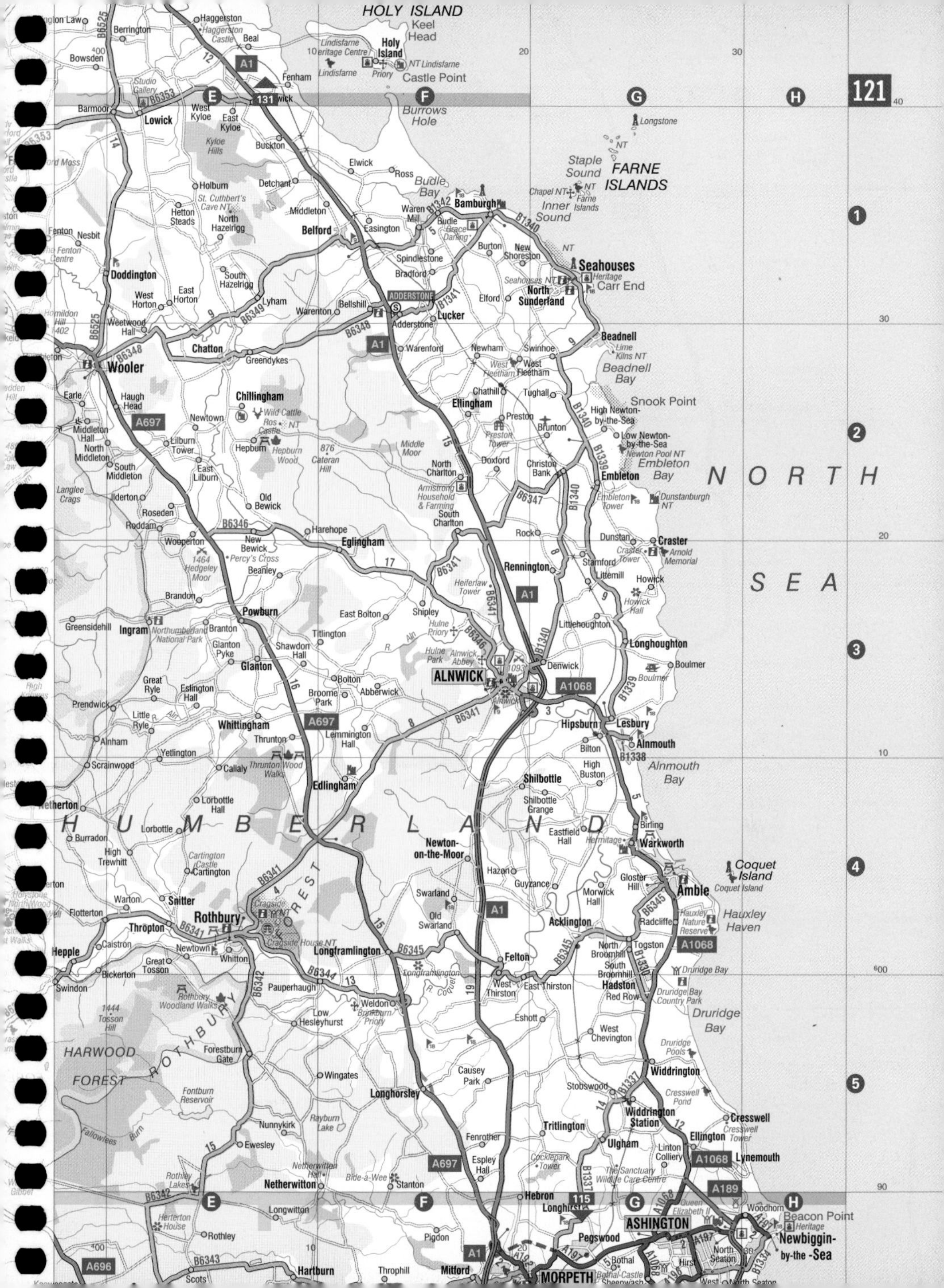
HOLY ISLAND
Keel Head
Holy Island
Lindisfarne Heritage Centre
Lindisfarne Priory
NT Lindisfarne Castle Point
Burrows Hole
Longstone
FARNE ISLANDS
Staple Sound
Inner Sound
Budle Bay
Bamburgh
Belford
Seahouses
Carr End
North Sunderland
Beadnell
Beadnell Bay
Snook Point
High Newton-by-the-Sea
Low Newton-by-the-Sea
Embleton
Embleton Bay
Dunstanburgh NT
Craster
Howick
Longhoughton
Boulmer
Alnmouth
Alnmouth Bay
Warkworth
Coquet Island
Amble
Hauxley Haven
Druridge Bay
Widdrington
Cresswell
Ellington
Lynemouth
Newbiggin-by-the-Sea
Beacon Point
ASHINGTON
MORPETH
Wooler
Chillingham
Chatton
Lowick
Doddington
Ingram
Powburn
Glanton
Whittingham
Eglingham
ALNWICK
Rennington
Edlingham
Shilbottle
Rothbury
Thropton
Longframlington
Felton
Longhorsley
Netherwitton
Hartburn
Mitford
Pegswood
NORTH SEA
NORTHUMBERLAND
HARWOOD FOREST
ROTHBURY FOREST
A1
A697
A1068
A189
A696
B6341
B6345
B6346
B6347
B1340
B1339
B6342
B6343
B6344
B6348
B6349
E
F
G
H
1
2
3
4
5

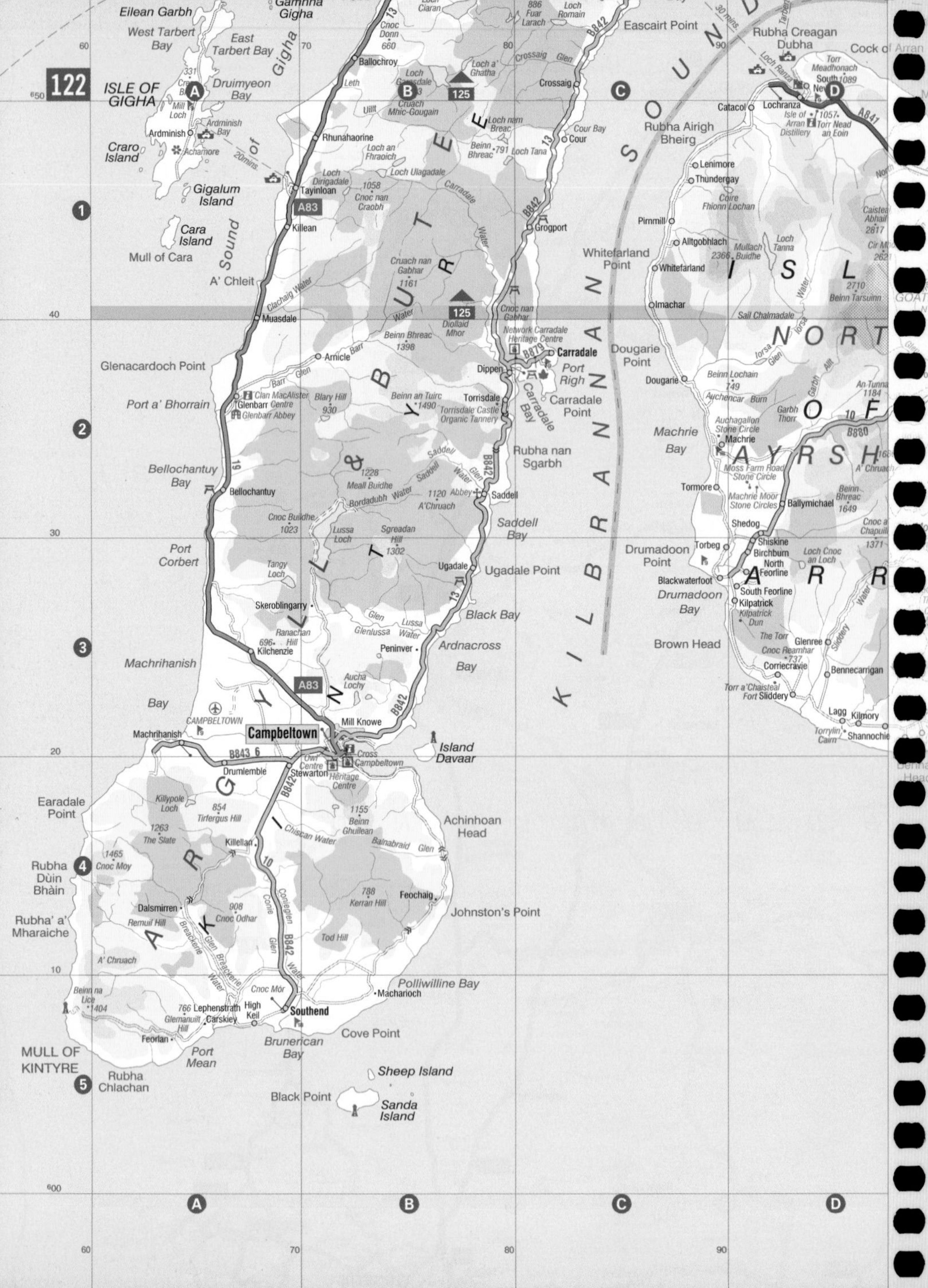
ISLE OF GIGHA
Eilean Garbh
West Tarbert Bay
East Tarbert Bay
Druimyeon Bay
Gamhna Gigha
Mill Loch
Ardminish
Ardminish Bay
Achamore
Craro Island
Gigalum Island
Cara Island
Mull of Cara
Sound of Gigha
A' Chleit
Ballochroy
Rhunahaorine
Tayinloan
A83
Killean
Muasdale
Glenacardoch Point
Arnicle
Clan MacAlister Centre
Glenbarr
Glenbarr Abbey
Port a' Bhorrain
Bellochantuy Bay
Bellochantuy
Port Corbert
Skeroblingarry
Kilchenzie
Machrihanish Bay
CAMPBELTOWN
Machrihanish
Campbeltown
Drumlemble
Stewarton
Cross
Campbeltown Heritage Centre
Island Davaar
Mill Knowe
Peninver
Ardnacross Bay
Black Bay
Ugadale
Ugadale Point
Saddell
Saddell Bay
Rubha nan Sgarbh
Torrisdale
Torrisdale Castle Organic Tannery
Dippen
Carradale
Carradale Bay
Carradale Point
Port Righ
Network Carradale Heritage Centre
Grogport
Crossaig
Cour
Cour Bay
Eascairt Point
ARGYLL & BUTE
KILBRANNAN SOUND
Earadale Point
Rubha Dùin Bhàin
Rubha' a' Mharaiche
Killellan
Dalsmirren
Feochaig
Achinhoan Head
Johnston's Point
Polliwilline Bay
Macharioch
Southend
Lephenstrath
Carskiey
High Keil
Feorlan
Port Mean
MULL OF KINTYRE
Rubha Chlachan
Brunerican Bay
Cove Point
Sheep Island
Black Point
Sanda Island
Beinn an Tuirc 1490
Cruach nan Gabhar 1161
Beinn Bhreac 1398
Tirfergus Hill
Cnoc Moy
Kerran Hill
Tod Hill
ISLE OF ARRAN
NORTH AYRSHIRE
Rubha Creagan Dubha
Cock of Arran
Lochranza
Catacol
Rubha Airigh Bheirg
Lenimore
Thundergay
Pirnmill
Alltgobhlach
Whitefarland
Whitefarland Point
Imachar
Dougarie
Dougarie Point
Machrie
Machrie Bay
Tormore
Ballymichael
Shedog
Shiskine
Torbeg
Drumadoon Point
Blackwaterfoot
North Feorline
South Feorline
Drumadoon Bay
Kilpatrick
Brown Head
Glenree
Corriecravie
Bennecarrigan
Sliddery
Lagg
Kilmory
Shannochie
B842
B843
B879
B880
A841
125
A
B
C
D
1
2
3
4
5

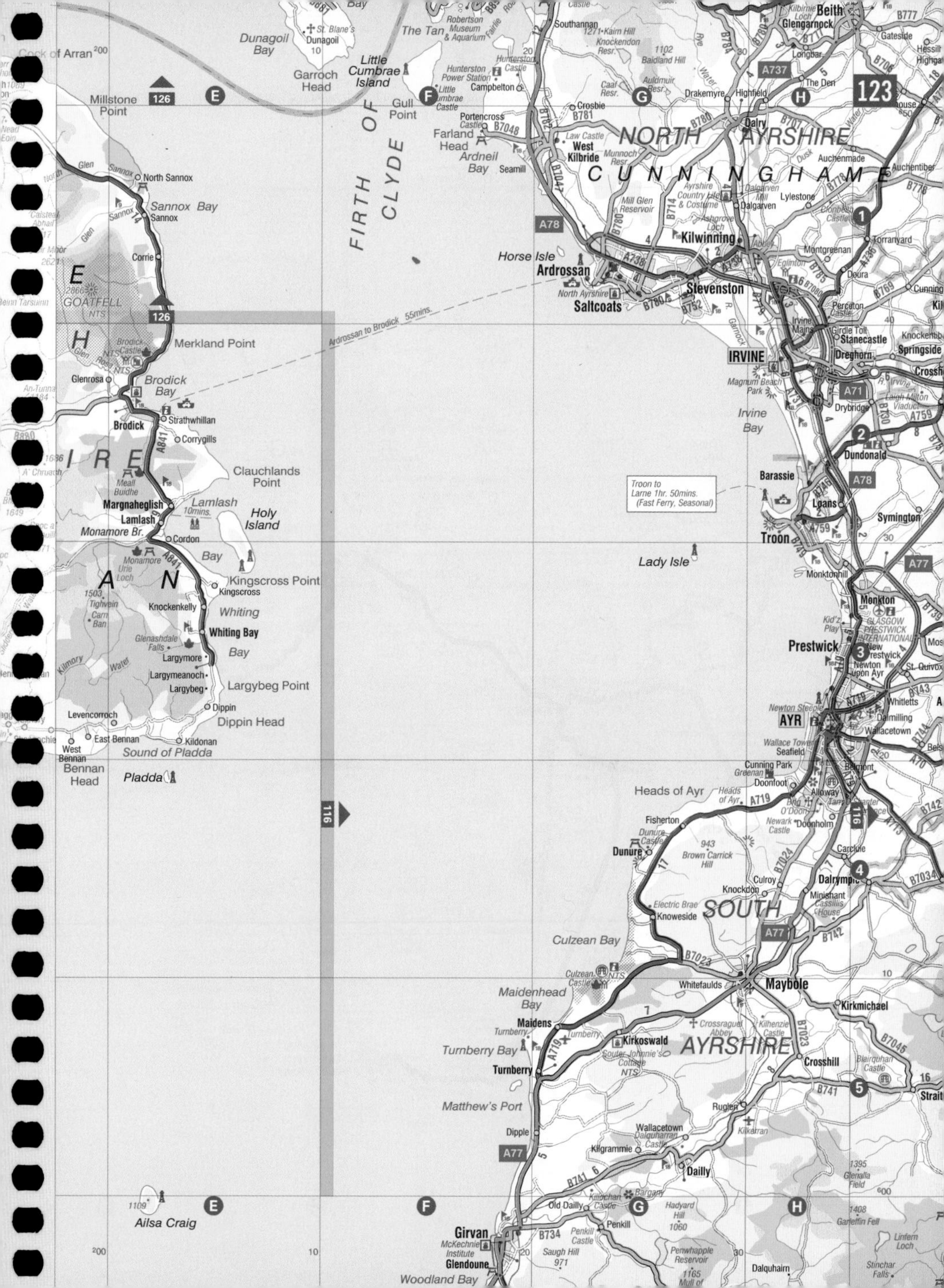

123
126
116
E
F
G
H
Cock of Arran
Millstone Point
Dunagoil Bay
Dunagoil
Garroch Head
Little Cumbrae Island
The Tan
Robertson Museum & Aquarium
Hunterston Power Station
Hunterston Castle
Campbelton
Gull Point
FIRTH OF CLYDE
Portencross Castle
Farland Head
Ardneil Bay
Seamill
West Kilbride
Southannan
Kaim Hill
Knockendon Resr.
Baidland Hill
Crosbie
Law Castle
Munnoch Resr.
NORTH AYRSHIRE
CUNNINGHAME
Beith
Kilbirnie Loch
Glengarnock
Longbar
Gateside
Drakemyre
Highfield
The Den
Dalry
Auchenmade
Auchentiber
Lylestone
Dalgarven
Ayrshire Country Life & Costume
Mill Glen Reservoir
Kilwinning
Torranyard
Montgreenan
Doura
Horse Isle
Ardrossan
Saltcoats
North Ayrshire
Stevenston
Ardrossan to Brodick 55mins.
Perceton
Irvine Mains
Girdle Toll
Stanecastle
Dreghorn
Springside
IRVINE
Magnum Beach Park
Drybridge
Laigh Milton Viaduct
Irvine Bay
Dundonald
Barassie
Troon to Larne 1hr. 50mins. (Fast Ferry, Seasonal)
Loans
Symington
Troon
Lady Isle
Monktonhill
Monkton
Kid'z Play
GLASGOW PRESTWICK INTERNATIONAL
Prestwick
New Prestwick
Newton upon Ayr
St. Quivox
Whitletts
Newton Steeple
AYR
Dalmilling
Wallacetown
Wallace Tower
Seafield
Cunning Park
Greenan
Belmont
Doonfoot
Heads of Ayr
Alloway
Brig o' Doon
Newark Castle
Doonholm
Fisherton
Dunure Castle
Dunure
Brown Carrick Hill
Carcluie
Dalrymple
Culroy
Knockdon
Minishant
Cassillis House
Electric Brae
Knoweside
SOUTH
AYRSHIRE
Culzean Bay
Culzean Castle NTS
Maidenhead Bay
Whitefaulds
Maybole
Kirkmichael
Maidens
Turnberry
Crossraguel Abbey
Kilhenzie Castle
Kirkoswald
Souter Johnnie's Cottage NTS
Turnberry Bay
Crosshill
Blairquhan Castle
Straiton
Matthew's Port
Rugley
Kilkerran
Dipple
Wallacetown
Dalquharran Castle
Kilgrammie
Dailly
Glenalla Field
Bargany
Old Dailly
Killochan Castle
Hadyard Hill
Penkill
Garelfin Fell
Linfern Loch
Girvan
McKechnie Institute
Penkill Castle
Saugh Hill
Penwhapple Reservoir
Glendoune
Woodland Bay
Mull of
Dalquhairn
Stinchar Falls
North Sannox
Sannox Bay
Sannox
Corrie
GOATFELL NTS
ARRAN
Merkland Point
Brodick Castle
Glenrosa
Brodick Bay
Strathwhillan
Brodick
Corrygills
Clauchlands Point
Meall Buidhe
Margnaheglish
Lamlash
Lamlash Bay
Holy Island
Monamore Br.
Cordon
Monamore
Urie Loch
Kingscross Point
Kingscross
Tighvein
Carn Ban
Knockenkelly
Whiting Bay
Glenashdale Falls
Largymore
Largymeanoch
Largybeg
Largybeg Point
Dippin
Dippin Head
Levencorroch
East Bennan
West Bennan
Kildonan
Sound of Pladda
Bennan Head
Pladda
Ailsa Craig

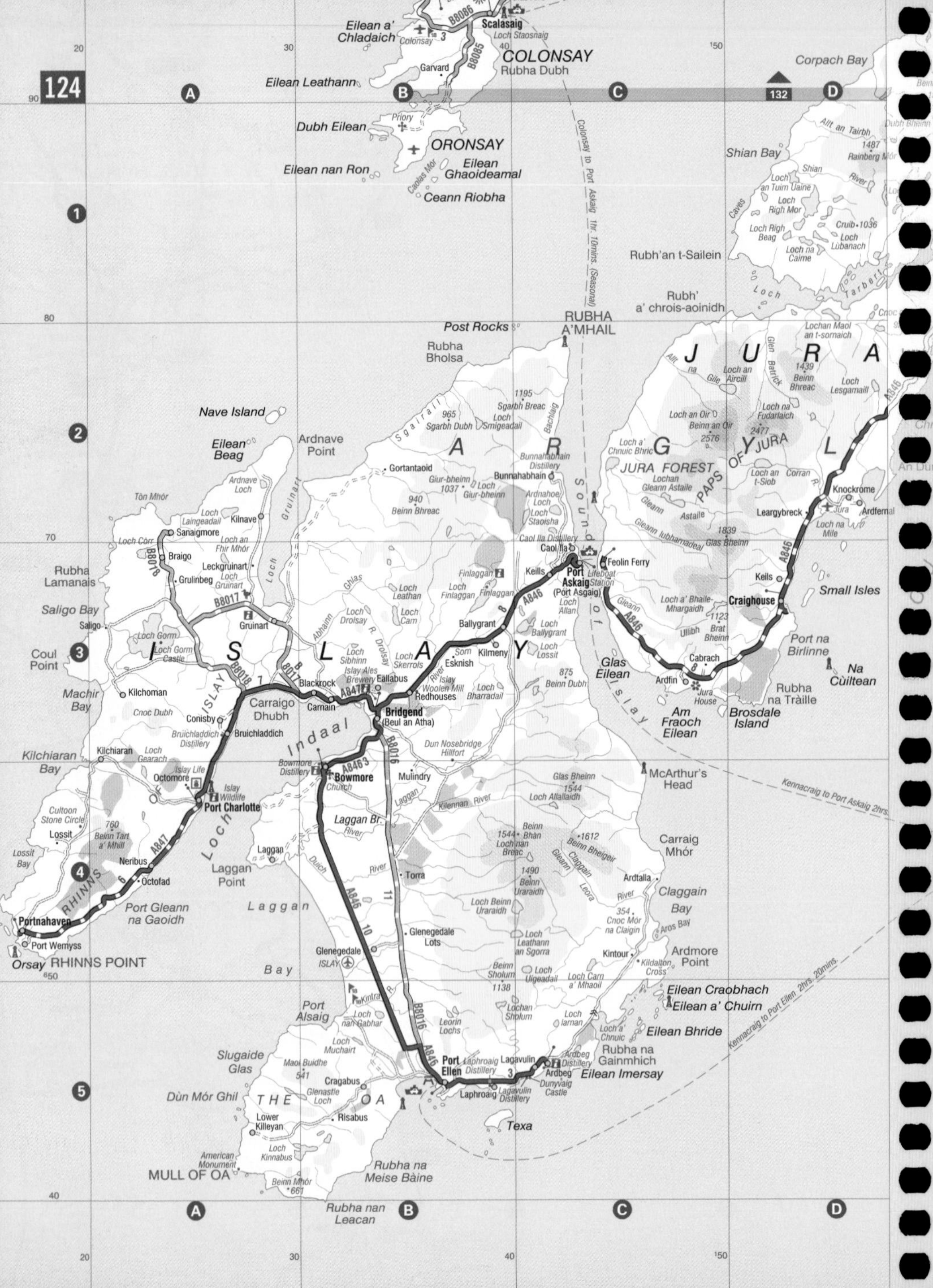
124
COLONSAY
Scalasaig
Loch Staosnaig
Eilean a' Chladaich
Colonsay
Garvard
Rubha Dubh
Eilean Leathann
Corpach Bay
132
Dubh Eilean
Priory
ORONSAY
Eilean nan Ron
Eilean Ghaoideamal
Caolas Mòr
Ceann Riobha
Colonsay to Port Askaig 1hr. 10mins. (Seasonal)
Shian Bay
Allt an Tairbh
1487
Rainberg Mòr
Shian
Loch an Tuim Uaine
Loch Righ Mor
Loch Righ Beag
Caves
Cruib 1036
Loch Lùbanach
Loch na Caime
Rubh'an t-Sailein
Rubh' a' chrois-aoinidh
Loch Tarbert
Lochan Maol an t-sornaich
Post Rocks
RUBHA A'MHAIL
Rubha Bholsa
J U R A
Glen Batrick
Allt na Gile
Loch an Aircill
1439
Beinn Bhreac
Loch Lesgamaill
A846
Nave Island
1195
Sgarbh Breac
965
Sgarbh Dubh
Loch Smigeadail
Bachlaig
Sgairail
Loch an Oir
Beinn an Oir
2576
Loch na Fudarlaich
2477
PAPS OF JURA
A R G Y L L
Eilean Beag
Ardnave Point
Gortantaoid
Giur-bheinn
1037
Loch Giur-bheinn
Bunnahabhain Distillery
Bunnahabhain
Loch a' Chnuic Bhric
JURA FOREST
Lochan Gleann Astaile
Loch an t-Siob
Corran
Knockrome
Jura
Ardfernal
Leargybreck
Ardnave Loch
Tòn Mhòr
Loch Laingeadail
Kilnave
Gruinart
940
Beinn Bhreac
Ardnahoe Loch
Loch Staoisha
Sound of Islay
Gleann Astaile
1839
Gleann Iubhamadeal
Glas Bheinn
Loch na Mile
Loch Còrr
Sanaigmore
Loch an Fhir Mhòr
Caol Ila Distillery
Caol Ila
Feolin Ferry
B8018
Braigo
Rubha Lamanais
Leckgruinart
Loch Gruinart
Grulinbeg
Finlaggan
Loch Finlaggan
Keills
Port Askaig
(Port Asgaig)
Lifeboat Station
Loch Allan
Keils
Small Isles
Craighouse
Saligo Bay
Saligo
B8017
Gruinart
Glas
Loch Leathan
Loch Cam
Loch Drolsay
Ballygrant
Loch Ballygrant
Loch a' Bhaile-Mhargaidh
1123
Brat Bheinn
Ullibh
Port na Birlinne
Coul Point
Loch Gorm
Loch Gorm Castle
I S L A Y
Loch Sibhinn
Islay Ales Brewery
Loch Skerrols
Sorn River
Esknish
Kilmeny
Loch Lossit
Cabrach
Na Cùiltean
Machir Bay
Kilchoman
Islay
Blackrock
A847
Eallabus
Islay Woolen Mill
Redhouses
Loch Bharradail
875
Beinn Dubh
Glas Eilean
Ardfin
Jura House
Rubha na Tràille
Cnoc Dubh
Carraigo Dhubh
Carnain
Bridgend
(Beul an Atha)
Am Fraoch Eilean
Brosdale Island
Conisby
Bruichladdich Distillery
Bruichladdich
Loch Indaal
B8016
Dun Nosebridge Hillfort
Kilchiaran Bay
Kilchiaran
Loch Gearach
Bowmore Distillery
A846
Bowmore
Church
Mulindry
McArthur's Head
Islay Life
Octomore
Islay Wildlife
Port Charlotte
Laggan
Kilennan River
Glas Bheinn
1544
Loch Allallaidh
Kennacraig to Port Askaig 2hrs.
Cultoon Stone Circle
760
Beinn Tart a' Mhill
Lossit
Laggan Br.
Laggan River
Beinn Bhàn
Loch nan Breac
1612
Beinn Bheigeir
Carraig Mhòr
Lossit Bay
Neribus
Laggan Point
RHINNS
Octofad
Duich
Torra
1490
Beinn Uraraidh
Gleann Claggain
Leora
Ardtalla
Claggain Bay
Portnahaven
Port Gleann na Gaoidh
Laggan Bay
Loch Beinn Uraraidh
354
Cnoc Mòr na Claigin
Aros Bay
Port Wemyss
Orsay
RHINNS POINT
Glenegedale Lots
Glenegedale
Loch Leathann an Sgorra
Kintour
Kildalton Cross
Ardmore Point
Beinn Sholum
1138
Loch Uigeadail
Loch Carn a' Mhaoil
Eilean Craobhach
Eilean a' Chuirn
Port Alsaig
Kintra
Loch nan Gabhar
Lochan Sholum
Leorin Lochs
Loch Iarnan
Loch a' Chnuic
Eilean Bhride
Slugaide Glas
Loch Muchairt
Maol Buidhe
541
Port Ellen
Laphroaig Distillery
Lagavulin
Ardbeg Distillery
Ardbeg
Rubha na Gainmhich
Eilean Imersay
Kennacraig to Port Ellen 2hrs. 20mins.
Dùn Mòr Ghil
Cragabus
Glenastle Loch
THE OA
Laphroaig
Lagavulin Distillery
Dunyvaig Castle
Lower Killeyan
Risabus
Texa
American Monument
Loch Kinnabus
MULL OF OA
Rubha na Meise Bàine
Beinn Mhòr
661
Rubha nan Leacan

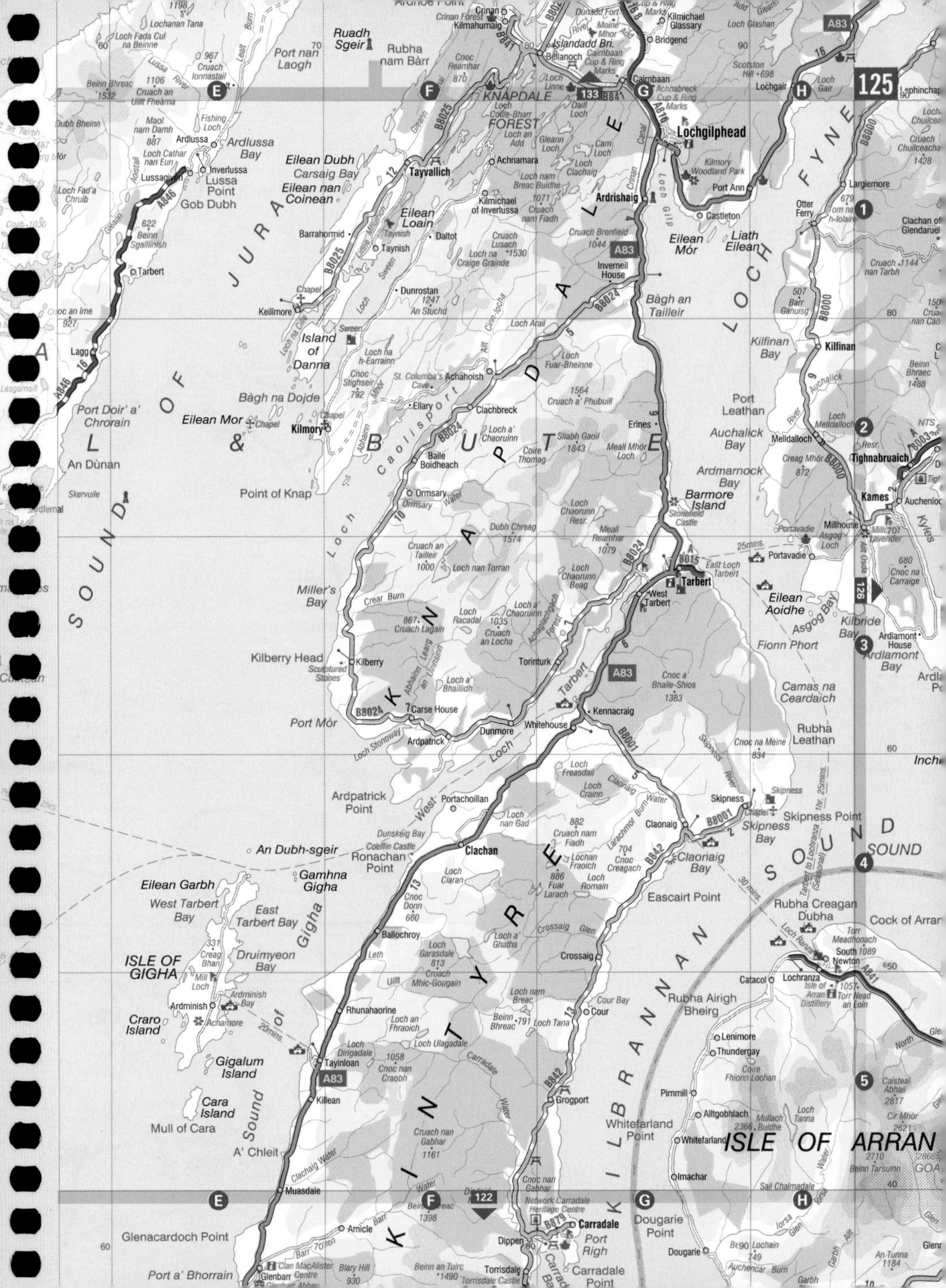
Crinan
Crinan Forest
Kilmahumaig
Ruadh Sgeir
Rubha nam Bàrr
Port nan Laogh
Lochanan Tana
Loch Fada Cul na Beinne
Cruach Ionnastail
Cruach an Uillt Fhearna
Lussa River
Islandadd Bri.
Bellanoch
Cnoc Reamhar
Kilmichael Glassary
Bridgend
Loch Glashan
Cairnbaan
Cairnbaan Cup & Ring Marks
Achnabreck Cup & Ring Marks
Scotston Hill
Lochgair
Loch Gair
Lephinchapel
KNAPDALE FOREST
Loch Coille-Bharr
Loch an Add
Daill Loch
Gleann Loch
Cam Loch
Loch Clachaig
Lochgilphead
Kilmory Woodland Park
Port Ann
Largiemore
Otter Ferry
Castleton
Ardrishaig
Loch Gilp
Crinan Canal
Dubh Bheinn
Maol nam Damh
Fishing Loch
Ardlussa
Ardlussa Bay
Loch Cathar nan Eun
Lussagiven
Inverlussa
Lussa Point
Gob Dubh
Loch Fad'a Chruib
Beinn Sgaillinish
Tarbert
Cnoc an Ime
Lagg
Eilean Dubh
Carsaig Bay
Eilean nan Coinean
Tayvallich
Achnamara
Loch nam Breac Buidhe
Kilmichael of Inverlussa
Cruach nam Fiadh
Eilean Loain
Barrahormid
Taynish
Daltot
Cruach Lusach
Loch na Craige Grainde
Cruach Brenfield
Eilean Mór
Liath Eilean
Clachan of Glendaruel
Cruach nan Tarbh
Inverneil House
Chapel
Keillmore
Dunrostan
An Stuchd
Bàgh an Tailleir
Barr Ganuisg
Island of Danna
Sween
Loch Sween
Loch Arail
Loch Fuar-Bheinne
Kilfinan Bay
Kilfinan
Loch na h-Earrainn
Cnoc Stighseir
St. Columba's Cave
Achahoish
Beinn Bhreac
Bàgh na Dojde
Cruach a' Phubuill
Port Leathan
Auchalick
Eilean Mor
Kilmory
Ellary
Clachbreck
Loch a' Chaoruinn
Sliabh Gaoil
Meall Mhór Loch
Erines
Auchalick Bay
Loch Melldalloch
Melldalloch
Tighnabruaich
Port Doir' a' Chrorain
An Dùnan
Skervuile
Baile Boidheach
Coire Thomag
Creag Mhór
Ardmarnock Bay
Point of Knap
Ormsary
Ormsary Water
Barmore Island
Stonefield Castle
Kames
Auchenlochan
Loch Chaorunn Resr.
Dubh Chreag
Meall Reamhar
Portavadie
Asgog Loch
Millhouse
Cruach an Tailleir
Loch nan Torran
Loch Chaorunn Beag
East Loch Tarbert
Cnoc na Carraige
Miller's Bay
Crear Burn
Tarbert
West Tarbert
Eilean Aoidhe
Asgog Bay
Kilbride Bay
Cruach Lagain
Loch Racadal
Loch a' Chaoruinn
Cruach an Locha
Kilberry Head
Kilberry
Sculptured Stones
Torinturk
Fionn Phort
Ardlamont House
Ardlamont Bay
Loch a' Bhaillidh
Cnoc a' Bhaile-Shios
Camas na Ceardaich
Port Mór
Carse House
Kennacraig
Whitehouse
Dunmore
Ardpatrick
Loch Stonoway
Rubha Leathan
Cnoc na Meine
West Loch Tarbert
Loch Freasdail
Loch Crainn
Claonaig Water
Skipness River
Ardpatrick Point
Portachoillan
Skipness
Claonaig
Skipness Point
Skipness Bay
Loch nan Gad
Cruach nam Fiadh
Dunskeig Bay
Coeffin Castle
An Dubh-sgeir
Ronachan Point
Clachan
Lochan Fraoich
Cnoc Creagach
Claonaig Bay
SOUND
Eilean Garbh
Gamhna Gigha
Loch Ciaran
Fuar Larach
Loch Romain
Eascairt Point
West Tarbert Bay
East Tarbert Bay
Cnoc Donn
Rubha Creagan Dubha
Cock of Arran
Ballochroy
Loch a' Ghatha
Crossaig Glen
Torr Meadhonach
ISLE OF GIGHA
Creag Bhan
Druimyeon Bay
Loch Garasdale
Cruach Mhic-Gougain
Crossaig
South Newton
Lochranza
Catacol
Isle of Arran Distillery
Torr Nead an Eoin
Mill Loch
Ardminish
Ardminish Bay
Achamore
Rhunahaorine
Loch nam Breac
Cour Bay
Cour
Rubha Airigh Bheirg
Craro Island
Loch an Fhraoich
Beinn Bhreac
Loch Tana
Loch Dirigadale
Loch Ulagadale
Carradale Water
Lenimore
Thundergay
Gigalum Island
Tayinloan
Cnoc nan Craobh
Coire Fhionn Lochan
Calsteal Abhail
Killean
Grogport
Pirnmill
Cara Island
Mull of Cara
Sound of Gigha
Cruach nan Gabhar
Whitefarland Point
Alltgobhlach
Mullach Buidhe
Loch Tanna
Cir Mhor
A' Chleit
Clachaig Water
Whitefarland
ISLE OF ARRAN
Beinn Tarsuinn
Imachar
Muasdale
Cnoc nan Gabhar
Network Carradale Heritage Centre
Carradale
Sail Chalmadale
Beinn Bhreac
Dougarie Point
Glenacardoch Point
Amicle
Port Righ
Dippen
Dougarie
Auchencar Burn
An Tunna
Port a' Bhorrain
Clan MacAlister Centre
Glenbarr
Glenbarr Abbey
Blary Hill
Beinn an Tuirc
Torrisdale
Torrisdale Castle
Carradale Point
SOUND OF JURA
KNAPDALE
KINTYRE
KILBRANNAN SOUND
LOCH FYNE
Loch Caolisport
A83
A846
A816
A841
A8003
B841
B8025
B8024
B8000
B8001
B842
B879
B8015
122
126
133
25mins.
30 mins.
20mins.
Tarbert to Lochranza 1hr. 25mins. (Seasonal)

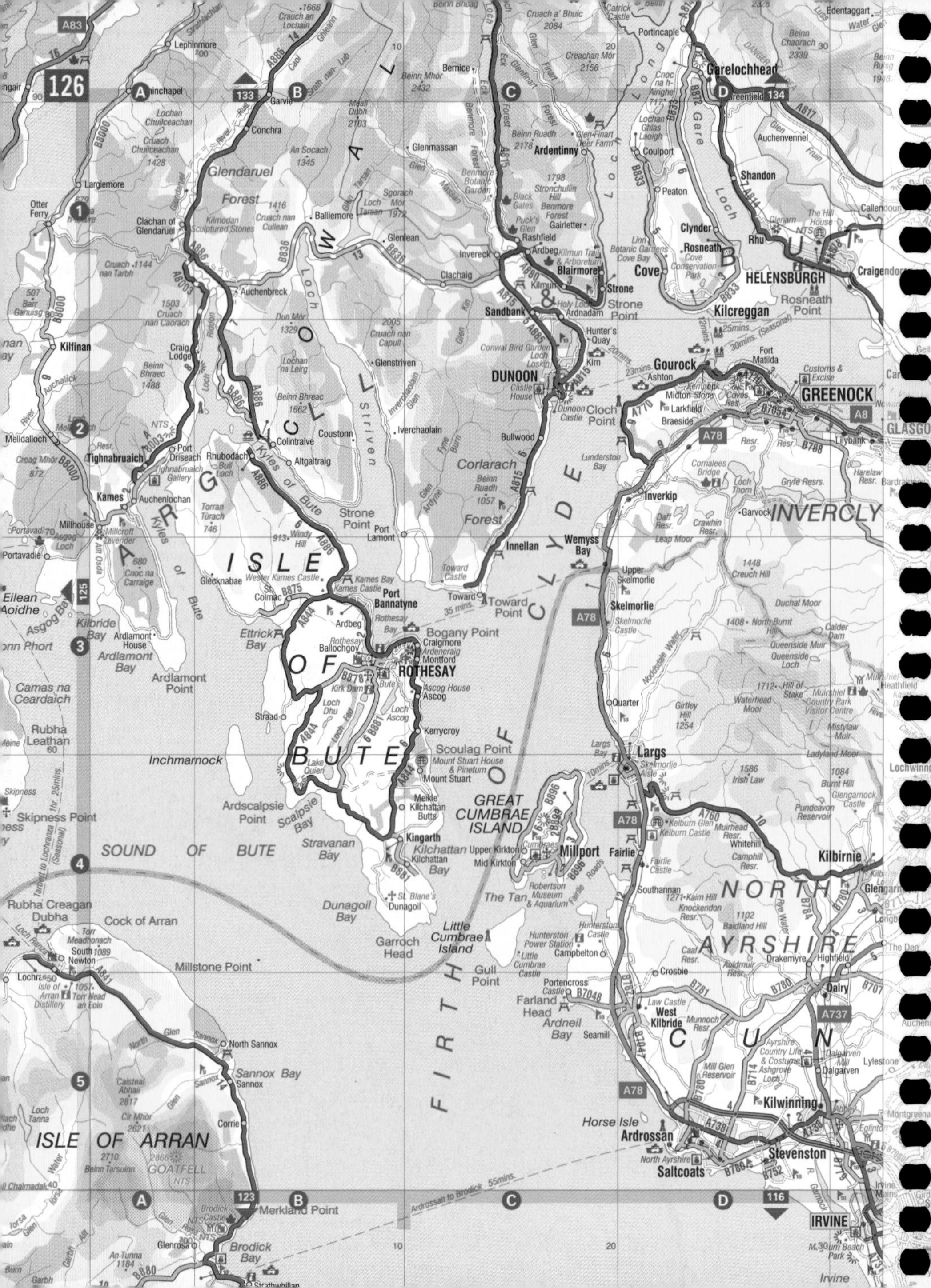

126
133
134
125
123
116
A
B
C
D
1
2
3
4
5
10
20
ARGYLL
ISLE OF BUTE
FIRTH OF CLYDE
NORTH AYRSHIRE
ISLE OF ARRAN
INVERCLY
GREAT CUMBRAE ISLAND
Little Cumbrae Island
SOUND OF BUTE
GREENOCK
GLASGOW
HELENSBURGH
DUNOON
ROTHESAY
IRVINE
Gourock
Garelochhead
Greenfield
Shandon
Rhu
Rosneath
Clynder
Kilcreggan
Rosneath Point
Cove
Coulport
Peaton
Craigendoran
Edentaggart
Portincaple
Ardentinny
Blairmore
Strone
Strone Point
Kilmun
Ardbeg
Rashfield
Invereck
Sandbank
Ardnadam
Hunter's Quay
Kirn
Cloch Point
Bullwood
Innellan
Toward
Toward Point
Wemyss Bay
Upper Skelmorlie
Skelmorlie
Inverkip
Lunderston Bay
Garvock
Ashton
Fort Matilda
Braeside
Larkfield
Lilybank
Largs
Fairlie
Southannan
Millport
Upper Kirkton
Mid Kirkton
Kilbirnie
Glengarnock
Dalry
Highfield
Drakemyre
West Kilbride
Seamill
Portencross
Farland Head
Ardneil Bay
Crosbie
Kilwinning
Dalgarven
Ardrossan
Saltcoats
Stevenston
Horse Isle
Port Bannatyne
Ardbeg
Bogany Point
Craigmore
Montford
Ascog
Kerrycroy
Scoulag Point
Mount Stuart
Kingarth
Kilchattan Bay
Dunagoil
Garroch Head
Straad
Inchmarnock
Ardscalpsie Point
Scalpsie Bay
Stravanan Bay
Dunagoil Bay
Ettrick Bay
Kames Bay
St. Colmac
Glecknabae
Rhubodach
Colintraive
Altgaltraig
Coustonn
Iverchaolain
Glenstriven
Strone Point
Port Lamont
Tighnabruaich
Port Driseach
Kames
Auchenlochan
Millhouse
Portavadie
Kilfinan
Melldalloch
Otter Ferry
Largiemore
Clachan of Glendaruel
Auchenbreck
Craig Lodge
Conchra
Garvie
Lephinmore
Balliemore
Glenlean
Clachaig
Glenmassan
Bernice
Kilbride Bay
Ardlamont House
Ardlamont Bay
Ardlamont Point
Camas na Ceardaich
Rubha Leathan
Skipness Point
Rubha Creagan Dubha
Cock of Arran
Lochranza
Newton
Millstone Point
North Sannox
Sannox Bay
Sannox
Corrie
Merkland Point
Brodick Bay
Glenrosa
Goatfell
2866
Merkland Point
Ardrossan to Brodick 55mins
Glendaruel Forest
Corlarach Forest
A83
A886
A815
A880
A8
A78
A760
A737
A738
A770
A841
A844
B8000
B836
B875
B881
B7054
B788
B833
B896
B7048
B781
B780
B714

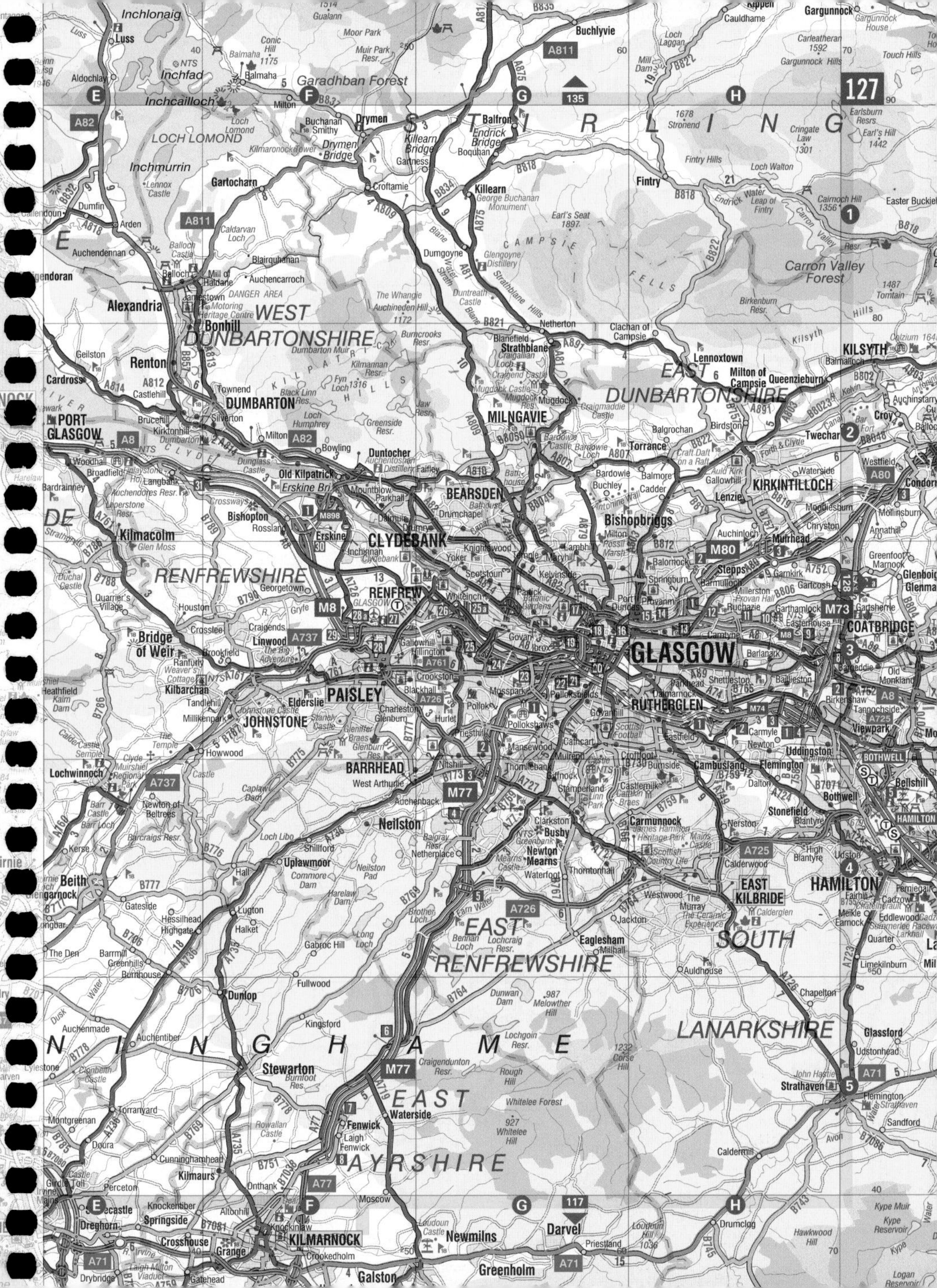
135
117
STIRLING
WEST
DUNBARTONSHIRE
EAST
DUNBARTONSHIRE
RENFREWSHIRE
EAST
RENFREWSHIRE
SOUTH
LANARKSHIRE
EAST
AYRSHIRE
NINGHAME
GLASGOW
PAISLEY
CLYDEBANK
RENFREW
BEARSDEN
MILNGAVIE
KIRKINTILLOCH
KILSYTH
COATBRIDGE
RUTHERGLEN
HAMILTON
EAST KILBRIDE
DUMBARTON
PORT GLASGOW
JOHNSTONE
BARRHEAD
KILMARNOCK
BOTHWELL
Luss
Inchlonaig
Inchfad
Inchcailloch
Inchmurrin
LOCH LOMOND
Garadhban Forest
Balmaha
Drymen
Balfron
Killearn
Buchlyvie
Fintry
Gargunnock
Carron Valley Forest
CAMPSIE FELLS
Alexandria
Bonhill
Renton
Cardross
Balloch
Gartocharn
Arden
Kilmacolm
Bridge of Weir
Kilbarchan
Elderslie
Howwood
Lochwinnoch
Linwood
Erskine
Bishopton
Old Kilpatrick
Duntocher
Bowling
Milton
Strathblane
Lennoxtown
Milton of Campsie
Torrance
Bishopbriggs
Lenzie
Stepps
Croy
Twechar
Muirhead
Chryston
Cambuslang
Uddingston
Bellshill
Viewpark
Carmunnock
Busby
Clarkston
Newton Mearns
Giffnock
Neilston
Uplawmoor
Beith
Lugton
Dunlop
Stewarton
Fenwick
Waterside
Kilmaurs
Crosshouse
Springside
Dreghorn
Eaglesham
Strathaven
Glassford
Darvel
Newmilns
Greenholm
Galston
Whitelee Forest
M8
M77
M80
M73
M74
M898
A8
A82
A71
A77
A737
A726
A725
A811

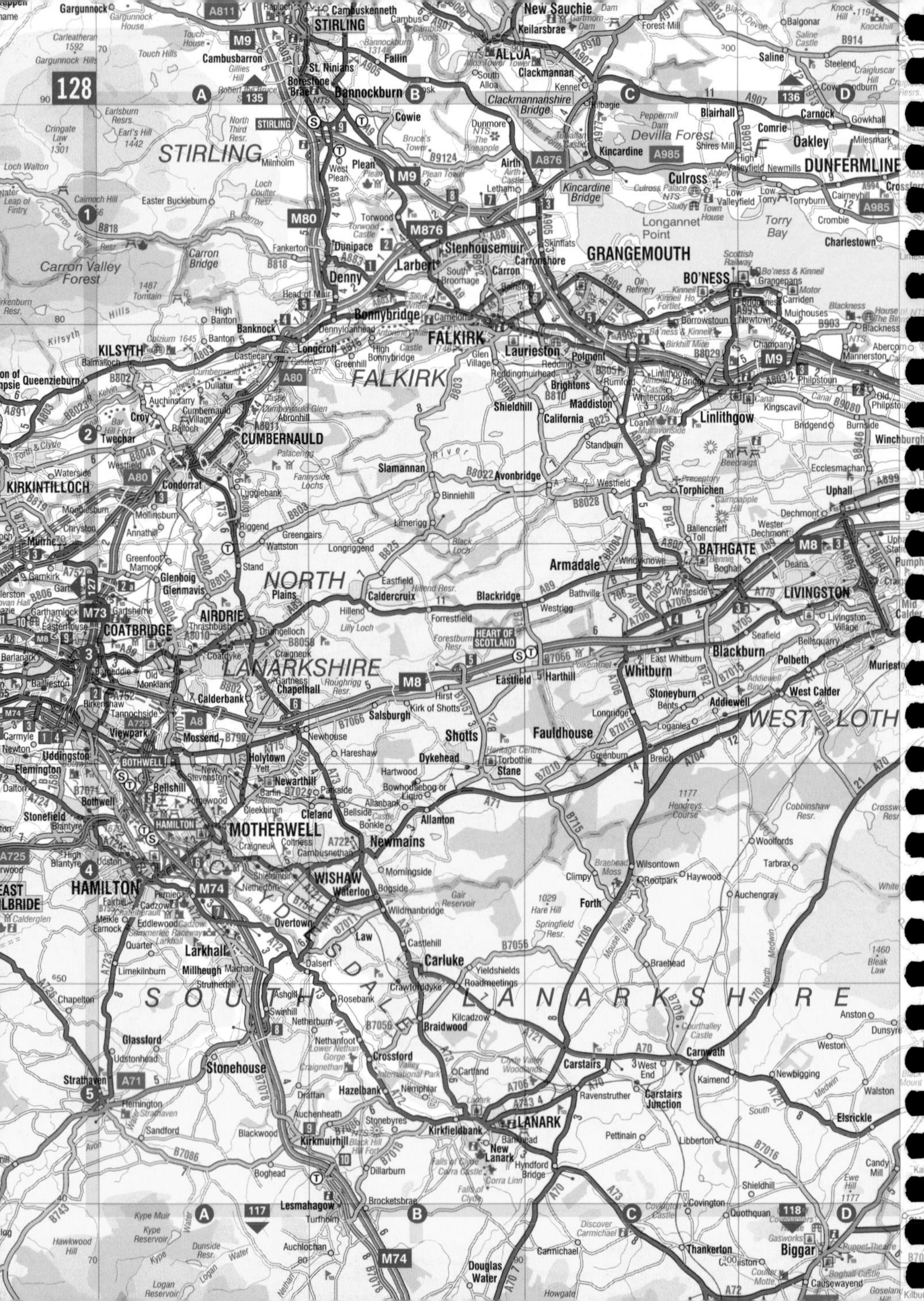
STIRLING
Cambuskenneth
New Sauchie
Alloa
Clackmannan
Saline
Cambusbarron
Bannockburn
Fallin
St. Ninians
Cowie
Clackmannanshire Bridge
Kincardine Bridge
Devilla Forest
Kincardine
Culross
Oakley
DUNFERMLINE
Carnock
Comrie
Blairhall
Crossford
Charlestown
Torry Bay
Longannet Point
Plean
Airth
Torwood
Dunipace
Denny
Larbert
Stenhousemuir
Carron
GRANGEMOUTH
BO'NESS
Grangepans
Carriden
Bonnybridge
FALKIRK
Laurieston
Polmont
Banknock
KILSYTH
Longcroft
Queenzieburn
Carron Valley Forest
Carron Valley Resr.
Croy
Twechar
CUMBERNAULD
Condorrat
KIRKINTILLOCH
Linlithgow
Brightons
Maddiston
California
Shieldhill
Avonbridge
Slamannan
Westfield
Torphichen
Uphall
Dechmont
BATHGATE
Armadale
Blackridge
Caldercruix
Plains
NORTH LANARKSHIRE
AIRDRIE
COATBRIDGE
Glenboig
Glenmavis
Chapelhall
Calderbank
LIVINGSTON
Blackburn
Whitburn
Harthill
Eastfield
Stoneyburn
Addiewell
West Calder
Polbeth
WEST LOTHIAN
Fauldhouse
Shotts
Stane
Dykehead
Salsburgh
Kirk of Shotts
HEART OF SCOTLAND
Newhouse
Holytown
Mossend
Bellshill
Viewpark
Uddingston
Bothwell
MOTHERWELL
Cleland
Newarthill
Newmains
Allanton
WISHAW
Waterloo
Overtown
Law
Carluke
Braidwood
HAMILTON
Larkhall
Stonehouse
Strathaven
Glassford
SOUTH LANARKSHIRE
CLYDESDALE
Crossford
Hazelbank
Kirkfieldbank
LANARK
New Lanark
Carstairs
Carstairs Junction
Carnwath
Forth
Wilsontown
Auchengray
Tarbrax
Woolfords
Kirkmuirhill
Lesmahagow
Blackwood
Douglas Water
Thankerton
Biggar
Elsrickle
Walston
Covington
Quothquan
Libberton
Pettinain
Ravenstruther
Newbigging
M9
M80
M876
M73
M8
M74
A80
A8
A71
A70
A73
A725
117
118
135
136

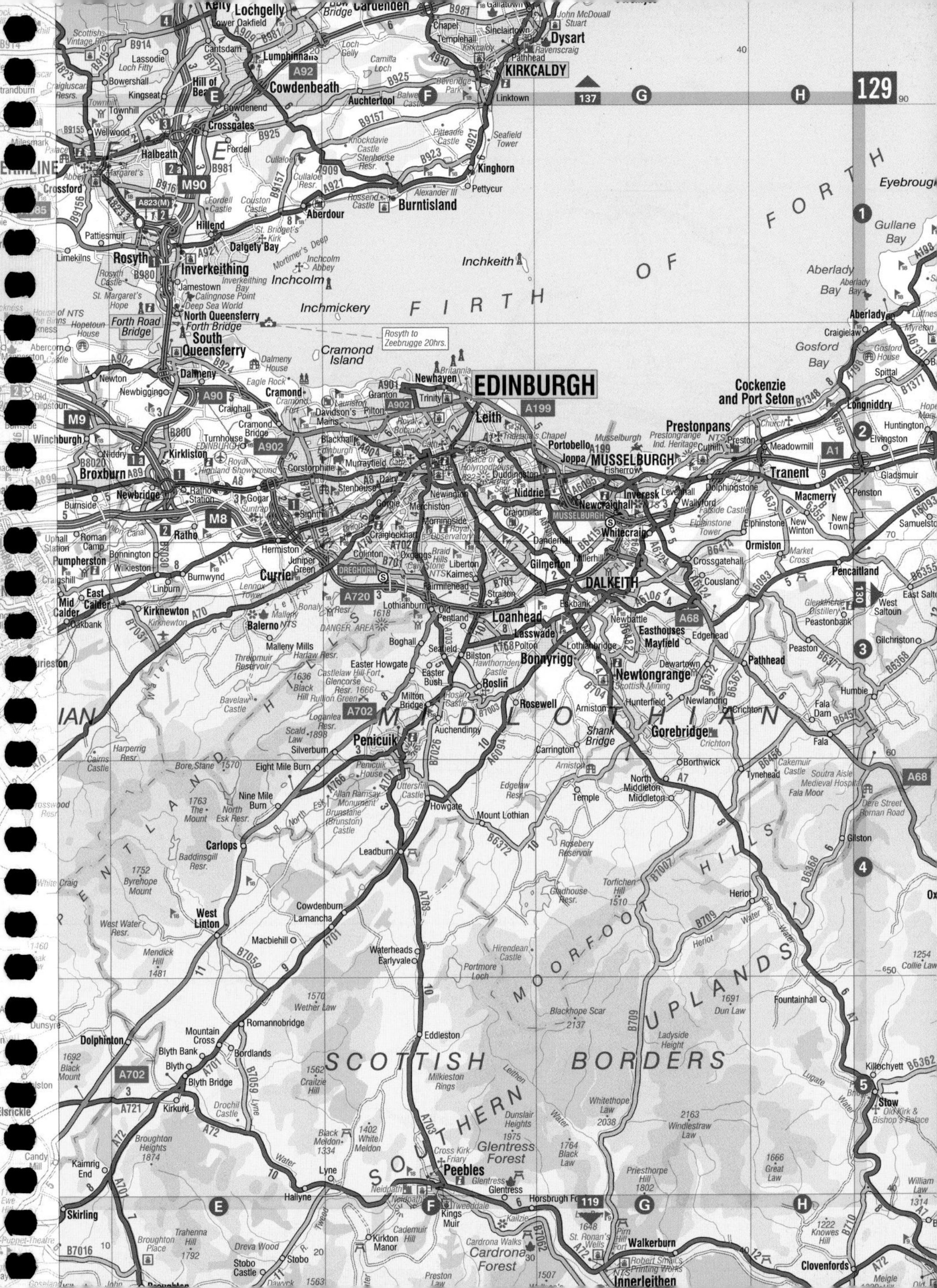
Kelty
Lochgelly
Lower Oakfield
Cardenden
Dysart
Sinclairtown
Templehall
Chapel
Pathhead
Ravenscraig
KIRKCALDY
Linktown
137
Lumphinnans
Cowdenbeath
Auchtertool
Hill of Beath
Cowdenend
Crossgates
Halbeath
Fordell
Kingseat
Townhill
Wellwood
Bowershall
Lassodie
Loch Fitty
Cantsdam
Crossford
Kinghorn
Pettycur
Burntisland
Aberdour
Dalgety Bay
Hillend
Rosyth
Inverkeithing
Limekilns
Pattiesmuir
Jamestown
North Queensferry
Forth Road Bridge
Forth Bridge
South Queensferry
Dalmeny
Abercorn
Newton
Inchkeith
Inchcolm
Inchmickery
Cramond Island
Rosyth to Zeebrugge 20hrs.
FIRTH OF FORTH
Eyebrough
Gullane Bay
Aberlady Bay
Aberlady
Craigielaw
Gosford Bay
Gosford House
Spittal
Longniddry
Cockenzie and Port Seton
Prestonpans
EDINBURGH
Newhaven
Granton
Trinity
Leith
Cramond
Davidson's Mains
Pilton
Craighall
Newbigging
Kirkliston
Winchburgh
Niddry
Broxburn
Newbridge
Ratho
Ratho Station
Gogar
Turnhouse
Cramond Bridge
Blackhall
Murrayfield
Corstorphine
Dalry
Stenhouse
Gorgie
Sighthill
Merchiston
Newington
Morningside
Craiglockhart
Colinton
Oxgangs
Juniper Green
Currie
Hermiston
Liberton
Kaimes
Fairmilehead
Straiton
Duddingston
Niddrie
Craigmillar
Portobello
Joppa
MUSSELBURGH
Fisherrow
Inveresk
Newcraighall
Whitecraig
Danderhall
Millerhill
Gilmerton
DALKEITH
Eskbank
Newbattle
Easthouses
Mayfield
Lothianbridge
Bonnyrigg
Lasswade
Polton
Loanhead
Bilston
Roslin
Rosewell
Newtongrange
Dewartown
Arniston
Hunterfield
Newlandrig
Crichton
Gorebridge
Tranent
Macmerry
Penston
Gladsmuir
Elphinstone
New Winton
Ormiston
Pencaitland
Crossgatehall
Cousland
Wallyford
Dolphingstone
Meadowmill
Preston
Elvingston
Huntington
Samuelston
New Town
East Saltoun
West Saltoun
Peastonbank
Pathhead
Edgehead
Peaston
Gilchriston
Humbie
Fala Dam
Fala
Fala Moor
Tynehead
Soutra Aisle Medieval Hospital
Dere Street Roman Road
Gilston
Heriot
Borthwick
North Middleton
Middleton
Carrington
Shank Bridge
Temple
Mount Lothian
Howgate
Auchendinny
Milton Bridge
Penicuik
Silverburn
Eight Mile Burn
Nine Mile Burn
Carlops
Leadburn
Easter Howgate
Seafield
Easter Bush
Boghall
Old Pentland
Lothianburn
Balerno
Malleny Mills
Kirknewton
Mid Calder
East Calder
Oakbank
Linburn
Burnwynd
Wilkieston
Bonnington
Pumpherston
Roman Camp
Uphall Station
Burnside
MIDLOTHIAN
PENTLAND HILLS
MOORFOOT HILLS
West Linton
Cowdenburn
Lamancha
Macbiehill
Waterheads
Earlyvale
Romannobridge
Mountain Cross
Blyth Bank
Blyth
Blyth Bridge
Bordlands
Kirkurd
Dolphinton
Eddleston
SCOTTISH BORDERS
SOUTHERN UPLANDS
Peebles
Glentress
Glentress Forest
Lyne
Hallyne
Kings Muir
Kirkton Manor
Stobo
Stobo Castle
Skirling
Kaimrig End
Horsbrugh Ford
119
Walkerburn
Innerleithen
Cardrona Forest
Stow
Killochyett
Fountainhall
Clovenfords
M90
M9
M8
A90
A902
A720
A702
A199
A1
A68
A7
A72
A701
A703
A92
A921
A909
A6094
B7007
B709

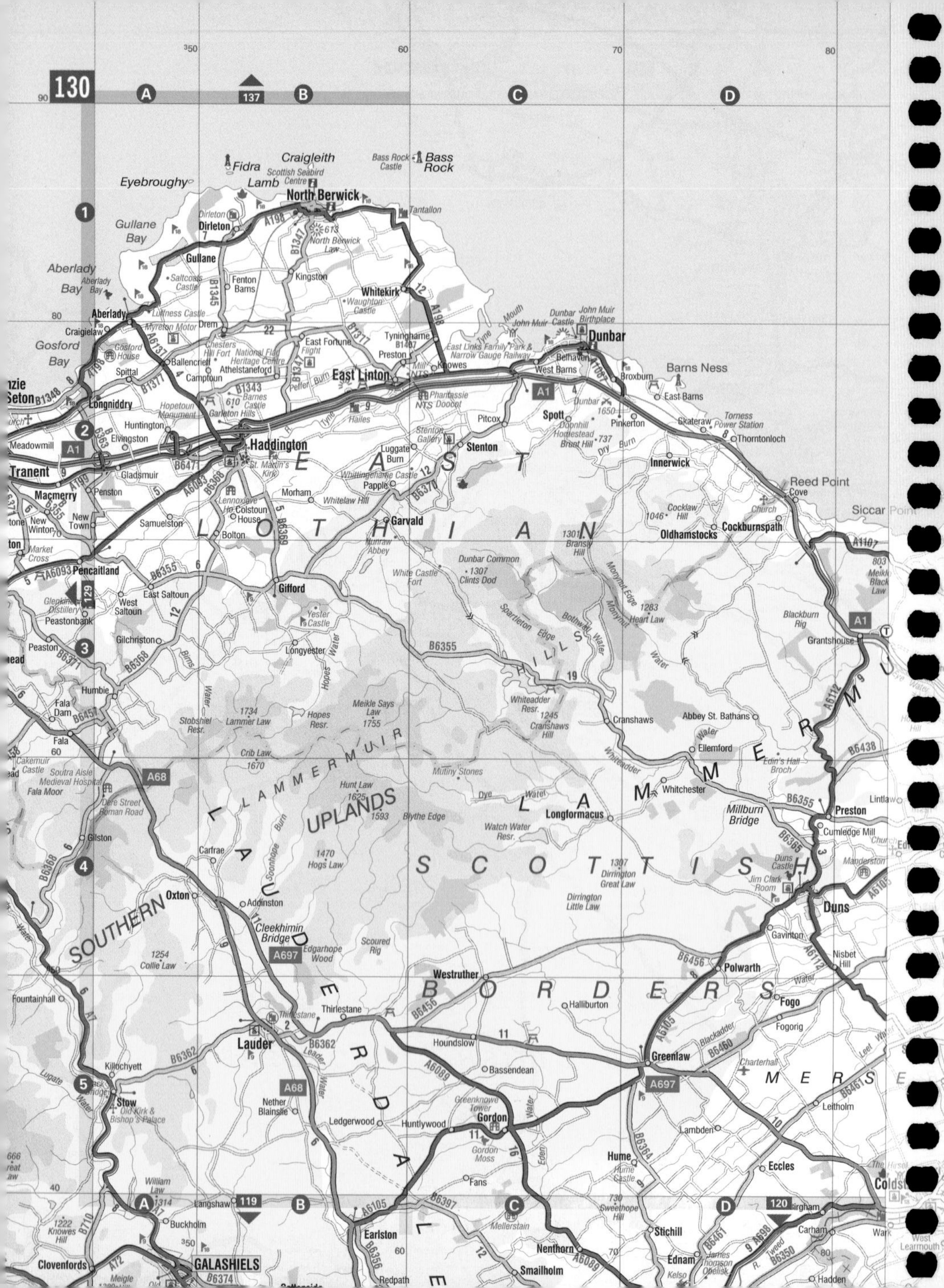
350
60
70
80
90
A
137
B
C
D
1
2
3
4
5
Fidra
Craigleith
Scottish Seabird Centre
Lamb
Bass Rock Castle
Bass Rock
Eyebroughy
North Berwick
Tantallon
Dirleton
Gullane Bay
Gullane
North Berwick Law
613
Aberlady Bay
Saltcoats Castle
Fenton Barns
Kingston
Whitekirk
Waughton Castle
Aberlady
Luffness Castle
Myreton Motor
Drem
Craigielaw
Gosford Bay
Gosford House
Chesters Hill Fort
National Flag Heritage Centre
East Fortune Flight
Tyninghame
Preston
Mill NTS
Knowes
Tyne Mouth
John Muir
Dunbar Castle
John Muir Birthplace
Dunbar
Belhaven
West Barns
East Links Family Park & Narrow Gauge Railway
Barns Ness
Broxburn
East Barns
Ballencrieff
Athelstaneford
Spittal
Camptoun
East Linton
Phantassie Doocot NTS
Seton
Longniddry
Barnes Castle
Hopetoun Monument
Garleton Hills
610
Hailes
Pitcox
Spott
Doonhill Homestead
Brunt Hill
737
Pinkerton
Skateraw
Torness Power Station
Thorntonloch
Huntington
Elvingston
Meadowmill
Haddington
St. Martin's Kirk
Stenton Gallery
Stenton
Luggate Burn
Dry Burn
Innerwick
Tranent
Gladsmuir
Whittingehame Castle
Papple
Reed Point
Cove
Macmerry
Penston
Morham
Whitelaw Hill
Lennoxlove Ho.
Colstoun House
Siccar Point
New Winton
New Town
Samuelston
Bolton
Garvald
Cocklaw Hill
1046
Church
Oldhamstocks
Cockburnspath
EAST LOTHIAN
Market Cross
Pencaitland
Nunraw Abbey
1301 Bransly Hill
Dunbar Common
1307 Clints Dod
White Castle Fort
Monynut Edge
803 Meikle Black Law
129
Glenkinchie Distillery
West Saltoun
East Saltoun
Gifford
Yester Castle
Spartleton Edge
1283 Heart Law
Blackburn Rig
Peastonbank
Peaston
Gilchriston
Longyester
Hopes Water
Bothwell Water
Grantshouse
Humbie
B6355
19
Whiteadder Resr.
1245 Cranshaws Hill
Fala Dam
Fala
1734 Lammer Law
Stobshiel Resr.
Hopes Resr.
Meikle Says Law 1755
Cranshaws
Abbey St. Bathans
Ellemford
Cakemuir Castle
Soutra Aisle Medieval Hospital
Fala Moor
Crib Law 1670
LAMMERMUIR HILLS
Mutiny Stones
Edin's Hall Broch
Whitchester
Dere Street Roman Road
Hunt Law 1625
1593
Blythe Edge
Dye Water
Longformacus
Watch Water Resr.
Millburn Bridge
Preston
Linthill
Cumledge Mill
Gilston
Carfrae
UPLANDS
1470 Hogs Law
SCOTTISH
1307 Dirrington Great Law
Duns Castle
Jim Clark Room
Manderston
Duns
Oxton
Addinston
Soonhope Burn
Dirrington Little Law
SOUTHERN
Cleekhimin Bridge
Edgarhope Wood
Scoured Rig
Gavinton
1254 Collie Law
Westruther
Polwarth
Nisbet Hill
BORDERS
Fountainhall
Thirlestane
Halliburton
Fogo
Fogorig
Lauder
Houndslow
Blackadder
Killochyett
Bassendean
Greenlaw
Charterhall
MERSE
Stow
Old Kirk & Bishop's Palace
Nether Blainslie
Greenknowe Tower
Gordon
Leitholm
Ledgerwood
Huntlywood
LAUDERDALE
Gordon Moss
Lambden
Hume
Hume Castle
Eccles
Fans
William Law
1314
Langshaw
119
730 Sweethope Hill
120
Birgham
Coldstream
Buckholm
Mellerstain
1222 Knowes Hill
Stichill
Carham
Wark
West Learmouth
Earlston
Nenthorn
Ednam
James Thomson Obelisk
Kelso
Clovenfords
GALASHIELS
Meigle
Smailholm
Redpath
Hadden
A1
A68
A697
A6105
A6089
A6112
A1107
A198
A199
A6093
A6137
B1348
B1377
B1343
B1345
B1347
B1407
B6370
B6369
B6368
B6363
B6355
B6371
B6457
B6438
B6365
B6456
B6362
B6460
B6461
B6364
B6397
B6356
B6374
B6350
B710
A7
A72

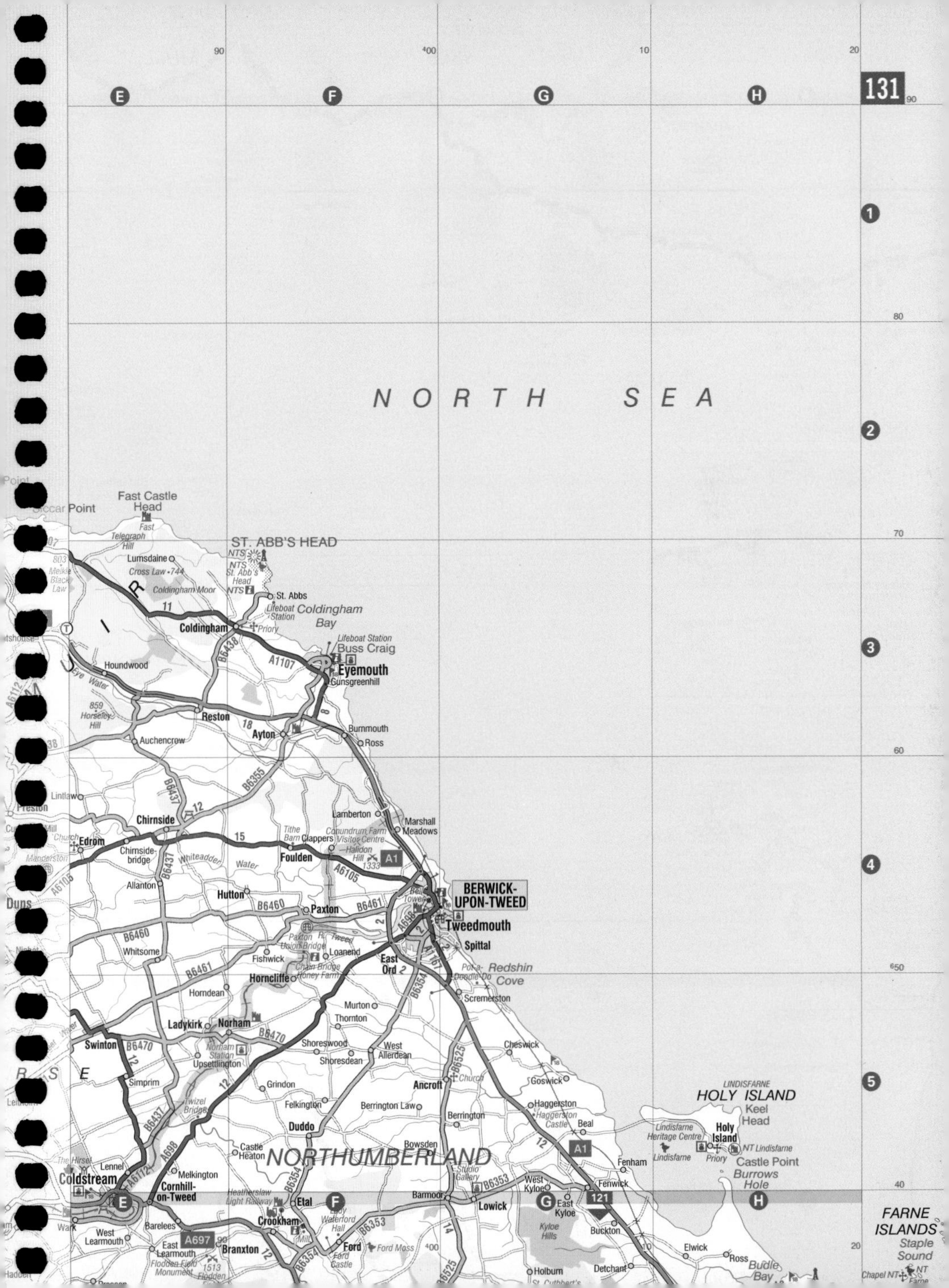
NORTH SEA
Fast Castle Head
Siccar Point
ST. ABB'S HEAD
St. Abbs
Coldingham Bay
Coldingham
Lumsdaine
Cross Law 744
Coldingham Moor
Lifeboat Station
Buss Craig
Eyemouth
Gunsgreenhill
Houndwood
Eye Water
Reston
Ayton
Burnmouth
Ross
Auchencrow
Lintlaw
Chirnside
Lamberton
Marshall Meadows
Edrom
Chirnside-bridge
Whiteadder Water
Foulden
Clappers
Halidon Hill 1333
A1
Allanton
Hutton
Paxton
BERWICK-UPON-TWEED
Tweedmouth
Spittal
Duns
Whitsome
Fishwick
Loanend
East Ord
Horncliffe
Redshin Cove
Horndean
Scremerston
Ladykirk
Norham
Murton
Thornton
Swinton
Shoreswood
Shoresdean
West Allerdean
Cheswick
Upsettlington
Simprim
Grindon
Ancroft
Goswick
Felkington
Berrington Law
Haggerston
Berrington
Beal
Duddo
LINDISFARNE
HOLY ISLAND
Keel Head
Holy Island
Castle Heaton
NORTHUMBERLAND
Bowsden
Fenham
Castle Point
Burrows Hole
Lennel
Coldstream
Melkington
Cornhill-on-Tweed
Etal
Barmoor
Lowick
West Kyloe
East Kyloe
Fenwick
Crookham
Wark
West Learmouth
Barelees
East Learmouth
Branxton
Ford
Ford Moss
Kyloe Hills
Buckton
Elwick
Ross
Budle Bay
Holburn
Detchant
FARNE ISLANDS
Staple Sound
E
F
G
H
1
2
3
4
5
121

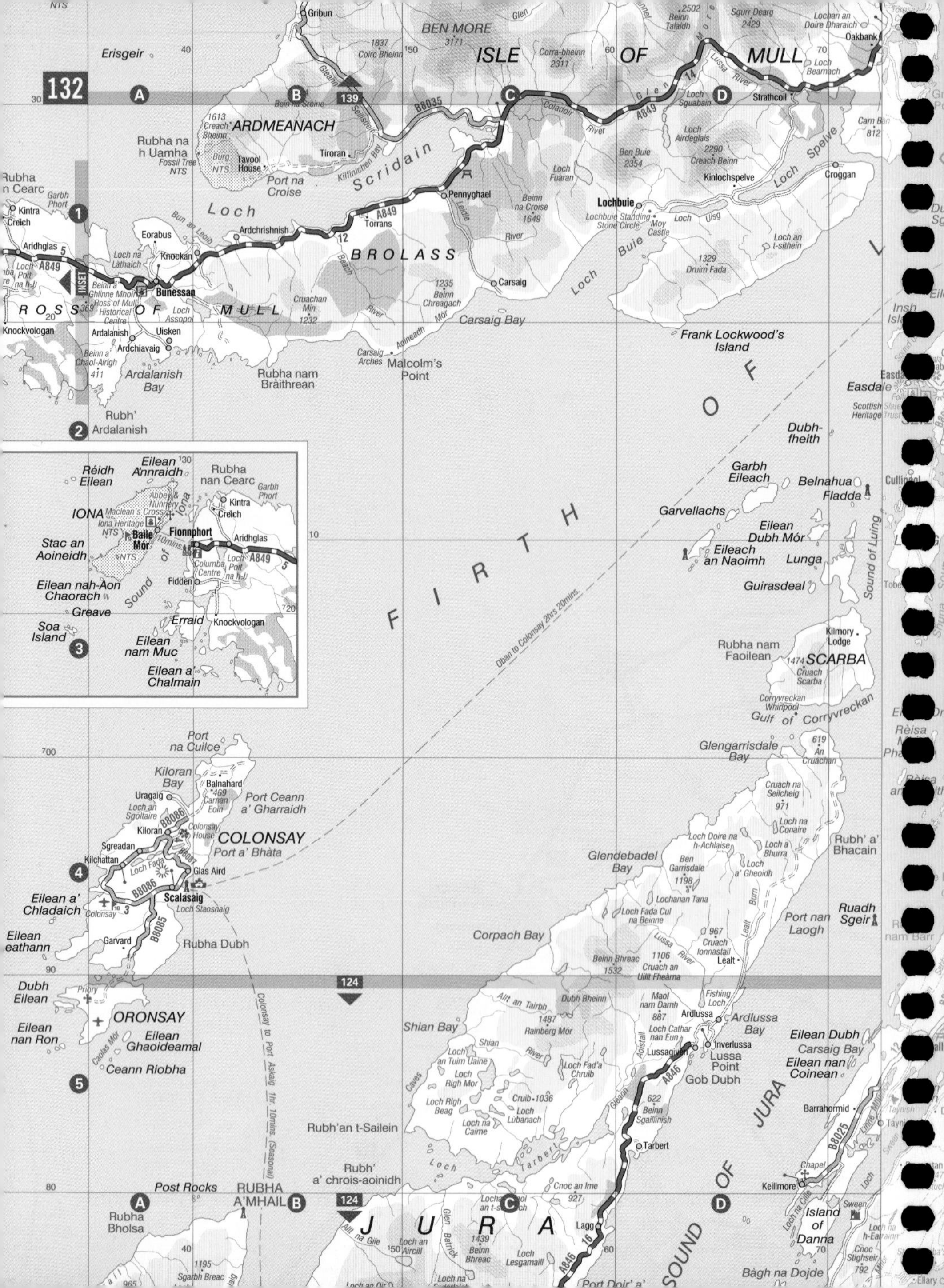

132
ISLE OF MULL
BEN MORE 3171
Gribun
Erisgeir
1837 Coirc Bheinn
Sgurr Dearg 2429
2502 Beinn Talaidh
Corra-bheinn 2311
Lochan an Doire Dharaich
Oakbank
Loch Bearnach
Lussa River
Glen More
Strathcoil
Loch Sguabain
Bein na Sreine
Seilisdeir
B8035
Coladoir River
A849
Glen
ARDMEANACH
1613 Creach Bheinn
Rubha na h Uamha
Fossil Tree NTS
Burg NTS
Tavool House
Tiroran
Kilfinichen Bay
Loch Scridain
Port na Croise
Loch Airdeglais
2290 Creach Beinn
Ben Buie 2354
Carn Ban 812
Loch Fuaran
Kinlochspelve
Loch Spelve
Croggan
Rubha nan Cearc
Garbh Phort
Kintra
Creich
Bun an Leoib
Eorabus
Ardchrishnish
Torrans
Pennyghael
Beinn na Croise 1649
Lochbuie
Lochbuie Standing Stone Circle
Moy Castle
Loch Uisg
Loch an t-sithein
Aridhglas
Loch na Làthaich
Knockan
Leidle River
BROLASS
Beach River
Loch Buie
1329 Druim Fada
Loch Poit na h-I
INSET
Beinn a' Ghlinne Mhòir
Ross of Mull Historical Centre
Bunessan
Carsaig
1235 Beinn Chreagach
ROSS OF MULL
Loch Assopol
Cruachan Min 1232
Carsaig Bay
Knockvologan
Ardalanish
Uisken
Ardchiavaig
Beinn a' Chaol-Airigh 411
Ardalanish Bay
Rubha nam Bràithrean
Carsaig Arches
Malcolm's Point
Frank Lockwood's Island
Rubh' Ardalanish
FIRTH OF LORN
Easdale
Scottish Slate Heritage Trust
Dubh-fheith
Garbh Eileach
Belnahua
Fladda
Cullipool
Garvellachs
Eilean Dubh Mór
Eileach an Naoimh
Lunga
Sound of Luing
Guirasdeal
Réidh Eilean
Eilean Annraidh
Rubha nan Cearc
IONA
Maclean's Cross
Iona Heritage NTS
Abbey & Nunnery
Baile Mór
Fionnphort
10mins
Sound of Iona
Columba Centre
Stac an Aoineidh
Eilean nah-Aon Chaorach
Fidden
Greave
Soa Island
Erraid
Knockvologan
Eilean nam Muc
Eilean a' Chalmain
Oban to Colonsay 2hrs 20mins
Kilmory Lodge
Rubha nam Faoilean
1474 Cruach Scarba
SCARBA
Corryvreckan Whirlpool
Gulf of Corryvreckan
Port na Cuilce
Kiloran Bay
Balnahard
469 Carnan Eoin
Port Ceann a' Gharraidh
Uragaig
Loch an Sgoltaire
B8086
Kiloran
Colonsay House
COLONSAY
Port a' Bhàta
Sgreadan
Kilchattan
Loch Fada
Glas Aird
Scalasaig
Loch Staosnaig
Eilean a' Chladaich
Colonsay
Eilean Leathann
Garvard
B8085
Rubha Dubh
Glengarrisdale Bay
619 An Cruachan
Cruach na Seilcheig 971
Loch na Conaire
Loch Doire na h-Achlaise
Ben Garrisdale 1198
Loch a Bhurra
Loch a' Gheoidh
Rubh' a' Bhacain
Glendebadel Bay
Lochanan Tana
Loch Fada Cul na Beinne
967 Cruach Ionnastail
Port nan Laogh
Ruadh Sgeir
Corpach Bay
Lussa River
Beinn Bhreac 1532
1106 Cruach an Uillt Fhearna
Lealt
Lealt Burn
124
Dubh Eilean
Priory
ORONSAY
Eilean nan Ron
Eilean Ghaoideamal
Caolas Mór
Ceann Riobha
Colonsay to Port Askaig 1hr 10mins (Seasonal)
Allt an Tairbh
Dubh Bheinn
1487 Rainberg Mór
Shian Bay
Shian River
Maol nam Damh 887
Fishing Loch
Ardlussa
Ardlussa Bay
Loch Cathar nan Eun
Inverlussa
Lussagiven
Lussa Point
Gob Dubh
Eilean Dubh
Carsaig Bay
Eilean nan Coinean
Loch an Tuim Uaine
Loch Righ Mor
Loch Righ Beag
Caves
Loch Fad'a Chruib
Cruib 1036
Loch Lùbanach
Loch na Cairne
Gleann Aoistail
A846
622 Beinn Sgaillinish
Tarbert
Loch Tarbert
Rubh'an t-Sailein
Rubh' a' chrois-aoinidh
SOUND OF JURA
Barrahormid
B8025
Linne Mhuirich
Chapel
Keillmore
Post Rocks
RUBHA A'MHAIL
Cnoc an Ime 927
Lagg
JURA
Allt na Gile
Glen Batrick
Loch an Aircill
1439 Beinn Bhreac
Loch Lesgamaill
Island of Danna
Sween
Loch na Cille
Cnoc Stighseir 792
Bàgh na Dojde
Rubha Bholsa
1195 Sgarbh Breac
Port Doir' a'
A B C D
1 2 3 4 5

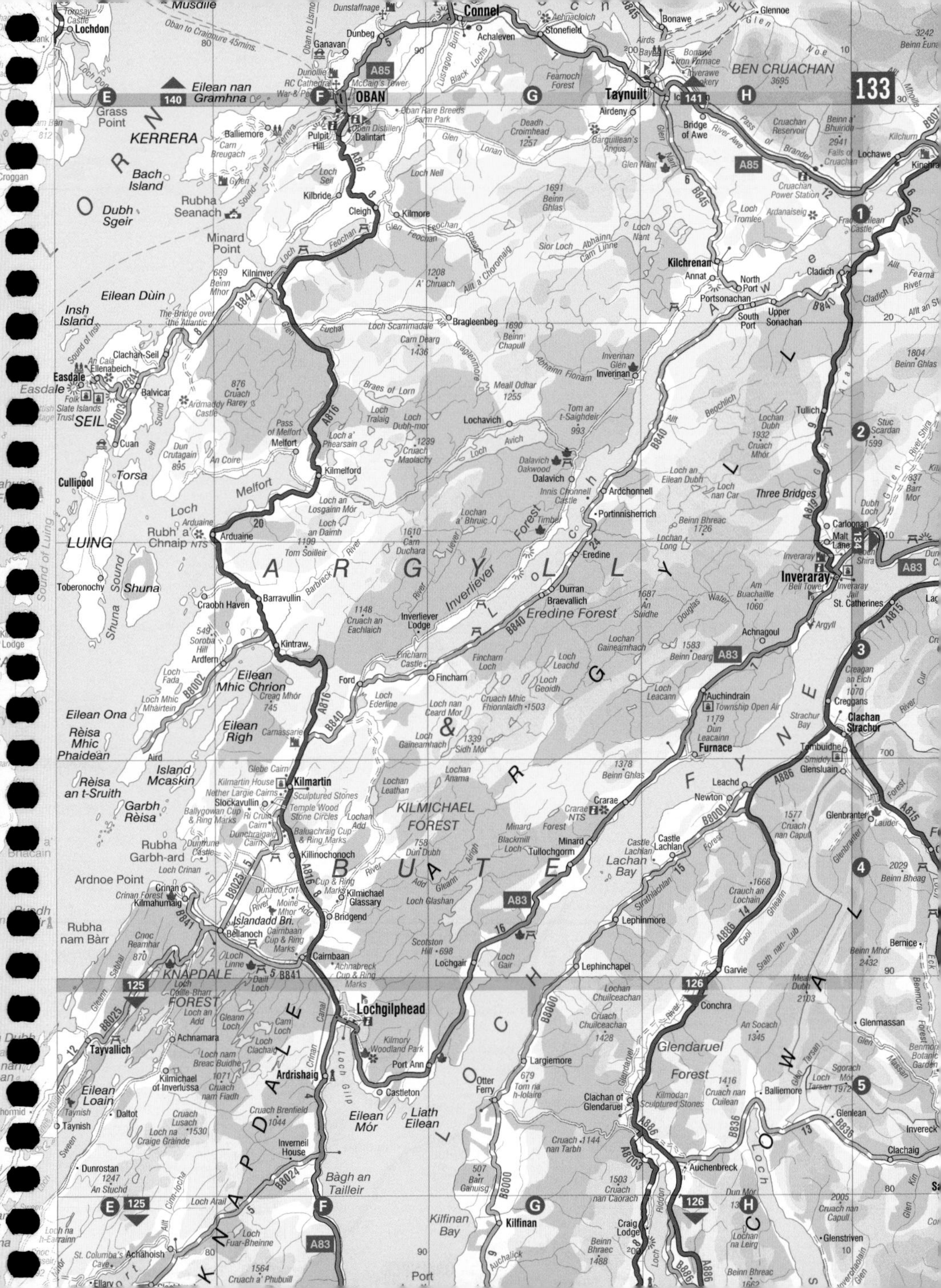
OBAN
Connel
Taynuilt
BEN CRUACHAN
KERRERA
Eilean nan Gramhna
Kilninver
Kilmelford
Arduaine
LUING
Shuna
SEIL
Easdale
Cuan
Cullipool
Torsa
Melfort
Lochavich
Dalavich
Kilchrenan
Portsonachan
Cladich
Inveraray
St. Catherines
Furnace
Auchindrain
Clachan Strachur
Kilmartin
Kilmichael Glassary
Lochgilphead
Ardrishaig
Crinan
Bellanoch
Cairnbaan
Tayvallich
Achnamara
KNAPDALE FOREST
KILMICHAEL FOREST
Eredine Forest
Inverliever Forest
Glendaruel Forest
Lachan Bay
Otter Ferry
Kilfinan
Kilfinan Bay
Loch Fyne
ARGYLL & BUTE
A85
A816
A83
A819
A886
A815
B840
B841
B8025
B8002
B8000
B845
B844

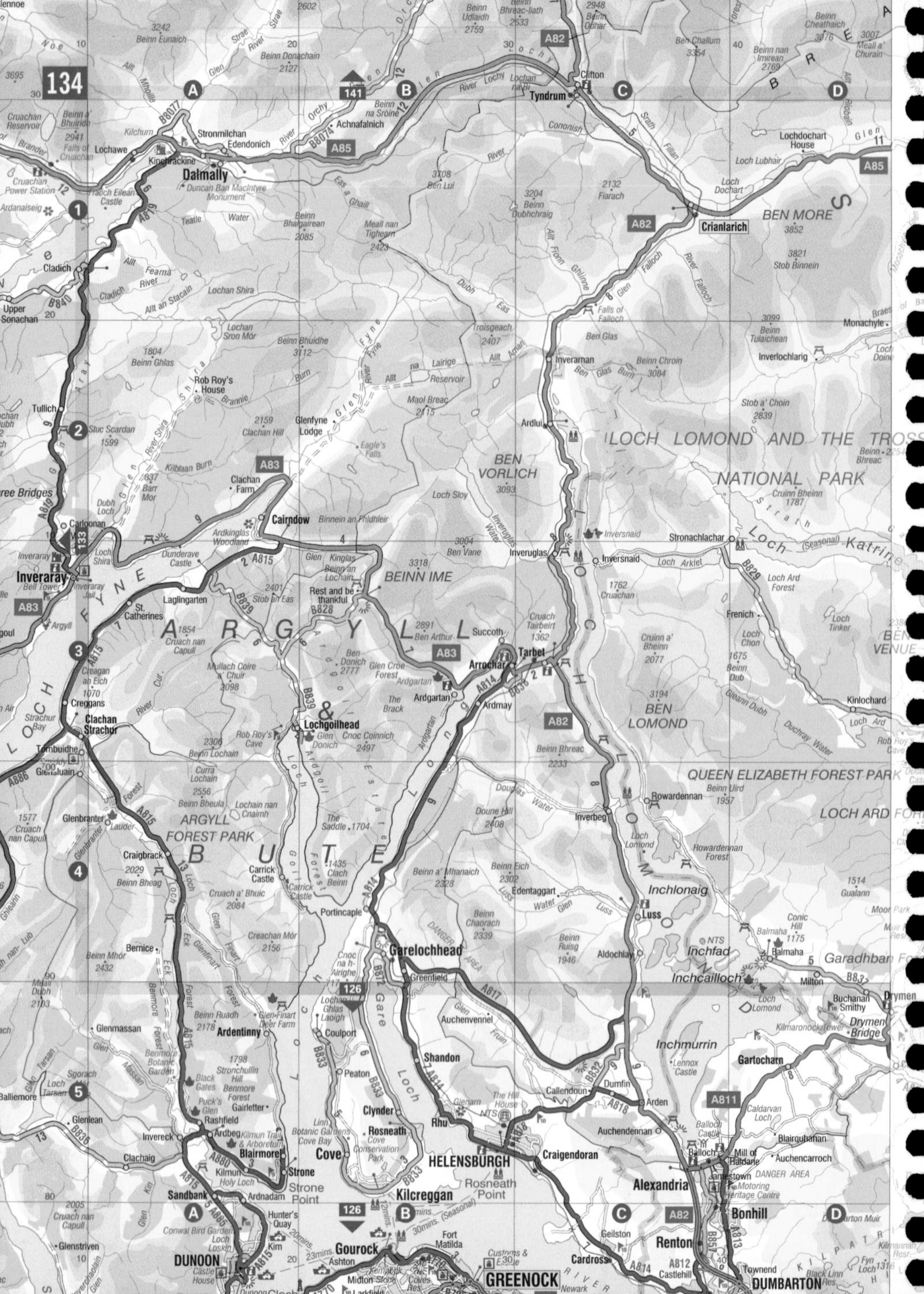

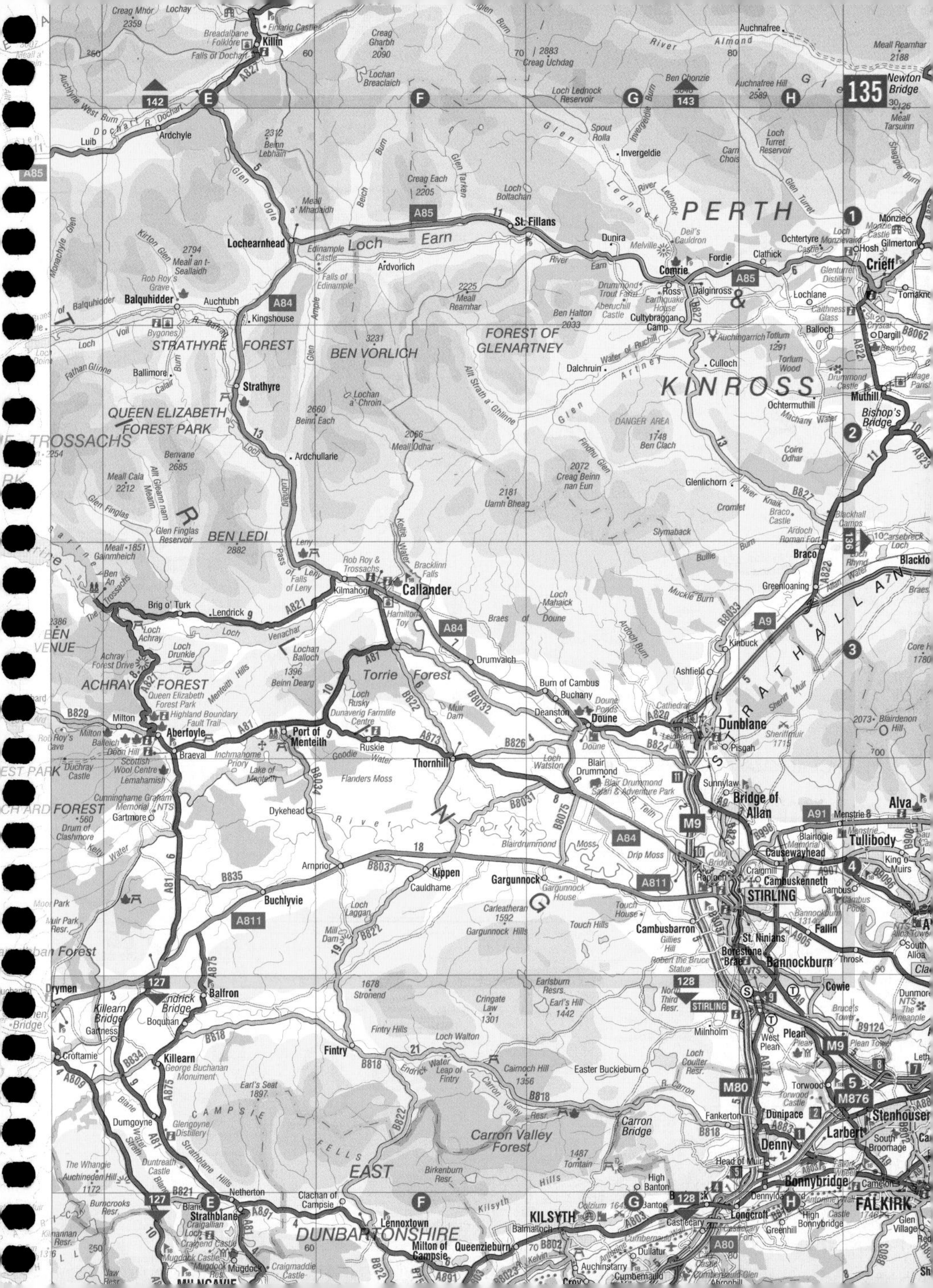

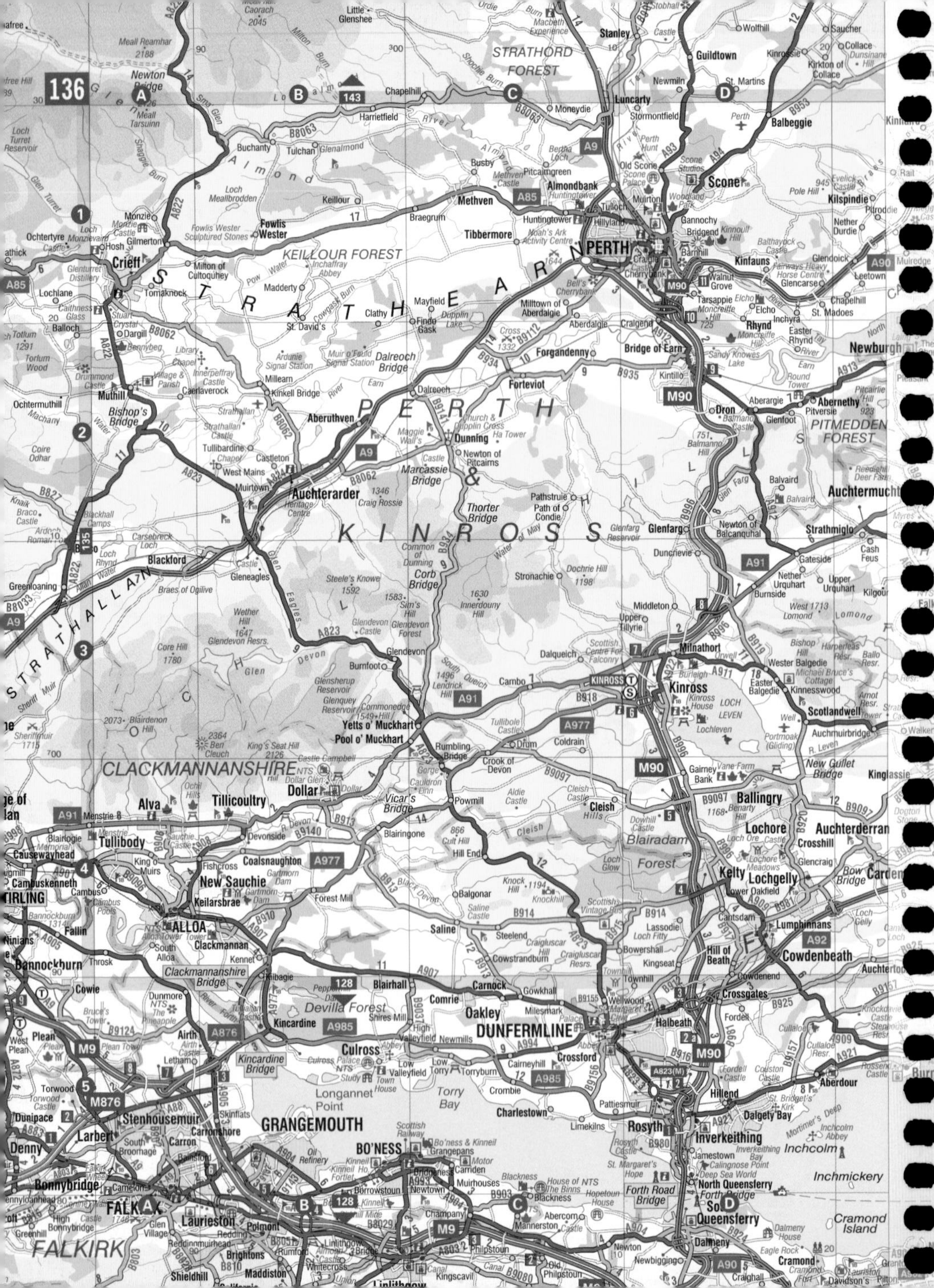

136
STRATHORD FOREST
Stanley
Guildtown
Wolfhill
Saucher
Collace
Kinrossie
Little Glenshee
Meall Reamhar 2188
Newton Bridge
Glen Almond
Chapelhill
Harrietfield
Moneydie
Luncarty
Stormontfield
Newmiln
St. Martins
Balbeggie
Buchanty
Tulchan
Glenalmond
Almond
Busby
Pitcairngreen
Methven Castle
Almondbank
Huntingtower
Old Scone
Scone Palace
Scone
Kilspindie
Loch Turret Reservoir
Keillour
Methven
Braegrum
Tullich
Hillyland
Muirton
Gannochy
Bridgend
Kinnoull Hill
Monzie
Monzie Castle
Fowlis Wester
Fowlis Wester Sculptured Stones
Tibbermore
Noah's Ark Activity Centre
Ochtertyre
Hosh
Gilmerton
KEILLOUR FOREST
PERTH
Barnhill
Kinfauns
Glendoick
Crieff
Glenturret Distillery
Milton of Cultoquhey
Inchaffray Abbey
Craigie
Cherrybank
Walnut Grove
Glencarse
Lochlane
Tomaknock
Madderty
Bell's Cherrybank
Tarsappie
Moncreiffe
Elcho
Chapelhill
St. Madoes
STRATHEARN
Caithness Glass
Stuart Crystal
Dargill
Balloch
Mayfield
Clathy
Findo Gask
St. David's
Dupplin Lake
Milltown of Aberdalgie
Aberdalgie
Craigend
Rhynd
Inchyra
Easter Rhynd
Newburgh
Bennybeg
Cross 1332
Forgandenny
Bridge of Earn
Kintillo
Drummond Castle
Library Chapel
Innerpeffray Castle
Ardunie Signal Station
Muir o'Fauld Signal Station
Dalreoch Bridge
Sandy Knowes Lake
Muthill
Village & Parish
Caerlaverock
Millearn
Kinkell Bridge
Forteviot
Dalreoch
Aberargie
Abernethy
Pitversie
Glenfoot
Ochtermuthill
Bishop's Bridge
Strathallan Castle
Aberuthven
Dunning
Dron
Balmanno Castle
PITMEDDEN FOREST
Maggie Wall's
Church & Dupplin Cross
Ha Tower
Newton of Pitcairns
Tullibardine
Castleton
West Mains
Muirtown
Auchterarder
Heritage Centre
Marcassie Bridge
Craig Rossie
Balvaird
Auchtermuchty
PERTH & KINROSS
Pathstruie
Path of Condie
Thorter Bridge
Glen Farg
Glenfarg
Newton of Balcanquhal
Strathmiglo
Glenfarg Reservoir
Carsebreck Loch
Braco
Blackford
Gleneagles
Braes of Ogilvie
Common of Dunning
Corb Bridge
Steele's Knowe 1592
Stronachie
Dochrie Hill 1198
Duncrievie
Gateside
Cash Feus
Greenloaning
Allan Water
STRATHALLAN
Wether Hill 1647
Glendevon Resrs.
Sim's Hill
Glendevon Forest
Glendevon Castle
1630 Innerdouny Hill
Nether Urquhart
Upper Urquhart
Burnside
Middleton
Upper Tillyrie
West Lomond 1713
Milnathort
Kinross
Core Hill 1780
Glen Devon
Glendevon
Burnfoot
Dalqueich
Scottish Centre For Falconry
Bishop Hill
Wester Balgedie
Easter Balgedie
Kinnesswood
Michael Bruce's Cottage
Glensherup Reservoir
Glenquey Reservoir
Lendrick Hill
Cambo
Kinross House
LOCH LEVEN
Lochleven
Scotlandwell
Auchmuirbridge
Sheriff Muir
Blairdenon Hill
Ben Cleuch
King's Seat Hill 2126
Commonedge Hill
Yetts o' Muckhart
Pool o' Muckhart
Tullibole Castle
Drum
Coldrain
Portmoak (Gliding)
R. Leven
Rumbling Bridge
Crook of Devon
Gairney Bank
Vane Farm
New Gullet Bridge
Kinglassie
CLACKMANNANSHIRE
Castle Campbell
Dollar Glen
Cauldron Linn
Gorge
Dollar
Alva
Tillicoultry
Ochil Hills
Menstrie
Vicar's Bridge
Powmill
Aldie Castle
Cleish Castle
Cleish
Ballingry
Dowhill Castle
Lochore
Auchterderran
Blairlogie
Tullibody
Devonside
Blairingone
Cult Hill
Cleish Hills
Blairadam Forest
Loch Ore
Crosshill
Causewayhead
King o' Muirs
Fishcross
Coalsnaughton
Hill End
Loch Glow
Glencraig
Cambuskenneth
Cambus
New Sauchie
Gartmorn Dam
Forest Mill
Black Devon
Balgonar
Knock Hill
Knockhill
Kelty
Lochgelly
Lower Oakfield
Bow Bridge
STIRLING
Keilarsbrae
ALLOA
Saline
Saline Castle
Scottish Vintage Bus
Lassodie
Loch Fitty
Cantsdam
Lumphinnans
Fallin
Clackmannan
South Alloa
Steelend
Craigluscar Hill
Bowershall
Hill of Beath
Cowdenbeath
Bannockburn
Throsk
Kennet
Cowstrandburn
Craigluscar Resrs.
Kingseat
Clackmannanshire Bridge
Kilbagie
Blairhall
Carnock
Gowkhall
Townhill
Cowdenend
Crossgates
Cowie
Dunmore
The Pineapple
Devilla Forest
Comrie
Oakley
Milesmark
Wellwood
Halbeath
Fordell
Bruce's Tower
Tulliallan Castle
Kincardine
Shires Mill
Valleyfield
Newmills
DUNFERMLINE
Plean
West Plean
Airth
Airth Castle
Culross
Culross Palace NTS
Crossford
Cullaloe Resr.
Kincardine Bridge
Low Valleyfield
Low Torry
Torryburn
Cairneyhill
Fordell Castle
Couston Castle
Aberdour
Torwood
Torwood Castle
Longannet Point
Torry Bay
Crombie
Hillend
Dunipace
Stenhousemuir
Skinflats
Carronshore
Charlestown
Pattiesmuir
Limekilns
Rosyth
Rosyth Castle
Dalgety Bay
Inverkeithing
Inchcolm
Inchcolm Abbey
Larbert
GRANGEMOUTH
Denny
Carron
South Broomage
Oil Refinery
BO'NESS
Bo'ness & Kinneil Railway
Grangepans
Carriden
Jamestown
Calingnose Point
Deep Sea World
North Queensferry
Forth Bridge
Inchmickery
Bonnybridge
Camelon
FALKIRK
Muirhouses
Borrowstoun
Newtown
Blackness
Blackness Castle
House of the Binns
Hopetoun House
Forth Road Bridge
St. Margaret's Hope
South Queensferry
Cramond Island
Laurieston
Polmont
Champany
Mannerston
Abercorn
Dalmeny
Dalmeny House
Glen Village
Redding
Linlithgow
Brightons
Philpstoun
Old Philpstoun
Newton
Newbigging
Cramond
Maddiston
Shieldhill
Whitecross
Kingscavil
Craighall
Davidson's Mains

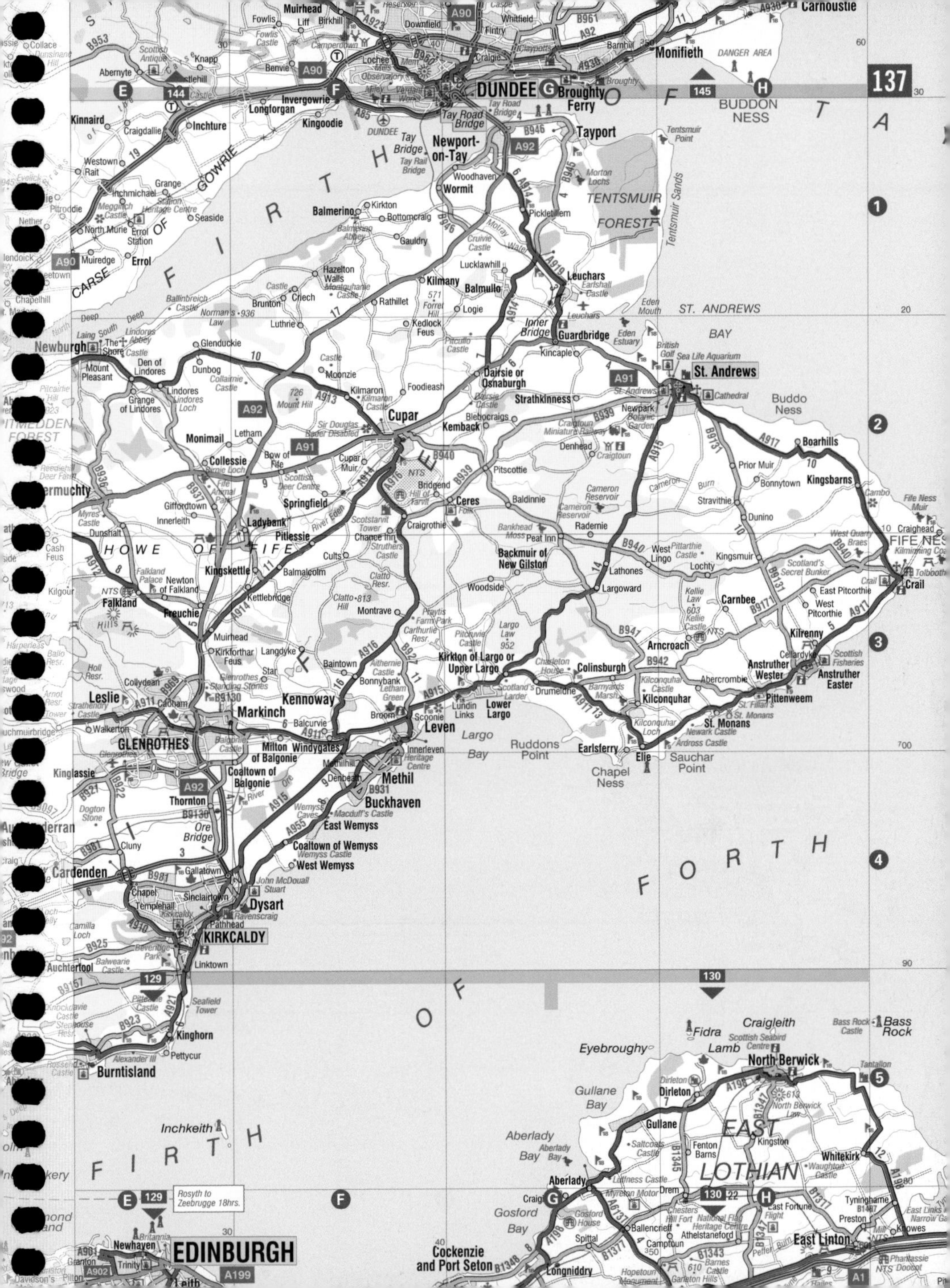
Muirhead
Fowlis
Liff
Birkhill
Downfield
Whitfield
Carnoustie
Monifieth
DANGER AREA
Barnhill
Craigie
Broughty Ferry
DUNDEE
Lochee
Benvie
Knapp
Abernyte
Invergowrie
Longforgan
Kingoodie
Inchture
Kinnaird
Craigdallie
Westown
Rait
Grange
Inchmichael
Pitroddie
Seaside
North Murie
Errol Station
Errol
Muiredge
CARSE OF GOWRIE
FIRTH OF TAY
Tay Road Bridge
Tay Bridge
Tay Rail Bridge
Newport-on-Tay
Tayport
Tentsmuir Point
BUDDON NESS
Woodhaven
Wormit
Kirkton
Balmerino
Bottomcraig
Gauldry
Pickletillem
Morton Lochs
TENTSMUIR FOREST
Tentsmuir Sands
Cruivie Castle
Motray Water
Lucklawhill
Leuchars
Earlshall Castle
Hazelton Walls
Mostquhanie Castle
Kilmany
Balmullo
Brunton
Creich
Rathillet
Ballinbreich Castle
Forret Hill
Logie
Norman's Law
Kedlock Feus
Luthrie
Lindores Abbey
Laing South
Newburgh
The Shore
Glenduckie
Dunbog
Den of Lindores
Mount Pleasant
Lindores
Grange of Lindores
Lindores Loch
Collairnie Castle
Moonzie
Kilmaron
Kilmaron Castle
Mount Hill
Foodieash
Pitcullo Castle
Inner Bridge
Guardbridge
Eden Estuary
Eden Mouth
ST. ANDREWS BAY
Kincaple
British Golf
Sea Life Aquarium
St. Andrews
Cathedral
Dairsie or Osnaburgh
Dairsie Castle
Strathkinness
Buddo Ness
Cupar
Sir Douglas Bader Disabled
Blebocraigs
Kemback
Newpark
Botanic Garden
Craigtoun Miniature Railway
Denhead
Craigtoun
Boarhills
Prior Muir
Kingsbarns
Bonnytown
Cambo
Fife Ness Muir
Craighead
FIFE NESS
Monimail
Letham
Collessie
Bow of Fife
Cupar Muir
Scottish Deer Centre
Pitscottie
Cameron Reservoir
Stravithie
Dunino
Auchtermuchty
Giffordtown
Innerleith
Springfield
Bridgend
Hill of Tarvit
Ceres
Baldinnie
Radernie
Myres Castle
Ladybank
Scotstarvit Tower
Craigrothie
Dunshalt
Pitlessie
Chance Inn
Struthers Castle
Bankhead Moss
Peat Inn
HOWE OF FIFE
Cults
Backmuir of New Gilston
West Lingo
Pittarthie Castle
Kingsmuir
Lochty
Scotland's Secret Bunker
Crail
Cash Feus
Kingskettle
Balmalcolm
Lathones
Falkland Palace
Newton of Falkland
Clatto Resr.
Woodside
Largoward
Kellie Law
Carnbee
East Pitcorthie
West Pitcorthie
Kilgour
Falkland
Kettlebridge
Clatto Hill
Montrave
Kellie Castle
Freuchie
Praytis Farm Park
Largo Law
Carhurlie Resr.
Pitcruvie Castle
Arncroach
Kilrenny
Muirhead
Cellardyke
Scottish Fisheries
Kirkforthar Feus
Langdyke
Anstruther Wester
Anstruther Easter
Baintown
Kirkton of Largo or Upper Largo
Charleton House
Colinsburgh
Abercrombie
Star
Bonnybank
Aithernie Castle
Letham Green
Scotland's Larder
Drumeldrie
Barnyards Marsh
Kilconquhar Castle
Kilconquhar
Pittenweem
Collydean
Glenrothes Standing Stones
Leslie
Cadham
Markinch
Kennoway
Lundin Links
Lower Largo
St. Fillan's
St. Monans
Newark Castle
Ardross Castle
Strathendry Castle
Walkerton
Balcurvie
Broom
Scoonie
Leven
Kilconquhar Loch
GLENROTHES
Balgonie Castle
Milton of Balgonie
Windygates
Largo Bay
Ruddons Point
Earlsferry
Elie
Sauchar Point
Chapel Ness
Innerleven
Heritage Centre
Kinglassie
Coaltown of Balgonie
Methilhill
Methil
Denbeath
Buckhaven
Thornton
Dogton Stone
Wemyss Caves
Macduff's Castle
East Wemyss
Ore Bridge
Cluny
Coaltown of Wemyss
Wemyss Castle
West Wemyss
Cardenden
Gallatown
John McDouall Stuart
Chapel
Sinclairtown
Dysart
Templehall
Ravenscraig
Pathhead
Camilla Loch
KIRKCALDY
Beveridge Park
Auchtertool
Balwearie Castle
Linktown
FIRTH OF FORTH
Seafield Tower
Pitteadie Castle
Kinghorn
Pettycur
Alexander III
Burntisland
Inchkeith
Fidra
Craigleith
Bass Rock Castle
Bass Rock
Eyebroughy
Lamb
Scottish Seabird Centre
North Berwick
Tantallon
Dirleton
Gullane Bay
Dirleton
North Berwick Law
Gullane
EAST LOTHIAN
Kingston
Aberlady Bay
Saltcoats Castle
Fenton Barns
Whitekirk
Waughton Castle
Aberlady
Luffness Castle
Myreton Motor
Drem
Chesters Hill Fort
National Flag Heritage Centre
East Fortune
Flight
Tyninghame
Craig
Gosford House
Gosford Bay
Ballencrieff
Athelstaneford
Preston
East Linton
Spittal
Camptoun
Cockenzie and Port Seton
Longniddry
Hopetoun Monument
Barnes Castle
Garleton Hills
Phantassie Doocot
Rosyth to Zeebrugge 18hrs.
Newhaven
EDINBURGH
Granton
Trinity
Leith
A90
A92
A91
A914
A913
A916
A915
A911
A955
A921
A917
A919
A198
A1
A199
B9131
B940
B939
B941
B942
B946
B945
B936
B937
B9130
B969
B981
B925
B923
B9157
B921
B922
B931
B1345
B1347
B1377
B1343
B1348
B953
B961
B960
B9171
B1407
A6137
A902
A901
129
130
144
145
137
30
40
60
20
700
90
1
2
3
4
5
E
F
G
H

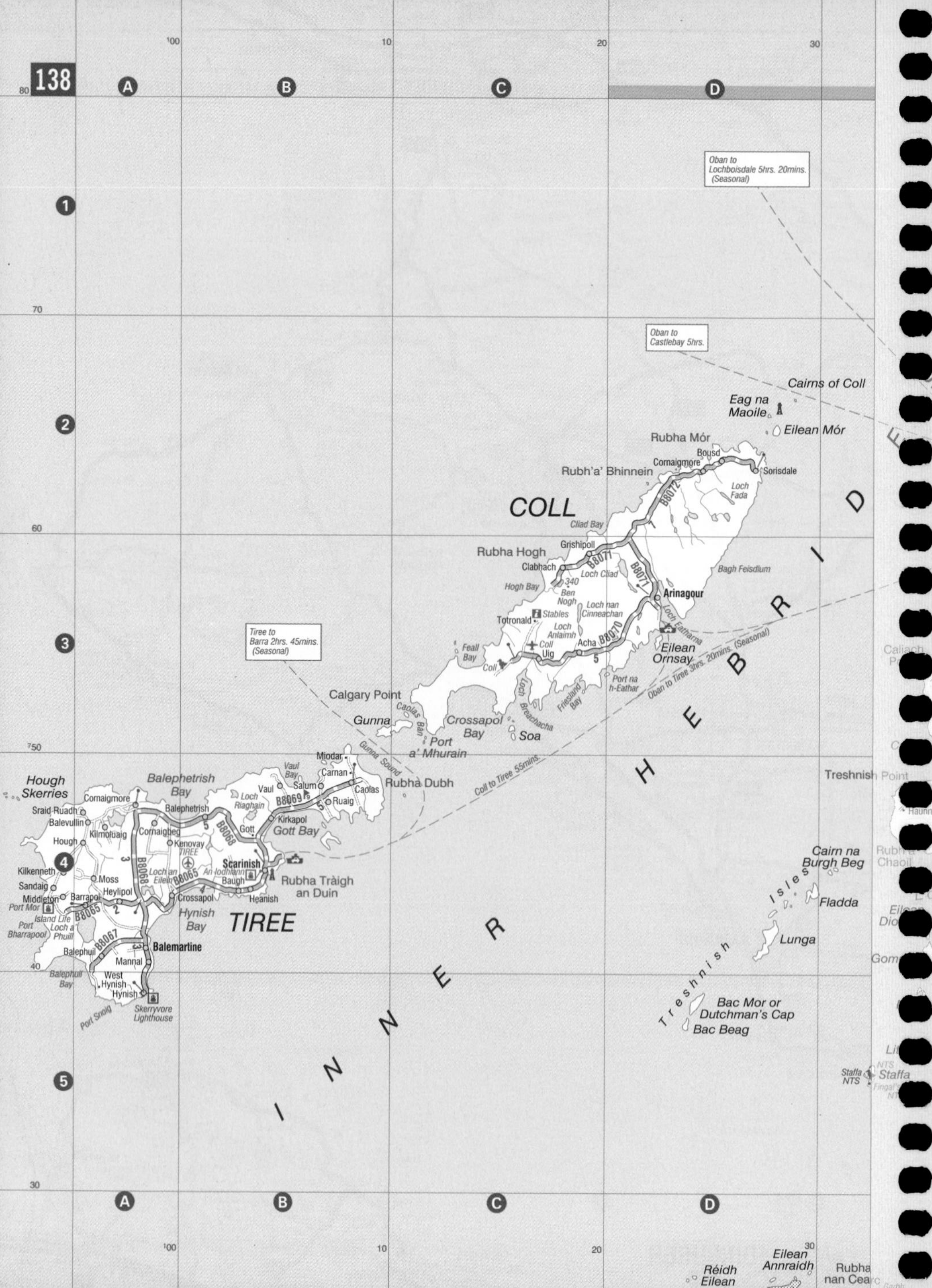

COLL

TIREE

INNER HEBRIDES

Oban to
Lochboisdale 5hrs. 20mins.
(Seasonal)

Oban to
Castlebay 5hrs.

Cairns of Coll

Eag na
Maoile
Eilean Mór

Rubha Mór
Bousd
Cornaigmore
Sorisdale
Loch
Fada

Rubh'a' Bhinnein
Cliad Bay

Rubha Hogh
Grishipoll
Clabhach
Loch Cliad
Bagh Feisdlum

340
Ben
Nogh
Loch
Antlaimh
Loch nan
Cinneachan
Arinagour

Hogh Bay
Stables
Totronald
Acha
Loch
Uig
Coll
Eilean
Ornsay

Feall
Bay
Coll
Port na
h-Eathar

Calgary Point
Friesland
Bay

Oban to Tiree 20mins. (Seasonal)

Tiree to
Barra 2hrs.
45mins.
(Seasonal)

Gunna
Port
a' Mhurain
Crossapol
Bay
Soa

Gunna Sound

Caolas Bay
Rubha Dubh

Coll to Tiree 55mins.

Treshnish Point

Hough
Skerries
Balephetrish
Bay
Miodar
Vaul
Bay
Cornaigmore
Sraid Ruadh
Balephetrish
Salum
Caman
Caolas
Haunn

Balevullin
Ruaig
Cairn na
Burgh Beg

Klimoluaig
Cornaigbeg
Loch
Riaghain
Kirkapol
Gott Bay
Hough
Kenovay
TIREE
Gott

Kilkenneth
O.Moss
An Ioghnard
Scarinish
Rubha Tràigh
an Duin

Sandaig
Heylipol
Loch an
Eilein
Baugh
Fladda

Middleton
Barrapol
Crossapol
Heanish

Port Mòr
Island Life
Hynish
Bay
Lunga

Port
Bharrapol
Loch a
Phuill
Ralephuil
Balemartine
TIREE

Balephuil
Bay
Mannal
West
Hynish
Hynish

Bac Mor or
Dutchman's Cap
Bac Beag

Port Snaig
Skerryvore
Lighthouse

Treshnish Isles

Staffa
NTS
Staffa
NTS
Fingal

Réidh
Eilean
Eilean
Annraidh
Rubha
nan Cearc

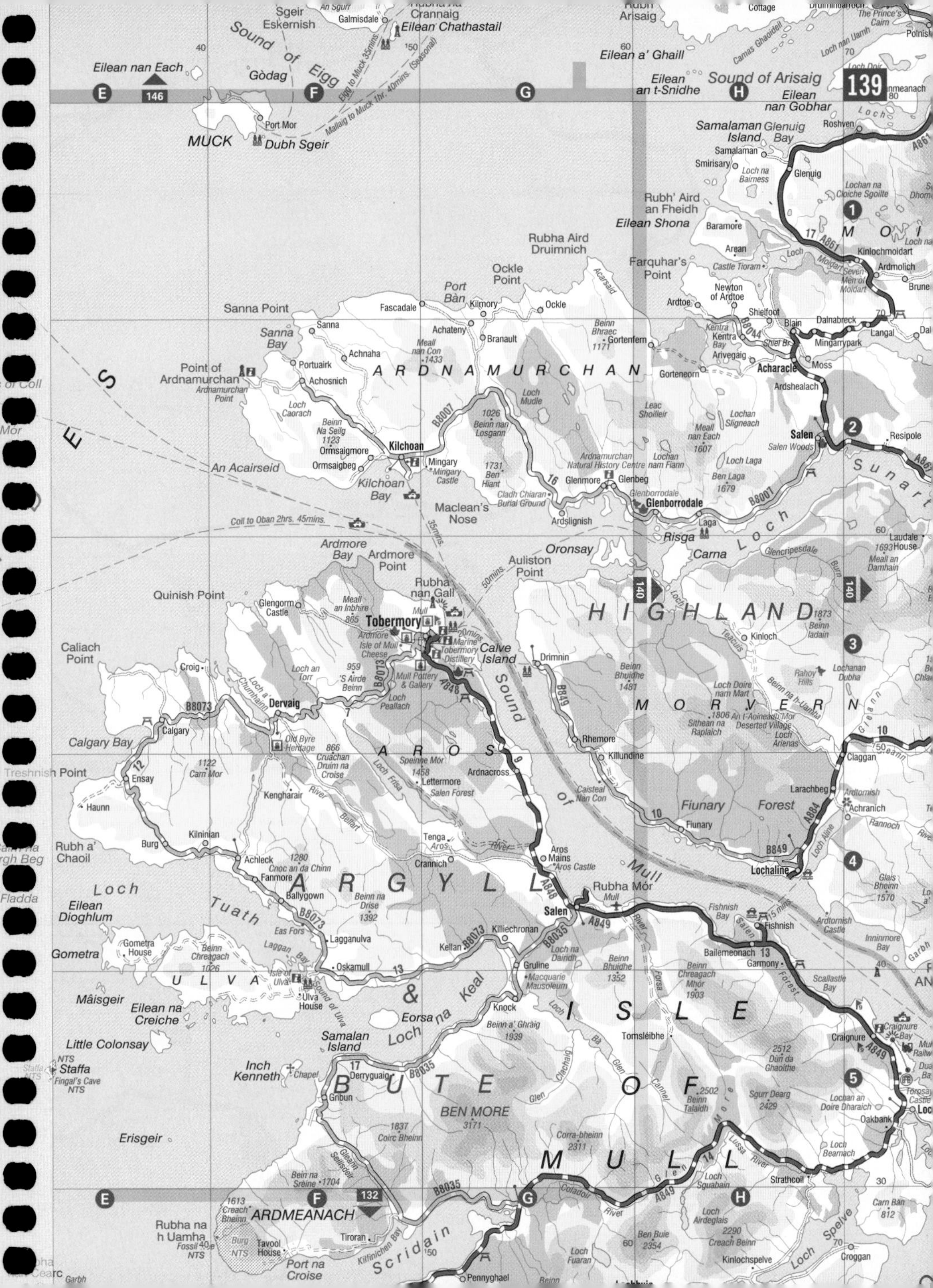

139
Sound of Eigg
Eilean nan Each
Gòdag
MUCK
Port Mor
Dubh Sgeir
Sgeir Eskernish
Galmisdale
Eilean Chathastail
Eilean a' Ghaill
Eilean an t-Snidhe
Sound of Arisaig
Eilean nan Gobhar
Samalaman Island
Glenuig Bay
Glenuig
Smirisary
Rubh' Aird an Fheidh
Eilean Shona
Baramore
Arean
Castle Tioram
Kinlochmoidart
Ardmolich
Farquhar's Point
Newton of Ardtoe
Ardtoe
Shielfoot
Dalnabreck
Blain
Mingarrypark
Acharacle
Moss
Ardshealach
Salen
Resipole
Rubha Aird Druimnich
Ockle Point
Port Bàn
Kilmory
Ockle
Fascadale
Sanna Point
Sanna Bay
Sanna
Achateny
Branault
Achnaha
Portuairk
Point of Ardnamurchan
Achosnich
ARDNAMURCHAN
Loch Mudle
Kilchoan
Ormsaigmore
Ormsaigbeg
Mingary
An Acairseid
Kilchoan Bay
Maclean's Nose
Glenmore
Glenbeg
Glenborrodale
Ardslignish
Laga
Risga
Carna
Loch Sunart
Oronsay
Auliston Point
Ardmore Bay
Ardmore Point
Rubha nan Gall
Quinish Point
Glengorm Castle
Tobermory
Calve Island
Drimnin
HIGHLAND
Kinloch
Caliach Point
Croig
Dervaig
Calgary Bay
Calgary
Treshnish Point
Ensay
Haunn
Kilninian
Burg
Rubh a' Chaoil
Achleck
Fanmore
Ballygown
MORVERN
Rhemore
Killundine
Fiunary Forest
Claggan
Larachbeg
Lochaline
AROS
Ardnacross
Lettermore
Tenga
Cranich
Aros Mains
Rubha Mór
Salen
Fishnish Bay
Fishnish
Sound of Mull
ARGYLL
Loch Tuath
Eilean Dioghlum
Gometra
ULVA
Ulva House
Lagganulva
Oskamull
Kellan
Killiechronan
Gruline
Knock
Mâisgeir
Eilean na Creiche
Little Colonsay
Staffa
Inch Kenneth
Samalan Island
Eorsa
Loch na Keal
ISLE OF MULL
BUTE
Derryguaig
Gribun
BEN MORE
Tomsléibhe
Bailemeonach
Garmony
Craignure
Oakbank
Strathcoil
Erisgeir
Rubha na h Uamha
ARDMEANACH
Tiroran
Tavool House
Port na Croise
Loch Scridain
Pennyghael
Kinlochspelve
Croggan
Loch Spelve

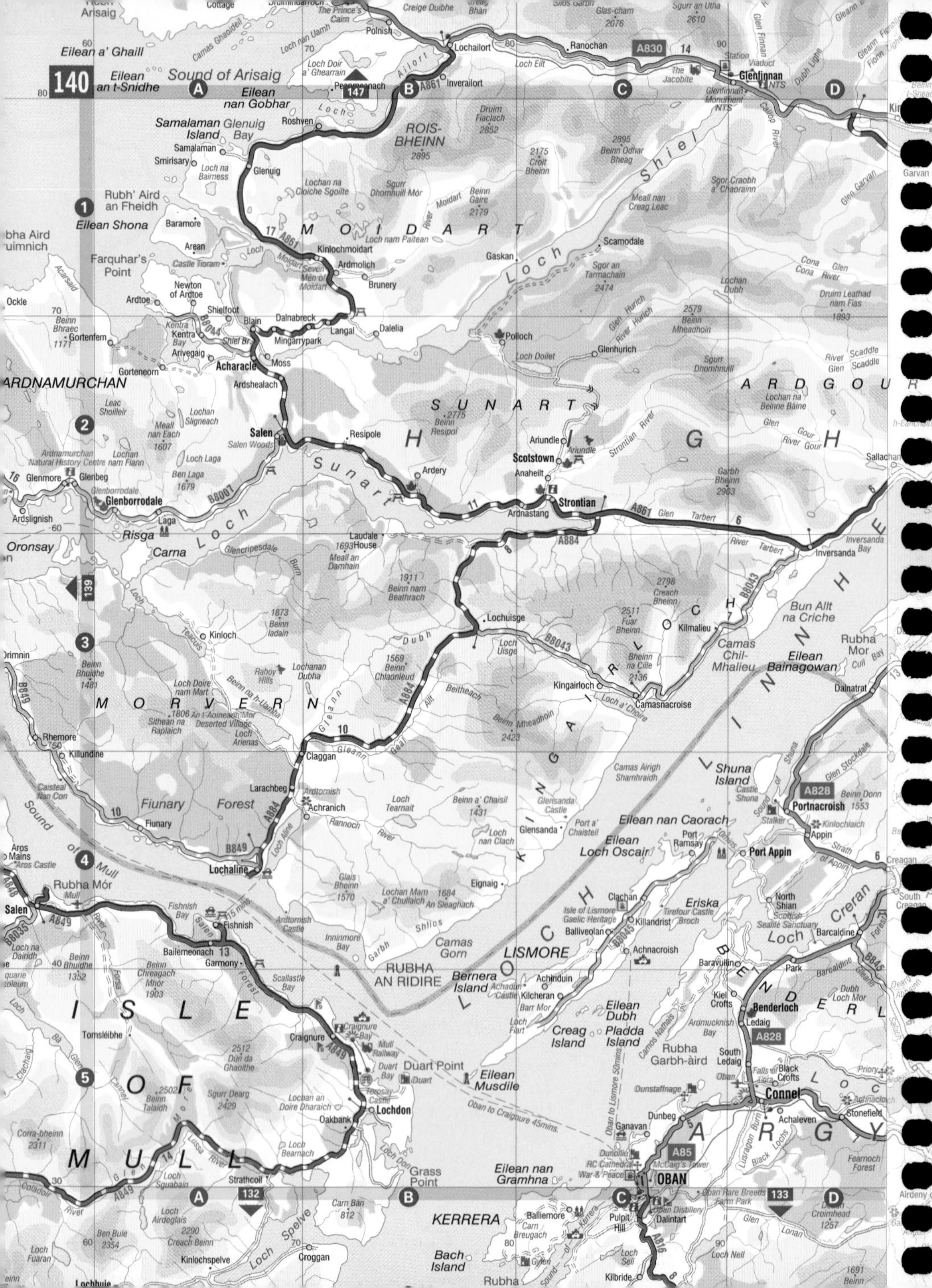
Arisaig
Eilean a' Ghaill
Eilean an t-Snidhe
Sound of Arisaig
Eilean nan Gobhar
Loch nan Uamh
Polnish
Loch Doir a' Ghearrain
Peanmeanach
147
Lochailort
Inverailort
Creige Duibhe
Ranochan
Glas-cham 2076
Sgurr an Utha 2610
Loch Eilt
A830
Glenfinnan
The Jacobite
Glenfinnan Monument NTS
Glen Finnan
Viaduct
Station
NTS
Samalaman Island
Glenuig Bay
Roshven
Samalaman
Smirisary
Glenuig
Loch na Bairness
ROIS-BHEINN 2895
Druim Fiaclach 2852
Lochan na Cloiche Sgoilte
Sgurr Dhomhuill Mór
Beinn Gaire 2179
2895 Beinn Odhar Bheag
2175 Croit Bheinn
Loch Shiel
Sgor Craobh a' Chaorainn
Meall nan Creag Leac
Rubh' Aird an Fheidh
Eilean Shona
Baramore
M O I D A R T
A861
Loch nam Paitean
Kinlochmoidart
Arean
Castle Tioram
Seven Men of Moidart
Ardmolich
Brunery
Gaskan
Scamodale
Sgor an Tarmachain 2474
Farquhar's Point
Newton of Ardtoe
Ardtoe
Ockle
Shielfoot
Dalnabreck
Langal
Dalelia
Lochan Dubh
Druim Leathad nam Fias 1893
Cona Glen
Cona River
Beinn Bhraec 1171
Gortenfern
Kentra Bay
B8044
Blain
Mingarrypark
Arivegaig
Acharacle
Moss
Polloch
Glen Hurich
River Hurich
2579 Beinn Mheadhoin
Glenhurich
Loch Doilet
Sgurr Dhomhnuill
River Scaddle
Glen Scaddle
ARDGOUR
Gorteneorn
ARDNAMURCHAN
Ardshealach
Leac Shoilleir
Lochan Sligneach
Meall nan Each 1607
Loch Laga
Ben Laga 1679
Salen
Salen Woods
Resipole
S U N A R T
2775 Beinn Resipol
Lochan na Beinne Baine
Ariundle
Strontian River
Ardnamurchan Natural History Centre
Glenmore
Glenbeg
Glenborrodale
Ardery
Scotstown
Anaheilt
Strontian
Sallachan
Garbh Bheinn 2903
Loch Sunart
B8007
Ardslignish
Laga
Risga
Oronsay
Carna
Ardnastang
A861
Glen Tarbert
River Tarbert
Inversanda
Inversanda Bay
Laudale House
1693 Meall an Damhain
Glencripesdale
A884
139
1911 Beinn nam Beathrach
2798 Creach Bheinn
2511 Fuar Bheinn
B8043
Bun Allt na Criche
Lochuisge
Loch Uisge
Kilmalieu
Kinloch
Loch Teacuis
1873 Beinn Iadain
Rahoy Hills
Lochanan Dubha
1569 Beinn Chlaonleud
Loch Dubh
Bheinn na Cille 2136
Camas Chil-Mhalieu
Eilean Bainagowan
Rubha Mor
Cuil Bay
Drimnin
Beinn Bhuidhe 1481
B849
Loch Doire nam Mart
M O R V E R N
Beinn na h-Uamha
1806 An t-Aoineadh Mòr Deserted Village
Sithean na Raplaich
Loch Arienas
Kingairloch
Camasnacroise
Loch a' Choire
Beinn Mheadhoin 2423
Dalnatrat
Rhemore
Killundine
Claggan
Gleann Geal
Camas Airigh Shamhraidh
Shuna Island
Castle Shuna
Glen Stockdale
A828
Caisteal Nan Con
Fiunary Forest
Larachbeg
Ardtornish
Achranich
Loch Tearnait
Beinn a' Chaisil 1431
Glensanda Castle
Glensanda
Port a' Chaisteil
Eilean nan Caorach
Port Ramsay
Portnacroish
Beinn Donn 1553
Stalker
Kinlochlaich
Appin
Fiunary
Loch Aline
Rannoch River
Loch nan Clach
Eilean Loch Oscair
Port Appin
Strath of Appin
Aros Mains
Aros Castle
Sound of Mull
Lochaline
Rubha Mór
Glais Bheinn 1570
Lochan Mam a' Chullaich
1684 An Sleaghach
Eignaig
Creagan
Salen
A849
Fishnish Bay
Fishnish
Ardtornish Castle
Clachan
Isle of Lismore Gaelic Heritage
Killandrist
Eriska
Tirefour Castle Broch
North Shian
South Shian
Scottish Sealife Sanctuary
B8035
Loch na Dairidh
Beinn Bhuidhe 1352
Bailemeonach
Garmony
Inninmore Bay
Camas Gorn
LISMORE
Balliveolan
Achnacroish
Loch Creran
Barcaldine
Beinn Chreagach Mhór 1903
Scallastle Bay
RUBHA AN RIDIRE
Bernera Island
Achadun Castle
Kilcheran
Barr Mor
Achinduin
Baravullin
Park
B845
Dubh Loch Mor
I S L E
Tomsléibhe
Craignure
Craignure Bay
Mull Railway
Loch Fiart
Eilean Dubh
Creag Island
Pladda Island
Camas Nathais
Ardmucknish Bay
Kiel Crofts
Benderloch
Ledaig
BENDERLOCH
2512 Dùn da Ghaoithe
Duart Point
Duart Bay
Duart
Torosay Castle
Eilean Musdile
Rubha Garbh-àird
South Ledaig
Black Crofts
Falls of Lora
O F
2502 Beinn Talaidh
Sgurr Dearg 2429
Lochan an Doire Dharaich
Lochdon
Oakbank
Dunstaffnage
Connel
Achnacloich
Stonefield
Oban to Craignure 45mins.
Oban to Lismore 50mins
Dunbeg
Achaleven
Lusragan Burn
Black Lochs
Corra-bheinn 2311
Loch Beamach
Loch Don
Ganavan
A R G Y
M U L L
Glen Lussa River
Grass Point
Dunollie
RC Cathedral
War & Peace
McCaig's Tower
A85
Feamoch Forest
Eilean nan Gramhna
OBAN
Loch Squabain
Strathcoil
132
Carn Bàn 812
Oban Rare Breeds Farm Park
133
Airdeny
A849
Loch Airdeglais
2290 Creach Beinn
Loch Spelve
KERRERA
Balliemore
Carn Breugach
Pulpit Hill
Oban Distillery
Dalintart
Glen Lonan
Deadh Croimhead 1257
Ben Buie 2354
Croggan
Bach Island
Loch Nell
Loch Fuaran
Kinlochspelve
Lochbuie
Gylen
Sound of Kerrera
Loch Seil
Kilbride
A816
Rubha
1691 Beinn

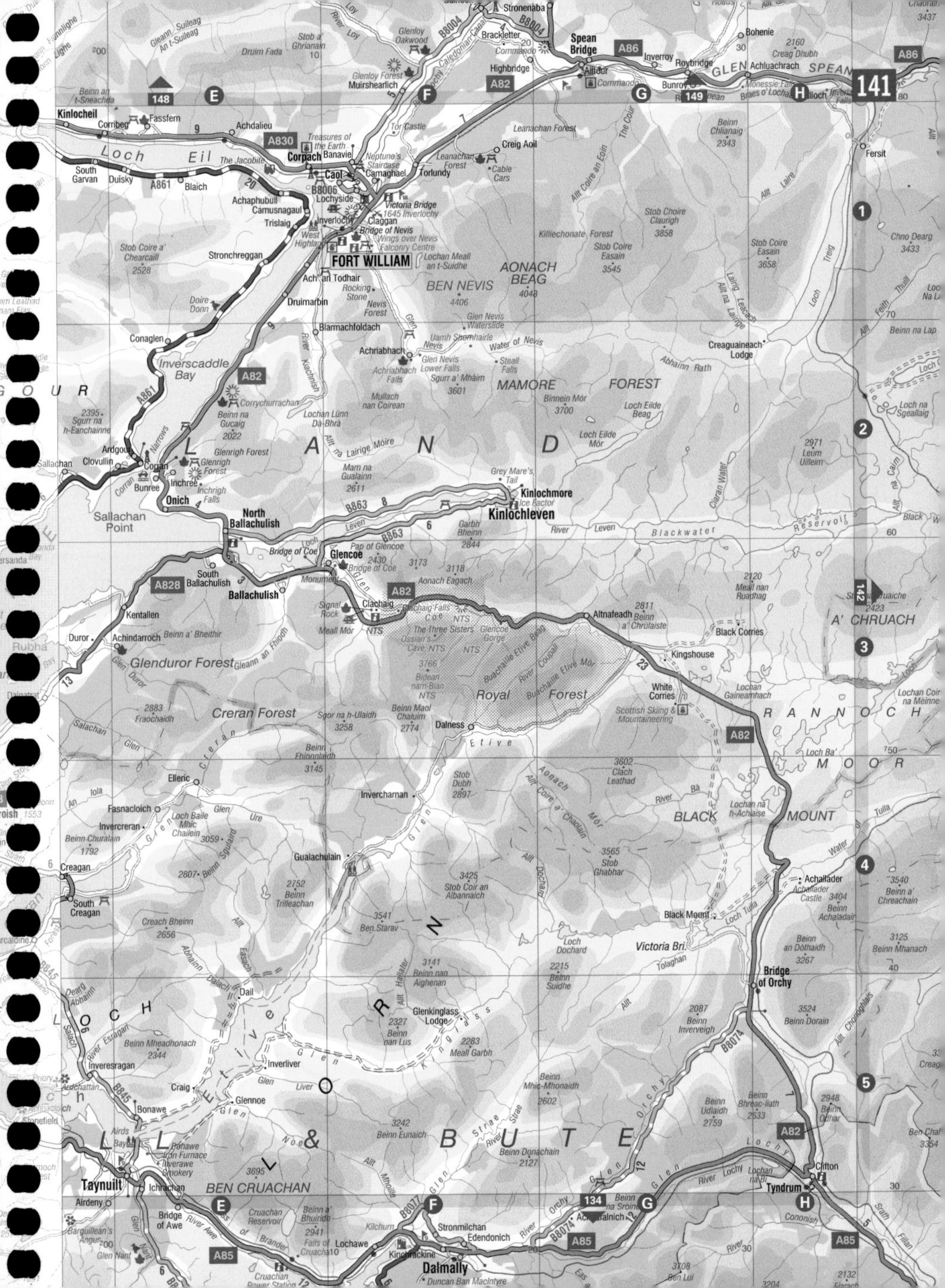
Stronenaba
Spean Bridge
A86
Inverroy
Roybridge
Bohenie
Creag Dhubh
GLEN
Achluachrach
SPEAN
148
E
F
G
H
149
Kinlocheil
Corribeg
Fassfern
Achdalieu
A830
Loch Eil
South Garvan
Duisky
A861
Blaich
The Jacobite
Corpach
Banavie
Caol
Camaghael
Torlundy
Neptune's Staircase
Treasures of the Earth
Tor Castle
Leanachan Forest
Creig Aoil
Cable Cars
Glenloy Forest
Glenloy Oakwood
Muirshearlich
Highbridge
Commando
Brackletter
B8004
A82
Achaphubuil
Camusnagaul
Trislaig
Lochyside
Victoria Bridge
Inverlochy
Claggan
Bridge of Nevis
Wings over Nevis
Falconry Centre
West Highland
FORT WILLIAM
Lochan Meall an t-Suidhe
Stob Coire a' Chearcaill
2528
Stronchreggan
Ach' an Todhair
Rocking Stone
Nevis Forest
BEN NEVIS
4406
AONACH BEAG
4048
Stob Choire Claurigh
3858
Killiechonate Forest
Stob Coire Easain
3545
Stob Coire Easain
3658
Beinn Chlianaig
2343
Fersit
Chno Dearg
3433
Loch Treig
Doire Donn
Druimarbin
Blarmachfoldach
Conaglen
Inverscaddle Bay
A861
Glen Nevis Waterslide
Uamh Shomhairle
Water of Nevis
Achriabhach
Glen Nevis Lower Falls
Achriabhach Falls
Steall Falls
Sgurr a' Mhàim
3601
MAMORE FOREST
Binnein Mòr
3700
Loch Eilde Beag
Loch Eilde Mòr
Abhainn Rath
Creaguaineach Lodge
Beinn na Lap
Corrychurrachan
Mullach nan Coirean
Lochan Lùnn Dà-Bhrà
Beinn na Gucaig
2022
Glenrigh Forest
2395
Sgurr na h-Eanchainne
Ardgour
Clovullin
Sallachan
Corran
Bunree
Inchree
Inchrigh Falls
Onich
Mam na Gualainn
2611
Grey Mare's Tail
Kinlochmore
Ice Factor
Kinlochleven
2971
Leum Uilleim
Sallachan Point
North Ballachulish
B863
River Leven
Blackwater
Reservoir
Bridge of Coe
Glencoe
Pap of Glencoe
2430
3173
3118
Aonach Eagach
Garbh Bheinn
2844
A828
South Ballachulish
Ballachulish
Kentallen
Duror
Achindarroch
Beinn a' Bheithir
Monument
Clachaig
Signal Rock
Meall Mòr
The Three Sisters
Ossian's Cave
Glencoe Gorge
Altnafeadh
2811
Beinn a' Chrùlaiste
Black Corries
Kingshouse
2120
Meall nan Ruadhag
142
A' CHRUACH
Glendurror Forest
Glen Duror
3766
Bidean nam Bian
Buachaille Etive Mòr
Royal Forest
White Corries
Scottish Skiing & Mountaineering
Lochan Gaineamhach
RANNOCH
MOOR
2883
Fraochaidh
Creran Forest
Sgor na h-Ulaidh
3258
Beinn Maol Chaluim
2774
Dalness
Beinn Fhionnlaidh
3145
Stob Dubh
2897
3602
Clach Leathad
Loch Ba'
Elleric
Inverchanan
Fasnacloich
Invercreran
Loch Baile Mhic Chailein
3059
Beinn Sguliaird
Beinn Churalain
1792
BLACK MOUNT
Lochan na h-Achlaise
Gualachulain
3565
Stob Ghabhar
Creagan
South Creagan
2807
2752
Beinn Trilleachan
3425
Stob Coir an Albannaich
Achallader
Achallader Castle
3404
Beinn Achaladair
3540
Beinn a' Chreachain
Creach Bheinn
2656
3541
Ben Starav
Black Mount
Loch Tulla
Loch Dochard
Victoria Bri.
3125
Beinn Mhanach
Beinn an Dòthaidh
3267
3141
Beinn nan Aighenan
2215
Beinn Suidhe
Bridge of Orchy
Dail
Glenkinglass Lodge
2327
Beinn nan Lus
2283
Meall Garbh
2087
Beinn Inverveigh
3524
Beinn Dorain
LOCH
Beinn Mheadhonach
2344
Inveresragan
Inverliver
B8074
Ardchattan
Craig
Bonawe
Glennoe
Glen Liver
Beinn Mhic-Mhonaidh
2602
Beinn Udlaidh
2759
Beinn Bhreac-liath
2633
2948
Beinn Odhar
Beinn Eunaich
3242
Beinn Donachain
2127
ARGYLL & BUTE
Bonawe Iron Furnace
Inverawe Smokery
3695
BEN CRUACHAN
Taynuilt
Ichrachan
Airdeny
Bridge of Awe
River Awe
Cruachan Reservoir
Beinn a' Bhuiridh
2941
Falls of Cruachan
Kilchurn
B8077
Stronmilchan
Edendonich
134
Beinn na Sròine
Achtatalnich
A85
Clifton
Tyndrum
River Lochy
Lochawe
Dalmally
Duncan Ban MacIntyre
Cruachan Power Station
3708
Ben Lui
1
2
3
4
5

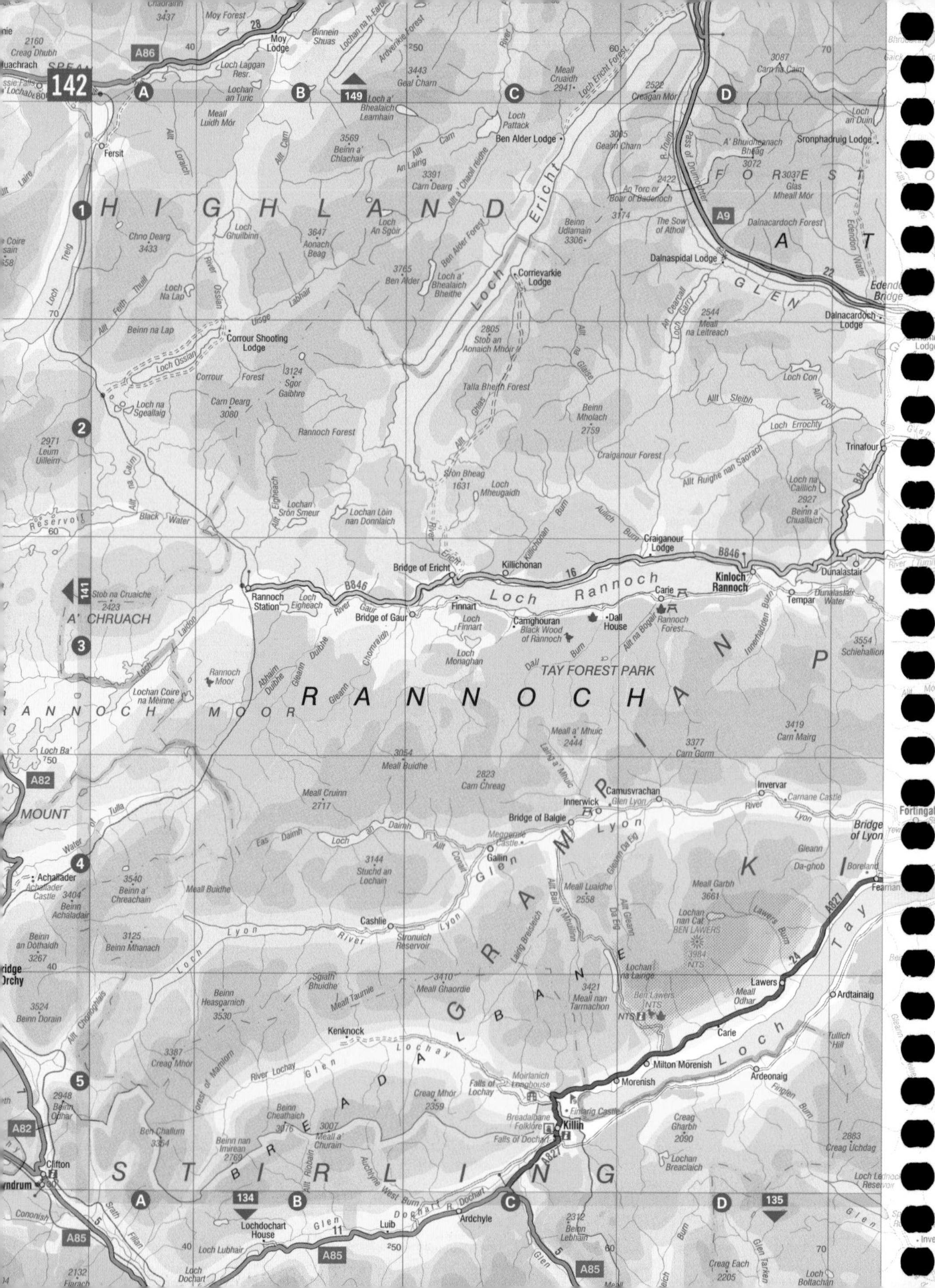
HIGHLAND
RANNOCH
RANNOCH MOOR
GRAMPIAN
BREADALBANE
STIRLING
Loch Rannoch
Loch Ericht
Loch Tay
TAY FOREST PARK
Kinloch Rannoch
Rannoch Station
Bridge of Gaur
Bridge of Ericht
Killin
Ben Alder Lodge
Corrour Shooting Lodge
Dalnaspidal Lodge
Bridge of Balgie
Fortingall
Fearnan
Lawers
Milton Morenish
Tyndrum
Crianlarich
Ardchyle
Luib
Lochdochart House
A9
A82
A85
A86
A827
B846
B847
149
141
134
135

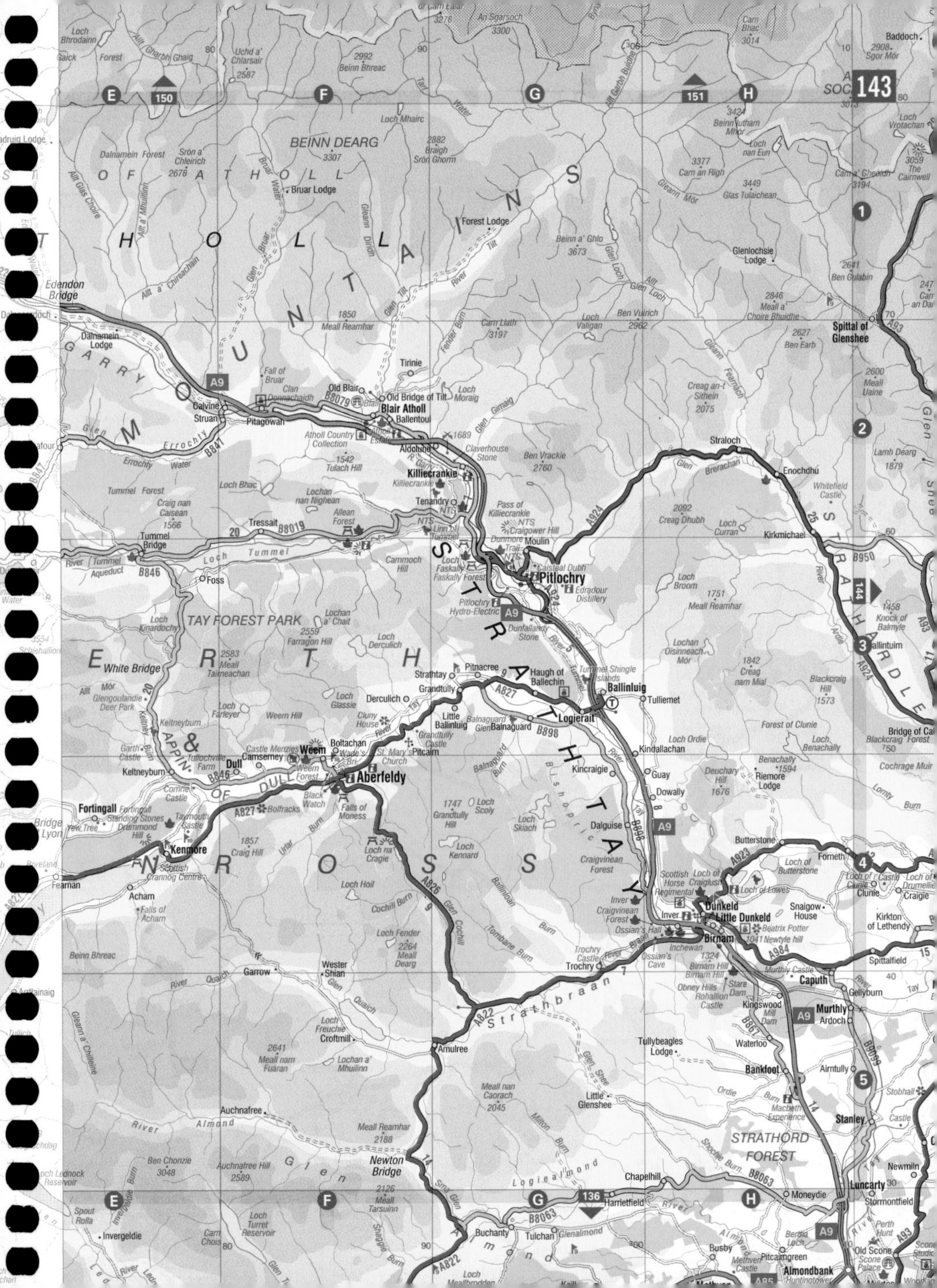

143
150
151
144
136
Loch Bhrodainn
Gaick Forest
Uchd a' Chlarsair 2587
2992 Beinn Bhreac
An Sgarsoch 3300
Carn Bhac 3014
Baddoch
2908 Sgor Mór
BEINN DEARG 3307
Loch Mhairc
2882 Braigh Sròn Ghorm
3424 Beinn Iutharn Mhór
Loch nan Eun
3377 Carn an Righ
3449 Glas Tulaichean
3059 The Cairnwell
Carn a' Gheoidh 3194
Loch Vrotachan
Dalnamein Forest
Sròn a' Chleirich 2676
OF ATHOLL
Bruar Lodge
Forest Lodge
Beinn a' Ghlo 3673
Glenlochsie Lodge
2641 Ben Gulabin
H O L L A I N S
M O U N T
Edendon Bridge
1850 Meall Reamhar
Carn Liath 3197
Loch Valigan
Ben Vuirich 2962
2846 Meall a' Choire Bhuidhe
Spittal of Glenshee
2627 Ben Earb
2600 Meall Uaine
Dalnamein Lodge
GARRY
Fall of Bruar
Clan Donnachaidh
Tirinie
Old Blair
Old Bridge of Tilt
Loch Moraig
Blair Atholl
Ballentoul
Calvine
Struan
Pitagowan
Atholl Country Collection
Atholl Estates
1689
Aldclune
Claverhouse Stone
Creag an-t Sithein 2075
Straloch
Enochdhu
Lamh Dearg 1879
Glen Errochty
Errochty Water
1542 Tulach Hill
Ben Vrackie 2760
Killiecrankie
Tenandry
Pass of Killiecrankie
Loch Bhac
Lochan nan Nighean
Tummel Forest
Craig nan Caisean 1566
Tressait
Allean Forest
Linn of Tummel
Craigower Hill
Dunmore Trail
Moulin
2092 Creag Dhubh
Loch Curran
Kirkmichael
Whitefield Castle
Tummel Bridge
Loch Tummel
Aqueduct
Foss
Cammoch Hill
Loch Faskally
Faskally Forest
Caisteal Dubh
Pitlochry
Edradour Distillery
Loch Broom
1751 Meall Reamhar
Pitlochry Hydro-Electric
STRATHARDLE
1458 Knock of Balmyle
Ballintuim
Loch Kinardochy
TAY FOREST PARK
Lochan a' Chait
Dunfallandy Stone
Lochan Oisinneach Mór
1842 Creag nam Mial
Schiehallion
2559 Farragon Hill
Loch Derculich
2583 Meall Tairneachan
White Bridge
P E R T H
Strathtay
Pitnacree
Haugh of Ballechin
Tummel Shingle Islands
Ballinluig
Tulliemet
Blackcraig Hill 1573
Allt Mór
Glengoulandie Deer Park
Grandtully
Derculich
Loch Glassie
Loch Farleyer
Weem Hill
Cluny House
Little Ballinluig
Logierait
Balnaguard Glen
Balnaguard
Forest of Clunie
Loch Ordie
Keltneyburn
APPIN
&
Garth Castle
Tullochville Farm
Castle Menzies
Weem
Boltachan
Wade's Bri.
St. Mary's Church
Grandtully Castle
Pitcairn
Kindallachan
Loch Benachally
Bridge of Cally
Blackcraig Forest
Dull
Camserney
Weem Forest
Aberfeldy
Kincraigie
Guay
Deuchary Hill 1676
Benachally 1594
Riemore Lodge
Cochrage Muir
Keltneyburn
Comrie Castle
OF DULL
Black Watch
Falls of Moness
Dowally
Fortingall
Fortingall Standing Stones
Yew Tree
Drummond Hill
Taymouth Castle
Bolfracks
1747 Grandtully Hill
Loch Scoly
Loch Skiach
Bishopric
Dalguise
Bridge of Lyon
Kenmore
1857 Craig Hill
Loch na Craigie
Loch Kennard
S T R A T H T A Y
Butterstone
Loch of Butterstone
Forneth
Scottish Crannog Centre
Fearnan
Craigvinean Forest
Scottish Horse Regimental
Loch of Craiglush
Loch of Lowes
Loch of Clunie
Clunie
Craigie
Acharn
Falls of Acharn
Loch Hoil
Glen Cochill
Inver
Craigvinean Forest
Dunkeld
Little Dunkeld
Snaigow House
Kirkton of Lethendy
Loch Fender
2264 Meall Dearg
Ossian's Hall
Birnam
Beatrix Potter
1041 Newtyle hill
Beinn Bhreac
Tombane Burn
Trochry Castle
Trochry
Ossian's Cave
Inchewan
1324 Birnam Hill
Spittalfield
Garrow
Wester Shian
Glen Quaich
River Quaich
Murthly Castle
Obney Hills
Stare Dam
Rohallion Castle
Caputh
Gellyburn
Ardtalnaig
Strathbraan
Kingswood
Mill Dam
Murthly
Ardoch
Loch Freuchie
Croftmill
Amulree
Tullybeagles Lodge
Waterloo
Gleann a' Chilleine
2641 Meall nam Fuaran
Lochan a' Mhuilinn
Glen Shee
Bankfoot
Airntully
Meall nan Caorach 2045
Little Glenshee
Ordie Burn
Macbeth Experience
Stobhall
Auchnafree
River Almond
Meall Reamhar 2188
Milton Burn
Stanley
STRATHORD FOREST
Ben Chonzie 3048
Auchnafree Hill 2589
Glen Almond
Newton Bridge
Logiealmond
Chapelhill
Shochie Burn
Newmiln
Loch Lednock Reservoir
2126 Meall Tarsuinn
Harrietfield
Moneydie
Luncarty
Stormontfield
Spout Rolla
Invergeldie
Loch Turret Reservoir
Carn Chois
Shaggie Burn
Sma' Glen
Buchanty
Tulchan
Glenalmond
Busby
Bertha Loch
Perth Hunt
Pitcairngreen
Methven Castle
Old Scone
Scone Palace
Almondbank
Huntingtower
A9
A924
A827
A826
A822
A923
A984
A93
B8079
B847
B8019
B846
B898
B950
B867
B9099
B8063
A85
E
F
G
H
1
2
3
4
5

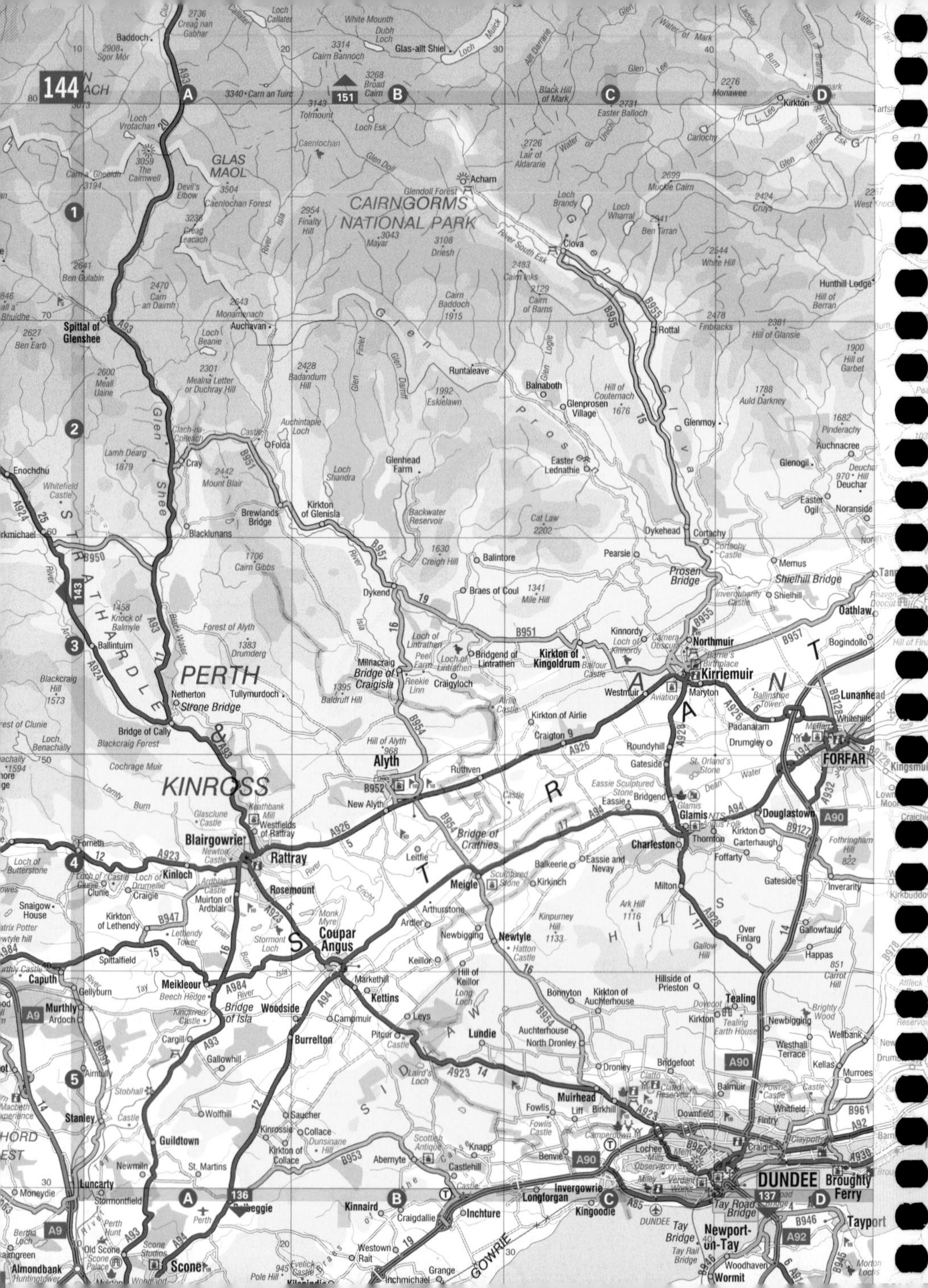
CAIRNGORMS
NATIONAL PARK
GLAS
MAOL
PERTH
&
KINROSS
A N G U S
S T R A T H A R D L E
S I D L A W
H I L L S
DUNDEE
FORFAR
151
143
136
137
Creag nan Gabhar
Loch Callater
White Mounth
Dubh Loch
Glas-allt Shiel
Loch Muick
Cairn Bannoch
Broad Cairn
Carn an Tuirc
Tolmount
Loch Esk
Baddoch
Sgor Mor
Loch Vrotachan
The Cairnwell
Carn a' Gheoidh
Devil's Elbow
Caenlochan Forest
Creag Leacach
Finalty Hill
Mayar
Driesh
Glendoll Forest
Acharn
Black Hill of Mark
Easter Balloch
Lair of Aldararie
Monawee
Kirkton
Carlochy
Muckle Cairn
Cruys
Loch Brandy
Loch Wharral
Ben Tirran
Clova
White Hill
Hunthill Lodge
Hill of Berran
Ben Gulabin
Carn an Daimh
Monamenach
Auchavan
Cairn Inks
Cairn Baddoch
Cairn of Barns
Rottal
Finbracks
Hill of Glansie
Spittal of Glenshee
Ben Earb
Loch Beanie
Meall Uaine
Mealna Letter or Duchray Hill
Badandum Hill
Runtaleave
Eskielawn
Balnaboth
Glenprosen Village
Hill of Couternach
Hill of Garbet
Auld Darkney
Glenmoy
Pinderachy
Auchnacree
Glenogil
Deuchar
Clach-na-Coileach
Castle
Folda
Auchintaple Loch
Cray
Lamh Dearg
Mount Blair
Loch Shandra
Glenhead Farm
Easter Lednathie
Enochdhu
Whitefield Castle
Brewlands Bridge
Kirkton of Glenisla
Backwater Reservoir
Cat Law
Dykehead
Cortachy
Cortachy Castle
Easter Ogil
Noranside
Memus
Blacklunans
Cairn Gibbs
Creigh Hill
Balintore
Pearsie
Prosen Bridge
Shielhill Bridge
Shielhill
Inverquharity Castle
Oathlaw
Dykend
Braes of Coul
Mile Hill
Knock of Balmyle
Forest of Alyth
Drumderg
Ballintuim
Loch of Lintrathen
Bridgend of Lintrathen
Peel Farm
Kinnordy
Loch of Kinnordy
Camera Obscura
Northmuir
Bogindollo
Blackcraig Hill
Milnacraig
Bridge of Craigisla
Reekie Linn
Craigyloch
Kirkton of Kingoldrum
Balfour Castle
Barrie's Birthplace
Kirriemuir
Lunanhead
Netherton
Strone Bridge
Tullymurdoch
Baldruff Hill
Airlie Castle
Westmuir
Aviation
Maryton
Ballinshoe Tower
Whitehills
Rest of Clunie
Loch Benachally
Bridge of Cally
Blackcraig Forest
Kirkton of Airlie
Craigton
Padanaram
Drumgley
Hill of Alyth
Alyth
Ruthven
Roundyhill
Gateside
St. Orland's Stone
Kingsmuir
Cochrage Muir
Lornty Burn
Eassie Sculptured Stone
Eassie
Bridgend
Glamis
Angus Folk
Douglastown
Glasclune Castle
Keathbank Mill
Westfields of Rattray
New Alyth
Bridge of Crathies
Charleston
Thornton
Kirkton
Carterhaugh
Fothringham Hill
Blairgowrie
Rattray
Forneth
Newton Castle
Loch of Butterstone
Loch of Clunie
Loch of Drumellie
Clunie
Craigie
Kinloch
Ardblair Castle
Rosemount
Leitfie
Balkeerie
Eassie and Nevay
Kirkinch
Meigle
Sculptured Stone
Foffarty
Milton
Gateside
Inverarity
Snaigow House
Muirton of Ardblair
Kirkton of Lethendy
Lethendy Tower
Monk Myre
Arthurstone
Ardler
Ark Hill
Kinpurney Hill
Over Finlarg
Gallowfauld
Stormont Loch
Coupar Angus
Newbigging
Newtyle
Hatton Castle
Gallow Hill
Happas
Carrot Hill
Spittalfield
Caputh
Gellyburn
Meikleour
Beech Hedge
Keillor
Hill of Keillor
Long Loch
Markethill
Kettins
Hillside of Prieston
Tealing
Dovecot
Brighty Wood
Murthly
Ardoch
Kinclaven Castle
Bridge of Isla
Woodside
Campmuir
Leys
Bonnyton
Kirkton of Auchterhouse
Tealing Earth House
Newbigging
Cargill
Burrelton
Pitcur Castle
Lundie
Auchterhouse
North Dronley
Westhall Terrace
Wellbank
Kellas
Murroes
Gallowhill
Airntully
Laird's Loch
Dronley
Bridgefoot
Clatto Reservoir
Balmuir
Powrie Castle
Stobhall
Muirhead
Birkhill
Fowlis
Liff
Fowlis Castle
Downfield
Fintry
Whitfield
Stanley
Wolfhill
Saucher
Kinrossie
Collace
Dunsinane Hill
Kirkton of Collace
Scottish Antiques
Knapp
Camperdown
Benvie
Lochee
Mills Observatory
Craigie
Claypotts
Guildtown
Newmiln
St. Martins
Abernyte
Castlehill
Verdant Works
Broughty Ferry
Luncarty
Moneydie
Stormontfield
Invergowrie
Longforgan
Kingoodie
Tay Road Bridge
Kinnaird
Craigdallie
Inchture
Balbeggie
Perth Hunt
Perth
DUNDEE
Tay Bridge
Tay Rail Bridge
Newport-on-Tay
Tayport
Old Scone
Scone Palace
Scone Studios
Almondbank
Huntingtower
Scone
Westown
Rait
Evelick Castle
Pole Hill
Grange
Inchmichael
Woodhaven
Wormit
Morton Lochs
GOWRIE
Spittal of Glenshee
Glen Shee
Glen Isla
Glen Clova
Glen Prosen
River South Esk
Water of Mark
Glen Lee
Glen Doll
Black Water
River Isla
River Tay
Dean Water
A93
A924
A923
A926
A94
A984
A928
A90
A92
A85
A930
A932
B950
B951
B954
B955
B957
B947
B952
B953
B9128
B9127
B9099
B960
B961
B946
B945
B978

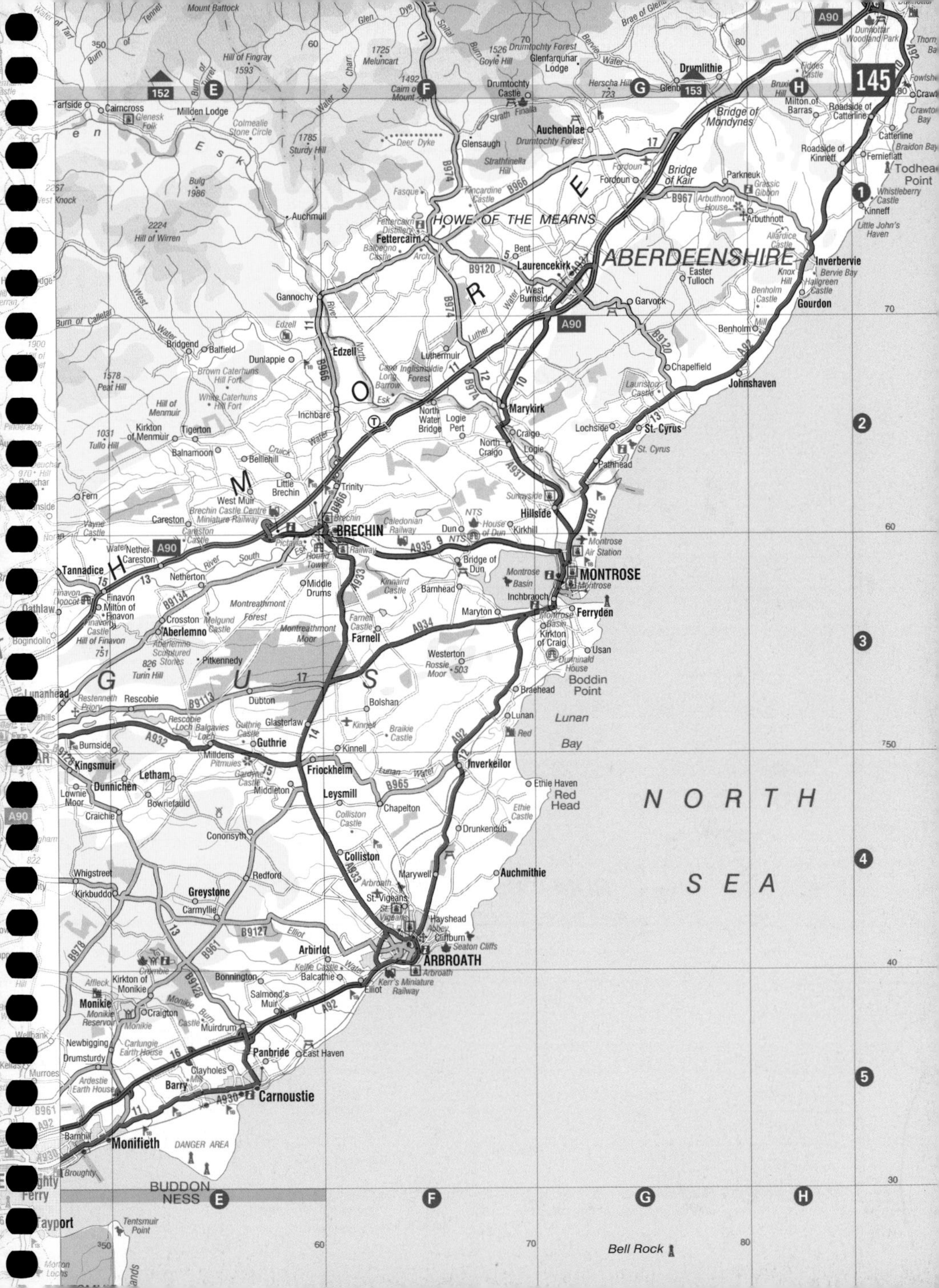

145
Mount Battock
Hill of Fingray
1593
1725
Meluncart
1526
Drumtochty Forest
Goyle Hill
Glenfarquhar Lodge
Drumlithie
A90
Dunnottar Woodland Park
Drumtochty Castle
152
E
F
G
H
153
Cairn o' Mount
Herscha Hill
723
Fiddes Castle
Bruxie Hill
Tarfside
Cairncross
Millden Lodge
Glenesk Folk
Colmealie Stone Circle
1785
Sturdy Hill
Deer Dyke
Glensaugh
Auchenblae
Drumtochty Forest
Bridge of Mondynes
Milton of Barras
Roadside of Catterline
Crawton Bay
Catterline
Braidon Bay
Roadside of Kinneff
Fernieflatt
Todhead Point
Strathfinella Hill
Fordoun
Bridge of Kair
Parkneuk
Grassic Gibbon
Whistleberry Castle
Kinneff
Little John's Haven
2267
West Knock
Bulg
1986
Fasque
Kincardine Castle
B966
B967
Arbuthnott House
Arbuthnott
Auchmull
HOWE OF THE MEARNS
2224
Hill of Wirren
Fettercairn Distillery
Fettercairn
Balbegno Castle
Allardice Castle
Bent
ABERDEENSHIRE
Inverbervie
Bervie Bay
B9120
Laurencekirk
Easter Tulloch
Knox Hill
Hallgreen Castle
Gannochy
West Burnside
Garvock
Benholm Castle
Gourdon
Burn of Calletar
Edzell
A90
Benholm
Bridgend
Balfield
Dunlappie
Edzell
Luthermuir
Chapelfield
1578
Peat Hill
Brown Caterthuns Hill Fort
White Caterthuns Hill Fort
Caoo Long Barrow
Inglismaldie Forest
Lauriston Castle
Johnshaven
Hill of Menmuir
Inchbare
North Water Bridge
Logie Pert
Marykirk
1031
Tullo Hill
Kirkton of Menmuir
Tigerton
Craigo
Lochside
St. Cyrus
Balnamoon
Bellehill
North Craigo
Logie
Pathhead
Little Brechin
Trinity
Fern
West Muir
Brechin Castle Centre
Miniature Railway
Sunnyside
Hillside
Careston
Caledonian Railway
NTS
House of Dun
Dun
Kirkhill
Vayne Castle
Careston Castle
BRECHIN
A935
Montrose Air Station
Nether Careston
Pictavia
Round Tower
Bridge of Dun
MONTROSE
Montrose Basin
Tannadice
Netherton
Kinnaird Castle
Barnhead
Middle Drums
Finavon Doocot
Milton of Finavon
Finavon
Inchbraoch
Oathlaw
B9134
Montreathmont Forest
Maryton
Ferryden
Crosston
Aberlemno
Melgund Castle
Farnell Castle
Farnell
A934
Montrose Basin
Kirkton of Craig
Bogindollo
Finavon Castle
Hill of Finavon
751
Aberlemno Sculptured Stones
Montreathmont Moor
Usan
Westerton
Rossie Moor
503
Dunninald House
826
Turin Hill
Pitkennedy
Boddin Point
Lunanhead
Restenneth Priory
Rescobie
B9113
Dubton
Braehead
Bolshan
Lunan
Lunan Bay
Rescobie Loch
Balgavies Loch
Guthrie Castle
Glasterlaw
Kinnell
Braikie Castle
Red
Burnside
A932
Mildens
Guthrie
Kinnell
Kingsmuir
Pitmuies
Friockheim
Lunan Water
Inverkeilor
Dunnichen
Letham
Gardyne Castle
B965
Ethie Haven
Lownie Moor
Middleton
Leysmill
Red Head
NORTH
Bowriefauld
Chapelton
Colliston Castle
Ethie Castle
Craichie
A90
Drunkendub
Cononsyth
Colliston
Auchmithie
SEA
Whigstreet
Redford
Marywell
Kirkbuddo
Greystone
Arbroath
St. Vigeans
Carmyllie
Hayshead
Abbey
B9127
Elliot
Cliffburn
Seaton Cliffs
B978
B961
Arbirlot
ARBROATH
Crombie
Kellie Castle
Balcathie
Affleck
Kirkton of Monikie
Bonnington
Kerr's Miniature Railway
Elliot
B9128
Monikie
Monikie Reservoir
Craigton
Salmond's Muir
A92
Monikie Burn
Castle
Muirdrum
Wellbank
Newbigging
Carlungie Earth House
Drumsturdy
Panbride
East Haven
Kellas
Murroes
Clayholes
Ardestie Earth House
Barry
Mill
Carnoustie
A930
B961
A92
Barnhill
Monifieth
DANGER AREA
A930
Broughty
Broughty Ferry
BUDDON NESS
Tayport
Tentsmuir Point
Morton Lochs
Bell Rock

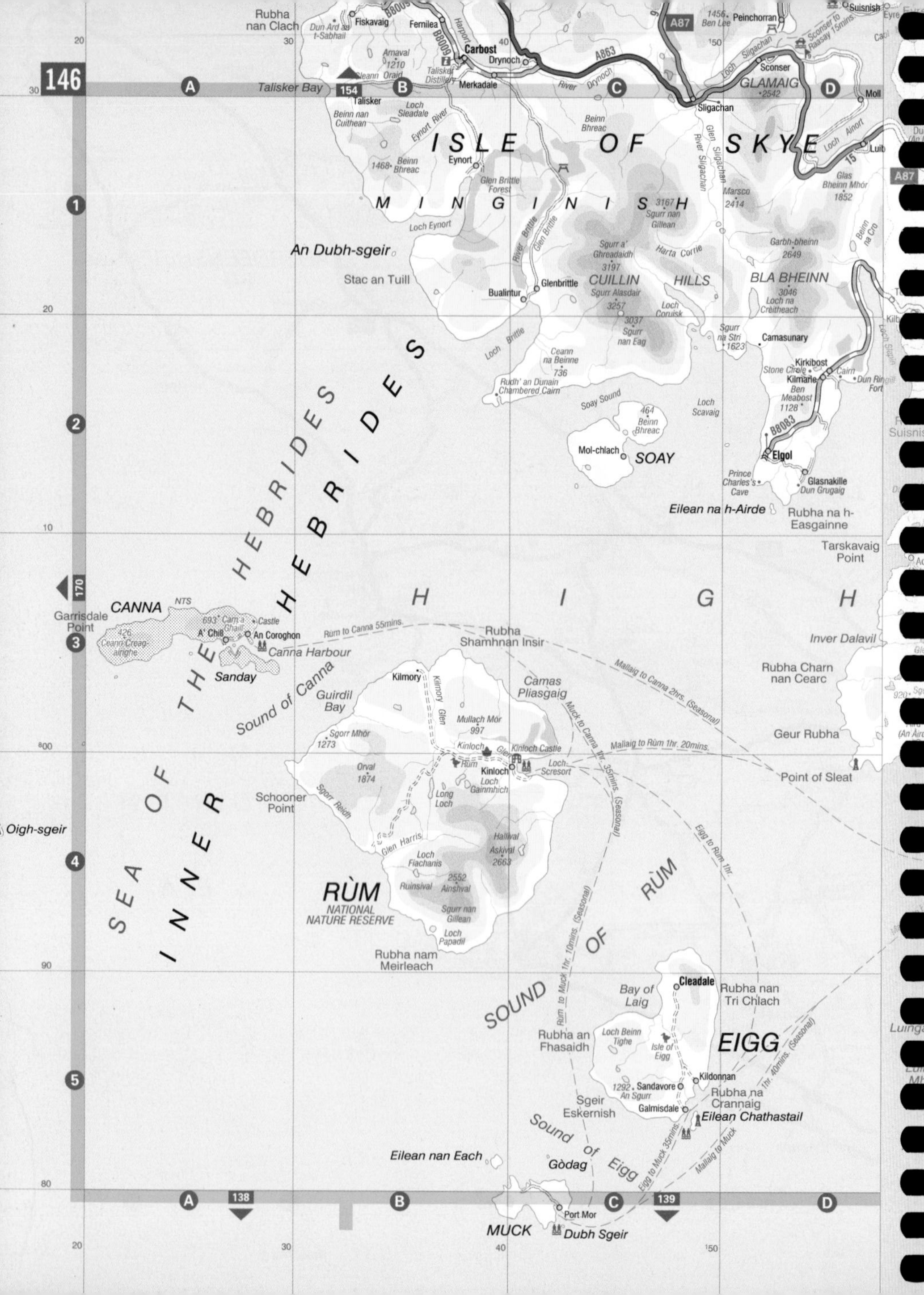

ISLE OF SKYE

MINGINISH

Rubha nan Clach
Dun Ard an t-Sabhail
Fiskavaig
Fernilea
Peinchorran
Suisnish
A87
Ben Lee 1456
Sconser to Raasay 15mins

Amaval 1210
Carbost
Drynoch
A863
Sconser
GLAMAIG 2542
Moll

Talisker Bay
154
Talisker
Merkadale
Talisker Distillery
River Drynoch
Sligachan
A87

Loch Sleadale
Beinn nan Cuithean
Eynort
Beinn Bhreac
River Sligachan
Loch Ainort
Luib
16
A87

Beinn Bhreac 1468
Eynort
Glen Brittle Forest
3167 Sgurr nan Gillean
Marsco 2414
Garbh-bheinn 1852
Beinn na Cro

Loch Eynort
Sgurr a' Ghreadaidh 3197
Harta Corrie
Kilbride

An Dubh-sgeir
Stac an Tuill
Bualintur
Glenbrittle
CUILLIN HILLS
Sgurr Alasdair 3257
Loch Coruisk
3037 Sgurr nan Eag
BLA BHEINN 3046
Stone Craig
Cairn
Dun Ringill Fort

Ceann na Beinne 736
Rudh' an Dunain Chambered Cairn
Camasunary
Kirkibost
Kilmarie
Ben Meabost 1128

Loch Brittle
Soay Sound
464 Beinn Bhreac
Loch Scavaig
Sgurr na Stri 1623
B8083

THE HEBRIDES

Mol-chlach
SOAY
Prince Charles's Cave
Glasnakille
Dun Grugaig
Elgoi

Eilean na h-Airde
Rubha na h-Easgainne
Tarskavaig Point

SEA OF THE INNER HEBRIDES

Garrisdale Point
170
CANNA NTS
693 Carn
A' Chill
Castle
An Coroghon
Rum to Canna 55mins
Rubha Shamhnan Insir
Mallaig to Canna 2hrs (Seasonal)
Inver Dalavil
Rubha Charn nan Cearc

426 Ceann Creag-airighe
Canna Harbour
Sanday
Guirdil Bay
Kilmory
Kinloch Glen
Camas Pliasgaig
Geur Rubha
(An Aird)

Sound of Canna
Sgorr Mhor 1273
Kinloch Castle
Mallaig to Rùm 1hr 20mins
Muck to Canna 1hr 35mins
930

Oigh-sgeir
Schooner Point
Orval 1874
Kinloch
Loch Scresort
Point of Sleat

Sgurr Rèidh
Loch Gainmhich
Loch an

RÙM
NATIONAL NATURE RESERVE

Glen Harris
Long Loch
Loch Fiachanis
Ruinsival
2552 Ainshval
Hallival
Askival 2663
Sound Of Rùm
Luinga Bheag

Sgurr nan Gillean
Rubha nam Meirleach
Rubha Papadil
Rùm to Muck 1hr 15mins (Seasonal)
Eigg to Rùm 1hr
Luinga Mhor

Bay of Laig
Cleadale
Rubha nan Tri Chlach

Rubha an Fhasaidh
Loch Beinn Tighe
Isle of Eigg
EIGG

Sgeir Eskernish
1292 An Sgurr
Sandavore
Kildonnan
Rubha na Crannaig
Eilean Chathastail

Eilean nan Each
Gòdag
Sound of Eigg
Galmisdale
Mallaig to Muck
Eigg to Muck 35mins (Seasonal)

138
B
C
139
D

MUCK
Port Mor
Dubh Sgeir

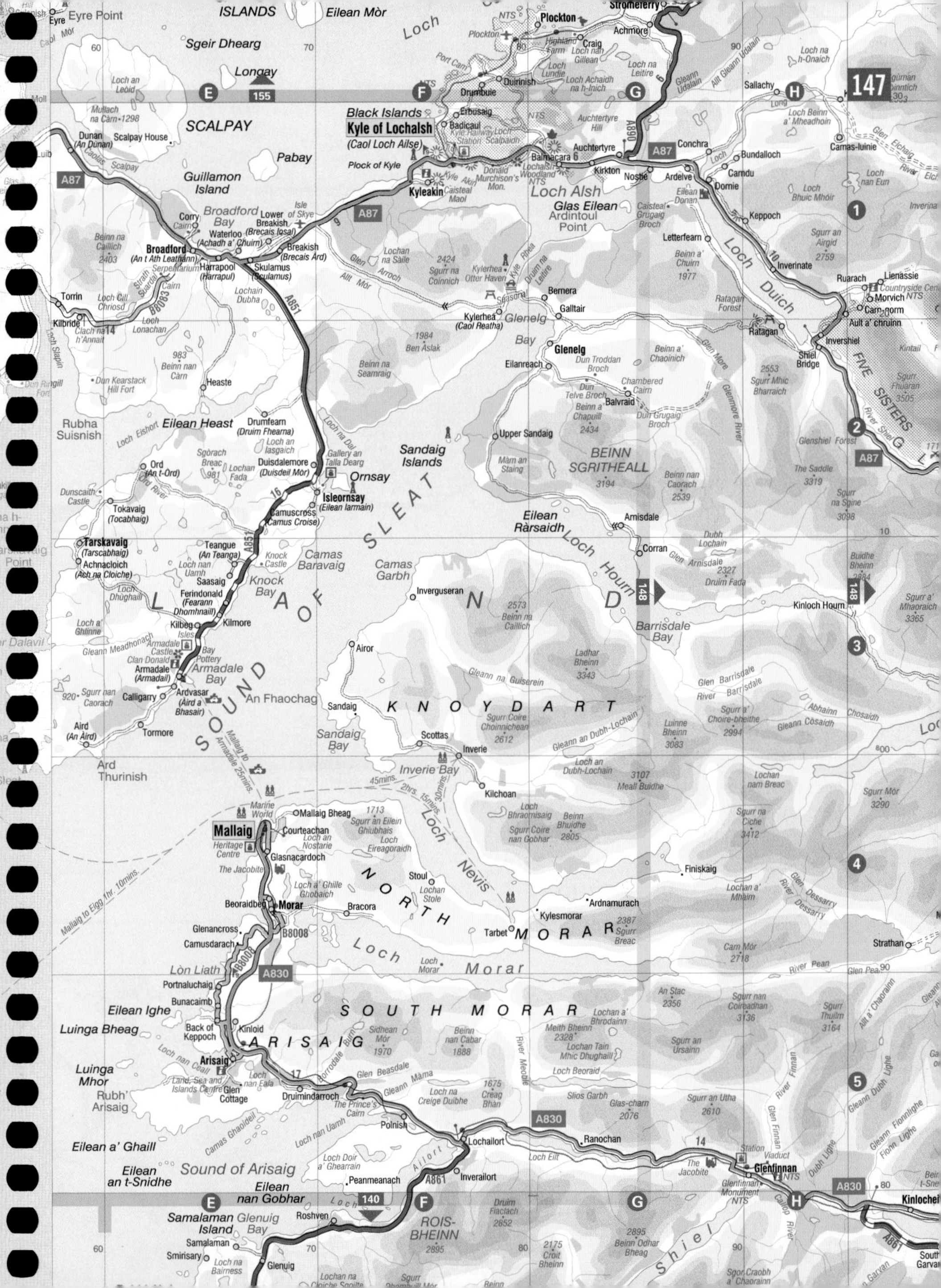
147
Eyre Point
ISLANDS
Eilean Mòr
Stromeferry
Plockton
Achmore
Craig
Loch
Sgeir Dhearg
Longay
155
E
F
G
H
Drumbuie
Duirinish
Black Islands
Kyle of Lochalsh
(Caol Loch Ailse)
Plock of Kyle
Erbusaig
Badicaul
SCALPAY
Dunan
(An Dunan)
Scalpay House
Pabay
Guillamon Island
A87
Kyleakin
Balmacara
Auchtertyre
Conchra
Bundalloch
Camdu
Dornie
Kirkton
Nostie
Ardelve
Camas-luinie
Loch Alsh
Glas Eilean
Ardintoul Point
Eilean Donan
Keppoch
Letterfearn
Loch Duich
Inverinate
Corry
Broadford Bay
Lower Breakish
(Brecais Ìosal)
Waterloo
(Achadh a' Chuirn)
Breakish
(Brecais Àrd)
Broadford
(An t Ath Leathann)
Harrapool
(Harrapul)
Skulamus
(Sculamus)
Isle of Skye
Torrin
Kilbride
B8083
A851
A890
Kylerhea
(Caol Reatha)
Bernera
Galltair
Glenelg Bay
Glenelg
Eilanreach
Ratagan
Shiel Bridge
Invershiel
Morvich
Ruarach
Lienassie
Ault a' chruinn
Carn-gorm
FIVE SISTERS
Heaste
Drumfearn
(Druim Fhearna)
Rubha Suisnish
Eilean Heast
Ord
(An t-Ord)
Duisdalemore
(Duisdeil Mòr)
Ornsay
Sandaig Islands
Isleornsay
(Eilean Iarmain)
Camuscross
(Camus Croise)
Upper Sandaig
Balvraid
BEINN SGRITHEALL
Tokavaig
(Tocabhaig)
Tarskavaig
(Tarscabhaig)
Achnacloich
(Ach na Cloiche)
Teangue
(An Teanga)
Saasaig
Ferindonald
(Fearann Dhomhnaill)
Kilbeg
Kilmore
Knock Bay
Camas Baravaig
Camas Garbh
Eilean Rarsaidh
Arnisdale
Corran
Loch Hourn
148
Kinloch Hourn
Barrisdale Bay
Inverguseran
SOUND OF SLEAT
Armadale Bay
Armadale
(Armadail)
Ardvasar
(Aird a Bhasair)
Calligarry
An Fhaochag
Aird
(An Àird)
Tormore
Ard Thurinish
Airor
Sandaig
Sandaig Bay
KNOYDART
Scottas
Inverie
Inverie Bay
Kilchoan
Mallaig
Mallaig Bheag
Courteachan
Glasnacardoch
Loch Nevis
NORTH MORAR
Stoul
Bracora
Morar
Beoraidbeg
Glenancross
Camusdarach
B8008
Finiskaig
Kylesmorar
Ardnamurach
Tarbet
Loch Morar
A830
Strathan
Portnaluchaig
Bunacaimb
Eilean Ighe
Luinga Bheag
Back of Keppoch
Kinloid
ARISAIG
SOUTH MORAR
Arisaig
Luinga Mhor
Rubh' Arisaig
Glen Cottage
Druimindarroch
Polnish
Lochailort
Ranochan
Glenfinnan
Inverailort
Peanmeanach
Eilean a' Ghaill
Eilean an t-Snidhe
Sound of Arisaig
Eilean nan Gobhar
140
Samalaman Island
Glenuig Bay
Roshven
ROIS-BHEINN
Samalaman
Smirisary
Glenuig
Kinlocheil
A861

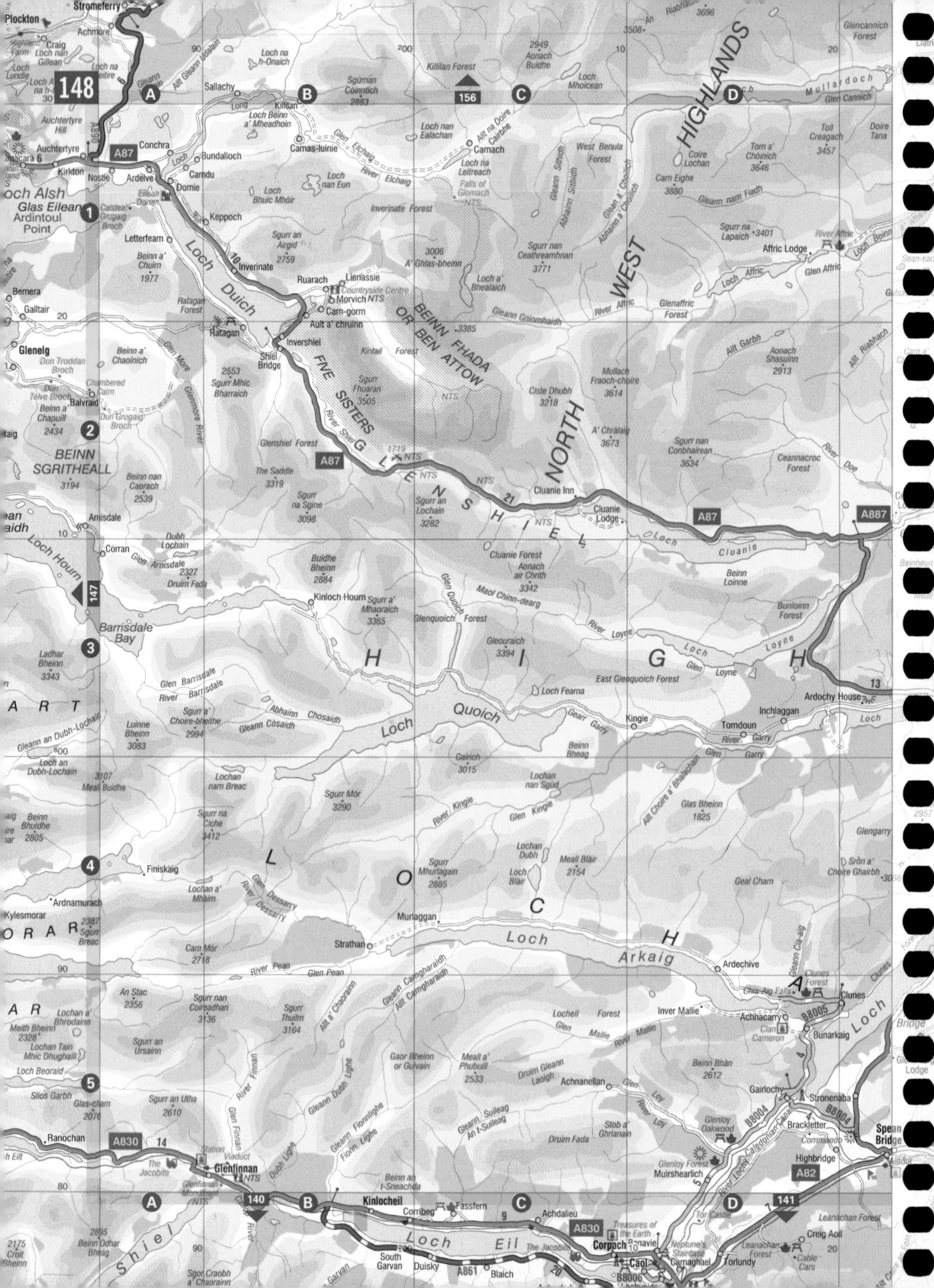

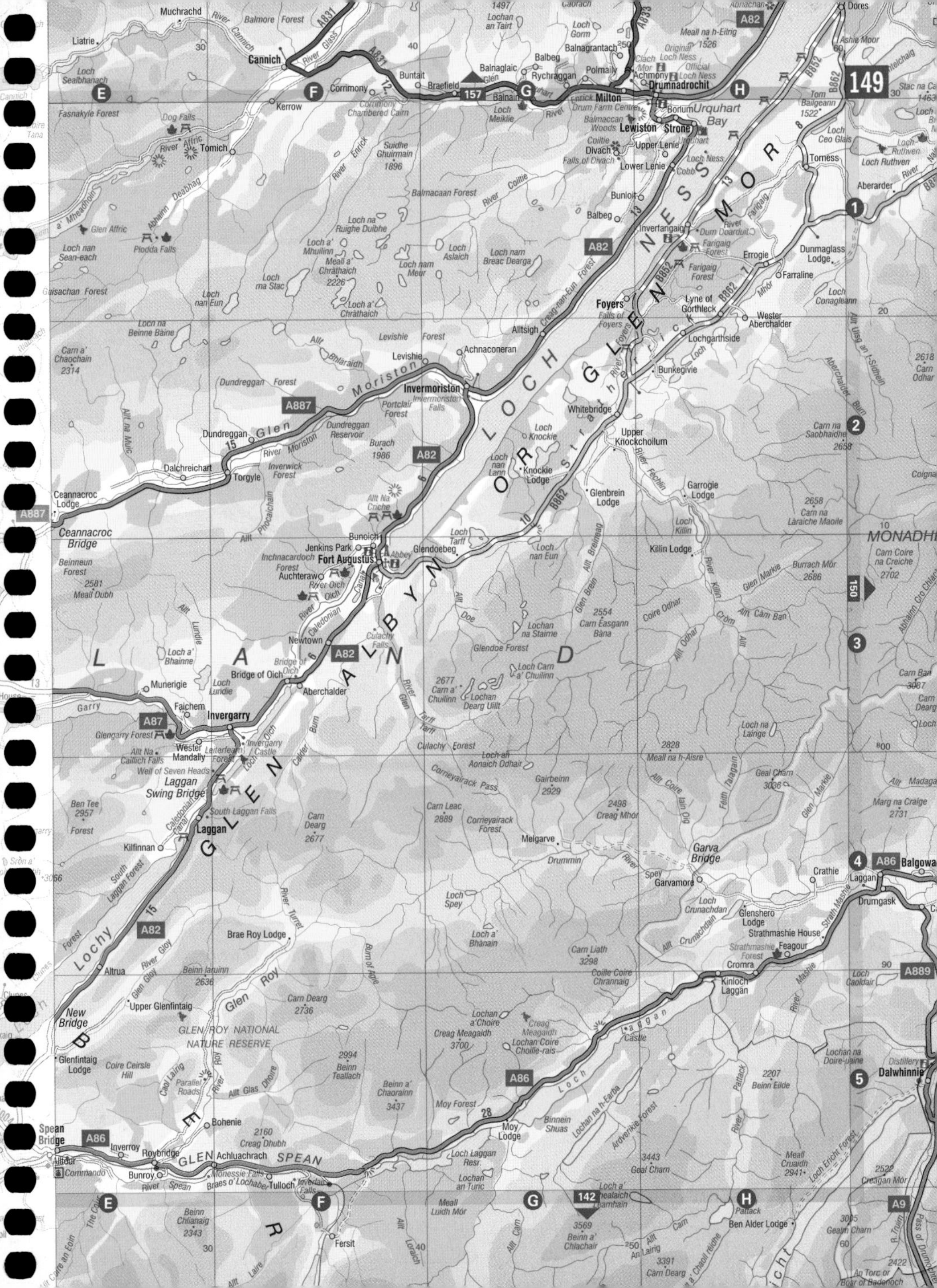

Cannich
Drumnadrochit
Milton
Lewiston
Strone
Urquhart Bay
Loch Ness
LOCH NESS
GLEN MOR
GLEN ALBYN
LOCHABER
Foyers
Invermoriston
Glen Moriston
Fort Augustus
Invergarry
Laggan
Laggan Swing Bridge
Spean Bridge
GLEN SPEAN
Roybridge
Tulloch
Fersit
Dalwhinnie
Laggan
Garva Bridge
Garvamore
Kinloch Laggan
Loch Laggan
Whitebridge
Dores
Torness
Errogie
Farraline
Aberarder
Dunmaglass Lodge
Tomich
Kerrow
Corrimony
Balnain
Glen Affric
Plodda Falls
Dundreggan
Torgyle
Ceannacroc Bridge
Munerigie
Aberchalder
Bridge of Oich
Newtown
Kilfinnan
Glenfintaig Lodge
New Bridge
GLEN ROY NATIONAL NATURE RESERVE
Moy Lodge
Ben Alder Lodge
MONADHLIATH
A82
A831
A833
A887
A87
A86
A889
A9
B852
B862
B8004
157
150
142

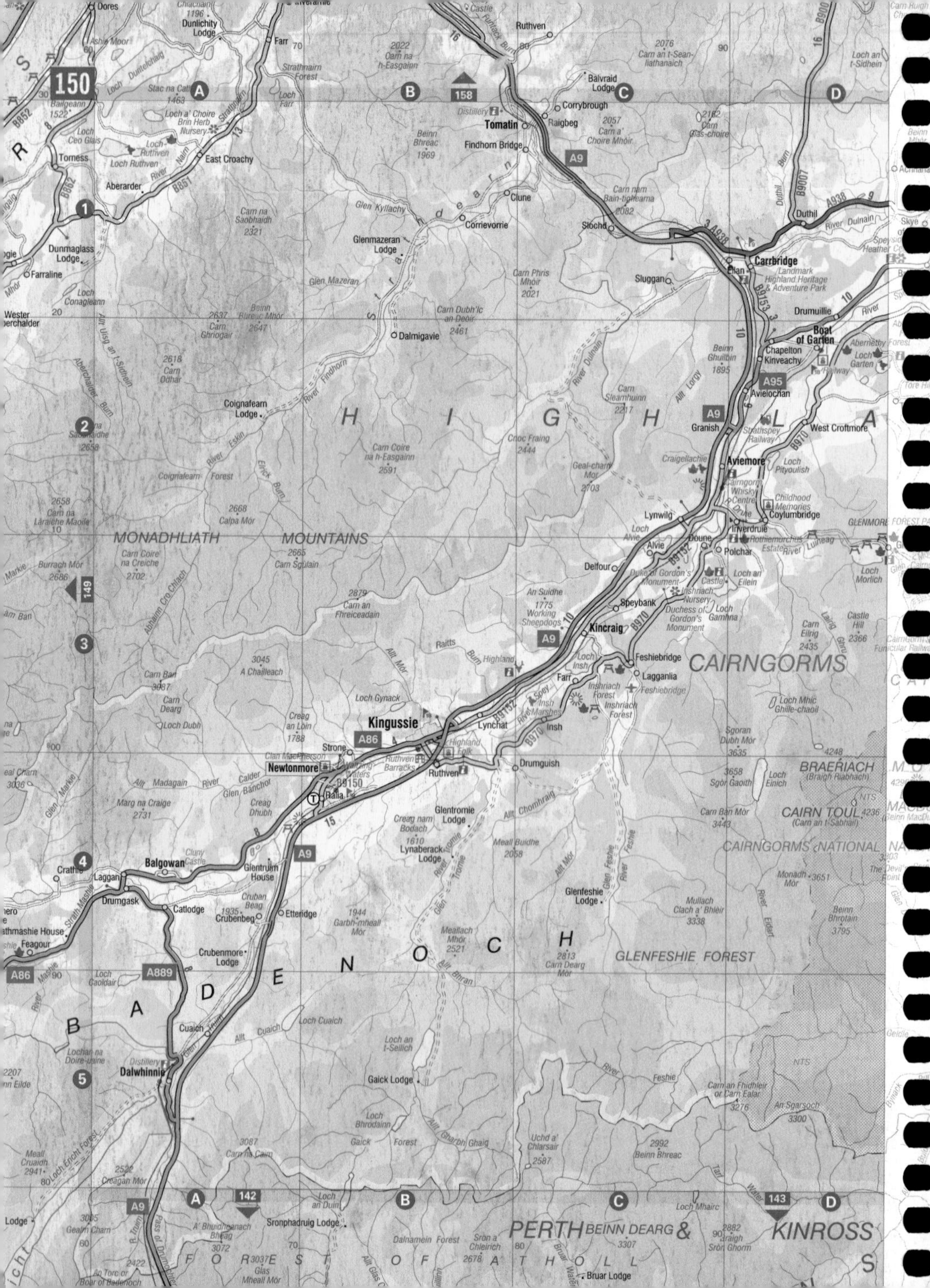
Dores
Dunlichity Lodge
Farr
Ruthven
Strathnairn Forest
Carn na h-Easgainn
Carn an t-Sean-liathanaich
Loch an t-Sidhein
158
Balvraid Lodge
Corrybrough
Tomatin
Raigbeg
Findhorn Bridge
Distillery
Stac na Cathaig 1463
Loch a' Choire
Brin Herb Nursery
Loch Duntelchaig
Loch Ceo Glais
Torness
Loch Ruthven
East Croachy
Aberarder
River Nairn
Beinn Bhreac 1969
Carn a' Choire Mhòir
Carn Glas-choire
A9
Carn nam Bain-tighearna 2082
Clune
Corrievorrie
Glen Kyllachy
Slochd
Duthil
A938
River Dulnain
Carrbridge
Landmark Highland Heritage & Adventure Park
Dunmaglass Lodge
Farraline
Glenmazeran Lodge
Glen Mazeran
Carn Saobhaidh 2321
Carn Phris Mhòir 2021
Sluggan
Loch Conagleann
Wester Aberchalder
Carn Dubh'Ic an Deòir 2461
Dalmigavie
Drumuillie
Boat of Garten
Chapelton
Kinveachy
Abernethy Forest
Loch Garten
Carn Ghriogair 2637
Beinn Bhreac Mhòr 2647
Carn Odhar 2618
River Findhorn
Beinn Ghuilbin 1895
Carn Sleamhuinn 2217
Avielochan
A95
Coignafearn Lodge
H I G H L A
Granish
Strathspey Railway
West Croftmore
Carn Coire na h-Easgainn 2591
Cnoc Fraing 2444
Craigellachie
Aviemore
Loch Pityoulish
Geal-charn Mòr 2703
Cairngorm Whisky Centre
Childhood Memories
Coylumbridge
Coignafearn Forest
Calpa Mòr 2668
Carn na Làraiche Maoile 2658
Lynwilg
Inverdruie
GLENMORE FOREST PARK
MONADHLIATH MOUNTAINS
Loch Alvie
Alvie
Doune
Polchar
Rothiemurchus Estate
River Luineag
Carn Coire na Creiche 2702
Carn Sgùlain 2665
Burrach Mòr 2686
149
Delfour
Duke of Gordon's Monument
Castle
Loch an Eilein
Loch Morlich
Carn an Fhreiceadain 2879
An Suidhe 1775
Working Sheepdogs
Speybank
Insriach Nursery
Duchess of Gordon's Monument
Loch Gamhna
Kincraig
B970
Carn Eilrig 2435
Castle Hill 2366
Cairngorm Funicular Railway
A Chailleach 3045
Raitts Burn
Highland
Loch Insh
Feshiebridge
Lagganlia
CAIRNGORMS
Carn Ban 3087
Carn Dearg
Loch Dubh
Loch Gynack
Creag an Loin 1788
Kingussie
Farr
Insh Marshes
Inshriach Forest
Lynchat
Insh
Loch Mhic Ghille-chaoil
A86
Strone
Highland Folk
Ruthven Barracks
Ruthven
Drumguish
Sgoran Dubh Mòr 3635
BRAERIACH (Braigh Riabhach)
Clan Macpherson
Newtonmore
B9150
Ralia
Sgòr Gaoith 3658
Loch Einich
River Calder
Glen Banchor
Allt Madagain
Marg na Craige 2731
Creag Dhubh
Glentromie Lodge
Allt Chomhraig
Carn Bàn Mòr 3443
CAIRN TOUL (Carn an t-Sabhail) 4236
Creag nam Bodach
Lynaberack Lodge 1610
Meall Buidhe 2058
CAIRNGORMS NATIONAL NATURE
Cluny Castle
Crathie
Laggan
Balgowan
Glentruim House
A9
Monadh Mòr 3651
Drumgask
Catlodge
Cruban Beag
Crubenbeg 1935
Etteridge
Garbh-mheall Mòr 1944
Glenfeshie Lodge
Mullach Clach a' Bhlèir 3338
Beinn Bhrotain 3795
Strathmashie House
Feagour
Crubenmore Lodge
Meallach Mhòr 2521
Carn Dearg Mòr 2813
GLENFESHIE FOREST
A86
A889
Loch Caoldair
B A D E N O C H
Loch Cuaich
Cuaich
Allt Cuaich
Loch an t-Seilich
Lochan na Doire-uaine
Distillery
Dalwhinnie
Gaick Lodge
River Feshie
Carn an Fhidhleir or Carn Ealar 3276
An Sgarsoch 3300
Loch Bhrodainn
Gaick Forest
Allt Gharbh Ghaig
Uchd a' Chlarsair 2587
Beinn Bhreac 2992
Loch Ericht Forest
Meall Cruaidh 2941
Creagan Mòr 2522
Carn na Caim 3087
A9
142
Loch an Duin
Sronphadruig Lodge
Loch Mhairc
143
Tarf Water
Geal-charn 3005
A' Bhuidheanach Bheag 3072
Pass of Drumochter
PERTH BEINN DEARG & KINROSS 3307
Dalnamein Forest
Sròn a Chleirich 2678
Bruar Water
Braigh Sròn Ghorm 2882
F O R E S T O F A T H O L L
Glas Mheall Mòr 3037
An Torc or Boar of Badenoch 2422
Bruar Lodge

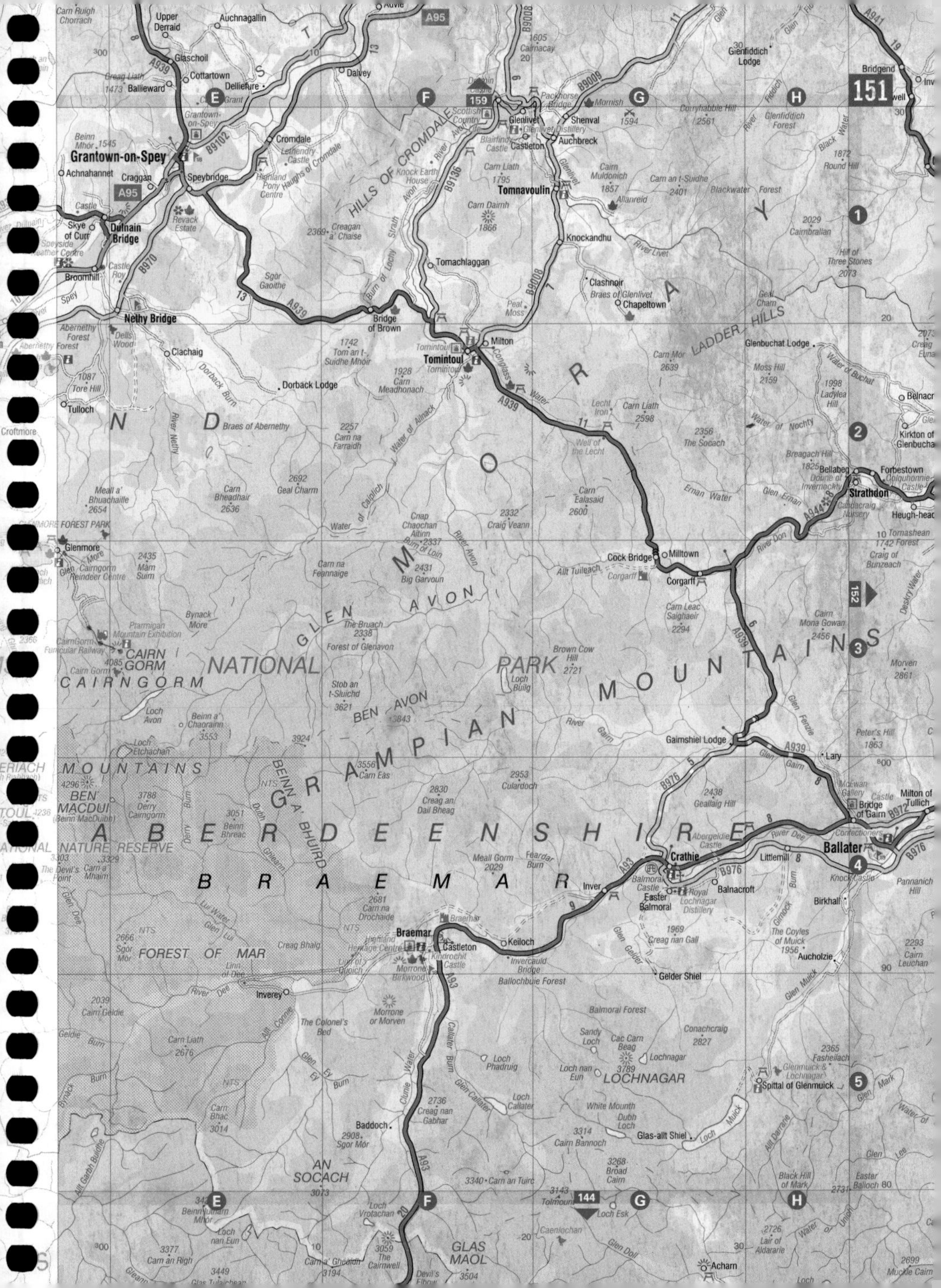
Carn Ruigh Chorrach
Upper Derraid
Auchnagallin
A95
B9008
1605 Carnacay
Glen Fiddich
Glenfiddich Lodge
A941
Bridgend
Glaschoil
Cottartown
Creag Liath 1473
Ballieward
Dellefure
Dalvey
Dunain Castle
E
F
G
H
159
Packhorse Bridge
Mornish
Shenval
1594
Corryhabbie Hill 2561
Glenfiddich Forest
Grantown-on-Spey
Scottish Country
Glenlivet
Glenlivet Distillery
Beinn Mhòr 1545
Cromdale
B9102
Blairfindy Castle
Castleton
Auchbreck
Lethendry Castle
Achnahannet
Craggan
Speybridge
A95
HILLS OF CROMDALE
Haughs of Cromdale
Highland Pony Centre
Knock Earth House
B9136
Carn Liath 1795
Tomnavoulin
Carn Muldonich 1857
Carn an t-Suidhe 2401
Blackwater Forest
Black Water
1872 Round Hill
Castle
Skye of Curr
Dulnain Bridge
Revack Estate
Carn Daimh 1866
Allanreid
Speyside Heather Centre
2369 Creagan a' Chaise
Strath Avon
Knockandhu
2029 Cairnbrallan
Hill of Three Stones 2073
River Livet
Broomhill
Castle Roy
B970
Spey
Tomachlaggan
Sgòr Gaoithe
A939
Burn of Lochy
B9008
Clashnoir
Braes of Glenlivet
Chapeltown
Geal Charn
Peat Moss
Nethy Bridge
Bridge of Brown
Abernethy Forest
Dells Wood
Clachaig
1742 Tom an t-Suidhe Mhòir
Milton
Tomintoul
LADDER HILLS
Glenbuchat Lodge
Carn Mòr 2639
Moss Hill 2159
Water of Buchat
1087 Tore Hill
Dorback Burn
Dorback Lodge
1928 Carn Meadhonach
Conglass Water
1998 Ladylea Hill
Belnacraig
Tulloch
River Nethy
Braes of Abernethy
Water of Ailnack
Lecht Iron
Carn Liath 2598
Croftmore
2257 Carn na Farraidh
Well of the Lecht
2356 The Socach
Water of Nochty
Kirkton of Glenbuchat
Breagach Hill 1825
Bellabeg
Forbestown
Doune of Invernochty
Colquhonnie Castle
Strathdon
2692 Geal Charm
Meall a' Bhuachaille 2654
Carn Bheadhair 2636
Water of Caiplich
Carn Ealasaid 2600
Ernan Water
Glen Ernan
A944
Candacraig Nursery
Heugh-head
GLENMORE FOREST PARK
Cnap Chaochan Aitinn 2337
2332 Craig Veann
River Avon
Tornashean Forest
1742
Craig of Bunzeach
Glenmore
2435 Mam Suim
Cairngorm Reindeer Centre
Carn na Feannaige
Burn of Loin
2431 Big Garvoun
Cock Bridge
Milltown
Allt Tuileach
Corgarff
River Don
152
Deskry Water
GLEN AVON
Bynack More
Carn Leac Saighaeir 2294
Cairn Mona Gowan 2456
Ptarmigan Mountain Exhibition
CairnGorm Funicular Railway
The Bruach 2338
Forest of Glenavon
A939
4085 CAIRN GORM
Cairn Gorm
NATIONAL
PARK
Brown Cow Hill 2721
MOUNTAINS
Morven 2861
CAIRNGORM
Loch Builg
Loch Avon
Stob an t-Sluichd 3621
BEN AVON
3843
Beinn a' Chaorainn 3553
GRAMPIAN
River Gairn
Glen Fenzie
Loch Etchachan
3924
Gairnshiel Lodge
Glen Gairn
A939
Lary
Peter's Hill 1863
MOUNTAINS
BEINN A' BHUIRD
3556 Carn Eas
2953 Culardoch
B976
4296 BEN MACDUI (Beinn MacDuibh)
3788 Derry Cairngorm
NTS
2830 Creag an Dail Bheag
2438 Geallaig Hill
McEwan Gallery
Bridge of Gairn
Castle
Milton of Tullich
B972
3051 Beinn Bhreac
Derry Burn
Glen Derry
ABERDEENSHIRE
Abergeldie Castle
River Dee
Confectioners
NATIONAL NATURE RESERVE
Meall Gorm 2029
Feardar Burn
Crathie
Littlemill
Ballater
3303
3329
The Devil's Point
Carn a' Mhaim
Gleann an t-Slugain
BRAEMAR
A93
Inver
Balmoral Castle
Easter Balmoral
B976
Royal Lochnagar Distillery
Balnacroft
Knock Castle
Pannanich Hill
Glen Dee
2681 Carn na Drochaide
Birkhall
Lui Water
Glen Lui
NTS
Braemar
Keiloch
Glen Gelder
1969 Creag nan Gall
Girnock Burn
The Coyles of Muick 1956
2293 Cairn Leuchan
2666 Sgòr Mòr
FOREST OF MAR
Creag Bhalg
Highland Heritage Centre
Castleton
Kindrochit Castle
Invercauld Bridge
Aucholzie
Linn of Dee
Linn of Quoich
Morrone Birkwood
Ballochbuie Forest
Gelder Shiel
River Dee
Inverey
A93
Glen Muick
2039 Cairn Geldie
Morrone or Morven
Balmoral Forest
Allt Connie
The Colonel's Bed
Callater Burn
Sandy Loch
Cac Carn Beag
Conachcraig 2827
Geldie Burn
Carn Liath 2676
Loch Phadruig
Lochnagar
3789
2365 Fasheilach
Glen Ey
Ey Burn
Clunie Water
Loch nan Eun
LOCHNAGAR
Glenmuick & Lochnagar
Spittal of Glenmuick
NTS
Glen Callater
Loch Callater
Glen Mark
Water of Mark
Carn Bhac 3014
2736 Creag nan Gabhar
White Mounth
Dubh Loch
Bynack Burn
Baddoch
2908 Sgor Mòr
3314 Cairn Bannoch
Glas-allt Shiel
Loch Muick
Allt Darrarie
A93
3268 Broad Cairn
Glen Lee
Allt Garbh Buidhe
AN SOCACH 3073
3340 Carn an Tuirc
Black Hill of Mark
Easter Balloch
2731
3143 Tolmount
144
Loch Esk
Beinn Iutharn Mhòr
Loch Vrotachan
Loch nan Eun
Caenlochan
Water of Unich
3377 Carn an Rìgh
3059 The Cairnwell
GLAS MAOL
Glen Doll
2726 Lair of Aldararie
3449 Glas Tulaichean
Carn a' Gheoidh 3194
Devil's Elbow
3504
Acharn
2699 Muckle Cairn
1
2
3
4
5

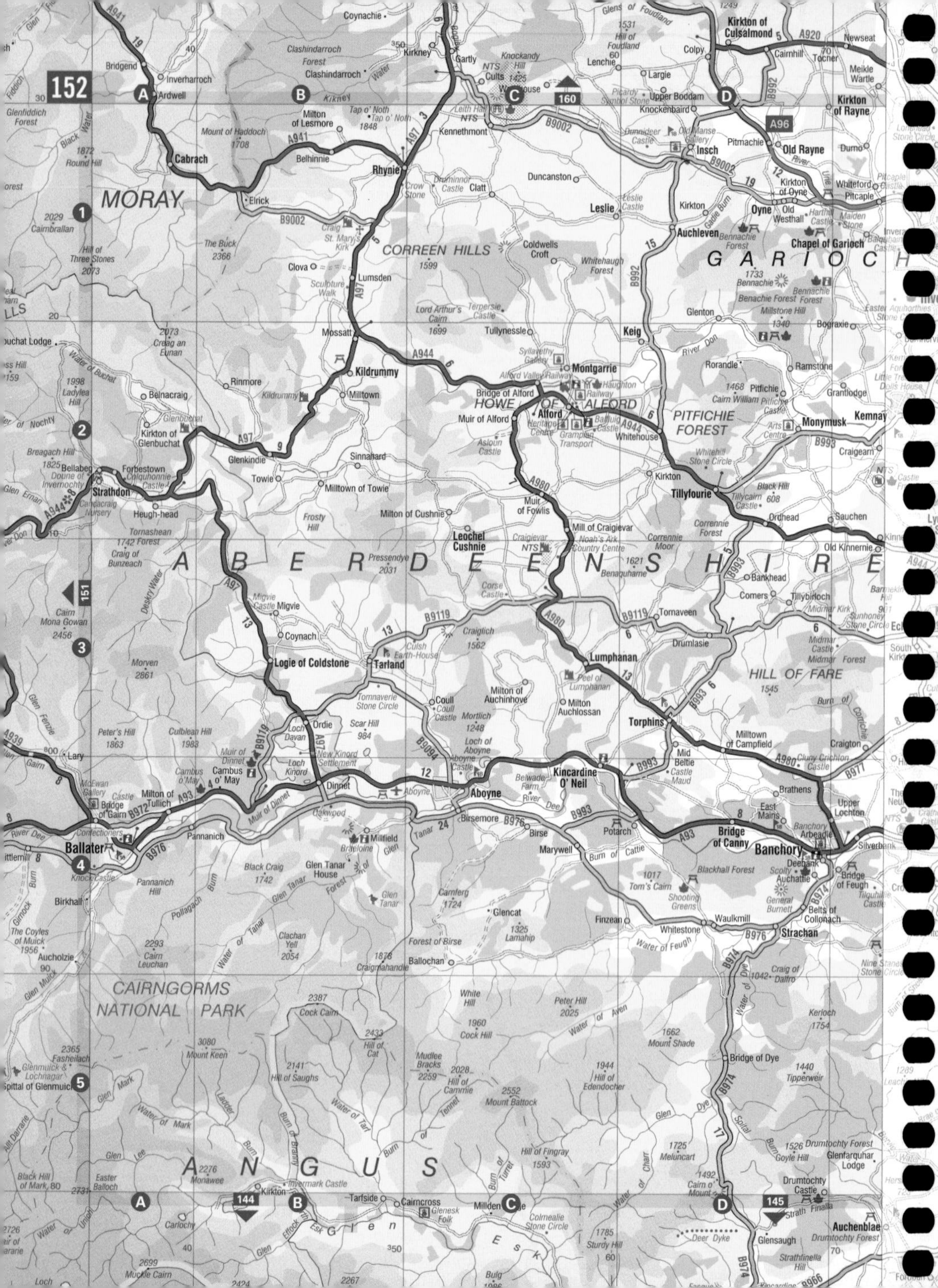

152
MORAY
A B E R D E E N S H I R E
G A R I O C H
A N G U S
CAIRNGORMS NATIONAL PARK
CORREEN HILLS
HOWE OF ALFORD
PITFICHIE FOREST
HILL OF FARE
A
B
C
D
1
2
3
4
5
160
151
144
145
Coynachie
Clashindarroch Forest
Clashindarroch
Kirkney
Gartly
Bridgend
Inverharroch
Ardwell
Glenfiddich Forest
Milton of Lesmore
Tap o' Noth 1848
Mount of Haddoch 1708
Black Water
1872 Round Hill
Cabrach
Belhinnie
Rhynie
Kennethmont
Leith Hall NTS
Knockandy Hill 1425
Cults
Glens of Foudland
1531 Hill of Foudland
Lenchie
Largie
Upper Boddam
Picardy Symbol Stone
Knockenbaird
Dunnideer Castle
Insch
Kirkton of Culsalmond
Colpy
Cairnhill
Tocher
Newseat
Meikle Wartle
Kirkton of Rayne
Pitmachie
Old Rayne
Durno
Pitcaple
Whiteford
Kirkton of Oyne
Oyne
Old Westhall
Harthill Castle
Maiden Stone
Chapel of Garioch
Duncanston
Clatt
Druminnor Castle
Crow Stone
Elrick
B9002
2029 Cairnbrallan
Hill of Three Stones 2073
The Buck 2366
Craig
St. Mary's Kirk
Clova
Lumsden
Sculpture Walk
1599
Coldwells Croft
Whitehaugh Forest
Leslie
Leslie Castle
Kirkton
Auchleven
Bennachie Forest
1733 Bennachie
Benachie Forest
Glenton
Millstone Hill 1340
Bograxie
Keig
Lord Arthur's Cairn 1699
Terpersie Castle
Tullynessle
Mossatt
2073 Creag an Eunan
Buchat Lodge
Water of Buchat
1998 Ladylea Hill
Rinmore
Belnacraig
Kildrummy
Milltown
A944
Syllavethy Gallery
Montgarrie
Alford Valley Railway
Haughton
Bridge of Alford
Alford
Muir of Alford
Heritage Centre
Grampian Transport
Balfluig Castle
Whitehouse
River Don
Rorandle
1468 Cairn William
Pitfichie
Pitfichie Castle
Ramstone
Grantlodge
Monymusk
Kemnay
Arts Centre
Craigearn
B993
Kirkton of Glenbuchat
Glenbuchat
A97
Glenkindie
Breagach Hill 1825
Bellabeg
Forbestown
Doune of Invernochty
Colquhonnie Castle
Strathdon
Glen Ernan
Heugh-head
Candacraig Nursery
Sinnahard
Towie
Milltown of Towie
Asloun Castle
A980
Muir of Fowlis
Kirkton
Whitehill Stone Circle
Tillyfourie
Black Hill 608
Tillycairn Castle
Ordhead
Sauchen
Kinnernie
Old Kinnernie
Milton of Cushnie
Frosty Hill
Mill of Craigievar
Noah's Ark Country Centre
Craigievar NTS
Leochel Cushnie
Corrennie Moor
Corrennie Forest
Tornashean 1742 Forest
Craig of Bunzeach
Pressendye 2031
1621 Benaquhame
Bankhead
Corse Castle
Corners
Tillybirloch
Migvie Castle
Migvie
Deskry Water
Cairn Mona Gowan 2456
B9119
Tornaveen
Coynach
Craiglich 1562
Drumlasie
Culsh Earth-House
Midmar Castle
Midmar Forest
Logie of Coldstone
Tarland
Lumphanan
Peel of Lumphanan
Morven 2861
Tomnaverie Stone Circle
Milton of Auchinhove
Milton Auchlossan
1545
Coull
Coull Castle
Mortlich 1248
Torphins
Glen Fenzie
Peter's Hill 1863
Culblean Hill 1983
Ordie
Loch Davan
Scar Hill 984
Muir of Dinnet
Cambus o' May
Loch Kinord
New Kinord Settlement
B9094
Loch of Aboyne
Aboyne Castle
Kincardine O' Neil
Mid Beltie
Beltie Castle Maud
Milltown of Campfield
Craigton
Cluny Crichton Castle
A980
B977
Lary
Gairn
McEwan Gallery
Bridge of Gairn
Milton of Tullich
A93
B972
Dinnet
Aboyne
Belwade Farm
River Dee
Brathens
Upper Lochton
East Mains
Banchory
Bridge of Canny
Potarch
B993
Birsemore
B976
Birse
Oakwood
Millfield
Braeloine
Glen Tanar House
Glen Tanar
Marywell
Burn of Cattie
Blackhall Forest
Arbeadie
Deebank
Scolty
Auchattie
Bridge of Feugh
Tilquhillie Castle
Silverbank
Ballater
River Dee
Confectioners
Pannanich
B976
Knock Castle
Pannanich Hill
Birkhall
Black Craig 1742
Pollagach Burn
Glen Tanar
Carnferg 1724
Glencat
1017 Tom's Cairn
Shooting Greens
General Burnett
Belts of Collonach
Finzean
Whitestone
Waulkmill
Strachan
B976
The Coyles of Muick 1956
2293 Cairn Leuchan
Water of Tanar
Clachan Yell 2054
Forest of Birse
1325 Lamahip
Water of Feugh
Aucholzie
1878 Craigmahandle
Ballochan
Craig of Dalfro
Nine Stanes Stone Circle
B974
Water of Dye
Glen Muick
2387 Cock Cairn
White Hill
Peter Hill 2025
Water of Aven
Kerloch 1754
1960 Cock Hill
1662 Mount Shade
2365 Fasheilach
3080 Mount Keen
2433 Hill of Cat
Mudlee Bracks 2259
1944 Hill of Edendocher
Bridge of Dye
1440 Tipperweir
Glenmuick & Lochnagar
Spittal of Glenmuick
Glen Mark
2141 Hill of Saughs
2028 Hill of Cammie
2552 Mount Battock
Water of Mark
Ladder Burn
Water of Tarf
Burn of Tennet
Glen Dye
Spital Burn
Allt Darrarie
Glen Lee
Burn of Branny
Hill of Fingray 1593
1725 Meluncart
1526 Drumtochty Forest
Goyle Hill
Glenfarquhar Lodge
2276 Monawee
Burn of Turret
Water of Charr
1492 Cairn o' Mount
Drumtochty Castle
Black Hill of Mark 80
2731
Easter Balloch
Invermark Castle
Kirkton
Tarfside
Cairncross
Glenesk Folk
Millden
Colmealie Stone Circle
Strath Finalla
Auchenblae
Water of Unich
Carlochy
Glen Esk
1785 Sturdy Hill
Deer Dyke
Glensaugh
Drumtochty Forest
Strathfinella Hill
2726
2699 Muckle Cairn
Loch
Glen Effock
Bulg
B966
B974
A96
A920
B992
B9002
A97
A941
A944
A93
A980
A939

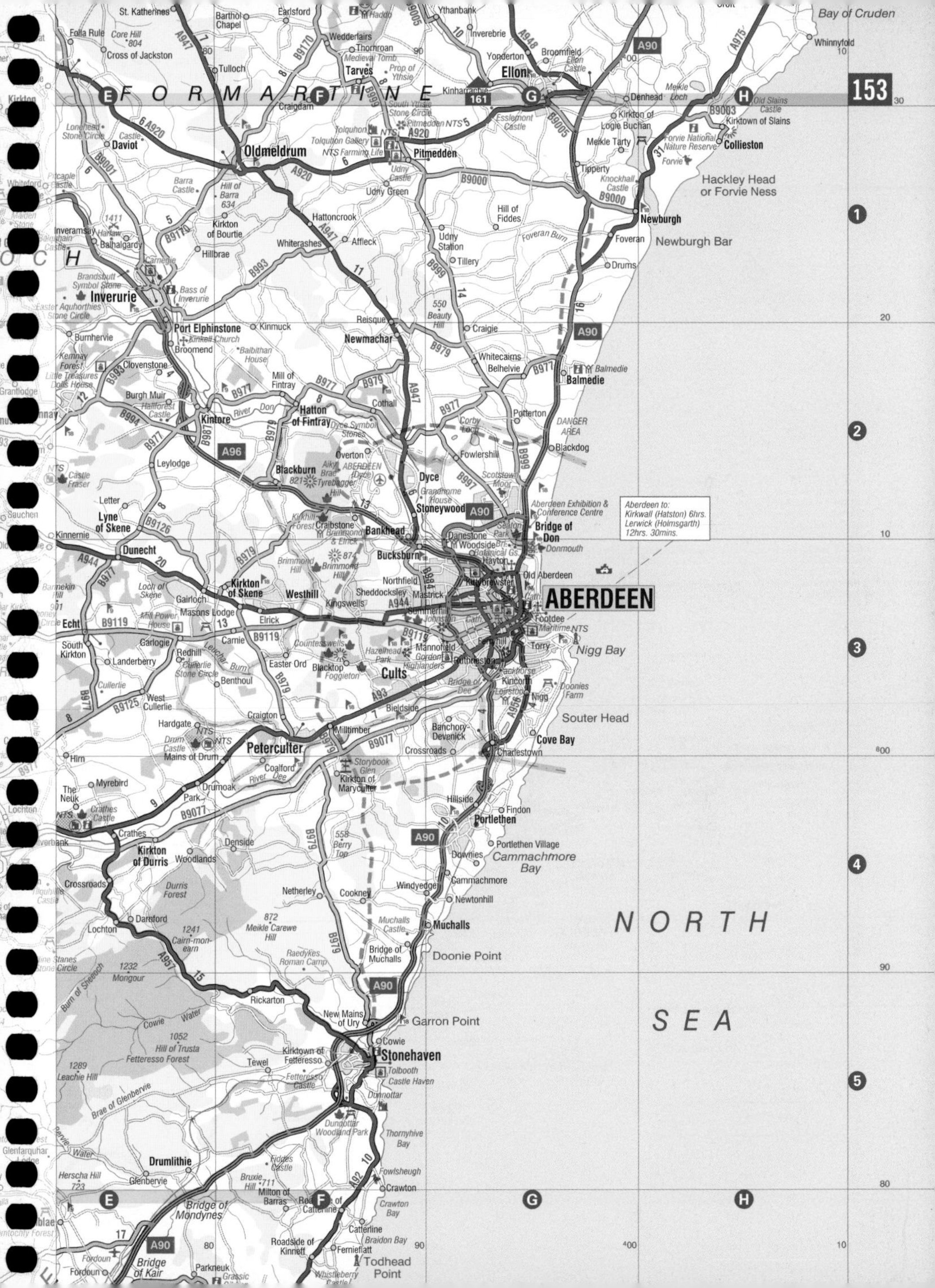

Bay of Cruden
Whinnyfold
St. Katherines
Barthol Chapel
Earlsford
Ythanbank
Inverebrie
Folla Rule
Core Hill 804
Cross of Jackston
Wedderlairs
Thorhroan
Medieval Tomb
Tarves
Prop of Ythsie
Yonderton
Broomfield
Ellon Castle
Ellon
Tulloch
F O R M A R T I N E
Kinharrachie
Denhead
Meikle Loch
Old Slains Castle
Kirkton of Logie Buchan
Kirktown of Slains
Craigdam
South Ythsie Stone Circle
Pitmedden NTS
Esslemont Castle
Meikle Tarty
Forvie National Nature Reserve
Collieston
Lonehead Stone Circle
Castle
Daviot
Oldmeldrum
Tolquhon
Tolquhon Gallery
NTS Farming Life
Pitmedden
Forvie
Tipperty
Hackley Head or Forvie Ness
Knockhall Castle
Pitcaple Castle
Whiteford
Barra Castle
Hill of Barra 634
Udny Castle
Udny Green
Hill of Fiddes
Newburgh
Inveramsay
Harlaw
Balhalgardy
Kirkton of Bourtie
Hattoncrook
Whiterashes
Affleck
Udny Station
Foveran Burn
Foveran
Newburgh Bar
Hillbrae
Tillery
Drums
Carnegie
Brandsbutt Symbol Stone
Bass of Inverurie
Inverurie
Easter Aquhorthies Stone Circle
550 Beauty Hill
Port Elphinstone
Kinmuck
Reisque
Craigie
Broomend
Kinkell Church
Burnhervie
Newmachar
Balbithan House
Kemnay Forest
Cloverstone
Little Treasures Dolls House
Mill of Fintray
Whitecairns
Belhelvie
Balmedie
Grantlodge
Burgh Muir
Hallforest Castle
Hatton of Fintray
Cothall
Kintore
River Don
Potterton
Dyce Symbol Stones
Corby Loch
DANGER AREA
Blackdog
Leylodge
Overton
Fowlershill
Castle Fraser
Blackburn
ABERDEEN (Dyce)
Aiky Brae
821 Tyrebagger Hill
Dyce
Scotstown Moor
Grandhome House
Letter
Lyne of Skene
Stoneywood
Aberdeen Exhibition & Conference Centre
Sauchen
Kirkhill Forest
Craibstone
Bankhead
Seaton Park
Bridge of Don
Aberdeen to:
Kirkwall (Hatston) 6hrs.
Lerwick (Holmsgarth) 12hrs. 30mins.
Kinnernie
Danestone
Woodside
Botanical Gs
Donmouth
Dunecht
Brimmond Hill
874 Brimmond Hill
Bucksburn
Hayton
Old Aberdeen
Loch of Skene
Kirkton of Skene
Westhill
Northfield
Kittybrewster
ABERDEEN
Gairloch
Sheddocksley
Mastrick
Kingswells
Echt
Mill Power House
Masons Lodge
Elrick
Summerhill
Footdee
Maritime NTS
South Kirkton
Garlogie
Carnie
Countesswells
Mannofield
Torry
Nigg Bay
Redhill
Landerberry
Cullerlie Stone Circle
Hazlehead Park
Gordon Highlanders
Easter Ord
Blacktop
Foggieton
Cults
Benthoul
Kincorth
Doonies Farm
Nigg
West Cullerlie
Bieldside
Souter Head
Hardgate
Craigton
Banchory-Devenick
Drum Castle
Mains of Drum
Peterculter
Milltimber
Crossroads
Cove Bay
Charlestown
Hirn
Coalford
River Dee
Storybook Glen
Kirkton of Maryculter
Myrebird
The Neuk
Drumoak
Park
Crathes Castle
Lochton
Crathes
Hillside
Findon
Portlethen
Kirkton of Durris
Denside
Woodlands
558 Berry Top
Portlethen Village
Downies
Cammachmore Bay
Cammachmore
Crossroads
Durris Forest
Netherley
Cookney
Windyedge
Newtonhill
Dambford
Lochton
1241 Cairn-mon-earn
872 Meikle Carewe Hill
Muchalls Castle
Muchalls
N O R T H
Bridge of Muchalls
Raedykes Roman Camp
Doonie Point
1232 Mongour
Burn of Sheeoch
Rickarton
New Mains of Ury
Garron Point
Cowie Water
S E A
1052 Hill of Trusta
Fetteresso Forest
Kirktown of Fetteresso
Cowie
Stonehaven
1289 Leachie Hill
Tewel
Fetteresso Castle
Tolbooth
Castle Haven
Brae of Glenbervie
Dunnottar
Dunnottar Woodland Park
Thornyhive Bay
Glenfarquhar Lodge
Drumlithie
Fiddes Castle
Fowlsheugh
Herscha Hill 723
Glenbervie
Bruxie Hill 711
Milton of Barras
Crawton
Crawton Bay
Bridge of Mondynes
Roadside of Catterline
Catterline
Braidon Bay
Roadside of Kinneff
Fernieflatt
Todhead Point
Fordoun
Bridge of Kair
Parkneuk
Grassic
Whistleberry Castle
A90
A947
A948
A975
A920
A96
A944
A93
A956
A92
A957
B9005
B9170
B999
B9001
B9000
B9003
B993
B979
B977
B994
B987
B997
B9126
B9119
B9125
B9077
B9005

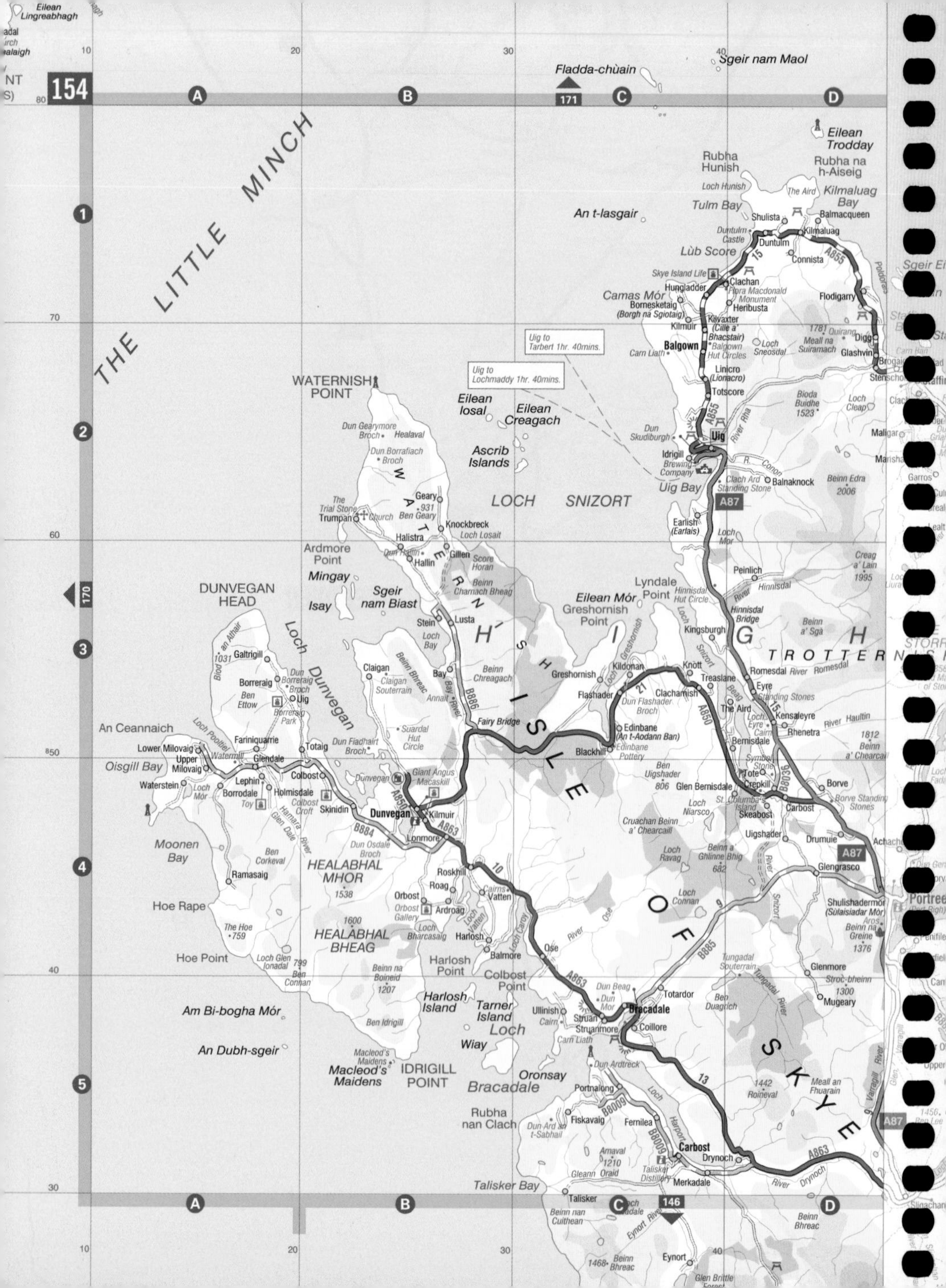

154
THE LITTLE MINCH
Fladda-chùain
171
Sgeir nam Maol
Eilean Trodday
Rubha Hunish
Rubha na h-Aiseig
Loch Hunish
The Aird
Kilmaluag Bay
Tulm Bay
An t-Iasgair
Shulista
Balmacqueen
Duntulm Castle
Duntulm
Kilmaluag
Lùb Score
Connista
A855
Skye Island Life
Hungladder
Clachan
Flora Macdonald Monument
Camas Mór
Borneskeitaig (Borgh na Sgiotaig)
Heribusta
Flodigarry
Kilvaxter (Cille a' Bhacstair)
Kilmuir
Digg
Quirang
Meall na Suiramach
Glashvin
Balgown
Balgown Hut Circles
Loch Sneosdal
Carn Liath
Uig to Tarbert 1hr. 40mins.
Uig to Lochmaddy 1hr. 40mins.
Linicro (Lionacro)
Totscore
Bioda Buidhe 1523
Loch Cleap
WATERNISH POINT
Eilean Iosal
Eilean Creagach
Ascrib Islands
Dun Skudiburgh
Uig
River Rha
Idrigill
Brewing Company
Dun Gearymore Broch
Healaval
Dun Borrafiach Broch
Clach Ard Standing Stone
Balnaknock
Beinn Edra 2006
Uig Bay
A87
LOCH SNIZORT
The Trial Stone
Trumpan
Church
Geary
931 Ben Geary
Knockbreck
Loch Losait
Earlish (Earlais)
Loch Mòr
Halistra
Hallin
Gillen
Score Horan
Ardmore Point
Mingay
Isay
Sgeir nam Biast
Beinn Charnach Bheag
DUNVEGAN HEAD
Loch Dunvegan
Eilean Mór
Greshornish Point
Lyndale Point
Hinnisdal Hut Circle
Peinlich
Hinnisdal Bridge
Creag a' Lain 1995
Stein
Lusta
Loch Bay
Kingsburgh
Beinn a' Sgà
Galtrigill
Borreraig
Dun Borreraig Broch
Ben Ettow
Uig
Borreraig Park
Claigan
Claigan Souterrain
Beinn Bhreac
Beinn Chreagach
Bay
Annait
B886
Greshornish
Kildonan
Knott
Treaslane
TROTTERNISH
Romesdal
Eyre
Standing Stones
Flashader
Dun Flashader Broch
Clachamish
The Aird
Kensaleyre
Rhenetra
River Haultin
An Ceannaich
Loch Pooltiel
Fariniquarrie
Totaig
Suardal Hut Circle
Dun Fiadhairt Broch
Fairy Bridge
Edinbane (An t-Aodann Ban)
Blackhill
Edinbane Pottery
Bernisdale
1812 Beinn a' Chearcaill
Lower Milovaig
Upper Milovaig
Oisgill Bay
Glendale
Waterstein
Lephin
Borrodale
Holmisdale
Colbost
Colbost Croft
Skinidin
Dunvegan
Giant Angus Macaskill
A850
Kilmuir
Ben Uigshader 806
Glen Bernisdale
St. Columba's Island
Skeabost
Tote
Carbost
Borve
Borve Standing Stones
Moonen Bay
Ramasaig
Ben Corkeval
B884
Dun Osdale Broch
Lonmore
A863
HEALABHAL MHOR 1538
Roskhill
Roag
Loch Niarsco
Cruachan Beinn a' Chearcaill
Uigshader
Drumuie
Loch Ravag
Beinn a' Ghlinne Bhig 682
Glengrasco
Portree
Shulishadermor (Sùlaisiadar Mór)
Hoe Rape
Orbost
Orbost Gallery
Ardroag
Vatten
Loch Connan
The Hoe 759
HEALABHAL BHEAG 1600
Loch Bharcasaig
Harlosh
Balmore
Loch Caroy
Ose
B885
Beinn na Greine 1376
Hoe Point
Loch Glen Ionadal
799 Ben Connan
Beinn na Boineid 1207
Harlosh Point
Colbost Point
Tungadal Souterrain
Glenmore
Dun Beag
Dun Mor
Totardor
Ben Duagrich
Mugeary
Am Bi-bogha Mór
Harlosh Island
Tarner Island
Ullinish
Struan
Bracadale
Struanmore
Coillore
Ben Idrigill
Loch Bracadale
An Dubh-sgeir
Wiay
Carn Liath
Macleod's Maidens
IDRIGILL POINT
Oronsay
Dun Ardtreck
Portnalong
1442 Roineval
Meall an Fhuarain
ISLE OF SKYE
WATERNISH
B8009
Rubha nan Clach
Dun Ard an t-Sabhail
Fiskavaig
Fernilea
Loch Harport
Carbost
Drynoch
Amaval 1210
Gleann Oraid
Talisker Distillery
Merkadale
River Drynoch
Talisker Bay
Talisker
146
Beinn nan Cuithean
Eynort River
Beinn Bhreac
Eynort
1468 Beinn Bhreac
Glen Brittle
170
A B C D

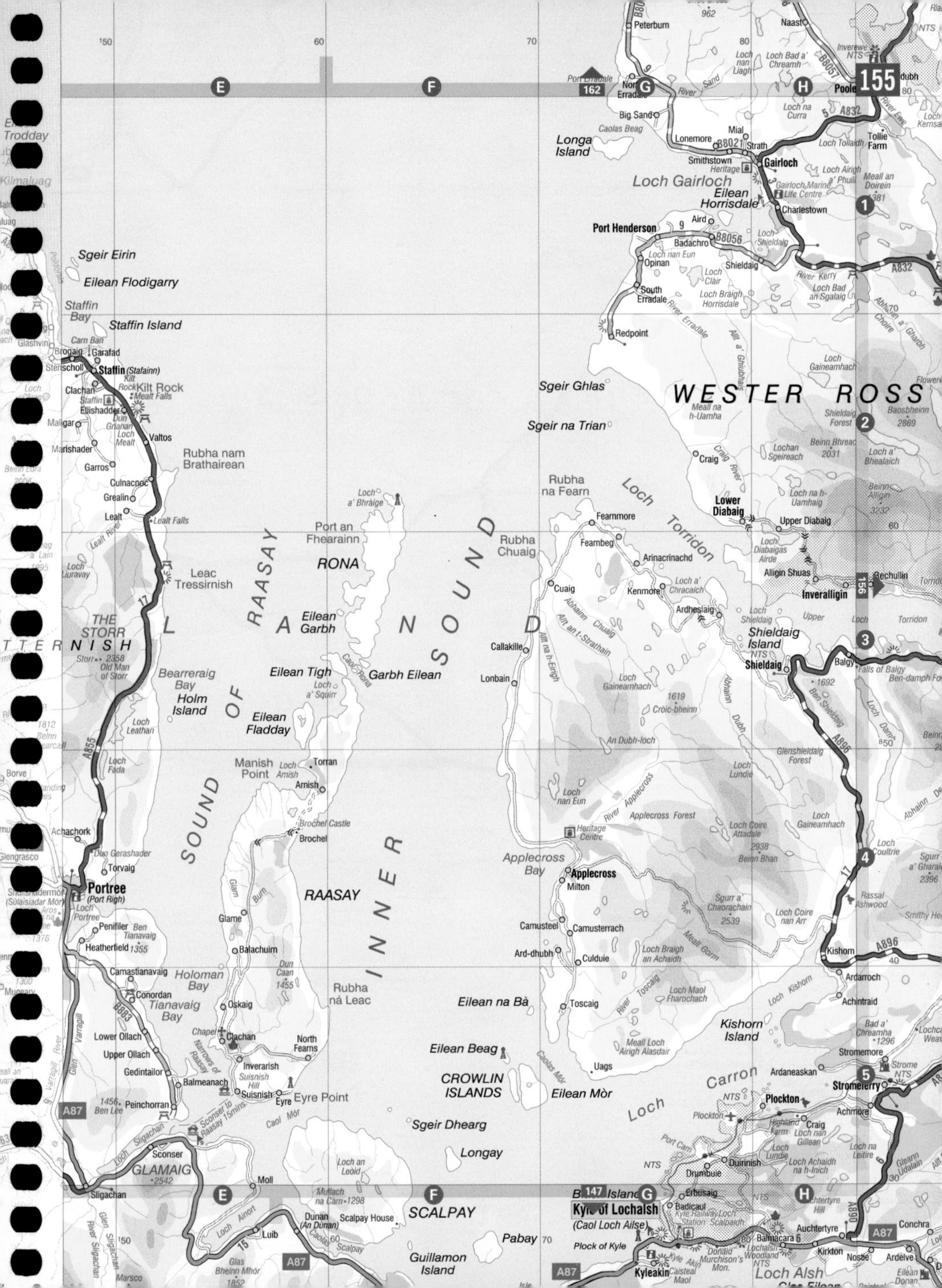

155
162
147
E
F
G
H
WESTER ROSS
Gairloch
Loch Gairloch
Eilean Horrisdale
Port Henderson
Badachro
Opinan
South Erradale
Redpoint
Big Sand
North Erradale
Longa Island
Poolewe
Charlestown
Shieldaig
Lower Diabaig
Upper Diabaig
Alligin Shuas
Inveralligin
Loch Torridon
Shieldaig Island
Rubha na Fearn
Fearnmore
Fearnbeg
Arinacrinachd
Kenmore
Cuaig
Ardheslaig
Callakille
Lonbain
Applecross Forest
Applecross Bay
Applecross
Milton
Camusteel
Camusterrach
Ard-dhubh
Culduie
Toscaig
Uags
Kishorn
Kishorn Island
Ardarroch
Achintraid
Loch Carron
Stromemore
Ardaneaskan
Stromeferry
Plockton
Duirinish
Drumbuie
Erbusaig
Badicaul
Kyle of Lochalsh
(Caol Loch Aillse)
Plock of Kyle
Kyleakin
Balmacara
Auchtertyre
Kirkton
Loch Alsh
Sgeir Ghlas
Sgeir na Trian
Rubha Chuaig
INNER SOUND
RONA
Eilean Garbh
Eilean Tigh
Garbh Eilean
Eilean Fladday
SOUND OF RAASAY
RAASAY
Manish Point
Torran
Arnish
Brochel Castle
Brochel
Glame
Balachuim
Dun Caan 1455
Oskaig
Clachan
North Fearns
Inverarish
Suisnish
Eyre
Eyre Point
Holoman Bay
Rubha na Leac
Eilean na Bà
Eilean Beag
CROWLIN ISLANDS
Eilean Mòr
Sgeir Dhearg
Longay
SCALPAY
Scalpay House
Pabay
Guillamon Island
Sgeir Eirin
Eilean Flodigarry
Staffin Bay
Staffin Island
Staffin (Stafainn)
Kilt Rock
Valtos
Rubha nam Brathairean
Culnacnoc
Grealin
Lealt
Leac Tressirnish
THE STORR
TROTTERNISH
Old Man of Storr
Bearreraig Bay
Holm Island
Portree (Port Righ)
Torvaig
Penifiler
Heatherfield
Camastianavaig
Conordan
Tianavaig Bay
Lower Ollach
Upper Ollach
Gedintailor
Balmeanach
Peinchorran
Sconser
GLAMAIG 2542
Sligachan
Moll
Luib
Dunan (An Dùnan)
A87
A855
A832
A896
B8021
B8056
B883

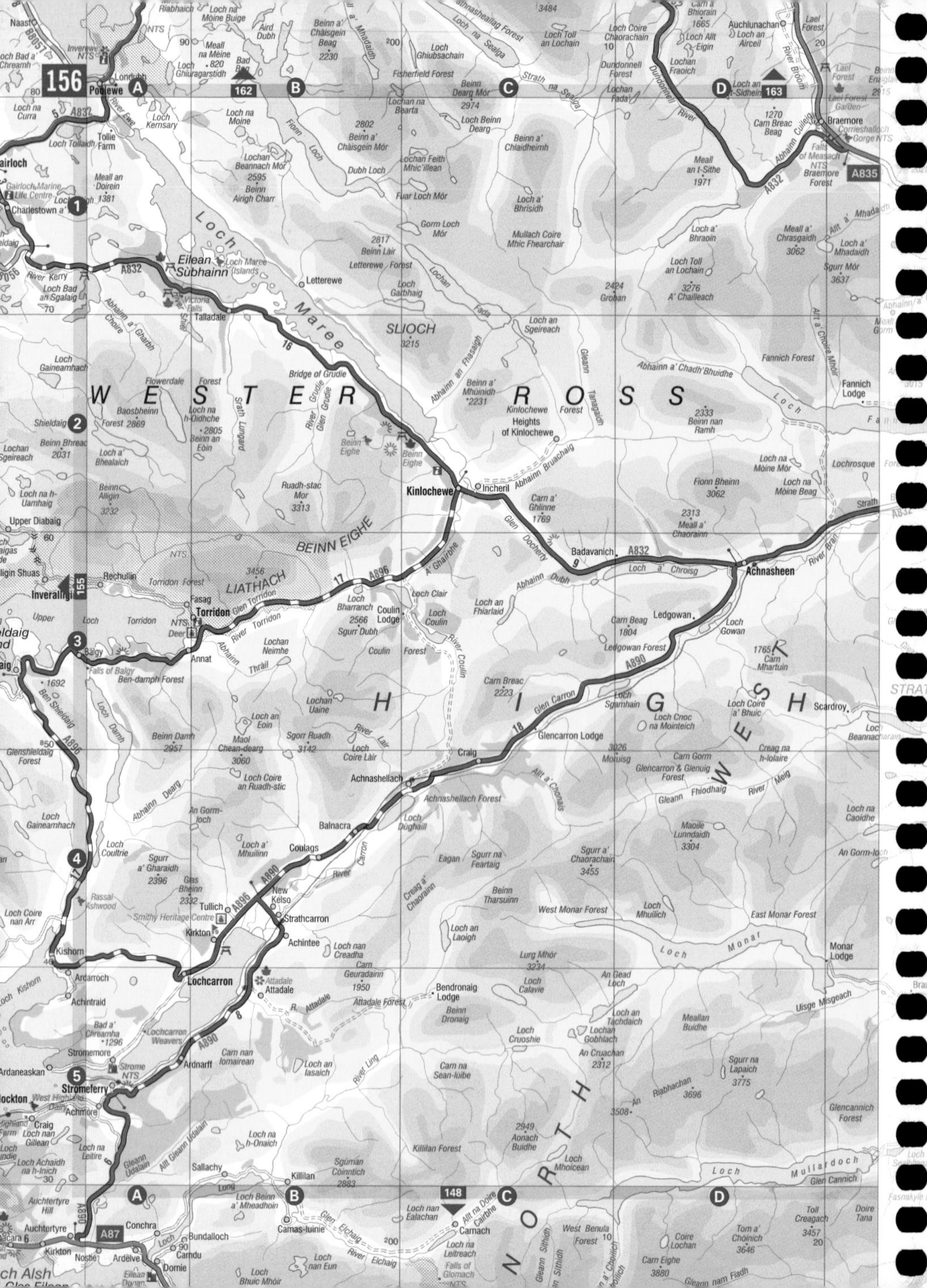
WESTER ROSS
NORTH WEST HIGHLANDS
Poolewe
Gairloch
Loch Maree
Kinlochewe
Torridon
Achnasheen
Lochcarron
Stromeferry
Strathcarron
Achnashellach
Craig
Badavanich
Glencarron Lodge
Braemore
Fannich Lodge
Monar Lodge
Loch Monar
Loch Mullardoch
Glen Carron
Glen Docherty
Glen Torridon
Eilean Sùbhainn
Letterewe
Talladale
Bridge of Grudie
Incheril
Fasag
Annat
Balgy
Ben-damph Forest
Coulin Forest
Coulags
Balnacra
Tullich
Kirkton
New Kelso
Achintee
Attadale
Kishorn
Ardarroch
Achintraid
Stromemore
Ardaneaskan
Ardnarff
Achmore
Sallachy
Killilan
Camas-luinie
Carnach
Conchra
Dornie
Ardelve
Bundalloch
Auchtertyre
Nostie
SLIOCH 3215
BEINN EIGHE
LIATHACH 3456
A832
A890
A896
A835
A87
162
163
155
148

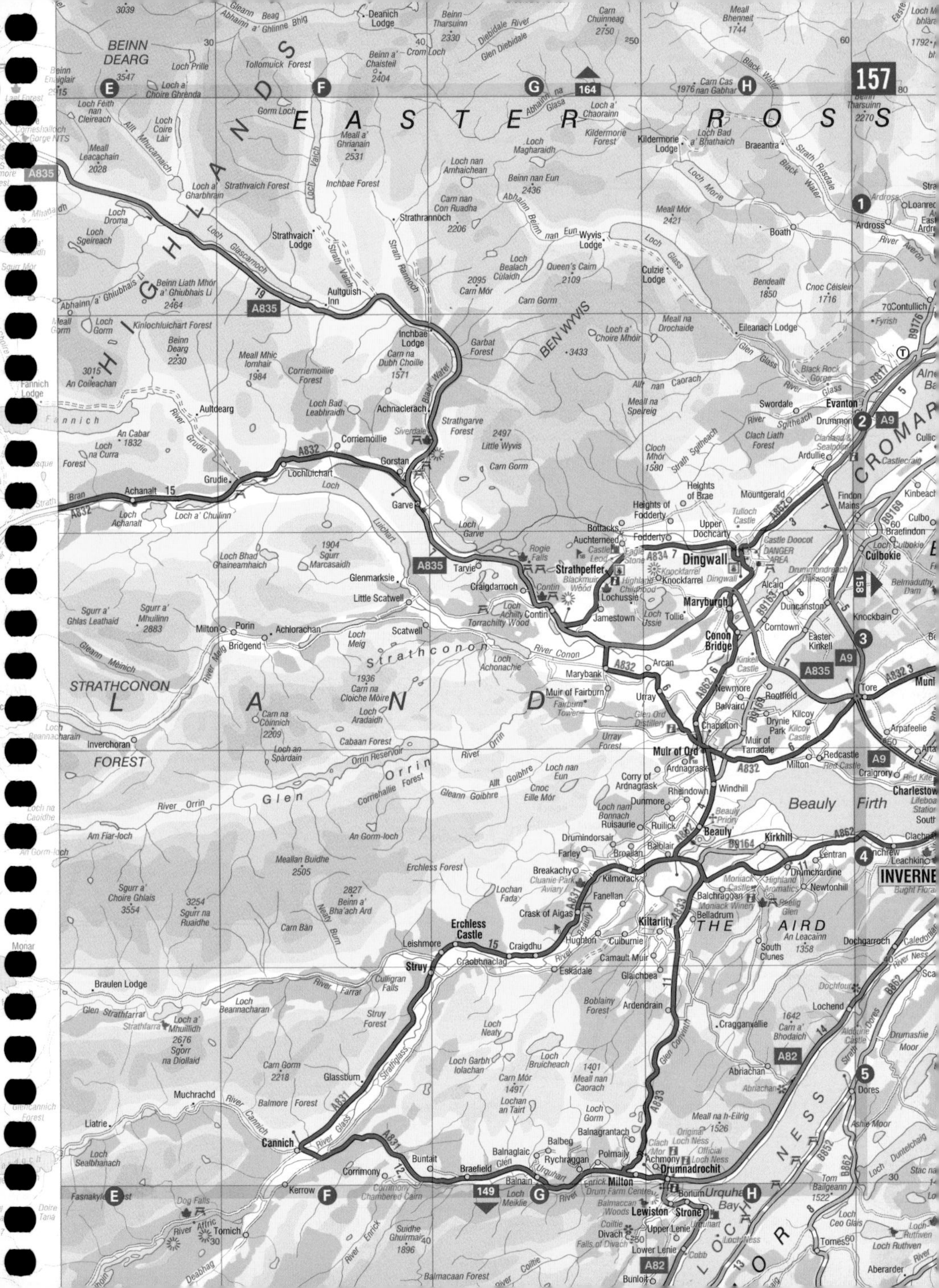

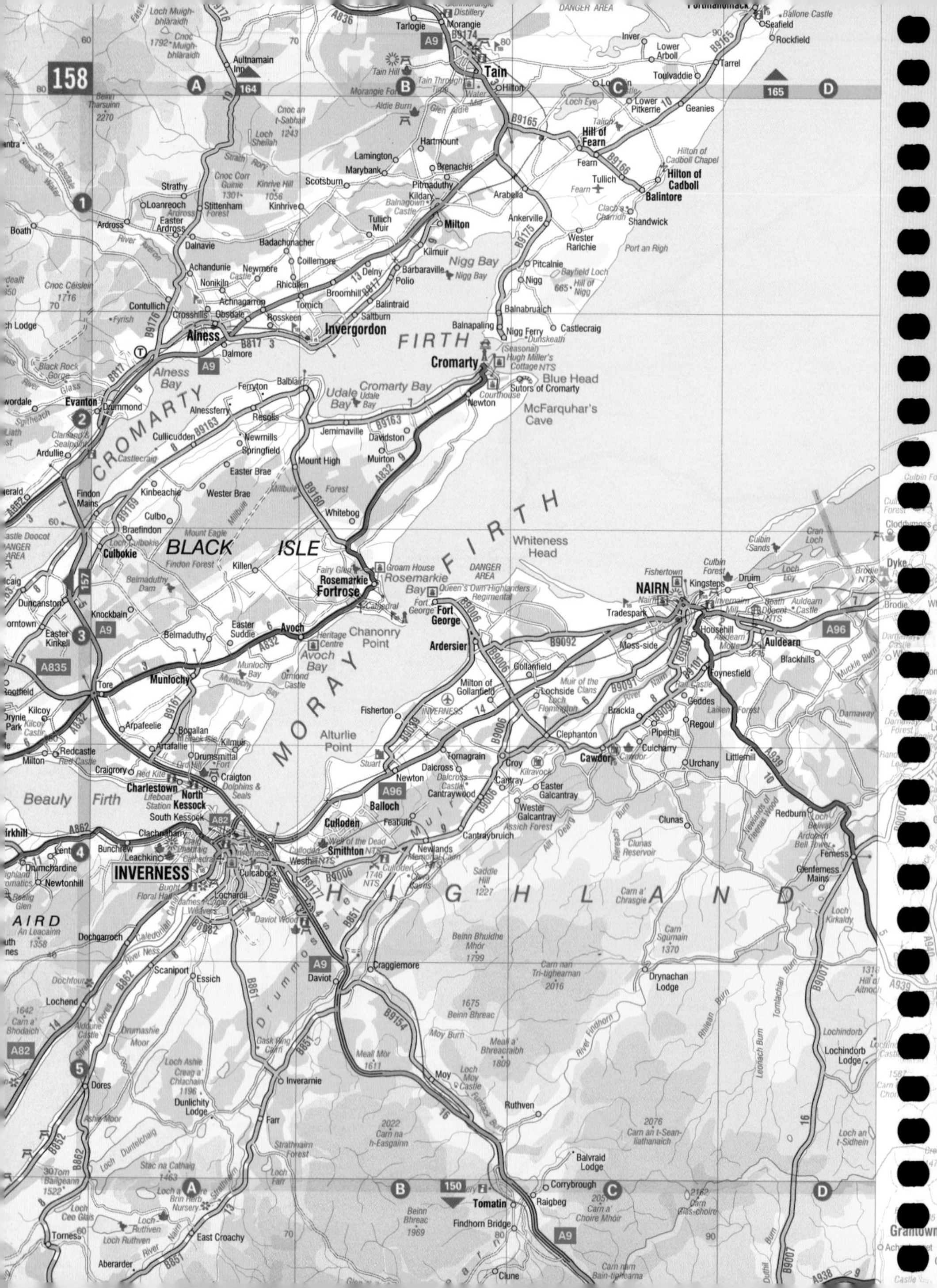

164
165
157
150
A
B
C
D
1
2
3
4
5
Tain
Hill of Fearn
Hilton of Cadboll
Balintore
Shandwick
Tarlogie
Morangie
Glenmorangie Distillery
Inver
Lower Arboll
Seafield
Rockfield
Tarrel
Toulvaddie
Lower Pitkerrie
Geanies
Loch Eye
Fearn
Tullich
Arabella
Ankerville
Wester Rarichie
Port an Righ
Nigg Bay
Pitcalnie
Nigg
Balnabruaich
Nigg Ferry
Castlecraig
Balnapaling
Hartmount
Lamington
Marybank
Brenachie
Pitmaduthy
Scotsburn
Kildary
Milton
Tullich Muir
Kilmuir
Barbaraville
Polio
Delny
Balintraid
Saltburn
Invergordon
Rosskeen
Tomich
Broomhill
Rhicullen
Newmore
Coillemore
Badachonacher
Kinrhive
Strathy
Loanreoch
Stittenham
Easter Ardross
Ardross
Dalnavie
Achandunie
Nonikiln
Achnagarron
Obsdale
Crosshills
Contullich
Alness
Dalmore
Aultnamain Inn
Boath
Evanton
Drummond
Alness Bay
CROMARTY FIRTH
Cromarty
Hugh Miller's Cottage NTS
Blue Head
Sutors of Cromarty
Newton
McFarquhar's Cave
Cromarty Bay
Udale Bay
Ferryton
Balblair
Alnessferry
Resolis
Jemimaville
Davidston
Cullicudden
Newmills
Springfield
Muirton
Mount High
Easter Brae
Wester Brae
Kinbeachie
Findon Mains
Ardullie
Culbo
Braefindon
Culbokie
BLACK ISLE
Whitebog
Killen
Fairy Glen
Groam House
Rosemarkie
Fortrose
Rosemarkie Bay
Whiteness Head
DANGER AREA
Fort George
Ardersier
Chanonry Point
Avoch
Easter Suddie
Belmaduthy
Knockbain
Duncanston
Easter Kinkell
Tore
Munlochy
Munlochy Bay
Avoch Bay
Ormond Castle
MORAY FIRTH
Alturlie Point
Fisherton
Arpafeelie
Bogallan
Kilmuir
Artafallie
Drumsmittal
Redcastle
Kilcoy
Milton
Craigrory
Charlestown
North Kessock
Craigton
Beauly Firth
South Kessock
Clachnaharry
Bunchrew
Leachkin
INVERNESS
Lentran
Drumchardine
Newtonhill
Culcabock
Lochardil
AIRD
Dochgarroch
Culloden
Balloch
Smithton
Westhill
Feabuie
Newlands
Cantraybruich
Dalcross
Tornagrain
Croy
Cantray
Cantraywood
Easter Galcantray
Wester Galcantray
Clephanton
Cawdor
Culcharry
Piperhill
Brackla
Geddes
Regoul
Urchany
Littlemill
Lochside
Gollanfield
Milton of Gollanfield
Moss-side
NAIRN
Fishertown
Tradespark
Kingsteps
Househill
Auldearn
Foynesfield
Blackhills
Brodie
Dyke
Culbin Forest
Culbin Sands
Druim
Cluanas
Redburn
Ferness
Glenferness Mains
HIGHLAND
Saddle Hill 1227
Carn a' Chrasgie
Carn Sgumain 1370
Beinn Bhuidhe Mhòr 1799
Carn nan Tri-tighearnan 2016
Drynachan Lodge
Lochindorb
Lochindorb Lodge
Scaniport
Essich
Lochend
Dores
Inverarnie
Farr
Dunlichity Lodge
Craggiemore
Daviot
Moy
Loch Moy
Meall Mòr 1611
Ruthven
Balvraid Lodge
Corrybrough
Raigbeg
Tomatin
Findhorn Bridge
Torness
East Croachy
Aberarder
Clune
Grantown
Beinn Bhreac 1969
Carn an t-Sean-liathanaich 2076
River Findhorn
A9
A96
A82
A862
A835
A832
A939
A938
B9176
B817
B9165
B9166
B9175
B9163
B9169
B9160
B9161
B9006
B9092
B9091
B9090
B9101
B9039
B851
B861
B862
B852
B9154
B9007
B8082
B9177

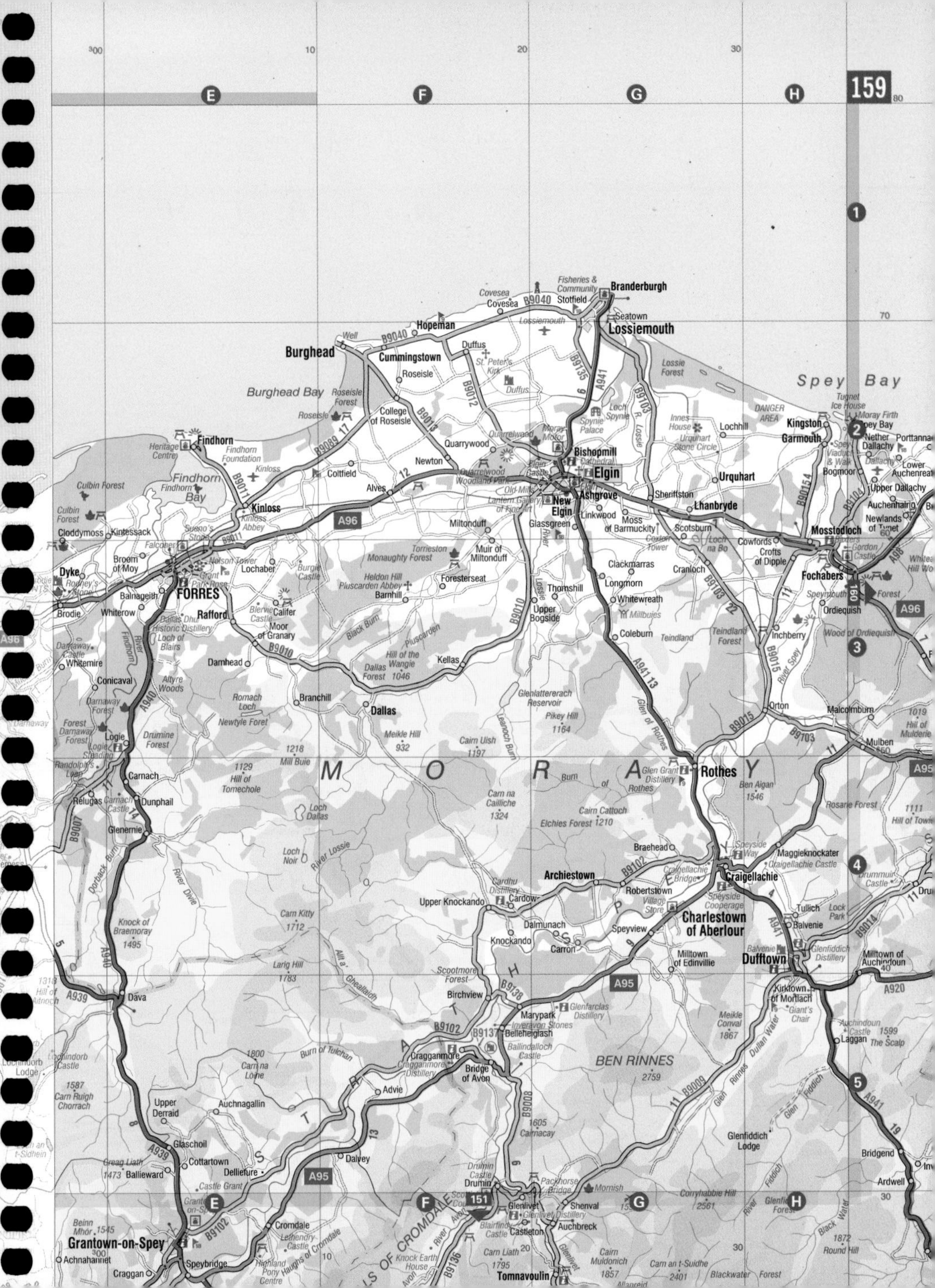
E
F
G
H
1
2
3
4
5
Spey Bay
Burghead Bay
Branderburgh
Lossiemouth
Hopeman
Burghead
Cummingstown
Duffus
Covesea
Stotfield
Seatown
Roseisle
College of Roseisle
Quarrywood
Findhorn
Findhorn Bay
Kinloss
Culbin Forest
Newton
Coltfield
Alves
Bishopmill
Elgin
New Elgin
Ashgrove
Lhanbryde
Urquhart
Kingston
Garmouth
Mosstodloch
Fochabers
Sheriffston
Kintessack
Cloddymoss
Dyke
Brodie
Broom of Moy
FORRES
Rafford
Whiterow
Balnageith
Lochaber
Monaughty Forest
Pluscarden Abbey
Barnhill
Foresterseat
Miltonduff
Muir of Miltonduff
Glassgreen
Linkwood
Moss of Barmuckity
Scotsburn
Cowfords
Crofts of Dipple
Clackmarras
Cranloch
Longmorn
Thornshill
Upper Bogside
Whitewreath
Coleburn
Teindland Forest
Inchberry
Ordiequish
Orton
Malcolmburn
Mulben
Kellas
Dallas Forest
Dallas
Branchill
Damhead
Moor of Granary
Califer
Whitemire
Conicaval
Logie
Carnach
Dunphail
Relugas
Glenernie
Dava
M O R A Y
Rothes
Ben Aigan
Glen of Rothes
Pikey Hill
Cairn Uish
Meikle Hill
Hill of Tomechole
Mill Buie
Carn na Cailliche
Cairn Cattoch
Elchies Forest
Loch Dallas
Loch Noir
River Lossie
Archiestown
Craigellachie
Braehead
Maggieknockater
Robertstown
Charlestown of Aberlour
Upper Knockando
Cardow
Knockando
Dalmunach
Carron
Speyview
Tullich
Balvenie
Dufftown
Milltown of Edinvillie
Kirktown of Mortlach
Milltown of Auchindoun
Carn Kitty
Knock of Braemoray
Larig Hill
Scootmore Forest
Birchview
Marypark
Belleheiglash
Cragganmore
Bridge of Avon
Advie
Laggan
BEN RINNES
Meikle Conval
Glenfiddich Lodge
Bridgend
Ardwell
Upper Derraid
Auchnagallin
Glaschoil
Cottartown
Ballieward
Dellefure
Dalvey
Drumin
Glenlivet
Shenval
Auchbreck
Castleton
Cromdale
Grantown-on-Spey
Speybridge
Achnahannet
Craggan
Tomnavoulin
Carn Liath
Cairn Muldonich
Cam an t-Suidhe
Corryhabbie Hill
Round Hill
A96
A95
A941
A939
A940
A920
B9040
B9089
B9011
B9010
B9012
B9013
B9135
B9103
B9015
B9102
B9138
B9137
B9008
B9009
B9007
B9136
B9154
151
160

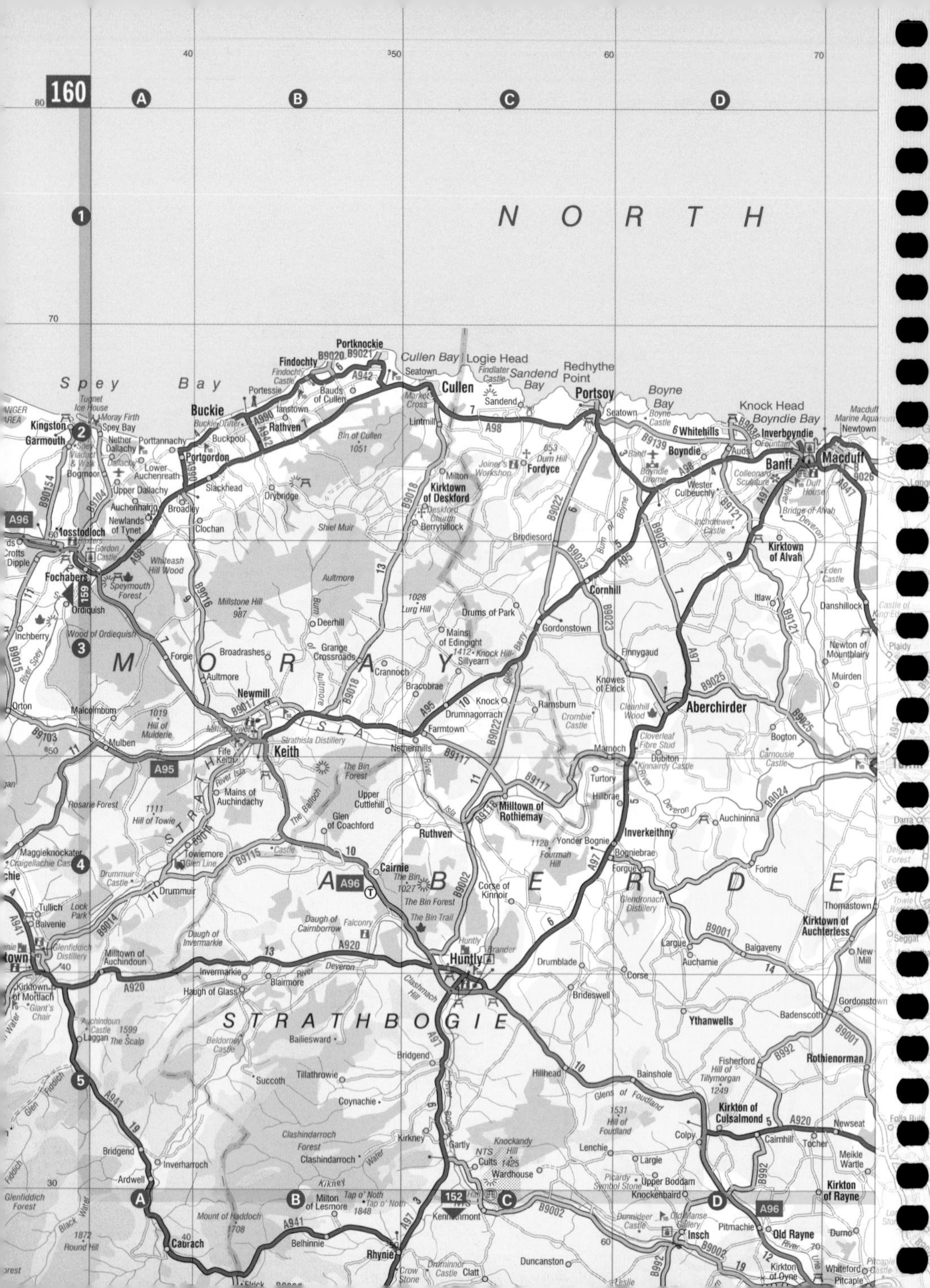

160
A
B
C
D
1
2
3
4
5
NORTH
Spey Bay
Cullen Bay
Logie Head
Sandend Bay
Redhythe Point
Boyne Bay
Knock Head
Boyndie Bay
Portknockie
Findochty
Portessie
Buckie
Rathven
Portgordon
Cullen
Sandend
Portsoy
Whitehills
Inverboyndie
Boyndie
Banff
Macduff
Kingston
Garmouth
Spey Bay
Mosstodloch
Fochabers
Ordiquish
Inchberry
Orton
Malcolmburn
Mulben
Newmill
Keith
Fife Keith
Cornhill
Gordonstown
Aberchirder
Milltown of Rothiemay
Inverkeithny
Ruthven
Cairnie
Huntly
Drumblade
Forgue
Ythanwells
Kirkton of Culsalmond
Insch
Old Rayne
Kirkton of Rayne
Rhynie
Cabrach
Kennethmont
Kirktown of Deskford
Fordyce
Kirktown of Alvah
Kirktown of Auchterless
Rothienorman
Maggieknockater
Drummuir
Dufftown
Kirktown of Mortlach
Milltown of Auchindoun
Laggan
Bridgend
Ardwell
Gartly
Clatt
M O R A Y
A B E R D E
S T R A T H B O G I E
STRATH ISLA
A96
A95
A98
A97
A920
A941
A942
A990
152
159

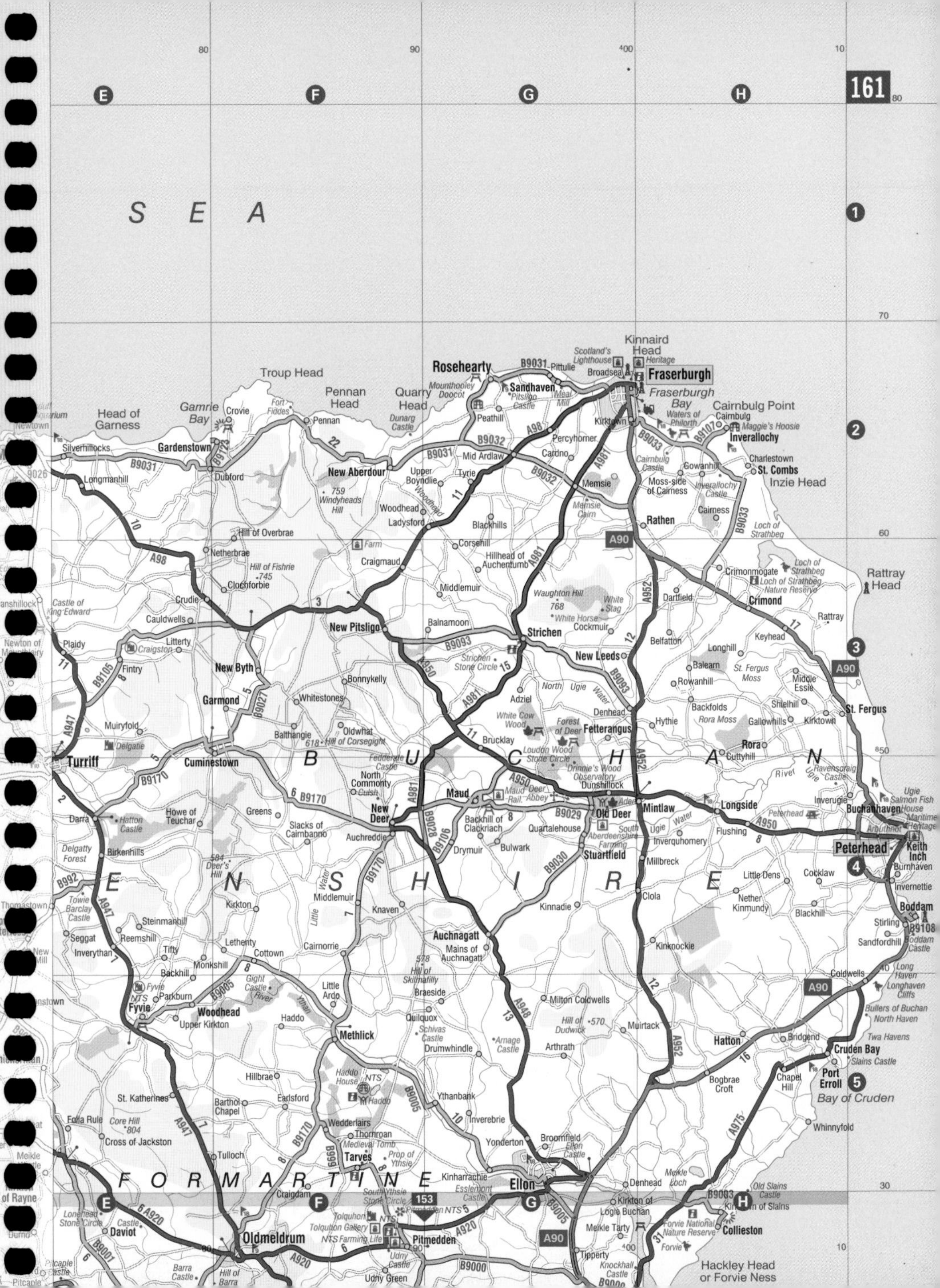
SEA
Troup Head
Pennan Head
Quarry Head
Head of Garness
Gamrie Bay
Crovie
Gardenstown
Silverhillocks
Pennan
Rosehearty
Sandhaven
Pittulie
Kinnaird Head
Fraserburgh
Fraserburgh Bay
Cairnbulg Point
Cairnbulg
Inverallochy
Charlestown
St. Combs
Inzie Head
Kirktown
Peathill
Percyhorner
Mid Ardlaw
New Aberdour
Dubford
Longmanhill
Upper Boyndlie
Tyrie
Cardno
Memsie
Gowanhill
Moss-side of Cairness
Cairness
Rathen
759 Windyheads Hill
Woodhead
Ladysford
Blackhills
Hill of Overbrae
Netherbrae
Corsehill
Hillhead of Auchentumb
Craigmaud
Hill of Fishrie 745
Clochforbie
Middlemuir
Waughton Hill 768
Crimonmogate
Loch of Strathbeg
Rattray Head
Dartfield
Crimond
Rattray
Castle of King Edward
Crudie
Cauldwells
New Pitsligo
Balnamoon
Strichen
Cockmuir
Belfatton
Longhill
Keyhead
Plaidy
Litterty
Craigston
New Leeds
Fintry
New Byth
Bonnykelly
Strichen Stone Circle
Balearn
St. Fergus Moss
Rowanhill
Middle Essie
Garmond
Whitestones
Adziel
North Ugie Water
Backfolds
Shielhill
Rora Moss
Hythie
Denhead
Gallowhills
Kirktown
St. Fergus
Muiryfold
Balthangie
Oldwhat
618 Hill of Corsegight
White Cow Wood
Forest of Deer
Fetterangus
Delgatie
Bruckley
Rora
Cuttyhill
Turriff
Cuminestown
Fedderate Castle
Loudon Wood Stone Circle
Drinnie's Wood Observatory
Ravenscraig Castle
BUCHAN
North Commonty
Cuish
Maud
Deer Abbey
Dunshillock
Old Deer
Mintlaw
Longside
Inverugie
Ugie Salmon Fish House
Buchanhaven
Darra
Hatton Castle
Howe of Teuchar
Greens
Slacks of Cairnbanno
New Deer
Auchreddie
Backhill of Clackriach
Quartalehouse
Aberdeenshire Farming
Ugie Water
Inverquhomery
Flushing
Peterhead
Keith Inch
Delgatty Forest
Birkenhills
584 Deer's Hill
Drymuir
Bulwark
Stuartfield
Millbreck
Burnhaven
Towie Barclay Castle
Little Water
Middlemuir
Knaven
Clola
Little Dens
Cocklaw
Invernettie
ABERDEENSHIRE
Nether Kinmundy
Blackhill
Boddam
Kinnadie
Kirkton
Steinmanhill
Seggat
Reemshill
Auchnagatt
Mains of Auchnagatt
Stirling
Sandfordhill
Boddam Castle
Inverythan
Tifty
Lethenty
Cottown
Cairnorrie
Kinknockie
578 Hill of Skilmafilly
Monkshill
Backhill
Fyvie
Parkburn
Gight Castle
Little Ardo
Braeside
Milton Coldwells
Coldwells
Long Haven
Longhaven Cliffs
Woodhead
Upper Kirkton
Haddo
Quilquox
Schivas Castle
Hill of Dudwick 570
Muirtack
Bullers of Buchan
North Haven
Methlick
Drumwhindle
Arnage Castle
Arthrath
Hatton
Bridgend
Twa Havens
Cruden Bay
Slains Castle
Hillbrae
Haddo House NTS
Bogbrae Croft
Chapel Hill
Port Erroll
Bay of Cruden
St. Katherines
Barthol Chapel
Earlsford
Ythanbank
Foffa Rule
Core Hill 804
Cross of Jackston
Wedderlairs
Thornroan
Medieval Tomb
Inverebrie
Whinnyfold
Yonderton
Broomfield
Ellon Castle
Tulloch
Tarves
Prop of Ythsie
Kinharrachie
Meikle Loch
FORMARTINE
Esslemont Castle
Ellon
Denhead
Craigdam
South Ythsie Stone Circle
Kirkton of Logie Buchan
Old Slains Castle
Kirkton of Slains
Lonehead Stone Circle
Daviot
Tolquhon
Tolquhon Gallery
NTS Farming Life
Pitmedden
Forvie National Nature Reserve
Collieston
Meikle Tarty
Oldmeldrum
Udny Castle
Tipperty
Knockhall Castle
Forvie
Barra Castle
Hill of Barra
Udny Green
Hackley Head or Forvie Ness
Pitcaple
Newtown
Danshillock
Thomastown
of Rayne
153
A90
A98
A981
A952
A950
A947
A948
A975
A920
B9031
B9032
B9033
B9107
B9093
B9027
B9105
B9170
B9028
B9106
B9029
B9030
B9005
B9000
B999
B9001
B992
B9003
B9108
B9026
B9123
E
F
G
H
1
2
3
4
5
80
90
400
10
70
60
50
40
30

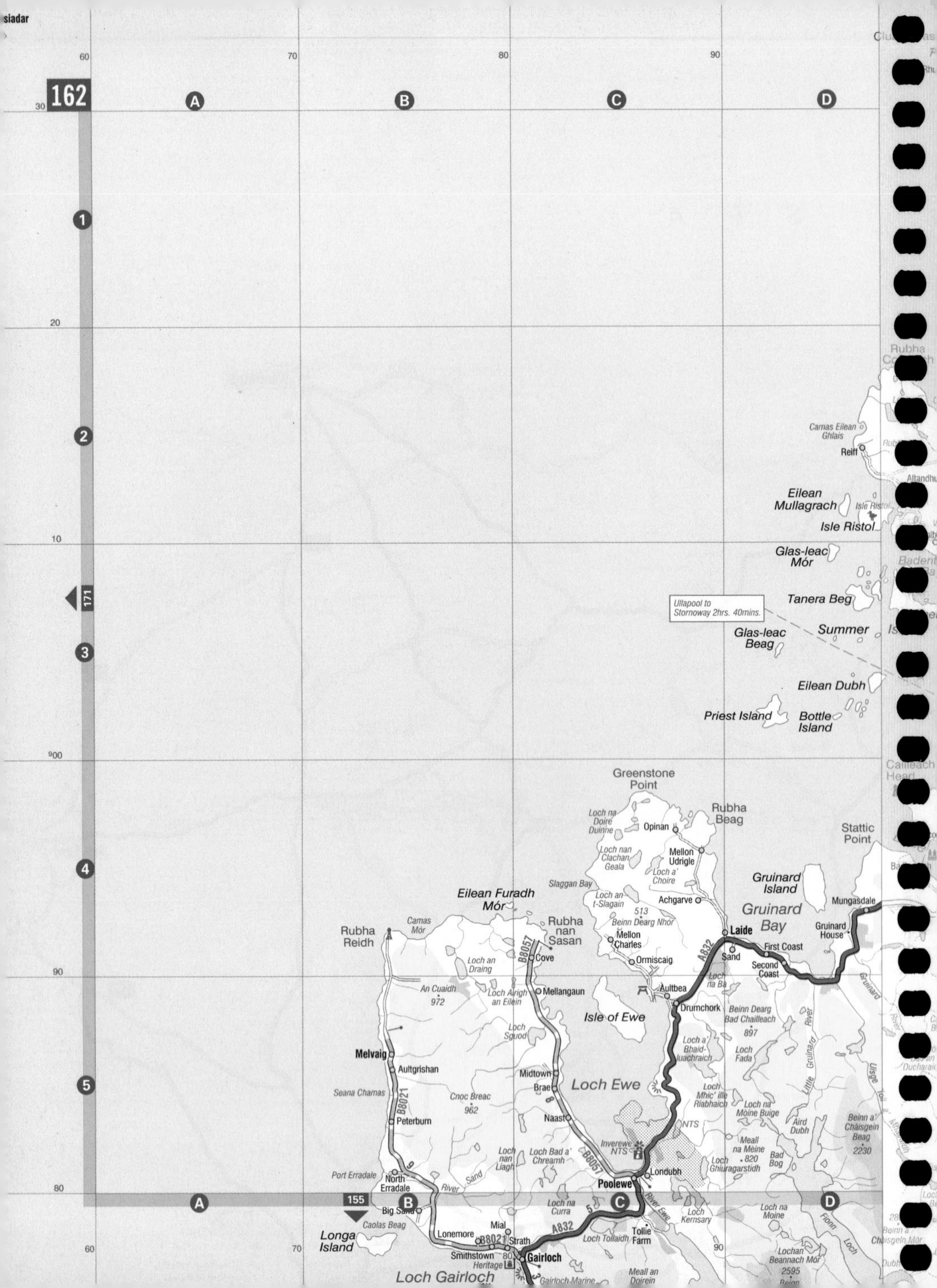

siadar
Ullapool to Stornoway 2hrs. 40mins.
Camas Eilean Ghlais
Reiff
Altandhu
Eilean Mullagrach
Isle Ristol
Glas-leac Mór
Tanera Beg
Glas-leac Beag
Summer
Eilean Dubh
Priest Island
Bottle Island
Greenstone Point
Rubha Beag
Stattic Point
Loch na Doire Duinne
Opinan
Mellon Udrigle
Loch nan Clachan Geala
Loch a' Choire
Gruinard Island
Slaggan Bay
Loch an t-Slagain
Achgarve
Gruinard Bay
Mungasdale
513
Beinn Dearg Nhór
Eilean Furadh Mór
Camas Mór
Rubha nan Sasan
Rubha Reidh
Laide
Gruinard House
Mellon Charles
Sand
First Coast
Cove
Loch an Draing
Ormiscaig
Second Coast
An Cuaidh
972
Loch Airigh an Eilein
Mellangaun
Aultbea
Loch na Ba
Drumchork
Beinn Dearg Bad Chailleach
897
Isle of Ewe
Loch Sguod
Loch a' Bhaid-luachraich
Loch Fada
Melvaig
Aultgrishan
Midtown
Loch Ewe
Brae
Seana Chamas
Cnoc Breac
962
Loch Mhic' ille Riabhaich
Loch na Moine Buige
Naast
Peterburn
NTS
Aird Dubh
Beinn a' Chàisgein Beag
2230
Inverewe NTS
Meall na Mèine
820
Loch nan Liagh
Loch Bad a' Chreamh
Loch Ghiuragarstidh
Bad Bog
Port Erradale
North Erradale
Londubh
River Sand
Poolewe
River Ewe
Loch Kernsary
Big Sand
Loch na Curra
Loch na Moine
Caolas Beag
Mial
Tollie Farm
Longa Island
Lonemore
Strath
Loch Tollaidh
Smithstown
Gairloch
Heritage
Lochan Beannach Mór
2595
Loch Gairloch
Gairloch Marine
Meall an Doirein
Gruinard River
Little Gruinard River
Fionn Loch
Rubha
Calleach Head
Badent
A832
B8057
B8021
A B C D
1 2 3 4 5
60 70 80 90
30 20 10 900 90 80

171
155

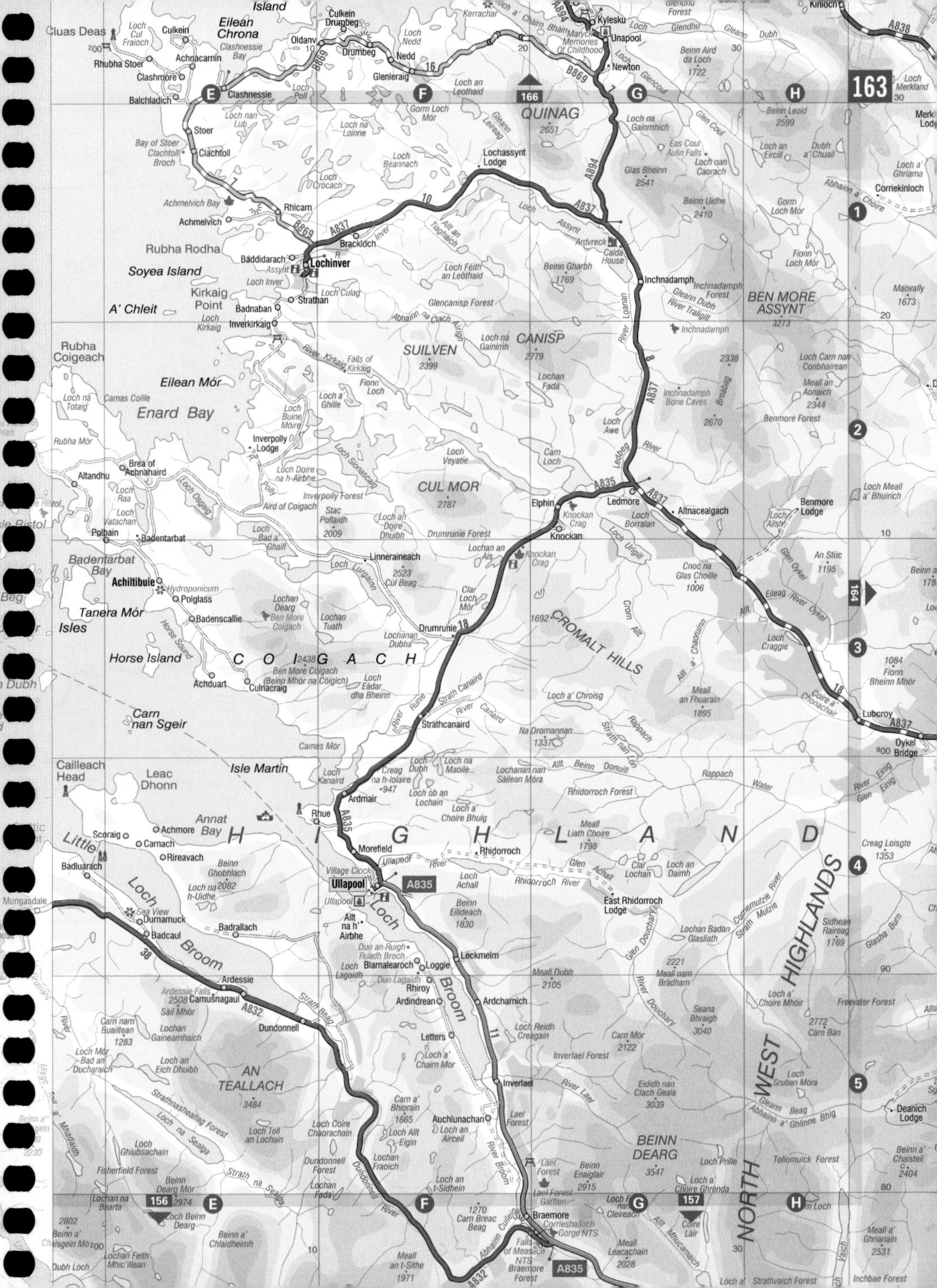
Cluas Deas
Culkein
Eilean Chrona
Culkein Drumbeg
Kylesku
Unapool
Clashnessie Bay
Oldany
Drumbeg
Nedd
Glenleraig
Newton
Rhubha Stoer
Achnacarnin
Clashmore
Balchladich
Clashnessie
QUINAG
2651
Stoer
Bay of Stoer
Clachtoll
Lochassynt Lodge
Achmelvich Bay
Achmelvich
Rhicarn
Brackloch
Rubha Rodha
Baddidarach
Lochinver
Soyea Island
Kirkaig Point
Strathan
A' Chleit
Badnaban
Inverkirkaig
Ardvreck
Calda House
Inchnadamph
Glencanisp Forest
SUILVEN
2399
CANISP
2779
BEN MORE ASSYNT
3273
Rubha Coigeach
Eilean Mór
Enard Bay
Inverpolly Lodge
Inverpolly Forest
Altandhu
Brea of Achnahaird
CUL MOR
2787
Elphin
Ledmore
Altnacealgach
Knockan
Polbain
Badentarbat
Badentarbat Bay
Linneraineach
Achiltibuie
Hydroponicum
Polglass
Tanera Mór
Isles
Badenscallie
Horse Island
Drumrunie
CROMALT HILLS
COIGACH
Ben More Coigach
Achduart
Culnacraig
Carn nan Sgeir
Strathcanaird
Isle Martin
Cailleach Head
Leac Dhonn
Ardmair
Rhue
Annat Bay
HIGHLAND
Scoraig
Achmore
Carnach
Rireavach
Morefield
Rhidorroch
Badluarach
Little Loch Broom
Ullapool
Loch Broom
East Rhidorroch Lodge
Mungasdale
Durnamuck
Badcaul
Badrallach
Leckmelm
Ardessie
Camusnagaul
Dundonnell
Rhiroy
Ardindrean
Ardcharnich
Letters
AN TEALLACH
3484
Inverlael
Auchlunachan
BEINN DEARG
3547
NORTH WEST HIGHLANDS
Braemore
Corrieshalloch Gorge NTS
Fisherfield Forest
Strathvaich Forest
Inchbae Forest
Oykel Bridge
Lubcroy
Benmore Lodge
Corriekinloch
Deanich Lodge
Freevater Forest
Tollomuick Forest
A835
A837
A832
A894
B869
166
156
157
164

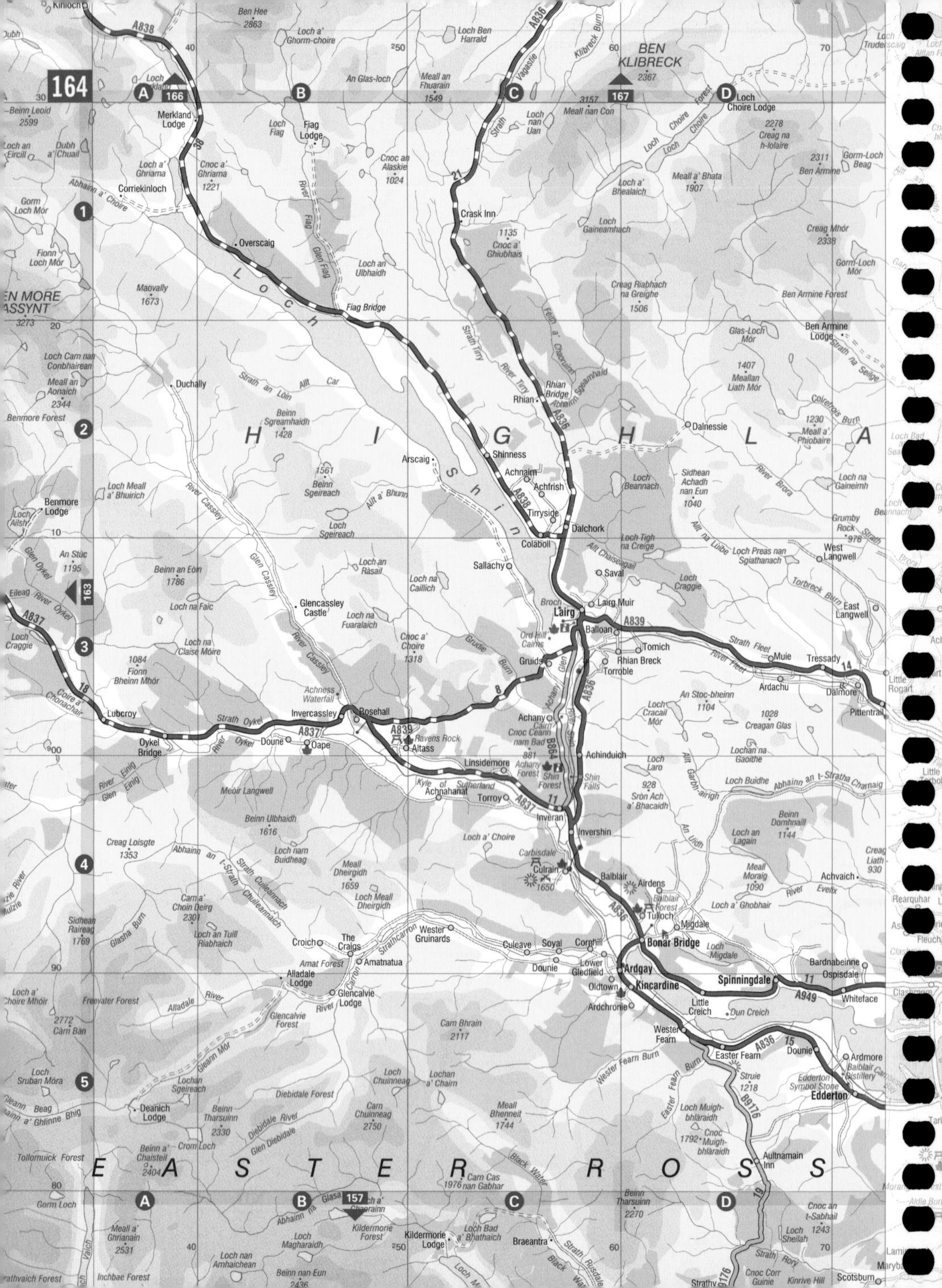
Kinloch
A838
Ben Hee
2863
Loch a' Ghorm-choire
Loch Ben Harrald
A836
Klibreck Burn
BEN KLIBRECK
2367
Loch Truderscaig
Loch Merkland
A
166
B
C
167
D
An Glas-loch
Meall an Fhuarain
1549
Vagastie
Loch Choire Lodge
Beinn Leoid
2599
Merkland Lodge
Loch Fiag
Fiag Lodge
Strath Vagastie
3157
Meall nan Con
Loch nan Uan
Loch Choire Forest
Loch Choire
2278
Creag na h-Iolaire
Loch an Eircill
Dubh a' Chuail
Loch a' Ghriama
Cnoc a' Ghriama
1221
Cnoc an Alaskie
1024
River Fiag
2311
Ben Armine
Gorm-Loch Beag
Corriekinloch
Abhainn a' Choire
Loch a' Bhealaich
Meall a' Bhata
1907
Gorm Loch Mór
Crask Inn
Loch Gaineamhach
Overscaig
1135
Cnoc a' Ghiubhais
Creag Mhór
2338
Fionn Loch Mór
Glen Fiag
Loch an Ulbhaidh
Gorm-Loch Mór
Maovally
1673
Loch Shin
Creag Riabhach na Greighe
1506
Ben Armine Forest
BEN MORE ASSYNT
3273
Fiag Bridge
Féith a' Chaorainn
Loch Carn nan Conbhairean
Strath Tirry
River Tirry
Glas-Loch Mór
Ben Armine Lodge
Strath na Seilge
Meall an Aonaich
2344
Duchally
Strath an Lòin
Allt Car
Rhian Bridge
Rhian
Abhainn Sgeamhaidh
1407
Meallan Liath Mór
Coirefrois Burn
Benmore Forest
Beinn Sgreamhaidh
1428
HIGHLAND
Dalnessie
1230
Meall a' Phiobaire
Arscaig
Shinness
Achnairn
Achfrish
Loch Beannach
Sidhean Achadh nan Eun
1040
River Brora
Loch na Gaineimh
1561
Beinn Sgeireach
Loch Meall a' Bhuirich
River Cassley
Allt a' Bhunn
Tirryside
Dalchork
Benmore Lodge
Loch Ailsh
Loch Sgeireach
Colaboll
Loch Tigh na Creige
Allt na Luibe
Grumby Rock
976
Strath Brora
An Stùc
1195
Glen Oykel
Beinn an Eòin
1786
Glen Cassley
Loch an Rasail
Loch na Caillich
Sallachy
Allt Chaiseagail
Saval
Loch Preas nan Sgiathanach
West Langwell
163
River Oykel
Loch Craggie
Torbreck Burn
A837
Loch na Faic
Glencassley Castle
Loch na Fuaralaich
Broch
Lairg
Lairg Muir
East Langwell
A839
Balloan
Tomich
Loch Craggie
Loch na Claise Móire
Cnoc a' Choire
1318
Ord Hill Cairns
Rhian Breck
Strath Fleet
River Fleet
Muie
Tressady
1084
Fionn Bheinn Mhór
Grudie Burn
Gruids
Torroble
Ardachu
Dalmore
Little Rogart
Coire a' Chonachair
Achness Waterfall
Achany Glen
Loch Cracail Mór
An Stoc-bheinn
1104
Pittentrail
Lubcroy
Strath Oykel
Invercassley
Rosehall
A839
Ravens Rock
Achany
Cnoc Ceann nam Bad
881
1028
Creagan Glas
Oykel Bridge
Doune
Oape
Altass
Achany Forest
B864
Achinduich
Lochan na Gaoithe
Linsidemore
Shin Forest
Loch Laro
River Einig
Glen Einig
Kyle of Sutherland
Shin Falls
Loch Buidhe
Abhainn an t-Stratha Charnaig
Meoir Langwell
Achnahanat
Torroy
928
Sròn Ach a' Bhacaidh
Allt Garbh-airigh
Beinn Domhnaill
1144
Beinn Ulbhaidh
1616
Inveran
Invershin
Loch an Lagain
Loch nam Buidheag
Loch a' Choire
An Uidh
Creag Loisgte
1353
Abhainn an t-Strath Chuileannaich
Carbisdale
Meall Dheirgidh
1659
Culrain
1650
Balblair
Airdens
Meall Moraig
1090
Achvaich
Creag Liath
930
Loch Meall Dheirgidh
River Evelix
Carn a' Choin Deirg
2301
Balblair Forest
Loch a' Ghobhair
Tulloch
Migdale
Sidhean Raireag
1769
Loch an Tuill Riabhaich
Glasha Burn
Croich
The Craigs
Strathcarron
Wester Gruinards
Culeave
Soyal
Cornhill
Bonar Bridge
Loch Migdale
Amat Forest
Amatnatua
Dounie
Lower Gledfield
Ardgay
Bardnabeinne
Ospisdale
Spinningdale
Alladale Lodge
Oldtown
Kincardine
A949
Whiteface
Loch a' Choire Mhóir
Freevater Forest
Alladale River
River Carron
Glencalvie Lodge
Glencalvie Forest
Ardchronie
Little Creich
Dun Creich
2772
Càrn Bàn
Carn Bhrain
2117
Wester Fearn
Easter Fearn
A836
Dounie
Ardmore
Gleann Mór
Lochan Sgeireach
Wester Fearn Burn
Struie
1218
Balblair Distillery
Edderton Symbol Stone
Loch Sruban Móra
Loch Chuinneag
Lochan a' Chairn
Easter Fearn Burn
Edderton
Gleann Beag
Abhainn a' Ghlinne Bhig
Deanich Lodge
Diebidale Forest
Beinn Tharsuinn
2330
Carn Chuinneag
2750
Meall Bhenneit
1744
Loch Muigh-bhlàraidh
1792
Cnoc Muigh-bhlàraidh
B9176
Diebidale River
Glen Diebidale
Crom Loch
Tollomuick Forest
Beinn a' Chaisteil
2404
Black Water
Aultnamain Inn
EASTER ROSS
Carn Cas nan Gabhar
1976
Gorm Loch
157
Abhainn na Glasa
Loch a' Chaorainn
Beinn Tharsuinn
2270
Cnoc an t-Sabhail
1243
Meall a' Ghrianain
2531
Loch Magharaidh
Kildermorie Forest
Kildermorie Lodge
Loch Bad a' Bhathaich
Braeantra
Strath Rusdale
Loch Sheilah
Loch nan Amhaichean
Strath Rory
Inchbae Forest
Beinn nan Eun
2436
Strathy
Cnoc Corr Guinie
Kinrive Hill
Scotsburn

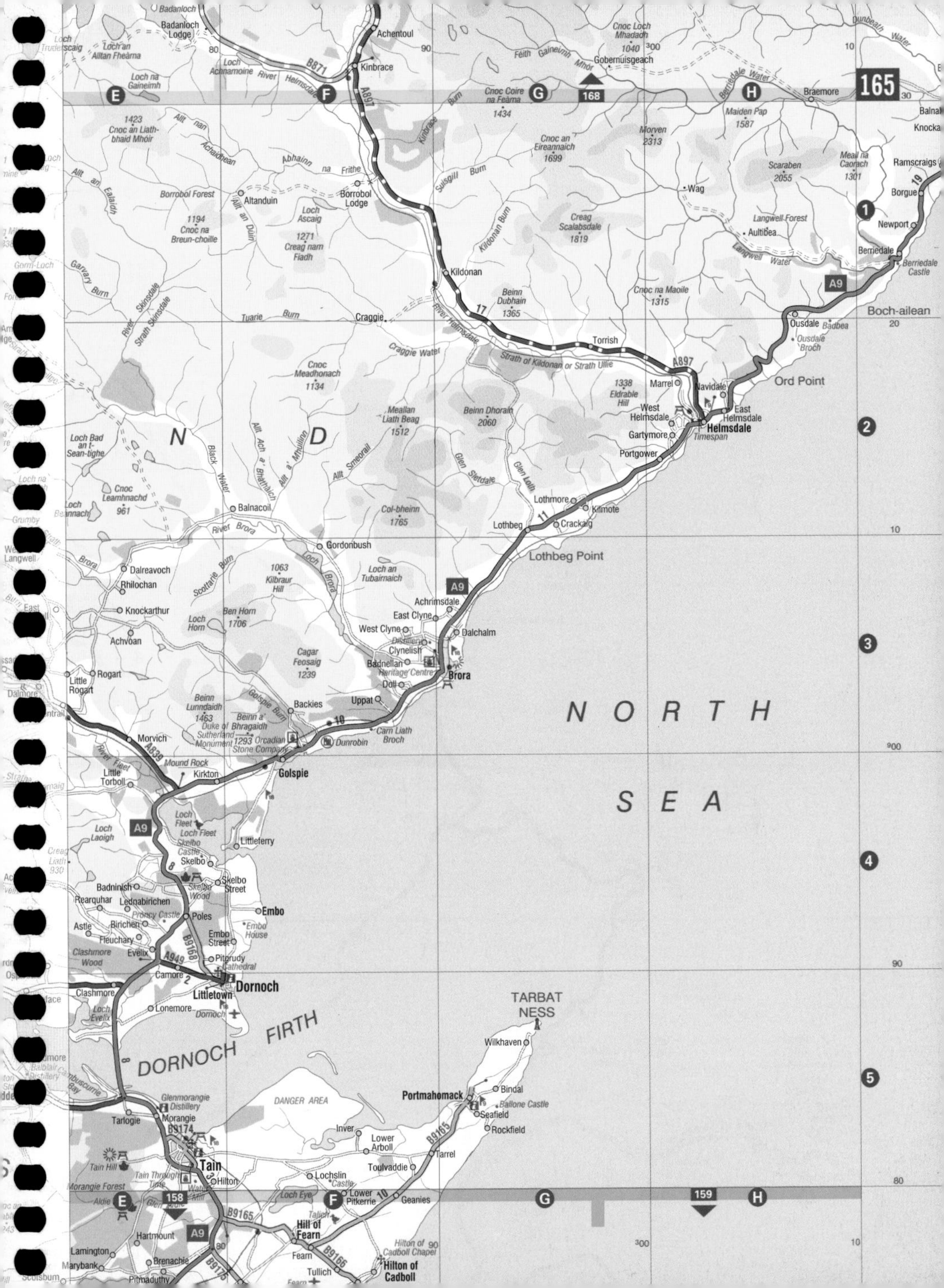
165
NORTH SEA
DORNOCH FIRTH
Helmsdale
Brora
Golspie
Dornoch
Tain
Portmahomack
TARBAT NESS
Embo
Littletown
Kinbrace
Kildonan
Achentoul
Badanloch Lodge
Borrobol Lodge
Altanduin
Craggie
Torrish
Marrel
Navidale
West Helmsdale
East Helmsdale
Gartymore
Portgower
Lothmore
Kilmote
Lothbeg
Crackaig
Lothbeg Point
Ord Point
Ousdale
Badbea
Berriedale
Berriedale Castle
Newport
Borgue
Ramscraigs
Braemore
Morven 2313
Scaraben 2055
Maiden Pap 1587
Balnacoil
Gordonbush
Dalreavoch
Rhilochan
Knockarthur
Achvoan
Rogart
Little Rogart
Achrimsdale
East Clyne
West Clyne
Clynelish
Dalchalm
Badnellan
Doll
Uppat
Backies
Dunrobin
Carn Liath Broch
Morvich
Kirkton
Mound Rock
Little Torboll
Loch Fleet
Littleferry
Skelbo
Skelbo Street
Badninish
Rearquhar
Lednabirichen
Poles
Astle
Birichen
Fleuchary
Evelix
Embo Street
Pitgrudy
Camore
Clashmore
Lonemore
Wilkhaven
Bindal
Ballone Castle
Seafield
Rockfield
Inver
Lower Arboll
Tarrel
Toulvaddie
Lochslin Castle
Lower Pitkerrie
Geanies
Hill of Fearn
Fearn
Hilton of Cadboll
Hilton of Cadboll Chapel
Tullich
Hartmount
Lamington
Marybank
Brenachie
Pitmaduthy
Aldie
Tarlogie
Morangie
Glenmorangie Distillery
Tain Hill
Morangie Forest
Hilton
DANGER AREA
A9
A897
A839
A949
B9168
B871
B9174
B9165
B9166
168
158
159

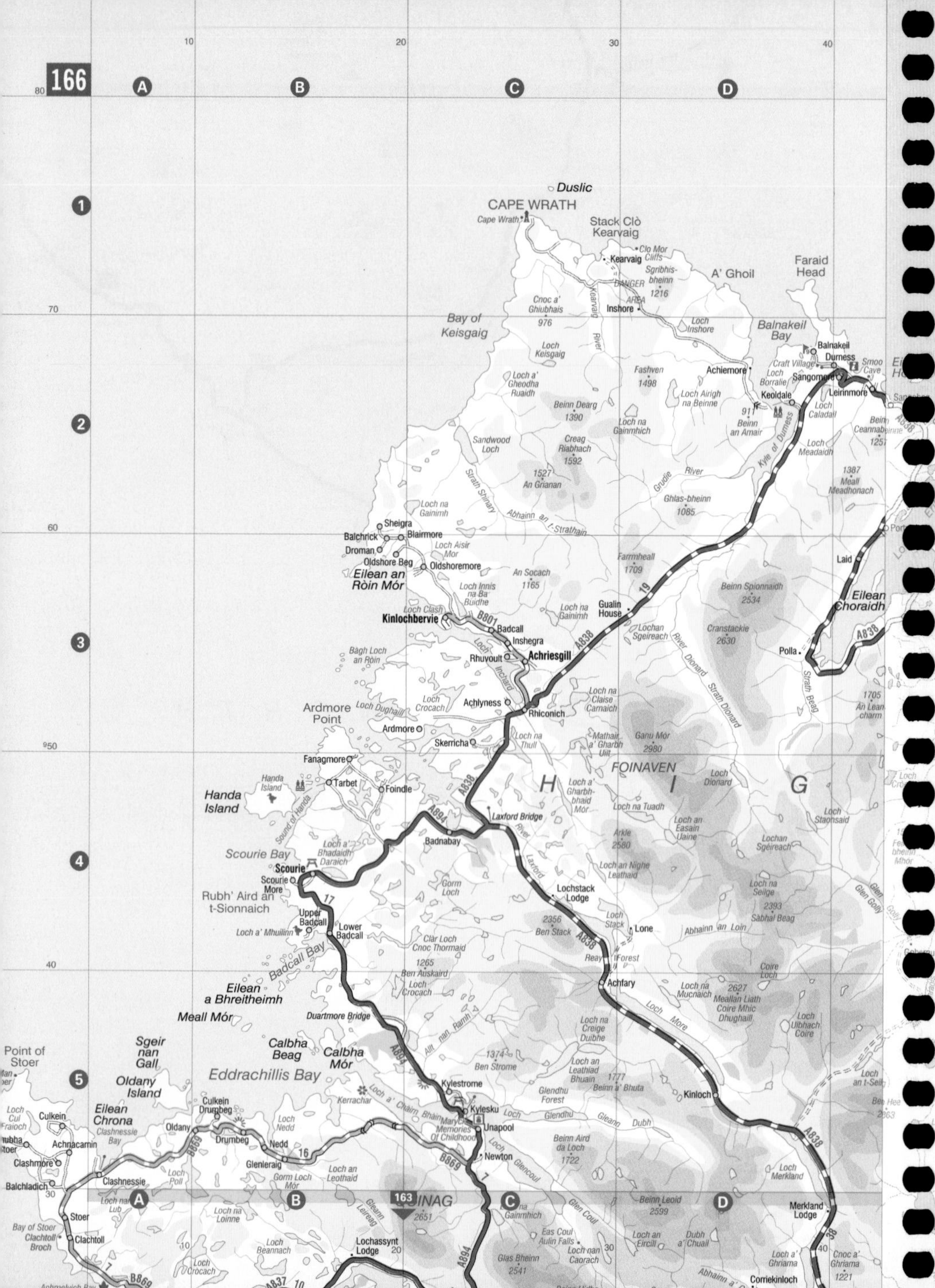
Duslic
CAPE WRATH
Cape Wrath
Stack Clò Kearvaig
Clo Mor Cliffs
Kearvaig
Sgribhis-bheinn 1216
DANGER AREA
A' Ghoil
Faraid Head
Cnoc a' Ghiubhais 976
Inshore
Loch Inshore
Bay of Keisgaig
Loch Keisgaig
Balnakeil Bay
Balnakeil
Craft Village
Durness
Smoo Cave
Loch Borralie
Sangomore
Leirinmore
Achiemore
Fashven 1498
Loch a' Gheodha Ruaidh
Loch Airigh na Beinne
Keoldale
Loch Caladail
Beinn Dearg 1390
Loch na Gainmhich
Beinn an Amair
Kyle of Durness
Sandwood Loch
Creag Riabhach 1592
Loch Meadaidh
1527 An Grianan
Grudie River
1387 Meall Meadhonach
Strath Shinary
Loch na Gainimh
Glhas-bheinn 1085
Abhainn an t-Strathain
Sheigra
Balchrick
Blairmore
Droman
Loch Aisir Mor
Oldshore Beg
Oldshoremore
Eilean an Ròin Mór
Farmheall 1709
An Socach 1165
Loch Innis na Ba Buidhe
Laid
Beinn Spionnaidh 2534
Eilean Choraidh
Loch Clash
Kinlochbervie
B801
Badcall
Inshegra
Gualin House
Loch na Gainimh
Lochan Sgeireach
Cranstackie 2630
Rhuvoult
Achriesgill
Loch Inchard
A838
Polla
Bàgh Loch an Ròin
River Dionard
Strath Dionard
Strath Beag
A838
Loch na Claise Carnaich
1705 An Lean charm
Ardmore Point
Loch Dughaill
Loch Crocach
Achlyness
Rhiconich
Ardmore
Skerricha
Loch na Thull
Mathair a' Gharbh Uilt
Ganu Mór 2980
FOINAVEN
Fanagmore
Handa Island
Tarbet
Foindle
Loch Dionard
H
I
G
Handa Island
Sound of Handa
Loch a' Gharbh-bhaid Mór
A838
Loch na Tuadh
A894
Laxford Bridge
Loch Staonsaid
Badnabay
Loch an Easain Uaine
Arkle 2580
River Laxford
Scourie Bay
Loch a' Bhadaidh Daraich
Lochan Sgèireach
Scourie
Scourie More
Loch an Nighe Leathaid
Gorm Loch
Rubh' Aird an t-Sionnaich
Lochstack Lodge
Loch na Seilge
17
2393 Sàbhal Beag
Upper Badcall
Lower Badcall
2356 Ben Stack
Loch Stack
Lone
Loch a' Mhuilinn
Clar Loch
Cnoc Thormaid
Abhainn an Loin
Glen Golly
Reay Forest
A838
Badcall Bay
1265 Ben Auskaird
Coire Loch
Achfary
Eilean a Bhreitheimh
Loch Crocach
Loch na Mucnaich
2627 Meallan Liath Coire Mhic Dhughaill
Meall Mór
Duartmore Bridge
Loch More
Loch Ulbhach Coire
Allt nan Ramh
Loch na Creige Duibhe
Sgeir nan Gall
Calbha Beag
Calbha Mór
A894
1374 Ben Strome
Point of Stoer
Eddrachillis Bay
Oldany Island
Loch an Leathiad Bhuain
1777 Beinn a' Bhuta
Kylestrome
Kinloch
Eilean Chrona
Culkein Drumbeg
Kerrachar
Loch a' Chàirn Bhàin
Glendhu Forest
Loch Cul Fraioch
Culkein
Clashnessie Bay
Oldany
Loch Nedd
Kylesku
Marycr... Memories Of Childhood
Unapool
Loch Glendhu
Gleann Dubh
Achnacarnin
B869
Drumbeg
Nedd
16
Beinn Aird da Loch 1722
A838
Clashmore
Loch Poll
Glenleraig
Gorm Loch Mór
Loch an Leothaid
B869
Newton
Loch Glencoul
Loch Merkland
Balchladich
Clashnessie
30
Loch nan Lub
A
B
163
C
D
Gleann Leireag
2651
Loch na Gainmhich
Glen Coul
Beinn Leoid 2599
Merkland Lodge
Stoer
Loch na Loinne
Bay of Stoer
Clachtoll
Clachtoll Broch
Eas Coul Aulin Falls
Loch an Eircill
Dubh a' Chuail
Loch Beannach
Lochassynt Lodge
Loch nan Caorach
Loch a' Ghriama
Cnoc a' Ghriama 1221
Loch Crocach
Glas Bheinn 2541
A894
B869
A837
Corriekinloch
Achmelvich Bay
A
B
C
D
1
2
3
4
5
10
20
30
40
80
70
60
950
40

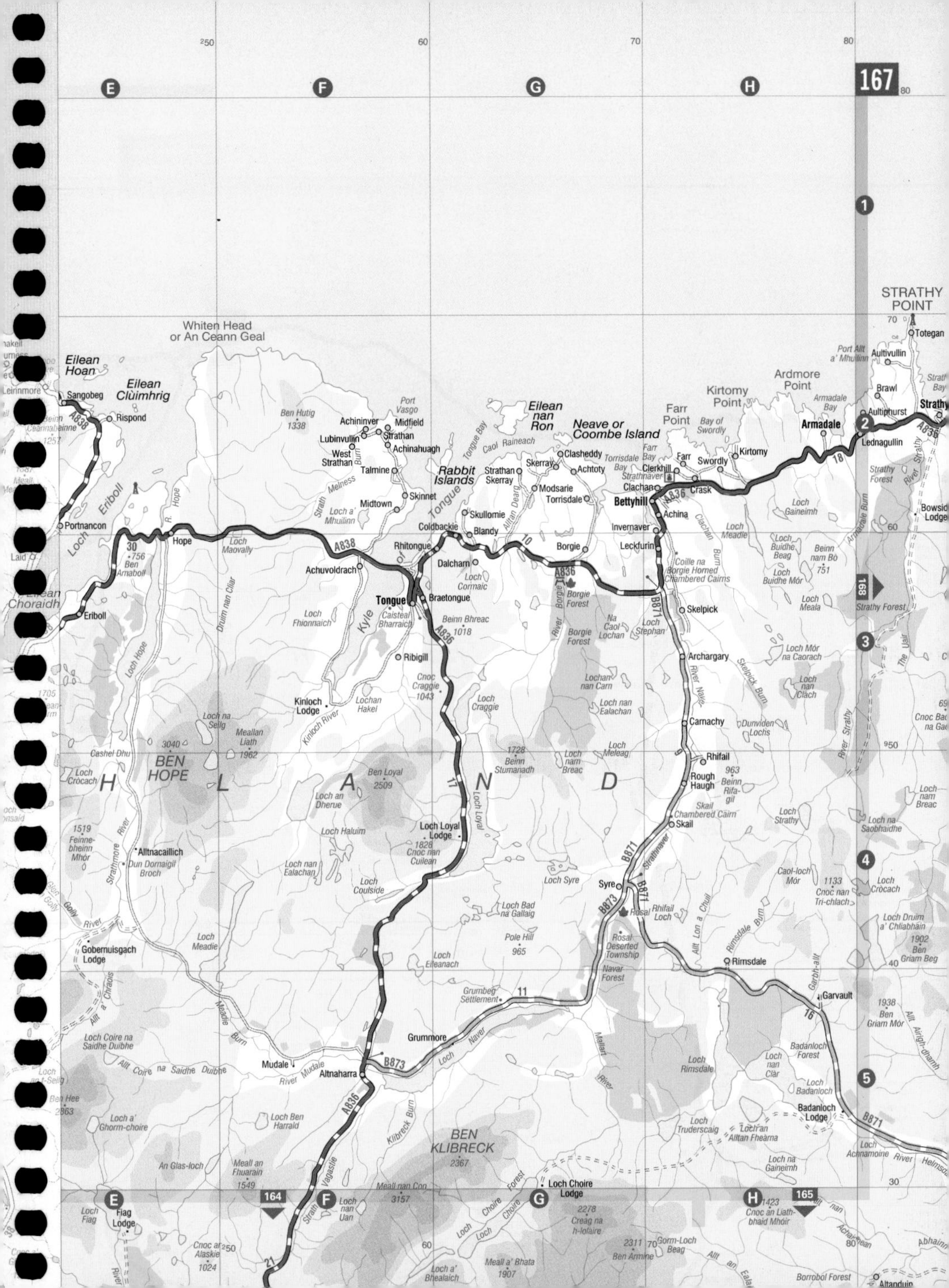

STRATHY POINT
Whiten Head or An Ceann Geal
Eilean Hoan
Eilean Clùimhrig
Eilean nan Ron
Neave or Coombe Island
Rabbit Islands
Farr Point
Kirtomy Point
Ardmore Point
Sangobeg
Rispond
Portnancon
Loch Eriboll
Hope
Achininver
Midfield
Lubinvullin
Strathan
West Strathan
Achinahuagh
Talmine
Skinnet
Midtown
Tongue
Braetongue
Rhitongue
Coldbackie
Blandy
Skullomie
Dalcharn
Achuvoldrach
Strathan Skerray
Skerray
Clasheddy
Achtoty
Modsarie
Torrisdale
Borgie
Bettyhill
Clachan
Clerkhill
Farr
Swordly
Kirtomy
Crask
Achina
Invernaver
Leckfurin
Skelpick
Armadale
Lednagullin
Aultiphurst
Brawl
Aultivullin
Totegan
Strathy
Archargary
Carnachy
Rhifail
Rough Haugh
Skail
Syre
Rimsdale
Garvault
Badanloch Lodge
Altnaharra
Mudale
Grummore
Kinloch Lodge
Loch Loyal Lodge
Ribigill
Eriboll
Alltnacaillich
Gobernuisgach Lodge
Fiag Lodge
Loch Choire Lodge
Altanduin
BEN HOPE 3040
BEN KLIBRECK 2367
Ben Loyal 2509
H L A N D
A838
A836
B871
B873
164
165
168

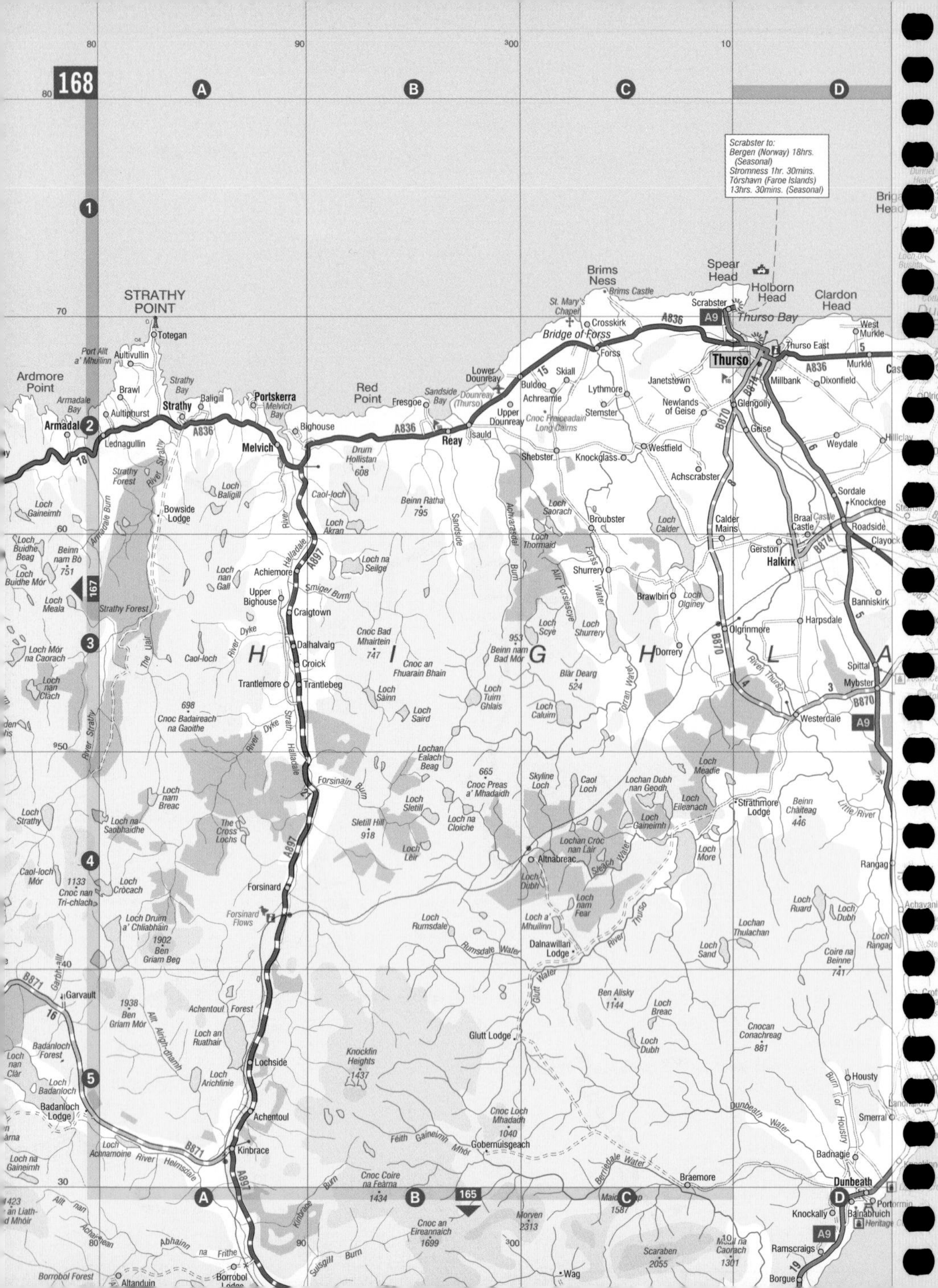

168
Scrabster to:
Bergen (Norway) 18hrs. (Seasonal)
Stromness 1hr. 30mins.
Tórshavn (Faroe Islands) 13hrs. 30mins. (Seasonal)
STRATHY POINT
Totegan
Port Allt a' Mhuilinn
Aultivullin
Ardmore Point
Brawl
Strathy Bay
Armadale Bay
Aultiphurst
Strathy
Baligill
Portskerra
Melvich Bay
Armadale
Lednagullin
Melvich
Bighouse
Red Point
Fresgoe
Sandside Bay
Dounreay (Thurso)
Lower Dounreay
Reay
Isauld
Upper Dounreay
Buldoo
Achreamie
Skiall
Brims Ness
Brims Castle
St. Mary's Chapel
Crosskirk
Bridge of Forss
Forss
Lythmore
Stemster
Cnoc Freiceadain Long Cairns
Spear Head
Holborn Head
Scrabster
Thurso Bay
Clardon Head
West Murkle
Thurso
Thurso East
Murkle
Millbank
Dixonfield
Janetstown
Newlands of Geise
Glengolly
Geise
Weydale
Westfield
Knockglass
Shebster
Achscrabster
Drum Hollistan 608
Caol-loch
Beinn Ratha 795
Loch Akran
Strathy Forest
River Strathy
Loch Baligill
Bowside Lodge
Loch Gaineimh
Loch Buidhe Beag
Beinn nam Bò 751
Loch Buidhe Mór
Loch Meala
Strathy Forest
Loch nan Gall
Achiemore
Upper Bighouse
Craigtown
Smigel Burn
Loch na Seilge
Halladale
A897
A836
A9
B870
B874
B871
Sandside
Achvarasdal Burn
Loch Saorach
Loch Thormaid
Broubster
Forss Water
Allt Forsiescye
Shurrery
Loch Calder
Calder Mains
Gerston
Halkirk
Braal Castle
Sordale
Knockdee
Roadside
Clayock
Banniskirk
Brawlbin
Loch Olginey
Olgrinmore
Harpsdale
Loch Shurrery
Loch Scye
953 Beinn nam Bad Mór
Dorrery
H
I
G
H
L
A
Loch Mór na Caorach
Loch nan Clach
Caol-loch
River Dyke
Dalhalvaig
Croick
Trantlemore
Trantlebeg
Cnoc Bad Mhairtein 747
Cnoc an Fhuarain Bhain
Loch Sainn
Loch Saird
Loch Tuim Ghlais
Blàr Dearg 524
Loch Caluim
Torran Water
River Thurso
Spittal
Mybster
Westerdale
698 Cnoc Badaireach na Gaoithe
Strath Halladale
Lochan Ealach Beag
665 Cnoc Preas a' Mhadaidh
Skyline Loch
Caol Loch
Lochan Dubh nan Geodh
Loch Meadie
Strathmore Lodge
Beinn Chàiteag 446
Little River
Forsinain Burn
Loch nam Breac
Loch na Saobhaidhe
The Cross Lochs
Loch Strathy
Loch Sletill
Sletill Hill 918
Loch na Cloiche
Loch Eileanach
Loch Gaineimh
Lochan Cnoc nan Làir
Altnabreac
Sleach Water
Loch Leir
Loch More
Rangag
Caol-loch Mór
1133 Cnoc nan Tri-chlach
Loch Crocach
Forsinard
Forsinard Flows
Loch Druim a' Chliabhàin
1902 Ben Griam Beg
Loch Rumsdale
Loch Dubh
Loch nam Fear
Loch a' Mhuilinn
Loch Ruard
Loch Dubh
Lochan Thulachan
Loch Rangag
Rumsdale Water
Dalnawillan Lodge
Loch Sand
Coire na Beinne 741
Garvault
Garbh-allt
1938 Ben Griam Mór
Allt Airigh-dhamh
Achentoul Forest
Glutt Water
Ben Alisky 1144
Loch Breac
Cnocan Conachreag 881
Badanloch Forest
Loch nan Clàr
Loch Badanloch
Badanloch Lodge
Loch an Ruathair
Loch Arichlinie
Lochside
Knockfin Heights 1437
Glutt Lodge
Loch Dubh
Achentoul
Cnoc Loch Mhadadh 1040
Dunbeath Water
Burn of Houstry
Housty
Smerral
Loch na Gaineimh
Loch Achnamoine
River Helmsdale
Kinbrace
Féith Gaineimh Mhòr
Gobernuisgeach
Berriedale Water
Braemore
Badnagie
Dunbeath
Cnoc Coire na Fearna 1434
Maiden Pap 1587
165
Kinbrace Burn
Cnoc an Eireannaich 1699
Morven 2313
Scaraben 2055
Maol na Caorach 1301
Knockally
Balnabruich
Heritage Centre
Portormin
Ramscraigs
Borgue
Allt nan Achaidhean
Abhainn na Frithe
Suisgill Burn
Borrobol Forest
Altanduin
Borrobol Lodge
Wag
Allt nan Liath-
d Mhòir

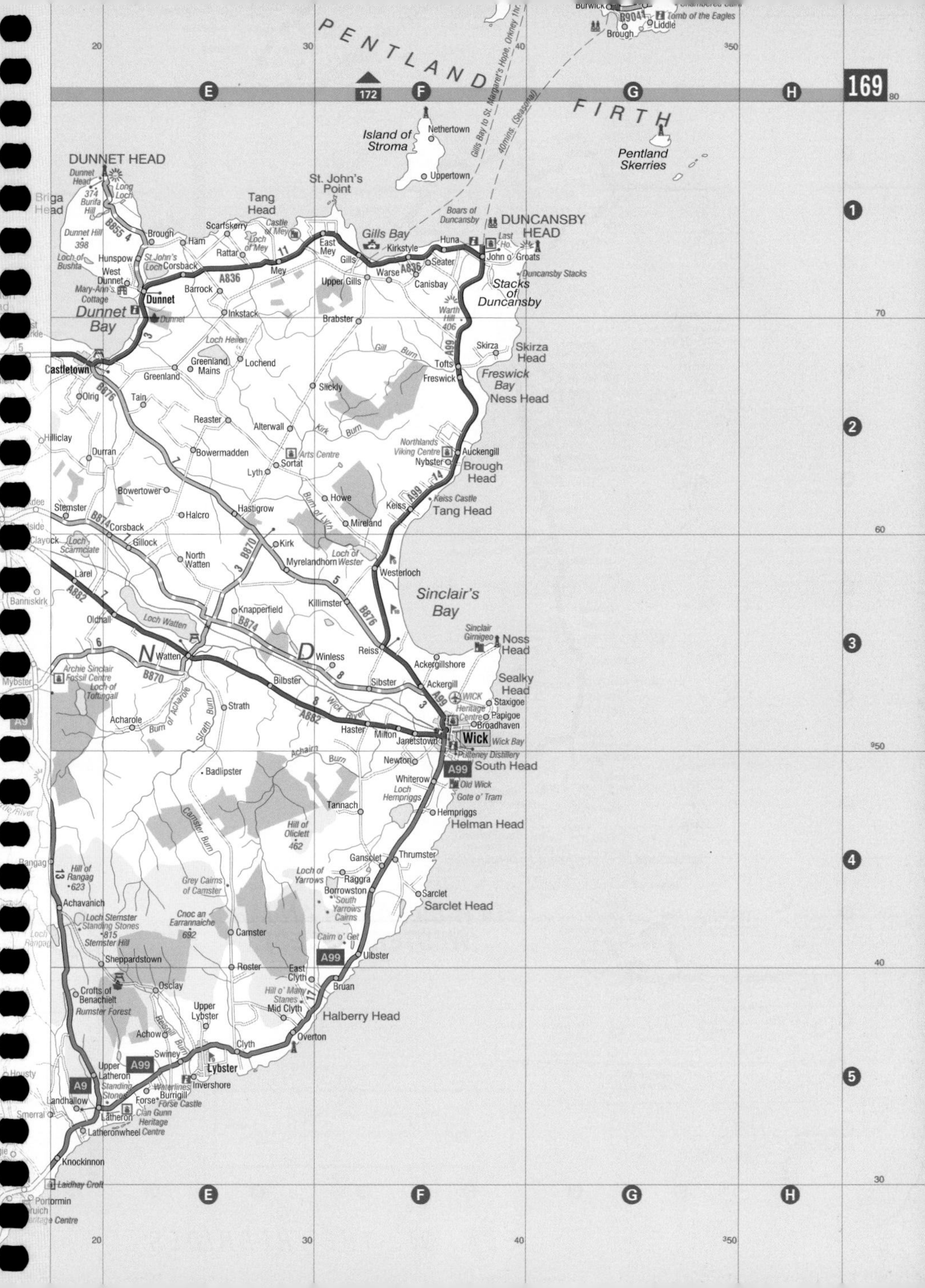
PENTLAND FIRTH
Island of Stroma
Nethertown
Uppertown
Pentland Skerries
DUNNET HEAD
DUNCANSBY HEAD
John o' Groats
Stacks of Duncansby
Dunnet Bay
Dunnet
Castletown
St. John's Point
Tang Head
Gills Bay
Mey
Canisbay
Freswick Bay
Ness Head
Brough Head
Tang Head
Sinclair's Bay
Noss Head
Sealky Head
Wick
Wick Bay
South Head
Helman Head
Sarclet Head
Halberry Head
Lybster
Latheron
Watten
Loch Watten
Thrumster
Ulbster
Keiss
Auckengill
Reiss
Ackergill
Bilbster
Hill of Oliclett 462
Grey Cairns of Camster
Camster
Gills Bay to St. Margaret's Hope, Orkney Isl. 40mins. (Seasonal)
A99
A9
A836
A882
B876
B874
B870
B855

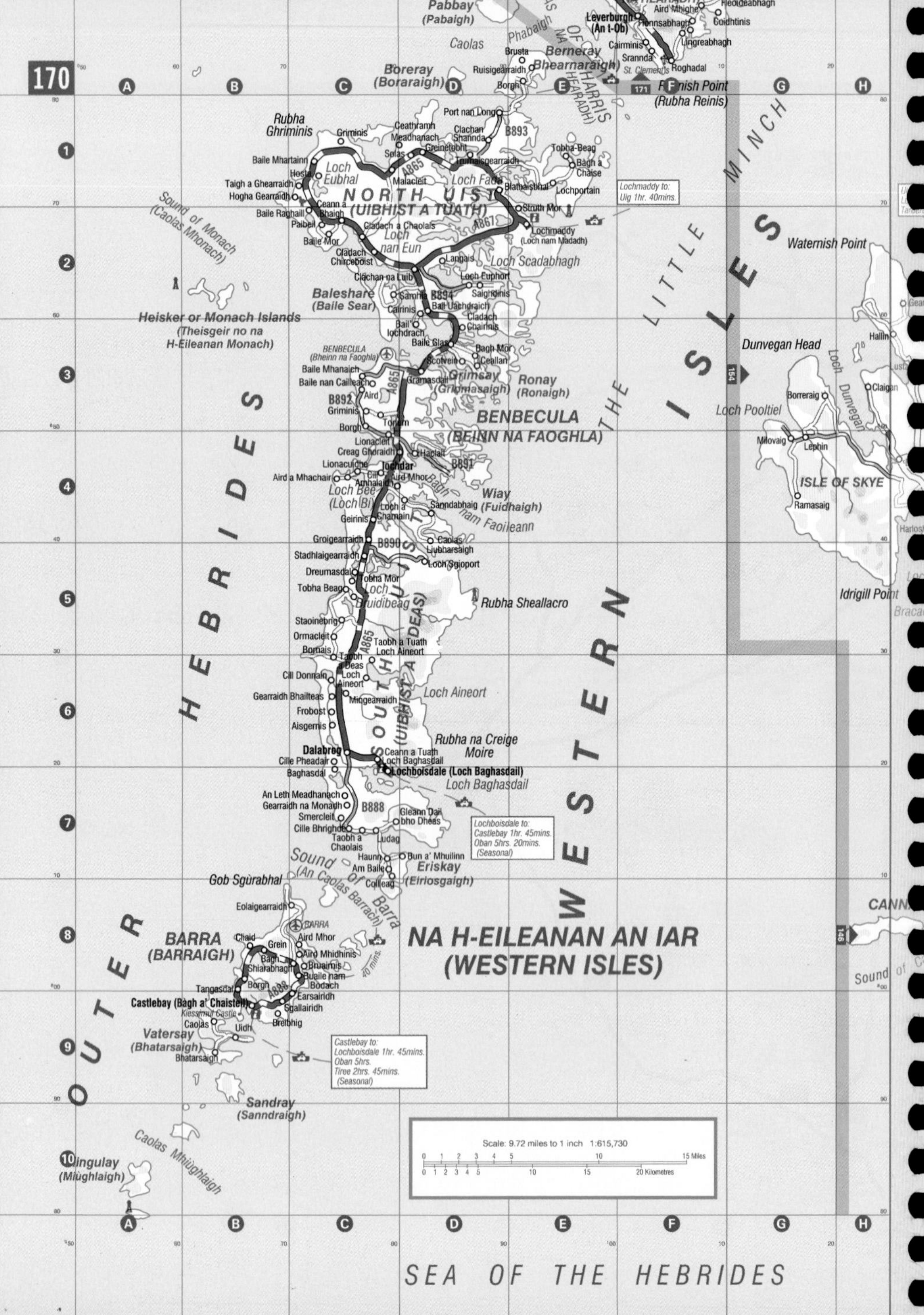
Pabbay
(Pabaigh)
Caolas Phabaigh
Leverburgh
(An t-Ob)
Aird Mhighe
Fleoideabhagh
Fionnsabhagh
Coidhtinis
Lingreabhagh
Cairminis
Srannda
Roghadal
St. Clement's
Brusta
Berneray
(Bhearnaraigh)
Ruisigearraidh
Borgh
Boreray
(Boraraigh)
SOUND OF HARRIS
(CAOLAS NA HEARADH)
171
Renish Point
(Rubha Reinis)
THE LITTLE MINCH
Rubha Ghriminis
Griminis
Ceathramh Meadhanach
Port nan Long
Clachan Shannda
B893
Solas
Greinetobht
Baile Mhartainn
Hosta
Loch Eubhal
A865
Trumaisgearraidh
Tobha-Beag
Bàgh a Chaise
Taigh a Ghearraidh
Hogha Gearraidh
Malacleit
Loch Fada
Blathaisbhal
Lochportain
NORTH UIST
(UIBHIST A TUATH)
Lochmaddy to:
Uig 1hr. 40mins.
Sound of Monach
(Caolas Mhonach)
Baile Raghaill
Ceann a Bhaigh
Struth Mor
A867
Paibeil
Cladach a Chaolais
Lochmaddy
(Loch nam Madadh)
Baile Mor
Loch nan Eun
Waternish Point
Cladach Chirceboist
Langais
Loch Scadabhagh
Clachan na Luib
Loch Euphort
Baleshare
(Baile Sear)
Samhla
B894
Saighdinis
Cairinis
Ball Uachdrach
Cladach Chairinis
Heisker or Monach Islands
(Theisgeir no na
H-Eileanan Monach)
Bail' Iochdrach
Baile Glas
Geary
Hallin
BENBECULA
(Bheinn na Faoghla)
Bagh Mor
Ceallan
Dunvegan Head
Baile Mhanaich
Scotvein
Grimsay
(Griomasaigh)
Ronay
(Ronaigh)
154
Baile nan Cailleach
Gramasdail
A865
Claigan
Aird
Loch Dunvegan
B892
Griminis
Borreraig
Loch Pooltiel
Torlum
BENBECULA
(BEINN NA FAOGHLA)
Borgh
Lionacleit
Creag Ghoraidh
Haclait
Milovaig
Lephin
Lionacuidhe
Iochdar
B891
Aird a Mhachair
Cill Amhlaidh
Aird Mhor
ISLE OF SKYE
Loch Bee
(Loch Bi)
Bagh nam Faoileann
Wiay
(Fuidhaigh)
Ramasaig
Loch a Chàrnain
Sanndabhaig
Geirinis
Groigearraidh
B890
Caolas Liubharsaigh
Harlosh
Stadhlaigearraidh
Loch Sgioport
Dreumasdal
Tobha Mor
Tobha Beag
Loch Druidibeag
Rubha Sheallacro
Idrigill Point
Bracadale
OUTER HEBRIDES
Staoinebrig
Ormacleit
THE WESTERN ISLES
Bornais
A865
Taobh a Tuath Loch Aineort
Taobh a Deas Loch Aineort
Cill Donnain
SOUTH UIST
(UIBHIST A DEAS)
Gearraidh Bhailteas
Loch Aineort
Frobost
Mingearraidh
Aisgernis
Rubha na Creige Moire
Dalabrog
Ceann a Tuath Loch Baghasdail
Cille Pheadair
Baghasdal
Lochboisdale (Loch Baghasdail)
Loch Baghasdail
An Leth Meadhanach
Gearraidh na Monadh
B888
Smercleit
Gleann Dail bho Dheas
Cille Bhrighde
Lochboisdale to:
Castlebay 1hr. 45mins.
Oban 5hrs. 20mins.
(Seasonal)
Taobh a Chaolais
Ludag
Sound of Barra
(An Caolas Barrach)
Haunn
Bun a' Mhuilinn
Am Baile
Eriskay
(Eiriosgaigh)
Gob Sgùrabhal
Coilleag
Eolaigearraidh
CANNA
BARRA
Aird Mhor
NA H-EILEANAN AN IAR
(WESTERN ISLES)
BARRA
(BARRAIGH)
Cliaid
Grein
Aird Mhidhinis
146
Bagh Shiarabhagh
Bruairnis
40 mins.
Buaile nam Bodach
Sound of Canna
Tangasdal
Borgh
A888
Castlebay (Bàgh a' Chaisteil)
Earsairidh
Kiessimul Castle
Sgallairidh
Caolas
Uidh
Brevbhig
Vatersay
(Bhatarsaigh)
Bhatarsaigh
Castlebay to:
Lochboisdale 1hr. 45mins.
Oban 5hrs.
Tiree 2hrs. 45mins.
(Seasonal)
Sandray
(Sanndraigh)
Caolas Mhiùghlaigh
Mingulay
(Miùghlaigh)
Scale: 9.72 miles to 1 inch 1:615,730
0 1 2 3 4 5 10 15 Miles
0 1 2 3 4 5 10 15 20 Kilometres
SEA OF THE HEBRIDES

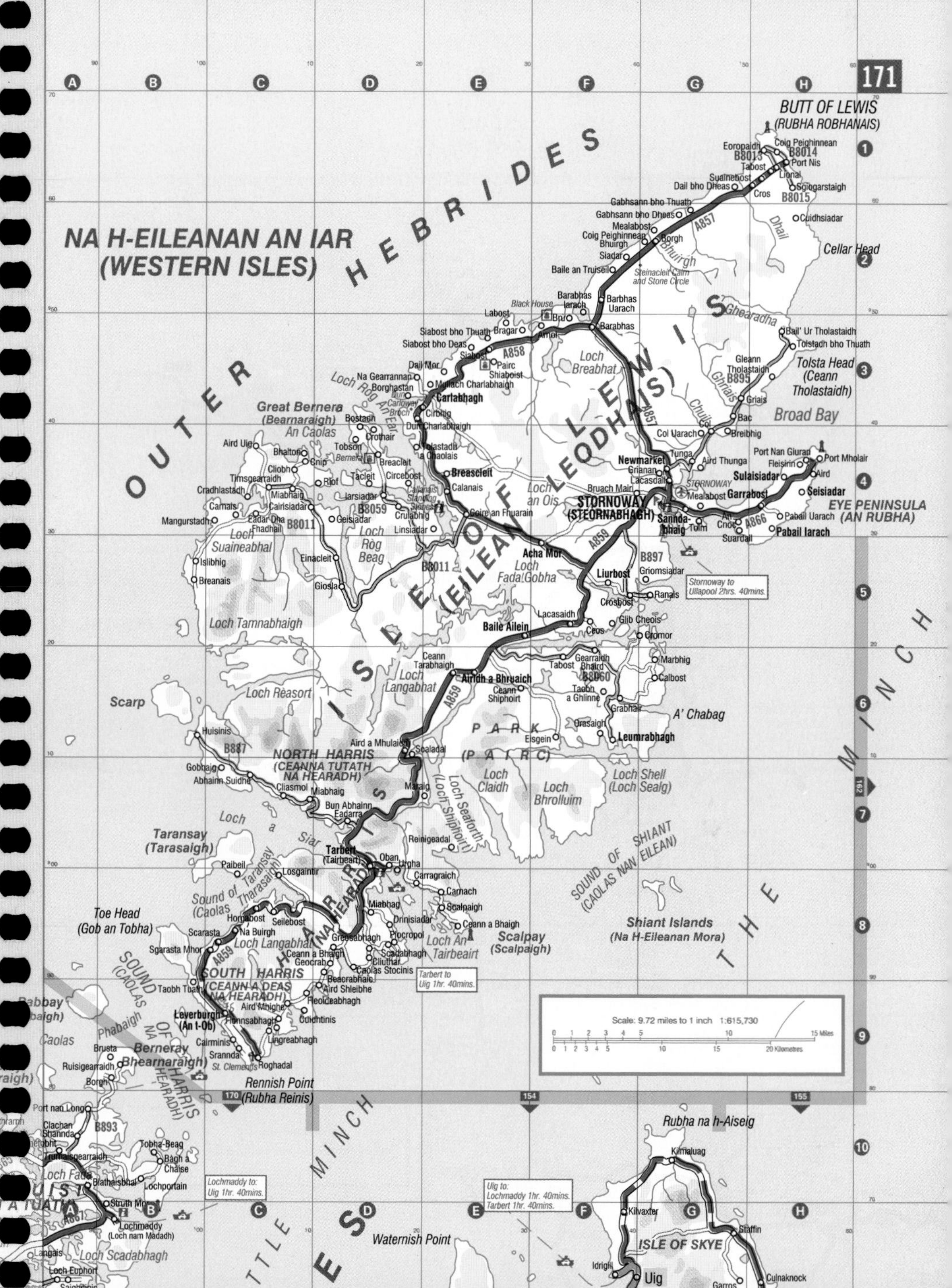
NA H-EILEANAN AN IAR
(WESTERN ISLES)
OUTER HEBRIDES
ISLE OF LEWIS (EILEAN LEODHAIS)
BUTT OF LEWIS
(RUBHA ROBHANAIS)
Eoropaidh
Coig Peighinnean
B8014
B8013
Tabost
Port Nis
Lional
Sgiogarstaigh
B8015
Suainebost
Dail bho Dheas
Cros
Cuidhsiadar
Gabhsann bho Thuath
Gabhsann bho Dheas
A857
Mealabost
Coig Peighinnean Bhuirgh
Borgh
Siadar
Baile an Truiseil
Steinacleit Cairn and Stone Circle
Cellar Head
Barabhas Iarach
Barbhas Uarach
Black House
Labost
Bragar
Brù
Barabhas
Arnol
Siabost bho Thuath
Siabost bho Deas
Siabost
A858
Pairc Shiaboist
Dail Mòr
Na Gearrannan
Borghastan
Mullach Charlabhaigh
Carlabhagh
Loch Rog An Ear
Cirbhig
Dun Charlabhaigh
Tolastadh a Chaolais
Loch Breabhat
Gheàradha
Bail' Ur Tholastaidh
Tolstadh bho Thuath
Gleann Tholastaidh
B895
Tolsta Head
(Ceann Tholastaidh)
Griais
Bac
Broad Bay
Col
Col Uarach
Breibhig
Great Bernera
(Bearnaraigh)
An Caolas
Bostadh
Crothair
Tobson
Aird Uig
Bhaltos
Cnip
Cliobh
Breacleit
Tacleit
Circebost
Riof
Timsgearraidh
Cradhlastadh
Miabhaig
Cairisiadar
Iarsiadar
Calanais Standing Stones
Breascleit
Calanais
Tunga
Aird Thunga
Newmarket
Grianan
Lacasdail
Port Nan Giuran
Port Mholair
Fleisirin
Aird
Sulaisiadar
Seisiadar
Garrabost
Mealabost
Bruach Mairi
STORNOWAY
(STEORNABHAGH)
Loch an Ois
Coire an Fhuarain
B8059
Crulabhig
Linsiadar
Camais
Eadar Dha Fhadhail
B8011
Geisiadar
Mangurstadh
Loch Suaineabhal
Loch Ròg Beag
Sanndabhaig
Tolm
Cnoc
A866
Pabail Uarach
Pabail Iarach
Suardail
EYE PENINSULA
(AN RUBHA)
Acha Mòr
A859
Loch Fada Gobha
B897
Liurbost
Griomsiadar
Stornoway to Ullapool 2hrs. 40mins.
Ranais
Crosbost
Islibhig
Breanais
Einacleit
Giosla
Loch Tamnabhaigh
Lacasaidh
Baile Ailein
Glib Cheois
Ceos
Cromor
Ceann Tarabhaigh
Tabost
Gearraidh Bhaird
Marbhig
Airidh a Bhruaich
B8060
Calbost
Ceann Shiphoirt
Loch Langabhat
Loch Rèasort
Scarp
Taobh a Ghlinne
Grabhair
A' Chabag
PARK (PAIRC)
Orasaigh
Eisgein
Leumrabhagh
Huisinis
B887
Aird a Mhulaidh
Scaladal
NORTH HARRIS
(CEANNA TUTATH NA HEARADH)
Gobhaig
Abhainn Suidhe
Cliasmol
Miabhaig
Maraig
Loch Seaforth
(Loch Shiphoirt)
Loch Claidh
Loch Bhrolluim
Loch Shell
(Loch Sealg)
THE MINCH
Bun Abhainn Eadarra
Loch a Siar
Taransay
(Tarasaigh)
Reinigeadal
Tarbert
(Tairbeart)
Oban
Urgha
Paibeil
Losgaintir
Sound of Taransay
(Caolas Tharasaigh)
Carragraich
Carnach
SOUND OF SHIANT
(CAOLAS NAN EILEAN)
HARRIS (NA HEARADH)
Miabhag
Scalpaigh
Toe Head
(Gob an Tobha)
Horgabost
Seilebost
Drinisiadar
Ceann a Bhaigh
Shiant Islands
(Na H-Eileanan Mora)
Scarasta
Na Buirgh
Plocropol
Scalpay
(Scalpaigh)
Sgarasta Mhor
Loch Langabhat
Greosabhagh
Ceann a Bhaigh
Geocrab
Scadabhagh
Cliuthar
Caolas Stocinis
Loch An Tairbeairt
A859
SOUND OF HARRIS
(CAOLAS NA HEARADH)
SOUTH HARRIS
(CEANN A DEAS NA HEARADH)
Tarbert to Uig 1hr. 40mins.
Taobh Tuath
Beacrabhaic
Aird Shleibhe
Fleoideabhagh
Aird Mhighe
Cuidhtinis
Leverburgh
(An t-Ob)
Fionnsabhagh
Lingreabhagh
Scale: 9.72 miles to 1 inch 1:615,730
15 Miles
20 Kilometres
Pabbay
Caolas Phabaigh
Cairminis
Srannda
Roghadal
St. Clements
Berneray
(Bearnaraigh)
Brusta
Ruisigearraidh
Borgh
Rennish Point
(Rubha Reinis)
170
154
155
162
Port nan Long
B893
Clachan Shannda
Tobha-Beag
Bagh a Chaise
Trumaisgearraidh
Loch Fada
Blathaisbhal
Lochportain
Struth Mor
Lochmaddy to: Uig 1hr. 40mins.
Uig to: Lochmaddy 1hr. 40mins. Tarbert 1hr. 40mins.
Lochmaddy
(Loch nam Madadh)
Langais
Loch Scadabhagh
Loch Euphort
Saighdinis
LITTLE MINCH
Waternish Point
Rubha na h-Aiseig
Kilmaluag
Kilvaxter
Staffin
ISLE OF SKYE
Idrigill
Uig
Garros
Culnaknock
A
B
C
D
E
F
G
H
1
2
3
4
5
6
7
8
9
10

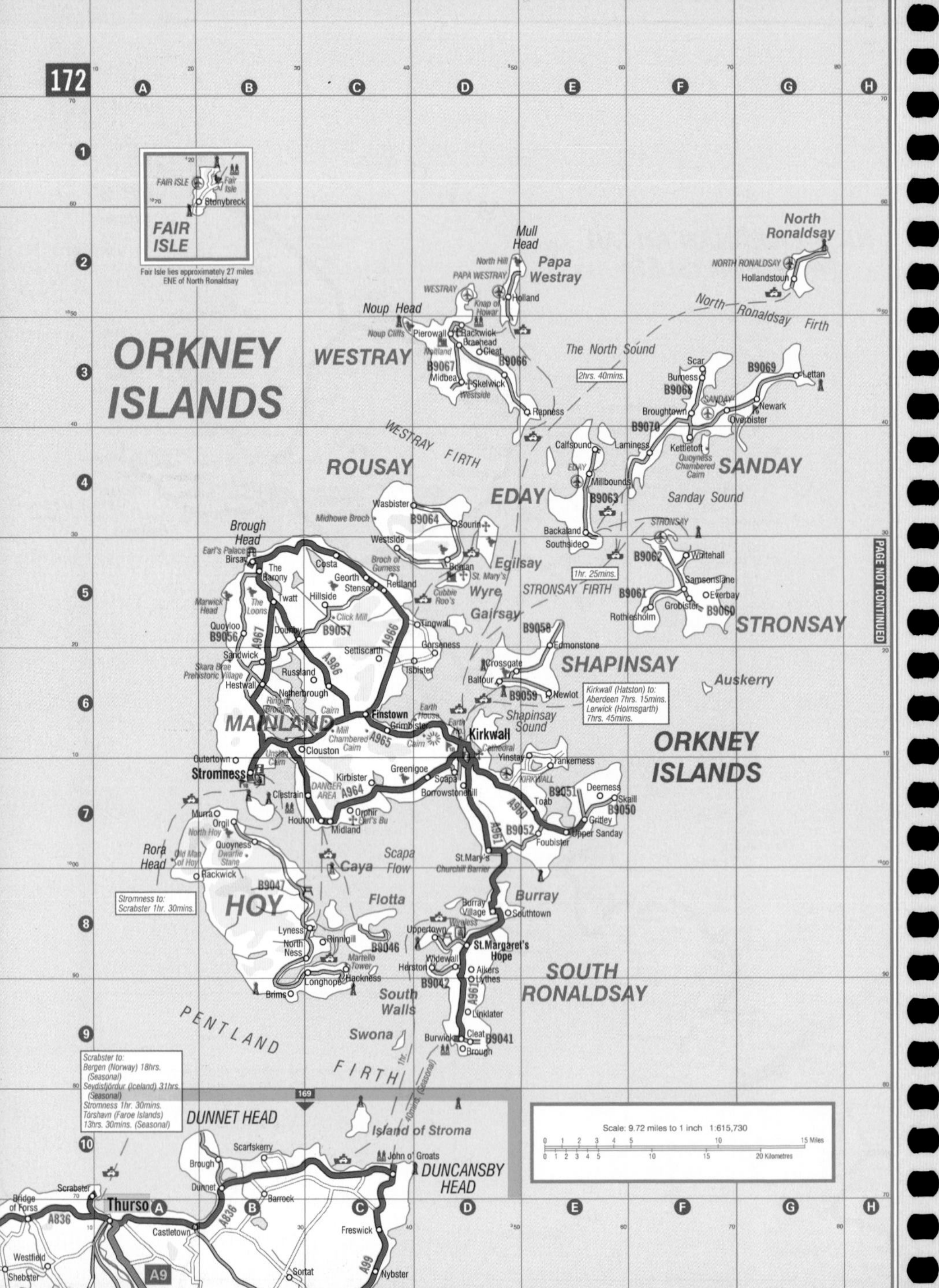
ORKNEY ISLANDS
FAIR ISLE
Stonybreck
Fair Isle lies approximately 27 miles ENE of North Ronaldsay
North Ronaldsay
Hollandstoun
North Ronaldsay Firth
Mull Head
Papa Westray
Holland
Noup Head
WESTRAY
Pierowall
Rackwick
Braehead
Cleat
B9066
B9067
Midbea
Skelwick
Rapness
The North Sound
2hrs. 40mins.
Scar
Burness
B9068
B9069
Lettan
Broughtown
Newark
Overbister
B9070
Laminess
Kettletoft
Quoyness Chambered Cairn
SANDAY
Sanday Sound
WESTRAY FIRTH
ROUSAY
EDAY
Calfsound
Millbounds
B9063
Backaland
Southside
Wasbister
Midhowe Broch
B9064
Sourin
Westside
Broch of Gurness
Egilsay
Wyre
Gairsay
STRONSAY FIRTH
1hr. 25mins.
Whitehall
Samsonslane
Everbay
B9062
B9061
Grobister
B9060
Rothiesholm
STRONSAY
Brough Head
Earl's Palace
Birsay
The Barony
Costa
Georth
Stenso
Hillside
Evie
Twatt
Marwick Head
The Loons
Click Mill
Quoyloo
B9056
A967
Dounby
B9057
A966
Tingwall
Gorseness
B9058
Edmonstone
SHAPINSAY
Sandwick
Skara Brae Prehistoric Village
Settiscarth
Russland
A986
Isbister
Crossgate
Balfour
B9059
Newlot
Kirkwall (Hatston) to: Aberdeen 7hrs. 15mins. Lerwick (Holmsgarth) 7hrs. 45mins.
Auskerry
Hestwall
Netherbrough
Ring of Brodgar
MAINLAND
Finstown
Grimbister
Shapinsay Sound
Mill Chambered Cairn
A965
Kirkwall
Cathedral
Outertown
Clouston
Unstan Cairn
Yinstay
Tankerness
ORKNEY ISLANDS
Stromness
Kirbister
Greenigoe
Scapa
Clestrain
DANGER AREA
A964
Borrowstonehill
B9051
Deerness
Skaill
B9050
Toab
A960
Gritley
Upper Sandey
Murra
Orgil
Houton
Orphir
Midland
A961
B9052
Foubister
North Hoy
Quoyness
Dwarfie Stane
Rora Head
Old Man of Hoy
Rackwick
Caya
Scapa Flow
St. Mary's
Churchill Barrier
B9047
Stromness to: Scrabster 1hr. 30mins.
HOY
Flotta
Burray
Burray Village
Southtown
Lyness
Uppertown
North Ness
Rinnigill
B9046
St. Margaret's Hope
Herston
Widewall
Aikers
Lythes
Martello Tower
Longhope
Hackness
B9042
A961
SOUTH RONALDSAY
Brims
South Walls
Linklater
PENTLAND
Swona
Burwick
Cleat
B9041
Brough
FIRTH
1hr.
40mins. (Seasonal)
Scrabster to: Bergen (Norway) 18hrs. (Seasonal) Seydisfjördur (Iceland) 31hrs. (Seasonal) Stromness 1hr. 30mins. Tórshavn (Faroe Islands) 13hrs. 30mins. (Seasonal)
169
DUNNET HEAD
Island of Stroma
Scale: 9.72 miles to 1 inch 1:615,730
0 1 2 3 4 5 10 15 Miles
0 1 2 3 4 5 10 15 20 Kilometres
Scarfskerry
Brough
John o' Groats
DUNCANSBY HEAD
Scrabster
Dunnet
Barrock
Bridge of Forss
Thurso
A836
Castletown
Freswick
Westfield
Shebster
A9
Sortat
A99
Nybster
PAGE NOT CONTINUED

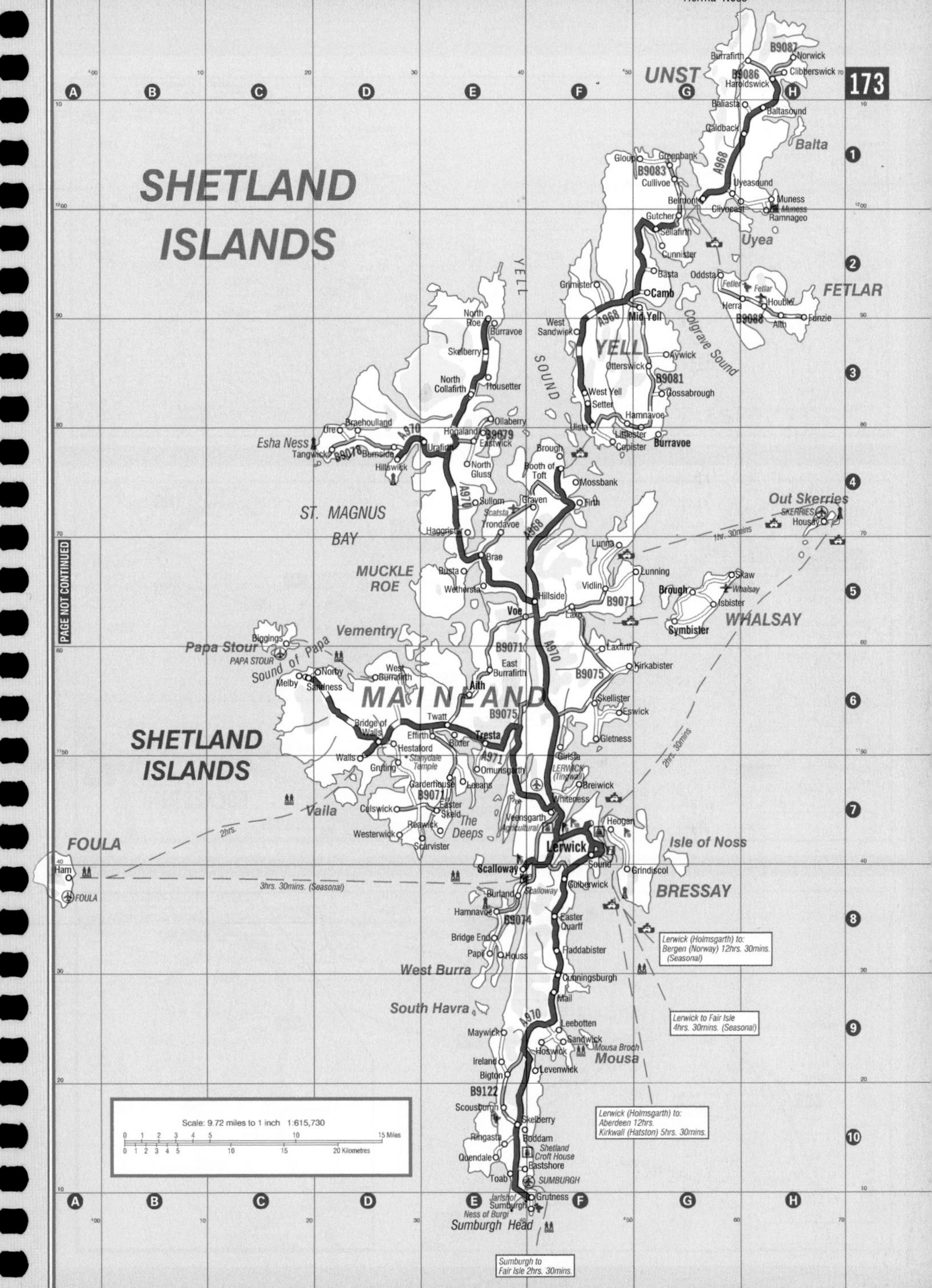
SHETLAND ISLANDS
UNST
Burrafirth
B9087
Norwick
B9086
Haroldswick
Clibberswick
Baliasta
Baltasound
Caldback
Balta
A968
Gloup
Greenbank
B9083
Cullivoe
Belmont
Uyeasound
Muness
Clivocast
Ramnageo
Gutcher
Sellafirth
Uyea
Cunnister
Basta
Oddsta
Fetlar
FETLAR
Grimister
Camb
Houbie
Herra
Mid Yell
B9088
Aith
Funzie
West Sandwick
YELL
Colgrave Sound
Aywick
Otterswick
B9081
Gossabrough
West Yell
Setter
Hamnavoe
Ulsta
Littlester
Copister
Burravoe
YELL SOUND
North Roe
Burravoe
Skelberry
North Collafirth
Housetter
Ollaberry
Hogaland
B9079
Eastwick
Braehoulland
Ure
A970
Esha Ness
Tangwick
B9078
Burnside
Urafirth
Hillswick
North Gluss
Brough
Booth of Toft
Mossbank
Firth
Sullom
Graven
Scatsta
Trondavoe
Haggrister
A968
ST. MAGNUS BAY
Out Skerries
SKERRIES
Housay
1hr. 30mins
Lunna
Lunning
Skaw
Brae
Busta
MUCKLE ROE
Wethersta
Hillside
Vidlin
Brough
Whalsay
Isbister
WHALSAY
Voe
Laxo
B9071
Symbister
Vementry
Biggings
Papa Stour
PAPA STOUR
Sound of Papa
B9071
Laxfirth
Kirkabister
East Burrafirth
B9075
West Burrafirth
Norby
Melby
Sandness
Aith
MAINLAND
Skellister
Eswick
B9075
Bridge of Walls
Twatt
Effirth
Bixter
Tresta
Gletness
Hestaford
A971
Girlsta
Walls
Gruting
Stanydale Temple
Omunsgarth
LERWICK (Tingwall)
2hrs. 30mins
Garderhouse
Breiwick
Veensgarth
Whiteness
Leeans
B9071
Vaila
Culswick
Easter Skeld
The Deeps
Heogan
Westerwick
Reawick
Agricultural
Scarvister
Lerwick
Isle of Noss
FOULA
2hrs.
Ham
Scalloway
Sound
Grindiscol
FOULA
3hrs. 30mins. (Seasonal)
Scalloway
Gulberwick
BRESSAY
Burland
Hamnavoe
B9074
Easter Quarff
Lerwick (Holmsgarth) to: Bergen (Norway) 12hrs. 30mins. (Seasonal)
Bridge End
Fladdabister
Papil
Houss
West Burra
Cunningsburgh
Mail
South Havra
Lerwick to Fair Isle 4hrs. 30mins. (Seasonal)
A970
Leebotten
Maywick
Sandwick
Hoswick
Mousa Broch
Mousa
Ireland
Bigton
Levenwick
B9122
Scousburgh
Lerwick (Holmsgarth) to: Aberdeen 12hrs. Kirkwall (Hatston) 5hrs. 30mins.
Skelberry
Scale: 9.72 miles to 1 inch 1:615,730
Miles
Kilometres
Ringasta
Boddam
Shetland Croft House
Quendale
Eastshore
Toab
SUMBURGH
Jarlshof
Sumburgh
Grutness
Ness of Burgi
Sumburgh Head
Sumburgh to Fair Isle 2hrs. 30mins.
PAGE NOT CONTINUED

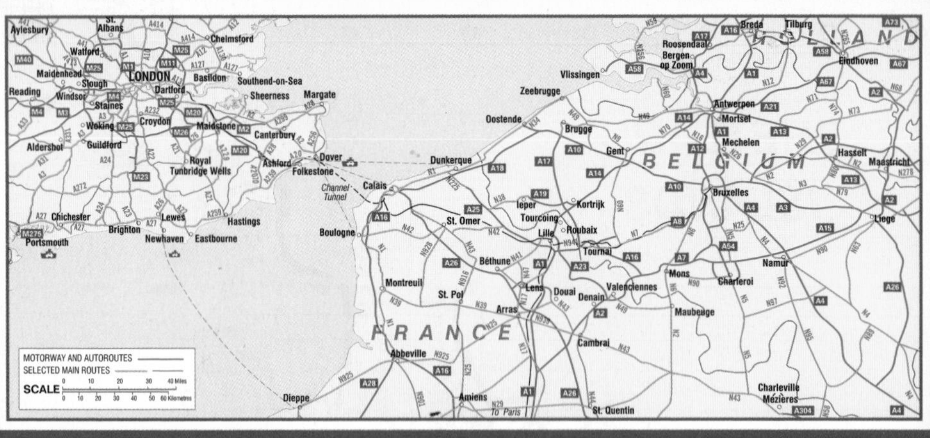
MOTORWAY AND AUTOROUTES
SELECTED MAIN ROUTES
SCALE
LONDON
Dover
Folkestone
Channel Tunnel
Calais
FRANCE
BELGIUM
HOLLAND

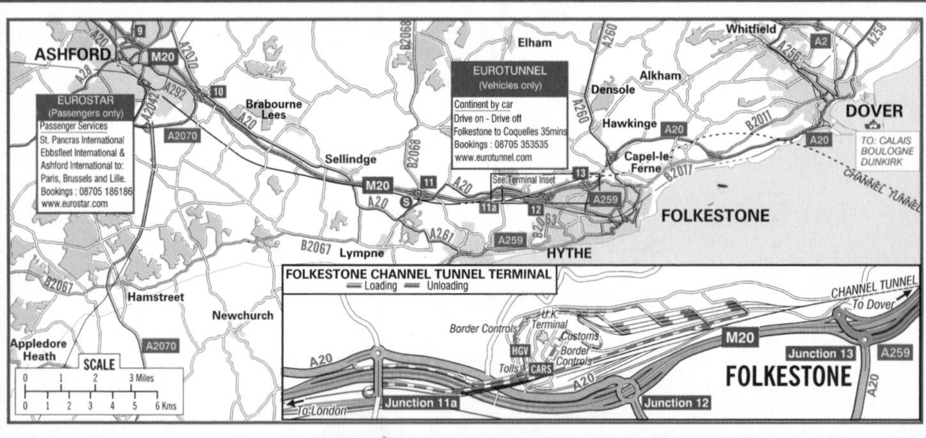
EUROSTAR
(Passengers only)
Passenger Services
St. Pancras International
Ebbsfleet International &
Ashford International to:
Paris, Brussels and Lille.
Bookings : 08705 186186
www.eurostar.com
EUROTUNNEL
(Vehicles only)
Continent by car
Drive on - Drive off
Folkestone to Coquelles 35mins
Bookings : 08705 353535
www.eurotunnel.com
ASHFORD
DOVER
FOLKESTONE
HYTHE
TO: CALAIS
BOULOGNE
DUNKIRK
CHANNEL TUNNEL
FOLKESTONE CHANNEL TUNNEL TERMINAL
Loading
Unloading
Junction 11a
Junction 12
Junction 13
To London
To Dover
SCALE

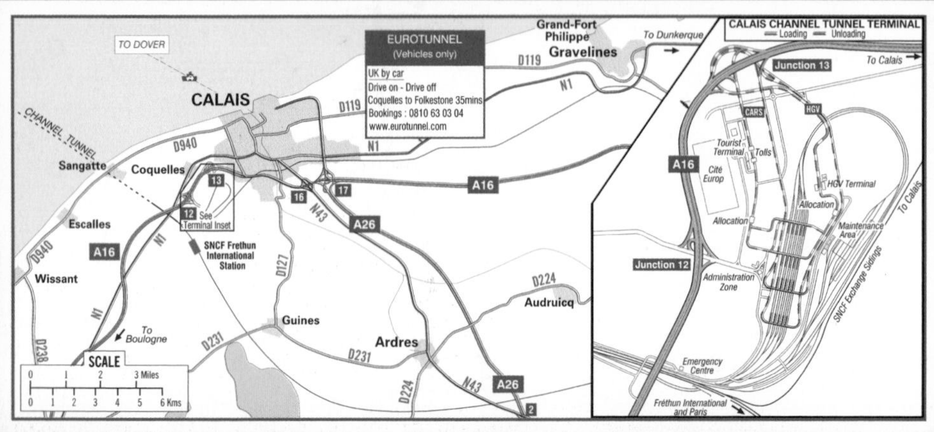
TO DOVER
EUROTUNNEL
(Vehicles only)
UK by car
Drive on - Drive off
Coquelles to Folkestone 35mins
Bookings : 0810 63 03 04
www.eurotunnel.com
CALAIS
CHANNEL TUNNEL
SNCF Frethun International Station
CALAIS CHANNEL TUNNEL TERMINAL
Loading
Unloading
Junction 12
Junction 13
To Calais
Tourist Terminal
Tolls
HGV Terminal
Allocation
Maintenance Area
Administration Zone
Emergency Centre
SNCF Exchange Sidings
Fréthun International and Paris
To Boulogne
SCALE

Mileage Chart

The distances for the mileage chart have been compiled by using a combination of Primary Routes and Motorways between any two towns shown.

To find the distance between any two towns shown, follow the horizontal line of one town and the vertical line of the other; at the intersection read off the mileage.

ie : Horizontal - LONDON
Vertical - LIVERPOOL
Intersection 216 miles

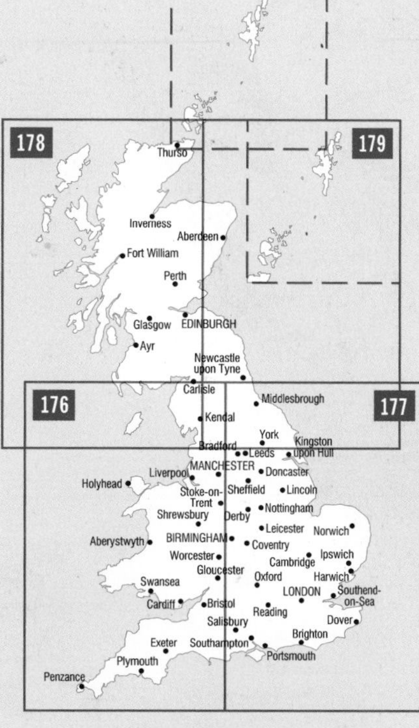

Key to Route Planning Map Pages

PRIMARY ROUTES, shown in green throughout this Atlas, are a national network of recommended through routes which complement the motorway system. Selected places of major traffic importance are known as Primary Route Destinations and, on road signs, have a green background.

ABERDEEN
449 ABERYSTWYTH
181 324 AYR
400 114 272 BIRMINGHAM
330 159 196 124 BRADFORD
562 258 441 169 263 BRIGHTON
503 122 375 88 215 129 BRISTOL
447 198 366 102 156 117 167 CAMBRIDGE
505 106 377 106 233 168 42 201 CARDIFF
217 232 89 183 107 345 286 256 288 CARLISLE
437 134 297 18 124 157 102 84 129 200 COVENTRY
397 137 269 41 88 188 134 99 159 180 43 DERBY
340 192 239 95 40 232 184 117 210 150 94 57 DONCASTER
558 315 477 195 284 81 194 118 233 393 180 208 244 DOVER
125 340 75 284 198 466 377 326 379 91 303 266 212 444 EDINBURGH
148 430 136 391 305 568 478 456 486 198 415 387 345 591 131 549 FORT WILLIAM
148 322 36 291 203 468 378 355 384 96 313 282 245 491 46 449 100 GLASGOW
445 109 317 53 171 152 35 132 53 228 59 93 149 189 331 107 435 324 GLOUCESTER
520 258 411 170 224 130 203 64 234 323 152 167 185 129 397 262 524 419 171 HARWICH
443 96 315 151 158 330 204 252 209 226 167 156 169 358 316 279 423 323 189 331 HOLYHEAD
107 492 198 449 353 620 536 490 558 246 458 421 369 601 157 607 63 162 496 554 481 INVERNESS
505 268 420 156 210 125 206 54 240 311 138 155 171 127 381 264 510 409 177 21 307 538 IPSWICH
269 182 139 151 62 324 235 215 232 50 170 136 99 344 141 307 248 146 200 279 180 310 268 KENDAL
357 235 255 139 68 243 228 134 239 165 123 94 37 254 230 290 367 255 195 204 218 387 189 127 KINGSTON UPON HULL
316 171 198 119 9 256 209 144 226 111 117 74 32 275 190 279 309 208 167 217 162 345 197 72 60 LEEDS
407 155 294 43 99 163 118 70 140 214 24 30 73 183 282 189 412 312 83 146 182 431 125 166 98 97 LEICESTER
376 208 249 87 80 207 170 88 192 178 76 53 41 206 247 241 379 279 115 152 204 402 124 140 46 72 52 LINCOLN
327 120 199 99 67 267 180 179 169 110 113 90 89 294 201 240 308 213 142 265 95 370 236 75 126 73 110 118 LIVERPOOL
321 128 204 87 37 252 167 159 188 117 99 58 51 273 208 239 315 215 132 230 120 363 211 72 96 42 95 87 34 MANCHESTER
273 233 181 174 69 316 265 196 287 92 175 130 84 316 147 337 279 192 230 266 226 306 253 77 88 64 154 127 134 106 MIDDLESBROUGH
230 266 146 209 98 345 300 232 312 58 209 165 115 350 104 369 237 153 263 297 257 263 287 88 130 96 188 153 167 136 40 NEWCASTLE UPON TYNE
476 270 348 163 185 174 234 62 256 280 142 146 142 169 351 284 478 378 193 72 289 505 44 249 145 178 112 103 222 177 221 252 NORWICH
381 155 267 54 78 191 140 84 165 188 52 15 48 210 256 218 386 286 108 165 177 410 140 141 92 72 27 37 107 68 128 159 118 NOTTINGHAM
485 151 335 68 167 106 73 92 106 267 57 101 138 142 358 151 465 365 47 134 208 515 128 223 175 162 76 123 168 157 218 253 159 104 OXFORD
680 301 552 269 394 279 184 343 218 463 278 316 369 355 510 109 663 561 217 374 388 715 375 419 412 391 310 359 353 344 449 481 393 323 261 PENZANCE
87 366 85 336 245 509 412 370 422 134 346 309 254 485 43 487 103 95 362 439 360 113 424 184 273 233 326 290 244 254 191 148 394 299 404 598 PERTH
589 232 461 203 325 206 111 274 159 372 209 254 300 286 485 43 592 490 150 305 322 648 305 348 323 323 231 284 278 268 373 405 323 261 112 52 529 PLYMOUTH
575 231 440 147 274 50 95 132 138 357 132 184 231 137 448 127 555 455 114 161 303 603 158 308 268 245 166 209 254 237 315 360 200 191 33 235 486 170 PORTSMOUTH
526 180 399 103 213 79 77 90 112 309 90 138 184 115 402 141 506 406 75 129 264 554 126 263 209 207 113 168 193 197 264 295 152 129 25 251 445 184 60 READING
529 178 383 121 245 82 53 140 101 312 113 159 207 158 400 91 510 408 73 177 262 569 177 265 251 230 132 187 213 208 287 318 200 162 65 201 443 132 43 57 SALISBURY
355 173 235 79 40 225 163 121 193 154 75 35 21 268 230 245 352 250 139 185 164 387 176 102 66 33 68 46 74 40 102 133 144 37 137 361 273 393 228 160 203 SHEFFIELD
388 73 260 47 100 216 116 140 107 171 64 67 114 249 262 175 369 267 77 215 104 424 195 125 163 102 79 123 59 67 166 203 196 86 105 286 309 218 195 147 150 85 SHREWSBURY
547 213 401 128 235 64 75 129 122 330 114 167 201 150 433 106 528 426 98 157 287 590 162 276 249 230 136 189 235 215 288 320 190 162 66 217 476 149 20 47 23 206 175 SOUTHAMPTON
520 258 431 152 220 85 177 64 211 342 129 168 185 89 395 236 538 438 152 57 303 549 57 283 200 213 139 156 255 225 262 299 99 160 105 337 439 269 117 98 132 197 173 126 SOUTHEND-ON-SEA
374 108 243 47 75 217 127 137 140 150 64 36 74 236 241 202 348 248 95 201 147 408 210 141 179 121 117 78 55 87 56 36 142 173 115 51 183 187 241 201 147 168 50 35 183 199 STOKE-ON-TRENT
496 76 368 124 220 209 80 236 41 279 150 184 244 264 370 154 477 375 91 279 172 578 279 249 262 229 174 226 168 187 293 323 286 178 144 266 446 196 175 147 136 202 124 159 245 159 SWANSEA
213 584 304 557 461 728 644 589 640 352 552 529 475 706 262 715 169 268 604 657 589 108 654 402 492 453 544 510 463 471 410 367 613 519 621 823 220 758 709 662 664 506 523 682 659 502 631 THURSO
437 96 309 29 135 162 62 119 73 220 46 68 124 197 306 136 418 311 28 168 101 203 229 180 85 57 244 350 177 146 95 101 103 49 124 150 65 97 572 WORCESTER
312 193 201 129 34 269 227 151 237 116 134 109 84 33 269 187 289 314 214 181 232 185 344 200 81 38 24 108 76 96 65 48 83 176 84 174 400 230 331 257 217 264 114 268 450 164 YORK
501 206 390 118 203 53 118 58 150 305 97 128 165 76 373 171 503 403 101 79 264 527 76 264 188 196 102 143 216 200 246 278 114 130 55 282 416 214 74 39 84 161 160 78 43 160 187 636 110 203 LONDON

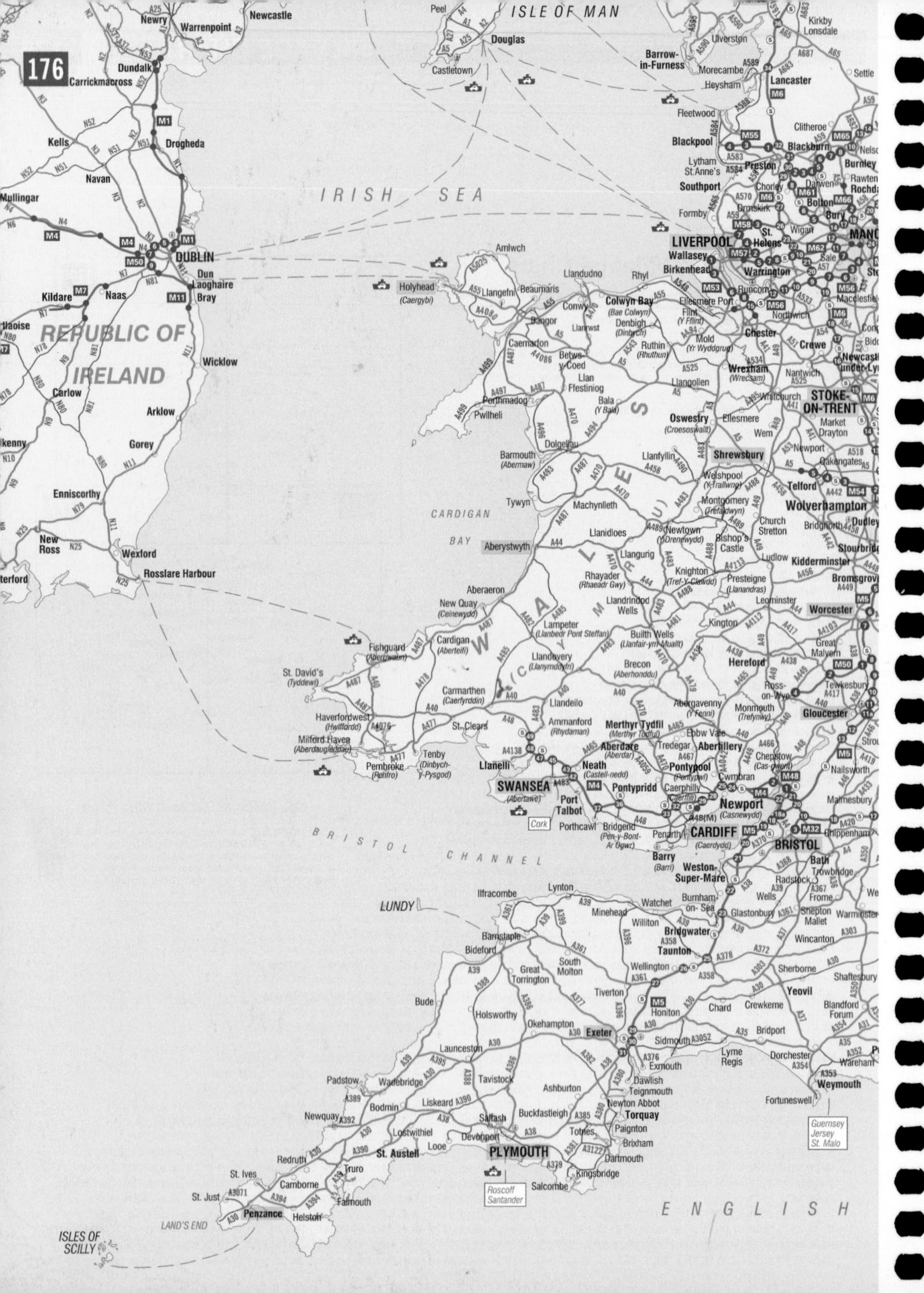
ISLE OF MAN
Peel
Douglas
Castletown
Newry
Warrenpoint
Newcastle
Dundalk
Carrickmacross
Kells
Drogheda
Navan
Mullingar
IRISH SEA
DUBLIN
Dun Laoghaire
Bray
Kildare
Naas
REPUBLIC OF IRELAND
Wicklow
Carlow
Arklow
Gorey
Enniscorthy
New Ross
Wexford
Rosslare Harbour
Barrow-in-Furness
Ulverston
Kirkby Lonsdale
Morecambe
Heysham
Lancaster
Settle
Fleetwood
Clitheroe
Blackpool
Blackburn
Lytham St.Anne's
Preston
Burnley
Southport
Chorley
Darwen
Bolton
Bury
Formby
Ormskirk
Wigan
St. Helens
LIVERPOOL
Wallasey
Birkenhead
Warrington
Runcorn
Ellesmere Port
Northwich
Macclesfield
Chester
Crewe
Amlwch
Holyhead
(Caergybi)
Llangefni
Beaumaris
Llandudno
Rhyl
Conwy
Colwyn Bay
(Bae Colwyn)
Flint
(Y Fflint)
Bangor
Llanrwst
Denbigh
(Dinbych)
Mold
(Yr Wyddgrug)
Caernarfon
Betws-y-Coed
Ruthin
(Rhuthun)
Wrexham
(Wrecsam)
Nantwich
Llan Ffestiniog
Llangollen
Porthmadog
Pwllheli
Bala
(Y Bala)
Whitchurch
STOKE-ON-TRENT
Oswestry
(Croesoswallt)
Ellesmere
Wem
Market Drayton
Dolgellau
Barmouth
(Abermaw)
Llanfyllin
Shrewsbury
Newport
Oakengates
Telford
Welshpool
(Y Trallwng)
Montgomery
(Trefaldwyn)
Wolverhampton
Tywyn
Machynlleth
CARDIGAN BAY
Newtown
(Y Drenewydd)
Church Stretton
Bridgnorth
Dudley
Llanidloes
Bishop's Castle
Aberystwyth
Llangurig
Ludlow
Kidderminster
Stourbridge
Rhayader
(Rhaeadr Gwy)
Knighton
(Tref-Y-Clawdd)
Presteigne
(Llanandras)
Bromsgrove
Aberaeron
Llandrindod Wells
Leominster
Worcester
New Quay
(Ceinewydd)
Lampeter
(Llanbedr Pont Steffan)
Kington
Great Malvern
Fishguard
(Abergwaun)
Cardigan
(Aberteifi)
Builth Wells
(Llanfair-ym-Muallt)
Llandovery
(Llanymddyfri)
Hereford
St. David's
(Tyddewi)
Brecon
(Aberhonddu)
Ross-on-Wye
Tewkesbury
Carmarthen
(Caerfyrddin)
Llandeilo
Abergavenny
(Y Fenni)
Monmouth
(Trefynwy)
Gloucester
Haverfordwest
(Hwlffordd)
St. Clears
Ammanford
(Rhydaman)
Merthyr Tydfil
(Merthyr Tudful)
Ebbw Vale
Milford Haven
(Aberdaugleddau)
Tredegar
Abertillery
Pembroke
(Penfro)
Tenby
(Dinbych-y-Pysgod)
Llanelli
Aberdare
(Aberdar)
Neath
(Castell-nedd)
Pontypool
(Pontypwl)
Chepstow
(Cas-gwent)
Nailsworth
SWANSEA
(Abertawe)
Pontypridd
Caerphilly
(Caerffili)
Cwmbran
Port Talbot
Cork
Newport
(Casnewydd)
Malmesbury
Porthcawl
Bridgend
(Pen-y-Bont-Ar Ogwr)
Penarth
CARDIFF
(Caerdydd)
Chippenham
BRISTOL
Barry
(Barri)
Bath
Trowbridge
BRISTOL CHANNEL
Weston-Super-Mare
Radstock
Wells
Frome
Ilfracombe
Lynton
Watchet
Burnham-on-Sea
LUNDY
Minehead
Williton
Glastonbury
Shepton Mallet
Bridgwater
Wincanton
Barnstaple
Bideford
Taunton
South Molton
Great Torrington
Wellington
Sherborne
Shaftesbury
Tiverton
Yeovil
Bude
Chard
Crewkerne
Honiton
Blandford Forum
Holsworthy
Okehampton
Exeter
Sidmouth
Bridport
Launceston
Lyme Regis
Dorchester
Wareham
Exmouth
Padstow
Wadebridge
Tavistock
Ashburton
Dawlish
Teignmouth
Weymouth
Bodmin
Liskeard
Newton Abbot
Fortuneswell
Newquay
Saltash
Buckfastleigh
Torquay
Lostwithiel
Devonport
Totnes
Paignton
Guernsey
Jersey
St. Malo
St. Austell
Looe
Brixham
Redruth
PLYMOUTH
Dartmouth
Truro
St. Ives
Camborne
Kingsbridge
Roscoff
Santander
Salcombe
St. Just
Falmouth
Penzance
Helston
LAND'S END
ENGLISH
ISLES OF SCILLY

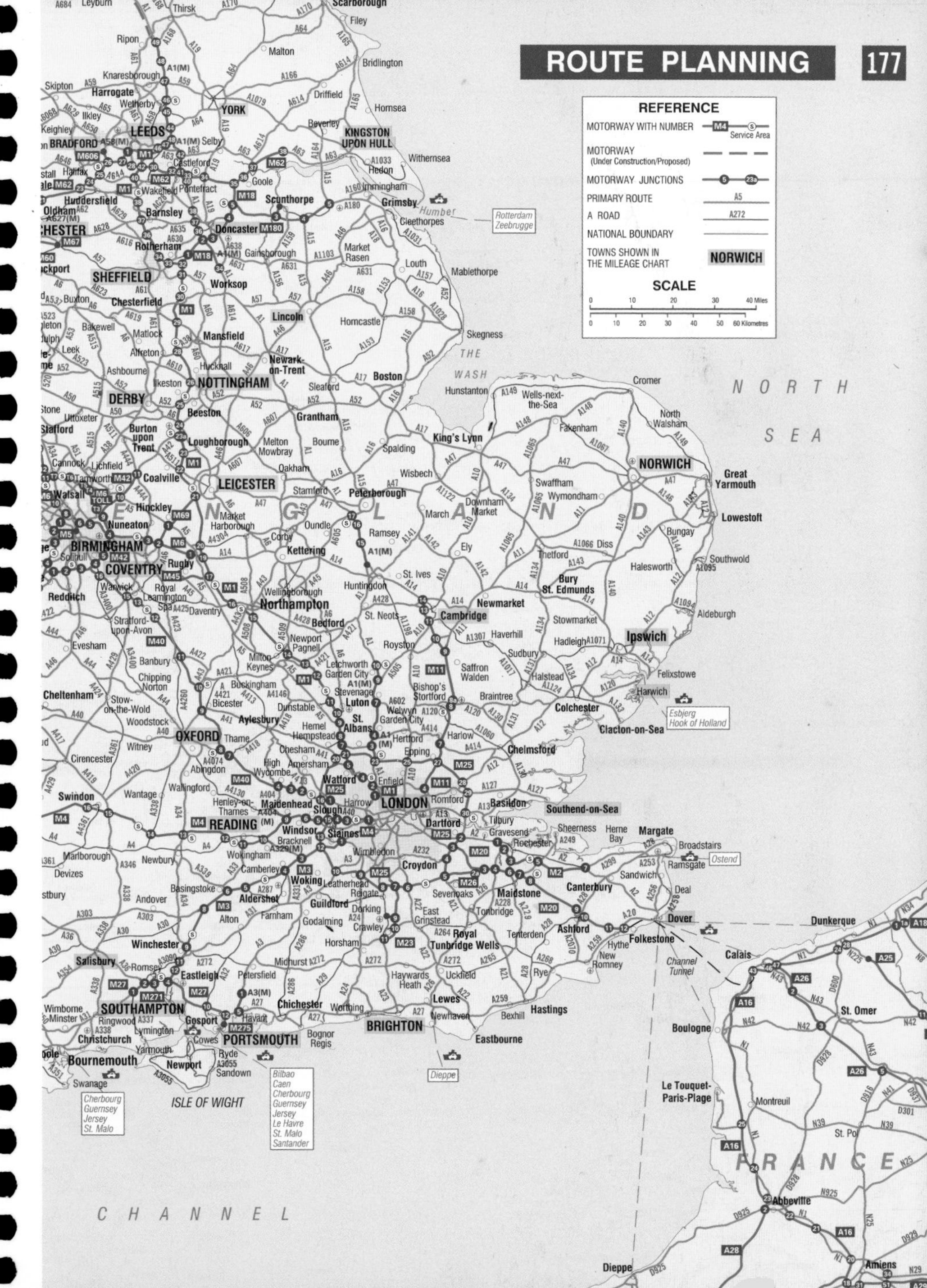
REFERENCE
MOTORWAY WITH NUMBER
M4
Service Area
MOTORWAY
(Under Construction/Proposed)
MOTORWAY JUNCTIONS
PRIMARY ROUTE
A5
A ROAD
A272
NATIONAL BOUNDARY
TOWNS SHOWN IN THE MILEAGE CHART
NORWICH
SCALE
0 10 20 30 40 Miles
0 10 20 30 40 50 60 Kilometres
NORTH SEA
THE WASH
ENGLAND
CHANNEL
FRANCE
ISLE OF WIGHT

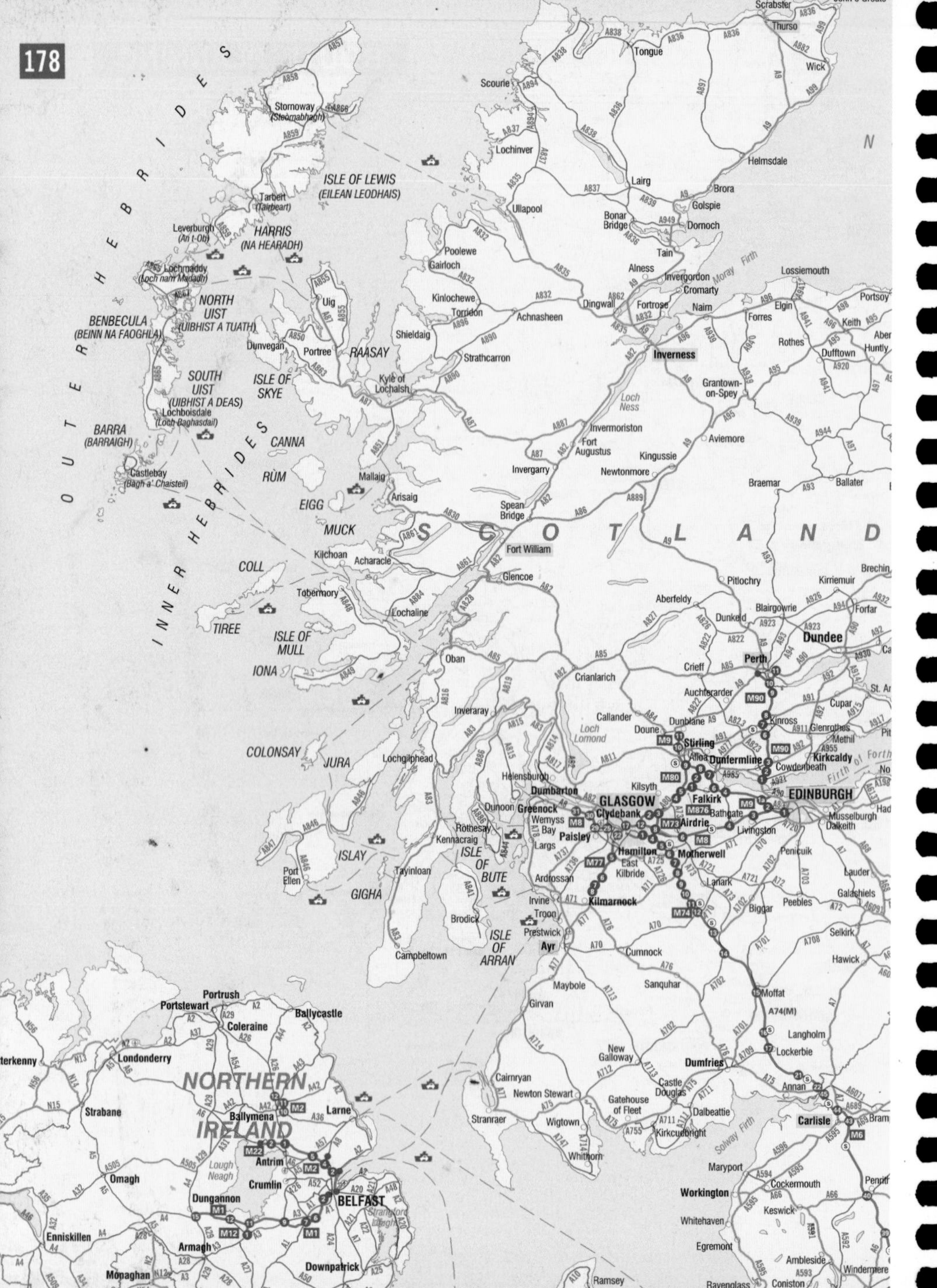
OUTER HEBRIDES
INNER HEBRIDES
SCOTLAND
NORTHERN IRELAND
John o'Groats
Scrabster
Thurso
Wick
Tongue
Scourie
Lochinver
Helmsdale
Lairg
Brora
Golspie
Ullapool
Bonar Bridge
Dornoch
Tain
Stornoway (Steòrnabhagh)
ISLE OF LEWIS (EILEAN LEODHAIS)
Tarbert (Tairbeart)
Leverburgh (An t-Ob)
HARRIS (NA HEARADH)
Lochmaddy (Loch nam Madadh)
NORTH UIST (UIBHIST A TUATH)
BENBECULA (BEINN NA FAOGHLA)
SOUTH UIST (UIBHIST A DEAS)
Lochboisdale (Loch Baghasdail)
BARRA (BARRAIGH)
Castlebay (Bagh a' Chaisteil)
Poolewe
Gairloch
Kinlochewe
Torridon
Achnasheen
Dingwall
Alness
Invergordon
Cromarty
Moray Firth
Lossiemouth
Fortrose
Nairn
Forres
Elgin
Keith
Portsoy
Huntly
Rothes
Dufftown
Inverness
Uig
Dunvegan
Portree
RAASAY
Shieldaig
Strathcarron
ISLE OF SKYE
Kyle of Lochalsh
Grantown-on-Spey
Loch Ness
Invermoriston
Fort Augustus
Aviemore
Kingussie
Newtonmore
Invergarry
CANNA
RÙM
Mallaig
Arisaig
EIGG
MUCK
Spean Bridge
Braemar
Ballater
Fort William
Kilchoan
Acharacle
COLL
Glencoe
Pitlochry
Brechin
Kirriemuir
Tobermory
Lochaline
Aberfeldy
Blairgowrie
Forfar
Dunkeld
Dundee
TIREE
ISLE OF MULL
IONA
Oban
Crianlarich
Crieff
Perth
Auchterarder
Cupar
Inveraray
Callander
Loch Lomond
Doune
Dunblane
Kinross
Glenrothes
Methil
Stirling
Alloa
Dunfermline
Kirkcaldy
Cowdenbeath
Firth of Forth
COLONSAY
JURA
Lochgilphead
Helensburgh
Dumbarton
Kilsyth
Falkirk
Dunoon
Greenock
GLASGOW
Clydebank
EDINBURGH
Wemyss Bay
Paisley
Airdrie
Bathgate
Livingston
Musselburgh
Dalkeith
Rothesay
Kennacraig
Largs
Hamilton
Motherwell
Penicuik
ISLAY
ISLE OF BUTE
Port Ellen
Tayinloan
East Kilbride
Ardrossan
Lanark
Lauder
GIGHA
Galashiels
Irvine
Kilmarnock
Biggar
Peebles
Brodick
Troon
Prestwick
Selkirk
ISLE OF ARRAN
Ayr
Cumnock
Hawick
Campbeltown
Sanquhar
Maybole
Moffat
Girvan
Langholm
New Galloway
Lockerbie
Dumfries
Annan
Cairnryan
Newton Stewart
Castle Douglas
Gatehouse of Fleet
Dalbeattie
Carlisle
Stranraer
Wigtown
Kirkcudbright
Solway Firth
Whithorn
Maryport
Workington
Cockermouth
Penrith
Keswick
Whitehaven
Egremont
Ambleside
Windermere
Ramsey
Ravenglass
Coniston
Kendal
Portrush
Portstewart
Coleraine
Ballycastle
Letterkenny
Londonderry
Strabane
Ballymena
Larne
Antrim
Lough Neagh
Omagh
Crumlin
Dungannon
BELFAST
Strangford Lough
Enniskillen
Armagh
Monaghan
Downpatrick
M8
M9
M80
M90
M73
M74
M77
M876
M2
M22
M1
M12
M6
A74(M)

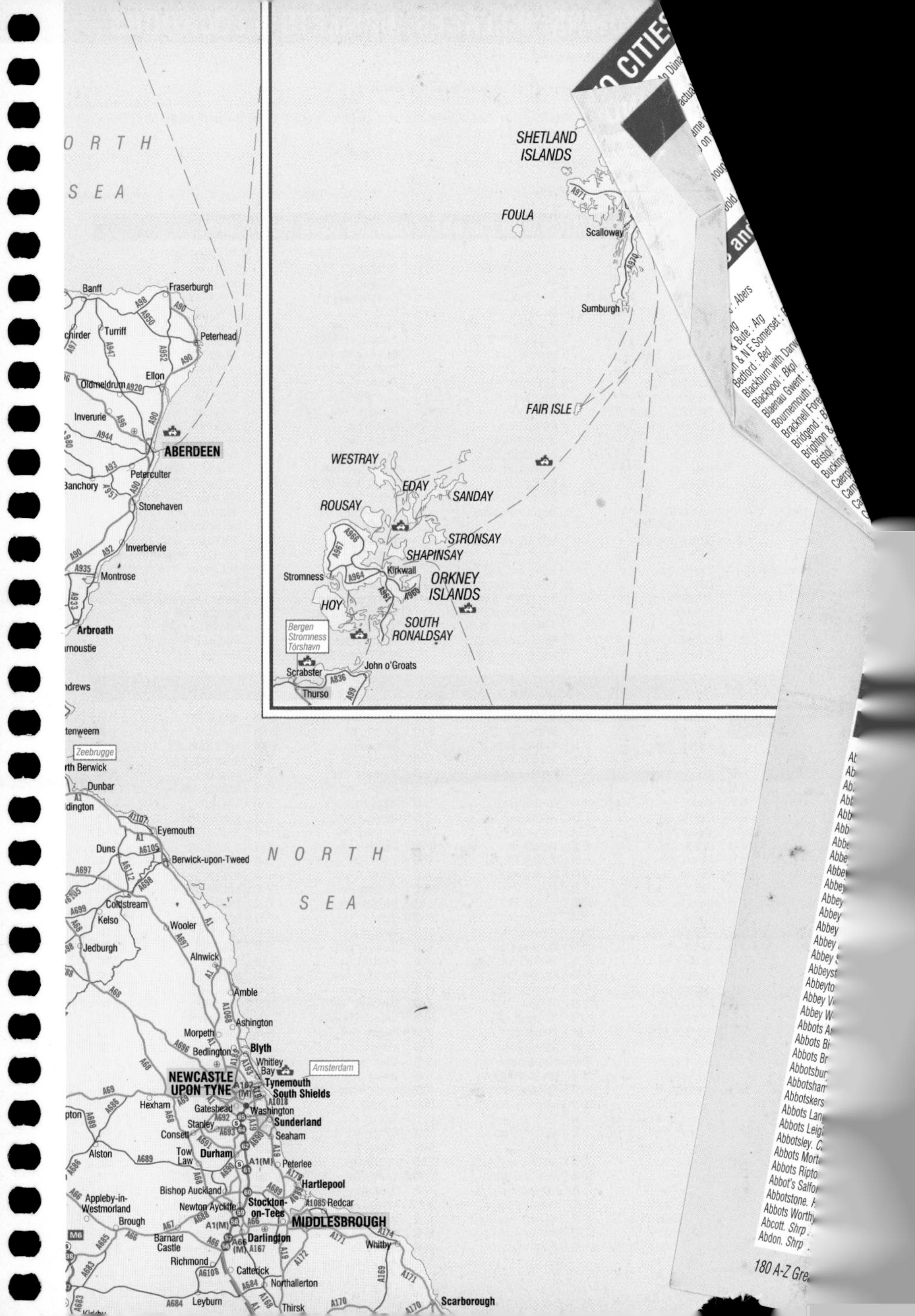

NORTH SEA
SHETLAND ISLANDS
FOULA
Scalloway
Sumburgh
FAIR ISLE
WESTRAY
EDAY
SANDAY
ROUSAY
STRONSAY
SHAPINSAY
Stromness
Kirkwall
ORKNEY ISLANDS
HOY
SOUTH RONALDSAY
Bergen
Stromness
Tórshavn
Scrabster
John o'Groats
Thurso
Banff
Fraserburgh
Turriff
Peterhead
Oldmeldrum
Ellon
Inverurie
ABERDEEN
Peterculter
Banchory
Stonehaven
Inverbervie
Montrose
Arbroath
Zeebrugge
Dunbar
Eyemouth
Duns
Berwick-upon-Tweed
NORTH
SEA
Coldstream
Kelso
Wooler
Jedburgh
Alnwick
Amble
Ashington
Morpeth
Blyth
Bedlington
Whitley Bay
Amsterdam
NEWCASTLE UPON TYNE
Tynemouth
South Shields
Hexham
Gateshead
Washington
Sunderland
Stanley
Seaham
Consett
Alston
Tow Law
Durham
Peterlee
Hartlepool
Bishop Auckland
Appleby-in-Westmorland
Newton Aycliffe
Stockton-on-Tees
Redcar
Brough
MIDDLESBROUGH
Barnard Castle
Darlington
Whitby
Richmond
Catterick
Northallerton
Leyburn
Thirsk
Scarborough

n follows Andreas but precedes Andwell.

map square in which the town spot or built-up area is located and not to the place name.

ame occur in the same County or Unitary Authority, the nearest large town is also given; e.g. Achiemore. *High* . . . .2D **166** (nr. Durness) indicates that
age **166** and is situated near Durness in the Unitary Authority of Highland.

n due to page overlaps the place may appear on more than one page.

i.e. **Abercynon.** *Rhon* 2D **32**

UNITARY AUTHORITIES with the abbreviations used in this index

ath
n : *Bkbn*
lae
Bour
t : *Brac*
end
Hove : *Brig*
ris
hamshire : *Buck*
illy : *Cphy*
ridgeshire : *Cambs*
diff : *Card*
armarthenshire : *Carm*
Central Bedfordshire : *C Beds*
Ceredigion : *Cdgn*
Cheshire East : *Ches E*
Cheshire West & Chester : *Ches W*
Clackmannanshire : *Clac*
Conwy : *Cnwy*
Cornwall : *Corn*
umbria : *Cumb*
arlington : *Darl*
nbighshire : *Den*

Derby : *Derb*
Derbyshire : *Derbs*
Devon : *Devn*
Dorset : *Dors*
Dumfries & Galloway : *Dum*
Dundee : *D'dee*
Durham : *Dur*
East Ayrshire : *E Ayr*
East Dunbartonshire : *E Dun*
East Lothian : *E Lot*
East Renfrewshire : *E Ren*
East Riding of Yorkshire : *E Yor*
East Sussex : *E Sus*
Edinburgh : *Edin*
Essex : *Essx*
Falkirk : *Falk*
Fife : *Fife*
Flintshire : *Flin*
Glasgow : *Glas*
Gloucestershire : *Glos*
Greater London : *G Lon*
Greater Manchester : *G Man*
Gwynedd : *Gwyn*
Halton : *Hal*
Hampshire : *Hants*
Hartlepool : *Hart*
Herefordshire : *Here*
Hertfordshire : *Herts*
Highland : *High*

Inverclyde : *Inv*
Isle of Anglesey : *IOA*
Isle of Man : *IOM*
Isle of Wight : *IOW*
Isles of Scilly : *IOS*
Kent : *Kent*
Kingston upon Hull : *Hull*
Lancashire : *Lanc*
Leicester : *Leic*
Leicestershire : *Leics*
Lincolnshire : *Linc*
Luton : *Lutn*
Medway : *Medw*
Merseyside : *Mers*
Merthyr Tydfil : *Mer T*
Middlesbrough : *Midd*
Midlothian : *Midl*
Milton Keynes : *Mil*
Monmouthshire : *Mon*
Moray : *Mor*
Neath Port Talbot : *Neat*
Newport : *Newp*
Norfolk : *Norf*
Northamptonshire : *Nptn*
North Ayrshire : *N Ayr*
North East Lincolnshire : *NE Lin*
North Lanarkshire : *N Lan*
North Lincolnshire : *N Lin*
North Somerset : *N Som*

Northumberland : *Nmbd*
North Yorkshire : *N Yor*
Nottingham : *Nott*
Nottinghamshire : *Notts*
Orkney : *Orkn*
Oxfordshire : *Oxon*
Pembrokeshire : *Pemb*
Perth & Kinross : *Per*
Peterborough : *Pet*
Plymouth : *Plym*
Poole : *Pool*
Portsmouth : *Port*
Powys : *Powy*
Reading : *Read*
Redcar & Cleveland : *Red C*
Renfrewshire : *Ren*
Rhondda Cynon Taff : *Rhon*
Rutland : *Rut*
Scottish Borders : *Bord*
Shetland : *Shet*
Shropshire : *Shrp*
Slough : *Slo*
Somerset : *Som*
Southampton : *Sotn*
South Ayrshire : *S Ayr*
Southend-on-Sea : *S'end*
South Gloucestershire : *S Glo*
South Lanarkshire : *S Lan*
South Yorkshire : *S Yor*

Staffordshire : *Staf*
Stirling : *Stir*
Stockton-on-Tees : *Stoc T*
Stoke-on-Trent : *Stoke*
Suffolk : *Suff*
Surrey : *Surr*
Swansea : *Swan*
Swindon : *Swin*
Telford & Wrekin : *Telf*
Thurrock : *Thur*
Torbay : *Torb*
Torfaen : *Torf*
Tyne & Wear : *Tyne*
Vale of Glamorgan, The : *V Glam*
Warrington : *Warr*
Warwickshire : *Warw*
West Berkshire : *W Ber*
West Dunbartonshire : *W Dun*
Western Isles : *W Isl*
West Lothian : *W Lot*
West Midlands : *W Mid*
West Sussex : *W Sus*
West Yorkshire : *W Yor*
Wiltshire : *Wilts*
Windsor & Maidenhead : *Wind*
Wokingham : *Wok*
Worcestershire : *Worc*
Wrexham : *Wrex*
York : *York*

NDEX

A

s Combe. *Som* 4C **22**
rley. *Worc* 4B **60**
rley Common. *Worc* 4B **60**
ton. *Essx* 4D **54**
on. *Worc* 5D **61**
vick. *Nmbd* 3F **121**
Roding. *Essx* 4F **53**
Devn 1E **13**
wm-hir. *Powy* 3C **58**
le. *S Yor* 2H **85**
e Park. *S Yor* 2H **85**
re. *Here* 2G **47**
te. *Devn* 3F **13**
ton. *Stoke* 1D **72**
Bathans. *Bord* 3D **130**
d. *Lanc* 4E **97**
. *Cumb* 4C **112**
ge. *Lanc* 2E **91**
d. *G Lon* 3F **39**
Hants 2B **24**
ngton. *Devn* 1D **11**
ley. *Staf* 3E **73**
Dors 4A **14**
Devn 4E **19**
ell. *Devn* 2E **9**
y. *Herts* 5A **52**
N Som 4A **34**
nbs 5B **64**
Worc 5E **61**
Cambs 3B **64**
Warw 5E **61**
ts 3D **24**
Hants 3C **24**
. . . . .3F **59**
. . . . .2H **59**

Abenhall. *Glos* 4B **48**
Aber. *Cdgn* 1E **45**
Aberaeron. *Cdgn* 4D **56**
Aberafan. *Neat* 3G **31**
Aberaman. *Rhon* 5D **46**
Aberangell. *Powy* 4H **69**
Aberarad. *Carm* 1H **43**
Aberarder. *High* 1A **150**
Aberargie. *Per* 2D **136**
Aberarth. *Cdgn* 4D **57**
Aberavon. *Neat* 3G **31**
Aber-banc. *Cdgn* 1D **44**
Aberbargoed. *Cphy* 2E **33**
Aberbechan. *Powy* 1D **58**
Aberbeeg. *Blae* 5F **47**
Aberbowlan. *Carm* 2G **45**
Aberbran. *Powy* 3C **46**
Abercanaid. *Mer T* 5D **46**
Abercarn. *Cphy* 2F **33**
Abercastle. *Pemb* 1C **42**
Abercegir. *Powy* 5H **69**
Aberchalder. *High* 3F **149**
Aberchirder. *Abers* 3D **160**
Abercorn. *W Lot* 2D **129**
Abercraf. *Powy* 4B **46**
Abercregan. *Neat* 2B **32**
Abercrombie. *Fife* 3H **137**
Abercwmboi. *Rhon* 2D **32**
Abercych. *Pemb* 1C **44**
Abercynon. *Rhon* 2D **32**
Aber-Cywarch. *Gwyn* 4A **70**
Aberdalgie. *Per* 1C **136**
Aberdar. *Rhon* 5C **46**
Aberdare. *Rhon* 5C **46**
Aberdaron. *Gwyn* 3A **68**
Aberdaugleddau. *Pemb* 4D **42**
Aberdeen. *Aber* 3G **153**
Aberdeen (Dyce) Airport. *Aber* . . .2F **153**

Aberdesach. *Gwyn* 5D **80**
Aberdour. *Fife* 1E **129**
Aberdovey. *Gwyn* 1F **57**
Aberdulais. *Neat* 5A **46**
Aberdyfi. *Gwyn* 1F **57**
Aberedw. *Powy* 1D **46**
Abereiddy. *Pemb* 1B **42**
Abererch. *Gwyn* 2C **68**
Aberfan. *Mer T* 5D **46**
Aberfeldy. *Per* 4F **143**
Aberffraw. *IOA* 4C **80**
Aberffrwd. *Cdgn* 3F **57**
Aberford. *W Yor* 1E **93**
Aberfoyle. *Stir* 3E **135**
Abergarw. *B'end* 3C **32**
Abergarwed. *Neat* 5B **46**
Abergavenny. *Mon* 4G **47**
Abergele. *Cnwy* 3B **82**
Aber-Giar. *Carm* 1F **45**
Abergorlech. *Carm* 2F **45**
Abergwaun. *Pemb* 1D **42**
Abergwesyn. *Powy* 5A **58**
Abergwili. *Carm* 3E **45**
Abergwynfi. *Neat* 2B **32**
Abergwyngregyn. *Gwyn* 3F **81**
Abergynolwyn. *Gwyn* 5F **69**
Aberhafesp. *Powy* 1C **58**
Aberhonddu. *Powy* 3D **46**
Aberhosan. *Powy* 1H **57**
Aberkenfig. *B'end* 3B **32**
Aberlady. *E Lot* 2A **130**
Aberlemno. *Ang* 3E **145**
Aberllefenni. *Gwyn* 5G **69**
Abermaw. *Gwyn* 4F **69**
Abermeurig. *Cdgn* 5E **57**
Aber-miwl. *Powy* 1D **58**
Abermule. *Powy* 1D **58**
Abernant. *Carm* 2H **43**

Abernant. *Rhon* 5D **46**
Abernethy. *Per* 2D **136**
Abernyte. *Per* 5B **144**
Aber-oer. *Wrex* 1E **71**
Aberpennar. *Rhon* 2D **32**
Aberporth. *Cdgn* 5B **56**
Aberriw. *Powy* 5D **70**
Abersoch. *Gwyn* 3C **68**
Abersychan. *Torf* 5F **47**
Abertawe. *Swan* 3F **31**
Aberteifi. *Cdgn* 1B **44**
Aberthin. *V Glam* 4D **32**
Abertillery. *Blae* 5F **47**
Abertridwr. *Cphy* 3E **32**
Abertridwr. *Powy* 4C **70**
Abertyleri. *Blae* 5F **47**
Abertysswg. *Cphy* 5E **47**
Aberuthven. *Per* 2B **136**
Aber Village. *Powy* 3E **46**
Aberyscir. *Powy* 3D **46**
Aberystwyth. *Cdgn* 2E **57**
Abhainn Suidhe. *W Isl* 7C **171**
Abingdon. *Oxon* 2C **36**
Abinger Common. *Surr* 1C **26**
Abinger Hammer. *Surr* 1B **26**
Abington. *S Lan* 2B **118**
Abington Pigotts. *Cambs* 1D **52**
Ab Kettleby. *Leics* 3E **74**
Ab Lench. *Worc* 5E **61**
Ablington. *Glos* 5G **49**
Ablington. *Wilts* 2G **23**
Abney. *Derbs* 3F **85**
Aboyne. *Abers* 4C **152**
Abram. *G Man* 4E **90**
Abriachan. *High* 5H **157**
Abridge. *Essx* 1F **39**
Abronhill. *N Lan* 2A **128**
Abson. *S Glo* 4C **34**

Abthorpe. *Nptn* 1E **51**
Aby. *Linc* 3D **88**
Acaster Malbis. *York* 5H **99**
Acaster Selby. *N Yor* 5H **99**
Accott. *Devn* 3G **19**
Accrington. *Lanc* 2F **91**
Acha. *Arg* 3C **138**
Achachork. *High* 4D **155**
Achadh a' Chuirn. *High* 1E **147**
Achahoish. *Arg* 2F **125**
Achaleven. *Arg* 5D **140**
Achallader. *Arg* 4H **141**
Acha Mor. *W Isl* 5F **171**
Achanalt. *High* 2E **157**
Achandunie. *High* 1A **158**
Ach'an Todhair. *High* 1E **141**
Achany. *High* 3C **164**
Achaphubuil. *High* 1E **141**
Acharacle. *High* 2A **140**
Acharn. *Ang* 1B **144**
Acharn. *Per* 4E **143**
Acharole. *High* 3E **169**
Achateny. *High* 2G **139**
Achavanich. *High* 4D **169**
Achdalieu. *High* 1E **141**
Achduart. *High* 3E **163**
Achentoul. *High* 5A **168**
Achfary. *High* 5C **166**
Achfrish. *High* 2C **164**
Achgarve. *High* 4C **162**
Achiemore. *High* 2D **166**
(nr. Durness)
Achiemore. *High* 3A **168**
(nr. Thurso)
A'Chill. *High* 3A **146**
Achiltibuie. *High* 3E **163**
Achina. *High* 2H **167**
Achinahuagh. *High* 2F **167**

Bàgh a Chàise. W Isl 1E 170
Bàgh a' Chaisteil. W Isl 9B 170
Bagham. Kent 5E 41
Baghasdal. W Isl 7C 170
Bagh Mor. W Isl 3D 170
Bagh Shiarabhagh. W Isl 8C 170
Bagillt. Flin 3E 83
Baginton. Warw 3H 61
Baglan. Neat 2A 32
Bagley. Shrp 3G 71
Bagley. Som 2H 21
Bagnall. Staf 5D 84
Bagnor. W Ber 5C 36
Bagshot. Surr 4A 38
Bagshot. Wilts 5B 36
Bagstone. S Glo 3B 34
Bagthorpe. Norf 2G 77
Bagthorpe. Notts 5B 86
Bagworth. Leics 5B 74
Bagwy Llydiart. Here 3H 47
Baildon. W Yor 1B 92
Baildon Green. W Yor 1B 92
Baile Ailein. W Isl 5E 171
Baile an Truiseil. W Isl 2F 171
Baile Boidheach. Arg 2F 125
Baile Glas. High 3D 170
Bailemeonach. Arg 4A 140
Baile Mhanaich. W Isl 3C 170
Baile Mhartainn. W Isl 1C 170
Baile Mor. Arg 2A 132
Baile Mor. W Isl 2C 170
Baile nan Cailleach. W Isl 3C 170
Baile Raghaill. W Isl 2C 170
Bailey Green. Hants 4E 25
Baileyhead. Cumb 1G 113
Bailiesward. Abers 5B 160
Bail' lochdrach. W Isl 3D 170
Baillieston. Glas 3H 127
Bailrigg. Lanc 4D 97
Bail' Uachdraich. W Isl 2D 170
Bail Ur Tholastaidh. W Isl 3H 171
Bainbridge. N Yor 5C 104
Bainsford. Falk 1B 128
Bainshole. Abers 5D 160
Bainton. E Yor 4D 100
Bainton. Oxon 3D 50
Bainton. Pet 5H 75
Baintown. Fife 3F 137
Baker Street. Thur 2H 39
Bakewell. Derbs 4G 85
Bala. Gwyn 2B 70
Balachuirn. High 4E 155
Balbeg. High 5H 157
(nr. Cannich)
Balbeg. High 1D 136
(nr. Loch Ness)
Balbeggie. Per 1D 136
Balblair. High 4C 164
(nr. Bonar Bridge)
Balblair. High 5A 158
(nr. Invergordon)
Balblair. High 4H 157
(nr. Inverness)
Balby. S Yor 4F 93
Balcathie. Ang 5F 145
Balchladich. High 1E 163
Balchraggan. High 4H 157
Balchrick. High 3B 166
Balcombe. W Sus 2E 27
Balcombe Lane. W Sus 2E 27
Balcurvie. Fife 3F 137
Baldersby. N Yor 2F 99
Baldersby St James. N Yor 2F 99
Balderstone. Lanc 1E 91
Balderton. Ches W 4F 83
Balderton. Notts 5F 87
Baldinnie. Fife 2G 137
Baldock. Herts 2C 52
...3D 108
...Cumb 4E 113
...Staf 1F 137
...2C 78

Balearn. Abers 3H 161
Balemartine. Arg 4A 138
Balephetrish. Arg 4B 138
Balephuil. Arg 4A 138
Balerno. Edin 3E 129
Balevullin. Arg 4A 138
Balfield. Ang 2E 145
Balfour. Orkn 6D 172
Balfron. Stir 1G 127
Balgaveny. Abers 4D 160
Balgonar. Fife 4D 136
Balgowan. High 4A 150
Balgown. High 2C 154
Balgrochan. E Dun 2H 127
Balgy. High 3H 155
Balhalgardy. Abers 1E 153
Baliasta. Shet 1H 173
Baligill. High 2A 168
Balintore. Ang 3B 144
Balintore. High 1C 165
Balintraid. High 1B 158
Balk. N Yor 1G 99
Balkeerie. Ang 4C 144
Balkholme. E Yor 2A 94
Ball. Shrp 3F 71
Ballabeg. IOM 4B 108
Ballacannell. IOM 3D 108
Ballacarnane Beg. IOM 3C 108
Ballachulish. High 3E 141
Ballagyr. IOM 3B 108
Ballajora. IOM 2D 108
Ballaleigh. IOM 3C 108
Ballamodha. IOM 4B 108
Ballantrae. S Ayr 5E 109
Ballards Gore. Essx 1D 40
Ballasalla. IOM 4B 108
(nr. Castletown)
Ballasalla. IOM 2C 108
(nr. Kirk Michael)
Ballater. Abers 4A 152
Ballaugh. IOM 2C 108
Ballencrieff. E Lot 2A 130
Ballencrieff Toll. W Lot 2C 128
Ballentoul. Per 2F 143
Ball Hill. Hants 5C 36
Ballidon. Derbs 5G 85
Balliemore. Arg 1B 126
(nr. Dunoon)
Balliemore. Arg 1F 133
(nr. Oban)
Ballieward. Abers 5E 159
Ballig. IOM 3B 108
Ballimore. Stir 2E 135
Ballingdon. Suff 1B 54
Ballinger Common. Buck 5H 51
Ballingham. Here 2A 48
Ballingry. Fife 4D 136
Ballinluig. Per 3G 143
Ballintuim. Per 3A 144
Balliveolan. Arg 4C 140
Balloan. High 3C 164
Balloch. N Lan 2A 128
Balloch. High 2H 135
Balloch. W Dun 1E 127
Balloch. High 4C 152
Ballochgoy. Arg 3B 126
Ballochmyle. E Ayr 2E 117
Ballochroy. Arg 4F 125
Balls Cross. W Sus 3A 26
Ball's Green. E Sus 2F 27
Ballygown. Arg 4F 139
Ballygrant. Arg 3B 124
Ballymichael. N Ayr 2D 122
Balmacara. High 1G 147
Balmaclellan. Dum 2D 110
Balmacqueen. High 1D 154
Balmae. Dum 5D 111
Balmaha. Stir 4D 134
Balmalcolm. Fife 3F 137
Balmalloch. N Lan 2A 128
Balmeanach. High 5E 155
Balmedie. Abers 2G 153
Balmerino. Fife 1F 137
Balmerlawn. Hants 2C 16

Balmore. E Dun 2H 127
Balmore. High 4B 154
Balmuir. Ang 5D 144
Balmullo. Fife 1G 137
Balmurrie. High 3H 109
Balnaboth. Ang 2C 144
Balnabruaich. High 1B 158
Balnacoil. High 5D 168
Balnacra. High 4B 156
Balnacroft. Abers 4G 151
Balnageith. Mor 3E 159
Balnaglaic. High 5G 157
Balnagrantach. High 5G 157
Balnaguard. Per 3G 143
Balnahard. Arg 4B 132
Balnain. High 5G 157
Balnakeil. High 2D 166
Balnaknock. High 2D 154
Balnamoon. Abers 3G 161
Balnamoon. Ang 2E 145
Balnapaling. High 2B 158
Balornock. Glas 3H 127
Balquhidder. Stir 1E 135
Balsall. W Mid 3G 61
Balsall Common. W Mid 3G 61
Balscote. Oxon 1B 50
Balsham. Cambs 5E 65
Balstonia. Thur 2A 40
Baltasound. Shet 1H 173
Balterley. Staf 5B 84
Baltersan. Dum 3B 110
Balthangie. Abers 3F 161
Baltonsborough. Som 3A 22
Balvaird. High 3H 157
Balvaird. Per 2D 136
Balvenie. Mor 4H 159
Balvicar. Arg 2E 133
Balvraid. High 2G 147
Balvraid Lodge. High 5C 158
Bamber Bridge. Lanc 2D 90
Bamber's Green. Essx 3F 53
Bamburgh. Nmbd 1F 121
Bamford. Derbs 2G 85
Bamfurlong. G Man 4D 90
Bampton. Cumb 3G 103
Bampton. Devn 4C 20
Bampton. Oxon 5B 50
Bampton Grange. Cumb 3G 103
Banavie. High 1F 141
Banbury. Oxon 1C 50
Bancffosfelen. Carm 4E 45
Bancycapel. Carm 4E 45
Bancyfelin. Carm 3H 43
Banc-y-ffordd. Carm 2E 45
Banff. Abers 2D 160
Bangor. Gwyn 3E 81
Bangor-is-y-coed. Wrex 1F 71
Bangors. Corn 3C 10
Bangor's Green. Lanc 4B 90
Banham. Norf 2C 66
Bank. Hants 2A 16
Bankend. Dum 3B 112
Bankfoot. Per 5H 143
Bankglen. E Ayr 3E 117
Bankhead. Aber 2F 153
Bankhead. Aber 3D 152
Bankhead. S Lan 5B 128
Bankland. Som 4G 21
Bank Newton. N Yor 4B 98
Banknock. Falk 2A 128
Banks. Cumb 3G 113
Banks. Lanc 2B 90
Bankshill. Dum 1C 112
Bank Street. Worc 4A 60
Bank, The. Ches E 5C 84
Bank, The. Shrp 1A 60
Bank Top. Lanc 4D 90
Banners Gate. W Mid 1E 61
Banningham. Norf 3E 78
Bannister Green. Essx 3G 53

Bannockburn. Stir 4H 135
Banstead. Surr 5D 38
Bantham. Devn 4C 8
Banton. N Lan 2A 128
Banwell. N Som 1G 21
Banyard's Green. Suff 3F 67
Bapchild. Kent 4D 40
Bapton. Wilts 3E 23
Barabhas. W Isl 3F 171
Barabhas Iarach. W Isl 2F 171
Baramore. High 1A 140
Barassie. S Ayr 1C 116
Baravullin. Arg 4D 140
Barbaraville. High 1B 158
Barber Booth. Derbs 2F 85
Barber Green. Cumb 1C 96
Barbhas Uarach. W Isl 2F 171
Barbieston. S Ayr 3D 116
Barbon. Cumb 1F 97
Barbourne. Worc 5C 60
Barbridge. Ches E 5A 84
Barbrook. Devn 2H 19
Barby. Nptn 3C 62
Barby Nortoft. Nptn 3C 62
Barcaldine. Arg 4D 140
Barchester. Warw 1A 50
Barclose. Cumb 3F 113
Barcombe. E Sus 4F 27
Barcombe Cross. E Sus 4F 27
Barden. N Yor 5E 105
Barden Scale. N Yor 4C 98
Bardfield End Green. Essx 2G 53
Bardfield Saling. Essx 3G 53
Bardister. Shet 4E 173
Bardnabreinne. High 4E 164
Bardney. Linc 4A 88
Bardon. Leics 4B 74
Bardon Mill. Nmbd 3A 114
Bardowie. E Dun 2G 127
Bardrainney. Inv 2E 127
Bardsea. Cumb 2C 96
Bardsey. W Yor 5F 99
Bardsley. G Man 4H 91
Bardwell. Suff 3B 66
Bare. Lanc 3D 96
Bareless. Nmbd 1C 120
Barewood. Here 5F 59
Barford. Hants 3G 25
Barford. Norf 5D 78
Barford. Warw 4G 61
Barford St John. Oxon 2C 50
Barford St Martin. Wilts 3F 23
Barford St Michael. Oxon 2C 50
Barfrestone. Kent 5G 41
Bargeddie. N Lan 3A 128
Bargod. Cphy 2E 33
Bargoed. Cphy 2E 33
Bargrennan. Dum 2A 110
Barham. Cambs 3A 64
Barham. Kent 5G 41
Barham. Suff 5D 66
Barharrow. Dum 4D 110
Bar Hill. Cambs 4C 64
Barholm. Linc 4H 75
Barkby. Leics 5D 74
Barkestone-le-Vale. Leics 2E 75
Barkham. Wok 5F 37
Barking. G Lon 2F 39
Barking. Suff 5C 66
Barkingside. G Lon 2F 39
Barking Tye. Suff 5C 66
Barkisland. W Yor 3A 92
Barkston. Linc 1G 75
Barkston Ash. N Yor 1E 93
Barkway. Herts 2D 53
Barlanark. Glas 3H 127
Barlaston. Staf 2C 72
Barlavington. W Sus 4A 26
Barlborough. Derbs 3B 86
Barlby. N Yor 1G 93
Barlestone. Leics 5B 74
Barley. Herts 2D 53
Barley. Lanc 5H 97
Barley Mow. Tyne 4F 115
Barleythorpe. Rut 5F 75

Barling. Essx 2D 40
Barlings. Linc 3H 87
Barlow. Derbs 3H 85
Barlow. N Yor 2G 93
Barlow. Tyne 3E 115
Barmby Moor. E Yor 5B 100
Barmby on the Marsh. E Yor 2G 93
Barmer. Norf 2H 77
Barming. Kent 5B 40
Barming Heath. Kent 5B 40
Barmoor. Nmbd 1E 121
Barmouth. Gwyn 4F 69
Barmpton. Darl 3A 106
Barmston. E Yor 4F 101
Barmulloch. Glas 3H 127
Barnacarry. Arg 1H 125
Barnack. Pet 5H 75
Barnacle. Warw 2A 62
Barnard Castle. Dur 3D 104
Barnard Gate. Oxon 4C 50
Barnardiston. Suff 1H 53
Barnbarroch. Dum 4F 111
Barnburgh. S Yor 4E 93
Barnby. Suff 2G 67
Barnby Dun. S Yor 4G 93
Barnby in the Willows. Notts 5F 87
Barnby Moor. Notts 2D 86
Barnes. G Lon 3D 38
Barnes Street. Kent 1H 27
Barnet. G Lon 1D 38
Barnetby le Wold. N Lin 4D 94
Barney. Norf 2B 78
Barnham. Suff 3A 66
Barnham. W Sus 5A 26
Barnham Broom. Norf 5C 78
Barnhead. Ang 3F 145
Barnhill. D'dee 5D 145
Barnhill. Mor 3F 159
Barnhill. Per 1D 136
Barnhills. Dum 2E 109
Barningham. Dur 3D 105
Barningham. Suff 3B 66
Barnoldby le Beck. NE Lin 4F 95
Barnoldswick. Lanc 5A 98
Barns Green. W Sus 3C 26
Barnsley. Glos 5F 49
Barnsley. Shrp 1B 60
Barnsley. S Yor 4D 92
Barnstaple. Devn 3F 19
Barnston. Essx 4G 53
Barnston. Mers 2E 83
Barnstone. Notts 2E 75
Barnt Green. Worc 3E 61
Barnton. Ches W 3A 84
Barnwell. Cambs 5D 64
Barnwell. Nptn 2H 63
Barnwood. Glos 4D 48
Barons Cross. Here 5G 59
Barony, The. Orkn 5B 172
Barr. Dum 4G 117
Barr. S Ayr 5B 116
Barra Airport. W Isl 8C 170
Barrachan. Dum 5A 110
Barraglom. W Isl 4D 171
Barrahormid. Arg 1F 125
Barrapol. Arg 4A 138
Barrasford. Nmbd 2C 114
Barravullin. Arg 3F 133
Barregarrow. IOM 3C 108
Barrhead. E Ren 4G 127
Barri. V Glam 5E 32
Barrington. Cambs 1D 53
Barrington. Som 1G 13
Barripper. Corn 3D 6
Barrmill. N Ayr 4E 127
Barrock. High 1E 169
Barrow. Lanc 1F 91
Barrow. Rut 4F 75
Barrow. Shrp 5A 72
Barrow. Som 3C 22
Barroway Drove. Norf 5E 77
Barrow Bridge. G Man 3E 91
Barrowburn. Nmbd 3C 120
Barrowby. Linc 2F 75

Churchill. *N Som* 1H 21
Churchill. *Oxon* 3A 50
Churchill. *Worc* 3C 60
(nr. Kidderminster)
Churchill. *Worc* 5D 60
(nr. Worcester)
Churchinford. *Som* 1F 13
Church Knowle. *Dors* 4E 15
Church Laneham. *Notts* 3F 87
Church Langley. *Essx* 5E 53
Church Langton. *Leics* 1E 62
Church Lawford. *Warw* 3B 62
Church Lawton. *Ches E* 5C 84
Church Leigh. *Staf* 2E 73
Church Lench. *Worc* 5E 61
Church Mayfield. *Staf* 1F 73
Church Minshull. *Ches E* 4A 84
Church Norton. *W Sus* 3G 17
Churchover. *Warw* 2C 62
Church Preen. *Shrp* 1H 59
Church Pulverbatch. *Shrp* 5G 71
Churchstanton. *Som* 1E 13
Church Stoke. *Powy* 1E 58
Churchstow. *Devn* 4D 8
Church Stowe. *Nptn* 5D 62
Church Street. *Kent* 3B 40
Church Stretton. *Shrp* 1G 59
Churchthorpe. *Linc* 1C 88
Churchtown. *Cumb* 5E 113
Churchtown. *Derbs* 4G 85
Churchtown. *Devn* 2G 19
Churchtown. *IOM* 2D 108
Churchtown. *Lanc* 5D 97
Church Town. *Leics* 4A 74
Churchtown. *Mers* 3B 90
Church Town. *N Lin* 4A 94
Churchtown. *Shrp* 2E 59
Church Village. *Rhon* 3D 32
Church Warsop. *Notts* 4C 86
Church Westcote. *Glos* 3H 49
Church Wilne. *Derbs* 2B 74
Churnsike Lodge. *Nmbd* 2H 113
Churston Ferrers. *Torb* 3F 9
Churt. *Surr* 3G 25
Churton. *Ches W* 5G 83
Churwell. *W Yor* 2C 92
Chute Standen. *Wilts* 1B 24
Chwilog. *Gwyn* 2D 68
Chwitffordd. *Flin* 3D 82
Chyandour. *Corn* 3B 4
Cilan Uchaf. *Gwyn* 3B 68
Cilcain. *Flin* 4D 82
Cilcennin. *Cdgn* 4E 57
Cilfrew. *Neat* 5A 46
Cilfynydd. *Rhon* 2D 32
Cilgerran. *Pemb* 1B 44
Cilgeti. *Pemb* 4F 43
Cilgwyn. *Carm* 3H 45
Cilgwyn. *Pemb* 1E 43
Ciliau Aeron. *Cdgn* 5D 57
Cill Amhlaidh. *W Isl* 4C 170
Cill Donnain. *Powy* 1G 165
Cill Donnain. *W Isl* 6C 170
Cille a' Bhacstair. *High* 2C 154
Cille Bhrighde. *W Isl* 7C 170
Cille Pheadair. *W Isl* 6C 170
Cilmaengwyn. *Neat* 5H 45
Cilmeri. *Powy* 5C 58
Cilmery. *Powy* 5C 58
Cilrhedyn. *Pemb* 1G 43
Cilsan. *Carm* 3F 45
Ciltalgarth. *Gwyn* 1A 70
Ciltwrch. *Powy* 1E 47
Cilybebyll. *Neat* 5H 45
Cilycwm. *Carm* 2A 46
Cimla. *Neat* 2A 32
Cinderford. *Glos* 4B 48
Cinderhill. *Derbs* 1A 74
Cippenham. *Slo* 2A 38
Cippyn. *Pemb* 1B 44
Cirbhig. *W Isl* 3E 171
Circebost. *W Isl* 4D 171
Cirencester. *Glos* 5F 49
City. *Powy* 1E 58

City. *V Glam* 4C 32
City Dulas. *IOA* 2D 80
City (London) Airport. *G Lon* 2F 39
City of London. *G Lon* 2E 39
City, The. *Buck* 2F 37
Clabhach. *Arg* 3C 138
Clachaig. *Arg* 1C 126
Clachaig. *High* 3F 141
(nr. Kinlochleven)
Clachaig. *High* 2E 151
(nr. Nethy Bridge)
Clachamish. *High* 3C 154
Clachan. *Arg* 4F 125
(on Kintyre)
Clachan. *Arg* 4C 140
(on Lismore)
Clachan. *High* 2H 167
(nr. Bettyhill)
Clachan. *High* 2D 155
(nr. Staffin)
Clachan. *High* 1C 154
(nr. Uig)
Clachan. *High* 5E 155
(on Raasay)
Clachan Farm. *Arg* 2A 134
Clachan na Luib. *W Isl* 2D 170
Clachan of Campsie.
E Dun 2H 127
Clachan of Glendaruel. *Arg* 1A 126
Clachan-Seil. *Arg* 2E 133
Clachan Shannda. *W Isl* 1D 170
Clachan Strachur. *Arg* 3H 133
Clachbreck. *Arg* 2F 125
Clachnaharry. *High* 4A 158
Clachtoll. *High* 1E 163
Clackmannan. *Clac* 4B 136
Clackmarras. *Mor* 3G 159
Clacton-on-Sea. *Essx* 4E 55
Cladach a Chaolais. *W Isl* 2C 170
Cladach Chairinis. *W Isl* 3D 170
Cladach Chirceboist. *W Isl* 2C 170
Cladich. *Arg* 1H 133
Cladswell. *Worc* 5E 61
Claggan. *High* 1F 141
(nr. Fort William)
Claggan. *High* 4A 140
(nr. Lochaline)
Claigan. *High* 3B 154
Clandown. *Bath* 1B 22
Clanfield. *Hants* 1E 17
Clanfield. *Oxon* 5A 50
Clanville. *Hants* 2B 24
Clanville. *Som* 3B 22
Claonaig. *Arg* 4G 125
Clapgate. *Dors* 2F 15
Clapgate. *Herts* 3E 53
Clapham. *Bed* 5H 63
Clapham. *Devn* 4B 12
Clapham. *G Lon* 3D 39
Clapham. *N Yor* 3G 97
Clapham. *W Sus* 5B 26
Clap Hill. *Kent* 2E 29
Clappers. *Bord* 4F 131
Clappersgate. *Cumb* 4E 103
Clapton. *Som* 2H 13
(nr. Crewkerne)
Clapton. *Som* 1B 22
(nr. Radstock)
Clapton-in-Gordano. *N Som* 4H 33
Clapton-on-the-Hill. *Glos* 4G 49
Clapworthy. *Devn* 4G 19
Clara Vale. *Tyne* 3E 115
Clarbeston. *Pemb* 2E 43
Clarbeston Road. *Pemb* 2E 43
Clarborough. *Notts* 2E 87
Clare. *Suff* 1A 54
Clarebrand. *Dum* 3E 111
Clarencefield. *Dum* 3B 112
Clarilaw. *Bord* 3H 119
Clark's Green. *Surr* 2C 26
Clark's Hill. *Linc* 3C 76
Clarkston. *E Ren* 4G 127
Clashedy. *High* 2G 167
Clashindarroch. *Abers* 5B 160

Clashmore. *High* 5E 165
(nr. Dornoch)
Clashmore. *High* 5B 166
(nr. Stoer)
Clashnessie. *High* 5A 166
Clashnoir. *Mor* 1G 151
Clathick. *Per* 1H 135
Clathy. *Per* 2B 136
Clatt. *Abers* 1C 152
Clatter. *Powy* 1B 58
Clatterford. *IOW* 4C 16
Clatworthy. *Som* 3D 20
Claughton. *Lanc* 3E 97
(nr. Caton)
Claughton. *Lanc* 5E 97
(nr. Garstang)
Claughton. *Mers* 2F 83
Claverdon. *Warw* 4F 61
Claverham. *N Som* 5H 33
Clavering. *Essx* 2E 53
Claverley. *Shrp* 1B 60
Claverton. *Bath* 5C 34
Clawdd-coch. *V Glam* 4D 32
Clawdd-newydd. *Den* 5C 82
Clawson Hill. *Leics* 3E 75
Clawton. *Devn* 3D 10
Claxby. *Linc* 3D 88
(nr. Alford)
Claxby. *Linc* 1A 88
(nr. Market Rasen)
Claxton. *Norf* 5F 79
Claxton. *N Yor* 4A 100
Claybrooke Magna. *Leics* 2B 62
Claybrooke Parva. *Leics* 2B 62
Clay Common. *Suff* 2G 67
Clay Coton. *Nptn* 3C 62
Claydon. *Oxon* 5B 62
Claydon. *Suff* 5D 66
Claygate. *Kent* 1B 28
Claygate. *Surr* 4C 38
Claygate Cross. *Kent* 5H 39
Clayhall. *Hants* 3E 16
Clayhanger. *Devn* 4D 20
Clayhanger. *W Mid* 5E 73
Clayhidon. *Devn* 1E 13
Clay Hill. *Bris* 4B 34
Clayhill. *E Sus* 3C 28
Clayhill. *Hants* 2B 16
Clayhithe. *Cambs* 4E 65
Clayholes. *Ang* 5E 145
Clay Lake. *Linc* 3B 76
Clayock. *High* 3D 168
Claypits. *Glos* 5C 48
Claypole. *Linc* 1F 75
Claythorpe. *Linc* 3D 88
Clayton. *G Man* 1C 84
Clayton. *S Yor* 4E 93
Clayton. *Staf* 1C 72
Clayton. *W Sus* 4E 27
Clayton. *W Yor* 1B 92
Clayton Green. *Lanc* 2D 90
Clayton-le-Moors. *Lanc* 1F 91
Clayton-le-Woods. *Lanc* 2D 90
Clayton West. *W Yor* 3C 92
Clayworth. *Notts* 2E 87
Cleadale. *High* 5C 146
Cleadon. *Tyne* 3G 115
Clearbrook. *Devn* 2B 8
Clearwell. *Glos* 5A 48
Cleasby. *N Yor* 3F 105
Cleat. *Orkn* 3D 172
(nr. Braehead)
Cleat. *Orkn* 9D 172
(nr. St Margaret's Hope)
Cleatlam. *Dur* 3E 105
Cleator. *Cumb* 3B 102
Cleator Moor. *Cumb* 3B 102
Cleckheaton. *W Yor* 2B 92
Cleedownton. *Shrp* 2H 59
Cleehill. *Shrp* 3H 59
Cleekhimin. *N Lan* 4A 128
Clee St Margaret. *Shrp* 2H 59

Cleestanton. *Shrp* 3H 59
Cleethorpes. *NE Lin* 4G 95
Cleeton St Mary. *Shrp* 3A 60
Cleeve. *N Som* 5H 33
Cleeve. *Oxon* 3E 36
Cleeve Hill. *Glos* 3E 49
Cleeve Prior. *Worc* 1F 49
Clehonger. *Here* 2H 47
Cleigh. *Arg* 1F 133
Cleish. *Per* 4C 136
Cleland. *N Lan* 4B 128
Clench Common. *Wilts* 5G 35
Clenchwarton. *Norf* 3E 77
Clennell. *Nmbd* 4D 120
Clent. *Worc* 3D 60
Cleobury Mortimer. *Shrp* 3A 60
Cleobury North. *Shrp* 2A 60
Clephanton. *High* 3C 158
Clerkhill. *High* 2H 167
Clestrain. *Orkn* 7C 172
Clevancy. *Wilts* 4F 35
Clevedon. *N Som* 4H 33
Cleveley. *Oxon* 3B 50
Cleveleys. *Lanc* 5C 96
Clevelode. *Worc* 1D 48
Cleverton. *Wilts* 3E 35
Clewer. *Som* 1H 21
Cley next the Sea. *Norf* 1C 78
Cliaid. *W Isl* 8B 170
Cliasmol. *W Isl* 7C 171
Clibberswick. *Shet* 1H 173
Cliburn. *Cumb* 2G 103
Cliddesden. *Hants* 2E 25
Clieves Hills. *Lanc* 4B 90
Cliff. *Warw* 1G 61
Cliffburn. *Ang* 4F 145
Cliffe. *Medw* 3B 40
Cliffe. *N Yor* 3F 105
(nr. Darlington)
Cliffe. *N Yor* 1G 93
(nr. Selby)
Cliff End. *E Sus* 4C 28
Cliffe Woods. *Medw* 3B 40
Clifford. *Here* 1F 47
Clifford. *W Yor* 5G 99
Clifford Chambers. *Warw* 5F 61
Clifford's Mesne. *Glos* 3B 48
Cliffs End. *Kent* 4H 41
Clifton. *Bris* 4A 34
Clifton. *C Beds* 2B 52
Clifton. *Cumb* 2G 103
Clifton. *Derbs* 1F 73
Clifton. *Devn* 2G 19
Clifton. *G Man* 4F 91
Clifton. *Lanc* 1C 90
Clifton. *Nmbd* 1F 115
Clifton. *N Yor* 5D 98
Clifton. *Nott* 2C 74
Clifton. *Oxon* 2C 50
Clifton. *S Yor* 1C 86
Clifton. *Stir* 5H 141
Clifton. *W Yor* 2B 92
Clifton. *Worc* 1D 48
Clifton. *York* 4H 99
Clifton Campville. *Staf* 4G 73
Clifton Hampden. *Oxon* 2D 36
Clifton Hill. *Worc* 4B 60
Clifton Reynes. *Mil* 5G 63
Clifton upon Dunsmore. *Warw* 3C 62
Clifton upon Teme. *Worc* 4B 60
Cliftonville. *Kent* 3H 41
Cliftonville. *Norf* 2F 79
Climping. *W Sus* 5B 26
Climpy. *S Lan* 4C 128
Clink. *Som* 2C 22
Clint. *N Yor* 4E 99
Clint Green. *Norf* 4C 78
Clintmains. *Bord* 1A 120
Cliobh. *W Isl* 4C 171
Clipiau. *Gwyn* 4H 69
Clippesby. *Norf* 4G 79
Clippings Green. *Norf* 4C 78
Clipsham. *Rut* 4G 75
Clipston. *Nptn* 2E 62
Clipston. *Notts* 2D 74

Clipstone. *Notts* 4C 86
Clitheroe. *Lanc* 5G 97
Cliuthar. *W Isl* 8D 171
Clive. *Shrp* 3H 71
Clivocast. *Shet* 1H 173
Clixby. *Linc* 4D 94
Clocaenog. *Den* 5C 82
Clochan. *Mor* 2B 160
Clochforbie. *Abers* 3F 161
Clock Face. *Mers* 1H 83
Cloddiau. *Powy* 5E 70
Cloddymoss. *Mor* 2D 159
Clodock. *Here* 3G 47
Cloford. *Som* 2C 22
Clola. *Abers* 4H 161
Clophill. *C Beds* 2A 52
Clopton. *Nptn* 2H 63
Clopton Corner. *Suff* 5E 66
Clopton Green. *Suff* 5G 65
Closeburn. *Dum* 5A 118
Close Clark. *IOM* 4B 108
Closworth. *Som* 1A 14
Clothall. *Herts* 2C 52
Clotton. *Ches W* 4H 83
Clough. *G Man* 3H 91
Clough. *W Yor* 3A 92
Clough Foot. *W Yor* 2H 91
Cloughton. *N Yor* 5H 107
Cloughton Newlands. *N Yor* 5H 107
Clousta. *Orkn* 6B 172
Clova. *Abers* 1B 152
Clova. *Ang* 1C 144
Clovelly. *Devn* 4D 18
Clovenfords. *Bord* 1G 119
Clovenstone. *Abers* 2E 153
Clovullin. *High* 2E 141
Clowne. *Derbs* 3B 86
Clows Top. *Worc* 3B 60
Cloy. *Wrex* 1F 71
Cluanie Inn. *High* 2C 148
Cluanie Lodge. *High* 2C 148
Cluddley. *Telf* 5A 72
Clun. *Shrp* 2F 59
Clunas. *High* 4C 158
Clunbury. *Shrp* 2F 59
Clunderwen. *Pemb* 3F 43
Clune. *High* 1B 150
Clunes. *High* 5E 148
Clungunford. *Shrp* 3F 59
Clunie. *Per* 4A 144
Clunton. *Shrp* 2F 59
Cluny. *Fife* 4E 137
Clutton. *Bath* 1B 22
Clutton. *Ches W* 5G 83
Chwt-y-bont. *Gwyn* 4E 81
Clwydfagwyr. *Mer T* 5D 46
Clydach. *Mon* 4F 47
Clydach. *Swan* 5G 45
Clydach Vale. *Rhon* 2C 32
Clydebank. *W Dun* 2G 127
Clydey. *Pemb* 1G 43
Clyffe Pypard. *Wilts* 4F 35
Clynder. *Arg* 1D 126
Clyne. *Neat* 5B 46
Clynelish. *High* 3F 165
Clynnog-fawr. *Gwyn* 1D 68
Clyro. *Powy* 1F 47
Clyst Honiton. *Devn* 3C 12
Clyst Hydon. *Devn* 2D 12
Clyst St George. *Devn* 4C 12
Clyst St Lawrence. *Devn* 2D 12
Clyst St Mary. *Devn* 3C 12
Clyth. *High* 5E 169
Cnip. *W Isl* 4C 171
Cnwca. *Pemb* 1C 44
Cnwch Coch. *Cdgn* 3F 57
Coad's Green 5C 10
Coal Aston. *Derbs* 3A 86
Coalbrookdale 5A 72
Coalbrookvale 5F 47
Coalburn
Coalburns
Coalcleugh

Coalford. Abers 4F 153
Coalhall. E Ayr 3D 116
Coalhill. Essx 1B 40
Coalpit Heath. S Glo 3B 34
Coal Pool. W Mid 5E 73
Coalport. Telf 5B 72
Coalsnaughton. Clac 4A 136
Coaltown of Balgonie. Fife 4F 137
Coaltown of Wemyss. Fife 4F 137
Coalville. Leics 4B 74
Coalway. Glos 4A 48
Coanwood. Nmbd 4H 113
Coat. Som 4H 21
Coatbridge. N Lan 3A 128
Coatdyke. N Lan 3A 128
Coate. Swin 3G 35
Coate. Wilts 5F 35
Coates. Cambs 1C 64
Coates. Glos 5E 49
Coates. Linc 2G 87
Coates. W Sus 4A 26
Coatham. Red C 2C 106
Coatham Mundeville. Darl 2F 105
Cobbaton. Devn 4G 19
Coberley. Glos 4E 49
Cobhall Common. Here 2H 47
Cobham. Kent 4A 40
Cobham. Surr 4C 38
Cobnash. Here 4G 59
Coburg. Devn 5B 12
Cockayne. N Yor 5D 106
Cockayne Hatley. C Beds 1C 52
Cock Bank. Wrex 1F 71
Cock Bridge. Abers 3G 151
Cockburnspath. Bord 2D 130
Cock Clarks. Essx 5B 54
Cockenzie and Port Seton.
....E Lot 2H 129
Cockerham. Lanc 4D 96
Cockermouth. Cumb 1C 102
Cockernhoe. Herts 3B 52
Cockfield. Dur 2E 105
Cockfield. Suff 5B 66
Cockfosters. G Lon 1D 39
Cock Gate. Here 4G 59
Cock Green. Essx 4G 53
Cocking. W Sus 1G 17
Cocking Causeway. W Sus 1G 17
Cockington. Torb 2F 9
Cocklake. Som 2H 21
Cocklaw. Abers 4H 161
Cocklaw. Nmbd 2C 114
Cockley Beck. Cumb 4D 102
Cockley Cley. Norf 5G 77
Cockmuir. Abers 3G 161
Cockpole Green. Wind 3G 37
Cockshutford. Shrp 2H 59
Cockshutt. Shrp 3G 71
Cockthorpe. Norf 1B 78
Cockwood. Devn 4C 12
Cockyard. Derbs 3E 85
Cockyard. Here 2H 47
Codda. Corn 5B 10
Coddenham. Suff 5D 66
Coddenham Green. Suff 5D 66
Coddington. Ches W 5G 83
Coddington. Here 1C 48
Coddington. Notts 5F 87
Codford St Mary. Wilts 3E 23
Codford St Peter. Wilts 3E 23
Codicote. Herts 4C 52
Codmore Hill. W Sus 3B 26
Codnor. Derbs 1B 74
Codrington. S Glo 4C 34
Codsall. Staf 5C 72
Codsall Wood. Staf 5C 72
Coed Duon. Cphy 2E 33
Coedely. Rhon 3D 32
Coedglasson. Powy 4C 58
Coedkernew. ... (obscured)
Coed M... (obscured)
Coed... (obscured)
Coed... (obscured)

Coed-y-paen. Mon 2G 33
Coed-yr-ynys. Powy 3E 47
Coed Ystumgwern. Gwyn 3F 69
Coelbren. Powy 4B 46
Coffinswell. Devn 2E 9
Cofton Hackett. Worc 3E 61
Cogan. V Glam 4E 33
Cogenhoe. Nptn 4F 63
Cogges. Oxon 5B 50
Coggeshall. Essx 3B 54
Coggeshall Hamlet. Essx 3B 54
Coggins Mill. E Sus 3G 27
Coignafearn Lodge. High 2A 150
Coig Peighinnean. W Isl 1H 171
Coig Peighinnean Bhuirgh.
....W Isl 2G 171
Coilleag. W Isl 7C 170
Coillemore. High 1A 158
Coillore. High 5C 154
Coire an Fhuarain. W Isl 4E 171
Coity. B'end 3C 32
Cokhay Green. Derbs 3G 73
Col. W Isl 4G 171
Colaboll. High 2C 164
Colan. Corn 2C 6
Colaton Raleigh. Devn 4D 12
Colburn. N Yor 5E 105
Colby. Cumb 2H 103
Colby. IOM 4B 108
Colby. Norf 2E 78
Colchester. Essx 3D 54
Cold Ash. W Ber 5D 36
Cold Ashby. Nptn 3D 62
Cold Ashton. S Glo 4C 34
Cold Aston. Glos 4G 49
Coldbackie. High 3G 167
Cold Blow. Pemb 3F 43
Cold Brayfield. Mil 5G 63
Cold Cotes. N Yor 2G 97
Coldean. Brig 5E 27
Coldeast. Devn 5B 12
Colden. W Yor 2H 91
Colden Common. Hants 4C 24
Coldfair Green. Suff 4G 67
Coldham. Cambs 5D 76
Coldham. Staf 5C 72
Cold Hanworth. Linc 2H 87
Coldharbour. Corn 4B 6
Cold Harbour. Dors 3E 15
Coldharbour. Glos 5A 48
Coldharbour. Kent 5G 39
Coldharbour. Surr 1C 26
Cold Hatton. Telf 3A 72
Cold Hatton Heath. Telf 3A 72
Cold Hesledon. Dur 5H 115
Cold Hiendley. W Yor 3D 92
Cold Higham. Nptn 5D 62
Coldingham. Bord 3F 131
Cold Kirby. N Yor 1H 99
Coldmeece. Staf 2C 72
Cold Northcott. Corn 4C 10
Cold Norton. Essx 5B 54
Cold Overton. Leics 4F 75
Coldrain. Per 3C 136
Coldred. Kent 1G 29
Coldridge. Devn 2G 11
Cold Row. Lanc 5C 96
Coldstream. Bord 5E 131
Coldwaltham. W Sus 4B 26
Coldwell. Here 2H 47
Coldwells. Abers 5H 161
Coldwells Croft. Abers 1C 152
Cole. Som 3B 22
Colebatch. Shrp 2F 59
Colebrook. Devn 2D 12
Colebrooke. Devn 2A 12
Coleburn. Mor 3G 159
Coleby. Linc 4G 87
Coleby. N Lin 3B 94
Cole End. Warw 2G 61
Coleford. Devn 2A 12
Coleford. Glos 4A 48
Coleford. Som 2B 22

Colegate End. Norf 2D 66
Cole Green. Herts 4C 52
Cole Henley. Hants 1C 24
Colehill. Dors 2F 15
Coleman Green. Herts 4B 52
Coleman's Hatch. E Sus 2F 27
Colemere. Shrp 2G 71
Colemore. Hants 3F 25
Colemore Green. Shrp 1B 60
Coleorton. Leics 4B 74
Colerne. Wilts 4D 34
Colesbourne. Glos 4E 49
Colesden. Bed 5A 64
Coles Green. Worc 5B 60
Coleshill. Buck 1A 38
Coleshill. Oxon 2H 35
Coleshill. Warw 2G 61
Colestocks. Devn 2D 12
Colethrop. Glos 4D 48
Coley. Bath 1A 22
Colgate. W Sus 2D 26
Colinsburgh. Fife 3G 137
Colinton. Edin 3F 129
Colintraive. Arg 2B 126
Colkirk. Norf 3B 78
Collace. Per 5B 144
College of Roseisle. Mor 2F 159
Collessie. Fife 2E 137
Collier Row. G Lon 1F 39
Colliers End. Herts 3D 52
Collier Street. Kent 1B 28
Colliery Row. Tyne 5G 115
Collieston. Abers 1H 153
Collin. Dum 2B 112
Collingbourne Ducis. Wilts 1H 23
Collingbourne Kingston. Wilts 1H 23
Collingham. Notts 4F 87
Collingham. W Yor 5F 99
Collingtree. Nptn 5E 63
Collins Green. Warr 1H 83
Collins Green. Worc 5B 60
Colliston. Ang 4F 145
Colliton. Devn 2D 12
Collydean. Fife 3E 137
Collyweston. Nptn 5G 75
Colmonell. S Ayr 1G 109
Colmworth. Bed 5A 64
Colnbrook. Slo 3B 38
Colne. Cambs 3C 64
Colne. Lanc 5A 98
Colne Engaine. Essx 2B 54
Colney. Norf 5D 78
Colney Heath. Herts 5C 52
Colney Street. Herts 5B 52
Coln Rogers. Glos 5F 49
Coln St Aldwyns. Glos 5G 49
Coln St Dennis. Glos 4F 49
Colpitts Grange. Nmbd 4C 114
Colpy. Abers 5D 160
Colscott. Devn 1D 10
Colsterdale. N Yor 1D 98
Colsterworth. Linc 3G 75
Colston Bassett. Notts 2D 74
Colstoun House. E Lot 2B 130
Coltfield. Mor 2F 159
Colthouse. Cumb 5E 103
Coltishall. Norf 4E 79
Coltness. N Lan 4A 128
Colton. Cumb 1C 96
Colton. Norf 5D 78
Colton. N Yor 5H 99
Colton. Staf 3E 73
Colton. W Yor 1D 92
Colt's Hill. Kent 1H 27
Col Uarach. W Isl 4G 171
Colwall Green. Here 1C 48
Colwall Stone. Here 1C 48
Colwell. Nmbd 2C 114
Colwich. Staf 3E 73
Colwick. Notts 1D 74
Colwinston. V Glam 4C 32

Colworth. W Sus 5A 26
Colwyn Bay. Cnwy 3A 82
Colyford. Devn 3F 13
Colyton. Devn 3F 13
Combe. Devn 2D 8
Combe. Here 4F 59
Combe. Oxon 4C 50
Combe. W Ber 5B 36
Combe Almer. Dors 3E 15
Combebow. Devn 4E 11
Combe Common. Surr 2A 26
Combe Down. Bath 5C 34
Combe Fishacre. Devn 2E 9
Combe Florey. Som 3E 21
Combe Hay. Bath 1C 22
Combeinteignhead. Devn 5C 12
Combe Martin. Devn 2F 19
Combe Moor. Here 4F 59
Combe Raleigh. Devn 2E 13
Comberbach. Ches W 3A 84
Comberford. Staf 5F 73
Comberton. Cambs 5C 64
Comberton. Here 4G 59
Combe St Nicholas. Som 1G 13
Combpyne. Devn 3F 13
Combridge. Staf 2E 73
Combrook. Warw 5H 61
Combs. Derbs 3E 85
Combs. Suff 5C 66
Combs Ford. Suff 5C 66
Combwich. Som 2F 21
Comers. Abers 3D 152
Comhampton. Worc 4C 60
Comins Coch. Cdgn 2F 57
Comley. Shrp 1G 59
Commercial End. Cambs 4E 65
Commins. Powy 3D 70
Commins Coch. Powy 5H 69
Commondale. N Yor 3D 106
Common End. Cumb 2B 102
Common Hill. Here 2A 48
Common Moor. Corn 2G 7
Common Platt. Wilts 3G 35
Commonside. Ches W 3H 83
Common Side. Derbs 3H 85
....(nr. Chesterfield)
Commonside. Derbs 1G 73
....(nr. Derby)
Common, The. Wilts 4E 35
....(nr. Salisbury)
Common, The. Wilts 3F 35
....(nr. Swindon)
Compstall. G Man 1D 84
Compton. Devn 2E 9
Compton. Hants 4C 24
Compton. Staf 2C 60
Compton. Surr 1A 26
Compton. W Ber 3D 36
Compton. W Sus 1F 17
Compton. Wilts 1G 23
Compton Abbas. Dors 1D 14
Compton Abdale. Glos 4F 49
Compton Bassett. Wilts 4F 35
Compton Beauchamp. Oxon 3A 36
Compton Bishop. Som 1G 21
Compton Chamberlayne. Wilts 4F 23
Compton Dando. Bath 5B 34
Compton Dundon. Som 3H 21
Compton Greenfield. S Glo 3A 34
Compton Martin. Bath 1A 22
Compton Pauncefoot. Som 4B 22
Compton Valence. Dors 3A 14
Comrie. Fife 1D 128
Comrie. Per 1G 135
Conaglen. High 2E 141
Conchra. Arg 1B 126
Conchra. High 1A 148
Conder Green. Lanc 4D 96
Conderton. Worc 2E 49
Condicote. Glos 3G 49
Condorrat. N Lan 2A 128
Condover. Shrp 5G 71
Coneyhurst Common. W Sus 3C 26
Coneysthorpe. N Yor 2B 100

Coneythorpe. N Yor 4F 99
Coney Weston. Suff 3B 66
Conford. Hants 3G 25
Congdon's Shop. Corn 5C 10
Congerstone. Leics 5A 74
Congham. Norf 3G 77
Congleton. Ches E 4C 84
Congl-y-wal. Gwyn 1G 69
Congresbury. N Som 5H 33
Congreve. Staf 4D 72
Conham. S Glo 4B 34
Conicaval. Mor 3D 159
Coningsby. Linc 5B 88
Conington. Cambs 4C 64
....(nr. Fenstanton)
Conington. Cambs 2A 64
....(nr. Sawtry)
Conisbrough. S Yor 1C 86
Conisby. Arg 3A 124
Conisholme. Linc 1D 88
Coniston. Cumb 5E 102
Coniston. E Yor 1E 95
Coniston Cold. N Yor 4B 98
Conistone. N Yor 3B 98
Connah's Quay. Flin 4E 83
Connel. Arg 5D 140
Connel Park. E Ayr 3F 117
Connista. High 1D 154
Connor Downs. Corn 3C 4
Conock. Wilts 1F 23
Conon Bridge. High 3H 157
Cononley. N Yor 5B 98
Cononsyth. Ang 4E 145
Conordan. High 5E 155
Consall. Staf 1D 73
Consett. Dur 4E 115
Constable Burton. N Yor 5E 105
Constantine. Corn 4E 5
Constantine Bay. Corn 1C 6
Contin. High 3G 157
Contullich. High 1A 158
Conwy. Cnwy 3G 81
Conyer. Kent 4D 40
Conyer's Green. Suff 4A 66
Cooden. E Sus 5B 28
Cooil. IOM 4C 108
Cookbury. Devn 2E 11
Cookbury Wick. Devn 2D 11
Cookham. Wind 3G 37
Cookham Dean. Wind 3G 37
Cookham Rise. Wind 3G 37
Cookhill. Worc 5E 61
Cookley. Suff 3F 67
Cookley. Worc 2C 60
Cookley Green. Oxon 2E 37
Cooksbridge. E Sus 4F 27
Cooksey Corner. Worc 4D 60
Cooksey Green. Worc 4D 60
Cookshill. Staf 1D 72
Cooksmill Green. Essx 5G 53
Coolham. W Sus 3C 26
Cooling. Medw 3B 40
Cooling Street. Medw 3B 40
Coombe. Corn 1C 10
....(nr. Bude)
Coombe. Corn 4C 6
....(nr. St Austell)
Coombe. Corn 4C 6
....(nr. Truro)
Coombe. Devn 3E 12
....(nr. Sidmouth)
Coombe. Devn 5C 12
....(nr. Teignmouth)
Coombe. Glos 2C 34
Coombe. Hants 4E 25
Coombe. Wilts 1G 23
Coombe Bissett. Wilts 4G 23
Coombe Hill. Glos 3D 49
Coombe Keynes. Dors 4D 14
Coombes. W Sus 5C 26
Coombe Street. Som 3C 22
Coopersale Common. Essx 5E 53
Coopersale Street. Essx 5E 53

Place	Ref		Place	Ref		Place	Ref		Place	Ref		Place	Ref

Cooper's Corner. *Kent* 1F 27
Cooper Street. *Kent* 5H 41
Cootham. *W Sus* 4B 26
Copalder Corner. *Cambs* 1C 64
Copdock. *Suff* 1E 54
Copford. *Essx* 3C 54
Copford Green. *Essx* 3C 54
Copgrove. *N Yor* 3F 99
Copister. *Shet* 4F 173
Cople. *Bed* 1B 52
Copley. *Dur* 2D 105
Coplow Dale. *Derbs* 3F 85
Copmanthorpe. *York* 5H 99
Copp. *Lanc* 1C 90
Coppathorne. *Corn* 2C 10
Coppenhall. *Ches E* 5B 84
Coppenhall. *Staf* 4D 72
Coppenhall Moss. *Ches E* 5B 84
Copperhouse. *Corn* 3C 4
Coppicegate. *Shrp* 2B 60
Coppingford. *Cambs* 2A 64
Copplestone. *Devn* 2A 12
Coppull. *Lanc* 3D 90
Coppull Moor. *Lanc* 3D 90
Copsale. *W Sus* 3C 26
Copster Green. *Lanc* 1E 91
Copston Magna. *Warw* 2B 62
Copt Green. *Warw* 4F 61
Copthall Green. *Essx* 5E 53
Copt Heath. *W Mid* 3F 61
Copt Hewick. *N Yor* 2F 99
Copthill. *Dur* 5B 114
Copthorne. *W Sus* 2E 27
Coptiviney. *Shrp* 2G 71
Copy's Green. *Norf* 2B 78
Copythorne. *Hants* 1B 16
Corbridge. *Nmbd* 3C 114
Corby. *Nptn* 2F 63
Corby Glen. *Linc* 3H 75
Cordon. *N Ayr* 2E 123
Coreley. *Shrp* 3A 60
Corfe. *Som* 1F 13
Corfe Castle. *Dors* 4E 15
Corfe Mullen. *Dors* 3E 15
Corfton. *Shrp* 2G 59
Corgarff. *Abers* 3G 151
Corhampton. *Hants* 4E 24
Corlae. *Dum* 5F 117
Corlannau. *Neat* 2A 32
Corley. *Warw* 2H 61
Corley Ash. *Warw* 2G 61
Corley Moor. *Warw* 2G 61
Cormiston. *S Lan* 1C 118
Cornaa. *IOM* 3D 108
Cornaigbeg. *Arg* 4A 138
Cornaigmore. *Arg* 2D 138
(on Coll)
Cornaigmore. *Arg* 4A 138
(on Tiree)
Corner Row. *Lanc* 1C 90
Corney. *Cumb* 5C 102
Cornforth. *Dur* 1A 106
Cornhill. *Abers* 3C 160
Cornhill. *High* 4C 164
Cornhill-on-Tweed. *Nmbd* 1C 120
Cornholme. *W Yor* 2H 91
Cornish Hall End. *Essx* 2G 53
Cornriggs. *Dur* 5B 114
Cornsay. *Dur* 5E 115
Cornsay Colliery. *Dur* 5E 115
Corntown. *High* 3H 157
Corntown. *V Glam* 4C 32
Cornwell. *Oxon* 3A 50
Cornwood. *Devn* 3C 8
Cornworthy. *Devn* 3E 9
Corpach. *High* 1E 141
Corpusty. *Norf* 3D 78
Corra. *Dum* 3F 111
Corran. *High* 2E 141
(nr. Arnisdale)
Corran. *High* 3A 148
(nr. Fort William)
Corrany. *IOM* 3D 108
Corribeg. *High* 1D 141

Corrie. *N Ayr* 5B 126
Corrie Common. *Dum* 1D 112
Corriecravie. *N Ayr* 3D 122
Corriekinloch. *High* 1A 164
Corriemoillie. *High* 2F 157
Corrievarkie Lodge. *Per* 1C 142
Corrievorrie. *High* 1B 150
Corrimony. *High* 5F 157
Corringham. *Linc* 1F 87
Corringham. *Thur* 2B 40
Corris. *Gwyn* 5G 69
Corris Uchaf. *Gwyn* 5G 69
Corrour Shooting Lodge. *High* . .2B 142
Corry. *High* 1E 147
Corrygills. *N Ayr* 2E 123
Corry of Ardnagrask. *High* 4H 157
Corsback. *High* 1E 169
(nr. Dunnet)
Corsback. *High* 3E 169
(nr. Halkirk)
Corscombe. *Dors* 2A 14
Corse. *Abers* 4D 160
Corse. *Glos* 3C 48
Corsehill. *Abers* 3G 161
Corse Lawn. *Worc* 2D 48
Corse of Kinnoir. *Abers* 4C 160
Corsham. *Wilts* 4D 34
Corsley. *Wilts* 2D 22
Corsley Heath. *Wilts* 2D 22
Corsock. *Dum* 2E 111
Corston. *Bath* 5B 34
Corston. *Wilts* 3E 35
Corstorphine. *Edin* 2F 129
Cortachy. *Ang* 3C 144
Corton. *Suff* 1H 67
Corton. *Wilts* 2E 23
Corton Denham. *Som* 4B 22
Corwar House. *S Ayr* 1H 109
Corwen. *Den* 1C 70
Coryates. *Dors* 4B 14
Coryton. *Devn* 4E 11
Coryton. *Thur* 2B 40
Cosby. *Leics* 1C 62
Coscote. *Oxon* 3D 36
Coseley. *W Mid* 1D 60
Cosgrove. *Nptn* 1F 51
Cosham. *Port* 2E 17
Cosheston. *Pemb* 4E 43
Coskills. *N Lin* 3D 94
Cosmeston. *V Glam* 5E 33
Cossall. *Notts* 1B 74
Cossington. *Leics* 4D 74
Cossington. *Som* 2G 21
Costa. *Orkn* 5C 172
Costessey. *Norf* 4D 78
Costock. *Notts* 3C 74
Coston. *Leics* 3F 75
Coston. *Norf* 5C 78
Cote. *Oxon* 5B 50
Cotebrook. *Ches W* 4H 83
Cotehill. *Cumb* 4F 113
Cotes. *Cumb* 1D 97
Cotes. *Leics* 3C 74
Cotes. *Staf* 2C 72
Cotesbach. *Leics* 2C 62
Cotes Heath. *Staf* 2C 72
Cotford St Luke. *Som* 4E 21
Cotgrave. *Notts* 2D 74
Cotham. *Notts* 1E 75
Cothelstone. *Som* 3E 21
Cotheridge. *Worc* 5B 60
Cotherstone. *Dur* 3D 104
Cothill. *Oxon* 2C 36
Cotland. *Mon* 5A 48
Cotleigh. *Devn* 2F 13
Cotmanhay. *Derbs* 1B 74
Coton. *Cambs* 5D 64
Coton. *Nptn* 3D 62
Coton. *Staf* 3C 72
(nr. Gnosall)
Coton. *Staf* 2D 73
(nr. Stone)

Coton. *Staf* 5F 73
(nr. Tamworth)
Coton Clanford. *Staf* 3C 72
Coton Hayes. *Staf* 2D 73
Coton Hill. *Shrp* 4G 71
Coton in the Clay. *Staf* 3F 73
Coton in the Elms. *Derbs* 4G 73
Cotonwood. *Shrp* 2H 71
Cotonwood. *Staf* 3C 72
Cott. *Devn* - 2D 9
Cottam. *E Yor* 3D 101
Cottam. *Lanc* 1D 90
Cottam. *Notts* 3F 87
Cottartown. *High* 5E 159
Cottatown. *Nptn* 4E 63
Cottenham. *Cambs* 4D 64
Cotterdale. *N Yor* 5B 104
Cottered. *Herts* 3D 52
Cotterstock. *Nptn* 1H 63
Cottesbrooke. *Nptn* 3E 62
Cottesmore. *Rut* 4G 75
Cotteylands. *Devn* 1C 12
Cottingham. *E Yor* 1D 94
Cottingham. *Nptn* 1F 63
Cottingley. *W Yor* 1B 92
Cottisford. *Oxon* 2D 50
Cotton. *Staf* 1E 73
Cotton. *Suff* 4C 66
Cotton End. *Bed* 1A 52
Cottown. *Abers* 4F 161
Cotts. *Devn* 2A 8
Cotwalton. *Staf* 2D 72
Couch's Mill. *Corn* 3F 7
Coughton. *Here* 3A 48
Coughton. *Warw* 4E 61
Coulags. *High* 4B 156
Coulby Newham. *Midd* 3C 106
Coulderton. *Cumb* 4A 102
Coulin Lodge. *High* 3C 156
Coull. *Abers* 3C 152
Coulport. *Arg* 1D 126
Coulsdon. *Surr* 5D 39
Coulter. *S Lan* 1C 118
Coultershaw Bridge. *W Sus* 4A 26
Coultings. *Som* 2F 21
Coulton. *N Yor* 2A 100
Cound. *Shrp* 5H 71
Coundon. *Dur* 2F 105
Coundon Grange. *Dur* 2F 105
Countersett. *N Yor* 1B 98
Countess. *Wilts* 2G 23
Countess Cross. *Essx* 2B 54
Countesthorpe. *Leics* 1C 62
Countisbury. *Devn* 2H 19
Coupar Angus. *Per* 4B 144
Coupe Green. *Lanc* 2D 90
Coupland. *Cumb* 3A 104
Coupland. *Nmbd* 1D 120
Cour. *Arg* 5G 125
Courance. *Dum* 5C 118
Court-at-Street. *Kent* 2E 29
Courteachan. *High* 4E 147
Courteenhall. *Nptn* 5E 63
Court Henry. *Carm* 3F 45
Courtsend. *Essx* 1E 41
Courtway. *Som* 3F 21
Cousland. *Midl* 3G 129
Cousley Wood. *E Sus* 2A 28
Coustonn. *Arg* 2B 126
Cove. *Arg* 1D 126
Cove. *Devn* 1C 12
Cove. *Hants* 1G 25
Cove. *High* 4C 162
Cove. *Bord* 2D 130
Cove Bay. *Aber* 3G 153
Covehithe. *Suff* 2H 67
Coven. *Staf* 5D 72
Coveney. *Cambs* 2D 65
Covenham St Bartholomew.
. . . *Linc* 1C 88
Covenham St Mary. *Linc* 1C 88
Coven Heath. *Staf* 5D 72
Coventry. *W Mid* 3H 61
Coventry Airport. *Warw* 3A 62

Coverack. *Corn* 5E 5
Coverham. *N Yor* 1D 98
Covesea. *Mor* 1F 159
Covingham. *Swin* 3G 35
Covington. *Cambs* 3H 63
Covington. *S Lan* 1B 118
Cowan Bridge. *Lanc* 2F 97
Cowan Head. *Cumb* 5F 103
Cowbar. *Red C* 3E 107
Cowbeech. *E Sus* 4H 27
Cowbit. *Linc* 4B 76
Cowbridge. *V Glam* 4C 32
Cowden. *Kent* 1F 27
Cowdenbeath. *Fife* 4D 136
Cowdenburn. *Bord* 4F 129
Cowdenend. *Fife* 4D 136
Cowers Lane. *Derbs* 1H 73
Cowes. *IOW* 3C 16
Cowesby. *N Yor* 1G 99
Cowfold. *W Sus* 3D 26
Cowfords. *Mor* 3H 159
Cowgate. *Cumb* 5B 112
Cowgill. *Cumb* 1G 97
Cowie. *Abers* 5F 153
Cowie. *Stir* 1B 128
Cowlam. *E Yor* 3D 100
Cowley. *Devn* 3C 12
Cowley. *Glos* 4E 49
Cowley. *G Lon* 2B 38
Cowley. *Oxon* 5D 50
Cowley. *Staf* 4C 72
Cowleymoor. *Devn* 1C 12
Cowling. *Lanc* 3D 90
Cowling. *N Yor* 1E 99
(nr. Bedale)
Cowling. *N Yor* 5B 98
(nr. Glusburn)
Cowlinge. *Suff* 5G 65
Cowmes. *W Yor* 3B 92
Cowpe. *Lanc* 2G 91
Cowpen. *Nmbd* 1F 115
Cowpen Bewley. *Stoc T* 2B 106
Cowplain. *Hants* 1E 17
Cowshill. *Dur* 5B 114
Cowslip Green. *N Som* 5H 33
Cowstrandburn. *Fife* 4C 136
Cowthorpe. *N Yor* 4G 99
Coxall. *Here* 3F 59
Coxbank. *Ches E* 1A 72
Coxbench. *Derbs* 1A 74
Cox Common. *Suff* 2G 67
Coxford. *Norf* 3H 77
Coxgreen. *Staf* 2C 60
Cox Green. *Surr* 2B 26
Cox Green. *Tyne* 4G 115
Coxheath. *Kent* 5B 40
Coxhoe. *Dur* 1A 106
Coxley. *Som* 2A 22
Coxwold. *N Yor* 2H 99
Coychurch. *V Glam* 3C 32
Coylton. *S Ayr* 3D 116
Coylumbridge. *High* 2D 150
Coynach. *Abers* 3B 152
Coynachie. *Abers* 5B 160
Coytrahen. *B'end* 3B 32
Crabbs Cross. *Worc* 4E 61
Crabgate. *Norf* 3C 78
Crab Orchard. *Dors* 2F 15
Crabtree. *W Sus* 3D 26
Crabtree Green. *Wrex* 1F 71
Crackaig. *High* 2G 165
Crackenthorpe. *Cumb* 2H 103
Crackington Haven. *Corn* 3B 10
Crackley. *Staf* 5C 84
Crackley. *Warw* 3G 61
Cracklybank. *Shrp* 4B 72
Crackpot. *N Yor* 5C 104
Cracoe. *N Yor* 3B 98
Craddock. *Devn* 1D 12
Cradhlastadh. *W Isl* 4C 171
Cradley. *Here* 1C 48
Cradley. *W Mid* 2D 60
Cradoc. *Powy* 2D 46
Crafthole. *Corn* 3H 7

Crafton. *Buck* 4G 51
Cragabus. *Arg* 5B 124
Crag Foot. *Lanc* 2D 97
Craggan. *Arg* 1E 151
Cragganmore. *Mor* 5F 159
Cragganvallie. *High* 5H 157
Craggiemore. *High* 5B 158
Cragg Vale. *W Yor* 2A 92
Craghead. *Dur* 4F 115
Crai. *Powy* 3B 46
Craibstone. *Aber* 2F 153
Craichie. *Ang* 4E 145
Craig. *Arg* 5E 141
Craig. *Dum* 2D 111
Craig. *High* 4C 156
(nr. Achnashellach)
Craig. *High* 2G 155
(nr. Lower Diabaig)
Craig. *High* 5H 155
(nr. Stromeferry)
Craiganour Lodge. *Per* 3D 142
Craigbrack. *Arg* 4A 134
Craig-cefn-parc. *Swan* 5G 45
Craigdallie. *Per* 1E 136
Craigdam. *Abers* 5F 161
Craigdarroch. *E Ayr* 4F 117
Craigdarroch. *High* 3G 157
Craigdhu. *High* 4G 157
Craigearn. *Abers* 2E 152
Craigellachie. *Mor* 4G 159
Craigend. *Per* 1D 136
Craigendoran. *Arg* 1E 126
Craigends. *Ren* 3F 127
Craigenputtock. *Dum* 1E 111
Craigens. *E Ayr* 3E 117
Craighall. *Edin* 2E 129
Craighead. *Fife* 2H 137
Craighouse. *Arg* 3D 124
Craigie. *Abers* 2G 153
Craigie. *D'dee* 5D 144
Craigie. *Per* 4A 144
(nr. Blairgowrie)
Craigie. *Per* 1D 136
(nr. Perth)
Craigie. *S Ayr* 1D 116
Craigielaw. *E Lot* 2A 130
Craiglemine. *Dum* 5B 110
Craig-llwyn. *Shrp* 3E 71
Craiglockhart. *Edin* 2F 129
Craig Lodge. *Arg* 2B 126
Craigmalloch. *E Ayr* 5D 117
Craigmaud. *Abers* 3F 161
Craigmill. *Stir* 4H 135
Craigmillar. *Edin* 2F 129
Craigmore. *Arg* 3C 126
Craigmuie. *Dum* 1E 111
Craignair. *Dum* 3F 111
Craignant. *Shrp* 2E 71
Craigneuk. *N Lan* 3A 128
(nr. Airdrie)
Craigneuk. *N Lan* 4A 128
(nr. Motherwell)
Craignure. *Arg* 5B 140
Craigo. *Abers* 2F 145
Craigrory. *High* 4A 158
Craigrothie. *Fife* 2F 137
Craigs. *Dum* 2D 112
Craigshill. *W Lot* 3D 128
Craigs, The. *High* 4B 164
Craigston. *Aber* 3E 160
Craigton. *Abers* 3E 152
Craigton. *Ang* 5E 145
(nr. Carnoustie)
Craigton. *Ang* 3C 144
(nr. Kirriemuir)
Craigton. *High* 4A 158
Craigton. *High* 3A 158
Craig-y-Dd 5H 45
Craiglych . . . .
Craig-y-n 1B 46
Craik. *B* 119
. 137
. . . . .2A 120

Cuaig. High	3G 155
Cuan. Arg	2E 133
Cubbington. Warw	4H 61
Cubert. Corn	3B 6
Cubley. S Yor	4C 92
Cubley Common. Derbs	2F 73
Cublington. Buck	3G 51
Cublington. Here	2H 47
Cuckfield. W Sus	3E 27
Cucklington. Som	4C 22
Cuckney. Notts	3C 86
Cuckoo Bridge. Linc	3B 76
Cuddesdon. Oxon	5E 50
Cuddington. Buck	4F 51
Cuddington. Ches W	3A 84
Cuddington Heath. Ches W	1G 71
Cuddy Hill. Lanc	1C 90
Cudham. G Lon	5F 39
Cudlipptown. Devn	5F 11
Cudworth. Som	1G 13
Cudworth. S Yor	4D 93
Cudworth. Surr	1D 26
Cuerdley Cross. Warr	2H 83
Cuffley. Herts	5D 52
Cuidhsiadar. W Isl	2H 171
Cuidhtinis. W Isl	9C 171
Culbo. High	2A 158
Culbokie. High	3A 158
Culburnie. High	4G 157
Culcabock. High	4A 158
Culcharry. High	3C 158
Culcheth. Warr	1A 84
Culduie. High	4G 155
Culeave. High	4C 164
Culford. Suff	4H 65
Culgaith. Cumb	2H 103
Culham. Oxon	2D 36
Culkein. High	1E 163
Culkein Drumbeg. High	5B 166
Culkerton. Glos	2E 35
Cullen. Mor	2C 160
Cullercoats. Tyne	2G 115
Cullicudden. High	2A 158
Cullingworth. W Yor	1A 92
Cullipool. Arg	2E 133
Cullivoe. Shet	1G 173
Culloch. Per	2G 135
Culloden. High	4B 158
Cullompton. Devn	2D 12
Culm Davy. Devn	1E 13
Culmington. Shrp	2G 59
Culmstock. Devn	1E 12
Culnacnoc. High	2E 155
Culnacraig. High	3E 163
Culrain. High	4C 164
Culross. Fife	1C 128
Culroy. S Ayr	3C 116
Culswick. Shet	7D 173
Cults. Aber	3F 153
Cults. Abers	5C 160
Cults. Fife	3F 137
Cultybraggan Camp. Per	1G 135
Culver. Devn	3B 12
Culverlane. Devn	2D 8
Culverstone Green. Kent	4H 39
Culverthorpe. Linc	1H 75
Culworth. Nptn	1D 50
Culzie Lodge. High	1H 157
Cumberlow Green. Herts	2D 52
Cumbernauld. N Lan	2A 128
Cumbernauld Village. N Lan	2A 128
Cumberworth. Linc	3E 89
Cumdivock. Cumb	5E 113
Cuminestown. Abers	3F 161
Cumledge Mill. Bord	4D 130
Cummersdale. Cumb	4E 113
Cummertrees. Dum	3C 112
Cummingstown. Mor	2F 159
Cumnock. E Ayr	3E 117
Cumnor. Oxon	5C 50
Cumrew. Cumb	4G 113
Cumwhinton. Cumb	4F 113
Cumwhitton. Cumb	4G 113
Cundall. N Yor	2G 99
Cunninghamhead. N Ayr	5E 127
Cunning Park. S Ayr	3C 116
Cunningsburgh. Shet	9F 173
Cunnister. Shet	2G 173
Cupar. Fife	2F 137
Cupar Muir. Fife	2F 137
Cupernham. Hants	4B 24
Curbar. Derbs	3G 85
Curborough. Staf	4F 73
Curbridge. Hants	1D 16
Curbridge. Oxon	5B 50
Curbridge. Hants	1D 16
Curdworth. Warw	1F 61
Curland. Som	1F 13
Curland Common. Som	1F 13
Curridge. W Ber	4C 36
Currie. Edin	3E 129
Curry Mallet. Som	4G 21
Curry Rivel. Som	4G 21
Curtisden Green. Kent	1B 28
Curtisknowle. Devn	3D 8
Cury. Corn	4D 5
Cusgarne. Corn	4B 6
Cusop. Here	1F 47
Cusworth. S Yor	4F 93
Cutcombe. Som	3C 20
Cuthill. E Lot	2G 129
Cutiau. Gwyn	4F 69
Cutlers Green. Essx	2F 53
Cutmadoc. Corn	2E 7
Cutnall Green. Worc	4C 60
Cutsdean. Glos	2F 49
Cutthorpe. Derbs	3H 85
Cuttiford's Door. Som	1G 13
Cuttivett. Corn	2H 7
Cuttybridge. Pemb	3D 42
Cuttyhill. Abers	3H 161
Cuxham. Oxon	2E 37
Cuxton. Medw	4B 40
Cuxwold. Linc	4E 95
Cwm. Blae	5E 47
Cwm. Den	3C 82
Cwm. Powy	1E 59
Cwmafan. Neat	2A 32
Cwmaman. Rhon	2C 32
Cwmann. Carm	1F 45
Cwmbach. Carm	2G 43
Cwmbach. Powy	2E 46
Cwmbach. Rhon	5D 46
Cwmbach Llechryd. Powy	5C 58
Cwmbelan. Powy	2B 58
Cwmbran. Torf	2F 33
Cwmbrwyno. Cdgn	2G 57
Cwm Capel. Carm	5E 45
Cwmcarn. Cphy	2F 33
Cwmcarvan. Mon	5H 47
Cwm-celyn. Blae	5F 47
Cwmcerdinen. Swan	5G 45
Cwm-Cewydd. Gwyn	4A 70
Cwmcoy. Cdgn	1C 44
Cwmcrawnon. Powy	4E 47
Cwmdare. Rhon	5C 46
Cwmdu. Carm	2G 45
Cwmdu. Powy	3E 47
Cwmduad. Carm	2D 45
Cwm Dulais. Swan	5G 45
Cwmerfyn. Cdgn	2F 57
Cwmfelin. B'end	3B 32
Cwmfelin Boeth. Carm	3F 43
Cwmfelinfach. Cphy	2E 33
Cwmfelin Mynach. Carm	2G 43
Cwmffrwd. Carm	4E 45
Cwmgiedd. Powy	4A 46
Cwmgors. Neat	4H 45
Cwmgwili. Carm	4F 45
Cwmgwrach. Neat	5B 46
Cwmhiraeth. Carm	1H 43
Cwmifor. Carm	3G 45
Cwmisfael. Carm	4E 45
Cwm-Llinau. Powy	5H 69
Cwmllynfell. Neat	4H 45
Cwm-mawr. Carm	4F 45
Cwm-miles. Carm	2F 43
Cwmorgan. Carm	1G 43
Cwmparc. Rhon	2C 32
Cwm Penmachno. Cnwy	1G 69
Cwmpennar. Rhon	5D 46
Cwm Plysgog. Pemb	1B 44
Cwmrhos. Powy	3E 47
Cwmsychpant. Cdgn	1E 45
Cwmsyfiog. Cphy	5E 47
Cwmsymlog. Cdgn	2F 57
Cwmtillery. Blae	5F 47
Cwm-twrch Isaf. Powy	5A 46
Cwm-twrch Uchaf. Powy	4A 46
Cwmwysg. Powy	3B 46
Cwm-y-glo. Gwyn	4E 81
Cwmyoy. Mon	3G 47
Cwmystwyth. Cdgn	3G 57
Cwrt. Gwyn	1F 57
Cwrtnewydd. Cdgn	1E 45
Cwrt-y-Cadno. Carm	1G 45
Cydweli. Carm	5E 45
Cyffylliog. Den	5C 82
Cymau. Flin	5E 83
Cymer. Neat	2B 32
Cymmer. Neat	2B 32
Cymmer. Rhon	2D 32
Cyncoed. Card	3E 33
Cynghordy. Carm	2B 46
Cynghordy. Swan	5G 45
Cynheidre. Carm	5E 45
Cynonville. Neat	2B 32
Cynwyd. Den	1C 70
Cynwyl Elfed. Carm	3D 44
Cywarch. Gwyn	4A 70

D

Dacre. Cumb	2F 103
Dacre. N Yor	3D 98
Dacre Banks. N Yor	3D 98
Daddry Shield. Dur	1B 104
Dadford. Buck	2E 51
Dadlington. Leics	1B 62
Dafen. Carm	5F 45
Daffy Green. Norf	5B 78
Dagdale. Staf	2E 73
Dagenham. G Lon	2F 39
Daggons. Dors	1G 15
Daglingworth. Glos	5E 49
Dagnall. Buck	4H 51
Dagtail End. Worc	4E 61
Dail. Arg	5E 141
Dail bho Dheas. W Isl	1G 171
Dailly. S Ayr	4B 116
Dail Mor. W Isl	3E 171
Dairsie. Fife	2G 137
Daisy Bank. W Mid	1E 61
Daisy Hill. G Man	4E 91
Daisy Hill. W Yor	1B 92
Dalabrog. W Isl	6C 170
Dalavich. Arg	2G 133
Dalbeattie. Dum	3F 111
Dalblair. E Ayr	3F 117
Dalbury. Derbs	2G 73
Dalby. IOM	4B 108
Dalby Wolds. Leics	3D 74
Dalchalm. High	3G 165
Dalcharn. High	3G 167
Dalchork. High	2C 164
Dalchreichart. High	2E 149
Dalchruin. Per	2G 135
Dalcross. High	4B 158
Dalderby. Linc	4B 88
Dale. Cumb	5G 113
Dale. Derbs	2B 74
Dale. Pemb	4C 42
Dalebank. Derbs	4A 86
Dale Bottom. Cumb	2D 102
Dalebrook. Derbs	1G 85
Dale Head. Cumb	3F 103
Dalehouse. N Yor	3E 107
Dalelia. High	2B 140
Dale of Walls. Shet	6C 173
Dalgarven. N Ayr	5D 126
Dalgety Bay. Fife	1E 129
Dalginross. Per	1G 135
Dalguise. Per	4G 143
Dalhalvaig. High	3A 168
Dalham. Suff	4G 65
Dalintart. Arg	1F 133
Dalkeith. Midl	3G 129
Dallas. Mor	3F 159
Dalleagles. E Ayr	3E 117
Dall House. Per	3C 142
Dallinghoo. Suff	5E 67
Dallington. E Sus	4A 28
Dallow. N Yor	2D 98
Dalmally. Arg	1A 134
Dalmarnock. Glas	3H 127
Dalmellington. E Ayr	4D 117
Dalmeny. Edin	2E 129
Dalmigavie. High	2B 150
Dalmilling. S Ayr	2C 116
Dalmore. High	2A 158
(nr. Alness)	
Dalmore. High	3E 164
(nr. Rogart)	
Dalmuir. W Dun	2F 127
Dalmunach. Mor	4G 159
Dalnabreck. High	2B 140
Dalnacardoch Lodge. Per	1E 142
Dalnamein Lodge. Per	2E 143
Dalnaspidal Lodge. Per	1D 142
Dalnatrat. High	3D 140
Dalnavie. High	1A 158
Dalnawillan Lodge. High	4C 168
Dalness. High	3F 141
Dalnessie. High	2D 164
Dalqueich. Per	3C 136
Dalquharn. S Ayr	5C 116
Dalreavoch. High	3E 165
Dalreoch. Per	2C 136
Dalrigh. Arg	5H 141
Dalry. Edin	2F 129
Dalry. N Ayr	5D 126
Dalrymple. E Ayr	3C 116
Dalscote. Nptn	5D 62
Dalserf. S Lan	4A 128
Dalsmirren. Arg	4A 122
Dalston. Cumb	4E 113
Dalswinton. Dum	1G 111
Dalton. Dum	2C 112
Dalton. Lanc	4C 90
Dalton. Nmbd	4C 114
(nr. Hexham)	
Dalton. Nmbd	2E 115
(nr. Ponteland)	
Dalton. N Yor	4E 105
(nr. Richmond)	
Dalton. N Yor	2G 99
(nr. Thirsk)	
Dalton. S Lan	4H 127
Dalton. S Yor	1B 86
Dalton-in-Furness. Cumb	2B 96
Dalton-le-Dale. Dur	5H 115
Dalton Magna. S Yor	1B 86
Dalton-on-Tees. N Yor	4F 105
Dalton Piercy. Hart	1B 106
Daltot. Arg	1F 125
Dalvey. High	5F 159
Dalwhinnie. High	5A 150
Dalwood. Devn	2F 13
Damerham. Hants	1G 15
Damgate. Norf	5G 79
(nr. Acle)	
Damgate. Norf	4G 79
(nr. Martham)	
Dam Green. Norf	2C 66
Damhead. Mor	3E 159
Danaway. Kent	4C 40
Danbury. Essx	5A 54
Danby. N Yor	4D 107
Danby Bottom. N Yor	4D 107
Danby Wiske. N Yor	5A 106
Danderhall. Midl	3G 129
Danebank. Ches E	2D 85
Danebridge. Ches E	4D 84
Dane End. Herts	3D 52
Danehill. E Sus	3F 27
Danesford. Shrp	1B 60
Daneshill. Hants	1E 25
Danesmoor. Derbs	4A 86
Danestone. Aber	2G 153
Dangerous Corner. Lanc	3D 90
Daniel's Water. Kent	1D 28
Dan's Castle. Dur	1E 105
Danshillock. Abers	3E 160
Danzey Green. Warw	4F 61
Dapple Heath. Staf	3E 73
Daren. Powy	4F 47
Darenth. Kent	3G 39
Daresbury. Hal	2H 83
Darfield. S Yor	4E 93
Dargate. Kent	4E 41
Dargill. Per	2A 136
Darite. Corn	2G 7
Darlaston. Staf	2C 72
Darlaston. W Mid	1D 60
Darley. N Yor	4E 98
Darley Abbey. Derb	2A 74
Darley Bridge. Derbs	4G 85
Darley Dale. Derbs	4G 85
Darley Head. N Yor	4D 98
Darlingscott. Warw	1H 49
Darlington. Darl	3F 105
Darliston. Shrp	2H 71
Darlton. Notts	3E 87
Darnhall. Suff	5C 66
Darnall. S Yor	2A 86
Darnford. Abers	4E 153
Darnick. Bord	1H 119
Darowen. Powy	5H 69
Darra. Abers	4E 161
Darracott. Devn	3E 19
Darras Hall. Nmbd	2E 115
Darrington. W Yor	3E 93
Darrow Green. Norf	2E 67
Darsham. Suff	4G 67
Dartfield. Abers	3H 161
Dartford. Kent	3G 39
Dartford Crossing. Kent	3G 39
Dartington. Devn	2D 9
Dartmeet. Devn	5G 11
Dartmouth. Devn	3E 9
Darton. S Yor	3D 92
Darvel. E Ayr	1E 117
Darwen. Bkbn	2E 91
Dassels. Herts	3D 53
Datchet. Wind	3A 38
Datchworth. Herts	4C 52
Datchworth Green. Herts	4C 52
Daubhill. G Man	4F 91
Dauntsey. Wilts	3E 35
Dauntsey Green. Wilts	3E 35
Dauntsey Lock. Wilts	3E 35
Dava. Mor	5E 159
Davenham. Ches W	3A 84
Daventry. Nptn	4C 62
Davidson's Mains. Edin	2F 129
Davidstow. Corn	4B 10
Davington. Dum	4E 119
Daviot. Abers	1E 153
Daviot. High	5B 158
Davyhulme. G Man	1B 84
Daw Cross. N Yor	4F 99
Dawdon. Dur	5H 115
Dawesgreen. Surr	1D 26
Dawley. Telf	5A 72
Dawlish. Devn	5C 12
Dawlish Warren. Devn	5C 12
Dawn. Cnwy	3A 82
Daws Heath. Essx	2C 40
Dawshill. Worc	5C 60
Daw's House. Corn	4D 10
Dawsmere. Linc	2D 76
Dayhills. Staf	2D 72
Daybrook. Notts	1C 74
Daylesford. Glos	3H 49
Ddol	2E 71
Ddol	3D 82
Ddol	4C 70

Deadman's Cross. *C Beds* 1B 52
Deadwater. *Nmbd* 5A 120
Deal Hill. *Dur* 1A 106
Deal. *Kent* 5H 41
Dean. *Cumb* 2B 102
Dean. *Devn* 2E 19
(nr. Combe Martin)
Dean. *Devn* 2H 19
(nr. Lynton)
Dean. *Dors* 1E 15
Dean. *Hants* 1D 16
(nr. Bishop's Waltham)
Dean. *Hants* 3C 24
(nr. Winchester)
Dean. *Som* 2B 22
Dean Bank. *Dur* 1F 105
Deanburnhaugh. *Bord* 3F 119
Dean Cross. *Devn* 2F 19
Deane. *Hants* 1D 24
Deanich Lodge. *High* 5A 164
Deanland. *Dors* 1E 15
Deanlane End. *W Sus* 1F 17
Dean Park. *Shrp* 4H 59
Dean Prior. *Devn* 2D 8
Dean Row. *Ches E* 2C 84
Deans. *W Lot* 3D 128
Deanscales. *Cumb* 2B 102
Deanshanger. *Nptn* 2F 51
Deanston. *Stir* 3G 135
Dearham. *Cumb* 1B 102
Dearne. *S Yor* 4E 93
Dearne Valley. *S Yor* 4D 93
Debach. *Suff* 5E 67
Debden. *Essx* 2F 53
Debden Green. *Essx* 1F 39
(nr. Loughton)
Debden Green. *Essx* 2F 53
(nr. Saffron Walden)
Debenham. *Suff* 4D 66
Dechmont. *W Lot* 2D 128
Deddington. *Oxon* 2C 50
Dedham. *Essx* 2D 54
Dedham Heath. *Essx* 2D 54
Deebank. *Abers* 4D 152
Deene. *Nptn* 1G 63
Deenethorpe. *Nptn* 1G 63
Deepcar. *S Yor* 1G 85
Deepdale. *Cumb* 1G 97
Deepdale. *N Lin* 3D 94
Deepdale. *N Yor* 2A 98
Deeping Gate. *Pet* 5A 76
Deeping St James. *Linc* 5A 76
Deeping St Nicholas. *Linc* 4B 76
Deerhill. *Mor* 3B 160
Deerhurst. *Glos* 3D 48
Deerhurst Walton. *Glos* 3D 49
Deerness. *Orkn* 7E 172
Defford. *Worc* 1E 49
Defynnog. *Powy* 3C 46
Deganwy. *Cnwy* 3G 81
Deighton. *N Yor* 4A 106
Deighton. *W Yor* 3B 92
Deighton. *York* 5A 100
Deiniolen. *Gwyn* 4E 81
Delabole. *Corn* 4A 10
Delamere. *Ches W* 4H 83
Delfour. *High* 3C 150
Dellieture. *High* 5E 159
Dell, The. *Suff* 1G 67
Delly End. *Oxon* 4B 50
Delny. *High* 1B 158
Delph. *G Man* 4H 91
Delves. *Dur* 5E 115
Delves, The. *W Mid* 1E 61
Delvin End. *Essx* 2A 54
Dembleby. *Linc* 2H 75
Demelza. *Corn* 2D 6
Denaby Main. *S Yor* 1B 86
Denbeath. *Fife* 4F 137
Denbigh. *Den* 4C 82
Denbury. *Devn* 2E 9
Denby. *Derbs* 1A 74
Denby Co... .....5B 74

Denby Dale. *W Yor* 4C 92
Denchworth. *Oxon* 2B 36
Dendron. *Cumb* 2B 96
Deneside. *Dur* 5H 115
Denford. *Nptn* 3G 63
Dengie. *Essx* 5C 54
Denham. *Buck* 2B 38
Denham. *Suff* 4G 65
(nr. Bury St Edmunds)
Denham. *Suff* 3D 66
(nr. Eye)
Denham Green. *Buck* 2B 38
Denham Street. *Suff* 3D 66
Denhead. *Abers* 5G 161
(nr. Ellon)
Denhead. *Abers* 3G 161
(nr. Strichen)
Denhead. *Fife* 2G 137
Denholm. *Bord* 3H 119
Denholme. *W Yor* 1A 92
Denholme Clough. *W Yor* 1A 92
Denholme Gate. *W Yor* 1A 92
Denio. *Gwyn* 2C 68
Denmead. *Hants* 1E 17
Dennington. *Suff* 4E 67
Denny. *Falk* 1B 128
Denny End. *Cambs* 4D 65
Dennyloanhead. *Falk* 1B 128
Den of Lindores. *Fife* 2E 137
Denshaw. *G Man* 3H 91
Densole. *Kent* 1G 29
Denside. *Abers* 4F 153
Denston. *Suff* 5G 65
Denstone. *Staf* 1F 73
Denstroude. *Kent* 4F 41
Dent. *Cumb* 1G 97
Denton. *Cambs* 2A 64
Denton. *Darl* 3F 105
Denton. *E Sus* 5F 27
Denton. *G Man* 1D 84
Denton. *Kent* 1G 29
Denton. *Linc* 2F 75
Denton. *Norf* 2E 67
Denton. *N Yor* 5D 98
Denton. *Oxon* 5D 50
Denver. *Norf* 5F 77
Denwick. *Nmbd* 3G 121
Deopham. *Norf* 5C 78
Deopham Green. *Norf* 1C 66
Depden. *Suff* 5G 65
Depden Green. *Suff* 5G 65
Deptford. *G Lon* 3E 39
Deptford. *Wilts* 3F 23
Derby. *Derb* 2A 74
Derbyhaven. *IOM* 5B 108
Derculich. *Per* 3F 143
Dereham. *Norf* 4B 78
Deri. *Cphy* 5E 47
Derril. *Devn* 2D 10
Derringstone. *Kent* 1G 29
Derrington. *Shrp* 1A 60
Derrington. *Staf* 3C 72
Derriton. *Devn* 2D 10
Derryguaig. *Arg* 5F 139
Derry Hill. *Wilts* 4E 35
Derrythorpe. *N Lin* 4B 94
Dersingham. *Norf* 2F 77
Dervaig. *Arg* 3F 139
Derwen. *Den* 5C 82
Derwen Gam. *Cdgn* 5D 56
Derwenlas. *Powy* 1G 57
Desborough. *Nptn* 2F 63
Desford. *Leics* 5B 74
Detchant. *Nmbd* 1E 121
Detling. *Kent* 5B 40
Deuchar. *Ang* 2D 144
Deuddwr. *Powy* 4E 71
Devauden. *Mon* 2H 33
Devil's Bridge. *Cdgn* 3G 57
Devitts Green. *Warw* 1G 61
Devizes. *Wilts* 5F 35

Devonport. *Plym* 3A 8
Devonside. *Clac* 4B 136
Devoran. *Corn* 5B 6
Dewartown. *Midl* 3G 129
Dewlish. *Dors* 3C 14
Dewsbury. *W Yor* 2C 92
Dexbeer. *Devn* 2C 10
Dhoon. *IOM* 3D 108
Dhoor. *IOM* 2D 108
Dhowin. *IOM* 1D 108
Dial Green. *W Sus* 3A 26
Dial Post. *W Sus* 4C 26
Dibberford. *Dors* 2H 13
Dibden. *Hants* 2C 16
Dibden Purlieu. *Hants* 2C 16
Dickleburgh. *Norf* 2D 66
Diddbrook. *Glos* 2F 49
Diddington. *Cambs* 4A 64
Diddlebury. *Shrp* 2H 59
Didley. *Here* 2H 47
Didling. *W Sus* 1G 17
Didmarton. *Glos* 3D 34
Didsbury. *G Man* 1C 84
Didworthy. *Devn* 2C 8
Digby. *Linc* 5H 87
Digg. *High* 2D 154
Diggle. *G Man* 4A 92
Digmoor. *Lanc* 4C 90
Digswell. *Herts* 4C 52
Dihewyd. *Cdgn* 5D 57
Dilham. *Norf* 3F 79
Dilhorne. *Staf* 1D 72
Dillarburn. *S Lan* 5B 128
Dillington. *Cambs* 4A 64
Dilston. *Nmbd* 3C 114
Dilton Marsh. *Wilts* 2D 22
Dilwyn. *Here* 5G 59
Dimmer. *Som* 3B 22
Dimple. *G Man* 3F 91
Dinas. *Carm* 1G 43
Dinas. *Gwyn* 5D 81
(nr. Caernarfon)
Dinas. *Gwyn* 2B 68
(nr. Tudweiliog)
Dinas. *Pemb* 1E 43
Dinas Dinlle. *Gwyn* 5D 80
Dinas Mawddwy. *Gwyn* 4A 70
Dinas Powys. *V Glam* 4E 33
Dinbych. *Den* 4C 82
Dinbych-y-Pysgod. *Pemb* 4F 43
Dinckley. *Lanc* 1E 91
Dinder. *Som* 2A 22
Dinedor. *Here* 2A 48
Dinedor Cross. *Here* 2A 48
Dingestow. *Mon* 4H 47
Dingle. *Mers* 2F 83
Dingleden. *Kent* 2C 28
Dingleton. *Bord* 1H 119
Dingley. *Nptn* 2E 63
Dingwall. *High* 3H 157
Dinmael. *Cnwy* 1C 70
Dinnet. *Abers* 4B 152
Dinnington. *Som* 1H 13
Dinnington. *S Yor* 2C 86
Dinnington. *Tyne* 2F 115
Dinorwic. *Gwyn* 4E 81
Dinton. *Buck* 4F 51
Dinton. *Wilts* 3F 23
Dinworthy. *Devn* 1D 10
Dipley. *Hants* 1F 25
Dippen. *Arg* 2D 122
Dippenhall. *Surr* 2G 25
Dippertown. *Devn* 4E 11
Dippin. *N Ayr* 3E 123
Dipple. *S Ayr* 4B 116
Diptford. *Devn* 3D 8
Dipton. *Dur* 4E 115
Dirleton. *E Lot* 1B 130
Dirt Pot. *Nmbd* 5B 114
Diseworth. *Leics* 3B 74
Dishforth. *N Yor* 2F 99

Disley. *Ches E* 2D 85
Diss. *Norf* 3D 66
Disserth. *Powy* 5C 58
Distington. *Cumb* 2B 102
Ditchampton. *Wilts* 3F 23
Ditcheat. *Som* 3B 22
Ditchingham. *Norf* 1F 67
Ditchling. *E Sus* 4E 27
Ditteridge. *Wilts* 5D 34
Dittisham. *Devn* 3E 9
Ditton. *Hal* 2G 83
Ditton. *Kent* 5B 40
Ditton Green. *Cambs* 5F 65
Ditton Priors. *Shrp* 2A 60
Divach. *High* 1G 149
Dixonfield. *High* 2D 168
Dixton. *Glos* 2E 49
Dixton. *Mon* 4A 48
Dizzard. *Corn* 3B 10
Dobcross. *G Man* 4H 91
Dobs Hill. *Flin* 4F 83
Dobson's Bridge. *Shrp* 2G 71
Dobwalls. *Corn* 2G 7
Doccombe. *Devn* 4A 12
Dochgarroch. *High* 4A 158
Docking. *Norf* 2G 77
Docklow. *Here* 5H 59
Dockray. *Cumb* 2E 103
Doc Penfro. *Pemb* 4D 42
Doddenham. *Worc* 5B 60
Doddinghurst. *Essx* 1G 39
Doddington. *Cambs* 1C 64
Doddington. *Kent* 5D 40
Doddington. *Linc* 4G 87
Doddington. *Nmbd* 1D 121
Doddington. *Shrp* 3A 60
Doddiscombsleigh. *Devn* 4B 12
Doddshill. *Norf* 2G 77
Dodford. *Nptn* 4D 62
Dodford. *Worc* 3D 60
Dodington. *Som* 2E 21
Dodington. *S Glo* 4C 34
Dodleston. *Ches W* 4F 83
Dods Leigh. *Staf* 2E 73
Dodworth. *S Yor* 4D 92
Doe Lea. *Derbs* 4B 86
Dogdyke. *Linc* 5B 88
Dogmersfield. *Hants* 1F 25
Dogsthorpe. *Pet* 5B 76
Dolanog. *Powy* 4C 70
Dolau. *Powy* 4D 58
Dolau. *Rhon* 3D 32
Dolbenmaen. *Gwyn* 1E 69
Doley. *Staf* 3B 72
Dol-fach. *Powy* 5B 70
(nr. Llanbrynmair)
Dolfach. *Powy* 3B 58
(nr. Llanidloes)
Dolfor. *Powy* 2D 58
Dolgarrog. *Cnwy* 4G 81
Dolgellau. *Gwyn* 4G 69
Dolgoch. *Gwyn* 5F 69
Doll. *High* 3F 165
Dollar. *Clac* 4B 136
Dolley Green. *Powy* 4E 59
Dollwen. *Cdgn* 2F 57
Dolphin. *Flin* 3D 82
Dolphinholme. *Lanc* 4E 97
Dolphinton. *S Lan* 5E 129
Dolton. *Devn* 1F 11
Dolwen. *Cnwy* 3A 82
Dolwyddelan. *Cnwy* 5G 81
Dol-y-Bont. *Cdgn* 2F 57
Dolyhir. *Powy* 5E 59
Domgay. *Powy* 4E 71
Doncaster. *S Yor* 4F 93
Donhead St Andrew. *Wilts* 4E 23
Donhead St Mary. *Wilts* 4E 23
Doniford. *Som* 2D 20

Donington. *Linc* 2B 76
Donington. *Shrp* 5C 72
Donington Eaudike. *Linc* 2B 76
Donington le Heath. *Leics* 4B 74
Donington on Bain. *Linc* 2B 88
Donington South Ing. *Linc* 2B 76
Donisthorpe. *Leics* 4H 73
Donkey Street. *Kent* 2F 29
Donna Nook. *Linc* 1D 88
Donnington. *Glos* 3G 49
Donnington. *Here* 2C 48
Donnington. *Shrp* 5H 71
Donnington. *Telf* 4B 72
Donnington. *W Ber* 5C 36
Donnington. *W Sus* 2G 17
Donyatt. *Som* 1G 13
Doomsday Green. *W Sus* 2C 26
Doonfoot. *S Ayr* 3C 116
Doonholm. *S Ayr* 3C 116
Dorback Lodge. *High* 2E 151
Dorchester. *Dors* 3B 14
Dorchester on Thames. *Oxon* 2D 36
Dordon. *Warw* 5G 73
Dore. *S Yor* 2H 85
Dores. *High* 5H 157
Dorking. *Surr* 1C 26
Dorking Tye. *Suff* 2C 54
Dormansland. *Surr* 1F 27
Dormans Park. *Surr* 1E 27
Dormanstown. *Red C* 2C 106
Dormington. *Here* 1A 48
Dormston. *Worc* 5D 61
Dorn. *Glos* 2H 49
Dorney. *Buck* 3A 38
Dornie. *High* 1A 148
Dornoch. *High* 5E 165
Dornock. *Dum* 3D 112
Dorrery. *High* 3C 168
Dorridge. *W Mid* 3F 61
Dorrington. *Linc* 5H 87
Dorrington. *Shrp* 5G 71
Dorsington. *Warw* 1G 49
Dorstone. *Here* 1G 47
Dorton. *Buck* 4E 51
Dotham. *IOA* 3C 80
Dottery. *Dors* 3H 13
Doublebois. *Corn* 2F 7
Dougarie. *Arg* 2C 122
Doughton. *Glos* 2D 35
Douglas. *IOM* 4C 108
Douglas. *S Lan* 1H 117
Douglastown. *Ang* 4D 144
Douglas Water. *S Lan* 1A 118
Doulting. *Som* 2B 22
Dounby. *Orkn* 5B 172
Doune. *High* 3B 164
(nr. Kingussie)
Doune. *High* 3B 164
(nr. Lairg)
Doune. *Stir* 3G 135
Dounie. *High* 4C 164
(nr. Bonar Bridge)
Dounie. *High* 5D 164
(nr. Tain)
Dounreay. *High* 2B 168
Doura. *N Ayr* 5E 127
Dousland. *Devn* 2B 8
Dovaston. *Shrp* 3F 71
Dove Holes. *Derbs* 3E 85
Dovenby. *Cumb* 1B 102
Dover. *Kent* 1H 29
Dovercourt. *Essx* 2F 55
Doverdale. *Worc* 4C 60
Doveridge. *Derbs* 2F 73
Doversgreen. *Surr* 1D 26
Dowally. *Per* 4H 143
Dowbridge. *Lanc* 1C 90
Dowdeswell. *Glos* 4F 49
Dowlais. *Mer T* 5D 46
Dowland. *Devn* 1F 11
Dowlands. *Devn* 3F 13
Dowles. *Worc* 3B 60
Dowlesgreen. *Wok* 5G 37

Dowlish Wake. *Som* 1G **13**
Downall Green. *Mers* 4D **90**
Down Ampney. *Glos* 2F **35**
Downderry. *Corn* 3H **7**
(nr. Looe)
Downderry. *Corn* 3D **6**
(nr. St Austell)
Downe. *G Lon* 4F **39**
Downend. *IOW* 4D **16**
Downend. *S Glo* 4B **34**
Downend. *W Ber* 4C **36**
Downfield. *Cambs* 3F **65**
Downfield. *D'dee* 5C **144**
Downgate. *Corn* 5D **10**
(nr. Kelly Bray)
Downgate. *Corn* 5C **10**
(nr. Upton Cross)
Downham. *Essx* 1B **40**
Downham. *Lanc* 5G **97**
Downham. *Nmbd* 1C **120**
Downham Market. *Norf* 5F **77**
Down Hatherley. *Glos* 3D **48**
Downhead. *Som* 2B **22**
(nr. Frome)
Downhead. *Som* 4A **22**
(nr. Yeovil)
Downholland Cross. *Lanc* 4B **90**
Downholme. *N Yor* 5E **105**
Downies. *Abers* 4G **153**
Downley. *Buck* 2G **37**
Down St Mary. *Devn* 2H **11**
Downside. *Som* 2B **22**
(nr. Chilcompton)
Downside. *Som* 2B **22**
(nr. Shepton Mallet)
Downside. *Surr* 5C **38**
Down, The. *Shrp* 1A **60**
Down Thomas. *Devn* 3B **8**
Downton. *Hants* 3A **16**
Downton. *Wilts* 4G **23**
Downton on the Rock. *Here* . . .3G **59**
Dowsby. *Linc* 3A **76**
Dowsdale. *Linc* 4B **76**
Dowthwaitehead. *Cumb* 2E **103**
Doxey. *Staf* 3D **72**
Doxford. *Nmbd* 2F **121**
Doynton. *S Glo* 4C **34**
Drabblegate. *Norf* 3E **78**
Draethen. *Cphy* 3F **33**
Draffan. *S Lan* 5A **128**
Dragonby. *N Lin* 3C **94**
Dragons Green. *W Sus* 3C **26**
Drakelow. *Worc* 2C **60**
Drakemyre. *N Ayr* 4D **126**
Drakes Broughton. *Worc* 1E **49**
Drakes Cross. *Worc* 3E **61**
Drakewalls. *Corn* 5E **11**
Draughton. *Nptn* 3E **63**
Draughton. *N Yor* 4C **98**
Drax. *N Yor* 2G **93**
Draycot. *Oxon* 5E **51**
Draycote. *Warw* 4B **62**
Draycot Foliat. *Swin* 4G **35**
Draycott. *Derbs* 2B **74**
Draycott. *Glos* 2G **49**
Draycott. *Shrp* 1C **60**
Draycott. *Som* 1H **21**
(nr. Cheddar)
Draycott. *Som* 4A **22**
(nr. Yeovil)
Draycott. *Worc* 1D **48**
Draycott in the Clay. *Staf* 3F **73**
Draycott in the Moors. *Staf* . . .1D **73**
Drayford. *Devn* 1A **12**
Drayton. *Leics* 1F **63**
Drayton. *Linc* 2B **76**
Drayton. *Norf* 4D **78**
Drayton. *Nptn* 4C **62**
Drayton. *Oxon* 2C **36**
(nr. Abingdon)
Drayton. *Oxon* 1C **50**
(nr. Banbury)
Drayton. *Port* 2E **17**
Drayton. *Som* 4H **21**

Drayton. *Warw* 5F **61**
Drayton. *Worc* 3D **60**
Drayton Bassett. *Staf* 5F **73**
Drayton Beauchamp. *Buck* . . .4H **51**
Drayton Parslow. *Buck* 3G **51**
Drayton St Leonard. *Oxon* . . .2D **36**
Drebley. *N Yor* 4C **98**
Dreenhill. *Pemb* 3D **42**
Drefach. *Carm* 4F **45**
(nr. Meidrim)
Drefach. *Carm* 2D **44**
(nr. Newcastle Emlyn)
Drefach. *Carm* 2G **43**
(nr. Tumble)
Drefach. *Cdgn* 1E **45**
Dreghorn. *N Ayr* 1C **116**
Drellingore. *Kent* 1G **29**
Drem. *E Lot* 2B **130**
Dreumasdal. *W Isl* 5C **170**
Drewsteignton. *Devn* 3H **11**
Drewston. *Devn* 4H **11**
Driby. *Linc* 3C **88**
Driffield. *E Yor* 4E **101**
Driffield. *Glos* 2F **35**
Drift. *Corn* 4B **4**
Drigg. *Cumb* 5B **102**
Drighlington. *W Yor* 2C **92**
Drimnin. *High* 3G **139**
Drimpton. *Dors* 2H **13**
Dringhoe. *E Yor* 4F **101**
Drinisiadar. *W Isl* 8D **171**
Drinkstone. *Suff* 4B **66**
Drinkstone Green. *Suff* 4B **66**
Drointon. *Staf* 3E **73**
Droitwich Spa. *Worc* 4C **60**
Droman. *High* 3B **166**
Dron. *Per* 2D **136**
Dronfield. *Derbs* 3A **86**
Dronfield Woodhouse. *Derbs* . . .3H **85**
Drongan. *E Ayr* 3D **116**
Dronley. *Ang* 5C **144**
Droop. *Dors* 2C **14**
Drope. *V Glam* 4E **32**
Droxford. *Hants* 1E **16**
Droylsden. *G Man* 1C **84**
Druggers End. *Worc* 2C **48**
Druid. *Den* 1C **70**
Druid's Heath. *W Mid* 5E **73**
Druidston. *Pemb* 3C **42**
Druim. *High* 3D **158**
Druimarbin. *High* 1E **141**
Druim Fhearna. *High* 2E **147**
Druimindarroch. *High* 5E **147**
Drum. *Per* 3C **136**
Drumbeg. *High* 5B **166**
Drumblade. *Abers* 4C **160**
Drumbuie. *Dum* 1C **110**
Drumbuie. *High* 5G **155**
Drumburgh. *Cumb* 4D **112**
Drumburn. *Dum* 3A **112**
Drumchapel. *Glas* 2G **127**
Drumchardine. *High* 4H **157**
Drumchork. *High* 5C **162**
Drumclog. *S Lan* 1F **117**
Drumeldrie. *Fife* 3G **137**
Drumelzier. *Bord* 1D **118**
Drumfearn. *High* 2E **147**
Drumgask. *High* 4A **150**
Drumgelloch. *N Lan* 3A **128**
Drumgley. *Ang* 3D **144**
Drumguish. *High* 4B **150**
Drumin. *Mor* 5F **159**
Drumindorsair. *High* 4G **157**
Drumlamford House. *S Ayr* . . .2H **109**
Drumlasie. *Abers* 3D **152**
Drumlemble. *Arg* 4A **122**
Drumlithie. *Abers* 5E **153**
Drummoddie. *Dum* 5A **110**
Drummond. *High* 2A **158**
Drummore. *Dum* 5E **109**
Drummuir. *Mor* 4A **160**
Drumnadrochit. *High* 5H **157**
Drumnagorrach. *Mor* 3C **160**
Drumoak. *Abers* 4E **153**

Drumrunie. *High* 3F **163**
Drumry. *W Dun* 2G **127**
Drums. *Abers* 1G **153**
Drumsleet. *Dum* 2A **112**
Drumsmittal. *High* 4A **158**
Drums of Park. *Abers* 3C **160**
Drumsturdy. *Ang* 5D **145**
Drumtochty Castle. *Abers* 5D **152**
Drumuie. *High* 4D **154**
Drumuillie. *High* 1D **150**
Drumvaich. *Stir* 3F **135**
Drumwhindle. *Abers* 5G **161**
Drunkendub. *Ang* 4F **145**
Drury. *Flin* 4E **83**
Drury Square. *Norf* 4B **78**
Drybeck. *Cumb* 3H **103**
Drybridge. *Mor* 2B **160**
Drybridge. *N Ayr* 1C **116**
Drybrook. *Glos* 4B **48**
Drybrook. *Here* 4A **48**
Dryburgh. *Bord* 1H **119**
Dry Doddington. *Linc* 1F **75**
Dry Drayton. *Cambs* 4C **64**
Drym. *Corn* 3D **4**
Drymen. *Stir* 1F **127**
Drymuir. *Abers* 4G **161**
Drynachan Lodge. *High* 5C **158**
Drynie Park. *High* 3H **157**
Drynoch. *High* 5D **154**
Dry Sandford. *Oxon* 5C **50**
Dryslwyn. *Carm* 3F **45**
Dry Street. *Essx* 2A **40**
Dryton. *Shrp* 5H **71**
Dubford. *Abers* 2E **161**
Dubiton. *Abers* 3D **160**
Dubton. *Ang* 3E **145**
Duchally. *High* 2A **164**
Duck End. *Essx* 3G **53**
Duckington. *Ches W* 5G **83**
Ducklington. *Oxon* 5B **50**
Duckmanton. *Derbs* 3B **86**
Duck Street. *Hants* 2B **24**
Dudbridge. *Glos* 5D **48**
Duddenhoe End. *Essx* 2E **53**
Duddington. *Edin* 2F **129**
Duddington. *Nptn* 5G **75**
Duddleswell. *E Sus* 3F **27**
Duddo. *Nmbd* 5F **131**
Duddon. *Ches W* 4H **83**
Duddon Bridge. *Cumb* 1A **96**
Dudleston. *Shrp* 2F **71**
Dudleston Heath. *Shrp* 2F **71**
Dudley. *Tyne* 2F **115**
Dudley. *W Mid* 2D **60**
Dudston. *Shrp* 1E **59**
Dudwells. *Pemb* 2D **42**
Duffield. *Derbs* 1H **73**
Duffryn. *Neat* 2B **32**
Dufftown. *Mor* 4H **159**
Duffus. *Mor* 2F **159**
Dufton. *Cumb* 2H **103**
Duggleby. *N Yor* 3C **100**
Duirinish. *High* 5G **155**
Duisdalemore. *High* 2E **147**
Duisdeil Mòr. *High* 2E **147**
Duisky. *High* 1E **141**
Dukesfield. *Nmbd* 4C **114**
Dukestown. *Blae* 5E **47**
Dukinfield. *G Man* 1D **84**
Dulas. *IOA* 2D **81**
Dulcote. *Som* 2A **22**
Dulford. *Devn* 2D **12**
Dull. *Per* 4F **143**
Dullatur. *N Lan* 2A **128**
Dullingham. *Cambs* 5F **65**
Dullingham Ley. *Cambs* 5F **65**
Dulnain Bridge. *High* 1D **151**
Duloe. *Bed* 4A **64**
Duloe. *Corn* 3G **7**
Dulverton. *Som* 4C **20**
Dulwich. *G Lon* 3E **39**
Dumbarton. *W Dun* 2F **127**
Dumbleton. *Glos* 2F **49**
Dumfin. *Arg* 1E **127**

Dumfries. *Dum* 2A **112**
Dumgoyne. *Stir* 1G **127**
Dummer. *Hants* 2D **24**
Dumpford. *W Sus* 4G **25**
Dun. *Ang* 2F **145**
Dunagoil. *Arg* 4B **126**
Dunalastair. *Per* 3E **142**
Dunan. *High* 1D **147**
Dunball. *Som* 2G **21**
Dunbar. *E Lot* 2C **130**
Dunbeath. *High* 5D **168**
Dunbeg. *Arg* 5C **140**
Dunblane. *Stir* 3G **135**
Dunbog. *Fife* 2E **137**
Dunbridge. *Hants* 4B **24**
Duncanston. *Abers* 1C **152**
Duncanston. *High* 3H **157**
Dun Charlabhaigh. *W Isl* 3D **171**
Dunchideock. *Devn* 4B **12**
Dunchurch. *Warw* 3B **62**
Duncote. *Nptn* 5D **62**
Duncow. *Dum* 1A **112**
Duncrievie. *Per* 3D **136**
Duncton. *W Sus* 4A **26**
Dundee. *D'dee* 5D **144**
Dundee Airport. *D'dee* 1F **137**
Dundon. *Som* 3H **21**
Dundonald. *S Ayr* 1C **116**
Dundonnell. *High* 5E **163**
Dundraw. *Cumb* 5D **112**
Dundreggan. *High* 2F **149**
Dundrennan. *Dum* 5E **111**
Dundridge. *Hants* 1D **16**
Dundry. *N Som* 5A **34**
Dunecht. *Abers* 3E **153**
Dunfermline. *Fife* 1D **129**
Dunford Bridge. *S Yor* 4B **92**
Dungate. *Kent* 5D **40**
Dunge. *Wilts* 1D **23**
Dungeness. *Kent* 4E **29**
Dungworth. *S Yor* 2G **85**
Dunham-on-the-Hill. *Ches W* . . .3G **83**
Dunham-on-Trent. *Notts* 3F **87**
Dunhampton. *Worc* 4C **60**
Dunham Town. *G Man* 2B **84**
Dunham Woodhouses. *G Man* . . .2B **84**
Dunholme. *Linc* 3H **87**
Dunino. *Fife* 2H **137**
Dunipace. *Falk* 1B **128**
Dunira. *Per* 1G **135**
Dunkeld. *Per* 4H **143**
Dunkerton. *Bath* 1C **22**
Dunkeswell. *Devn* 2E **13**
Dunkeswick. *N Yor* 5F **99**
Dunkirk. *Kent* 5E **41**
Dunkirk. *S Glo* 3C **34**
Dunkirk. *Staf* 5C **84**
Dunkirk. *Wilts* 5E **35**
Dunk's Green. *Kent* 5H **39**
Dunlappie. *Ang* 2E **145**
Dunley. *Hants* 1C **24**
Dunley. *Worc* 4B **60**
Dunlichity Lodge. *High* 5A **158**
Dunlop. *E Ayr* 5F **127**
Dunmaglass Lodge. *High* 1H **149**
Dunmore. *Arg* 3F **125**
Dunmore. *Falk* 1B **128**
Dunmore. *High* 4H **157**
Dunnet. *High* 1E **169**
Dunnichen. *Ang* 4E **145**
Dunning. *Per* 2C **136**
Dunnington. *E Yor* 4F **101**
Dunnington. *Warw* 5E **61**
Dunnington. *York* 4A **100**
Dunnockshaw. *Lanc* 2G **91**
Dunoon. *Arg* 2C **126**
Dunphail. *Mor* 4E **159**
Dunragit. *Dum* 4G **109**
Dunrostan. *Arg* 1F **125**
Duns. *Bord* 4D **130**
Dunsby. *Linc* 3A **76**
Dunscar. *G Man* 3F **91**
Dunscore. *Dum* 1F **111**
Dunscroft. *S Yor* 4G **93**

Dunsdale. *Red C* 3D **106**
Dunsden Green. *Oxon* 4F **37**
Dunsfold. *Surr* 2B **26**
Dunsford. *Devn* 4B **12**
Dunshalt. *Fife* 2E **137**
Dunshillock. *Abers* 4G **161**
Dunsley. *N Yor* 3F **107**
Dunsley. *Staf* 2C **60**
Dunsmore. *Buck* 5G **51**
Dunsop Bridge. *Lanc* 4F **97**
Dunstable. *C Beds* 3A **52**
Dunstall. *Staf* 3F **73**
Dunstall Green. *Suff* 4G **65**
Dunstall Hill. *W Mid* 1D **60**
Dunstan. *Nmbd* 3G **121**
Dunster. *Som* 2C **20**
Duns Tew. *Oxon* 3C **50**
Dunston. *Linc* 4H **87**
Dunston. *Norf* 5E **79**
Dunston. *Staf* 4D **72**
Dunston. *Tyne* 3F **115**
Dunstone. *Devn* 3B **8**
Dunston Heath. *Staf* 4D **72**
Dunsville. *S Yor* 4G **93**
Dunswell. *E Yor* 1D **94**
Dunsyre. *S Lan* 5D **128**
Dunterton. *Devn* 5D **11**
Duntisbourne Abbots. *Glos* . . .5E **49**
Duntisbourne Leer. *Glos* 5E **49**
Duntisbourne Rouse. *Glos* 5E **49**
Duntish. *Dors* 2B **14**
Duntocher. *W Dun* 2F **127**
Dunton. *Buck* 3G **51**
Dunton. *C Beds* 1C **52**
Dunton. *Norf* 2A **78**
Dunton Bassett. *Leics* 1C **62**
Dunton Green. *Kent* 5G **39**
Dunton Patch. *Norf* 2A **78**
Duntulm. *High* 1D **154**
Dunure. *S Ayr* 3B **116**
Dunvant. *Swan* 3E **31**
Dunvegan. *High* 4B **154**
Dunwich. *Suff* 3G **67**
Dunwood. *Staf* 5D **84**
Durdar. *Cumb* 4F **113**
Durgates. *E Sus* 2H **27**
Durham. *Dur* 5F **115**
Durham Tees Valley Airport.
Darl 3A **106**
Durisder. *Dum* 4A **118**
Durisdeermill. *Dum* 4A **118**
Durkar. *W Yor* 3D **92**
Durleigh. *Som* 3F **21**
Durley. *Hants* 1D **16**
Durley. *Wilts* 5H **35**
Durley Street. *Hants* 1D **16**
Durlow Common. *Here* 2B **48**
Durnamuck. *High* 4E **163**
Durness. *High* 2E **166**
Durno. *Abers* 1E **152**
Durns Town. *Hants* 3A **16**
Duror. *High* 3D **141**
Durran. *Arg* 3G **133**
Durran. *High* 2D **169**
Durrant Green. *Kent* 2C **28**
Durrants. *Hants* 1F **17**
Durrington. *W Sus* 5C **26**
Durrington. *Wilts* 2G **23**
Dursley. *Glos* 2C **34**
Dursley Cross. *Glos* 4B **48**
Durston. *Som* 4F **21**
Durweston. *Dors* 2D **14**
Duston. *Nptn* 4E **62**
Duthil. *High* 1D **150**
Dutlas. *Powy* 3E **58**
Duton Hill. *Essx* 3G **53**
Dutson. *Corn* 4D **10**
Dutton. *Ches W* 3H **83**
Duxford. *Cambs* 1E **53**
Duxford. *Oxon* 2B **36**
Dwygyfylchi. *Cnwy* 3G **81**
Dwyran. *IOA* 4D **80**
Dy 2F **153**

Dyffryn—East Rhidorroch Lodge

Dyffryn. *B'end* 2B 32
Dyffryn. *Carm* 2H 43
Dyffryn. *Pemb* 1D 42
Dyffryn. *V Glam* 4D 32
Dyffryn Ardudwy. *Gwyn* 3E 69
Dyffryn Castell. *Cdgn* 2G 57
Dyffryn Ceidrych. *Carm* 3H 45
Dyffryn Cellwen. *Neat* 5B 46
Dyke. *Linc* 3A 76
Dyke. *Mor* 3D 159
Dykehead. *Ang* 2C 144
Dykehead. *N Lan* 3B 128
Dykehead. *Stir* 4E 135
Dykend. *Ang* 3B 144
Dykesfield. *Cumb* 4E 112
Dylife. *Powy* 1A 58
Dymchurch. *Kent* 3F 29
Dymock. *Glos* 2C 48
Dyrham. *S Glo* 4C 34
Dysart. *Fife* 4F 137
Dyserth. *Den* 3C 82

E

Eachwick. *Nmbd* 2E 115
Eadar Dha Fhadhail. *W Isl* 4C 171
Eagland Hill. *Lanc* 5D 96
Eagle. *Linc* 4F 87
Eagle Barnsdale. *Linc* 4F 87
Eagle Moor. *Linc* 4F 87
Eaglescliffe. *Stoc T* 3B 106
Eaglesfield. *Cumb* 2B 102
Eaglesfield. *Dum* 2D 112
Eaglesham. *E Ren* 4G 127
Eaglethorpe. *Nptn* 1H 63
Eagley. *G Man* 3F 91
Eairy. *IOM* 4B 108
Eakley Lanes. *Mil* 5F 63
Eakring. *Notts* 4D 86
Ealand. *N Lin* 3A 94
Ealing. *G Lon* 2C 38
Eallabus. *Arg* 3B 124
Eals. *Nmbd* 4H 113
Eamont Bridge. *Cumb* 2G 103
Earby. *Lanc* 5B 98
Earcroft. *Bkbn* 2E 91
Eardington. *Shrp* 1B 60
Eardisland. *Here* 5G 59
Eardisley. *Here* 1G 47
Eardiston. *Shrp* 3F 71
Eardiston. *Worc* 4A 60
Earith. *Cambs* 3C 64
Earlais. *High* 2C 154
Earle. *Nmbd* 2D 121
Earlesfield. *Linc* 2G 75
Earlestown. *Mers* 1H 83
Earley. *Wok* 4F 37
Earlham. *Norf* 5D 78
Earlish. *High* 2C 154
Earls Barton. *Nptn* 4F 63
Earls Colne. *Essx* 3B 54
Earls Common. *Worc* 5D 60
Earl's Croome. *Worc* 1D 48
Earlsdon. *W Mid* 3H 61
Earlsferry. *Fife* 3G 137
Earlsford. *Abers* 5F 161
Earl's Green. *Suff* 4C 66
Earlsheaton. *W Yor* 2C 92
Earl Shilton. *Leics* 1B 62
Earl Soham. *Suff* 4E 67
Earl Sterndale. *Derbs* 4E 85
Earlston. *E Ayr* 1D 116
Earlston. *Bord* 1H 119
Earl Stonham. *Suff* 5D 66
Earlstoun. *Dum* 1D 110
Earlswood. *Mon* 2H 33
Earlswood. *Warw* 3F 61
Earlyvale. *Bord* 4F 129
Earnley. *W Sus* 3G 17
Earsairidh. *W Isl* 9C 170
Earsdon. *Tyne* 2G 115
Earsham. *No*[illegible] 2F 67
Earsham S[illegible] 3E 67
Earswick. *York* 4A 100
Eartham. *W Sus* 5A 26
Earthcott Green. *S Glo* 3B 34
Easby. *N Yor* 4C 106
(nr. Great Ayton)
Easby. *N Yor* 4E 105
(nr. Richmond)
Easdale. *Arg* 2E 133
Easebourne. *W Sus* 4G 25
Easenhall. *Warw* 3B 62
Eashing. *Surr* 1A 26
Easington. *Buck* 4E 51
Easington. *Dur* 5H 115
Easington. *E Yor* 3G 95
Easington. *Nmbd* 1F 121
Easington. *Oxon* 2C 50
(nr. Banbury)
Easington. *Oxon* 2E 37
(nr. Watlington)
Easington. *Red C* 3E 107
Easington Colliery. *Dur* 5H 115
Easington Lane. *Tyne* 5G 115
Easingwold. *N Yor* 3H 99
Easole Street. *Kent* 5G 41
Eassie. *Ang* 4C 144
Eassie and Nevay. *Ang* 4C 144
East Aberthaw. *V Glam* 5D 32
Eastacombe. *Devn* 4F 19
Eastacott. *Devn* 4G 19
East Allington. *Devn* 4D 8
East Anstey. *Devn* 4B 20
East Anton. *Hants* 2B 24
East Appleton. *N Yor* 5F 105
East Ardsley. *W Yor* 2D 92
East Ashley. *Devn* 1G 11
East Ashling. *W Sus* 2G 17
East Aston. *Hants* 2C 24
East Ayton. *N Yor* 1D 101
East Barkwith. *Linc* 2A 88
East Barnby. *N Yor* 3F 107
East Barnet. *G Lon* 1D 39
East Barns. *E Lot* 2D 130
East Barsham. *Norf* 2B 78
East Beach. *W Sus* 3G 17
East Beckham. *Norf* 1D 78
East Bedfont. *G Lon* 3B 38
East Bennan. *N Ayr* 3D 123
East Bergholt. *Suff* 2D 54
East Bierley. *W Yor* 2B 92
East Blatchington. *E Sus* 5F 27
East Bliney. *Norf* 4B 78
East Bloxworth. *Dors* 3D 15
East Boldre. *Hants* 2B 16
East Bolton. *Nmbd* 3F 121
Eastbourne. *Darl* 3F 105
Eastbourne. *E Sus* 5H 27
East Brent. *Som* 1G 21
East Bridge. *Suff* 4G 67
East Bridgford. *Notts* 1D 74
East Briscoe. *Dur* 3C 104
East Buckland. *Devn* 3G 19
(nr. Barnstaple)
East Buckland. *Devn* 4C 8
(nr. Thurlestone)
East Budleigh. *Devn* 4D 12
Eastburn. *W Yor* 5C 98
East Burnham. *Buck* 2A 38
East Burrafirth. *Shet* 6E 173
East Burton. *Dors* 4D 14
Eastbury. *Herts* 1B 38
Eastbury. *W Ber* 4B 36
East Butsfield. *Dur* 5E 115
East Butterleigh. *Devn* 2C 12
East Butterwick. *N Lin* 4B 94
Eastby. *N Yor* 4C 98
East Calder. *W Lot* 3D 129
East Carleton. *Norf* 5D 78
East Carlton. *Nptn* 2F 63
East Carlton. *W Yor* 5E 98
East Chaldon. *Dors* 4C 14
East Challow. *Oxon* 3B 36
East Charleton. *Devn* 4D 8
East Chelborough. *Dors* 2A 14
East Chiltington. *E Sus* 4E 27
East Chinnock. *Som* 1H 13
East Chisenbury. *Wilts* 1G 23
Eastchurch. *Kent* 3D 40
East Clandon. *Surr* 5B 38
East Claydon. *Buck* 3F 51
East Clevedon. *N Som* 4H 33
East Clyne. *High* 3F 165
East Clyth. *High* 5E 169
East Coker. *Som* 1A 14
Eastcombe. *Glos* 5D 49
East Combe. *Som* 3E 21
East Common. *N Yor* 1G 93
East Compton. *Som* 2B 22
East Cornworthy. *Devn* 3E 9
Eastcote. *G Lon* 2C 38
Eastcote. *Nptn* 5D 62
Eastcote. *W Mid* 3F 61
Eastcott. *Corn* 1C 10
Eastcott. *Wilts* 1F 23
East Cottingwith. *E Yor* 5B 100
East Coulston. *Wilts* 1E 23
Eastcourt. *Wilts* 5H 35
(nr. Pewsey)
Eastcourt. *Wilts* 2E 35
(nr. Tetbury)
East Cowes. *IOW* 3D 16
East Cowick. *E Yor* 2G 93
East Cowton. *N Yor* 4A 106
East Cramlington. *Nmbd* 2F 115
East Cranmore. *Som* 2B 22
East Creech. *Dors* 4E 15
East Croachy. *High* 1A 150
East Dean. *E Sus* 5G 27
East Dean. *Glos* 3B 48
East Dean. *Hants* 4A 24
East Dean. *W Sus* 4A 26
East Down. *Devn* 2G 19
East Drayton. *Notts* 3E 87
East Dundry. *N Som* 5A 34
East Ella. *Hull* 2D 94
East End. *Cambs* 3C 64
East End. *Dors* 3E 15
East End. *E Yor* 4F 101
(nr. Ulrome)
East End. *E Yor* 2F 95
(nr. Withernsea)
East End. *Hants* 3B 16
(nr. Lymington)
East End. *Hants* 5C 36
(nr. Newbury)
East End. *Herts* 3E 53
East End. *Kent* 3D 40
(nr. Minster)
East End. *Kent* 2C 28
(nr. Tenterden)
East End. *N Som* 4H 33
East End. *Oxon* 4B 50
East End. *Som* 1A 22
East End. *Suff* 2E 54
Easter Ardross. *High* 1A 158
Easter Balgedie. *Per* 3D 136
Easter Balmoral. *Abers* 4G 151
Easter Brae. *High* 2A 158
Easter Buckieburn. *Stir* 1A 128
Easter Bush. *Midl* 3F 129
Easter Compton. *S Glo* 3A 34
Easter Fearn. *High* 5D 164
Easter Galcantray. *High* 4C 158
Eastergate. *W Sus* 5A 26
Easterhouse. *Glas* 3H 127
Easter Howgate. *Midl* 3F 129
Easter Kinkell. *High* 3H 157
Easter Lednathie. *Ang* 2C 144
Easter Ogil. *Ang* 2D 144
Easter Ord. *Abers* 3F 153
Easter Quarff. *Shet* 8F 173
Easter Rhynd. *Per* 2D 136
Easter Skeld. *Shet* 7E 173
Easter Suddie. *High* 3A 158
Easterton. *Wilts* 1F 23
Eastertown. *Som* 1G 21
Easter Tulloch. *Abers* 1G 145
East Everleigh. *Wilts* 1H 23
East Farleigh. *Kent* 5B 40
East Farndon. *Nptn* 2E 62
East Ferry. *Linc* 1F 87
Eastfield. *N Lan* 3B 128
(nr. Caldercruix)
Eastfield. *N Lan* 3B 128
(nr. Harthill)
Eastfield. *N Yor* 1E 101
Eastfield. *S Lan* 3H 127
Eastfield Hall. *Nmbd* 4G 121
East Fortune. *E Lot* 2B 130
East Garforth. *W Yor* 1E 93
East Garston. *W Ber* 4B 36
Eastgate. *Dur* 1C 104
Eastgate. *Norf* 3D 78
East Ginge. *Oxon* 3C 36
East Gores. *Essx* 3B 54
East Goscote. *Leics* 4D 74
East Grafton. *Wilts* 5A 36
East Green. *Suff* 5F 65
East Grimstead. *Wilts* 4H 23
East Grinstead. *W Sus* 2E 27
East Guldeford. *E Sus* 3D 28
East Haddon. *Nptn* 4D 62
East Hagbourne. *Oxon* 3D 36
East Halton. *N Lin* 2E 95
East Ham. *G Lon* 2F 39
Eastham. *Mers* 2F 83
Eastham. *Worc* 4A 60
Eastham Ferry. *Mers* 2F 83
Easthampstead. *Brac* 5G 37
Easthampton. *Here* 4G 59
East Hanney. *Oxon* 2C 36
East Hanningfield. *Essx* 5A 54
East Hardwick. *W Yor* 3E 93
East Harling. *Norf* 2B 66
East Harlsey. *N Yor* 5B 106
East Harnham. *Wilts* 4G 23
East Harptree. *Bath* 1A 22
East Hartford. *Nmbd* 2F 115
East Harting. *W Sus* 1G 17
East Hatch. *Wilts* 4E 23
East Hatley. *Cambs* 5B 64
Easthaugh. *Norf* 4C 78
East Hauxwell. *N Yor* 5E 105
East Haven. *Ang* 5E 145
Eastheath. *Wok* 5G 37
East Heckington. *Linc* 1A 76
East Hedleyhope. *Dur* 5E 115
East Helmsdale. *High* 2H 165
East Hendred. *Oxon* 3C 36
East Heslerton. *N Yor* 2D 100
East Hoathly. *E Sus* 4G 27
East Holme. *Dors* 4D 15
Easthope. *Shrp* 1H 59
Easthorpe. *Essx* 3C 54
Easthorpe. *Leics* 2F 75
East Horrington. *Som* 2A 22
East Horsley. *Surr* 5B 38
East Horton. *Nmbd* 1E 121
Easthouses. *Midl* 3G 129
East Howe. *Bour* 3F 15
East Huntspill. *Som* 2G 21
East Hyde. *C Beds* 4B 52
East Ilsley. *W Ber* 3C 36
Eastington. *Devn* 2H 11
Eastington. *Glos* 4G 49
(nr. Northleach)
Eastington. *Glos* 5C 48
(nr. Stonehouse)
East Keal. *Linc* 4C 88
East Kennett. *Wilts* 5G 35
East Keswick. *W Yor* 5F 99
East Kilbride. *S Lan* 4H 127
East Kirkby. *Linc* 4C 88
East Knapton. *N Yor* 2C 100
East Knighton. *Dors* 4D 14
East Knowstone. *Devn* 4B 20
East Knoyle. *Wilts* 3D 23
East Kyloe. *Nmbd* 1E 121
East Lambrook. *Som* 1H 13
East Langdon. *Kent* 1H 29
East Langton. *Leics* 1E 63
East Langwell. *High* 3E 164
East Lavant. *W Sus* 2G 17
East Lavington. *W Sus* 4A 26
East Layton. *N Yor* 4E 105
Eastleach Martin. *Glos* 5H 49
Eastleach Turville. *Glos* 5G 49
East Leake. *Notts* 3C 74
East Learmouth. *Nmbd* 1C 120
Eastleigh. *Devn* 4E 19
(nr. Bideford)
East Leigh. *Devn* 2H 11
(nr. Crediton)
East Leigh. *Devn* 3C 8
(nr. Modbury)
Eastleigh. *Hants* 1C 16
East Lexham. *Norf* 4A 78
East Lilburn. *Nmbd* 2E 121
Eastling. *Kent* 5D 40
East Linton. *E Lot* 2B 130
East Liss. *Hants* 4F 25
East Lockinge. *Oxon* 3C 36
East Looe. *Corn* 3G 7
East Lound. *N Lin* 1E 87
East Lulworth. *Dors* 4D 14
East Lutton. *N Yor* 3D 100
East Lydford. *Som* 3A 22
East Lyng. *Som* 4G 21
East Mains. *Abers* 4D 152
East Malling. *Kent* 5B 40
East Marden. *W Sus* 1G 17
East Markham. *Notts* 3E 87
East Marton. *N Yor* 4B 98
East Meon. *Hants* 4E 25
East Mersea. *Essx* 4D 54
East Mey. *High* 1F 169
East Midlands International Airport. *Leics* 3B 74
East Molesey. *Surr* 4C 38
Eastmoor. *Norf* 5G 77
East Morden. *Dors* 3E 15
East Morton. *W Yor* 5D 98
East Ness. *N Yor* 2A 100
East Newton. *E Yor* 1F 95
East Newton. *N Yor* 2A 100
Eastney. *Port* 3E 17
Eastnor. *Here* 2C 48
East Norton. *Leics* 5E 75
East Nynehead. *Som* 4E 21
East Oakley. *Hants* 1D 24
Eastoft. *N Lin* 3B 94
East Ogwell. *Devn* 5B 12
Easton. *Cambs* 3A 64
Easton. *Cumb* 4D 112
(nr. Burgh by Sands)
Easton. *Cumb* 2F 113
(nr. Longtown)
Easton. *Devn* 4H 11
Easton. *Dors* 5B 14
Easton. *Hants* 3D 24
Easton. *Linc* 3G 75
Easton. *Norf* 4D 78
Easton. *Som* 2A 22
Easton. *Suff* 5E 67
Easton. *Wilts* 4D 35
Easton Grey. *Wilts* 3D 35
Easton-in-Gordano. *N Som* 4A 34
Easton Maudit. *Nptn* 5F 63
Easton on the Hill. *Nptn* 5H 75
Easton Royal. *Wilts* 5H 35
East Orchard. *Dors* 1D 14
East Ord. *Nmbd* 4F 131
East Panson. *Devn* 3D 10
East Peckham. *Kent* 1A 28
East Pennard. *Som* 3A 22
East Perry. *Cambs* 4A 64
East Pitcorthie. *Fife* 3H 137
East Portlemouth. *Devn* 5D 8
East Prawle. *Devn* 5D 9
East Preston. *W Sus* 5B 26
East Putford. *Devn* 1D 10
East Quantoxhead. *Som* 2E 21
East Rainton. *Tyne* 5G 115
East Ravendale. *NE Lin* 1B 88
East Raynham. *Norf* 3A 78
Eastrea. *Cambs* 1B 64
East Rhidorroch Lodge. *High* 4G 163

Eastriggs. *Dum* 3D 112
East Rigton. *W Yor* 5F 99
Eastrington. *E Yor* 1A 94
East Rounton. *N Yor* 4B 106
East Row. *N Yor* 3F 107
East Rudham. *Norf* 3H 77
East Runton. *Norf* 1D 78
East Ruston. *Norf* 3F 79
Eastry. *Kent* 5H 41
East Saltoun. *E Lot* 3A 130
East Shaws. *Dur* 3D 105
East Shefford. *W Ber* 4B 36
Eastshore. *Shet* 10E 173
East Sleekburn. *Nmbd* 1F 115
East Somerton. *Norf* 4G 79
East Stockwith. *Linc* 1E 87
East Stoke. *Dors* 4D 14
East Stoke. *Notts* 1E 75
East Stoke. *Som* 1H 13
East Stour. *Dors* 4D 22
East Stourmouth. *Kent* 4G 41
East Stowford. *Devn* 4G 19
East Stratton. *Hants* 2D 24
East Studdal. *Kent* 1H 29
East Taphouse. *Corn* 2F 7
East-the-Water. *Devn* 4E 19
East Thirston. *Nmbd* 5F 121
East Tilbury. *Thur* 3A 40
East Tisted. *Hants* 3F 25
East Torrington. *Linc* 2A 88
East Tuddenham. *Norf* 4C 78
East Tytherley. *Hants* 4A 24
East Tytherton. *Wilts* 4E 35
East Village. *Devn* 2B 12
Eastville. *Linc* 5D 88
East Wall. *Shrp* 1H 59
East Walton. *Norf* 4G 77
East Week. *Devn* 3G 11
Eastwell. *Leics* 3E 75
East Wellow. *Hants* 4B 24
East Wemyss. *Fife* 4F 137
East Whitburn. *W Lot* 3C 128
Eastwick. *Herts* 4E 53
Eastwick. *Shet* 4E 173
East Williamston. *Pemb* 4E 43
East Winch. *Norf* 4F 77
East Winterslow. *Wilts* 3H 23
East Wittering. *W Sus* 3F 17
East Witton. *N Yor* 1D 98
Eastwood. *Notts* 1B 74
Eastwood. *S'end* 2C 40
East Woodburn. *Nmbd* 1C 114
Eastwood End. *Cambs* 1D 64
East Woodhay. *Hants* 5C 36
East Woodlands. *Som* 2C 22
East Worldham. *Hants* 3F 25
East Worlington. *Devn* 1A 12
East Wretham. *Norf* 1B 66
East Youlstone. *Devn* 1C 10
Eathorpe. *Warw* 4A 62
Eaton. *Ches E* 4C 84
Eaton. *Ches W* 4H 83
Eaton. *Leics* 3E 75
Eaton. *Norf* 2F 77
(nr. Heacham)
Eaton. *Norf* 5E 78
(nr. Norwich)
Eaton. *Notts* 3E 86
Eaton. *Oxon* 5C 50
Eaton. *Shrp* 2F 59
(nr. Bishop's Castle)
Eaton. *Shrp* 1H 59
(nr. Church Stretton)
Eaton Bishop. *Here* 2H 47
Eaton Bray. *C Beds* 3H 51
Eaton Constantine. *Shrp* 5H 71
Eaton Hastings. *Oxon* 2A 36
Eaton Socon. *Cambs* 5A 64
Eaton upon Tern. *Shrp* 3A 72
Eau Brink. *Norf* 4E 77
Eaves Green. *W Mid* 2G 61
Ebberley Hill. *Devn* 1F 11
Ebberston. *N Yor* 1C 100
Ebbesbourne Wake. *Wilts* 4E 23
Ebblake. *Dors* 2G 15
Ebbsfleet. *Kent* 3H 39
Ebbw Vale. *Blae* 5E 47
Ebchester. *Dur* 4E 115
Ebford. *Devn* 4C 12
Ebley. *Glos* 5D 48
Ebnal. *Ches W* 1G 71
Ebrington. *Glos* 1G 49
Ecchinswell. *Hants* 1D 24
Ecclefechan. *Dum* 2C 112
Eccles. *G Man* 1B 84
Eccles. *Kent* 4B 40
Eccles. *Bord* 5D 130
Ecclesall. *S Yor* 2H 85
Ecclesfield. *S Yor* 1A 86
Eccles Green. *Here* 1G 47
Eccleshall. *Staf* 3C 72
Eccleshill. *W Yor* 1B 92
Ecclesmachan. *W Lot* 2D 128
Eccles on Sea. *Norf* 3G 79
Eccles Road. *Norf* 1C 66
Eccleston. *Ches W* 4G 83
Eccleston. *Lanc* 3D 90
Eccleston. *Mers* 1G 83
Eccup. *W Yor* 5E 99
Echt. *Abers* 3E 153
Eckford. *Bord* 2B 120
Eckington. *Derbs* 3B 86
Eckington. *Worc* 1E 49
Ecton. *Nptn* 4F 63
Edale. *Derbs* 2F 85
Eday Airport. *Orkn* 4E 172
Edburton. *W Sus* 4D 26
Edderside. *Cumb* 5C 112
Edderton. *High* 5E 164
Eddington. *Kent* 4F 41
Eddington. *W Ber* 5B 36
Eddleston. *Bord* 5F 129
Eddlewood. *S Lan* 4A 128
Edenbridge. *Kent* 1F 27
Edendonich. *Arg* 1A 134
Edenfield. *Lanc* 3G 91
Edenhall. *Cumb* 1G 103
Edenham. *Linc* 3H 75
Edensor. *Derbs* 4G 85
Edentaggart. *Arg* 4C 134
Edenthorpe. *S Yor* 4G 93
Eden Vale. *Dur* 1B 106
Edern. *Gwyn* 2B 68
Edgarley. *Som* 3A 22
Edgbaston. *W Mid* 2E 61
Edgcott. *Buck* 3E 51
Edgcott. *Som* 3B 20
Edge. *Glos* 5D 48
Edge. *Shrp* 5F 71
Edgebolton. *Shrp* 3H 71
Edge End. *Glos* 4A 48
Edgefield. *Norf* 2C 78
Edgefield Street. *Norf* 2C 78
Edge Green. *Ches W* 5G 83
Edgehead. *Midl* 3G 129
Edgeley. *Shrp* 1H 71
Edgeside. *Lanc* 2G 91
Edgeworth. *Glos* 5E 49
Edgiock. *Worc* 4E 61
Edgmond. *Telf* 4B 72
Edgmond Marsh. *Telf* 3B 72
Edgton. *Shrp* 2F 59
Edgware. *G Lon* 1C 38
Edgworth. *Bkbn* 3F 91
Edinbane. *High* 3C 154
Edinburgh. *Edin* 2F 129
Edinburgh Airport. *Edin* 2E 129
Edingale. *Staf* 4G 73
Edingley. *Notts* 5D 86
Edingthorpe. *Norf* 2F 79
Edington. *Som* 3G 21
Edington. *Wilts* 1E 23
Edingworth. *Som* 1G 21
Edistone. *Devn* 4C 18
Edithmead. *Som* 2G 21
Edith Weston. *Rut* 5G 75
Edlaston. *Derbs* 1F 73
Edlesborough. *Buck* 4H 51
Edlingham. *Nmbd* 4F 121
Edlington. *Linc* 3B 88
Edmondsham. *Dors* 1F 15
Edmondsley. *Dur* 5F 115
Edmondthorpe. *Leics* 4F 75
Edmonstone. *Orkn* 5E 172
Edmonton. *Corn* 1D 6
Edmonton. *G Lon* 1E 39
Edmundbyers. *Dur* 4D 114
Ednam. *Bord* 1B 120
Ednaston. *Derbs* 1G 73
Edney Common. *Essx* 5G 53
Edrom. *Bord* 4E 131
Edstaston. *Shrp* 2H 71
Edstone. *Warw* 4F 61
Edwalton. *Notts* 2D 74
Edwardstone. *Suff* 1C 54
Edwardsville. *Mer T* 2D 32
Edwinsford. *Carm* 2G 45
Edwinstowe. *Notts* 4D 86
Edworth. *C Beds* 1C 52
Edwyn Ralph. *Here* 5A 60
Edzell. *Ang* 2F 145
Efail-fach. *Neat* 2A 32
Efail Isaf. *Rhon* 3D 32
Efailnewydd. *Gwyn* 2C 68
Efail-rhyd. *Powy* 3D 70
Efailwen. *Carm* 2F 43
Efenechtyd. *Den* 5D 82
Effingham. *Surr* 5C 38
Effingham Common. *Surr* 5C 38
Effirth. *Shet* 6E 173
Efflinch. *Staf* 4F 73
Efford. *Devn* 2B 12
Egbury. *Hants* 1C 24
Egdon. *Worc* 5D 60
Egerton. *G Man* 3F 91
Egerton. *Kent* 1D 28
Egerton Forstal. *Kent* 1C 28
Eggborough. *N Yor* 2F 93
Eggbuckland. *Plym* 3A 8
Eggesford. *Devn* 1G 11
Eggington. *C Beds* 3H 51
Egginton. *Derbs* 3G 73
Egglescliffe. *Stoc T* 3B 106
Eggleston. *Dur* 2C 104
Egham. *Surr* 3B 38
Egham Hythe. *Surr* 3B 38
Egleton. *Rut* 5F 75
Eglingham. *Nmbd* 3F 121
Egloshayle. *Corn* 5A 10
Egloskerry. *Corn* 4C 10
Eglwysbach. *Cnwy* 3H 81
Eglwys Brewis. *V Glam* 5D 32
Eglwys Fach. *Cdgn* 1F 57
Eglwyswrw. *Pemb* 1F 43
Egmanton. *Notts* 4E 87
Egremont. *Cumb* 3B 102
Egremont. *Mers* 1F 83
Egton. *N Yor* 4F 107
Egton Bridge. *N Yor* 4F 107
Egypt. *Buck* 2A 38
Egypt. *Hants* 2C 24
Eight Ash Green. *Essx* 3C 54
Eight Mile Burn. *Midl* 4E 129
Eignaig. *High* 4B 140
Eilanreach. *High* 2G 147
Eildon. *Bord* 1H 119
Eileanach Lodge. *High* 2H 157
Eilean Iarmain. *High* 2F 147
Einacleit. *W Isl* 5D 171
Eisgein. *W Isl* 6F 171
Eisingrug. *Gwyn* 2F 69
Elan Village. *Powy* 4B 58
Elberton. *S Glo* 3B 34
Elbridge. *W Sus* 5A 26
Elburton. *Plym* 3B 8
Elcho. *Per* 1D 136
Elcombe. *Swin* 3G 35
Elcot. *W Ber* 5B 36
Eldernell. *Cambs* 1C 64
Eldersfield. *Worc* 2D 48
Elderslie. *Ren* 3F 127
Elder Street. *Essx* 2F 53
Eldon. *Dur* 2F 105
Eldroth. *N Yor* 3G 97
Eldwick. *W Yor* 5D 98
Elfhowe. *Cumb* 5F 103
Elford. *Nmbd* 1F 121
Elford. *Staf* 4F 73
Elford Closes. *Cambs* 3D 65
Elgin. *Mor* 2G 159
Elgol. *High* 2D 146
Elham. *Kent* 1F 29
Elie. *Fife* 3G 137
Eling. *Hants* 1B 16
Eling. *W Ber* 4D 36
Elishaw. *Nmbd* 5C 120
Elizafield. *Dum* 2B 112
Elkesley. *Notts* 3D 86
Elkington. *Nptn* 3D 62
Elkins Green. *Essx* 5G 53
Elkstone. *Glos* 4E 49
Ellan. *High* 1C 150
Elland. *W Yor* 2B 92
Ellary. *Arg* 2F 125
Ellastone. *Staf* 1F 73
Ellbridge. *Corn* 2A 8
Ellel. *Lanc* 4D 97
Ellemford. *Bord* 3D 130
Ellenabeich. *Arg* 2E 133
Ellenborough. *Cumb* 1B 102
Ellenbrook. *Herts* 5C 52
Ellenhall. *Staf* 3C 72
Ellen's Green. *Surr* 2B 26
Ellerbec. *N Yor* 5B 106
Ellerburn. *N Yor* 1C 100
Ellerby. *N Yor* 3E 107
Ellerdine. *Telf* 3A 72
Ellerdine Heath. *Telf* 3A 72
Ellerhayes. *Devn* 2C 12
Elleric. *Arg* 4E 141
Ellerker. *E Yor* 2C 94
Ellerton. *E Yor* 1H 93
Ellerton. *N Yor* 5F 105
Ellerton. *Shrp* 3B 72
Ellesborough. *Buck* 5G 51
Ellesmere. *Shrp* 2F 71
Ellesmere Port. *Ches W* 3G 83
Ellingham. *Hants* 2G 15
Ellingham. *Norf* 1F 67
Ellingham. *Nmbd* 2F 121
Ellingstring. *N Yor* 1D 98
Ellington. *Cambs* 3A 64
Ellington. *Nmbd* 5G 121
Ellington Thorpe. *Cambs* 3A 64
Elliot. *Ang* 5F 145
Ellisfield. *Hants* 2E 25
Ellishadder. *High* 2E 155
Ellistown. *Leics* 4B 74
Ellon. *Abers* 5G 161
Ellonby. *Cumb* 1F 103
Ellough. *Suff* 2G 67
Elloughton. *E Yor* 2C 94
Ellwood. *Glos* 5A 48
Elm. *Cambs* 5D 76
Elmbridge. *Glos* 4D 48
Elmbridge. *Worc* 4D 60
Elmdon. *Essx* 2E 53
Elmdon. *W Mid* 2F 61
Elmdon Heath. *W Mid* 2F 61
Elmesthorpe. *Leics* 1B 62
Elmfield. *IOW* 3D 16
Elm Hill. *Dors* 4D 22
Elmhurst. *Staf* 4F 73
Elmley Castle. *Worc* 1E 49
Elmley Lovett. *Worc* 4C 60
Elmore. *Glos* 4C 48
Elmore Back. *Glos* 4C 48
Elm Park. *G Lon* 2G 39
Elmscott. *Devn* 4C 18
Elmsett. *Suff* 1D 54
Elmstead. *Essx* 3D 54
Elmstead Heath. *Essx* 3D 54
Elmstead Market. *Essx* 3D 54
Elmsted. *Kent* 1F 29
Elmstone. *Kent* 4G 41
Elmstone Hardwicke. *Glos* 3E 49
Elmswell. *E Yor* 4D 101
Elmswell. *Suff* 4B 66
Elmton. *Derbs* 3C 86
Elphin. *High* 2G 163
Elphinstone. *E Lot* 2G 129
Elrick. *Abers* 3F 153
Elrick. *Mor* 1B 152
Elrig. *Dum* 5A 110
Elsdon. *Nmbd* 5D 120
Elsecar. *S Yor* 1A 86
Elsenham. *Essx* 3F 53
Elsfield. *Oxon* 4D 50
Elsham. *N Lin* 3D 94
Elsing. *Norf* 4C 78
Elslack. *N Yor* 5B 98
Elsrickle. *S Lan* 5D 128
Elstead. *Surr* 1A 26
Elsted. *W Sus* 1G 17
Elsted Marsh. *W Sus* 4G 25
Elsthorpe. *Linc* 3H 75
Elstob. *Dur* 2A 106
Elston. *Devn* 2A 12
Elston. *Lanc* 1E 90
Elston. *Notts* 1E 75
Elston. *Wilts* 2F 23
Elstone. *Devn* 1G 11
Elstow. *Bed* 1A 52
Elstree. *Herts* 1C 38
Elstronwick. *E Yor* 1F 95
Elswick. *Lanc* 1C 90
Elswick. *Tyne* 3F 115
Elsworth. *Cambs* 4C 64
Elterwater. *Cumb* 4E 103
Eltham. *G Lon* 3F 39
Eltisley. *Cambs* 5B 64
Elton. *Cambs* 1H 63
Elton. *Ches W* 3G 83
Elton. *Derbs* 4G 85
Elton. *Glos* 4C 48
Elton. *G Man* 3F 91
Elton. *Here* 3G 59
Elton. *Notts* 2E 75
Elton. *Stoc T* 3B 106
Elton Green. *Ches W* 3G 83
Eltringham. *Nmbd* 3D 115
Elvanfoot. *S Lan* 3B 118
Elvaston. *Derbs* 2B 74
Elveden. *Suff* 3H 65
Elvetham Heath. *Hants* 1F 25
Elvingston. *E Lot* 2A 130
Elvington. *Kent* 5G 41
Elvington. *York* 5B 100
Elwick. *Hart* 1B 106
Elwick. *Nmbd* 1F 121
Elworth. *Ches E* 4B 84
Elworth. *Dors* 4A 14
Elworthy. *Som* 3D 20
Ely. *Cambs* 2E 65
Ely. *Card* 4E 33
Emberton. *Mil* 1G 51
Embleton. *Cumb* 1C 102
Embleton. *Dur* 2B 106
Embleton. *Nmbd* 2G 121
Embo. *High* 4F 165
Emborough. *Som* 1B 22
Embo Street. *High* 4F 165
Embsay. *N Yor* 4C 98
Emery Down. *Hants* 2A 16
Emley. *W Yor* 3C 92
Emmbrook. *Wok* 5F 37
Emmer Green. *Read* 4F 37
Emmington. *Oxon* 5F 51
Emneth. *Norf* 5D 77
Emneth Hungate. *Norf* 5E 77
Empingham. *Rut* 5G 75
Empshott. *Hants* 3F 25
Emsworth. *Hants* 2F 17
Enborne. *W Ber* 5C 36
Enborne Row. *W Ber* 5C 36
Enchmarsh. *Shrp* 1H 59
Enderby. *Leics* 1C 62
Endmoor. *Cum*[illegible] 1E 97
Endon. [illegible] 5D 84
Endon [illegible] 5D 84

Enfield—Feckenham

Enfield. *G Lon* 1E **39**
Enfield Wash. *G Lon* 1E **39**
Enford. *Wilts* 1G **23**
Engine Common. *S Glo* 3B **34**
Englefield. *W Ber* 4E **36**
Englefield Green. *Surr* 3A **38**
Engleseabrook. *Ches E* 5B **84**
English Bicknor. *Glos* 4A **48**
Englishcombe. *Bath* 5C **34**
English Frankton. *Shrp* 3G **71**
Enham Alamein. *Hants* 2B **24**
Enmore. *Som* 3F **21**
Ennerdale Bridge. *Cumb* 3B **102**
Enniscaven. *Corn* 3D **6**
Enoch. *Dum* 4A **118**
Enochdhu. *Per* 2H **143**
Ensay. *Arg* 4E **139**
Ensbury. *Bour* 3F **15**
Ensdon. *Shrp* 4G **71**
Ensis. *Devn* 4F **19**
Enson. *Staf* 3D **72**
Enstone. *Oxon* 3B **50**
Enterkinfoot. *Dum* 4A **118**
Enville. *Staf* 2C **60**
Eolaigearraidh. *W Isl* 8C **170**
Eorabus. *Arg* 1A **132**
Eoropaidh. *W Isl* 1H **171**
Epney. *Glos* 4C **48**
Epperstone. *Notts* 1D **74**
Epping. *Essx* 5E **53**
Epping Green. *Essx* 5E **53**
Epping Green. *Herts* 5C **52**
Epping Upland. *Essx* 5E **53**
Eppleby. *N Yor* 3E **105**
Eppleworth. *E Yor* 1D **94**
Epsom. *Surr* 4D **38**
Epwell. *Oxon* 1B **50**
Epworth. *N Lin* 4A **94**
Epworth Turbary. *N Lin* 4A **94**
Erbistock. *Wrex* 1F **71**
Erbusaig. *High* 1F **147**
Erchless Castle. *High* 4G **157**
Erdington. *W Mid* 1F **61**
Eredine. *Arg* 3G **133**
Eriboll. *High* 3E **167**
Ericstane. *Dum* 3C **118**
Eridge Green. *E Sus* 2G **27**
Erines. *Arg* 2G **125**
Eriswell. *Suff* 3G **65**
Erith. *G Lon* 3G **39**
Erlestoke. *Wilts* 1E **23**
Ermine. *Linc* 3G **87**
Ermington. *Devn* 3C **8**
Ernesettle. *Plym* 3A **8**
Erpingham. *Norf* 2D **78**
Erriottwood. *Kent* 5D **40**
Errogie. *High* 1H **149**
Errol. *Per* 1E **137**
Errol Station. *Per* 1E **137**
Erskine. *Ren* 2F **127**
Erskine Bridge. *Ren* 2F **127**
Ervie. *Dum* 3F **109**
Erwarton. *Suff* 2F **55**
Erwood. *Powy* 1D **46**
Eryholme. *N Yor* 4A **106**
Eryrys. *Den* 5E **82**
Escalls. *Corn* 4A **4**
Escomb. *Dur* 1E **105**
Escrick. *N Yor* 5A **100**
Esgair. *Carm* 3D **45**
(nr. Carmarthen)
Esgair. *Carm* 3G **43**
(nr. St Clears)
Esgairgeiliog. *Powy* 5G **69**
Esh. *Dur* 5E **115**
Esher. *Surr* 4C **38**
Esholt. *W Yor* 5D **98**
Eshott. *Nmbd* 5G **121**
Eshton. *N Yor* 4B **98**
Esh Winning. *Dur* 5E **115**
Eskadale. *High* 5G **157**
Eskbank. *Midl* 3G **129**
Eskdale Gre[illegible] 4C **102**
Eskdalemu[illegible] 5E **119**
Eskham. *Linc* 1C **88**
Esknish. *Arg* 3B **124**
Esk Valley. *N Yor* 4F **107**
Eslington Hall. *Nmbd* 3E **121**
Espley Hall. *Nmbd* 5F **121**
Esprick. *Lanc* 1C **90**
Essendine. *Rut* 4H **75**
Essendon. *Herts* 5C **52**
Essich. *High* 5A **158**
Essington. *Staf* 5D **72**
Eston. *Red C* 3C **106**
Estover. *Plym* 3B **8**
Eswick. *Shet* 6F **173**
Etal. *Nmbd* 1D **120**
Etchilhampton. *Wilts* 5F **35**
Etchingham. *E Sus* 3B **28**
Etchinghill. *Kent* 2F **29**
Etchinghill. *Staf* 4E **73**
Etherley Dene. *Dur* 2E **105**
Ethie Haven. *Ang* 4F **145**
Etling Green. *Norf* 4C **78**
Etloe. *Glos* 5B **48**
Eton. *Wind* 3A **38**
Eton Wick. *Wind* 3A **38**
Etteridge. *High* 4A **150**
Ettersgill. *Dur* 2B **104**
Ettiley Heath. *Ches E* 4B **84**
Ettington. *Warw* 1A **50**
Etton. *E Yor* 5D **101**
Etton. *Pet* 5A **76**
Ettrick. *Bord* 3E **119**
Ettrickbridge. *Bord* 2F **119**
Etwall. *Derbs* 2G **73**
Eudon Burnell. *Shrp* 2B **60**
Eudon George. *Shrp* 2A **60**
Euston. *Suff* 3A **66**
Euxton. *Lanc* 3D **90**
Evanstown. *B'end* 3C **32**
Evanton. *High* 2A **158**
Evedon. *Linc* 1H **75**
Evelix. *High* 4E **165**
Evendine. *Here* 1C **48**
Evenjobb. *Powy* 4E **59**
Evenley. *Nptn* 2D **50**
Evenlode. *Glos* 3H **49**
Even Swindon. *Swin* 3G **35**
Evenwood. *Dur* 2E **105**
Evenwood Gate. *Dur* 2E **105**
Everbay. *Orkn* 5F **172**
Evercreech. *Som* 3B **22**
Everdon. *Nptn* 5C **62**
Everingham. *E Yor* 5C **100**
Everleigh. *Wilts* 1H **23**
Everley. *N Yor* 1D **100**
Eversholt. *C Beds* 2H **51**
Evershot. *Dors* 2A **14**
Eversley. *Hants* 5F **37**
Eversley Centre. *Hants* 5F **37**
Eversley Cross. *Hants* 5F **37**
Everthorpe. *E Yor* 1C **94**
Everton. *C Beds* 5B **64**
Everton. *Hants* 3A **16**
Everton. *Mers* 1F **83**
Everton. *Notts* 1D **86**
Evertown. *Dum* 2E **113**
Evesbatch. *Here* 1B **48**
Evesham. *Worc* 1F **49**
Evington. *Leic* 5D **74**
Ewden Village. *S Yor* 1G **85**
Ewdness. *Shrp* 1B **60**
Ewell. *Surr* 4D **38**
Ewell Minnis. *Kent* 1G **29**
Ewelme. *Oxon* 2E **37**
Ewen. *Glos* 2F **35**
Ewenny. *V Glam* 4C **32**
Ewerby. *Linc* 1A **76**
Ewes. *Dum* 5F **119**
Ewesley. *Nmbd* 5E **121**
Ewhurst. *Surr* 1B **26**
Ewhurst Green. *E Sus* 3B **28**
Ewhurst Green. *Surr* 2B **26**
Ewlo. *Flin* 4F **83**
Ewloe. *Flin* 4F **83**
Ewood Bridge. *Lanc* 2F **91**
Eworthy. *Devn* 3E **11**
Ewshot. *Hants* 1G **25**
Ewyas Harold. *Here* 3G **47**
Exbourne. *Devn* 2G **11**
Exbury. *Hants* 2C **16**
Exceat. *E Sus* 5G **27**
Exebridge. *Som* 4C **20**
Exelby. *N Yor* 1E **99**
Exeter. *Devn* 3C **12**
Exeter International Airport. *Devn* 3D **12**
Exford. *Som* 3B **20**
Exfords Green. *Shrp* 5G **71**
Exhall. *Warw* 5F **61**
Exlade Street. *Oxon* 3E **37**
Exminster. *Devn* 4C **12**
Exmouth. *Devn* 4D **12**
Exning. *Suff* 4F **65**
Exton. *Devn* 4C **12**
Exton. *Hants* 4E **24**
Exton. *Rut* 4G **75**
Exton. *Som* 3C **20**
Exwick. *Devn* 3C **12**
Eyam. *Derbs* 3G **85**
Eydon. *Nptn* 5C **62**
Eye. *Here* 4G **59**
Eye. *Pet* 5B **76**
Eye. *Suff* 3D **66**
Eye Green. *Pet* 5B **76**
Eyemouth. *Bord* 3F **131**
Eyeworth. *C Beds* 1C **52**
Eyhorne Street. *Kent* 5C **40**
Eyke. *Suff* 5F **67**
Eynesbury. *Cambs* 5A **64**
Eynort. *High* 1B **146**
Eynsford. *Kent* 4G **39**
Eynsham. *Oxon* 5C **50**
Eyre. *High* 3D **154**
(on Isle of Skye)
Eyre. *High* 5E **155**
(on Raasay)
Eythorne. *Kent* 1G **29**
Eyton. *Here* 4G **59**
Eyton. *Shrp* 2F **59**
(nr. Bishop's Castle)
Eyton. *Shrp* 4F **71**
(nr. Shrewsbury)
Eyton. *Wrex* 1F **71**
Eyton on Severn. *Shrp* 5H **71**
Eyton upon the Weald Moors. *Telf* 4A **72**

F

Faccombe. *Hants* 1B **24**
Faceby. *N Yor* 4B **106**
Faddiley. *Ches E* 5H **83**
Fadmoor. *N Yor* 1A **100**
Fagwyr. *Swan* 5G **45**
Faichem. *High* 3E **149**
Faifley. *W Dun* 2G **127**
Fail. *S Ayr* 2D **116**
Failand. *N Som* 4A **34**
Failford. *S Ayr* 2D **116**
Failsworth. *G Man* 4H **91**
Fairbourne. *Gwyn* 4F **69**
Fairbourne Heath. *Kent* 5C **40**
Fairburn. *N Yor* 2E **93**
Fairfield. *Derbs* 3E **85**
Fairfield. *Kent* 3D **28**
Fairfield. *Worc* 3D **60**
(nr. Bromsgrove)
Fairfield. *Worc* 1F **49**
(nr. Evesham)
Fairford. *Glos* 5G **49**
Fair Green. *Norf* 4F **77**
Fair Hill. *Cumb* 1G **103**
Fairhill. *S Lan* 4A **128**
Fair Isle Airport. *Shet* 1B **172**
Fairlands. *Surr* 5A **38**
Fairlie. *N Ayr* 4D **126**
Fairlight. *E Sus* 4C **28**
Fairlight Cove. *E Sus* 4C **28**
Fairmile. *Devn* 3D **12**
Fairmile. *Surr* 4C **38**
Fairmilehead. *Edin* 3F **129**
Fair Oak. *Devn* 1D **12**
Fair Oak. *Hants* 1C **16**
(nr. Eastleigh)
Fair Oak. *Hants* 5D **36**
(nr. Kingsclere)
Fairoak. *Staf* 2B **72**
Fair Oak Green. *Hants* 5E **37**
Fairseat. *Kent* 4H **39**
Fairstead. *Essx* 4A **54**
Fairstead. *Norf* 4F **77**
Fairwarp. *E Sus* 3F **27**
Fairwater. *Card* 4E **33**
Fairy Cross. *Devn* 4E **19**
Fakenham. *Norf* 3B **78**
Fakenham Magna. *Suff* 3B **66**
Fala. *Midl* 3H **129**
Fala Dam. *Midl* 3H **129**
Falcon. *Here* 2B **48**
Faldingworth. *Linc* 2H **87**
Falfield. *S Glo* 2B **34**
Falkenham. *Suff* 2F **55**
Falkirk. *Falk* 2B **128**
Falkland. *Fife* 3E **137**
Fallin. *Stir* 4H **135**
Fallowfield. *G Man* 1C **84**
Falmer. *E Sus* 5E **27**
Falmouth. *Corn* 5C **6**
Falsgrave. *N Yor* 1E **101**
Falstone. *Nmbd* 1A **114**
Fanagmore. *High* 4B **166**
Fancott. *C Beds* 3A **52**
Fanellan. *High* 4G **157**
Fangdale Beck. *N Yor* 5C **106**
Fangfoss. *E Yor* 4B **100**
Fankerton. *Falk* 1A **128**
Fanmore. *Arg* 4F **139**
Fanner's Green. *Essx* 4G **53**
Fannich Lodge. *High* 2E **156**
Fans. *Bord* 5C **130**
Farcet. *Cambs* 1B **64**
Far Cotton. *Nptn* 5E **63**
Fareham. *Hants* 2D **16**
Farewell. *Staf* 4E **73**
Far Forest. *Worc* 3B **60**
Farforth. *Linc* 3C **88**
Far Green. *Glos* 5C **48**
Far Hoarcross. *Staf* 3F **73**
Faringdon. *Oxon* 2A **36**
Farington. *Lanc* 2D **90**
Farlam. *Cumb* 4G **113**
Farleigh. *N Som* 5H **33**
Farleigh. *Surr* 4E **39**
Farleigh Hungerford. *Som* 1D **22**
Farleigh Wallop. *Hants* 2E **24**
Farleigh Wick. *Wilts* 5D **34**
Farlesthorpe. *Linc* 3D **88**
Farleton. *Cumb* 1E **97**
Farleton. *Lanc* 3E **97**
Farley. *High* 4G **157**
Farley. *N Som* 4H **33**
Farley. *Shrp* 5F **71**
(nr. Shrewsbury)
Farley. *Shrp* 5A **72**
(nr. Telford)
Farley. *Staf* 1E **73**
Farley. *Wilts* 4H **23**
Farley Green. *Suff* 5G **65**
Farley Green. *Surr* 1B **26**
Farley Hill. *Wok* 5F **37**
Farley's End. *Glos* 4C **48**
Farlington. *N Yor* 3A **100**
Farlington. *Port* 2E **17**
Farlow. *Shrp* 2A **60**
Farmborough. *Bath* 5B **34**
Farmcote. *Glos* 3F **49**
Farmcote. *Shrp* 1B **60**
Farmington. *Glos* 4G **49**
Far Moor. *G Man* 4D **90**
Farmoor. *Oxon* 5C **50**
Farmtown. *Mor* 3C **160**
Farnah Green. *Derbs* 1H **73**
Farnborough. *G Lon* 4F **39**
Farnborough. *Hants* 1G **25**
Farnborough. *Warw* 1C **50**
Farnborough. *W Ber* 3C **36**
Farnborough Airport. *Surr* 1G **25**
Farncombe. *Surr* 1A **26**
Farndish. *Bed* 4G **63**
Farndon. *Ches W* 5G **83**
Farndon. *Notts* 5E **87**
Farnell. *Ang* 3F **145**
Farnham. *Dors* 1E **15**
Farnham. *Essx* 3E **53**
Farnham. *N Yor* 3F **99**
Farnham. *Suff* 4F **67**
Farnham. *Surr* 2G **25**
Farnham Common. *Buck* 2A **38**
Farnham Green. *Essx* 3E **53**
Farnham Royal. *Buck* 2A **38**
Farnhill. *N Yor* 5C **98**
Farningham. *Kent* 4G **39**
Farnley. *N Yor* 5E **98**
Farnley Tyas. *W Yor* 3B **92**
Farnsfield. *Notts* 5D **86**
Farnworth. *G Man* 4F **91**
Farnworth. *Hal* 2H **83**
Far Oakridge. *Glos* 5E **49**
Far Orrest. *Cumb* 4F **103**
Farr. *High* 2H **167**
(nr. Bettyhill)
Farr. *High* 5A **158**
(nr. Inverness)
Farr. *High* 3C **150**
(nr. Kingussie)
Farraline. *High* 1H **149**
Farringdon. *Devn* 3D **12**
Farrington. *Dors* 1D **14**
Farrington Gurney. *Bath* 1B **22**
Far Sawrey. *Cumb* 5E **103**
Farsley. *W Yor* 1C **92**
Farthinghoe. *Nptn* 2D **50**
Farthingstone. *Nptn* 5D **62**
Farthorpe. *Linc* 3B **88**
Fartown. *W Yor* 3B **92**
Farway. *Devn* 3E **13**
Fasag. *High* 3A **156**
Fascadale. *High* 1G **139**
Fasnacloich. *Arg* 4E **141**
Fassfern. *High* 1E **141**
Fatfield. *Tyne* 4G **115**
Faugh. *Cumb* 4G **113**
Fauld. *Staf* 3F **73**
Fauldhouse. *W Lot* 3C **128**
Faulkbourne. *Essx* 4A **54**
Faulkland. *Som* 1C **22**
Fauls. *Shrp* 2H **71**
Faverdale. *Darl* 3F **105**
Faversham. *Kent* 4E **40**
Fawdington. *N Yor* 2G **99**
Fawfieldhead. *Staf* 4E **85**
Fawkham Green. *Kent* 4G **39**
Fawler. *Oxon* 4B **50**
Fawley. *Buck* 3F **37**
Fawley. *Hants* 2C **16**
Fawley. *W Ber* 3B **36**
Fawley Chapel. *Here* 3A **48**
Fawton. *Corn* 2F **7**
Faxfleet. *E Yor* 2B **94**
Faygate. *W Sus* 2D **26**
Fazakerley. *Mers* 1F **83**
Fazeley. *Staf* 5F **73**
Feabuie. *High* 4B **158**
Feagour. *High* 4H **149**
Fearann Dhomhnaill. *High* 3E **147**
Fearby. *N Yor* 1D **98**
Fearn. *High* 1C **158**
Fearnan. *Per* 4E **142**
Fearnbeg. *High* 3G **155**
Fearnhead. *Warr* 1A **84**
Fearnmore. *High* 2G **155**
Featherstone. *Staf* 5D **72**
Featherstone. *W Yor* 2E **93**
Featherstone Castle. *Nmbd* 3H **113**
Feckenham. *Worc* 4E **61**

Feering. *Essx* 3B 54
Feetham. *N Yor* 5C 104
Feizor. *N Yor* 3G 97
Felbridge. *Surr* 2E 27
Felbrigg. *Norf* 2E 78
Felcourt. *Surr* 1E 27
Felden. *Herts* 5A 52
Felhampton. *Shrp* 2G 59
Felindre. *Carm* 3F 45 (nr. Llandeilo)
Felindre. *Carm* 2G 45 (nr. Llandovery)
Felindre. *Carm* 2D 44 (nr. Newcastle Emlyn)
Felindre. *Powy* 2D 58
Felindre. *Swan* 5G 45
Felindre Farchog. *Pemb* 1F 43
Felinfach. *Cdgn* 5E 57
Felinfach. *Powy* 2D 46
Felinfoel. *Carm* 5F 45
Felingwmisaf. *Carm* 3F 45
Felingwmuchaf. *Carm* 3F 45
Felin Newydd. *Powy* 5C 70 (nr. Newtown)
Felin Newydd. *Powy* 3E 70 (nr. Oswestry)
Felin Wnda. *Cdgn* 1D 44
Felinwynt. *Cdgn* 5B 56
Felixkirk. *N Yor* 1G 99
Felixstowe. *Suff* 2F 55
Felixstowe Ferry. *Suff* 2G 55
Felkington. *Nmbd* 5F 131
Fell End. *Cumb* 5A 104
Felling. *Tyne* 3F 115
Fell Side. *Cumb* 1E 102
Felmersham. *Bed* 5G 63
Felmingham. *Norf* 3E 79
Felpham. *W Sus* 3H 17
Felsham. *Suff* 5B 66
Felsted. *Essx* 3G 53
Feltham. *G Lon* 3C 38
Felthamhill. *Surr* 3B 38
Felthorpe. *Norf* 4D 78
Felton. *Here* 1A 48
Felton. *N Som* 5A 34
Felton. *Nmbd* 4F 121
Felton Butler. *Shrp* 4F 71
Feltwell. *Norf* 1G 65
Fenay Bridge. *W Yor* 3B 92
Fence. *Lanc* 1G 91
Fence Houses. *Tyne* 4G 115
Fencott. *Oxon* 4D 50
Fen Ditton. *Cambs* 4D 65
Fen Drayton. *Cambs* 4C 64
Fen End. *Linc* 3B 76
Fen End. *W Mid* 3G 61
Fenham. *Nmbd* 5G 131
Fenham. *Tyne* 3F 115
Fenhouses. *Linc* 1B 76
Feniscowles. *Bkbn* 2E 91
Feniton. *Devn* 3D 12
Fenn Green. *Shrp* 2B 60
Fenn's Bank. *Wrex* 2H 71
Fenn Street. *Medw* 3B 40
Fenny Bentley. *Derbs* 5F 85
Fenny Bridges. *Devn* 3E 12
Fenny Compton. *Warw* 5B 62
Fenny Drayton. *Leics* 1A 62
Fenny Stratford. *Mil* 2G 51
Fenrother. *Nmbd* 5F 121
Fenstanton. *Cambs* 4C 64
Fen Street. *Norf* 1C 66
Fenton. *Cambs* 3C 64
Fenton. *Cumb* 4G 113
Fenton. *Linc* 5F 87 (nr. Caythorpe)
Fenton. *Linc* 3F 87 (nr. Saxilby)
Fenton. *Nmbd* 1D 120
Fenton. *Notts* 2E 87
Fenton. *Stoke* 1C 72
Fentonadle. *Corn* 5A 10
Fenton Barns. *E Lot* 1B 130
Fenwick. *E Ayr* 5F 127
Fenwick. *Nmbd* 5G 131 (nr. Berwick)
Fenwick. *Nmbd* 2D 114 (nr. Hexham)
Fenwick. *S Yor* 3F 93
Feochaig. *Arg* 4B 122
Feock. *Corn* 5C 6
Feolin Ferry. *Arg* 3C 124
Feorlan. *Arg* 5A 122
Ferindonald. *High* 3E 147
Feriniquarrie. *High* 3A 154
Fern. *Ang* 2D 145
Ferndale. *Rhon* 2C 32
Ferndown. *Dors* 2F 15
Ferness. *High* 4D 158
Fernham. *Oxon* 2A 36
Fernhill. *W Sus* 1D 27
Fernhill Heath. *Worc* 5C 60
Fernhurst. *W Sus* 4G 25
Fernieflatt. *Abers* 1H 145
Ferniegair. *S Lan* 4A 128
Fernilea. *High* 5C 154
Fernilee. *Derbs* 3E 85
Ferrensby. *N Yor* 3F 99
Ferriby Sluice. *N Lin* 2C 94
Ferring. *W Sus* 5C 26
Ferrybridge. *W Yor* 2E 93
Ferryden. *Ang* 3G 145
Ferryhill. *Aber* 3G 153
Ferry Hill. *Cambs* 2C 64
Ferryhill. *Dur* 1F 105
Ferryhill Station. *Dur* 1F 105
Ferryside. *Carm* 4D 44
Ferryton. *High* 2A 158
Fersfield. *Norf* 2C 66
Fersit. *High* 1A 142
Feshiebridge. *High* 3C 150
Fetcham. *Surr* 5C 38
Fetterangus. *Abers* 3G 161
Fettercairn. *Abers* 1F 145
Fewcott. *Oxon* 3D 50
Fewston. *N Yor* 4D 98
Ffairfach. *Carm* 3G 45
Ffair Rhos. *Cdgn* 4G 57
Ffaldybrenin. *Carm* 1G 45
Ffarmers. *Carm* 1G 45
Ffawyddog. *Powy* 4F 47
Ffodun. *Powy* 5E 71
Ffont-y-gari. *V Glam* 5D 32
Fforest. *Carm* 5F 45
Fforest-fach. *Swan* 3F 31
Fforest Goch. *Neat* 5H 45
Ffostrasol. *Cdgn* 1D 44
Ffos-y-ffin. *Cdgn* 4D 56
Ffrith. *Flin* 5E 83
Ffrwdgrech. *Powy* 3D 46
Ffwl-y-mwn. *V Glam* 5D 32
Ffynnon-ddrain. *Carm* 3E 45
Ffynnongroyw. *Flin* 2D 82
Ffynnon Gynydd. *Powy* 1E 47
Ffynnonoer. *Cdgn* 5E 57
Fiag Lodge. *High* 1B 164
Fidden. *Arg* 2B 132
Fiddington. *Glos* 2E 49
Fiddington. *Som* 2F 21
Fiddleford. *Dors* 1D 14
Fiddlers Hamlet. *Essx* 5E 53
Field. *Staf* 2E 73
Field Assarts. *Oxon* 4B 50
Field Broughton. *Cumb* 1C 96
Field Dalling. *Norf* 2C 78
Fieldhead. *Cumb* 1F 103
Field Head. *Leics* 5B 74
Fifehead Magdalen. *Dors* 4C 22
Fifehead Neville. *Dors* 1C 14
Fifehead St Quintin. *Dors* 1C 14
Fife Keith. *Mor* 3B 160
Fifield. *Oxon* 4H 49
Fifield. *Wilts* 1G 23
Fifield. *Wind* 3A 38
Fifield Bavant. *Wilts* 4F 23
Figheldean. *Wilts* 2G 23
Filby. *Norf* 4G 79
Filey. *N Yor* 1F 101
Filford. *Dors* 3H 13
Filgrave. *Mil* 1G 51
Filkins. *Oxon* 5H 49
Filleigh. *Devn* 1H 11 (nr. Crediton)
Filleigh. *Devn* 4G 19 (nr. South Molton)
Fillingham. *Linc* 2G 87
Fillongley. *Warw* 2G 61
Filton. *S Glo* 4B 34
Fimber. *E Yor* 3C 100
Finavon. *Ang* 3D 145
Fincham. *Norf* 5F 77
Finchampstead. *Wok* 5F 37
Fincharn. *Arg* 3G 133
Finchdean. *Hants* 1F 17
Finchingfield. *Essx* 2G 53
Finchley. *G Lon* 1D 38
Findern. *Derbs* 2H 73
Findhorn. *Mor* 2E 159
Findhorn Bridge. *High* 1C 150
Findochty. *Mor* 2B 160
Findo Gask. *Per* 1C 136
Findon. *Abers* 4G 153
Findon. *W Sus* 5C 26
Findon Mains. *High* 2A 158
Findon Valley. *W Sus* 5C 26
Finedon. *Nptn* 3G 63
Fingal Street. *Suff* 3E 66
Fingest. *Buck* 2F 37
Finghall. *N Yor* 1D 98
Fingland. *Cumb* 4D 112
Fingland. *Dum* 3G 117
Finglesham. *Kent* 5H 41
Fingringhoe. *Essx* 3D 54
Finiskaig. *High* 4A 148
Finmere. *Oxon* 2E 51
Finnart. *Per* 3C 142
Finningham. *Suff* 4C 66
Finningley. *S Yor* 1D 86
Finnygaud. *Abers* 3D 160
Finsbury. *G Lon* 2E 39
Finstall. *Worc* 3D 61
Finsthwaite. *Cumb* 1C 96
Finstock. *Oxon* 4B 50
Finstown. *Orkn* 6C 172
Fintry. *Abers* 3E 161
Fintry. *D'dee* 5D 144
Fintry. *Stir* 1H 127
Finwood. *Warw* 4F 61
Finzean. *Abers* 4D 152
Fionnphort. *Arg* 2B 132
Fionnsabhagh. *W Isl* 9C 171
Firbeck. *S Yor* 2C 86
Firby. *N Yor* 1E 99 (nr. Bedale)
Firby. *N Yor* 3B 100 (nr. Malton)
Firgrove. *G Man* 3H 91
Firsdown. *Wilts* 3H 23
First Coast. *High* 4D 162
Firth. *Shet* 4F 173
Fir Tree. *Dur* 1E 105
Fishbourne. *IOW* 3D 16
Fishbourne. *W Sus* 2G 17
Fishburn. *Dur* 1A 106
Fishcross. *Clac* 4B 136
Fisherford. *Abers* 5D 160
Fisherrow. *E Lot* 2G 129
Fisher's Pond. *Hants* 4C 24
Fisher's Row. *Lanc* 5D 96
Fisherstreet. *W Sus* 2A 26
Fisherton. *High* 3B 158
Fisherton. *S Ayr* 3B 116
Fisherton de la Mere. *Wilts* 3E 23
Fishguard. *Pemb* 1D 42
Fishlake. *S Yor* 3G 93
Fishley. *Norf* 4G 79
Fishnish. *Arg* 4A 140
Fishpond Bottom. *Dors* 3G 13
Fishponds. *Bris* 4B 34
Fishpool. *Glos* 3B 48
Fishpool. *G Man* 4G 91
Fishpools. *Powy* 4D 58
Fishtoft. *Linc* 1C 76
Fishtoft Drove. *Linc* 1C 76
Fishwick. *Bord* 4F 131
Fiskavaig. *High* 5C 154
Fiskerton. *Linc* 3H 87
Fiskerton. *Notts* 5E 87
Fitling. *E Yor* 1F 95
Fittleton. *Wilts* 2G 23
Fittleworth. *W Sus* 4B 26
Fitton End. *Cambs* 4D 76
Fitz. *Shrp* 4G 71
Fitzhead. *Som* 4E 20
Fitzwilliam. *W Yor* 3E 93
Fiunary. *High* 4A 140
Five Ash Down. *E Sus* 3F 27
Five Ashes. *E Sus* 3G 27
Five Bells. *Som* 2D 20
Five Bridges. *Here* 1B 48
Fivehead. *Som* 4G 21
Five Lane Ends. *Lanc* 4E 97
Fivelanes. *Corn* 4C 10
Five Oak Green. *Kent* 1H 27
Five Oaks. *W Sus* 3B 26
Five Roads. *Carm* 5E 45
Five Ways. *Warw* 3G 61
Flack's Green. *Essx* 4A 54
Flackwell Heath. *Buck* 3G 37
Fladbury. *Worc* 1E 49
Fladdabister. *Shet* 8F 173
Flagg. *Derbs* 4F 85
Flamborough. *E Yor* 2G 101
Flamstead. *Herts* 4A 52
Flansham. *W Sus* 5A 26
Flasby. *N Yor* 4B 98
Flash. *Staf* 4E 85
Flashader. *High* 3C 154
Flatt, The. *Cumb* 2G 113
Flaunden. *Herts* 5A 52
Flawborough. *Notts* 1E 75
Flawith. *N Yor* 3G 99
Flax Bourton. *N Som* 5A 34
Flaxby. *N Yor* 4F 99
Flaxholme. *Derbs* 1H 73
Flaxley. *Glos* 4B 48
Flaxley Green. *Staf* 4E 73
Flaxpool. *Som* 3E 21
Flaxton. *N Yor* 3A 100
Fleckney. *Leics* 1D 62
Flecknoe. *Warw* 4C 62
Fledborough. *Notts* 3F 87
Fleet. *Dors* 4B 14
Fleet. *Hants* 1G 25 (nr. Farnborough)
Fleet. *Hants* 2F 17 (nr. South Hayling)
Fleet. *Linc* 3C 76
Fleet Hargate. *Linc* 3C 76
Fleetville. *Herts* 5B 52
Fleetwood. *Lanc* 5C 96
Fleggburgh. *Norf* 4G 79
Fleisirin. *W Isl* 4H 171
Flemingston. *V Glam* 4D 32
Flemington. *S Lan* 3H 127 (nr. Glasgow)
Flemington. *S Lan* 5A 128 (nr. Strathaven)
Flempton. *Suff* 4H 65
Fleoideabhagh. *W Isl* 9C 171
Fletcher's Green. *Kent* 1G 27
Fletchertown. *Cumb* 5D 112
Fletching. *E Sus* 3F 27
Fleuchary. *High* 4E 165
Flexbury. *Corn* 2C 10
Flexford. *Surr* 5A 38
Flimby. *Cumb* 1B 102
Flimwell. *E Sus* 2B 28
Flint. *Flin* 3E 83
Flintham. *Notts* 1E 75
Flint Mountain. *Flin* 3E 83
Flinton. *E Yor* 1F 95
Flintsham. *Here* 5F 59
Flishinghurst. *Kent* 2B 28
Flitcham. *Norf* 3G 77
Flitton. *C Beds* 2A 52
Flitwick. *C Beds* 2A 52
Flixborough. *N Lin* 3B 94
Flixton. *G Man* 1B 84
Flixton. *N Yor* 2E 101
Flixton. *Suff* 2F 67
Flockton. *W Yor* 3C 92
Flodden. *Nmbd* 1D 120
Flodigarry. *High* 1D 154
Flood's Ferry. *Cambs* 1C 64
Flookburgh. *Cumb* 2C 96
Flordon. *Norf* 1D 66
Flore. *Nptn* 4D 62
Flotterton. *Nmbd* 4E 121
Flowton. *Suff* 1D 54
Flushing. *Abers* 4H 161
Flushing. *Corn* 5C 6
Fluxton. *Devn* 3D 12
Flyford Flavell. *Worc* 5D 61
Fobbing. *Thur* 2B 40
Fochabers. *Mor* 3H 159
Fochriw. *Cphy* 5E 46
Fockerby. *N Lin* 3B 94
Fodderty. *High* 3H 157
Foddington. *Som* 4A 22
Foel. *Powy* 4B 70
Foffarty. *Ang* 4D 144
Foggathorpe. *E Yor* 1A 94
Fogo. *Bord* 5D 130
Fogorig. *Bord* 5D 130
Foindle. *High* 4B 166
Folda. *Ang* 2A 144
Fole. *Staf* 2E 73
Foleshill. *W Mid* 2A 62
Foley Park. *Worc* 3C 60
Folke. *Dors* 1B 14
Folkestone. *Kent* 2G 29
Folkingham. *Linc* 2H 75
Folkington. *E Sus* 5G 27
Folksworth. *Cambs* 1A 64
Folkton. *N Yor* 2E 101
Folla Rule. *Abers* 5E 161
Follifoot. *N Yor* 4F 99
Folly Cross. *Devn* 2E 11
Folly Gate. *Devn* 3F 11
Folly, The. *Herts* 4B 52
Folly, The. *W Ber* 5C 36
Fonmon. *V Glam* 5D 32
Fonthill Bishop. *Wilts* 3E 23
Fonthill Gifford. *Wilts* 3E 23
Fontmell Magna. *Dors* 1D 14
Fontwell. *W Sus* 5A 26
Font-y-gary. *V Glam* 5D 32
Foodieash. *Fife* 2F 137
Foolow. *Derbs* 3F 85
Footdee. *Aber* 3G 153
Footherley. *Staf* 5F 73
Foots Cray. *G Lon* 3F 39
Forbestown. *Abers* 2A 152
Force Forge. *Cumb* 5E 103
Force Mills. *Cumb* 5E 103
Forcett. *N Yor* 3E 105
Ford. *Arg* 3F 133
Ford. *Buck* 5F 51
Ford. *Derbs* 2B 86
Ford. *Devn* 4E 19 (nr. Bideford)
Ford. *Devn* 3C 8 (nr. Holbeton)
Ford. *Devn* 4D 9 (nr. Salcombe)
Ford. *Glos* 3F 49
Ford. *Nmbd* 1D 120
Ford. *Plym* 3A 8
Ford. *Shrp* 4G 71
Ford. *Som* 1A 22 (nr. Wells)
Ford. *Som* 4D 20 (nr. Wiveliscombe)
Ford. *Staf* 5E 85
Ford. *W Sus* 5B 26
Ford. *Wilts* 4D 34 (nr. Chippenham)
Ford. *Wilts* 3G 23 (nr. Salisbury)

Gallows Green—Glenduckie

Gallows Green. *Worc* 4D 60
Gallowstree Common. *Oxon* 3E 37
Galltair. *High* 1G 147
Gallt Melyd. *Den* 2C 82
Galmington. *Som* 4F 21
Galmisdale. *High* 5C 146
Galmpton. *Devn* 4C 8
Galmpton. *Torb* 3E 9
Galmpton Warborough. *Torb* 3E 9
Galphay. *N Yor* 2E 99
Galston. *E Ayr* 1D 117
Galton. *Dors* 4C 14
Galtrigill. *High* 3A 154
Gamblesby. *Cumb* 1H 103
Gamelsby. *Cumb* 4D 112
Gamesley. *Derbs* 1E 85
Gamlingay. *Cambs* 5B 64
Gamlingay Cinques. *Cambs* 5B 64
Gamlingay Great Heath. *C Beds* 5B 64
Gammaton. *Devn* 4E 19
Gammersgill. *N Yor* 1C 98
Gamston. *Notts* 2D 74
(nr. Nottingham)
Gamston. *Notts* 3E 86
(nr. Retford)
Ganarew. *Here* 4A 48
Ganavan. *Arg* 5C 140
Ganborough. *Glos* 3G 49
Gang. *Corn* 2H 7
Ganllwyd. *Gwyn* 3G 69
Gannochy. *Ang* 1E 145
Gannochy. *Per* 1D 136
Gansclet. *High* 4F 169
Ganstead. *E Yor* 1E 95
Ganthorpe. *N Yor* 2A 100
Ganton. *N Yor* 2D 101
Gants Hill. *G Lon* 2F 39
Gappah. *Devn* 5B 12
Garafad. *High* 2D 155
Garboldisham. *Norf* 2C 66
Garden City. *Flin* 4F 83
Gardeners Green. *Wok* 5G 37
Gardenstown. *Abers* 2F 161
Garden Village. *S Yor* 1G 85
Garden Village. *Swan* 3E 31
Garderhouse. *Shet* 7E 173
Gardham. *E Yor* 5D 100
Gare Hill. *Som* 2C 22
Garelochhead. *Arg* 4B 134
Garford. *Oxon* 2C 36
Garforth. *W Yor* 1E 93
Gargrave. *N Yor* 4B 98
Gargunnock. *Stir* 4G 135
Garleffin. *S Ayr* 1F 109
Garlieston. *Dum* 5B 110
Garlinge Green. *Kent* 5F 41
Garlogie. *Abers* 3E 153
Garmelow. *Staf* 3B 72
Garmond. *Abers* 3F 161
Garmondsway. *Dur* 1A 106
Garmony. *Arg* 4A 140
Garmouth. *Mor* 2H 159
Garmston. *Shrp* 5A 72
Garnant. *Carm* 4G 45
Garndiffaith. *Torf* 5F 47
Garndolbenmaen. *Gwyn* 1D 69
Garnett Bridge. *Cumb* 5G 103
Garnfadryn. *Gwyn* 2B 68
Garnkirk. *N Lan* 3H 127
Garnlydan. *Blae* 4E 47
Garnsgate. *Linc* 3D 76
Garnswllt. *Swan* 5G 45
Garn-yr-erw. *Torf* 4F 47
Garrabost. *W Isl* 4H 171
Garrallan. *E Ayr* 3E 117
Garras. *Corn* 4E 5
Garreg. *Gwyn* 1F 69
Garrigill. *Cumb* 5A 114
Garriston. *N Yor* 5E 105
Garrogie Lodge. *High* 2H 149
Garros. *High* 2D 155
Garrow. *Per* 4F 143
Garsdale. *Cumb* 1G 97
Garsdale Head. *Cumb* 5A 104
Garsdon. *Wilts* 3E 35
Garshall Green. *Staf* 2D 72
Garsington. *Oxon* 5D 50
Garstang. *Lanc* 5D 97
Garston. *Mers* 2G 83
Garswood. *Mers* 1H 83
Gartcosh. *N Lan* 3H 127
Garth. *B'end* 2B 32
Garth. *Cdgn* 2F 57
Garth. *Gwyn* 2E 69
Garth. *IOM* 4C 108
Garth. *Powy* 1C 46
(nr. Builth Wells)
Garth. *Powy* 3E 59
(nr. Knighton)
Garth. *Wrex* 1E 71
Garthamlock. *Glas* 3H 127
Garthbrengy. *Powy* 2D 46
Gartheli. *Cdgn* 5E 57
Garthmyl. *Powy* 1D 58
Garthorpe. *Leics* 3F 75
Garthorpe. *N Lin* 3B 94
Garth Owen. *Powy* 1D 58
Garth Row. *Cumb* 5G 103
Gartly. *Abers* 5C 160
Gartmore. *Stir* 4E 135
Gartness. *N Lan* 3A 128
Gartness. *Stir* 1G 127
Gartocharn. *W Dun* 1F 127
Garton. *E Yor* 1F 95
Garton-on-the-Wolds. *E Yor* 4D 101
Gartsherrie. *N Lan* 3A 128
Gartymore. *High* 2H 165
Garvald. *E Lot* 2B 130
Garvamore. *High* 4H 149
Garvard. *Arg* 4A 132
Garvault. *High* 5H 167
Garve. *High* 2F 157
Garvestone. *Norf* 5C 78
Garvie. *Arg* 4H 133
Garvock. *Abers* 1G 145
Garvock. *Inv* 2D 126
Garway. *Here* 3H 47
Garway Common. *Here* 3H 47
Garway Hill. *Here* 3H 47
Garwick. *Linc* 1A 76
Gaskan. *High* 1C 140
Gasper. *Wilts* 3C 22
Gastard. *Wilts* 5D 35
Gasthorpe. *Norf* 2B 66
Gatcombe. *IOW* 4C 16
Gateacre. *Mers* 2G 83
Gatebeck. *Cumb* 1E 97
Gate Burton. *Linc* 2F 87
Gateforth. *N Yor* 2F 93
Gatehead. *E Ayr* 1C 116
Gate Helmsley. *N Yor* 4A 100
Gatehouse. *Nmbd* 1A 114
Gatehouse of Fleet. *Dum* 4D 110
Gatelawbridge. *Dum* 5B 118
Gateley. *Norf* 3B 78
Gatenby. *N Yor* 1F 99
Gatesgarth. *Cumb* 3C 102
Gateshead. *Tyne* 3F 115
Gatesheath. *Ches W* 4G 83
Gateside. *Ang* 4D 144
(nr. Forfar)
Gateside. *Ang* 4C 144
(nr. Kirriemuir)
Gateside. *Fife* 3D 136
Gateside. *N Ayr* 4E 127
Gathurst. *G Man* 4D 90
Gatley. *G Man* 2C 84
Gatton. *Surr* 5D 39
Gattonside. *Bord* 1H 119
Gatwick (London) Airport. *W Sus* 1D 27
Gaufron. *Powy* 4B 58
Gaulby. *Leics* 5D 74
Gauldry. *Fife* 1F 137
Gaultree. *Norf* 5D 77
Gaunt's Common. *Dors* 2F 15
Gaunt's Earthcott. *S Glo* 3B 34
Gautby. *Linc* 3A 88
Gavinton. *Bord* 4D 130
Gawber. *S Yor* 4D 92
Gawcott. *Buck* 2E 51
Gawsworth. *Ches E* 4C 84
Gawthorpe. *W Yor* 2C 92
Gawthrop. *Cumb* 1F 97
Gawthwaite. *Cumb* 1B 96
Gay Bowers. *Essx* 5A 54
Gaydon. *Warw* 5A 62
Gayhurst. *Mil* 1G 51
Gayle. *N Yor* 1A 98
Gayles. *N Yor* 4E 105
Gay Street. *W Sus* 3B 26
Gayton. *Mers* 2E 83
Gayton. *Norf* 4G 77
Gayton. *Nptn* 5E 62
Gayton. *Staf* 3D 73
Gayton le Marsh. *Linc* 2D 88
Gayton le Wold. *Linc* 2B 88
Gayton Thorpe. *Norf* 4G 77
Gaywood. *Norf* 3F 77
Gazeley. *Suff* 4G 65
Geanies. *High* 1C 158
Gearraidh Bhailteas. *W Isl* 6C 170
Gearraidh Bhaird. *W Isl* 6F 171
Gearraidh ma Monadh. *W Isl* 7C 170
Geary. *High* 2B 154
Geddes. *High* 3C 158
Gedding. *Suff* 5B 66
Geddington. *Nptn* 2F 63
Gedintailor. *High* 5E 155
Gedling. *Notts* 1D 74
Gedney. *Linc* 3D 76
Gedney Broadgate. *Linc* 3D 76
Gedney Drove End. *Linc* 3D 76
Gedney Dyke. *Linc* 3D 76
Gedney Hill. *Linc* 4C 76
Gee Cross. *G Man* 1D 84
Geeston. *Rut* 5G 75
Geilston. *Arg* 2E 127
Geirinis. *W Isl* 4C 170
Geise. *High* 2D 168
Geisiadar. *W Isl* 4D 171
Gelder Shiel. *Abers* 5G 151
Geldeston. *Norf* 1F 67
Gell. *Cnwy* 4A 82
Gelli. *Pemb* 3E 43
Gelli. *Rhon* 2C 32
Gellifor. *Den* 4D 82
Gelligaer. *Cphy* 2E 33
Gellilydan. *Gwyn* 2F 69
Gellinudd. *Neat* 5H 45
Gellyburn. *Per* 5H 143
Gellywen. *Carm* 2G 43
Gelston. *Dum* 4E 111
Gelston. *Linc* 1G 75
Gembling. *E Yor* 4F 101
Geneva. *Cdgn* 5D 56
Gentleshaw. *Staf* 4E 73
Geocrab. *W Isl* 8D 171
George Green. *Buck* 2A 38
Georgeham. *Devn* 3E 19
George Nympton. *Devn* 4H 19
Georgetown. *Blae* 5E 47
Georgetown. *Ren* 3F 127
Georth. *Orkn* 5C 172
Gerlan. *Gwyn* 4F 81
Germansweek. *Devn* 3E 11
Germoe. *Corn* 4C 4
Gerrans. *Corn* 5C 6
Gerrard's Bromley. *Staf* 2B 72
Gerrards Cross. *Buck* 2A 38
Gerston. *High* 3D 168
Gestingthorpe. *Essx* 2B 54
Gethsemane. *Pemb* 1A 44
Geuffordd. *Powy* 4E 70
Gibraltar. *Buck* 4F 51
Gibraltar. *Linc* 5E 89
Gibraltar. *Suff* 5D 66
Gibsmere. *Notts* 1E 74
Giddeahall. *Wilts* 4D 34
Gidea Park. *G Lon* 2G 39
Gidleigh. *Devn* 4G 11
Giffnock. *E Ren* 4G 127
Gifford. *E Lot* 3B 130
Giffordtown. *Fife* 2E 137
Giggetty. *Staf* 1C 60
Giggleswick. *N Yor* 3H 97
Gignog. *Pemb* 2C 42
Gilberdyke. *E Yor* 2B 94
Gilbert's End. *Worc* 1D 48
Gilbert's Green. *Warw* 3F 61
Gilchriston. *E Lot* 3A 130
Gilcrux. *Cumb* 1C 102
Gildersome. *W Yor* 2C 92
Gildingwells. *S Yor* 2C 86
Gilesgate Moor. *Dur* 5F 115
Gileston. *V Glam* 5D 32
Gilfach. *Cphy* 2E 33
Gilfach Goch. *Rhon* 2C 32
Gilfachreda. *Cdgn* 5D 56
Gillamoor. *N Yor* 5D 107
Gillan. *Corn* 4E 5
Gillar's Green. *Mers* 1G 83
Gillen. *High* 3B 154
Gilling East. *N Yor* 2A 100
Gillingham. *Dors* 4D 22
Gillingham. *Medw* 4B 40
Gillingham. *Norf* 1G 67
Gilling West. *N Yor* 4E 105
Gillock. *High* 3E 169
Gillow Heath. *Staf* 5C 84
Gills. *High* 1F 169
Gill's Green. *Kent* 2B 28
Gilmanscleuch. *Bord* 2F 119
Gilmerton. *Edin* 3F 129
Gilmerton. *Per* 1A 136
Gilmonby. *Dur* 3C 104
Gilmorton. *Leics* 2C 62
Gilsland. *Nmbd* 3H 113
Gilsland Spa. *Cumb* 3H 113
Gilston. *Midl* 4H 129
Giltbrook. *Notts* 1B 74
Gilwern. *Mon* 4F 47
Gimingham. *Norf* 2E 79
Giosla. *W Isl* 5D 171
Gipping. *Suff* 4C 66
Gipsey Bridge. *Linc* 1B 76
Gipton. *W Yor* 1D 92
Girdle Toll. *N Ayr* 5E 127
Girlsta. *Shet* 6F 173
Girsby. *N Yor* 4A 106
Girthon. *Dum* 4D 110
Girton. *Cambs* 4D 64
Girton. *Notts* 4F 87
Girvan. *S Ayr* 5A 116
Gisburn. *Lanc* 5H 97
Gisleham. *Suff* 2H 67
Gislingham. *Suff* 3C 66
Gissing. *Norf* 2D 66
Gittisham. *Devn* 3E 13
Gladestry. *Powy* 5E 59
Gladsmuir. *E Lot* 2A 130
Glaichbea. *High* 5H 157
Glais. *Swan* 5H 45
Glaisdale. *N Yor* 4E 107
Glame. *High* 4E 155
Glamis. *Ang* 4C 144
Glamisdale. *High* 5C 146
Glanaman. *Carm* 4G 45
Glan-Conwy. *Cnwy* 5H 81
Glandford. *Norf* 1C 78
Glan Duar. *Carm* 1F 45
Glandwr. *Blae* 5F 47
Glandwr. *Pemb* 2F 43
Glan-Dwyfach. *Gwyn* 1D 69
Glandy Cross. *Carm* 2F 43
Glandyfi. *Cdgn* 1F 57
Glangrwyney. *Powy* 4F 47
Glanmule. *Powy* 1D 58
Glanrhyd. *Gwyn* 2B 68
Glanrhyd. *Pemb* 1B 44
(nr. Cardigan)
Glan-rhyd. *Pemb* 1F 43
(nr. Crymych)
Glan-rhyd. *Powy* 5A 46
Glanton. *Nmbd* 3E 121
Glanton Pyke. *Nmbd* 3E 121
Glanvilles Wootton. *Dors* 2B 14
Glan-y-don. *Flin* 3D 82
Glan-y-nant. *Powy* 2B 58
Glan-yr-afon. *Gwyn* 1C 70
Glan-yr-afon. *IOA* 2F 81
Glan-yr-afon. *Powy* 5C 70
Glan-y-wern. *Gwyn* 2F 69
Glapthorn. *Nptn* 1H 63
Glapwell. *Derbs* 4B 86
Glas Aird. *Arg* 4A 132
Glas-allt Shiel. *Abers* 5G 151
Glasbury. *Powy* 2E 47
Glaschoil. *Mor* 5E 159
Glascoed. *Den* 3B 82
Glascoed. *Mon* 5G 47
Glascote. *Staf* 5G 73
Glascwm. *Powy* 5D 58
Glasfryn. *Cnwy* 5B 82
Glasgow. *Glas* 3G 127
Glasgow Airport. *Ren* 3F 127
Glasgow Prestwick International Airport. *S Ayr* 2C 116
Glashvin. *High* 2D 154
Glasinfryn. *Gwyn* 4E 81
Glasnakille. *High* 2D 146
Glasnacardoch. *High* 4E 147
Glaspwll. *Cdgn* 1G 57
Glassburn. *High* 5F 157
Glassenbury. *Kent* 2B 28
Glasserton. *Dum* 5B 110
Glassford. *S Lan* 5A 128
Glassgreen. *Mor* 2G 159
Glasshouse. *Glos* 3C 48
Glasshouses. *N Yor* 3D 98
Glasson. *Cumb* 3D 112
Glasson. *Lanc* 4D 96
Glassonby. *Cumb* 1G 103
Glasterlaw. *Ang* 3E 145
Glaston. *Rut* 5F 75
Glastonbury. *Som* 3H 21
Glatton. *Cambs* 2A 64
Glazebrook. *Warr* 1A 84
Glazebury. *Warr* 1A 84
Glazeley. *Shrp* 2B 60
Gleadless. *S Yor* 2A 86
Gleadsmoss. *Ches E* 4C 84
Gleann Dail bho Dheas. *W Isl* 7C 170
Gleann Tholastaidh. *W Isl* 3H 171
Gleaston. *Cumb* 2B 96
Glecknabae. *Arg* 3B 126
Gledrid. *Shrp* 2E 71
Gleiniant. *Powy* 1B 58
Glemsford. *Suff* 1B 54
Glen. *Dum* 4C 110
Glenancross. *High* 4E 147
Glen Audlyn. *IOM* 2D 108
Glenbarr. *Arg* 2A 122
Glenbeg. *High* 2G 139
Glen Bernisdale. *High* 4D 154
Glenbervie. *Abers* 5E 153
Glenboig. *N Lan* 3A 128
Glenborrodale. *High* 2A 140
Glenbranter. *Arg* 4A 134
Glenbreck. *Bord* 2C 118
Glenbrein Lodge. *High* 2G 149
Glenbrittle. *High* 1C 146
Glenbuchat Lodge. *Abers* 2H 151
Glenbuck. *E Ayr* 2G 117
Glenburn. *Ren* 3F 127
Glencalvie Lodge. *High* 5B 164
Glencaple. *Dum* 3A 112
Glencarron Lodge. *High* 3C 156
Glencarse. *Per* 1D 136
Glencassley Castle. *High* 3B 164
Glencat. *Abers* 4C 152
Glencoe. *High* 3F 141
Glen Cottage. *High* 5E 147
Glencraig. *Fife* 4D 136
Glendale. *High* 4A 154
Glendevon. *Per* 3B 136
Glendoebeg. *High* 3G 149
Glendoick. *Per* 1E 136
Glendoune. *S Ayr* 5A 116
Glenduckie. *Fife* 2E 137

Gleneagles. *Per* 3B 136
Glenegedale. *Arg* 4B 124
Glenegedale Lots. *Arg* 4B 124
Glenelg. *High* 2G 147
Glenernie. *Mor* 4E 159
Glenesslin. *Dum* 1F 111
Glenfarg. *Per* 2D 136
Glenfarquhar Lodge. *Abers* 5E 152
Glenferness Mains. *High* 4D 158
Glenfeshie Lodge. *High* 4C 150
Glenfiddich Lodge. *Mor* 5H 159
Glenfield. *Leics* 5C 74
Glenfinnan. *High* 5B 148
Glenfintaig Lodge. *High* 5E 149
Glenfoot. *Per* 2D 136
Glenfyne Lodge. *Arg* 2B 134
Glengap. *Dum* 4D 110
Glengarnock. *N Ayr* 4E 126
Glengolly. *High* 2D 168
Glengorm Castle. *Arg* 3F 139
Glengrasco. *High* 4D 154
Glenhead Farm. *Ang* 2B 144
Glenholm. *Bord* 1D 118
Glen House. *Bord* 1E 119
Glenhurich. *High* 2C 140
Glenkerry. *Bord* 3E 119
Glenkiln. *Dum* 2F 111
Glenkindle. *Abers* 2B 152
Glenkinglass Lodge. *Arg* 5F 141
Glenkirk. *Bord* 2C 118
Glenlean. *Arg* 1B 126
Glenlee. *Dum* 1D 110
Glenleraig. *High* 5B 166
Glenlichorn. *Per* 2G 135
Glenlivet. *Mor* 1F 151
Glenlochar. *Dum* 3E 111
Glenlochsie Lodge. *Per* 1H 143
Glenluce. *Dum* 4G 109
Glenmarskie. *High* 3F 157
Glenmassan. *Arg* 1C 126
Glenmavis. *N Lan* 3A 128
Glen Maye. *IOM* 4B 108
Glenmazeran Lodge. *High* 1B 150
Glenmidge. *Dum* 1F 111
Glen Mona. *IOM* 3D 108
Glenmore. *High* 2G 139 (nr. Glenborrodale)
Glenmore. *High* 3D 151 (nr. Kingussie)
Glenmore. *High* 4D 154 (on Isle of Skye)
Glenmoy. *Ang* 2D 144
Glennoe. *Arg* 5E 141
Glen of Coachford. *Abers* 4B 160
Glenogil. *Ang* 2D 144
Glen Parva. *Leics* 1C 62
Glenprosen Village. *Ang* 2C 144
Glenree. *N Ayr* 3D 122
Glenridding. *Cumb* 3E 103
Glenrosa. *N Ayr* 2E 123
Glenrothes. *Fife* 3E 137
Glensanda. *High* 4C 140
Glensaugh. *Abers* 1F 145
Glenshero Lodge. *High* 4H 149
Glensluain. *Arg* 4H 133
Glenstockadale. *Dum* 3F 109
Glenstriven. *Arg* 2B 126
Glen Tanar House. *Abers* 4B 152
Glentham. *Linc* 1H 87
Glenton. *Abers* 1D 152
Glentress. *Bord* 1E 119
Glentromie Lodge. *High* 4B 150
Glentrool Lodge. *Dum* 1B 110
Glentrool Village. *Dum* 2A 110
Glentruim House. *High* 4A 150
Glentworth. *Linc* 2G 87
Glenuig. *High* 1A 140
Glen Village. *Falk* 2B 128
Glen Vine. *IOM* 4C 108
Glenwhilly. *Dum* 2G 109
Glenzierfoot. *Dum* 2E 113
Glespin. *S Lan* 2H 117
Gletness. *Sh* 6F 173
Glewstone. *Here* 3A 48
Glib Cheois. *W Isl* 5F 171
Glinton. *Pet* 5A 76
Glooston. *Leics* 1E 63
Glossop. *Derbs* 1E 85
Gloster Hill. *Nmbd* 4G 121
Gloucester. *Glos* 4D 48
Gloucestershire Airport. *Glos* 3D 49
Gloup. *Shet* 1G 173
Glusburn. *N Yor* 5C 98
Glutt Lodge. *High* 5B 168
Glutton Bridge. *Staf* 4E 85
Gluvian. *Corn* 2D 6
Glympton. *Oxon* 3C 50
Glyn. *Cnwy* 3A 82
Glynarthen. *Cdgn* 1D 44
Glynbrochan. *Powy* 2B 58
Glyn Ceiriog. *Wrex* 2E 70
Glyncoch. *Rhon* 2D 32
Glyncorrwg. *Neat* 2B 32
Glynde. *E Sus* 5F 27
Glyndebourne. *E Sus* 4F 27
Glyndyfrdwy. *Den* 1D 70
Glyn Ebwy. *Blae* 5E 47
Glynllan. *B'end* 3C 32
Glyn-neath. *Neat* 5B 46
Glynogwr. *B'end* 3C 32
Glyntaff. *Rhon* 3D 32
Glyntawe. *Powy* 4B 46
Glynteg. *Carm* 2D 44
Gnosall. *Staf* 3C 72
Gnosall Heath. *Staf* 3C 72
Goadby. *Leics* 1E 63
Goadby Marwood. *Leics* 3E 75
Goatacre. *Wilts* 4F 35
Goathill. *Dors* 1B 14
Goathland. *N Yor* 4F 107
Goathurst. *Som* 3F 21
Goathurst Common. *Kent* 5F 39
Goat Lees. *Kent* 1E 28
Gobernuisgach Lodge. *High* 4E 167
Gobernuisgeach. *High* 5B 168
Gobhaig. *W Isl* 7C 171
Gobowen. *Shrp* 2F 71
Godalming. *Surr* 1A 26
Goddard's Corner. *Suff* 4E 67
Goddard's Green. *Kent* 2C 28 (nr. Benenden)
Goddard's Green. *Kent* 2B 28 (nr. Cranbrook)
Goddards Green. *W Sus* 3D 27
Godford Cross. *Devn* 2E 13
Godleybrook. *Staf* 1D 73
Godmanchester. *Cambs* 3B 64
Godmanstone. *Dors* 3B 14
Godmersham. *Kent* 5E 41
Godolphin Cross. *Corn* 3D 4
Godre'r-graig. *Neat* 5A 46
Godshill. *Hants* 1G 15
Godshill. *IOW* 4D 16
Godstone. *Staf* 2E 73
Godstone. *Surr* 5E 39
Goetre. *Mon* 5G 47
Goff's Oak. *Herts* 5D 52
Gogar. *Edin* 2E 129
Goginan. *Cdgn* 2F 57
Golan. *Gwyn* 1E 69
Golant. *Corn* 3F 7
Golberdon. *Corn* 5D 10
Golborne. *G Man* 1A 84
Golcar. *W Yor* 3A 92
Goldcliff. *Newp* 3G 33
Golden Cross. *E Sus* 4G 27
Golden Green. *Kent* 1H 27
Golden Grove. *Carm* 4F 45
Golden Grove. *N Yor* 4F 107
Golden Hill. *Pemb* 2D 43
Goldenhill. *Stoke* 5C 84
Golden Pot. *Hants* 2F 25
Golden Valley. *Glos* 3E 49
Golders Green. *G Lon* 2D 38
Goldhanger. *Essx* 5C 54
Gold Hill. *Norf* 1E 65
Golding. *Shrp* 5H 71
Goldington. *Bed* 5H 63
Goldsborough. *N Yor* 4F 99 (nr. Harrogate)
Goldsborough. *N Yor* 3F 107 (nr. Whitby)
Goldsithney. *Corn* 3C 4
Goldstone. *Kent* 4G 41
Goldstone. *Shrp* 3B 72
Goldthorpe. *S Yor* 4E 93
Goldworthy. *Devn* 4D 19
Golfa. *Powy* 3D 70
Gollanfield. *High* 3C 158
Gollinglith Foot. *N Yor* 1D 98
Golsoncott. *Som* 3D 20
Golspie. *High* 4F 165
Gomeldon. *Wilts* 3G 23
Gomersal. *W Yor* 2C 92
Gometra House. *Arg* 4E 139
Gomshall. *Surr* 1B 26
Gonalston. *Notts* 1D 74
Gonerby Hill Foot. *Linc* 2G 75
Gonnabarn. *Corn* 3D 6
Good Easter. *Essx* 4G 53
Gooderstone. *Norf* 5G 77
Goodleigh. *Devn* 3G 19
Goodmanham. *E Yor* 5C 100
Goodmayes. *G Lon* 2F 39
Goodnestone. *Kent* 5G 41 (nr. Aylesham)
Goodnestone. *Kent* 4E 41 (nr. Faversham)
Goodrich. *Here* 4A 48
Goodrington. *Torb* 3E 9
Goodshaw. *Lanc* 2G 91
Goodshaw Fold. *Lanc* 2G 91
Goodstone. *Devn* 5A 12
Goodwick. *Pemb* 1D 42
Goodworth Clatford. *Hants* 2B 24
Goole. *E Yor* 2H 93
Goom's Hill. *Worc* 5E 61
Goonbell. *Corn* 4B 6
Goonhavern. *Corn* 3B 6
Goonvrea. *Corn* 4B 6
Goose Green. *Cumb* 1E 97
Goose Green. *S Glo* 3C 34
Gooseham. *Corn* 1C 10
Goosewell. *Plym* 3B 8
Goosey. *Oxon* 2B 36
Goosnargh. *Lanc* 1D 90
Goostrey. *Ches E* 3B 84
Gorcott Hill. *Warw* 4E 61
Gordon. *Bord* 5C 130
Gordonbush. *High* 3F 165
Gordonstown. *Abers* 3C 160 (nr. Cornhill)
Gordonstown. *Abers* 5E 160 (nr. Fyvie)
Gorebridge. *Midl* 3G 129
Gorefield. *Cambs* 4D 76
Gores. *Wilts* 1G 23
Gorgie. *Edin* 2F 129
Goring. *Oxon* 3E 36
Goring-by-Sea. *W Sus* 5C 26
Goring Heath. *Oxon* 4E 37
Gorleston-on-Sea. *Norf* 5H 79
Gornalwood. *W Mid* 1D 60
Gorran Churchtown. *Corn* 4D 6
Gorran Haven. *Corn* 4E 6
Gorran High Lanes. *Corn* 4D 6
Gors. *Cdgn* 3F 57
Gorsedd. *Flin* 3D 82
Gorseinon. *Swan* 3E 31
Gorseness. *Orkn* 6D 172
Gorseybank. *Derbs* 5G 85
Gorsgoch. *Cdgn* 5D 57
Gorslas. *Carm* 4F 45
Gorsley. *Glos* 3B 48
Gorsley Common. *Here* 3B 48
Gorstan. *High* 2F 157
Gorstella. *Ches W* 4F 83
Gorsty Common. *Here* 2H 47
Gorsty Hill. *Staf* 3E 73
Gortantaoid. *Arg* 2B 124
Gorteneorn. *High* 2A 140
Gortenfern. *High* 2A 140
Gorton. *G Man* 1C 84
Gosbeck. *Suff* 5D 66
Gosberton. *Linc* 2B 76
Gosberton Clough. *Linc* 3A 76
Goseley Dale. *Derbs* 3H 73
Gosfield. *Essx* 3A 54
Gosford. *Oxon* 4D 50
Gosforth. *Cumb* 4B 102
Gosforth. *Tyne* 3F 115
Gosmore. *Herts* 3B 52
Gospel End Village. *Staf* 1C 60
Gosport. *Hants* 2E 16
Gossabrough. *Shet* 3G 173
Gossington. *Glos* 5C 48
Gossops Green. *W Sus* 2D 26
Goswick. *Nmbd* 5G 131
Gotham. *Notts* 2C 74
Gotherington. *Glos* 3E 49
Gott. *Arg* 4B 138
Goudhurst. *Kent* 2B 28
Goulceby. *Linc* 3B 88
Gourdon. *Abers* 1H 145
Gourock. *Inv* 2D 126
Govan. *Glas* 3G 127
Govanhill. *Glas* 3G 127
Goverton. *Notts* 1E 74
Goveton. *Devn* 4D 8
Govilon. *Mon* 4F 47
Gowanhill. *Abers* 2H 161
Gowdall. *E Yor* 2G 93
Gowerton. *Swan* 3E 31
Gowkhall. *Fife* 1D 128
Gowthorpe. *E Yor* 4B 100
Goxhill. *E Yor* 5F 101
Goxhill. *N Lin* 2E 94
Goxhill Haven. *N Lin* 2E 94
Goytre. *Neat* 3A 32
Grabhair. *W Isl* 6F 171
Graby. *Linc* 3H 75
Graffham. *W Sus* 4A 26
Grafham. *Cambs* 4A 64
Grafham. *Surr* 1B 26
Grafton. *Here* 2H 47
Grafton. *N Yor* 3G 99
Grafton. *Oxon* 5A 50
Grafton. *Shrp* 4G 71
Grafton. *Worc* 2E 49 (nr. Evesham)
Grafton. *Worc* 4H 59 (nr. Leominster)
Grafton Flyford. *Worc* 5D 60
Grafton Regis. *Nptn* 1F 51
Grafton Underwood. *Nptn* 2G 63
Grafty Green. *Kent* 1C 28
Graianrhyd. *Den* 5E 82
Graig. *Carm* 5E 45
Graig. *Cnwy* 3H 81
Graig. *Den* 3C 82
Graig-fechan. *Den* 5D 82
Graig Penllyn. *V Glam* 4C 32
Grain. *Medw* 3C 40
Grainsby. *Linc* 1B 88
Grainthorpe. *Linc* 1C 88
Grainthorpe Fen. *Linc* 1C 88
Graiselound. *N Lin* 1E 87
Gramasdail. *W Isl* 3D 170
Grampound. *Corn* 4D 6
Grampound Road. *Corn* 3D 6
Granborough. *Buck* 3F 51
Granby. *Notts* 2E 75
Grandborough. *Warw* 4B 62
Grandpont. *Oxon* 5D 50
Grandtully. *Per* 3G 143
Grange. *Cumb* 3D 102
Grange. *E Ayr* 1D 116
Grange. *Here* 3G 59
Grange. *Mers* 2E 83
Grange. *Per* 1E 137
Grange Crossroads. *Mor* 3B 160
Grange Hill. *G Lon* 1F 39
Grangemill. *Derbs* 5G 85
Grange Moor. *W Yor* 3C 92
Grangemouth. *Falk* 1C 128
Grange of Lindores. *Fife* 2E 137
Grange-over-Sands. *Cumb* 2D 96
Grangepans. *Falk* 1D 128
Grange, The. *N Yor* 5C 106
Grangetown. *Card* 4E 33
Grangetown. *Red C* 2C 106
Grange Villa. *Dur* 4F 115
Granish. *High* 2C 150
Gransmoor. *E Yor* 4F 101
Granston. *Pemb* 1C 42
Grantchester. *Cambs* 5D 64
Grantham. *Linc* 2G 75
Grantley. *N Yor* 3E 99
Grantlodge. *Abers* 2E 152
Granton. *Edin* 2F 129
Grantown-on-Spey. *High* 1E 151
Grantshouse. *Bord* 3E 130
Grappenhall. *Warr* 2A 84
Grasby. *Linc* 4D 94
Grasmere. *Cumb* 4E 103
Grasscroft. *G Man* 4H 91
Grassendale. *Mers* 2F 83
Grassgarth. *Cumb* 5E 113
Grassholme. *Dur* 2C 104
Grassington. *N Yor* 3C 98
Grassmoor. *Derbs* 4B 86
Grassthorpe. *Notts* 4E 87
Grateley. *Hants* 2A 24
Gratton. *Devn* 1D 11
Gratton. *Staf* 5D 84
Gratwich. *Staf* 2E 73
Graveley. *Cambs* 4B 64
Graveley. *Herts* 3C 52
Gravelhill. *Shrp* 4G 71
Gravel Hole. *G Man* 4H 91
Gravelly Hill. *W Mid* 1F 61
Graven. *Shet* 4F 173
Graveney. *Kent* 4E 41
Gravesend. *Kent* 3H 39
Grayingham. *Linc* 1G 87
Grayrigg. *Cumb* 5G 103
Grays. *Thur* 3H 39
Grayshott. *Hants* 3G 25
Grayson Green. *Cumb* 2A 102
Grayswood. *Surr* 2A 26
Graythorp. *Hart* 2C 106
Grazeley. *Wok* 5E 37
Grealin. *High* 2E 155
Greasbrough. *S Yor* 1B 86
Greasby. *Mers* 2E 83
Great Abington. *Cambs* 1F 53
Great Addington. *Nptn* 3G 63
Great Alne. *Warw* 5F 61
Great Altcar. *Lanc* 4B 90
Great Amwell. *Herts* 4D 52
Great Asby. *Cumb* 3H 103
Great Ashfield. *Suff* 4B 66
Great Ayton. *N Yor* 3C 106
Great Baddow. *Essx* 5H 53
Great Bardfield. *Essx* 2G 53
Great Barford. *Bed* 5A 64
Great Barr. *W Mid* 1E 61
Great Barrington. *Glos* 4H 49
Great Barrow. *Ches W* 4G 83
Great Barton. *Suff* 4A 66
Great Barugh. *N Yor* 2B 100
Great Bavington. *Nmbd* 1C 114
Great Bealings. *Suff* 1F 55
Great Bedwyn. *Wilts* 5A 36
Great Bentley. *Essx* 3E 54
Great Billing. *Nptn* 4F 63
Great Bircham. *Norf* 2G 77
Great Blakenham. *Suff* 5D 66
Great Blencow. *Cumb* 1F 103
Great Bolas. *Telf* 3A 72
Great Bookham. *Surr* 5C 38
Great Bosullow. *Corn* 3B 4
Great Bourton. *Oxon* 1C 50
Great Bowden. *Leics* 2E 63
Great Bradley. *Suff* 5F 65
Great Braxted. *Essx* 4B 54
Great Bricett. *Suff* 5C 66
Great Brickhill. *Buck* 2H 51
Great Bridgeford. *Staf* 3C 72

Great Brington—Guestling Green

Great Brington. *Nptn* 4D **62**
Great Bromley. *Essx* 3D **54**
Great Broughton. *Cumb* 1B **102**
Great Broughton. *N Yor* 4C **106**
Great Budworth. *Ches W* 3A **84**
Great Burdon. *Darl* 3A **106**
Great Burstead. *Essx* 1A **40**
Great Busby. *N Yor* 4C **106**
Great Canfield. *Essx* 4F **53**
Great Carlton. *Linc* 2D **88**
Great Casterton. *Rut* 5H **75**
Great Chalfield. *Wilts* 5D **34**
Great Chart. *Kent* 1D **28**
Great Chatwell. *Staf* 4B **72**
Great Chesterford. *Essx* 1F **53**
Great Cheverell. *Wilts* 1E **23**
Great Chilton. *Dur* 1F **105**
Great Chishill. *Cambs* 2E **53**
Great Clacton. *Essx* 4E **55**
Great Cliff. *W Yor* 3D **92**
Great Clifton. *Cumb* 2B **102**
Great Coates. *NE Lin* 3F **95**
Great Comberton. *Worc* 1E **49**
Great Corby. *Cumb* 4F **113**
Great Cornard. *Suff* 1B **54**
Great Cowden. *E Yor* 5G **101**
Great Coxwell. *Oxon* 2A **36**
Great Crakehall. *N Yor* 1E **99**
Great Cransley. *Nptn* 3F **63**
Great Cressingham. *Norf* 5H **77**
Great Crosby. *Mers* 1F **83**
Great Cubley. *Derbs* 2F **73**
Great Dalby. *Leics* 4E **75**
Great Doddington. *Nptn* 4F **63**
Great Doward. *Here* 4A **48**
Great Dunham. *Norf* 4A **78**
Great Dunmow. *Essx* 3G **53**
Great Durnford. *Wilts* 3G **23**
Great Easton. *Essx* 3G **53**
Great Easton. *Leics* 1F **63**
Great Eccleston. *Lanc* 5D **96**
Great Edstone. *N Yor* 1B **100**
Great Ellingham. *Norf* 1C **66**
Great Elm. *Som* 2C **22**
Great Eppleton. *Tyne* 5G **115**
Great Eversden. *Cambs* 5C **64**
Great Fencote. *N Yor* 5F **105**
Great Finborough. *Suff* 5C **66**
Greatford. *Linc* 4H **75**
Great Fransham. *Norf* 4A **78**
Great Gaddesden. *Herts* 4A **52**
Great Gate. *Staf* 1E **73**
Great Gidding. *Cambs* 2A **64**
Great Givendale. *E Yor* 4C **100**
Great Glemham. *Suff* 4F **67**
Great Glen. *Leics* 1D **62**
Great Gonerby. *Linc* 2G **75**
Great Gransden. *Cambs* 5B **64**
Great Green. *Norf* 2E **67**
Great Green. *Suff* 5B **66** (nr. Lavenham)
Great Green. *Suff* 3D **66** (nr. Palgrave)
Great Habton. *N Yor* 2B **100**
Great Hale. *Linc* 1A **76**
Great Hallingbury. *Essx* 4F **53**
Greatham. *Hants* 3F **25**
Greatham. *Hart* 2B **106**
Greatham. *W Sus* 4B **26**
Great Hampden. *Buck* 5G **51**
Great Harrowden. *Nptn* 3F **63**
Great Harwood. *Lanc* 1F **91**
Great Haseley. *Oxon* 5E **51**
Great Hatfield. *E Yor* 5F **101**
Great Haywood. *Staf* 3D **73**
Great Heath. *W Mid* 2H **61**
Great Heck. *N Yor* 2F **93**
Great Henny. *Essx* 2B **54**
Great Hinton. *Wilts* 1E **23**
Great Hockham. *Norf* 1B **66**
Great Holland. *Essx* 4F **55**
Great Horkesley. *Essx* 2C **54**
Great Hormead. *Herts* 2E **53**
Great Horton. *W Yor* 1B **92**
Great Horwood. *Buck* 2F **51**
Great Houghton. *Nptn* 5E **63**
Great Houghton. *S Yor* 4E **93**
Great Hucklow. *Derbs* 3F **85**
Great Kelk. *E Yor* 4F **101**
Great Kendale. *E Yor* 3E **101**
Great Kimble. *Buck* 5G **51**
Great Kingshill. *Buck* 2G **37**
Great Langdale. *Cumb* 4D **102**
Great Langton. *N Yor* 5F **105**
Great Leighs. *Essx* 4H **53**
Great Limber. *Linc* 4E **95**
Great Linford. *Mil* 1G **51**
Great Livermere. *Suff* 3A **66**
Great Longstone. *Derbs* 3G **85**
Great Lumley. *Dur* 5F **115**
Great Lyth. *Shrp* 5G **71**
Great Malvern. *Worc* 1C **48**
Great Maplestead. *Essx* 2B **54**
Great Marton. *Bkpl* 1B **90**
Great Massingham. *Norf* 3G **77**
Great Melton. *Norf* 5D **78**
Great Milton. *Oxon* 5E **51**
Great Missenden. *Buck* 5G **51**
Great Mitton. *Lanc* 1F **91**
Great Mongeham. *Kent* 5H **41**
Great Moulton. *Norf* 1D **66**
Great Munden. *Herts* 3D **52**
Great Musgrave. *Cumb* 3A **104**
Great Ness. *Shrp* 4F **71**
Great Notley. *Essx* 3H **53**
Great Oak. *Mon* 5G **47**
Great Oakley. *Essx* 3E **55**
Great Oakley. *Nptn* 2F **63**
Great Offley. *Herts* 3B **52**
Great Ormside. *Cumb* 3A **104**
Great Orton. *Cumb* 4E **113**
Great Ouseburn. *N Yor* 3G **99**
Great Oxendon. *Nptn* 2E **63**
Great Oxney Green. *Essx* 5G **53**
Great Parndon. *Essx* 5E **53**
Great Paxton. *Cambs* 4B **64**
Great Plumpton. *Lanc* 1B **90**
Great Plumstead. *Norf* 4F **79**
Great Ponton. *Linc* 2G **75**
Great Potheridge. *Devn* 1F **11**
Great Preston. *W Yor* 2E **93**
Great Raveley. *Cambs* 2B **64**
Great Rissington. *Glos* 4G **49**
Great Rollright. *Oxon* 2B **50**
Great Ryburgh. *Norf* 3B **78**
Great Ryle. *Nmbd* 3E **121**
Great Ryton. *Shrp* 5G **71**
Great Saling. *Essx* 3G **53**
Great Salkeld. *Cumb* 1G **103**
Great Sampford. *Essx* 2G **53**
Great Sankey. *Warr* 2H **83**
Great Saredon. *Staf* 5D **72**
Great Saxham. *Suff* 4G **65**
Great Shefford. *W Ber* 4B **36**
Great Shelford. *Cambs* 5D **64**
Great Shoddesden. *Hants* 2A **24**
Great Smeaton. *N Yor* 4A **106**
Great Snoring. *Norf* 2B **78**
Great Somerford. *Wilts* 3E **35**
Great Stainton. *Darl* 2A **106**
Great Stambridge. *Essx* 1C **40**
Great Staughton. *Cambs* 4A **64**
Great Steeping. *Linc* 4D **88**
Great Stonar. *Kent* 5H **41**
Greatstone-on-Sea. *Kent* 3E **29**
Great Strickland. *Cumb* 2G **103**
Great Stukeley. *Cambs* 3B **64**
Great Sturton. *Linc* 3B **88**
Great Sutton. *Ches W* 3F **83**
Great Sutton. *Shrp* 2H **59**
Great Swinburne. *Nmbd* 2C **114**
Great Tew. *Oxon* 3B **50**
Great Tey. *Essx* 3B **54**
Great Thirkleby. *N Yor* 2G **99**
Great Thorness. *IOW* 3C **16**
Great Thurlow. *Suff* 5F **65**
Great Torr. *Devn* 4C **8**
Great Torrington. *Devn* 1E **11**
Great Tosson. *Nmbd* 4E **121**
Great Totham North. *Essx* 4B **54**
Great Totham South. *Essx* 4B **54**
Great Tows. *Linc* 1B **88**
Great Urswick. *Cumb* 2B **96**
Great Wakering. *Essx* 2D **40**
Great Waldingfield. *Suff* 1C **54**
Great Walsingham. *Norf* 2B **78**
Great Waltham. *Essx* 4G **53**
Great Warley. *Essx* 1G **39**
Great Washbourne. *Glos* 2E **49**
Great Wenham. *Suff* 2D **54**
Great Whelnetham. *Suff* 5A **66**
Great Whittington. *Nmbd* 2D **114**
Great Wigborough. *Essx* 4C **54**
Great Wilbraham. *Cambs* 5E **65**
Great Wilne. *Derbs* 2B **74**
Great Wishford. *Wilts* 3F **23**
Great Witchingham. *Norf* 3D **78**
Great Witcombe. *Glos* 4E **49**
Great Witley. *Worc* 4B **60**
Great Wolford. *Warw* 2H **49**
Greatworth. *Nptn* 1D **50**
Great Wratting. *Suff* 1G **53**
Great Wymondley. *Herts* 3C **52**
Great Wyrley. *Staf* 5D **73**
Great Wytheford. *Shrp* 4H **71**
Great Yarmouth. *Norf* 5H **79**
Great Yeldham. *Essx* 2A **54**
Grebby. *Linc* 4D **88**
Greeba Castle. *IOM* 3C **108**
Greenbank. *Shet* 1G **173**
Greenbottom. *Corn* 4B **6**
Greenburn. *W Lot* 3C **128**
Greencroft. *Dur* 4E **115**
Greencroft Park. *Dur* 5E **115**
Greendown. *Som* 1A **22**
Greendykes. *Nmbd* 2E **121**
Green End. *Bed* 1A **52** (nr. Bedford)
Green End. *Bed* 4A **64** (nr. St Neots)
Green End. *Herts* 2D **52** (nr. Buntingford)
Green End. *Herts* 3D **52** (nr. Stevenage)
Green End. *N Yor* 4F **107**
Green End. *Warw* 2G **61**
Greenfield. *Arg* 4B **134**
Greenfield. *C Beds* 2A **52**
Greenfield. *Flin* 3D **82**
Greenfield. *G Man* 4H **91**
Greenfield. *Oxon* 2F **37**
Greenfoot. *N Lan* 3A **128**
Greenford. *G Lon* 2C **38**
Greengairs. *N Lan* 2A **128**
Greengate. *Norf* 4C **78**
Greengill. *Cumb* 1C **102**
Greenhalgh. *Lanc* 1C **90**
Greenham. *Dors* 2H **13**
Greenham. *Som* 4D **20**
Greenham. *W Ber* 5C **36**
Green Hammerton. *N Yor* 4G **99**
Greenhaugh. *Nmbd* 1A **114**
Greenhead. *Nmbd* 3H **113**
Green Heath. *Staf* 4D **73**
Greenhill. *Dum* 2C **112**
Greenhill. *Falk* 2B **128**
Greenhill. *Kent* 4F **41**
Greenhill. *S Yor* 2H **85**
Greenhill. *Worc* 3C **60**
Greenhills. *N Ayr* 4E **127**
Greenhithe. *Kent* 3G **39**
Greenholm. *E Ayr* 1E **117**
Greenhow Hill. *N Yor* 3D **98**
Greenigoe. *Orkn* 7D **172**
Greenland. *High* 2E **169**
Greenland Mains. *High* 2E **169**
Greenlands. *Worc* 4E **61**
Green Lane. *Shrp* 3A **72**
Green Lane. *Warw* 4E **61**
Greenlaw. *Bord* 5D **130**
Greenlea. *Dum* 2B **112**
Greenloaning. *Per* 3H **135**
Greenmount. *G Man* 3F **91**
Greenock. *Inv* 2D **126**
Greenock Mains. *E Ayr* 2F **117**
Greenodd. *Cumb* 1C **96**
Green Ore. *Som* 1A **22**
Greenrow. *Cumb* 4C **112**
Greens. *Abers* 4F **161**
Greensgate. *Norf* 4D **78**
Greenside. *Tyne* 3E **115**
Greensidehill. *Nmbd* 3D **121**
Greens Norton. *Nptn* 1E **51**
Greenstead Green. *Essx* 3B **54**
Greensted Green. *Essx* 5F **53**
Green Street. *Herts* 1C **38**
Green Street. *Suff* 3D **66**
Green Street Green. *G Lon* 4F **39**
Green Street Green. *Kent* 3G **39**
Greenstreet Green. *Suff* 1D **54**
Green, The. *Cumb* 1A **96**
Green, The. *Wilts* 3D **22**
Green Tye. *Herts* 4E **53**
Greenway. *Pemb* 2E **43**
Greenway. *V Glam* 4D **32**
Greenwell. *Cumb* 4G **113**
Greenwich. *G Lon* 3E **39**
Greet. *Glos* 2F **49**
Greete. *Shrp* 3H **59**
Greetham. *Linc* 3C **88**
Greetham. *Rut* 4G **75**
Greetland. *W Yor* 2A **92**
Gregson Lane. *Lanc* 2D **90**
Grein. *W Isl* 8B **170**
Greinetobht. *W Isl* 1D **170**
Greinton. *Som* 3H **21**
Grenaby. *IOM* 4B **108**
Grendon. *Nptn* 4F **63**
Grendon. *Warw* 1G **61**
Grendon Common. *Warw* 1G **61**
Grendon Green. *Here* 5H **59**
Grendon Underwood. *Buck* 3E **51**
Grenofen. *Devn* 5E **11**
Grenoside. *S Yor* 1H **85**
Greosabhagh. *W Isl* 8D **171**
Gresford. *Wrex* 5F **83**
Gresham. *Norf* 2D **78**
Greshornish. *High* 3C **154**
Gressenhall. *Norf* 4B **78**
Gressingham. *Lanc* 2E **97**
Greta Bridge. *Dur* 3D **105**
Gretna. *Dum* 3E **112**
Gretna Green. *Dum* 3E **112**
Gretton. *Glos* 2F **49**
Gretton. *Nptn* 1G **63**
Gretton. *Shrp* 1H **59**
Grewelthorpe. *N Yor* 2E **99**
Greygarth. *N Yor* 2D **98**
Grey Green. *N Lin* 4A **94**
Greylake. *Som* 3G **21**
Greysouthen. *Cumb* 2B **102**
Greystoke. *Cumb* 1F **103**
Greystoke Gill. *Cumb* 2F **103**
Greystone. *Ang* 4E **145**
Greystones. *S Yor* 2H **85**
Greywell. *Hants* 1F **25**
Griais. *W Isl* 3G **171**
Grianan. *W Isl* 4G **171**
Gribthorpe. *E Yor* 1A **94**
Gribun. *Arg* 5F **139**
Griff. *Warw* 2A **62**
Griffithstown. *Torf* 2F **33**
Griffydam. *Leics* 4B **74**
Griggs Green. *Hants* 3G **25**
Grimbister. *Orkn* 6C **172**
Grimeford Village. *Lanc* 3E **90**
Grimethorpe. *S Yor* 4E **93**
Griminis. *W Isl* 3C **170** (on Benbecula)
Griminis. *W Isl* 1C **170** (on North Uist)
Grimister. *Shet* 2F **173**
Grimley. *Worc* 4C **60**
Grimoldby. *Linc* 2C **88**
Grimpo. *Shrp* 3F **71**
Grimsargh. *Lanc* 1D **90**
Grimsbury. *Oxon* 1C **50**
Grimsby. *NE Lin* 3F **95**
Grimscote. *Nptn* 5D **62**
Grimscott. *Corn* 2C **10**
Grimshaw. *Bkbn* 2F **91**
Grimshaw Green. *Lanc* 3C **90**
Grimsthorpe. *Linc* 3H **75**
Grimston. *E Yor* 1F **95**
Grimston. *Leics* 3D **74**
Grimston. *Norf* 3G **77**
Grimston. *York* 4A **100**
Grimstone. *Dors* 3B **14**
Grimstone End. *Suff* 4B **66**
Grinacombe Moor. *Devn* 3E **11**
Grindale. *E Yor* 2F **101**
Grindhill. *Devn* 3E **11**
Grindiscol. *Shet* 8F **173**
Grindle. *Shrp* 5B **72**
Grindleford. *Derbs* 3G **85**
Grindleton. *Lanc* 5G **97**
Grindley. *Staf* 3E **73**
Grindley Brook. *Shrp* 1H **71**
Grindlow. *Derbs* 3F **85**
Grindon. *Nmbd* 5F **131**
Grindon. *Staf* 5E **85**
Gringley on the Hill. *Notts* 1E **87**
Grinsdale. *Cumb* 4E **113**
Grinshill. *Shrp* 3H **71**
Grinton. *N Yor* 5D **104**
Griomsidar. *W Isl* 5G **171**
Grishipoll. *Arg* 3C **138**
Grisling Common. *E Sus* 3F **27**
Gristhorpe. *N Yor* 1E **101**
Griston. *Norf* 1B **66**
Gritley. *Orkn* 7E **172**
Grittenham. *Wilts* 3F **35**
Grittleton. *Wilts* 4D **34**
Grizebeck. *Cumb* 1B **96**
Grizedale. *Cumb* 5E **103**
Grobister. *Orkn* 5F **172**
Groby. *Leics* 5C **74**
Groes. *Cnwy* 4C **82**
Groes. *Neat* 3A **32**
Groes-faen. *Rhon* 3D **32**
Groesffordd. *Gwyn* 2B **68**
Groesffordd. *Powy* 3D **46**
Groeslon. *Gwyn* 5D **81**
Groes-lwyd. *Powy* 4E **70**
Groes-wen. *Cphy* 3E **33**
Grogport. *Arg* 5G **125**
Groigearraidh. *W Isl* 4C **170**
Gromford. *Suff* 5F **67**
Gronant. *Flin* 2C **82**
Groombridge. *E Sus* 2G **27**
Grosmont. *Mon* 3H **47**
Grosmont. *N Yor* 4F **107**
Groton. *Suff* 1C **54**
Grove. *Dors* 5C **14**
Grove. *Kent* 4G **41**
Grove. *Notts* 3E **87**
Grove. *Oxon* 2B **36**
Grovehill. *E Yor* 1D **94**
Grove Park. *G Lon* 3F **39**
Grovesend. *Swan* 5F **45**
Grove, The. *Dum* 2A **112**
Grove, The. *Worc* 1D **48**
Grub Street. *Staf* 3B **72**
Grudie. *High* 2F **157**
Gruids. *High* 3C **164**
Gruinard House. *High* 4D **162**
Gruinart. *Arg* 3A **124**
Grulinbeg. *Arg* 3A **124**
Gruline. *Arg* 4G **139**
Grummore. *High* 5G **167**
Grundisburgh. *Suff* 5E **66**
Gruting. *Shet* 7D **173**
Grutness. *Shet* 10F **173**
Gualachulain. *High* 4F **141**
Gualin House. *High* 3D **166**
Guardbridge. *Fife* 2G **137**
Guarlford. *Worc* 1D **48**
Guay. *Per* 4H **143**
Gubblecote. *Herts* 4H **51**
Guestling Green. *E Sus* 4C **28**

Guestling Thorn. *E Sus* 4C 28
Guestwick. *Norf* 3C 78
Guestwick Green. *Norf* 3C 78
Guide. *Bkbn* 2F 91
Guide Post. *Nmbd* 1F 115
Guilden Down. *Shrp* 2F 59
Guilden Morden. *Cambs* 1C 52
Guilden Sutton. *Ches W* 4G 83
Guildford. *Surr* 1A 26
Guildtown. *Per* 5A 144
Guilsborough. *Nptn* 3D 62
Guilsfield. *Powy* 4E 70
Guineaford. *Devn* 3F 19
Guisborough. *Red C* 3D 106
Guiseley. *W Yor* 5D 98
Guist. *Norf* 3B 78
Guiting Power. *Glos* 3F 49
Gulberwick. *Shet* 8F 173
Gullane. *E Lot* 1A 130
Gulling Green. *Suff* 5H 65
Gulval. *Corn* 3B 4
Gumfreston. *Pemb* 4F 43
Gumley. *Leics* 1D 62
Gunby. *E Yor* 1H 93
Gunby. *Linc* 3G 75
Gundleton. *Hants* 3E 24
Gun Green. *Kent* 2B 28
Gun Hill. *E Sus* 4G 27
Gunn. *Devn* 3G 19
Gunnerside. *N Yor* 5C 104
Gunnerton. *Nmbd* 2C 114
Gunness. *N Lin* 3B 94
Gunnislake. *Corn* 5E 11
Gunsgreenhill. *Bord* 3F 131
Gunstone. *Staf* 5C 72
Gunthorpe. *Norf* 2C 78
Gunthorpe. *N Lin* 1F 87
Gunthorpe. *Notts* 1D 74
Gunthorpe. *Pet* 5A 76
Gunville. *IOW* 4C 16
Gupworthy. *Som* 3C 20
Gurnard. *IOW* 3C 16
Gurney Slade. *Som* 2B 22
Gurnos. *Powy* 5A 46
Gussage All Saints. *Dors* 1F 15
Gussage St Andrew. *Dors* 1E 15
Gussage St Michael. *Dors* 1E 15
Guston. *Kent* 1H 29
Gutcher. *Shet* 2G 173
Guthram Gowt. *Linc* 3A 76
Guthrie. *Ang* 3E 145
Guyhirn. *Cambs* 5D 76
Guyhirn Gull. *Cambs* 5C 76
Guy's Head. *Linc* 3D 77
Guy's Marsh. *Dors* 4D 22
Guyzance. *Nmbd* 4G 121
Gwaelod-y-garth. *Card* 3E 32
Gwaenynog Bach. *Den* 4C 82
Gwaenysgor. *Flin* 2C 82
Gwalchmai. *IOA* 3C 80
Gwastad. *Pemb* 2E 43
Gwaun-Cae-Gurwen. *Neat* 4H 45
Gwaun-y-bara. *Cphy* 3E 33
Gwbert. *Cdgn* 1B 44
Gweek. *Corn* 4E 5
Gwehelog. *Mon* 5G 47
Gwenddwr. *Powy* 1D 46
Gwennap. *Corn* 4B 6
Gwenter. *Corn* 5E 5
Gwernaffield. *Flin* 4E 82
Gwernesney. *Mon* 5H 47
Gwernogle. *Carm* 2F 45
Gwern-y-go. *Powy* 1E 58
Gwernymynydd. *Flin* 4E 82
Gwersyllt. *Wrex* 5F 83
Gwespyr. *Flin* 2D 82
Gwinear. *Corn* 3C 4
Gwithian. *Corn* 2C 4
Gwredog. *IOA* 2D 80
Gwyddelwern. *Den* 1C 70
Gwyddgrug. *Carm* 2E 45
Gwynfryn. *Wrex* 5E 83
Gwystre. *Powy* 4C 58
Gwytherin. *Cnwy* 4A 82
Gyfelia. *Wrex* 1F 71
Gyffin. *Cnwy* 3G 81

H

Habberley. *Shrp* 5F 71
Habblesthorpe. *Notts* 2E 87
Habergham. *Lanc* 1G 91
Habin. *W Sus* 4G 25
Habrough. *NE Lin* 3E 95
Haceby. *Linc* 2H 75
Hacheston. *Suff* 5F 67
Hackenthorpe. *S Yor* 2B 86
Hackford. *Norf* 5C 78
Hackforth. *N Yor* 5F 105
Hackleton. *Nptn* 5F 63
Hackness. *N Yor* 5G 107
Hackness. *Orkn* 8C 172
Hackney. *G Lon* 2E 39
Hackthorn. *Linc* 2G 87
Hackthorpe. *Cumb* 2G 103
Haclait. *W Isl* 4D 170
Haconby. *Linc* 3A 76
Hadden. *Bord* 1B 120
Haddenham. *Buck* 5F 51
Haddenham. *Cambs* 3D 64
Haddenham End. *Cambs* 3D 64
Haddington. *E Lot* 2B 130
Haddington. *Linc* 4G 87
Haddiscoe. *Norf* 1G 67
Haddo. *Abers* 5F 161
Haddon. *Cambs* 1A 64
Hademore. *Staf* 5F 73
Hadfield. *Derbs* 1E 85
Hadham Cross. *Herts* 4E 53
Hadham Ford. *Herts* 3E 53
Hadleigh. *Essx* 2C 40
Hadleigh. *Suff* 1D 54
Hadleigh Heath. *Suff* 1C 54
Hadley. *Telf* 4A 72
Hadley. *Worc* 4C 60
Hadley End. *Staf* 3F 73
Hadley Wood. *G Lon* 1D 38
Hadlow. *Kent* 1H 27
Hadlow Down. *E Sus* 3G 27
Hadnall. *Shrp* 3H 71
Hadstock. *Essx* 1F 53
Hadston. *Nmbd* 5G 121
Hady. *Derbs* 3A 86
Hadzor. *Worc* 4D 60
Haffenden Quarter. *Kent* 1C 28
Haggate. *Lanc* 1G 91
Haggbeck. *Cumb* 2F 113
Haggerston. *Nmbd* 5G 131
Haggrister. *Shet* 4E 173
Hagley. *Here* 1A 48
Hagley. *Worc* 2D 60
Hagnaby. *Linc* 4C 88
Hagworthingham. *Linc* 4C 88
Haigh. *G Man* 4E 90
Haigh Moor. *W Yor* 2C 92
Haighton Green. *Lanc* 1D 90
Haile. *Cumb* 4B 102
Hailes. *Glos* 2F 49
Hailey. *Herts* 4D 52
Hailey. *Oxon* 4B 50
Hailsham. *E Sus* 5G 27
Hail Weston. *Cambs* 4A 64
Hainault. *G Lon* 1F 39
Hainford. *Norf* 4E 78
Hainton. *Linc* 2A 88
Hainworth. *W Yor* 1A 92
Haisthorpe. *E Yor* 3F 101
Hakin. *Pemb* 4C 42
Halam. *Notts* 5D 86
Halbeath. *Fife* 1E 129
Halberton. *Devn* 1D 12
Halcro. *High* 2E 169
Hale. *Cumb* 2E 97
Hale. *G Man* 2B 84
Hale. *Hal* 2G 83
Hale. *Hants* 1G 15
Hale. *Surr* 2G 25
Hale Bank. *Hal* 2G 83
Halebarns. *G Man* 2B 84
Hales. *Norf* 1F 67
Hales. *Staf* 2B 72
Halesgate. *Linc* 3C 76
Hales Green. *Derbs* 1F 73
Halesowen. *W Mid* 2D 60
Hale Street. *Kent* 1A 28
Halesworth. *Suff* 3F 67
Halewood. *Mers* 2G 83
Halford. *Devn* 5B 12
Halford. *Shrp* 2G 59
Halford. *Warw* 1A 50
Halfpenny. *Cumb* 1E 97
Halfpenny Furze. *Carm* 3G 43
Halfpenny Green. *Shrp* 1C 60
Halfway. *Carm* 2G 45
Halfway. *Powy* 2B 46
Halfway. *S Yor* 2B 86
Halfway. *W Ber* 5C 36
Halfway House. *Shrp* 4F 71
Halfway Houses. *Kent* 3D 40
Halgabron. *Corn* 4A 10
Halifax. *W Yor* 2A 92
Halistra. *High* 3B 154
Halket. *E Ayr* 4F 127
Halkirk. *High* 3D 168
Halkyn. *Flin* 3E 82
Hall. *E Ren* 4F 127
Hallam Fields. *Derbs* 1B 74
Halland. *E Sus* 4G 27
Hallands, The. *N Lin* 2D 94
Hallaton. *Leics* 1E 63
Hallatrow. *Bath* 1B 22
Hallbank. *Cumb* 5H 103
Hallbankgate. *Cumb* 4G 113
Hall Dunnerdale. *Cumb* 5D 102
Hallen. *S Glo* 3A 34
Hall End. *Bed* 1A 52
Hallgarth. *Dur* 5G 115
Hall Green. *Ches E* 5C 84
Hall Green. *Norf* 2D 66
Hall Green. *W Mid* 2F 61
Hall Green. *W Yor* 3D 92
Hall Green. *Wrex* 1G 71
Halliburton. *Bord* 5C 130
Hallin. *High* 3B 154
Halling. *Medw* 4B 40
Hallington. *Linc* 2C 88
Hallington. *Nmbd* 2C 114
Halloughton. *Notts* 5D 86
Hallow. *Worc* 5C 60
Hallow Heath. *Worc* 5C 60
Hallowsgate. *Ches W* 4H 83
Hallsands. *Devn* 5E 9
Hall's Green. *Herts* 3C 52
Hallspill. *Devn* 4E 19
Hallthwaites. *Cumb* 1A 96
Hall Waberthwaite. *Cumb* 5C 102
Hallwood Green. *Glos* 2B 48
Hallworthy. *Corn* 4B 10
Hallyne. *Bord* 5E 129
Halmer End. *Staf* 1C 72
Halmond's Frome. *Here* 1B 48
Halmore. *Glos* 5B 48
Halnaker. *W Sus* 5A 26
Halsall. *Lanc* 3B 90
Halse. *Nptn* 1D 50
Halse. *Som* 4E 21
Halsetown. *Corn* 3C 4
Halsham. *E Yor* 2F 95
Halsinger. *Devn* 3F 19
Halstead. *Essx* 2B 54
Halstead. *Kent* 4F 39
Halstead. *Leics* 5E 75
Halstock. *Dors* 2A 14
Halstow. *Devn* 3B 12
Halsway. *Som* 3E 21
Haltcliff Bridge. *Cumb* 1E 103
Haltham. *Linc* 4B 88
Haltoft End. *Linc* 1C 76
Halton. *Buck* 5G 51
Halton. *Hal* 2H 83
Halton. *Lanc* 3E 97
Halton. *Nmbd* 3C 114
Halton. *W Yor* 1D 92
Halton. *Wrex* 2F 71
Halton East. *N Yor* 4C 98
Halton Fenside. *Linc* 4D 88
Halton Gill. *N Yor* 2A 98
Halton Holegate. *Linc* 4D 88
Halton Lea Gate. *Nmbd* 4H 113
Halton Moor. *W Yor* 1D 92
Halton Shields. *Nmbd* 3D 114
Halton West. *N Yor* 4H 97
Haltwhistle. *Nmbd* 3A 114
Halvergate. *Norf* 5G 79
Halwell. *Devn* 3D 9
Halwill. *Devn* 3E 11
Halwill Junction. *Devn* 3E 11
Ham. *Devn* 2F 13
Ham. *Glos* 2B 34
Ham. *G Lon* 3C 38
Ham. *High* 1E 169
Ham. *Kent* 5H 41
Ham. *Plym* 3A 8
Ham. *Shet* 8A 173
Ham. *Som* 1F 13 (nr. Ilminster)
Ham. *Som* 4F 21 (nr. Taunton)
Ham. *Som* 4E 21 (nr. Wellington)
Ham. *Wilts* 5B 36
Hambleden. *Buck* 3F 37
Hambledon. *Hants* 1E 17
Hambledon. *Surr* 2A 26
Hamble-le-Rice. *Hants* 2C 16
Hambleton. *Lanc* 5C 96
Hambleton. *N Yor* 1F 93
Hambridge. *Som* 4G 21
Hambrook. *S Glo* 4B 34
Hambrook. *W Sus* 2F 17
Ham Common. *Dors* 4D 22
Hameringham. *Linc* 4C 88
Hamerton. *Cambs* 3A 64
Ham Green. *Here* 1C 48
Ham Green. *Kent* 4C 40
Ham Green. *N Som* 4A 34
Ham Green. *Worc* 4E 61
Ham Hill. *Kent* 4A 40
Hamilton. *Leics* 5D 74
Hamilton. *S Lan* 4A 128
Hammer. *W Sus* 3G 25
Hammersmith. *G Lon* 3D 38
Hammerwich. *Staf* 5E 73
Hammerwood. *E Sus* 2F 27
Hammill. *Kent* 5G 41
Hammond Street. *Herts* 5D 52
Hammoon. *Dors* 1D 14
Hamnavoe. *Shet* 8E 173 (nr. Burland)
Hamnavoe. *Shet* 3F 173 (on Yell)
Hamp. *Som* 3G 21
Hampden Park. *E Sus* 5H 27
Hampen. *Glos* 3F 49
Hamperden End. *Essx* 2F 53
Hamperley. *Shrp* 2G 59
Hampnett. *Glos* 4F 49
Hampole. *S Yor* 3F 93
Hampreston. *Dors* 3F 15
Hampstead. *G Lon* 2D 38
Hampstead Norreys. *W Ber* 4D 36
Hampsthwaite. *N Yor* 4E 99
Hampton. *Devn* 3F 13
Hampton. *G Lon* 3C 38
Hampton. *Kent* 4F 41
Hampton. *Shrp* 2B 60
Hampton. *Swin* 2G 35
Hampton. *Worc* 1F 49
Hampton Bishop. *Here* 2A 48
Hampton Fields. *Glos* 2D 35
Hampton Hargate. *Pet* 1A 64
Hampton Heath. *Ches W* 1H 71
Hampton in Arden. *W Mid* 2G 61
Hampton Loade. *Shrp* 2B 60
Hampton Lovett. *Worc* 4C 60
Hampton Lucy. *Warw* 5G 61
Hampton Magna. *Warw* 4G 61
Hampton on the Hill. *Warw* 4G 61
Hampton Poyle. *Oxon* 4D 50
Hampton Wick. *G Lon* 4C 38
Hamptworth. *Wilts* 1H 15
Hamrow. *Norf* 3B 78
Hamsey. *E Sus* 4F 27
Hamsey Green. *Surr* 5E 39
Hamstall Ridware. *Staf* 4F 73
Hamstead. *IOW* 3C 16
Hamstead. *W Mid* 1E 61
Hamstead Marshall. *W Ber* 5C 36
Hamsterley. *Dur* 4E 115 (nr. Consett)
Hamsterley. *Dur* 1E 105 (nr. Wolsingham)
Hamsterley Mill. *Dur* 4E 115
Hamstreet. *Kent* 2E 28
Ham Street. *Som* 3A 22
Hamworthy. *Pool* 3E 15
Hanbury. *Staf* 3F 73
Hanbury. *Worc* 4D 60
Hanbury Woodend. *Staf* 3F 73
Hanby. *Linc* 2H 75
Hanchurch. *Staf* 1C 72
Hand and Pen. *Devn* 3D 12
Handbridge. *Ches W* 4G 83
Handcross. *W Sus* 3D 26
Handforth. *Ches E* 2C 84
Handley. *Ches W* 5G 83
Handley. *Derbs* 4A 86
Handsacre. *Staf* 4E 73
Handsworth. *S Yor* 2B 86
Handsworth. *W Mid* 1E 61
Handy Cross. *Buck* 2G 37
Hanford. *Dors* 1D 14
Hanford. *Stoke* 1C 72
Hangersley. *Hants* 2G 15
Hanging Houghton. *Nptn* 3E 63
Hanging Langford. *Wilts* 3F 23
Hangleton. *Brig* 5D 26
Hangleton. *W Sus* 5B 26
Hanham. *S Glo* 4B 34
Hanham Green. *S Glo* 4B 34
Hankelow. *Ches E* 1A 72
Hankerton. *Wilts* 2E 35
Hankham. *E Sus* 5H 27
Hanley. *Stoke* 1C 72
Hanley Castle. *Worc* 1D 48
Hanley Childe. *Worc* 4A 60
Hanley Swan. *Worc* 1D 48
Hanley William. *Worc* 4A 60
Hanlith. *N Yor* 3B 98
Hanmer. *Wrex* 2G 71
Hannaborough. *Devn* 2F 11
Hannaford. *Devn* 4G 19
Hannah. *Linc* 3E 89
Hannington. *Hants* 1D 24
Hannington. *Nptn* 3F 63
Hannington. *Swin* 2G 35
Hannington Wick. *Swin* 2G 35
Hanscombe End. *C Beds* 2B 52
Hanslope. *Mil* 1G 51
Hanthorpe. *Linc* 3H 75
Hanwell. *G Lon* 2C 38
Hanwell. *Oxon* 1C 50
Hanwood. *Shrp* 5G 71
Hanworth. *G Lon* 3C 38
Hanworth. *Norf* 2D 78
Happas. *Ang* 4D 144
Happendon. *S Lan* 1A 118
Happisburgh. *Norf* 2F 79
Happisburgh Common. *Norf* 3F 79
Hapsford. *Ches W* 3G 83
Hapton. *Lanc* 1F 91
Hapton. *Norf* 1D 66
Harberton. *Devn* 3D 9
Harbertonford. *Devn* 3D 9
Harbledown. *Kent* 5F 41
Harborne. *W Mid* 2E 61
Harborough Magna. *Warw* 3B 62
Harbottle. *Nmbd* 4D 120
Harbourneford. *Devn* 2D 8

Harbours Hill. *Worc* 4D **60**
Harbridge. *Hants* 1G **15**
Harbury. *Warw* 4A **62**
Harby. *Leics* 2E **75**
Harby. *Notts* 3F **87**
Harcombe. *Devn* 3E **13**
Harcombe Bottom. *Devn* 3G **13**
Harcourt. *Corn* 5C **6**
Harden. *W Yor* 1A **92**
Hardenhuish. *Wilts* 4E **35**
Hardgate. *Abers* 3E **153**
Hardgate. *Dum* 3F **111**
Hardham. *W Sus* 4B **26**
Hardingham. *Norf* 5C **78**
Hardingstone. *Nptn* 5E **63**
Hardings Wood. *Ches E* 5C **84**
Hardington. *Som* 1C **22**
Hardington Mandeville. *Som* 1A **14**
Hardington Marsh. *Som* 2A **14**
Hardington Moor. *Som* 1A **14**
Hardley. *Hants* 2C **16**
Hardley Street. *Norf* 5F **79**
Hardmead. *Mil* 1H **51**
Hardraw. *N Yor* 5B **104**
Hardstoft. *Derbs* 4B **86**
Hardway. *Hants* 2E **16**
Hardway. *Som* 3C **22**
Hardwick. *Buck* 4G **51**
Hardwick. *Cambs* 5C **64**
Hardwick. *Norf* 2E **66**
Hardwick. *Nptn* 4F **63**
Hardwick. *Oxon* 3D **50**
(nr. Bicester)
Hardwick. *Oxon* 5B **50**
(nr. Witney)
Hardwick. *Shrp* 1F **59**
Hardwick. *S Yor* 2B **86**
Hardwick. *Stoc T* 2B **106**
Hardwick. *W Mid* 1E **61**
Hardwicke. *Glos* 3E **49**
(nr. Cheltenham)
Hardwicke. *Glos* 4C **48**
(nr. Gloucester)
Hardwicke. *Here* 1F **47**
Hardwick Village. *Notts* 3D **86**
Hardy's Green. *Essx* 3C **54**
Hare. *Som* 1F **13**
Hareby. *Linc* 4C **88**
Hareden. *Lanc* 4F **97**
Harefield. *G Lon* 1B **38**
Hare Green. *Essx* 3D **54**
Hare Hatch. *Wok* 4G **37**
Harehill. *Derbs* 2F **73**
Harehills. *W Yor* 1D **92**
Harehope. *Nmbd* 2E **121**
Harelaw. *Dum* 2F **113**
Harelaw. *Dur* 4E **115**
Hareplain. *Kent* 2C **28**
Haresceugh. *Cumb* 5H **113**
Harescombe. *Glos* 4D **48**
Haresfield. *Glos* 4D **48**
Haresfinch. *Mers* 1H **83**
Hareshaw. *N Lan* 3B **128**
Hare Street. *Essx* 5E **53**
Hare Street. *Herts* 3D **53**
Harewood. *W Yor* 5F **99**
Harewood End. *Here* 3A **48**
Harford. *Devn* 3C **8**
Hargate. *Norf* 1D **66**
Hargatewall. *Derbs* 3F **85**
Hargrave. *Ches W* 4G **83**
Hargrave. *Nptn* 3H **63**
Hargrave. *Suff* 5G **65**
Harker. *Cumb* 3E **113**
Harkstead. *Suff* 2E **55**
Harlaston. *Staf* 4G **73**
Harlaxton. *Linc* 2F **75**
Harlech. *Gwyn* 2E **69**
Harlequin. *Notts* 2D **74**
Harlescott. *Shrp* 4H **71**
Harleston. *Devn* 4D **9**
Harleston. *Norf* 2E **67**
Harleston. *Suff* 4C **66**
Harlestone. *Nptn* 4E **62**
Harley. *Shrp* 5H **71**
Harley. *S Yor* 1A **86**
Harling Road. *Norf* 2B **66**
Harlington. *C Beds* 2A **52**
Harlington. *G Lon* 3B **38**
Harlington. *S Yor* 4E **93**
Harlosh. *High* 4B **154**
Harlow. *Essx* 4E **53**
Harlow Hill. *Nmbd* 3D **115**
Harlsey Castle. *N Yor* 5B **106**
Harlthorpe. *E Yor* 1H **93**
Harlton. *Cambs* 5C **64**
Harlyn. *Corn* 1C **6**
Harman's Cross. *Dors* 4E **15**
Harmby. *N Yor* 1D **98**
Harmer Green. *Herts* 4C **52**
Harmer Hill. *Shrp* 3G **71**
Harmondsworth. *G Lon* 3B **38**
Harmston. *Linc* 4G **87**
Harnage. *Shrp* 5H **71**
Harnham. *Nmbd* 1D **115**
Harnhill. *Glos* 5F **49**
Harold Hill. *G Lon* 1G **39**
Haroldston West. *Pemb* 3C **42**
Haroldswick. *Shet* 1H **173**
Harold Wood. *G Lon* 1G **39**
Harome. *N Yor* 1A **100**
Harpenden. *Herts* 4B **52**
Harpford. *Devn* 3D **12**
Harpham. *E Yor* 3E **101**
Harpley. *Norf* 3G **77**
Harpley. *Worc* 4A **60**
Harpole. *Nptn* 4D **62**
Harpsdale. *High* 3D **168**
Harpsden. *Oxon* 3F **37**
Harpswell. *Linc* 2G **87**
Harpurhey. *G Man* 4G **91**
Harpur Hill. *Derbs* 3E **85**
Harraby. *Cumb* 4F **113**
Harracott. *Devn* 4F **19**
Harrapool. *High* 1E **147**
Harrapul. *High* 1E **147**
Harrietfield. *Per* 1B **136**
Harrietsham. *Kent* 5C **40**
Harrington. *Cumb* 2A **102**
Harrington. *Linc* 3C **88**
Harrington. *Nptn* 2E **63**
Harringworth. *Nptn* 1G **63**
Harriseahead. *Staf* 5C **84**
Harriston. *Cumb* 5C **112**
Harrogate. *N Yor* 4F **99**
Harrold. *Bed* 5G **63**
Harrop Dale. *G Man* 4A **92**
Harrow. *G Lon* 2C **38**
Harrowbarrow. *Corn* 2H **7**
Harrowden. *Bed* 1A **52**
Harrowgate Hill. *Darl* 3F **105**
Harrow on the Hill. *G Lon* 2C **38**
Harrow Weald. *G Lon* 1C **38**
Harry Stoke. *S Glo* 4B **34**
Harston. *Cambs* 5D **64**
Harston. *Leics* 2F **75**
Harswell. *E Yor* 5C **100**
Hart. *Hart* 1B **106**
Hartburn. *Nmbd* 1D **115**
Hartburn. *Stoc T* 3B **106**
Hartest. *Suff* 5H **65**
Hartfield. *E Sus* 2F **27**
Hartford. *Cambs* 3B **64**
Hartford. *Ches W* 3A **84**
Hartford. *Som* 4C **20**
Hartfordbridge. *Hants* 1F **25**
Hartford End. *Essx* 4G **53**
Harthill. *Ches W* 5H **83**
Harthill. *N Lan* 3C **128**
Harthill. *S Yor* 2B **86**
Hartington. *Derbs* 4F **85**
Hartland. *Devn* 4C **18**
Hartland Quay. *Devn* 4C **18**
Hartle. *Worc* 3D **60**
Hartlebury. *Worc* 3C **60**
Hartlepool. *Hart* 1C **106**
Hartley. *Cumb* 4A **104**
Hartley. *Kent* 2B **28**
(nr. Cranbrook)
Hartley. *Kent* 4H **39**
(nr. Dartford)
Hartley. *Nmbd* 2G **115**
Hartley Green. *Staf* 2D **73**
Hartley Mauditt. *Hants* 3F **25**
Hartley Wespall. *Hants* 1E **25**
Hartley Wintney. *Hants* 1F **25**
Hartlip. *Kent* 4C **40**
Hartmount. *High* 1B **158**
Hartoft End. *N Yor* 5E **107**
Harton. *N Yor* 3B **100**
Harton. *Shrp* 2G **59**
Harton. *Tyne* 3G **115**
Hartpury. *Glos* 3C **48**
Hartshead. *W Yor* 2B **92**
Hartshill. *Warw* 1H **61**
Hartshorne. *Derbs* 3H **73**
Hartsop. *Cumb* 3F **103**
Hart Station. *Hart* 1B **106**
Hartswell. *Som* 4D **20**
Hartwell. *Nptn* 5E **63**
Hartwood. *Lanc* 3D **90**
Hartwood. *N Lan* 4B **128**
Harvel. *Kent* 4A **40**
Harvington. *Worc* 1F **49**
(nr. Evesham)
Harvington. *Worc* 3C **60**
(nr. Kidderminster)
Harwell. *Oxon* 3C **36**
Harwich. *Essx* 2F **55**
Harwood. *Dur* 1B **104**
Harwood. *G Man* 3F **91**
Harwood Dale. *N Yor* 5G **107**
Harworth. *Notts* 1D **86**
Hascombe. *Surr* 2A **26**
Haselbech. *Nptn* 3E **62**
Haselbury Plucknett. *Som* 1H **13**
Haseley. *Warw* 4G **61**
Haselor. *Warw* 5F **61**
Hasfield. *Glos* 3D **48**
Hasguard. *Pemb* 4C **42**
Haskayne. *Lanc* 4B **90**
Hasketon. *Suff* 5E **67**
Hasland. *Derbs* 4A **86**
Haslemere. *Surr* 2A **26**
Haslingden. *Lanc* 2F **91**
Haslingden Grane. *Lanc* 2F **91**
Haslingfield. *Cambs* 5D **64**
Haslington. *Ches E* 5B **84**
Hassall. *Ches E* 5B **84**
Hassall Green. *Ches E* 5B **84**
Hassell Street. *Kent* 1E **29**
Hassendean. *Bord* 2H **119**
Hassingham. *Norf* 5F **79**
Hassness. *Cumb* 3C **102**
Hassocks. *W Sus* 4E **27**
Hassop. *Derbs* 3G **85**
Haste Hill. *Surr* 2A **26**
Haster. *High* 3F **169**
Hasthorpe. *Linc* 4D **89**
Hastigrow. *High* 2E **169**
Hastingleigh. *Kent* 1E **29**
Hastings. *E Sus* 5C **28**
Hastingwood. *Essx* 5E **53**
Hastoe. *Herts* 5H **51**
Haston. *Shrp* 3H **71**
Haswell. *Dur* 5G **115**
Haswell Plough. *Dur* 5G **115**
Hatch. *C Beds* 1B **52**
Hatch Beauchamp. *Som* 4G **21**
Hatch End. *G Lon* 1C **38**
Hatch Green. *Som* 1G **13**
Hatching Green. *Herts* 4B **52**
Hatchmere. *Ches W* 3H **83**
Hatch Warren. *Hants* 2E **24**
Hatcliffe. *NE Lin* 4F **95**
Hatfield. *Here* 5H **59**
Hatfield. *Herts* 5C **52**
Hatfield. *S Yor* 4G **93**
Hatfield. *Worc* 5C **60**
Hatfield Broad Oak. *Essx* 4F **53**
Hatfield Garden Village. *Herts* 5C **52**
Hatfield Heath. *Essx* 4F **53**
Hatfield Hyde. *Herts* 4C **52**
Hatfield Peverel. *Essx* 4A **54**
Hatfield Woodhouse. *S Yor* 4G **93**
Hatford. *Oxon* 2B **36**
Hatherden. *Hants* 1B **24**
Hatherleigh. *Devn* 2F **11**
Hathern. *Leics* 3C **74**
Hatherop. *Glos* 5G **49**
Hathersage. *Derbs* 2G **85**
Hathersage Booths. *Derbs* 2G **85**
Hatherton. *Ches E* 1A **72**
Hatherton. *Staf* 4D **72**
Hatley St George. *Cambs* 5B **64**
Hatt. *Corn* 2H **7**
Hattersley. *G Man* 1D **85**
Hattingley. *Hants* 3E **25**
Hatton. *Abers* 5H **161**
Hatton. *Derbs* 2G **73**
Hatton. *G Lon* 3B **38**
Hatton. *Linc* 3A **88**
Hatton. *Shrp* 1G **59**
Hatton. *Warr* 2H **83**
Hatton. *Warw* 4G **61**
Hattoncrook. *Abers* 1F **153**
Hatton Heath. *Ches W* 4G **83**
Hatton of Fintray. *Abers* 2F **153**
Haugh. *E Ayr* 2D **117**
Haugh. *Linc* 3D **88**
Haugham. *Linc* 2C **88**
Haugh Head. *Nmbd* 2E **121**
Haughley. *Suff* 4C **66**
Haughley Green. *Suff* 4C **66**
Haugh of Ballechin. *Per* 3G **143**
Haugh of Glass. *Mor* 5B **160**
Haugh of Urr. *Dum* 3F **111**
Haughton. *Notts* 3D **86**
Haughton. *Shrp* 1A **60**
(nr. Bridgnorth)
Haughton. *Shrp* 3F **71**
(nr. Oswestry)
Haughton. *Shrp* 5B **72**
(nr. Shifnal)
Haughton. *Shrp* 4H **71**
(nr. Shrewsbury)
Haughton. *Staf* 3C **72**
Haughton Green. *G Man* 1D **84**
Haughton le Skerne. *Darl* 3A **106**
Haughton Moss. *Ches E* 5H **83**
Haultwick. *Herts* 3D **52**
Haunn. *Arg* 4E **139**
Haunn. *W Isl* 7C **170**
Haunton. *Staf* 4G **73**
Hauxton. *Cambs* 5D **64**
Havannah. *Ches E* 4C **84**
Havant. *Hants* 2F **17**
Haven. *Here* 5G **59**
Haven Bank. *Linc* 5B **88**
Havenside. *E Yor* 2E **95**
Havenstreet. *IOW* 3D **16**
Haven, The. *W Sus* 2B **26**
Havercroft. *W Yor* 3D **93**
Haverfordwest. *Pemb* 3D **42**
Haverhill. *Suff* 1G **53**
Haverigg. *Cumb* 2A **96**
Havering-atte-Bower. *G Lon* 1G **39**
Havering's Grove. *Essx* 1A **40**
Haversham. *Mil* 1G **51**
Haverthwaite. *Cumb* 1C **96**
Haverton Hill. *Stoc T* 2B **106**
Havyatt. *Som* 3A **22**
Hawarden. *Flin* 4F **83**
Hawcoat. *Cumb* 2B **96**
Hawcross. *Glos* 2C **48**
Hawen. *Cdgn* 1D **44**
Hawes. *N Yor* 1A **98**
Hawes Green. *Norf* 1E **67**
Hawick. *Bord* 3H **119**
Hawkchurch. *Devn* 2G **13**
Hawkedon. *Suff* 5G **65**
Hawkenbury. *Kent* 1C **28**
Hawkeridge. *Wilts* 1D **22**
Hawkerland. *Devn* 4D **12**
Hawkesbury. *S Glo* 3C **34**
Hawkesbury Upton. *S Glo* 3C **34**
Hawkes End. *W Mid* 2G **61**
Hawk Green. *G Man* 2D **84**
Hawkhurst. *Kent* 2B **28**
Hawkhurst Common. *E Sus* 4G **27**
Hawkinge. *Kent* 1G **29**
Hawkley. *Hants* 4F **25**
Hawkridge. *Som* 3B **20**
Hawksdale. *Cumb* 5E **113**
Hawkshaw. *G Man* 3F **91**
Hawkshead. *Cumb* 5E **103**
Hawkshead Hill. *Cumb* 5E **103**
Hawkswick. *N Yor* 2B **98**
Hawksworth. *Notts* 1E **75**
Hawksworth. *W Yor* 5D **98**
Hawkwell. *Essx* 1C **40**
Hawley. *Hants* 1G **25**
Hawley. *Kent* 3G **39**
Hawling. *Glos* 3F **49**
Hawnby. *N Yor* 1H **99**
Haworth. *W Yor* 1A **92**
Hawstead. *Suff* 5A **66**
Hawthorn. *Dur* 5H **115**
Hawthorn Hill. *Brac* 4G **37**
Hawthorn Hill. *Linc* 5B **88**
Hawthorpe. *Linc* 3H **75**
Hawton. *Notts* 5E **87**
Haxby. *York* 4A **100**
Haxey. *N Lin* 1E **87**
Haybridge. *Shrp* 3A **60**
Haybridge. *Som* 2A **22**
Haydock. *Mers* 1H **83**
Haydon. *Bath* 1B **22**
Haydon. *Dors* 1B **14**
Haydon. *Som* 4F **21**
Haydon Bridge. *Nmbd* 3B **114**
Haydon Wick. *Swin* 3G **35**
Haye. *Corn* 2H **7**
Hayes. *G Lon* 4F **39**
(nr. Bromley)
Hayes. *G Lon* 2B **38**
(nr. Uxbridge)
Hayfield. *Derbs* 2E **85**
Hay Green. *Norf* 4E **77**
Hayhill. *E Ayr* 3D **116**
Haylands. *IOW* 3D **16**
Hayle. *Corn* 3C **4**
Hayley Green. *W Mid* 2D **60**
Hayling Island. *Hants* 3F **17**
Hayne. *Devn* 2B **12**
Haynes. *C Beds* 1A **52**
Haynes West End. *C Beds* 1A **52**
Hay-on-Wye. *Powy* 1F **47**
Hayscastle. *Pemb* 2C **42**
Hayscastle Cross. *Pemb* 2D **42**
Haysden. *Kent* 1G **27**
Hayshead. *Ang* 4F **145**
Hay Street. *Herts* 3D **53**
Hayton. *Aber* 3G **153**
Hayton. *Cumb* 5C **112**
(nr. Aspatria)
Hayton. *Cumb* 4G **113**
(nr. Brampton)
Hayton. *E Yor* 5C **100**
Hayton. *Notts* 2E **87**
Hayton's Bent. *Shrp* 2H **59**
Haytor Vale. *Devn* 5A **12**
Haytown. *Devn* 1D **11**
Haywards Heath. *W Sus* 3E **27**
Haywood. *S Lan* 4C **128**
Hazelbank. *S Lan* 5B **128**
Hazelbury Bryan. *Dors* 2C **14**
Hazeleigh. *Essx* 5B **54**
Hazeley. *Hants* 1F **25**
Hazel Grove. *G Man* 2D **84**
Hazelhead. *S Yor* 4B **92**
Hazelslade. *Staf* 4E **73**
Hazel Street. *Kent* 2A **28**
Hazelton Walls. *Fife* 1F **137**
Hazelwood. *Derbs* 1H **73**
Hazlemere. *Buck* 2G **37**
Hazler. *Shrp* 1G **59**
Hazlerigg. *Tyne* 2F **115**
Hazles. *Staf* 1E **73**

Hazleton—High Cogges

Hazleton. *Glos* 4F **49**
Hazon. *Nmbd* 4F **121**
Heacham. *Norf* 2F **77**
Headbourne Worthy. *Hants* 3C **24**
Headcorn. *Kent* 1C **28**
Headingley. *W Yor* 1C **92**
Headington. *Oxon* 5D **50**
Headlam. *Dur* 3E **105**
Headless Cross. *Worc* 4E **61**
Headley. *Hants* 3G **25**
(nr. Haslemere)
Headley. *Hants* 5D **36**
(nr. Kingsclere)
Headley. *Surr* 5D **38**
Headley Down. *Hants* 3G **25**
Headley Heath. *Worc* 3E **61**
Headley Park. *Bris* 5A **34**
Head of Muir. *Falk* 1B **128**
Headon. *Notts* 3E **87**
Heads Nook. *Cumb* 4F **113**
Heage. *Derbs* 5A **86**
Healaugh. *N Yor* 5D **104**
(nr. Grinton)
Healaugh. *N Yor* 5H **99**
(nr. York)
Heald Green. *G Man* 2C **84**
Heale. *Devn* 2G **19**
Healey. *G Man* 3G **91**
Healey. *Nmbd* 4D **114**
Healey. *N Yor* 1D **98**
Healeyfield. *Dur* 5D **114**
Healey Hall. *Nmbd* 4D **114**
Healing. *NE Lin* 3F **95**
Heamoor. *Corn* 3B **4**
Heanish. *Arg* 4B **138**
Heanor. *Derbs* 1B **74**
Heanton Punchardon. *Devn* 3F **19**
Heapham. *Linc* 2F **87**
Heartsease. *Powy* 4D **58**
Heasley Mill. *Devn* 3H **19**
Heaste. *High* 2E **147**
Heath. *Derbs* 4B **86**
Heath and Reach. *C Beds* 3H **51**
Heath Common. *W Sus* 4C **26**
Heathcote. *Derbs* 4F **85**
Heath Cross. *Devn* 3H **11**
Heathencote. *Nptn* 1F **51**
Heath End. *Derbs* 3A **74**
Heath End. *Hants* 5D **36**
Heath End. *W Mid* 5E **73**
Heather. *Leics* 4A **74**
Heatherfield. *High* 4D **155**
Heatherton. *Derb* 2H **73**
Heathfield. *Cumb* 5C **112**
Heathfield. *Devn* 5B **12**
Heathfield. *E Sus* 3G **27**
Heathfield. *Ren* 3E **126**
Heathfield. *Som* 3E **21**
(nr. Lydeard St Lawrence)
Heathfield. *Som* 4E **21**
(nr. Norton Fitzwarren)
Heath Green. *Worc* 3E **61**
Heathhall. *Dum* 2A **112**
Heath Hayes. *Staf* 4E **73**
Heath Hill. *Shrp* 4B **72**
Heath House. *Som* 2H **21**
Heathrow (London) Airport. *G Lon* 3B **38**
Heathstock. *Devn* 2F **13**
Heath, The. *Norf* 3E **79**
(nr. Buxton)
Heath, The. *Norf* 3B **78**
(nr. Fakenham)
Heath, The. *Norf* 3D **78**
(nr. Hevingham)
Heath, The. *Staf* 2E **73**
Heath, The. *Suff* 2E **55**
Heathton. *Shrp* 1C **60**
Heathtop. *Derbs* 2F **73**
Heath Town. *W Mid* 1D **60**
Heatley. *G Man* 2B **84**
Heatley. *Staf* 3E **73**
Heaton. *Lanc* 3D **96**
Heaton. *Staf* 4D **84**
Heaton. *Tyne* 3F **115**
Heaton. *W Yor* 1B **92**
Heaton Moor. *G Man* 1C **84**
Heaton's Bridge. *Lanc* 3C **90**
Heaverham. *Kent* 5G **39**
Heavitree. *Devn* 3C **12**
Hebburn. *Tyne* 3G **115**
Hebden. *N Yor* 3C **98**
Hebden Bridge. *W Yor* 2H **91**
Hebden Green. *Ches W* 4A **84**
Hebing End. *Herts* 3D **52**
Hebron. *Carm* 2F **43**
Hebron. *Nmbd* 1E **115**
Heck. *Dum* 1B **112**
Heckdyke. *Notts* 1E **87**
Heckfield. *Hants* 5F **37**
Heckfield Green. *Suff* 3D **66**
Heckfordbridge. *Essx* 3C **54**
Heckington. *Linc* 1A **76**
Heckmondwike. *W Yor* 2C **92**
Heddington. *Wilts* 5E **35**
Heddon. *Devn* 4G **19**
Heddon-on-the-Wall. *Nmbd* 3E **115**
Hedenham. *Norf* 1F **67**
Hedge End. *Hants* 1C **16**
Hedgerley. *Buck* 2A **38**
Hedging. *Som* 4G **21**
Hedley on the Hill. *Nmbd* 4D **115**
Hednesford. *Staf* 4E **73**
Hedon. *E Yor* 2E **95**
Hegdon Hill. *Here* 5H **59**
Heighington. *Darl* 2F **105**
Heighington. *Linc* 4H **87**
Heightington. *Worc* 3B **60**
Heights of Brae. *High* 2H **157**
Heights of Fodderty. *High* 2H **157**
Heights of Kinlochewe. *High* 2C **156**
Heiton. *Bord* 1B **120**
Hele. *Devn* 5H **11**
(nr. Ashburton)
Hele. *Devn* 2C **12**
(nr. Exeter)
Hele. *Devn* 3D **10**
(nr. Holsworthy)
Hele. *Devn* 2F **19**
(nr. Ilfracombe)
Hele. *Torb* 2F **9**
Helensburgh. *Arg* 1D **126**
Helford. *Corn* 4E **5**
Helhoughton. *Norf* 3A **78**
Helions Bumpstead. *Essx* 1G **53**
Helland. *Corn* 5A **10**
Helland. *Som* 4G **21**
Hellandbridge. *Corn* 5A **10**
Hellesdon. *Norf* 4E **78**
Hellesveor. *Corn* 2C **4**
Hellidon. *Nptn* 5C **62**
Hellifield. *N Yor* 4A **98**
Hellingly. *E Sus* 4G **27**
Hellington. *Norf* 5F **79**
Helmdon. *Nptn* 1D **50**
Helmingham. *Suff* 5D **66**
Helmington Row. *Dur* 1E **105**
Helmsdale. *High* 2H **165**
Helmshore. *Lanc* 2F **91**
Helmsley. *N Yor* 1A **100**
Helperby. *N Yor* 3G **99**
Helperthorpe. *N Yor* 2D **100**
Helpringham. *Linc* 1A **76**
Helpston. *Pet* 5A **76**
Helsby. *Ches W* 3G **83**
Helsey. *Linc* 3E **89**
Helston. *Corn* 4D **4**
Helstone. *Corn* 4A **10**
Helton. *Cumb* 2G **103**
Helwith. *N Yor* 4D **105**
Helwith Bridge. *N Yor* 3H **97**
Helygain. *Flin* 3E **82**
Hemblington. *Norf* 4F **79**
Hemel Hempstead. *Herts* 5A **52**
Hemerdon. *Devn* 3B **8**
Hemingbrough. *N Yor* 1G **93**
Hemingby. *Linc* 3B **88**
Hemingfield. *S Yor* 4D **93**
Hemingford Abbots. *Cambs* 3B **64**
Hemingford Grey. *Cambs* 3B **64**
Hemingstone. *Suff* 5D **66**
Hemington. *Leics* 3B **74**
Hemington. *Nptn* 2H **63**
Hemington. *Som* 1C **22**
Hemley. *Suff* 1F **55**
Hemlington. *Midd* 3B **106**
Hempholme. *E Yor* 4E **101**
Hempnall. *Norf* 1E **67**
Hempnall Green. *Norf* 1E **67**
Hempriggs. *High* 4F **169**
Hemp's Green. *Essx* 3C **54**
Hempstead. *Essx* 2G **53**
Hempstead. *Medw* 4B **40**
Hempstead. *Norf* 2D **78**
(nr. Holt)
Hempstead. *Norf* 3G **79**
(nr. Stalham)
Hempsted. *Glos* 4D **48**
Hempton. *Norf* 3B **78**
Hempton. *Oxon* 2C **50**
Hemsby. *Norf* 4G **79**
Hemswell. *Linc* 1G **87**
Hemswell Cliff. *Linc* 2G **87**
Hemsworth. *Dors* 2E **15**
Hemsworth. *W Yor* 3E **93**
Hem, The. *Shrp* 5B **72**
Hemyock. *Devn* 1E **13**
Henallt. *Carm* 3E **45**
Henbury. *Bris* 4A **34**
Henbury. *Ches E* 3C **84**
Hendomen. *Powy* 1E **58**
Hendon. *G Lon* 2D **38**
Hendon. *Tyne* 4H **115**
Hendra. *Corn* 3D **6**
Hendre. *B'end* 3C **32**
Hendreforgan. *Rhon* 3C **32**
Hendy. *Carm* 5F **45**
Heneglwys. *IOA* 3D **80**
Henfeddau Fawr. *Pemb* 1G **43**
Henfield. *S Glo* 4B **34**
Henfield. *W Sus* 4D **26**
Henford. *Devn* 3D **10**
Hengoed. *Cphy* 2E **33**
Hengoed. *Shrp* 2E **71**
Hengrave. *Suff* 4H **65**
Henham. *Essx* 3F **53**
Heniarth. *Powy* 5D **70**
Henlade. *Som* 4F **21**
Henley. *Dors* 2B **14**
Henley. *Shrp* 2G **59**
(nr. Church Stretton)
Henley. *Shrp* 3H **59**
(nr. Ludlow)
Henley. *Som* 3H **21**
Henley. *Suff* 5D **66**
Henley. *W Sus* 4G **25**
Henley-in-Arden. *Warw* 4F **61**
Henley-on-Thames. *Oxon* 3F **37**
Henley's Down. *E Sus* 4B **28**
Henley Street. *Kent* 4A **40**
Henllan. *Cdgn* 1D **44**
Henllan. *Den* 4C **82**
Henllan. *Mon* 3F **47**
Henllan Amgoed. *Carm* 3F **43**
Henllys. *Torf* 2F **33**
Henlow. *C Beds* 2B **52**
Hennock. *Devn* 4B **12**
Henny Street. *Essx* 2B **54**
Henryd. *Cnwy* 3G **81**
Henry's Moat. *Pemb* 2E **43**
Hensall. *N Yor* 2F **93**
Henshaw. *Nmbd* 3A **114**
Hensingham. *Cumb* 3A **102**
Henstead. *Suff* 2G **67**
Hensting. *Hants* 4C **24**
Henstridge. *Som* 1C **14**
Henstridge Ash. *Som* 4C **22**
Henstridge Bowden. *Som* 4B **22**
Henstridge Marsh. *Som* 4C **22**
Henton. *Oxon* 5F **51**
Henton. *Som* 2H **21**
Henwood. *Corn* 5C **10**
Heogan. *Shet* 7F **173**
Heol Senni. *Powy* 3C **46**
Heol-y-Cyw. *B'end* 3C **32**
Hepburn. *Nmbd* 2E **121**
Hepple. *Nmbd* 4D **121**
Hepscott. *Nmbd* 1F **115**
Heptonstall. *W Yor* 2H **91**
Hepworth. *Suff* 3B **66**
Hepworth. *W Yor* 4B **92**
Herbrandston. *Pemb* 4C **42**
Hereford. *Here* 2A **48**
Heribusta. *High* 1D **154**
Heriot. *Bord* 4H **129**
Hermiston. *Edin* 2E **129**
Hermitage. *Dors* 2B **14**
Hermitage. *Bord* 5H **119**
Hermitage. *W Ber* 4D **36**
Hermitage. *W Sus* 2F **17**
Hermon. *Carm* 3G **45**
(nr. Llandeilo)
Hermon. *Carm* 2D **44**
(nr. Newcastle Emlyn)
Hermon. *IOA* 4C **80**
Hermon. *Pemb* 1G **43**
Herne. *Kent* 4F **41**
Herne Bay. *Kent* 4F **41**
Herne Common. *Kent* 4F **41**
Herne Pound. *Kent* 5A **40**
Herner. *Devn* 4F **19**
Hernhill. *Kent* 4E **41**
Herodsfoot. *Corn* 2G **7**
Heronden. *Kent* 5G **41**
Herongate. *Essx* 1H **39**
Heronsford. *S Ayr* 1G **109**
Heronsgate. *Herts* 1B **38**
Heron's Ghyll. *E Sus* 3F **27**
Herra. *Shet* 2H **173**
Herriard. *Hants* 2E **25**
Herringfleet. *Suff* 1G **67**
Herringswell. *Suff* 4G **65**
Herrington. *Tyne* 4G **115**
Hersden. *Kent* 4G **41**
Hersham. *Corn* 2C **10**
Hersham. *Surr* 4C **38**
Herstmonceux. *E Sus* 4H **27**
Herston. *Dors* 5F **15**
Herston. *Orkn* 8D **172**
Hertford. *Herts* 4D **52**
Hertford Heath. *Herts* 4D **52**
Hertingfordbury. *Herts* 4D **52**
Hesketh. *Lanc* 2C **90**
Hesketh Bank. *Lanc* 2C **90**
Hesketh Lane. *Lanc* 5F **97**
Hesket Newmarket. *Cumb* 1E **103**
Heskin Green. *Lanc* 3D **90**
Hesleden. *Dur* 1B **106**
Hesleyside. *Nmbd* 1B **114**
Heslington. *York* 4A **100**
Hessay. *York* 4H **99**
Hessenford. *Corn* 3H **7**
Hessett. *Suff* 4B **66**
Hessilhead. *N Ayr* 4E **127**
Hessle. *Hull* 2D **94**
Hestaford. *Shet* 6D **173**
Hest Bank. *Lanc* 3D **96**
Hester's Way. *Glos* 3E **49**
Heston. *G Lon* 3C **38**
Hestwall. *Orkn* 6B **172**
Heswall. *Mers* 2E **83**
Hethe. *Oxon* 3D **50**
Hethelpit Cross. *Glos* 3C **48**
Hethersett. *Norf* 5D **78**
Hethersgill. *Cumb* 3F **113**
Hetherside. *Cumb* 3F **113**
Hethpool. *Nmbd* 2C **120**
Hett. *Dur* 1F **105**
Hetton. *N Yor* 4B **98**
Hetton-le-Hole. *Tyne* 5G **115**
Hetton Steads. *Nmbd* 1E **121**
Heugh. *Nmbd* 2D **115**
Heugh-head. *Abers* 2A **152**
Heveningham. *Suff* 3F **67**
Hever. *Kent* 1F **27**
Heversham. *Cumb* 1D **97**
Hevingham. *Norf* 3D **78**
Hewas Water. *Corn* 4D **6**
Hewelsfield. *Glos* 5A **48**
Hewish. *N Som* 5G **33**
Hewish. *Som* 2H **13**
Hewood. *Dors* 2G **13**
Heworth. *York* 4A **100**
Hexham. *Nmbd* 3C **114**
Hextable. *Kent* 3G **39**
Hexton. *Herts* 2B **52**
Hexworthy. *Devn* 5G **11**
Heybridge. *Essx* 1H **39**
(nr. Brentwood)
Heybridge. *Essx* 5B **54**
(nr. Maldon)
Heybridge Basin. *Essx* 5B **54**
Heybrook Bay. *Devn* 4A **8**
Heydon. *Cambs* 1E **53**
Heydon. *Norf* 3D **78**
Heydour. *Linc* 2H **75**
Heylipol. *Arg* 4A **138**
Heyop. *Powy* 3E **59**
Heysham. *Lanc* 3D **96**
Heyshott. *W Sus* 1G **17**
Heytesbury. *Wilts* 2E **23**
Heythrop. *Oxon* 3B **50**
Heywood. *G Man* 3G **91**
Heywood. *Wilts* 1D **22**
Hibaldstow. *N Lin* 4C **94**
Hickleton. *S Yor* 4E **93**
Hickling. *Norf* 3G **79**
Hickling. *Notts* 3D **74**
Hickling Green. *Norf* 3G **79**
Hickling Heath. *Norf* 3G **79**
Hickstead. *W Sus* 3D **26**
Hidcote Bartrim. *Glos* 1G **49**
Hidcote Boyce. *Glos* 1G **49**
Higford. *Shrp* 5B **72**
High Ackworth. *W Yor* 3E **93**
Higham. *Derbs* 5A **86**
Higham. *Kent* 3B **40**
Higham. *Lanc* 1G **91**
Higham. *S Yor* 4D **92**
Higham. *Suff* 2D **54**
(nr. Ipswich)
Higham. *Suff* 4G **65**
(nr. Newmarket)
Higham Dykes. *Nmbd* 2E **115**
Higham Ferrers. *Nptn* 4G **63**
Higham Gobion. *C Beds* 2B **52**
Higham on the Hill. *Leics* 1A **62**
Highampton. *Devn* 2E **11**
Higham Wood. *Kent* 1G **27**
High Angerton. *Nmbd* 1D **115**
High Auldgirth. *Dum* 1G **111**
High Bankhill. *Cumb* 5G **113**
High Banton. *N Lan* 1A **128**
High Barnet. *G Lon* 1D **38**
High Beech. *Essx* 1F **39**
High Bentham. *N Yor* 3F **97**
High Bickington. *Devn* 4G **19**
High Biggins. *Cumb* 2F **97**
High Birkwith. *N Yor* 2H **97**
High Blantyre. *S Lan* 4H **127**
High Bonnybridge. *Falk* 2B **128**
High Borrans. *Cumb* 4F **103**
High Bradfield. *S Yor* 1G **85**
High Bray. *Devn* 3G **19**
Highbridge. *Cumb* 5E **113**
Highbridge. *High* 5D **148**
Highbridge. *Som* 2G **21**
Highbrook. *W Sus* 2E **27**
High Brooms. *Kent* 1G **27**
High Bullen. *Devn* 4F **19**
Highburton. *W Yor* 3B **92**
Highbury. *Som* 2B **22**
High Buston. *Nmbd* 4G **121**
High Callerton. *Nmbd* 2E **115**
High Carlingill. *Cumb* 4H **103**
High Catton. *E Yor* 4B **100**
High Church. *Nmbd* 1E **115**
Highclere. *Hants* 5C **36**
Highcliffe. *Dors* 3H **15**
High Cogges. *Oxon* 5B **50**

Hollinfare—How Green

Hollinfare. Warr 1A 84
Hollingbourne. Kent 5C 40
Hollingbury. Brig 5E 27
Hollingdon. Buck 3G 51
Hollingrove. E Sus 3A 28
Hollington. Derbs 1G 73
Hollington. E Sus 4B 28
Hollington. Staf 2E 73
Hollington Grove. Derbs 2G 73
Hollingworth. G Man 1E 85
Hollins. Derbs 3H 85
Hollins. G Man 4G 91
(nr. Bury)
Hollins. G Man 4G 91
(nr. Middleton)
Hollinsclough. Staf 4E 85
Hollinswood. Telf 5A 72
Hollinthorpe. W Yor 1D 93
Hollinwood. G Man 4H 91
Hollinwood. Shrp 2H 71
Hollocombe. Devn 1G 11
Holloway. Derbs 5H 85
Hollow Court. Worc 5D 61
Hollowell. Nptn 3D 62
Hollow Meadows. S Yor 2G 85
Hollows. Dum 2E 113
Hollybush. Cphy 5E 47
Hollybush. E Ayr 3C 116
Hollybush. Worc 2C 48
Holly End. Norf 5D 77
Holly Hill. N Yor 4E 105
Hollyhurst. Ches E 1H 71
Hollym. E Yor 2G 95
Hollywood. Staf 2D 72
Hollywood. Worc 3E 61
Holmacott. Devn 4F 19
Holmbridge. W Yor 4B 92
Holmbury St Mary. Surr 1C 26
Holmbush. Corn 3E 7
Holmcroft. Staf 3D 72
Holme. Cambs 2A 64
Holme. Cumb 2E 97
Holme. N Lin 4C 94
Holme. N Yor 1F 99
Holme. Notts 5F 87
Holme. W Yor 4B 92
Holmebridge. Dors 4D 15
Holme Chapel. Lanc 2G 91
Holme Hale. Norf 5A 78
Holme Lacy. Here 2A 48
Holme Marsh. Here 5F 59
Holmend. Dum 4C 118
Holme next the Sea. Norf 1G 77
Holme-on-Spalding-Moor. E Yor 1B 94
Holme on the Wolds. E Yor 5D 100
Holme Pierrepont. Notts 2D 74
Holmer. Here 1A 48
Holmer Green. Buck 1A 38
Holmes. Lanc 3C 90
Holme St Cuthbert. Cumb 5C 112
Holmes Chapel. Ches E 4B 84
Holmesfield. Derbs 3H 85
Holmeswood. Lanc 3C 90
Holmewood. Derbs 4B 86
Holmfirth. W Yor 4B 92
Holmhead. E Ayr 2E 117
Holmisdale. High 4A 154
Holm of Drumlanrig. Dum 5H 117
Holmpton. E Yor 2G 95
Holmrook. Cumb 5B 102
Holmside. Dur 5F 115
Holmwrangle. Cumb 5G 113
Holne. Devn 2D 8
Holsworthy. Devn 2D 10
Holsworthy Beacon. Devn 2D 10
Holt. Dors 2F 15
Holt. Norf 2C 78
Holt. Wilts 5D 34
Holt. Worc 4C 60
Holt. Wrex 5G 83
Holtby. York 4A 100
Holt End. Hants 3E 25
Holt End. Worc 4E 61
Holt Fleet. Worc 4C 60
Holt Green. Lanc 4B 90
Holt Heath. Dors 2F 15
Holt Heath. Worc 4C 60
Holton. Oxon 5E 50
Holton. Som 4B 22
Holton. Suff 3F 67
Holton cum Beckering. Linc 2A 88
Holton Heath. Dors 3E 15
Holton le Clay. Linc 4F 95
Holton le Moor. Linc 1H 87
Holton St Mary. Suff 2D 54
Holt Pound. Hants 2G 25
Holtsmere End. Herts 4A 52
Holtye. E Sus 2F 27
Holwell. Dors 1C 14
Holwell. Herts 2B 52
Holwell. Leics 3E 75
Holwell. Oxon 5H 49
Holwell. Som 2C 22
Holwick. Dur 2C 104
Holworth. Dors 4C 14
Holybourne. Hants 2F 25
Holy City. Devn 2G 13
Holy Cross. Worc 3D 60
Holyfield. Essx 5D 53
Holyhead. IOA 2B 80
Holy Island. Nmbd 5H 131
Holymoorside. Derbs 4H 85
Holyport. Wind 4G 37
Holystone. Nmbd 4D 120
Holytown. N Lan 3A 128
Holywell. Cambs 3C 64
Holywell. Corn 3B 6
Holywell. Dors 2A 14
Holywell. Flin 3D 82
Holywell. Glos 2C 34
Holywell. Nmbd 2G 115
Holywell. Warw 4F 61
Holywell Green. W Yor 3A 92
Holywell Lake. Som 4E 20
Holywell Row. Suff 3G 65
Holywood. Dum 1G 111
Homer. Shrp 5A 72
Homer Green. Mers 4B 90
Homersfield. Suff 2E 67
Hom Green. Here 3A 48
Homington. Wilts 4G 23
Honeyborough. Pemb 4D 42
Honeybourne. Worc 1G 49
Honeychurch. Devn 2G 11
Honeydon. Bed 5A 64
Honey Hill. Kent 4F 41
Honey Street. Wilts 5G 35
Honey Tye. Suff 2C 54
Honeywick. C Beds 3H 51
Honiley. Warw 3G 61
Honing. Norf 3F 79
Honingham. Norf 4D 78
Honington. Linc 1G 75
Honington. Suff 3B 66
Honington. Warw 1A 50
Honiton. Devn 2E 13
Honley. W Yor 3B 92
Honnington. Telf 4B 72
Hoo. Suff 5E 67
Hoobrook. Worc 3C 60
Hood Green. S Yor 4D 92
Hooe. E Sus 5A 28
Hooe. Plym 3B 8
Hooe Common. E Sus 4A 28
Hoohill. Bkpl 1B 90
Hook. Cambs 1D 64
Hook. E Yor 2A 94
Hook. G Lon 4C 38
Hook. Hants 1F 25
(nr. Basingstoke)
Hook. Hants 2D 16
(nr. Fareham)
Hook. Pemb 3D 43
Hook. Wilts 3F 35
Hook-a-Gate. Shrp 5G 71
Hook Bank. Worc 1D 48
Hooke. Dors 2A 14
Hooker Gate. Tyne 4E 115
Hookgate. Staf 2B 72
Hook Green. Kent 2A 28
(nr. Lamberhurst)
Hook Green. Kent 3H 39
(nr. Longfield)
Hook Green. Kent 4H 39
(nr. Meopham)
Hook Norton. Oxon 2B 50
Hook's Cross. Herts 3C 52
Hook Street. Glos 2B 34
Hookway. Devn 3B 12
Hookwood. Surr 1D 26
Hoole. Ches W 4G 83
Hooley. Surr 5D 39
Hooley Bridge. G Man 3G 91
Hooley Brow. G Man 3G 91
Hoo St Werburgh. Medw 3B 40
Hooton. Ches W 3F 83
Hooton Levitt. S Yor 1C 86
Hooton Pagnell. S Yor 4E 93
Hooton Roberts. S Yor 1B 86
Hope. Derbs 2F 85
Hope. Flin 5F 83
Hope. High 2E 167
Hope. Powy 5E 71
Hope. Shrp 5F 71
Hope. Staf 5F 85
Hope Bagot. Shrp 3H 59
Hope Bowdler. Shrp 1G 59
Hopedale. Staf 5F 85
Hope Green. Ches E 2D 84
Hopeman. Mor 2F 159
Hope Mansell. Here 4B 48
Hopesay. Shrp 2F 59
Hope's Green. Essx 2B 40
Hopetown. W Yor 2D 93
Hope under Dinmore. Here 5H 59
Hopley's Green. Here 5F 59
Hopperton. N Yor 4G 99
Hop Pole. Linc 4A 76
Hopstone. Shrp 1B 60
Hopton. Derbs 5G 85
Hopton. Powy 1E 59
Hopton. Shrp 3F 71
(nr. Oswestry)
Hopton. Shrp 3H 71
(nr. Wem)
Hopton. Staf 3D 72
Hopton. Suff 3B 66
Hopton Cangeford. Shrp 2H 59
Hopton Castle. Shrp 3F 59
Hoptonheath. Shrp 3F 59
Hopton Heath. Staf 3D 72
Hopton on Sea. Norf 5H 79
Hopton Wafers. Shrp 3A 60
Hopwas. Staf 5F 73
Hopwood. Worc 3E 61
Horam. E Sus 4G 27
Horbling. Linc 2A 76
Horbury. W Yor 3C 92
Horcott. Glos 5G 49
Horden. Dur 5H 115
Horderley. Shrp 2G 59
Hordle. Hants 3A 16
Hordley. Shrp 2F 71
Horeb. Carm 3F 45
(nr. Brechfa)
Horeb. Carm 5E 45
(nr. Llanelli)
Horeb. Cdgn 1D 45
Horfield. Bris 4B 34
Horgabost. W Isl 8C 171
Horham. Suff 3E 66
Horkesley Heath. Essx 3C 54
Horkstow. N Lin 3C 94
Horley. Oxon 1C 50
Horley. Surr 1D 27
Horn Ash. Dors 2G 13
Hornblotton Green. Som 3A 22
Hornby. Lanc 3E 97
Hornby. N Yor 4A 106
(nr. Appleton Wiske)
Hornby. N Yor 5F 105
(nr. Catterick Garrison)
Horncastle. Linc 4B 88
Hornchurch. G Lon 2G 39
Horncliffe. Nmbd 5F 131
Horndean. Hants 1E 17
Horndean. Bord 5E 131
Horndon. Devn 4F 11
Horndon on the Hill. Thur 2A 40
Horne. Surr 1E 27
Horner. Som 2C 20
Horning. Norf 4F 79
Horninghold. Leics 1F 63
Horninglow. Staf 3G 73
Horningsea. Cambs 4D 65
Horningsham. Wilts 2D 22
Horningtoft. Norf 3B 78
Hornsbury. Som 1G 13
Hornsby. Cumb 4G 113
Hornsbygate. Cumb 4G 113
Horns Corner. Kent 3B 28
Horns Cross. Devn 4D 19
Hornsea. E Yor 5G 101
Hornsea Burton. E Yor 5G 101
Hornsey. G Lon 2E 39
Hornton. Oxon 1B 50
Horpit. Swin 3H 35
Horrabridge. Devn 2B 8
Horringer. Suff 4H 65
Horringford. IOW 4D 16
Horrocks Fold. G Man 3F 91
Horrocksford. Lanc 5G 97
Horsbrugh Ford. Bord 1E 119
Horsebridge. Devn 5E 11
Horsebridge. Hants 3B 24
Horse Bridge. Staf 5D 84
Horsebrook. Staf 4C 72
Horsecastle. N Som 5H 33
Horsehay. Telf 5A 72
Horseheath. Cambs 1G 53
Horsehouse. N Yor 1C 98
Horsell. Surr 5A 38
Horseman's Green. Wrex 1G 71
Horsenden. Buck 5F 51
Horseway. Cambs 2D 64
Horsey. Norf 3G 79
Horsey. Som 3G 21
Horsford. Norf 4D 78
Horsforth. W Yor 1C 92
Horsham. W Sus 2C 26
Horsham. Worc 5B 60
Horsham St Faith. Norf 4E 78
Horsington. Linc 4A 88
Horsington. Som 4C 22
Horsley. Derbs 1A 74
Horsley. Glos 2D 34
Horsley. Nmbd 3D 115
(nr. Prudhoe)
Horsley. Nmbd 5C 120
(nr. Rochester)
Horsley Cross. Essx 3E 54
Horsleycross Street. Essx 3E 54
Horsleyhill. Bord 3H 119
Horsleyhope. Dur 5D 114
Horsley Woodhouse. Derbs 1A 74
Horsmonden. Kent 1A 28
Horspath. Oxon 5D 50
Horstead. Norf 4E 79
Horsted Keynes. W Sus 3E 27
Horton. Buck 4H 51
Horton. Dors 2F 15
Horton. Lanc 4A 98
Horton. Nptn 5F 63
Horton. Shrp 2G 71
Horton. Som 1G 13
Horton. S Glo 3C 34
Horton. Staf 5D 84
Horton. Swan 4D 30
Horton. Wilts 5F 35
Horton. Wind 3B 38
Horton Cross. Som 1G 13
Horton-cum-Studley. Oxon 4D 50
Horton Grange. Nmbd 2F 115
Horton Green. Ches W 1G 71
Horton Heath. Hants 1C 16
Horton in Ribblesdale. N Yor 2H 97
Horton Kirby. Kent 4G 39
Hortonwood. Telf 4A 72
Horwich. G Man 3E 91
Horwich End. Derbs 2E 85
Horwood. Devn 4F 19
Hoscar. Lanc 3C 90
Hose. Leics 3E 75
Hosh. Per 1A 136
Hosta. W Isl 1C 170
Hoswick. Shet 9F 173
Hotham. E Yor 1B 94
Hothfield. Kent 1D 28
Hoton. Leics 3C 74
Houbie. Shet 2H 173
Hough. Arg 4A 138
Hough. Ches E 5B 84
(nr. Crewe)
Hough. Ches E 3C 84
(nr. Wilmslow)
Hougham. Linc 1F 75
Hough Green. Hal 2G 83
Hough-on-the-Hill. Linc 1G 75
Houghton. Cambs 3B 64
Houghton. Cumb 4F 113
Houghton. Hants 3B 24
Houghton. Nmbd 3E 115
Houghton. Pemb 4D 43
Houghton. W Sus 4B 26
Houghton Bank. Darl 2F 105
Houghton Conquest. C Beds 1A 52
Houghton Green. E Sus 3D 28
Houghton-le-Side. Darl 2F 105
Houghton-le-Spring. Tyne 5G 115
Houghton on the Hill. Leics 5D 74
Houghton Regis. C Beds 3A 52
Houghton St Giles. Norf 2B 78
Houlsyke. N Yor 4E 107
Hound. Hants 2C 16
Hound Green. Hants 1F 25
Houndslow. Bord 5C 130
Houndsmoor. Som 4E 21
Houndwood. Bord 3E 131
Hounsdown. Hants 1B 16
Hounslow. G Lon 3C 38
Housay. Shet 4H 173
Househill. High 3C 158
Housetter. Shet 3E 173
Houss. Shet 8E 173
Houston. Ren 3F 127
Housty. High 5D 168
Houton. Orkn 7C 172
Hove. Brig 5D 27
Hoveringham. Notts 1E 74
Hoveton. Norf 4F 79
Hovingham. N Yor 2A 100
How. Cumb 4G 113
How Caple. Here 2B 48
Howden. E Yor 2H 93
Howden-le-Wear. Dur 1E 105
Howe. High 2F 169
Howe. Norf 5E 79
Howe. N Yor 1F 99
Howe Green. Essx 5H 53
(nr. Chelmsford)
Howegreen. Essx 5B 54
(nr. Maldon)
Howe Green. Warw 2H 61
Howell. Linc 1A 76
How End. C Beds 1A 52
Howe of Teuchar. Abers 4E 161
Howes. Dum 3C 112
Howe Street. Essx 4G 53
(nr. Chelmsford)
Howe Street. Essx 2G 53
(nr. Finchingfield)
Howe, The. Cumb 1D 96
Howe, The. IOM 5A 108
Howey. Powy 5C 58
Howgate. Midl 4F 129
Howgill. Lanc 5H 97
Howgill. N Yor 4C 98
How Green. Kent 1F 27

How Hill—Inverey

How Hill. *Norf* 4F 79
Howick. *Nmbd* 3G 121
Howle. *Telf* 3A 72
Howle Hill. *Here* 3B 48
Howleigh. *Som* 1F 13
Howlett End. *Essx* 2F 53
Howley. *Som* 2F 13
Howley. *Warr* 2A 84
Hownam. *Bord* 3B 120
Howsham. *N Lin* 4D 94
Howsham. *N Yor* 3B 100
Howtel. *Nmbd* 1C 120
Howt Green. *Kent* 4C 40
Howton. *Here* 3H 47
Howwood. *Ren* 3E 127
Hoxne. *Suff* 3D 66
Hoylake. *Mers* 2E 82
Hoyland. *S Yor* 4D 92
Hoylandswaine. *S Yor* 4C 92
Hoyle. *W Sus* 4A 26
Hubberholme. *N Yor* 2B 98
Hubberston. *Pemb* 4C 42
Hubbert's Bridge. *Linc* 1B 76
Huby. *N Yor* 5E 99 (nr. Harrogate)
Huby. *N Yor* 3H 99 (nr. York)
Huccaby. *Devn* 5G 11
Hucclecote. *Glos* 4D 48
Hucking. *Kent* 5C 40
Hucknall. *Notts* 1C 74
Huddersfield. *W Yor* 3B 92
Huddington. *Worc* 5D 60
Huddlesford. *Staf* 5F 73
Hudswell. *N Yor* 4E 105
Huggate. *E Yor* 4C 100
Hugglescote. *Leics* 4B 74
Hughenden Valley. *Buck* 2G 37
Hughley. *Shrp* 1H 59
Hughton. *High* 4G 157
Hugh Town. *IOS* 1B 4
Hugus. *Corn* 4B 6
Huish. *Devn* 1F 11
Huish. *Wilts* 5G 35
Huish Champflower. *Som* 4D 20
Huish Episcopi. *Som* 4H 21
Huisinis. *W Isl* 6B 171
Hulcote. *Nptn* 5E 62
Hulcott. *Buck* 4G 51
Hulham. *Devn* 4D 12
Hull. *Hull* 2D 94
Hulland. *Derbs* 1G 73
Hulland Moss. *Derbs* 1G 73
Hulland Ward. *Derbs* 1G 73
Hullavington. *Wilts* 3D 35
Hullbridge. *Essx* 1C 40
Hulme. *G Man* 1C 84
Hulme. *Staf* 1D 72
Hulme End. *Staf* 5F 85
Hulme Walfield. *Ches E* 4C 84
Hulverstone. *IOW* 4B 16
Hulver Street. *Suff* 2G 67
Humber. *Devn* 5C 12
Humber. *Here* 5H 59
Humber Bridge. *N Lin* 2D 94
Humberside International Airport. *N Lin* 3D 94
Humberston. *NE Lin* 4G 95
Humberstone. *Leic* 5D 74
Humbie. *E Lot* 3A 130
Humbleton. *E Yor* 1F 95
Humbleton. *Nmbd* 2D 121
Humby. *Linc* 2H 75
Hume. *Bord* 5D 130
Humshaugh. *Nmbd* 2C 114
Huna. *High* 1F 169
Huncoat. *Lanc* 1F 91
Huncote. *Leics* 1C 62
Hundall. *Derbs* 3A 86
Hunderthwaite. *Dur* 2C 104
Hundleby. *Linc* 4C 88
Hundle Houses. *Linc* 5B 88
Hundleton. *Pemb* 4D 42
Hundon. *Suff* 1H 53
Hundred Acres. *Hants* 1D 16
Hundred House. *Powy* 5D 58
Hundred, The. *Here* 4H 59
Hungarton. *Leics* 5D 74
Hungerford. *Hants* 1G 15
Hungerford. *Shrp* 2H 59
Hungerford. *Som* 2D 20
Hungerford. *W Ber* 5B 36
Hungerford Newtown. *W Ber* 4B 36
Hunger Hill. *G Man* 4E 91
Hungerton. *Linc* 2F 75
Hungladder. *High* 1C 154
Hungryhatton. *Shrp* 3A 72
Hunmanby. *N Yor* 2E 101
Hunmanby Sands. *N Yor* 2F 101
Hunningham. *Warw* 4A 62
Hunnington. *Worc* 2D 60
Hunny Hill. *IOW* 4C 16
Hunsdon. *Herts* 4E 53
Hunsdonbury. *Herts* 4E 53
Hunsingore. *N Yor* 4G 99
Hunslet. *W Yor* 1D 92
Hunslet Carr. *W Yor* 2D 92
Hunsonby. *Cumb* 1G 103
Hunspow. *High* 1E 169
Hunstanton. *Norf* 1F 77
Hunstanworth. *Dur* 5C 114
Hunston. *Suff* 4B 66
Hunston. *W Sus* 2G 17
Hunstrete. *Bath* 5B 34
Hunt End. *Worc* 4E 61
Hunterfield. *Midl* 3G 129
Hunters Forstal. *Kent* 4F 41
Hunter's Quay. *Arg* 2C 126
Huntham. *Som* 4G 21
Hunthill Lodge. *Ang* 1D 144
Huntingdon. *Cambs* 3B 64
Huntingfield. *Suff* 3F 67
Huntingford. *Wilts* 3D 22
Huntington. *Ches W* 4G 83
Huntington. *E Lot* 2A 130
Huntington. *Here* 5E 59
Huntington. *Staf* 4D 72
Huntington. *Telf* 5A 72
Huntington. *York* 4A 100
Huntingtower. *Per* 1C 136
Huntley. *Glos* 4C 48
Huntley. *Staf* 1E 73
Huntly. *Abers* 4C 160
Huntlywood. *Bord* 5C 130
Hunton. *Hants* 3C 24
Hunton. *Kent* 1B 28
Hunton. *N Yor* 5E 105
Hunton Bridge. *Herts* 5A 52
Hunt's Corner. *Norf* 2C 66
Huntscott. *Som* 2C 20
Hunt's Cross. *Mers* 2G 83
Hunts Green. *Warw* 1F 61
Huntsham. *Devn* 4D 20
Huntshaw. *Devn* 4F 19
Huntspill. *Som* 2G 21
Huntstile. *Som* 3F 21
Huntstrete. *Bath* 5B 34
Huntworth. *Som* 3G 21
Hunwick. *Dur* 1E 105
Hunworth. *Norf* 2C 78
Hurcott. *Som* 1G 13 (nr. Ilminster)
Hurcott. *Som* 4A 22 (nr. Somerton)
Hurdcott. *Wilts* 3G 23
Hurdley. *Powy* 1E 59
Hurdsfield. *Ches E* 3D 84
Hurlet. *Glas* 3G 127
Hurley. *Warw* 1G 61
Hurley. *Wind* 3G 37
Hurlford. *E Ayr* 1D 116
Hurlston Green. *Lanc* 3B 90
Hurn. *Dors* 3G 15
Hursey. *Dors* 2H 13
Hursley. *Hants* 4C 24
Hurst. *G Man* 4H 91
Hurst. *N Yor* 4D 104
Hurst. *Som* 1H 13
Hurst. *Wok* 4F 37
Hurstbourne Priors. *Hants* 2C 24
Hurstbourne Tarrant. *Hants* 1B 24
Hurst Green. *Ches E* 1H 71
Hurst Green. *E Sus* 3B 28
Hurst Green. *Essx* 4D 54
Hurst Green. *Lanc* 1E 91
Hurst Green. *Surr* 5E 39
Hurstley. *Here* 1G 47
Hurstpierpoint. *W Sus* 4D 27
Hurstway Common. *Here* 1F 47
Hurst Wickham. *W Sus* 4D 27
Hurstwood. *Lanc* 1G 91
Hurtmore. *Surr* 1A 26
Hurworth-on-Tees. *Darl* 3A 106
Hurworth Place. *Darl* 3F 105
Hury. *Dur* 3C 104
Husbands Bosworth. *Leics* 2D 62
Husborne Crawley. *C Beds* 2H 51
Husthwaite. *N Yor* 2H 99
Hutcherleigh. *Devn* 3D 9
Hut Green. *N Yor* 2F 93
Huthwaite. *Notts* 5B 86
Huttoft. *Linc* 3E 89
Hutton. *Cumb* 2F 103
Hutton. *E Yor* 4E 101
Hutton. *Essx* 1H 39
Hutton. *Lanc* 2C 90
Hutton. *N Som* 1G 21
Hutton. *Bord* 4F 131
Hutton Bonville. *N Yor* 4A 106
Hutton Buscel. *N Yor* 1D 100
Hutton Conyers. *N Yor* 2F 99
Hutton Cranswick. *E Yor* 4E 101
Hutton End. *Cumb* 1F 103
Hutton Gate. *Red C* 3C 106
Hutton Henry. *Dur* 1B 106
Hutton-le-Hole. *N Yor* 1B 100
Hutton Magna. *Dur* 3E 105
Hutton Mulgrave. *N Yor* 4F 107
Hutton Roof. *Cumb* 2E 97 (nr. Kirkby Lonsdale)
Hutton Roof. *Cumb* 1E 103 (nr. Penrith)
Hutton Rudby. *N Yor* 4B 106
Huttons Ambo. *N Yor* 3B 100
Hutton Sessay. *N Yor* 2G 99
Hutton Village. *Red C* 3D 106
Hutton Wandesley. *N Yor* 4H 99
Huxham. *Devn* 3C 12
Huxham Green. *Som* 3A 22
Huxley. *Ches W* 4H 83
Huyton. *Mers* 1G 83
Hwlffordd. *Pemb* 3D 42
Hycemoor. *Cumb* 1A 96
Hyde. *Glos* 5D 49 (nr. Stroud)
Hyde. *Glos* 3F 49 (nr. Winchcombe)
Hyde. *G Man* 1D 84
Hyde Heath. *Buck* 5H 51
Hyde Lea. *Staf* 3D 72
Hyde Park. *S Yor* 4F 93
Hydestile. *Surr* 1A 26
Hyndford Bridge. *S Lan* 5C 128
Hynish. *Arg* 5A 138
Hyssington. *Powy* 1F 59
Hythe. *Hants* 2C 16
Hythe. *Kent* 2F 29
Hythe End. *Wind* 3B 38
Hythie. *Abers* 3H 161
Hyton. *Cumb* 1A 96

I

Ianstown. *Mor* 2B 160
Iarsiadar. *W Isl* 4D 171
Ibberton. *Dors* 2C 14
Ible. *Derbs* 5G 85
Ibrox. *Glas* 3G 127
Ibsley. *Hants* 2G 15
Ibstock. *Leics* 4B 74
Ibstone. *Buck* 2F 37
Ibthorpe. *Hants* 1B 24
Iburndale. *N Yor* 4F 107
Ibworth. *Hants* 1D 24
Icelton. *N Som* 5G 33
Ichrachan. *Arg* 5E 141
Ickburgh. *Norf* 1H 65
Ickenham. *G Lon* 2B 38
Ickford. *Buck* 5E 51
Ickham. *Kent* 5G 41
Ickleford. *Herts* 2B 52
Icklesham. *E Sus* 4C 28
Ickleton. *Cambs* 1E 53
Icklingham. *Suff* 3G 65
Ickwell. *C Beds* 1B 52
Icomb. *Glos* 3H 49
Idbury. *Oxon* 3H 49
Iddesleigh. *Devn* 2F 11
Ide. *Devn* 3B 12
Ideford. *Devn* 5B 12
Ide Hill. *Kent* 5F 39
Iden. *E Sus* 3D 28
Iden Green. *Kent* 2C 28 (nr. Benenden)
Iden Green. *Kent* 2B 28 (nr. Goudhurst)
Idle. *W Yor* 1B 92
Idless. *Corn* 4C 6
Idlicote. *Warw* 1A 50
Idmiston. *Wilts* 3G 23
Idole. *Carm* 4E 45
Idridgehay. *Derbs* 1G 73
Idrigill. *High* 2C 154
Idstone. *Oxon* 3A 36
Iffley. *Oxon* 5D 50
Ifield. *W Sus* 2D 26
Ifieldwood. *W Sus* 2D 26
Ifold. *W Sus* 2B 26
Iford. *E Sus* 5F 27
Ifton Heath. *Shrp* 2F 71
Ightfield. *Shrp* 2H 71
Ightham. *Kent* 5G 39
Iken. *Suff* 5G 67
Ilam. *Staf* 5F 85
Ilchester. *Som* 4A 22
Ilderton. *Nmbd* 2E 121
Ilford. *G Lon* 2F 39
Ilford. *Som* 1G 13
Ilfracombe. *Devn* 2F 19
Ilkeston. *Derbs* 1B 74
Ilketshall St Andrew. *Suff* 2F 67
Ilketshall St Lawrence. *Suff* 2F 67
Ilketshall St Margaret. *Suff* 2F 67
Ilkley. *W Yor* 5D 98
Illand. *Corn* 5C 10
Illey. *W Mid* 2D 61
Illidge Green. *Ches E* 4B 84
Illington. *Norf* 2B 66
Illingworth. *W Yor* 2A 92
Illogan. *Corn* 4A 6
Illogan Highway. *Corn* 4A 6
Illston on the Hill. *Leics* 1E 62
Ilmer. *Buck* 5F 51
Ilmington. *Warw* 1H 49
Ilminster. *Som* 1G 13
Ilsington. *Devn* 5A 12
Ilsington. *Dors* 3C 14
Ilston. *Swan* 3E 31
Ilton. *N Yor* 2D 98
Ilton. *Som* 1G 13
Imachar. *N Ayr* 5G 125
Imber. *Wilts* 2E 23
Immingham. *NE Lin* 3E 95
Immingham Dock. *NE Lin* 3E 95
Impington. *Cambs* 4D 64
Ince. *Ches W* 3G 83
Ince Blundell. *Mers* 4B 90
Ince-in-Makerfield. *G Man* 4D 90
Inchbae Lodge. *High* 2G 157
Inchbare. *Ang* 2F 145
Inchberry. *Mor* 3H 159
Inchbraoch. *Ang* 3G 145
Inchbrook. *Glos* 5D 48
Incheril. *High* 2C 156
Inchinnan. *Ren* 3F 127
Inchlaggan. *High* 3D 148
Inchmichael. *Per* 1E 137
Inchnadamph. *High* 1G 163
Inchree. *High* 2E 141
Inchture. *Per* 1E 137
Inchyra. *Per* 1D 136
Indian Queens. *Corn* 3D 6
Ingatestone. *Essx* 1H 39
Ingbirchworth. *S Yor* 4C 92
Ingestre. *Staf* 3D 73
Ingham. *Linc* 2G 87
Ingham. *Norf* 3F 79
Ingham. *Suff* 3A 66
Ingham Corner. *Norf* 3F 79
Ingleborough. *Norf* 4D 76
Ingleby. *Derbs* 3H 73
Ingleby Arncliffe. *N Yor* 4B 106
Ingleby Barwick. *Stoc T* 3B 106
Ingleby Greenhow. *N Yor* 4C 106
Ingleigh Green. *Devn* 2G 11
Inglemire. *Hull* 1D 94
Inglesbatch. *Bath* 5C 34
Ingleton. *Dur* 2E 105
Ingleton. *N Yor* 2F 97
Inglewhite. *Lanc* 5E 97
Ingoe. *Nmbd* 2D 114
Ingol. *Lanc* 1D 90
Ingoldisthorpe. *Norf* 2F 77
Ingoldmells. *Linc* 4E 89
Ingoldsby. *Linc* 2H 75
Ingon. *Warw* 5G 61
Ingram. *Nmbd* 3E 121
Ingrave. *Essx* 1H 39
Ingrow. *W Yor* 1A 92
Ings. *Cumb* 5F 103
Ingst. *S Glo* 3A 34
Ingthorpe. *Rut* 5G 75
Ingworth. *Norf* 3D 78
Inkberrow. *Worc* 5E 61
Inkford. *Worc* 3E 61
Inkpen. *W Ber* 5B 36
Inkstack. *High* 1E 169
Innellan. *Arg* 3C 126
Inner Hope. *Devn* 5C 8
Innerleith. *Fife* 2E 137
Innerleithen. *Bord* 1F 119
Innerleven. *Fife* 3F 137
Innermessan. *Dum* 3F 109
Innerwick. *E Lot* 2D 130
Innerwick. *Per* 4C 142
Innsworth. *Glos* 3D 48
Insch. *Abers* 1D 152
Insh. *High* 3C 150
Inshegra. *High* 3C 166
Inshore. *High* 1D 166
Inskip. *Lanc* 1C 90
Instow. *Devn* 3E 19
Intwood. *Norf* 5D 78
Inver. *Abers* 4G 151
Inver. *High* 5F 165
Inver. *Per* 4H 143
Inverailort. *High* 5F 147
Inveralligin. *High* 3H 155
Inverallochy. *Abers* 2H 161
Inveramsay. *Abers* 1E 153
Inveran. *High* 4C 164
Inveraray. *Arg* 3H 133
Inverarish. *High* 5E 155
Inverarity. *Ang* 4D 144
Inverarnan. *Arg* 2C 134
Inverarnie. *High* 5A 158
Inverbeg. *Arg* 4C 134
Inverbervie. *Abers* 1H 145
Inverboyndie. *Abers* 2D 160
Invercassley. *High* 3B 164
Invercharnan. *High* 4F 141
Inverchoran. *High* 3E 157
Invercreran. *Arg* 4E 141
Inverdruie. *High* 2D 150
Inverebrie. *Abers* 5G 161
Invereck. *Arg* 1C 126
Inveresk. *E Lot* 2G 129
Inveresragan. *Arg* 5D 141
Inverey. *Abers* 5E 151

Lamington. High 1B 158
Lamington. S Lan 1B 118
Lamlash. N Ayr 2E 123
Lamonby. Cumb 1F 103
Lamorick. Corn 2E 7
Lamorna. Corn 4B 4
Lamorran. Corn 4C 6
Lampeter. Cdgn 1F 45
Lampeter Velfrey. Pemb 3F 43
Lamphey. Pemb 4E 43
Lamplugh. Cumb 2B 102
Lamport. Nptn 3E 63
Lamyatt. Som 3B 22
Lana. Devn 3D 10 (nr. Ashwater)
Lana. Devn 2D 10 (nr. Holsworthy)
Lanark. S Lan 5B 128
Lanarth. Corn 4E 5
Lancaster. Lanc 3D 97
Lanchester. Dur 5E 115
Lancing. W Sus 5C 26
Landbeach. Cambs 4D 64
Landcross. Devn 4E 19
Landerberry. Abers 3E 153
Landford. Wilts 1A 16
Land Gate. G Man 4D 90
Landhallow. High 5D 169
Landimore. Swan 3D 30
Landkey. Devn 3F 19
Landkey Newland. Devn 3F 19
Landore. Swan 3F 31
Landport. Port 2E 17
Landrake. Corn 2H 7
Landscove. Devn 2D 9
Land's End (St Just) Airport. Corn 4A 4
Landshipping. Pemb 3E 43
Landulph. Corn 2A 8
Landywood. Staf 5D 73
Lane. Corn 2C 6
Laneast. Corn 4C 10
Lane Bottom. Lanc 1G 91
Lane End. Buck 2G 37
Lane End. Cumb 5C 102
Lane End. Hants 4D 24
Lane End. IOW 4E 17
Lane End. Wilts 2D 22
Lane Ends. Derbs 2G 73
Lane Ends. Dur 1E 105
Lane Ends. Lanc 4G 97
Laneham. Notts 3F 87
Lanehead. Dur 5B 114 (nr. Cowshill)
Lane Head. Dur 3E 105 (nr. Hutton Magna)
Lane Head. Dur 2D 105 (nr. Woodland)
Lane Head. G Man 1A 84
Lanehead. Nmbd 1A 114
Lane Head. W Yor 4B 92
Lane Heads. Lanc 1C 90
Lanercost. Cumb 3G 113
Laneshaw Bridge. Lanc 5B 98
Laney Green. Staf 5D 72
Langais. W Isl 2D 170
Langal. High 2B 140
Langar. Notts 2E 74
Langbank. Ren 2E 127
Langbar. N Yor 4C 98
Langburnshiels. Bord 4H 119
Langcliffe. N Yor 3H 97
Langdale End. N Yor 5G 107
Langdon. Corn 3C 10
Langdon Beck. Dur 1B 104
Langdon Cross. Corn 4D 10
Langdon Hills. Essx 2A 40
Langdown. Hants 2C 16
Langdyke. Fife 3F 137
Langenhoe. Essx 4D 54
Langford. C Beds 1B 52
Langford. Devn 2D 12
Langford. Essx 5B 54
Langford. Notts 5F 87
Langford. Oxon 5H 49
Langford. Som 4F 21
Langford Budville. Som 4E 20
Langham. Dors 4C 22
Langham. Essx 2D 54
Langham. Norf 1C 78
Langham. Rut 4F 75
Langham. Suff 4B 66
Langho. Lanc 1F 91
Langholm. Dum 1E 113
Langland. Swan 4F 31
Langleeford. Nmbd 2D 120
Langley. Ches E 3D 84
Langley. Derbs 1B 74
Langley. Essx 2E 53
Langley. Glos 3F 49
Langley. Hants 2C 16
Langley. Herts 3C 52
Langley. Kent 5C 40
Langley. Nmbd 3B 114
Langley. Slo 3B 38
Langley. Som 4D 20
Langley. Warw 4F 61
Langley. W Sus 4G 25
Langley Burrell. Wilts 4E 35
Langleybury. Herts 5A 52
Langley Common. Derbs 2G 73
Langley Green. Derbs 2G 73
Langley Green. Norf 5F 79
Langley Green. Warw 4F 61
Langley Green. W Sus 2D 26
Langley Heath. Kent 5C 40
Langley Marsh. Som 4D 20
Langley Moor. Dur 5F 115
Langley Park. Dur 5F 115
Langley Street. Norf 5F 79
Langney. E Sus 5H 27
Langold. Notts 2C 86
Langore. Corn 4D 10
Langport. Som 4H 21
Langrick. Linc 1B 76
Langridge. Bath 5C 34
Langridgeford. Devn 4F 19
Langrigg. Cumb 5C 112
Langrish. Hants 4F 25
Langsett. S Yor 4C 92
Langshaw. Bord 1H 119
Langstone. Hants 2F 17
Langthorne. N Yor 5F 105
Langthorpe. N Yor 3F 99
Langthwaite. N Yor 4D 104
Langtoft. E Yor 3E 101
Langtoft. Linc 4A 76
Langton. Dur 3E 105
Langton. Linc 4B 88 (nr. Horncastle)
Langton. Linc 3C 88 (nr. Spilsby)
Langton. N Yor 3B 100
Langton by Wragby. Linc 3A 88
Langton Green. Kent 2G 27
Langton Herring. Dors 4B 14
Langton Long Blandford. Dors 2E 15
Langton Matravers. Dors 5F 15
Langtree. Devn 1E 11
Langwathby. Cumb 1G 103
Langwith. Derbs 4C 86
Langworth. Linc 3H 87
Lanivet. Corn 2E 7
Lanjeth. Corn 3D 6
Lank. Corn 5A 10
Lanlivery. Corn 3E 7
Lanner. Corn 5B 6
Lanreath. Corn 3F 7
Lansallos. Corn 3F 7
Lansdown. Bath 5C 34
Lansdown. Glos 3E 49
Lanteglos Highway. Corn 3F 7
Lanton. Nmbd 1D 120
Lanton. Bord 2A 120
Lapford. Devn 2H 11
Lapford Cross. Devn 2H 11
Laphroaig. Arg 5B 124
Lapley. Staf 4C 72
Lapworth. Warw 3F 61
Larachbeg. High 4A 140
Larbert. Falk 1B 128
Larden Green. Ches E 5H 83
Larel. High 3D 169
Largie. Abers 5D 160
Largiemore. Arg 1H 125
Largoward. Fife 3G 137
Largs. N Ayr 4D 126
Largue. Abers 4D 160
Largybeg. N Ayr 3E 123
Largymeanoch. N Ayr 3E 123
Largymore. N Ayr 3E 123
Larkfield. Inv 2D 126
Larkfield. Kent 5A 40
Larkhall. Bath 5C 34
Larkhall. S Lan 4A 128
Larkhill. Wilts 2G 23
Larling. Norf 2B 66
Larport. Here 2A 48
Lartington. Dur 3D 104
Lary. Abers 3H 151
Lasham. Hants 2E 25
Lashenden. Kent 1C 28
Lassodie. Fife 4D 136
Lasswade. Midl 3G 129
Lastingham. N Yor 5E 107
Latchford. Herts 3D 53
Latchford. Oxon 5E 51
Latchingdon. Essx 5B 54
Latchley. Corn 5E 11
Latchmere Green. Hants 5E 37
Lathbury. Mil 1G 51
Latheron. High 5D 169
Latheronwheel. High 5D 169
Lathom. Lanc 4C 90
Lathones. Fife 3G 137
Latimer. Buck 1B 38
Latteridge. S Glo 3B 34
Lattiford. Som 4B 22
Latton. Wilts 2F 35
Laudale House. High 3B 140
Lauder. Bord 5B 130
Laugharne. Carm 3H 43
Laughterton. Linc 3F 87
Laughton. E Sus 4G 27
Laughton. Leics 2D 62
Laughton. Linc 1F 87 (nr. Gainsborough)
Laughton. Linc 2H 75 (nr. Grantham)
Laughton Common. S Yor 2C 86
Laughton en le Morthen. S Yor 2C 86
Launcells. Corn 2C 10
Launceston. Corn 4D 10
Launcherley. Som 2A 22
Launton. Oxon 3E 50
Laurencekirk. Abers 1G 145
Laurieston. Dum 3D 111
Laurieston. Falk 2C 128
Lavendon. Mil 5G 63
Lavenham. Suff 1C 54
Laverhay. Dum 5D 118
Laversdale. Cumb 3F 113
Laverstock. Wilts 3G 23
Laverstoke. Hants 2C 24
Laverton. Glos 2F 49
Laverton. N Yor 2E 99
Laverton. Som 1C 22
Lavister. Wrex 5F 83
Law. S Lan 4B 128
Lawers. Per 5D 142
Lawford. Essx 2D 54
Lawhitton. Corn 4D 10
Lawkland. N Yor 3G 97
Lawnhead. Staf 3C 72
Lawrenny. Pemb 4E 43
Lawshall. Suff 5A 66
Lawton. Here 5G 59
Laxey. IOM 3D 108
Laxfield. Suff 3E 67
Laxfirth. Shet 6F 173
Laxo. Shet 5F 173
Laxton. E Yor 2A 94
Laxton. Nptn 1G 63
Laxton. Notts 4E 86
Laycock. W Yor 5C 98
Layer Breton. Essx 4C 54
Layer-de-la-Haye. Essx 3C 54
Layer Marney. Essx 4C 54
Layland's Green. W Ber 5B 36
Laymore. Dors 2G 13
Laysters Pole. Here 4H 59
Layter's Green. Buck 1A 38
Laytham. E Yor 1H 93
Lazenby. Red C 3C 106
Lazonby. Cumb 1G 103
Lea. Derbs 5H 85
Lea. Here 3B 48
Lea. Linc 2F 87
Lea. Shrp 2F 59 (nr. Bishop's Castle)
Lea. Shrp 5G 71 (nr. Shrewsbury)
Lea. Wilts 3E 35
Leabrooks. Derbs 5B 86
Leachd. Arg 4H 133
Leachkin. High 4A 158
Leachpool. Pemb 3D 42
Leadburn. Midl 4F 129
Leadenham. Linc 5G 87
Leaden Roding. Essx 4F 53
Leaderfoot. Bord 1H 119
Leadgate. Cumb 5A 114
Leadgate. Dur 4E 115
Leadgate. Nmbd 4E 115
Leadhills. S Lan 3A 118
Leadingcross Green. Kent 5C 40
Lea End. Worc 3E 61
Leafield. Oxon 4B 50
Leagrave. Lutn 3A 52
Lea Hall. W Mid 2F 61
Lea Heath. Staf 3E 73
Leake. N Yor 5B 106
Leake Common Side. Linc 5C 88
Leake Fold Hill. Linc 5D 88
Leake Hurn's End. Linc 1D 76
Lealholm. N Yor 4E 107
Lealt. Arg 4D 132
Lealt. High 2E 155
Leam. Derbs 3G 85
Lea Marston. Warw 1G 61
Leamington Hastings. Warw 4B 62
Leamington Spa, Royal. Warw 4H 61
Leamonsley. Staf 5F 73
Leamside. Dur 5G 115
Leargybreck. Arg 2D 124
Lease Rigg. N Yor 4F 107
Leasgill. Cumb 1D 97
Leasingham. Linc 1H 75
Leasingthorne. Dur 1F 105
Leasowe. Mers 1E 83
Leatherhead. Surr 5C 38
Leathley. N Yor 5E 99
Leaths. Dum 3E 111
Leaton. Shrp 4G 71
Lea Town. Lanc 1C 90
Leaveland. Kent 5E 40
Leavenheath. Suff 2C 54
Leavening. N Yor 3B 100
Leaves Green. G Lon 4F 39
Lea Yeat. Cumb 1G 97
Leazes. Dur 4E 115
Lebberston. N Yor 1E 101
Lechlade on Thames. Glos 2H 35
Leck. Lanc 2F 97
Leckford. Hants 3B 24
Leckfurin. High 3H 167
Leckgruinart. Arg 3A 124
Leckhampstead. Buck 2F 51
Leckhampstead. W Ber 4C 36
Leckhampstead Street. W Ber 4C 36
Leckhampton. Glos 4E 49
Leckmelm. High 4F 163
Leckwith. V Glam 4E 33
Leconfield. E Yor 5E 101
Ledaig. Arg 5D 140
Ledburn. Buck 3H 51
Ledbury. Here 2C 48
Ledgemoor. Here 5G 59
Ledgowan. High 3D 156
Ledicot. Here 4G 59
Ledmore. High 2G 163
Lednabirichen. High 4E 165
Lednagullin. High 2A 168
Ledsham. Ches W 3F 83
Ledsham. W Yor 2E 93
Ledston. W Yor 2E 93
Ledstone. Devn 4D 8
Ledwell. Oxon 3C 50
Lee. Devn 2E 19 (nr. Ilfracombe)
Lee. Devn 4B 20 (nr. South Molton)
Lee. G Lon 3F 39
Lee. Hants 1B 16
Lee. Lanc 4E 97
Lee. Shrp 2G 71
Leeans. Shet 7E 173
Leebotten. Shet 9F 173
Leebotwood. Shrp 1G 59
Lee Brockhurst. Shrp 3H 71
Leece. Cumb 3B 96
Leechpool. Mon 3A 34
Lee Clump. Buck 5H 51
Leeds. Kent 5C 40
Leeds. W Yor 1C 92
Leeds Bradford International Airport. W Yor 5E 98
Leedstown. Corn 3D 4
Leegomery. Telf 4A 72
Lee Head. Derbs 1E 85
Leek. Staf 5D 85
Leekbrook. Staf 5D 85
Leek Wootton. Warw 4G 61
Lee Mill. Devn 3B 8
Leeming. N Yor 1E 99
Leeming Bar. N Yor 5F 105
Lee Moor. Devn 2B 8
Lee Moor. W Yor 2D 92
Lee-on-the-Solent. Hants 2D 16
Lees. Derbs 2G 73
Lees. G Man 4H 91
Lees. W Yor 1A 92
Lees, The. Kent 5E 40
Leeswood. Flin 4E 83
Lee, The. Buck 5H 51
Leetown. Per 1E 136
Leftwich. Ches W 3A 84
Legbourne. Linc 2C 88
Legburthwaite. Cumb 3E 102
Legerwood. Bord 5B 130
Legsby. Linc 2A 88
Leicester. Leic 5C 74
Leicester Forest East. Leics 5C 74
Leigh. Dors 2B 14
Leigh. G Man 4E 91
Leigh. Kent 1G 27
Leigh. Shrp 5F 71
Leigh. Surr 1D 26
Leigh. Wilts 2F 35
Leigh. Worc 5B 60
Leigham. Plym 3B 8
Leigh Beck. Essx 2C 40
Leigh Common. Som 4C 22
Leigh Delamere. Wilts 4D 35
Leigh Green. Kent 2D 28
Leighland Chapel. Som 3D 20
Leigh-on-Sea. S'end 2C 40
Leigh Park. Hants 2F 17
Leigh Sinton. Worc 5B 60
Leighterton. Glos 2D 34
Leigh, The. Glos 3D 48
Leighton. N Yor 2D 98
Leighton. Powy 5E 71
Leighton. Shrp 5A 72
Leighton. Som 2C 22
Leighton Bromswold. Cambs 3A 64
Leighton Buzzard. C Beds 3H 51
Leigh-upon-Mendip. Som 2B 22
Leinthall Earls. Here 4G 59

Leinthall Starkes—Little Hautbois

Leinthall Starkes. *Here* 4G **59**
Leintwardine. *Here* 3G **59**
Leire. *Leics* 1C **62**
Leirinmore. *High* 2E **166**
Leishmore. *High* 4G **157**
Leiston. *Suff* 4G **67**
Leitfie. *Per* 4B **144**
Leith. *Edin* 2F **129**
Leitholm. *Bord* 5D **130**
Lelant. *Corn* 3C **4**
Lelant Downs. *Corn* 3C **4**
Lelley. *E Yor* 1F **95**
Lem Hill. *Worc* 3B **60**
Lemington. *Tyne* 3E **115**
Lemmington Hall. *Nmbd* 3F **121**
Lempitlaw. *Bord* 1B **120**
Lemsford. *Herts* 4C **52**
Lenacre. *Cumb* 1F **97**
Lenchie. *Abers* 5C **160**
Lenchwick. *Worc* 1F **49**
Lendalfoot. *S Ayr* 5A **116**
Lendrick. *Stir* 3E **135**
Lenham. *Kent* 5C **40**
Lenham Heath. *Kent* 1D **28**
Lenimore. *N Ayr* 5G **125**
Lennel. *Bord* 5E **131**
Lennoxtown. *E Dun* 2H **127**
Lenton. *Linc* 2H **75**
Lentran. *High* 4H **157**
Lenwade. *Norf* 4C **78**
Lenzie. *E Dun* 2H **127**
Leochel Cushnie. *Abers* 2C **152**
Leominster. *Here* 5G **59**
Leonard Stanley. *Glos* 5D **48**
Lepe. *Hants* 3C **16**
Lephenstrath. *Arg* 5A **122**
Lephin. *High* 4A **154**
Lephinchapel. *Arg* 4G **133**
Lephinmore. *Arg* 4G **133**
Leppington. *N Yor* 3B **100**
Lepton. *W Yor* 3C **92**
Lerryn. *Corn* 3F **7**
Lerwick. *Shet* 7F **173**
Lerwick (Tingwall) Airport. *Shet* 7F **173**
Lesbury. *Nmbd* 3G **121**
Leslie. *Abers* 1C **152**
Leslie. *Fife* 3E **137**
Lesmahagow. *S Lan* 1H **117**
Lesnewth. *Corn* 3B **10**
Lessingham. *Norf* 3F **79**
Lessonhall. *Cumb* 4D **112**
Leswalt. *Dum* 3F **109**
Letchmore Heath. *Herts* 1C **38**
Letchworth Garden City. *Herts* 2C **52**
Letcombe Bassett. *Oxon* 3B **36**
Letcombe Regis. *Oxon* 3B **36**
Letham. *Ang* 4E **145**
Letham. *Falk* 1B **128**
Letham. *Fife* 2F **137**
Lethanhill. *E Ayr* 3D **116**
Lethenty. *Abers* 4F **161**
Letheringham. *Suff* 5E **67**
Letheringsett. *Norf* 2C **78**
Lettaford. *Devn* 4H **11**
Lettan. *Orkn* 3G **172**
Letter. *Abers* 2E **153**
Letterewe. *High* 1B **156**
Letterfearn. *High* 1A **148**
Lettermore. *Arg* 4F **139**
Letters. *High* 5F **163**
Letterston. *Pemb* 2D **42**
Letton. *Here* 1G **47** (nr. Kington)
Letton. *Here* 3F **59** (nr. Leintwardine)
Letty Green. *Herts* 4C **52**
Letwell. *S Yor* 2C **86**
Leuchars. *Fife* 1G **137**
Leumrabhagh. *W Isl* 6F **171**
Leusdon. *Devn* 5H **11**
Levedale. *Staf* 4C **72**
Leven. *E Yor* 5F **101**
Leven. *Fife* 3F **137**
Levencorroch. *N Ayr* 3E **123**
Levenhall. *E Lot* 2G **129**
Levens. *Cumb* 1D **97**
Levens Green. *Herts* 3D **52**
Levenshulme. *G Man* 1C **84**
Levenwick. *Shet* 9F **173**
Leverburgh. *W Isl* 9C **171**
Leverington. *Cambs* 4D **76**
Leverton. *Linc* 1C **76**
Leverton. *W Ber* 4B **36**
Leverton Lucasgate. *Linc* 1D **76**
Leverton Outgate. *Linc* 1D **76**
Levington. *Suff* 2F **55**
Levisham. *N Yor* 5F **107**
Levishie. *High* 2G **149**
Lew. *Oxon* 5B **50**
Lewaigue. *IOM* 2D **108**
Lewannick. *Corn* 4C **10**
Lewdown. *Devn* 4E **11**
Lewes. *E Sus* 4F **27**
Leweston. *Pemb* 2D **42**
Lewisham. *G Lon* 3E **39**
Lewiston. *High* 1H **149**
Lewistown. *B'end* 3C **32**
Lewknor. *Oxon* 2F **37**
Leworthy. *Devn* 3G **19** (nr. Barnstaple)
Leworthy. *Devn* 2D **10** (nr. Holsworthy)
Lewson Street. *Kent* 4D **40**
Lewthorn Cross. *Devn* 5A **12**
Lewtrenchard. *Devn* 4E **11**
Ley. *Corn* 2F **7**
Leybourne. *Kent* 5A **40**
Leyburn. *N Yor* 5E **105**
Leycett. *Staf* 1B **72**
Leyfields. *Staf* 5G **73**
Ley Green. *Herts* 3B **52**
Ley Hill. *Buck* 5H **51**
Leyland. *Lanc* 2D **90**
Leylodge. *Abers* 2E **153**
Leymoor. *W Yor* 3B **92**
Leys. *Per* 5B **144**
Leysdown-on-Sea. *Kent* 3E **41**
Leysmill. *Ang* 4F **145**
Leyton. *G Lon* 2E **39**
Leytonstone. *G Lon* 2F **39**
Lezant. *Corn* 5D **10**
Leziate. *Norf* 4F **77**
Lhanbryde. *Mor* 2G **159**
Lhen, The. *IOM* 1C **108**
Liatrie. *High* 5E **157**
Libanus. *Powy* 3C **46**
Libberton. *S Lan* 5C **128**
Libbery. *Worc* 5D **60**
Liberton. *Edin* 3F **129**
Lichfield. *Staf* 5F **73**
Lickey. *Worc* 3D **61**
Lickey End. *Worc* 3D **61**
Lickfold. *W Sus* 3A **26**
Liddaton. *Devn* 4E **11**
Liddington. *Swin* 3H **35**
Lidgate. *Suff* 5G **65**
Lidgett. *Notts* 4D **86**
Lidham Hill. *E Sus* 4C **28**
Lidlington. *C Beds* 2H **51**
Lidsey. *W Sus* 5A **26**
Lidstone. *Oxon* 3B **50**
Lienassie. *High* 1B **148**
Liff. *Ang* 5C **144**
Lifford. *W Mid* 2E **61**
Lifton. *Devn* 4D **11**
Liftondown. *Devn* 4D **10**
Lighthorne. *Warw* 5H **61**
Light Oaks. *Staf* 5D **84**
Lightwater. *Surr* 4A **38**
Lightwood. *Staf* 1E **73**
Lightwood. *Stoke* 1D **72**
Lightwood Green. *Ches E* 1A **72**
Lightwood Green. *Wrex* 1F **71**
Lilbourne. *Nptn* 3C **62**
Lilburn Tower. *Nmbd* 2E **121**
Lillesdon. *Som* 4G **21**
Lilleshall. *Telf* 4B **72**
Lilley. *Herts* 3B **52**
Lilliesleaf. *Bord* 2H **119**
Lillingstone Dayrell. *Buck* 2F **51**
Lillingstone Lovell. *Buck* 1F **51**
Lillington. *Dors* 1B **14**
Lilstock. *Som* 2E **21**
Lilybank. *Inv* 2E **126**
Lilyhurst. *Shrp* 4B **72**
Limbrick. *Lanc* 3E **90**
Limbury. *Lutn* 3A **52**
Limekilnburn. *S Lan* 4A **128**
Lime Kiln Nook. *Cumb* 5E **113**
Limekilns. *Fife* 1D **129**
Limerigg. *Falk* 2B **128**
Limestone Brae. *Nmbd* 5A **114**
Lime Street. *Worc* 2D **48**
Limington. *Som* 4A **22**
Limpenhoe. *Norf* 5F **79**
Limpley Stoke. *Wilts* 5C **34**
Limpsfield. *Surr* 5E **39**
Linburn. *W Lot* 3E **129**
Linby. *Notts* 5C **86**
Linchmere. *W Sus* 3G **25**
Lincluden. *Dum* 2A **112**
Lincoln. *Linc* 3G **87**
Lincomb. *Worc* 4C **60**
Lindale. *Cumb* 1D **96**
Lindal in Furness. *Cumb* 2B **96**
Lindean. *Bord* 1G **119**
Linden. *Glos* 4D **48**
Lindfield. *W Sus* 3E **27**
Lindford. *Hants* 3G **25**
Lindores. *Fife* 2E **137**
Lindridge. *Worc* 4A **60**
Lindsell. *Essx* 3G **53**
Lindsey. *Suff* 1C **54**
Lindsey Tye. *Suff* 1C **54**
Linford. *Hants* 2G **15**
Linford. *Thur* 3A **40**
Lingague. *IOM* 4B **108**
Lingdale. *Red C* 3D **106**
Lingen. *Here* 4F **59**
Lingfield. *Surr* 1E **27**
Lingoed. *Mon* 3G **47**
Lingreabhagh. *W Isl* 9C **171**
Ling, The. *Norf* 1F **67**
Lingwood. *Norf* 5F **79**
Lingyclose Head. *Cumb* 4E **113**
Linicro. *High* 2C **154**
Linkend. *Worc* 2D **48**
Linkenholt. *Hants* 1B **24**
Linkinhorne. *Corn* 5D **10**
Linklater. *Orkn* 9D **172**
Linktown. *Fife* 4E **137**
Linkwood. *Mor* 2G **159**
Linley. *Shrp* 1F **59** (nr. Bishop's Castle)
Linley. *Shrp* 1A **60** (nr. Bridgnorth)
Linley Green. *Here* 5A **60**
Linlithgow. *W Lot* 2C **128**
Linlithgow Bridge. *Falk* 2C **128**
Linneraineach. *High* 3F **163**
Linshiels. *Nmbd* 4C **120**
Linsiadar. *W Isl* 4E **171**
Linsidemore. *High* 4C **164**
Linslade. *C Beds* 3H **51**
Linstead Parva. *Suff* 3F **67**
Linstock. *Cumb* 4F **113**
Linthwaite. *W Yor* 3B **92**
Lintlaw. *Bord* 4E **131**
Lintmill. *Mor* 2C **160**
Linton. *Cambs* 1F **53**
Linton. *Derbs* 4G **73**
Linton. *Here* 3B **48**
Linton. *Kent* 5B **40**
Linton. *N Yor* 3B **98**
Linton. *Bord* 2B **120**
Linton. *W Yor* 5F **99**
Linton Colliery. *Nmbd* 5G **121**
Linton Hill. *Here* 3B **48**
Linton-on-Ouse. *N Yor* 3G **99**
Lintzford. *Tyne* 4E **115**
Lintzgarth. *Dur* 5C **114**
Linwood. *Hants* 2G **15**
Linwood. *Linc* 2A **88**
Linwood. *Ren* 3F **127**
Lionacleit. *W Isl* 4C **170**
Lionacro. *High* 2C **154**
Lionacuidhe. *W Isl* 4C **170**
Lional. *W Isl* 1H **171**
Liphook. *Hants* 3G **25**
Lipley. *Shrp* 2B **72**
Lipyeate. *Som* 1B **22**
Liquo. *N Lan* 4B **128**
Liscard. *Mers* 1F **83**
Liscombe. *Som* 3B **20**
Liskeard. *Corn* 2G **7**
Lisle Court. *Hants* 3B **16**
Liss. *Hants* 4F **25**
Lissett. *E Yor* 4F **101**
Liss Forest. *Hants* 4F **25**
Lissington. *Linc* 2A **88**
Liston. *Essx* 1B **54**
Lisvane. *Card* 3E **33**
Liswerry. *Newp* 3G **33**
Litcham. *Norf* 4A **78**
Litchard. *B'end* 3C **32**
Litchborough. *Nptn* 5D **62**
Litchfield. *Hants* 1C **24**
Litherland. *Mers* 1F **83**
Litlington. *Cambs* 1D **52**
Litlington. *E Sus* 5G **27**
Littemill. *Nmbd* 3G **121**
Litterty. *Abers* 3E **161**
Little Abington. *Cambs* 1F **53**
Little Addington. *Nptn* 3G **63**
Little Airmyn. *N Yor* 2H **93**
Little Alne. *Warw* 4F **61**
Little Ardo. *Abers* 5F **161**
Little Asby. *Cumb* 4H **103**
Little Aston. *Staf* 5E **73**
Little Atherfield. *IOW* 4C **16**
Little Ayton. *N Yor* 3C **106**
Little Baddow. *Essx* 5A **54**
Little Badminton. *S Glo* 3D **34**
Little Ballinluig. *Per* 3G **143**
Little Bampton. *Cumb* 4D **112**
Little Bardfield. *Essx* 2G **53**
Little Barford. *Bed* 5A **64**
Little Barningham. *Norf* 2D **78**
Little Barrington. *Glos* 4H **49**
Little Barrow. *Ches W* 4G **83**
Little Barugh. *N Yor* 2B **100**
Little Bavington. *Nmbd* 2C **114**
Little Bealings. *Suff* 1F **55**
Little Bedwyn. *Wilts* 5A **36**
Little Bentley. *Essx* 3E **54**
Little Berkhamsted. *Herts* 5C **52**
Little Billing. *Nptn* 4F **63**
Little Billington. *C Beds* 3H **51**
Little Birch. *Here* 2A **48**
Little Bispham. *Bkpl* 5C **96**
Little Blakenham. *Suff* 1E **54**
Little Blencow. *Cumb* 1F **103**
Little Bognor. *W Sus* 3B **26**
Little Bolas. *Shrp* 3A **72**
Little Bollington. *Ches E* 2B **84**
Little Bookham. *Surr* 5C **38**
Littleborough. *Devn* 1B **12**
Littleborough. *G Man* 3H **91**
Littleborough. *Notts* 2F **87**
Littlebourne. *Kent* 5G **41**
Little Bourton. *Oxon* 1C **50**
Little Bowden. *Leics* 2E **63**
Little Bradley. *Suff* 5F **65**
Little Brampton. *Shrp* 2F **59**
Little Brechin. *Ang* 2E **145**
Littlebredy. *Dors* 4A **14**
Little Brickhill. *Mil* 2H **51**
Little Bridgeford. *Staf* 3C **72**
Little Brington. *Nptn* 4D **62**
Little Bromley. *Essx* 3D **54**
Little Broughton. *Cumb* 1B **102**
Little Budworth. *Ches W* 4H **83**
Little Burstead. *Essx* 1A **40**
Little Burton. *E Yor* 5F **101**
Littlebury. *Essx* 2F **53**
Littlebury Green. *Essx* 2E **53**
Little Bytham. *Linc* 4H **75**
Little Canfield. *Essx* 3F **53**
Little Canford. *Dors* 3F **15**
Little Carlton. *Linc* 2C **88**
Little Carlton. *Notts* 5E **87**
Little Casterton. *Rut* 5H **75**
Little Catwick. *E Yor* 5F **101**
Little Catworth. *Cambs* 3A **64**
Little Cawthorpe. *Linc* 2C **88**
Little Chalfont. *Buck* 1A **38**
Little Chart. *Kent* 1D **28**
Little Chesterford. *Essx* 1F **53**
Little Cheverell. *Wilts* 1E **23**
Little Chishill. *Cambs* 2E **53**
Little Clacton. *Essx* 4E **55**
Little Clanfield. *Oxon* 5A **50**
Little Clifton. *Cumb* 2B **102**
Little Coates. *NE Lin* 4F **95**
Little Comberton. *Worc* 1E **49**
Little Common. *E Sus* 5B **28**
Little Compton. *Warw* 2A **50**
Little Cornard. *Suff* 2B **54**
Littlecote. *Buck* 3G **51**
Littlecott. *Wilts* 1G **23**
Little Cowarne. *Here* 5A **60**
Little Coxwell. *Oxon* 2A **36**
Little Crakehall. *N Yor* 5F **105**
Little Crawley. *Mil* 1H **51**
Little Creich. *High* 5D **164**
Little Cressingham. *Norf* 5A **78**
Little Crosby. *Mers* 4B **90**
Little Crosthwaite. *Cumb* 2D **102**
Little Cubley. *Derbs* 2F **73**
Little Dalby. *Leics* 4E **75**
Little Dawley. *Telf* 5A **72**
Littledean. *Glos* 4B **48**
Little Dens. *Abers* 4H **161**
Little Dewchurch. *Here* 2A **48**
Little Ditton. *Cambs* 5F **65**
Little Down. *Hants* 1B **24**
Little Downham. *Cambs* 2E **65**
Little Drayton. *Shrp* 2A **72**
Little Driffield. *E Yor* 4E **101**
Little Dunham. *Norf* 4A **78**
Little Dunkeld. *Per* 4H **143**
Little Dunmow. *Essx* 3G **53**
Little Easton. *Essx* 3G **53**
Little Eaton. *Derbs* 1A **74**
Little Eccleston. *Lanc* 5D **96**
Little Ellingham. *Norf* 1C **66**
Little Elm. *Som* 2C **22**
Little End. *Essx* 5F **53**
Little Everdon. *Nptn* 5C **62**
Little Eversden. *Cambs* 5C **64**
Little Faringdon. *Oxon* 5H **49**
Little Fencote. *N Yor* 5F **105**
Little Fenton. *N Yor* 1F **93**
Littleferry. *High* 4F **165**
Little Fransham. *Norf* 4B **78**
Little Gaddesden. *Herts* 4H **51**
Little Garway. *Here* 3H **47**
Little Gidding. *Cambs* 2A **64**
Little Glemham. *Suff* 5F **67**
Little Glenshee. *Per* 5G **143**
Little Gransden. *Cambs* 5B **64**
Little Green. *Suff* 3C **66**
Little Green. *Wrex* 1G **71**
Little Grimsby. *Linc* 1C **88**
Little Habton. *N Yor* 2B **100**
Little Hadham. *Herts* 3E **53**
Little Hale. *Linc* 1A **76**
Little Hallingbury. *Essx* 4E **53**
Littleham. *Devn* 4E **19** (nr. Bideford)
Littleham. *Devn* 4D **12** (nr. Exmouth)
Little Hampden. *Buck* 5G **51**
Littlehampton. *W Sus* 5B **26**
Little Haresfield. *Glos* 5D **48**
Little Harrowden. *Nptn* 3F **63**
Little Haseley. *Oxon* 5E **51**
Little Hatfield. *E Yor* 5F **101**
Little Hautbois. *Norf* 3E **79**

Little Haven—Llanfinhangel-y-Creuddyn

Little Haven. *Pemb* 3C 42
Little Hay. *Staf* 5F 73
Little Hayfield. *Derbs* 2E 85
Little Haywood. *Staf* 3E 73
Little Heath. *W Mid* 2H 61
Little Heck. *N Yor* 2F 93
Littlehempston. *Devn* 2E 9
Little Herbert's. *Glos* 3E 49
Little Hereford. *Here* 4H 59
Little Horkesley. *Essx* 2C 54
Little Hormead. *Herts* 3E 53
Little Horsted. *E Sus* 4F 27
Little Horton. *W Yor* 1B 92
Little Horwood. *Buck* 2F 51
Little Houghton. *Nptn* 5F 63
Littlehoughton. *Nmbd* 3G 121
Little Houghton. *S Yor* 4E 93
Little Hucklow. *Derbs* 3F 85
Little Hulton. *G Man* 4F 91
Little Ingestre. *Staf* 3D 73
Little Irchester. *Nptn* 4G 63
Little Kelk. *E Yor* 3E 101
Little Kimble. *Buck* 5G 51
Little Kineton. *Warw* 5H 61
Little Kingshill. *Buck* 2G 37
Little Langdale. *Cumb* 4E 102
Little Langford. *Wilts* 3F 23
Little Laver. *Essx* 5F 53
Little Lawford. *Warw* 3B 62
Little Leigh. *Ches W* 3A 84
Little Leighs. *Essx* 4H 53
Little Leven. *E Yor* 5E 101
Little Lever. *G Man* 4F 91
Little Linford. *Mil* 1G 51
Little London. *Buck* 4E 51
Little London. *E Sus* 4G 27
Little London. *Hants* 2B 24
(nr. Andover)
Little London. *Hants* 1E 24
(nr. Basingstoke)
Little London. *Linc* 3D 76
(nr. Long Sutton)
Little London. *Linc* 3B 76
(nr. Spalding)
Little London. *Norf* 2E 79
(nr. North Walsham)
Little London. *Norf* 1G 65
(nr. Northwold)
Little London. *Norf* 2D 78
(nr. Saxthorpe)
Little London. *Norf* 1F 65
(nr. Southery)
Little London. *Powy* 2C 58
Little Longstone. *Derbs* 3F 85
Little Malvern. *Worc* 1C 48
Little Maplestead. *Essx* 2B 54
Little Marcle. *Here* 2B 48
Little Marlow. *Buck* 3G 37
Little Massingham. *Norf* 3G 77
Little Melton. *Norf* 5D 78
Littlemill. *Abers* 4H 151
Littlemill. *E Ayr* 3D 116
Littlemill. *High* 4D 158
Little Mill. *Mon* 5G 47
Little Milton. *Oxon* 5E 50
Little Missenden. *Buck* 1A 38
Littlemoor. *Derbs* 4A 86
Littlemoor. *Dors* 4B 14
Littlemore. *Oxon* 5D 50
Little Mountain. *Flin* 4E 83
Little Musgrave. *Cumb* 3A 104
Little Ness. *Shrp* 4G 71
Little Neston. *Ches W* 3F 83
Little Newcastle. *Pemb* 2D 43
Little Newsham. *Dur* 3E 105
Little Oakley. *Essx* 3F 55
Little Oakley. *Nptn* 2F 63
Little Onn. *Staf* 4C 72
Little Ormside. *Cumb* 3A 104
Little Orton. *Cumb* 4E 113
Little Orton. *Leics* 5H 73
Little Ouse. *Norf* 2F 65
Little Ouseburn. *N Yor* 3G 99
Littleover. *Derb* 2H 73
Little Packington. *Warw* 2G 61
Little Paxton. *Cambs* 4A 64
Little Petherick. *Corn* 1D 6
Little Plumpton. *Lanc* 1B 90
Little Plumstead. *Norf* 4F 79
Little Ponton. *Linc* 2G 75
Littleport. *Cambs* 2E 65
Little Posbrook. *Hants* 2D 16
Little Potheridge. *Devn* 1F 11
Little Preston. *Nptn* 5C 62
Little Raveley. *Cambs* 3B 64
Little Reynoldston. *Swan* 4D 31
Little Ribston. *N Yor* 4F 99
Little Rissington. *Glos* 4G 49
Little Rogart. *High* 3E 165
Little Rollright. *Oxon* 2A 50
Little Ryburgh. *Norf* 3B 78
Little Ryle. *Nmbd* 3E 121
Little Ryton. *Shrp* 5G 71
Little Salkeld. *Cumb* 1G 103
Little Sampford. *Essx* 2G 53
Little Sandhurst. *Brac* 5G 37
Little Saredon. *Staf* 5D 72
Little Saxham. *Suff* 4G 65
Little Scatwell. *High* 3F 157
Little Shelford. *Cambs* 5D 64
Little Shoddesden. *Hants* 2A 24
Little Singleton. *Lanc* 1B 90
Little Smeaton. *N Yor* 3F 93
Little Snoring. *Norf* 2B 78
Little Sodbury. *S Glo* 3C 34
Little Somborne. *Hants* 3B 24
Little Somerford. *Wilts* 3E 35
Little Soudley. *Shrp* 3B 72
Little Stainforth. *N Yor* 3H 97
Little Stainton. *Darl* 2A 106
Little Stanney. *Ches W* 3G 83
Little Staughton. *Bed* 4A 64
Little Steeping. *Linc* 4D 88
Littlester. *Shet* 4G 173
Little Stoke. *Staf* 2D 72
Littlestone-on-Sea. *Kent* 3E 29
Little Stonham. *Suff* 4D 66
Little Street. *Cambs* 2E 65
Little Stretton. *Leics* 5D 74
Little Stretton. *Shrp* 1G 59
Little Strickland. *Cumb* 3G 103
Little Stukeley. *Cambs* 3B 64
Little Sugnall. *Staf* 2C 72
Little Sutton. *Ches W* 3F 83
Little Sutton. *Linc* 3D 76
Little Swinburne. *Nmbd* 2C 114
Little Tew. *Oxon* 3B 50
Little Tey. *Essx* 3B 54
Little Thetford. *Cambs* 3E 65
Little Thirkleby. *N Yor* 2G 99
Little Thornton. *Lanc* 5C 96
Littlethorpe. *Leics* 1C 62
Littlethorpe. *N Yor* 3F 99
Little Thorpe. *W Yor* 2B 92
Little Thurlow. *Suff* 5F 65
Little Thurrock. *Thur* 3H 39
Littleton. *Ches W* 4G 83
Littleton. *Hants* 3C 24
Littleton. *Som* 3H 21
Littleton. *Surr* 1A 26
(nr. Guildford)
Littleton. *Surr* 4B 38
(nr. Staines)
Littleton Drew. *Wilts* 3D 34
Littleton Pannell. *Wilts* 1E 23
Littleton-upon-Severn. *S Glo* 3A 34
Little Torboll. *High* 4E 165
Little Torrington. *Devn* 1E 11
Little Totham. *Essx* 4B 54
Little Town. *Cumb* 3D 102
Littletown. *Dur* 5G 115
Littletown. *High* 5E 165
Little Town. *Lanc* 1E 91
Little Twycross. *Leics* 5H 73
Little Urswick. *Cumb* 2B 96
Little Wakering. *Essx* 2D 40
Little Walden. *Essx* 1F 53
Little Waldingfield. *Suff* 1C 54
Little Walsingham. *Norf* 2B 78
Little Waltham. *Essx* 4H 53
Little Warley. *Essx* 1H 39
Little Washbourne. *Glos* 2E 49
Little Weighton. *E Yor* 1C 94
Little Wenham. *Suff* 2D 54
Little Wenlock. *Telf* 5A 72
Little Whelnetham. *Suff* 5A 66
Little Whittingham Green. *Suff* 3E 67
Littlewick Green. *Wind* 4G 37
Little Wilbraham. *Cambs* 5E 65
Littlewindsor. *Dors* 2H 13
Little Wisbeach. *Linc* 2A 76
Little Witcombe. *Glos* 4E 49
Little Witley. *Worc* 4B 60
Little Wittenham. *Oxon* 2D 36
Little Wolford. *Warw* 2A 50
Littleworth. *Bed* 1A 52
Littleworth. *Glos* 2G 49
Littleworth. *Oxon* 2B 36
Littleworth. *Staf* 4E 73
(nr. Cannock)
Littleworth. *Staf* 3B 72
(nr. Eccleshall)
Littleworth. *Staf* 3D 72
(nr. Stafford)
Littleworth. *W Sus* 3C 26
Littleworth. *Worc* 4D 61
(nr. Redditch)
Littleworth. *Worc* 1D 49
(nr. Worcester)
Little Wratting. *Suff* 1G 53
Little Wymington. *Nptn* 4G 63
Little Wymondley. *Herts* 3C 52
Little Wyrley. *Staf* 5E 73
Little Yeldham. *Essx* 2A 54
Littley Green. *Essx* 4G 53
Litton. *Derbs* 3F 85
Litton. *N Yor* 2B 98
Litton. *Som* 1A 22
Litton Cheney. *Dors* 3A 14
Liurbost. *W Isl* 5F 171
Liverpool. *Mers* 1F 83
Liverpool John Lennon Airport.
Mers 2G 83
Liversedge. *W Yor* 2B 92
Liverton. *Devn* 5B 12
Liverton. *Red C* 3E 107
Liverton Mines. *Red C* 3E 107
Livingston. *W Lot* 3D 128
Livingston Village. *W Lot* 3D 128
Lixwm. *Flin* 3D 82
Lizard. *Corn* 5E 5
Llaingoch. *IOA* 2B 80
Llaithddu. *Powy* 2C 58
Llampha. *V Glam* 4C 32
Llan. *Powy* 5A 70
Llanaber. *Gwyn* 4F 69
Llanaelhaearn. *Gwyn* 1C 68
Llanaeron. *Cdgn* 4D 57
Llanafan. *Cdgn* 3F 57
Llanafan-fawr. *Powy* 5B 58
Llanafan-fechan. *Powy* 5B 58
Llanallgo. *IOA* 2D 81
Llanandras. *Powy* 4F 59
Llananno. *Powy* 3C 58
Llanarmon. *Gwyn* 2D 68
Llanarmon Dyffryn Ceiriog.
Wrex 2D 70
Llanarmon-yn-Ial. *Den* 5D 82
Llanarth. *Cdgn* 5D 56
Llanarth. *Mon* 4G 47
Llanarthne. *Carm* 3F 45
Llanasa. *Flin* 2D 82
Llanbabo. *IOA* 2C 80
Llanbadarn Fawr. *Cdgn* 2F 57
Llanbadarn Fynydd. *Powy* 3C 58
Llanbadarn-y-garreg. *Powy* 1E 46
Llanbadoc. *Mon* 5G 47
Llanbadrig. *IOA* 1C 80
Llanbeder. *Newp* 2G 33
Llanbedr. *Gwyn* 3E 69
Llanbedr. *Powy* 3F 47
(nr. Crickhowell)
Llanbedr. *Powy* 1E 47
(nr. Hay-on-Wye)
Llanbedr-Dyffryn-Clwyd. *Den* 5D 82
Llanbedrgoch. *IOA* 2E 81
Llanbedrog. *Gwyn* 2C 68
Llanbedr Pont Steffan. *Cdgn* 1F 45
Llanbedr-y-cennin. *Cnwy* 4G 81
Llanberis. *Gwyn* 4E 81
Llanbethery. *V Glam* 5D 32
Llanbister. *Powy* 3D 58
Llanblethian. *V Glam* 4C 32
Llanboidy. *Carm* 2G 43
Llanbradach. *Cphy* 2E 33
Llanbrynmair. *Powy* 5A 70
Llanbydderi. *V Glam* 5D 32
Llancadle. *V Glam* 5D 32
Llancarfan. *V Glam* 4D 32
Llancatal. *V Glam* 5D 32
Llancayo. *Mon* 5G 47
Llancloudy. *Here* 3H 47
Llancoch. *Powy* 3E 58
Llancynfelyn. *Cdgn* 1F 57
Llandaff. *Card* 4E 33
Llandanwg. *Gwyn* 3E 69
Llandarcy. *Neat* 3G 31
Llandawke. *Carm* 3G 43
Llanddaniel-Fab. *IOA* 3D 81
Llanddarog. *Carm* 4F 45
Llanddeiniol. *Cdgn* 3E 57
Llanddeiniolen. *Gwyn* 4E 81
Llandderfel. *Gwyn* 2B 70
Llanddeusant. *Carm* 3A 46
Llanddeusant. *IOA* 2C 80
Llanddew. *Powy* 2D 46
Llanddewi. *Swan* 4D 30
Llanddewi Brefi. *Cdgn* 5F 57
Llanddewi'r Cwm. *Powy* 1D 46
Llanddewi Rhydderch. *Mon* 4G 47
Llanddewi Velfrey. *Pemb* 3F 43
Llanddewi Ystradenni. *Powy* 4D 58
Llanddoged. *Cnwy* 4H 81
Llanddona. *IOA* 3E 81
Llanddowror. *Carm* 3G 43
Llanddulas. *Cnwy* 3B 82
Llanddwywe. *Gwyn* 3E 69
Llanddyfnan. *IOA* 3E 81
Llandecwyn. *Gwyn* 2F 69
Llandefaelog Fach. *Powy* 2D 46
Llandefaelog-tre'r-graig. *Powy* 2E 47
Llandefalle. *Powy* 2E 46
Llandegai. *Gwyn* 3E 81
Llandegfan. *IOA* 3E 81
Llandegla. *Den* 5D 82
Llandegley. *Powy* 4D 58
Llandegveth. *Mon* 2G 33
Llandeilo. *Carm* 3G 45
Llandeilo Graban. *Powy* 1D 46
Llandeilo'r Fan. *Powy* 2B 46
Llandeloy. *Pemb* 2C 42
Llandenny. *Mon* 5H 47
Llandevaud. *Newp* 2H 33
Llandevenny. *Mon* 3G 33
Llandilo. *Pemb* 2F 43
Llandinabo. *Here* 3A 48
Llandinam. *Powy* 2C 58
Llandissilio. *Pemb* 2F 43
Llandogo. *Mon* 5A 48
Llandough. *V Glam* 4C 32
(nr. Cowbridge)
Llandough. *V Glam* 4E 33
(nr. Penarth)
Llandovery. *Carm* 2A 46
Llandow. *V Glam* 4C 32
Llandre. *Cdgn* 2F 57
Llandrillo. *Den* 2C 70
Llandrillo-yn-Rhos. *Cnwy* 2H 81
Llandrindod. *Powy* 4C 58
Llandrindod Wells. *Powy* 4C 58
Llandrinio. *Powy* 4E 71
Llandsadwrn. *Carm* 2G 45
Llandudno. *Cnwy* 2G 81
Llandudno Junction. *Cnwy* 3G 81
Llandudoch. *Pemb* 1B 44
Llandw. *V Glam* 4C 32
Llandwrog. *Gwyn* 5D 80
Llandybie. *Carm* 4G 45
Llandyfaelog. *Carm* 4E 45
Llandyfan. *Carm* 4G 45
Llandyfriog. *Cdgn* 1D 44
Llandyfrydog. *IOA* 2D 80
Llandygwydd. *Cdgn* 1C 44
Llandynan. *Den* 1D 70
Llandyrnog. *Den* 4D 82
Llandysilio. *Powy* 4E 71
Llandyssil. *Powy* 1D 58
Llandysul. *Cdgn* 1E 45
Llanedeyrn. *Card* 3F 33
Llaneglwys. *Powy* 2D 46
Llanegryn. *Gwyn* 5F 69
Llanegwad. *Carm* 3F 45
Llaneilian. *IOA* 1D 80
Llanelian-yn-Rhos. *Cnwy* 3A 82
Llanelidan. *Den* 5D 82
Llanelieu. *Powy* 2E 47
Llanellen. *Mon* 4G 47
Llanelli. *Carm* 3E 31
Llanelltyd. *Gwyn* 4G 69
Llanelly. *Mon* 4F 47
Llanelly Hill. *Mon* 4F 47
Llanelwedd. *Powy* 5C 58
Llanelwy. *Den* 3C 82
Llanenddwyn. *Gwyn* 3E 69
Llanengan. *Gwyn* 3B 68
Llanerch. *Powy* 1F 59
Llanerchymedd. *IOA* 2D 80
Llanerfyl. *Powy* 5C 70
Llaneuddog. *IOA* 2D 80
Llanfachraeth. *IOA* 2C 80
Llanfaelog. *IOA* 3C 80
Llanfaelrhys. *Gwyn* 3B 68
Llanfaenor. *Mon* 4H 47
Llanfaes. *IOA* 3F 81
Llanfaes. *Powy* 3D 46
Llanfaethlu. *IOA* 2C 80
Llanfaglan. *Gwyn* 4D 80
Llanfair. *Gwyn* 3E 69
Llanfair. *Here* 1F 47
Llanfair Caereinion. *Powy* 5D 70
Llanfair Clydogau. *Cdgn* 5F 57
Llanfair Dyffryn Clwyd. *Den* 5D 82
Llanfairfechan. *Cnwy* 3F 81
Llanfair-Nant-Gwyn. *Pemb* 1F 43
Llanfair Pwllgwyngyll. *IOA* 3E 81
Llanfair Talhaiarn. *Cnwy* 3B 82
Llanfair Waterdine. *Shrp* 3E 59
Llanfair-ym-Muallt. *Powy* 5C 58
Llanfairyneubwll. *IOA* 3C 80
Llanfairynghornwy. *IOA* 1C 80
Llanfallteg. *Carm* 3F 43
Llanfallteg West. *Carm* 3F 43
Llanfaredd. *Powy* 5C 58
Llanfarian. *Cdgn* 3E 57
Llanfechain. *Powy* 3D 70
Llanfechell. *IOA* 1C 80
Llanfechreth. *Gwyn* 3G 69
Llanfendigaid. *Gwyn* 5E 69
Llanferres. *Den* 4D 82
Llan Ffestiniog. *Gwyn* 1G 69
Llanfflewyn. *IOA* 2C 80
Llanfihangel Glyn Myfyr. *Cnwy* 1B 70
Llanfihangel Nant Bran. *Powy* 2C 46
Llanfihangel-Nant-Melan.
Powy 5D 58
Llanfihangel Rhydithon. *Powy* 4D 58
Llanfihangel Rogiet. *Mon* 3H 33
Llanfihangel Tal-y-llyn. *Powy* 3E 46
Llanfihangel-uwch-Gwili. *Carm* 3E 45
Llanfihangel-yng-Ngwynfa.
Powy 4C 70
Llanfihangel yn Nhowyn. *IOA* 3C 80
Llanfihangel-y-pennant. *Gwyn* 1E 69
(nr. Golan)
Llanfihangel-y-pennant. *Gwyn* 5F 69
(nr. Tywyn)
Llanfilo. *Powy* 2E 46
Llanfinhangel-ar-Arth. *Carm* 2E 45
Llanfinhangel-y-Creuddyn.
Cdgn 3F 57

Llanfinhangel-y-traethau—Longford

Llanfinhangel-y-traethau. *Gwyn* 2E 69
Llanfleiddan. *V Glam* 4C 32
Llanfoist. *Mon* 4F 47
Llanfor. *Gwyn* 2B 70
Llanfrechfa. *Torf* 2G 33
Llanfrothen. *Gwyn* 1F 69
Llanfrynach. *Powy* 3D 46
Llanfwrog. *Den* 5D 82
Llanfwrog. *IOA* 2C 80
Llanfyllin. *Powy* 4D 70
Llanfynydd. *Carm* 3F 45
Llanfynydd. *Flin* 5E 83
Llanfyrnach. *Pemb* 1G 43
Llangadfan. *Powy* 4C 70
Llangadog. *Carm* 3H 45 (nr. Llandovery)
Llangadog. *Carm* 5E 45 (nr. Llanelli)
Llangadwaladr. *IOA* 4C 80
Llangadwaladr. *Powy* 2D 70
Llangaffo. *IOA* 4D 80
Llangain. *Carm* 4D 45
Llangammarch Wells. *Powy* 1C 46
Llangan. *V Glam* 4C 32
Llangarron. *Here* 3A 48
Llangasty-Talyllyn. *Powy* 3E 47
Llangathen. *Carm* 3F 45
Llangattock. *Powy* 4F 47
Llangattock Lingoed. *Mon* 3G 47
Llangattock-Vibon-Avel. *Mon* 4H 47
Llangedwyn. *Powy* 3D 70
Llangefni. *IOA* 3D 80
Llangeinor. *B'end* 3C 32
Llangeitho. *Cdgn* 5F 57
Llangeler. *Carm* 2D 44
Llangelynin. *Gwyn* 5E 69
Llangendeirne. *Carm* 4E 45
Llangennech. *Carm* 5F 45
Llangennith. *Swan* 3D 30
Llangenny. *Powy* 4F 47
Llangernyw. *Cnwy* 4A 82
Llangian. *Gwyn* 3B 68
Llangiwg. *Neat* 5H 45
Llangloffan. *Pemb* 1D 42
Llanglydwen. *Carm* 2F 43
Llangoed. *IOA* 3F 81
Llangoedmor. *Cdgn* 1B 44
Llangollen. *Den* 1E 70
Llangolman. *Pemb* 2F 43
Llangorse. *Powy* 3E 47
Llangorwen. *Cdgn* 2F 57
Llangovan. *Mon* 5H 47
Llangower. *Gwyn* 2B 70
Llangranog. *Cdgn* 5C 56
Llangristiolus. *IOA* 3D 80
Llangrove. *Here* 4A 48
Llangua. *Mon* 3G 47
Llangunllo. *Powy* 3E 58
Llangunnor. *Carm* 3E 45
Llangurig. *Powy* 3B 58
Llangwm. *Cnwy* 1B 70
Llangwm. *Mon* 5H 47
Llangwm. *Pemb* 4D 43
Llangwm-isaf. *Mon* 5H 47
Llangwnnadl. *Gwyn* 2B 68
Llangwyfan. *Den* 4D 82
Llangwyfan-isaf. *IOA* 4C 80
Llangwyllog. *IOA* 3D 80
Llangwyryfon. *Cdgn* 3E 57
Llangybi. *Cdgn* 5F 57
Llangybi. *Gwyn* 1D 68
Llangybi. *Mon* 2G 33
Llangyfelach. *Swan* 3F 31
Llangynhafal. *Den* 4D 82
Llangynidr. *Powy* 4E 47
Llangynin. *Carm* 3G 43
Llangynog. *Carm* 3H 43
Llangynog. *Powy* 3C 70
Llangynwyd. *B'end* 3B 32
Llanhamlach. *Powy* 3D 46
Llanharan. *Rhon* 3D 32
Llanharry. *Rhon* 3D 32
Llanhennock. *Mon* 2G 33
Llanhilleth. *Blae* 5F 47
Llanidloes. *Powy* 2B 58
Llaniestyn. *Gwyn* 2B 68
Llanigon. *Powy* 1F 47
Llanilar. *Cdgn* 3F 57
Llanilid. *Rhon* 3C 32
Llanilltud Fawr. *V Glam* 5C 32
Llanishen. *Card* 3E 33
Llanishen. *Mon* 5H 47
Llanllawddog. *Carm* 3E 45
Llanllechid. *Gwyn* 4F 81
Llanllowell. *Mon* 2G 33
Llanllugan. *Powy* 5C 70
Llanllwch. *Carm* 4D 45
Llanllwchaiarn. *Powy* 1D 58
Llanllwni. *Carm* 2E 45
Llanllyfni. *Gwyn* 5D 80
Llanmadoc. *Swan* 3D 30
Llanmaes. *V Glam* 5C 32
Llanmartin. *Newp* 3G 33
Llanmerwig. *Powy* 1D 58
Llanmihangel. *V Glam* 4C 32
Llan-mill. *Pemb* 3F 43
Llanmiloe. *Carm* 4G 43
Llanmorlais. *Swan* 3E 31
Llannefydd. *Cnwy* 3B 82
Llannon. *Carm* 5F 45
Llan-non. *Cdgn* 4E 57
Llannor. *Gwyn* 2C 68
Llanpumsaint. *Carm* 3E 45
Llanrhaeadr. *Den* 4C 82
Llanrhaeadr-ym-Mochnant. *Powy* 3D 70
Llanrhidian. *Swan* 3D 31
Llanrhos. *Cnwy* 2G 81
Llanrhyddlad. *IOA* 2C 80
Llanrhystud. *Cdgn* 4E 57
Llanrian. *Pemb* 1C 42
Llanrothal. *Here* 4H 47
Llanrug. *Gwyn* 4E 81
Llanrumney. *Card* 3F 33
Llanrwst. *Cnwy* 4G 81
Llansadurnen. *Carm* 3G 43
Llansadwrn. *IOA* 3E 81
Llansaint. *Carm* 5D 45
Llansamlet. *Swan* 3F 31
Llansanffraid Glan Conwy. *Cnwy* 3H 81
Llansannan. *Cnwy* 4B 82
Llansannor. *V Glam* 4C 32
Llansantffraed. *Cdgn* 4E 57
Llansantffraed. *Powy* 3E 46
Llansantffraed Cwmdeuddwr. *Powy* 4B 58
Llansantffraed in Elwel. *Powy* 5C 58
Llansantffraid-ym-Mechain. *Powy* 3E 70
Llansawel. *Carm* 2G 45
Llansawel. *Neat* 3G 31
Llansilin. *Powy* 3E 70
Llansoy. *Mon* 5H 47
Llanspyddid. *Powy* 3D 46
Llanstadwell. *Pemb* 4D 42
Llansteffan. *Carm* 3H 43
Llanstephan. *Powy* 1E 46
Llantarnam. *Torf* 2F 33
Llanteg. *Pemb* 3F 43
Llanthony. *Mon* 3F 47
Llantilio Crossenny. *Mon* 4G 47
Llantilio Pertholey. *Mon* 4G 47
Llantood. *Pemb* 1B 44
Llantrisant. *Mon* 2G 33
Llantrisant. *Rhon* 3D 32
Llantrithyd. *V Glam* 4D 32
Llantwit Fardre. *Rhon* 3D 32
Llantwit Major. *V Glam* 5C 32
Llanuwchllyn. *Gwyn* 2A 70
Llanvaches. *Newp* 2H 33
Llanvair Discoed. *Mon* 2H 33
Llanvapley. *Mon* 4G 47
Llanvetherine. *Mon* 4G 47
Llanveynoe. *Here* 2G 47
Llanvihangel Crucorney. *Mon* 3G 47
Llanvihangel Gobion. *Mon* 5G 47
Llanvihangel Ystern-Llewern. *Mon* 4H 47
Llanwarne. *Here* 3A 48
Llanwddyn. *Powy* 4C 70
Llanwenarth. *Mon* 4F 47
Llanwenog. *Cdgn* 1E 45
Llanwern. *Newp* 3G 33
Llanwinio. *Carm* 2G 43
Llanwnda. *Gwyn* 5D 81
Llanwnda. *Pemb* 1D 42
Llanwnnen. *Cdgn* 1F 45
Llanwnog. *Powy* 1C 58
Llanwrda. *Carm* 2H 45
Llanwrin. *Powy* 5G 69
Llanwrthwl. *Powy* 4B 58
Llanwrtud. *Powy* 1B 46
Llanwrtyd. *Powy* 1B 46
Llanwrtyd Wells. *Powy* 1B 46
Llanwyddelan. *Powy* 5C 70
Llanyblodwel. *Shrp* 3E 71
Llanybri. *Carm* 3H 43
Llanybydder. *Carm* 1F 45
Llanycefn. *Pemb* 2E 43
Llanychaer. *Pemb* 1D 43
Llanycil. *Gwyn* 2B 70
Llanymawddwy. *Gwyn* 4B 70
Llanymddyfri. *Carm* 2A 46
Llanymynech. *Shrp* 3E 71
Llanynghenedl. *IOA* 2C 80
Llanynys. *Den* 4D 82
Llan-y-pwll. *Wrex* 5F 83
Llanyrafon. *Torf* 2G 33
Llanyre. *Powy* 4C 58
Llanystumdwy. *Gwyn* 2D 68
Llanywern. *Powy* 3E 46
Llawhaden. *Pemb* 3E 43
Llawndy. *Flin* 2D 82
Llawnt. *Shrp* 2E 71
Llawr Dref. *Gwyn* 3B 68
Llawryglyn. *Powy* 1B 58
Llay. *Wrex* 5F 83
Llechfaen. *Powy* 3D 46
Llechryd. *Cphy* 5E 46
Llechryd. *Cdgn* 1C 44
Llechrydau. *Wrex* 2E 71
Lledrod. *Cdgn* 3F 57
Llethrid. *Swan* 3E 31
Llidiad-Nenog. *Carm* 2F 45
Llidiardau. *Gwyn* 2A 70
Llidiart y Parc. *Den* 1D 70
Llithfaen. *Gwyn* 1C 68
Lloc. *Flin* 3D 82
Llong. *Flin* 4E 83
Llowes. *Powy* 1E 47
Lloyney. *Powy* 3E 59
Llundain-fach. *Cdgn* 5E 57
Llwydcoed. *Rhon* 5C 46
Llwyncelyn. *Cdgn* 5D 56
Llwyncelyn. *Swan* 5G 45
Llwyndaffydd. *Cdgn* 5C 56
Llwynderw. *Powy* 5E 70
Llwyn-du. *Mon* 4F 47
Llwyngwril. *Gwyn* 5E 69
Llwynhendy. *Carm* 3E 31
Llwynmawr. *Wrex* 2E 71
Llwyn-on Village. *Mer T* 4D 46
Llwyn-teg. *Carm* 5F 45
Llwyn-y-brain. *Carm* 3F 43
Llwynygog. *Powy* 1A 58
Llwyn-y-groes. *Cdgn* 5E 57
Llwynypia. *Rhon* 2C 32
Llynclys. *Shrp* 3E 71
Llynfaes. *IOA* 3D 80
Llysfaen. *Cnwy* 3A 82
Llyswen. *Powy* 2E 47
Llysworney. *V Glam* 4C 32
Llys-y-fran. *Pemb* 2E 43
Llywel. *Powy* 2B 46
Llywernog. *Cdgn* 2G 57
Loan. *Falk* 2C 128
Loanend. *Nmbd* 4F 131
Loanhead. *Midl* 3F 129
Loaningfoot. *Dum* 4A 112
Loanreoch. *High* 1A 158
Loans. *S Ayr* 1C 116
Loansdean. *Nmbd* 1F 115
Lobb. *Devn* 3E 19
Lobhillcross. *Devn* 4E 11
Lochaber. *Mor* 3E 159
Loch a Charnain. *W Isl* 4D 170
Lochailort. *High* 5F 147
Lochaline. *High* 4A 140
Lochans. *Dum* 4F 109
Locharbriggs. *Dum* 1A 112
Lochardil. *High* 4A 158
Lochassynt Lodge. *High* 1F 163
Lochavich. *Arg* 2G 133
Lochawe. *Arg* 1A 134
Loch Baghasdail. *W Isl* 7C 170
Lochboisdale. *W Isl* 7C 170
Lochbuie. *Arg* 1D 132
Lochcarron. *High* 5A 156
Loch Choire Lodge. *High* 5G 167
Lochdochart House. *Stir* 1D 134
Lochdon. *Arg* 5B 140
Lochearnhead. *Stir* 1E 135
Lochee. *D'dee* 5C 144
Lochend. *High* 5H 157 (nr. Inverness)
Lochend. *High* 2E 169 (nr. Thurso)
Locherben. *Dum* 5B 118
Loch Euphort. *W Isl* 2D 170
Lochfoot. *Dum* 2F 111
Lochgair. *Arg* 4G 133
Lochgarthside. *High* 2H 149
Lochgelly. *Fife* 4D 136
Lochgilphead. *Arg* 1G 125
Lochgoilhead. *Arg* 3A 134
Loch Head. *Dum* 5A 110
Lochhill. *Mor* 2G 159
Lochindorb Lodge. *High* 5D 158
Lochinver. *High* 1E 163
Lochlane. *Per* 1H 135
Loch Loyal Lodge. *High* 4G 167
Lochluichart. *High* 2F 157
Lochmaben. *Dum* 1B 112
Lochmaddy. *W Isl* 2E 170
Loch nam Madadh. *W Isl* 2E 170
Lochore. *Fife* 4D 136
Lochportain. *W Isl* 1E 170
Lochranza. *N Ayr* 4H 125
Loch Sgioport. *W Isl* 5D 170
Lochside. *Abers* 2G 145
Lochside. *High* 5A 168 (nr. Achentoul)
Lochside. *High* 3C 158 (nr. Nairn)
Lochslin. *High* 5F 165
Lochstack Lodge. *High* 4C 166
Lochton. *Abers* 4E 153
Lochty. *Fife* 3H 137
Lochuisge. *High* 3B 140
Lochussie. *High* 3G 157
Lochwinnoch. *Ren* 4E 127
Lochyside. *High* 1F 141
Lockengate. *Corn* 2E 7
Lockerbie. *Dum* 1C 112
Lockeridge. *Wilts* 5G 35
Lockerley. *Hants* 4A 24
Lockhills. *Cumb* 5G 113
Locking. *N Som* 1G 21
Lockington. *E Yor* 5D 101
Lockington. *Leics* 3B 74
Lockleywood. *Shrp* 3A 72
Locksgreen. *IOW* 3C 16
Locks Heath. *Hants* 2D 16
Lockton. *N Yor* 5F 107
Loddington. *Leics* 5E 75
Loddington. *Nptn* 3F 63
Loddiswell. *Devn* 4D 8
Loddon. *Norf* 1F 67
Lode. *Cambs* 4E 65
Loders. *Dors* 3H 13
Lodsworth. *W Sus* 3A 26
Lofthouse. *N Yor* 2D 98
Lofthouse. *W Yor* 2D 92
Lofthouse Gate. *W Yor* 2D 92
Loftus. *Red C* 3E 107
Logan. *E Ayr* 2E 117
Loganlea. *W Lot* 3C 128
Logaston. *Here* 5F 59
Loggerheads. *Staf* 2B 72
Loggie. *High* 4F 163
Logie. *Ang* 2F 145
Logie. *Fife* 1G 137
Logie. *Mor* 3E 159
Logie Coldstone. *Abers* 3B 152
Logie Pert. *Ang* 2F 145
Logierait. *Per* 3G 143
Login. *Carm* 2F 43
Lolworth. *Cambs* 4C 64
Lonbain. *High* 3F 155
Londesborough. *E Yor* 5C 100
London. *G Lon* 2E 39
London Apprentice. *Corn* 3E 6
London Ashford (Lydd) Airport. *Kent* 3E 29
London Biggin Hill Airport. *G Lon* 4F 39
London City Airport. *G Lon* 2F 39
London Colney. *Herts* 5B 52
Londonderry. *N Yor* 1F 99
London Gatwick Airport. *W Sus* 1D 27
London Heathrow Airport. *G Lon* 3B 38
London Luton Airport. *Lutn* 3B 52
London Southend Airport. *Essx* 2C 40
London Stansted Airport. *Essx* 3F 53
Londonthorpe. *Linc* 2G 75
Londubh. *High* 5C 162
Lone. *High* 4D 166
Lonemore. *High* 5E 165 (nr. Dornoch)
Lonemore. *High* 1G 155 (nr. Gairloch)
Long Ashton. *N Som* 4A 34
Long Bank. *Worc* 3B 60
Longbar. *N Ayr* 4E 127
Long Bennington. *Linc* 1F 75
Longbenton. *Tyne* 3F 115
Longborough. *Glos* 3G 49
Long Bredy. *Dors* 3A 14
Longbridge. *Warw* 4G 61
Longbridge. *W Mid* 3E 61
Longbridge Deverill. *Wilts* 2D 22
Long Buckby. *Nptn* 4D 62
Long Buckby Wharf. *Nptn* 4D 62
Longburgh. *Cumb* 4E 112
Longburton. *Dors* 1B 14
Long Clawson. *Leics* 3E 74
Longcliffe. *Derbs* 5G 85
Long Common. *Hants* 1D 16
Long Compton. *Staf* 3C 72
Long Compton. *Warw* 2A 50
Longcot. *Oxon* 2A 36
Long Crendon. *Buck* 5E 51
Long Crichel. *Dors* 1E 15
Longcroft. *Cumb* 4D 112
Longcroft. *Falk* 2A 128
Longcross. *Surr* 4A 38
Longdale. *Cumb* 4H 103
Longdales. *Cumb* 5G 113
Longden. *Shrp* 5G 71
Longden Common. *Shrp* 5G 71
Long Ditton. *Surr* 4C 38
Longdon. *Staf* 4E 73
Longdon. *Worc* 2D 48
Longdon Green. *Staf* 4E 73
Longdon on Tern. *Telf* 4A 72
Longdown. *Devn* 3B 12
Longdowns. *Corn* 5B 6
Long Drax. *N Yor* 2G 93
Long Duckmanton. *Derbs* 3B 86
Long Eaton. *Derbs* 2B 74
Longfield. *Kent* 4H 39
Longfield Hill. *Kent* 4H 39
Longford. *Derbs* 2G 73
Longford. *Glos* 3D 48
Longford. *G Lon* 3B 38

Lugg Green—Markham

Lugg Green. *Here* 4G **59**
Luggiebank. *N Lan* 2A **128**
Lugton. *E Ayr* 4F **127**
Lugwardine. *Here* 1A **48**
Luib. *High* 1D **146**
Luib. *Stir* 1D **135**
Lulham. *Here* 1H **47**
Lullington. *Derbs* 4G **73**
Lullington. *Som* 1C **22**
Lulsgate Bottom. *N Som* 5A **34**
Lulsley. *Worc* 5B **60**
Lulworth Camp. *Dors* 4D **14**
Lumb. *Lanc* 2G **91**
Lumb. *W Yor* 2A **92**
Lumby. *N Yor* 1E **93**
Lumphanan. *Abers* 3C **152**
Lumphinnans. *Fife* 4D **136**
Lumsdaine. *Bord* 3E **131**
Lumsden. *Abers* 1B **152**
Lunan. *Ang* 3F **145**
Lunanhead. *Ang* 3D **145**
Luncarty. *Per* 1C **136**
Lund. *E Yor* 5D **100**
Lund. *N Yor* 1G **93**
Lundie. *Ang* 5B **144**
Lundin Links. *Fife* 3G **137**
Lundy Green. *Norf* 1E **67**
Lunna. *Shet* 5F **173**
Lunning. *Shet* 5G **173**
Lunnon. *Swan* 4E **31**
Lunsford. *Kent* 5B **40**
Lunsford's Cross. *E Sus* 4B **28**
Lunt. *Mers* 4B **90**
Luppitt. *Devn* 2E **13**
Lupridge. *Devn* 3D **8**
Lupset. *W Yor* 3D **92**
Lupton. *Cumb* 1E **97**
Lurgashall. *W Sus* 3A **26**
Lurley. *Devn* 1C **12**
Lusby. *Linc* 4C **88**
Luscombe. *Devn* 3D **9**
Luson. *Devn* 4C **8**
Luss. *Arg* 4C **134**
Lussagiven. *Arg* 1E **125**
Lusta. *High* 3B **154**
Lustleigh. *Devn* 4A **12**
Luston. *Here* 4G **59**
Luthermuir. *Abers* 2F **145**
Luthrie. *Fife* 2F **137**
Lutley. *Staf* 2C **60**
Luton. *Devn* 2D **12**
(nr. Honiton)
Luton. *Devn* 5C **12**
(nr. Teignmouth)
Luton. *Lutn* 3A **52**
Luton (London) Airport. *Lutn* 3B **52**
Lutterworth. *Leics* 2C **62**
Lutton. *Devn* 3B **8**
(nr. Ivybridge)
Lutton. *Devn* 2C **8**
(nr. South Brent)
Lutton. *Linc* 3D **76**
Lutton. *Nptn* 2A **64**
Lutton Gowts. *Linc* 3D **76**
Lutworthy. *Devn* 1A **12**
Luxborough. *Som* 3C **20**
Luxley. *Glos* 3B **48**
Luxulyan. *Corn* 3E **7**
Lybster. *High* 5E **169**
Lydbury North. *Shrp* 2F **59**
Lydcott. *Devn* 3G **19**
Lydd. *Kent* 3E **29**
Lydden. *Kent* 1G **29**
(nr. Dover)
Lydden. *Kent* 4H **41**
(nr. Margate)
Lyddington. *Rut* 1F **63**
Lydd (London Ashford) Airport. *Kent* 3E **29**
Lydd-on-Sea. *Kent* 3E **29**
Lydeard St Lawrence. *Som* 3E **21**
Lyde Green. *Hants* 1F **25**
Lydford. *Devn* 4F **11**
Lydford Fair Place. *Som* 3A **22**
Lydgate. *G Man* 4H **91**
Lydgate. *W Yor* 2H **91**
Lydham. *Shrp* 1F **59**
Lydiard Millicent. *Wilts* 3F **35**
Lydiate. *Mers* 4B **90**
Lydiate Ash. *Worc* 3D **61**
Lydlinch. *Dors* 1C **14**
Lydmarsh. *Som* 2G **13**
Lydney. *Glos* 5B **48**
Lydstep. *Pemb* 5E **43**
Lye. *W Mid* 2D **60**
Lye Green. *Buck* 5H **51**
Lye Green. *E Sus* 2G **27**
Lye Head. *Worc* 3B **60**
Lye, The. *Shrp* 1A **60**
Lyford. *Oxon* 2B **36**
Lyham. *Nmbd* 1E **121**
Lylestone. *N Ayr* 5E **127**
Lymbridge Green. *Kent* 1F **29**
Lyme Regis. *Dors* 3G **13**
Lyminge. *Kent* 1F **29**
Lymington. *Hants* 3B **16**
Lyminster. *W Sus* 5B **26**
Lymm. *Warr* 2A **84**
Lymore. *Hants* 3A **16**
Lympne. *Kent* 2F **29**
Lympsham. *Som* 1G **21**
Lympstone. *Devn* 4C **12**
Lynaberack Lodge. *High* 4B **150**
Lynbridge. *Devn* 2H **19**
Lynch. *Som* 2C **20**
Lynchat. *High* 3B **150**
Lynch Green. *Norf* 5D **78**
Lyndhurst. *Hants* 2B **16**
Lyndon. *Rut* 5G **75**
Lyne. *Bord* 5F **129**
Lyne. *Surr* 4B **38**
Lyneal. *Shrp* 2G **71**
Lyne Down. *Here* 2B **48**
Lyneham. *Oxon* 3A **50**
Lyneham. *Wilts* 4F **35**
Lyneholmeford. *Cumb* 2G **113**
Lynemouth. *Nmbd* 5G **121**
Lyne of Gorthleck. *High* 1H **149**
Lyne of Skene. *Abers* 2E **153**
Lynesack. *Dur* 2D **105**
Lyness. *Orkn* 8C **172**
Lyng. *Norf* 4C **78**
Lyngate. *Norf* 2E **79**
(nr. North Walsham)
Lyngate. *Norf* 3F **79**
(nr. Worstead)
Lynmouth. *Devn* 2H **19**
Lynn. *Staf* 5E **73**
Lynn. *Telf* 4B **72**
Lynsted. *Kent* 4D **40**
Lynstone. *Corn* 2C **10**
Lynton. *Devn* 2H **19**
Lynwilg. *High* 2C **150**
Lyon's Gate. *Dors* 2B **14**
Lyonshall. *Here* 5F **59**
Lytchett Matravers. *Dors* 3E **15**
Lytchett Minster. *Dors* 3E **15**
Lyth. *High* 2E **169**
Lytham. *Lanc* 2B **90**
Lytham St Anne's. *Lanc* 2B **90**
Lythe. *N Yor* 3F **107**
Lythes. *Orkn* 9D **172**
Lythmore. *High* 2C **168**

M

Mabe Burnthouse. *Corn* 5B **6**
Mabie. *Dum* 2A **112**
Mablethorpe. *Linc* 2E **89**
Macbiehill. *Bord* 4E **129**
Macclesfield. *Ches E* 3D **84**
Macclesfield Forest. *Ches E* 3D **85**
Macduff. *Abers* 2E **160**
Machan. *S Lan* 4A **128**
Macharioch. *Arg* 5B **122**
Machen. *Cphy* 3F **33**
Machrie. *N Ayr* 2C **122**
Machrihanish. *Arg* 3A **122**
Machroes. *Gwyn* 3C **68**
Machynlleth. *Powy* 5G **69**
Mackerye End. *Herts* 4B **52**
Mackworth. *Derb* 2H **73**
Macmerry. *E Lot* 2H **129**
Maddaford. *Devn* 3F **11**
Madderty. *Per* 1B **136**
Maddington. *Wilts* 2F **23**
Maddiston. *Falk* 2C **128**
Madehurst. *W Sus* 4A **26**
Madeley. *Staf* 1B **72**
Madeley. *Telf* 5A **72**
Madeley Heath. *Staf* 1B **72**
Madeley Heath. *Worc* 3D **60**
Madford. *Devn* 1E **13**
Madingley. *Cambs* 4C **64**
Madley. *Here* 2H **47**
Madresfield. *Worc* 1D **48**
Madron. *Corn* 3B **4**
Maenaddwyn. *IOA* 2D **80**
Maenclochog. *Pemb* 2E **43**
Maendy. *V Glam* 4D **32**
Maenporth. *Corn* 4E **5**
Maentwrog. *Gwyn* 1F **69**
Maen-y-groes. *Cdgn* 5C **56**
Maer. *Staf* 2B **72**
Maerdy. *Carm* 3G **45**
Maerdy. *Cnwy* 1C **70**
Maerdy. *Rhon* 2C **32**
Maesbrook. *Shrp* 3F **71**
Maesbury. *Shrp* 3F **71**
Maesbury Marsh. *Shrp* 3F **71**
Maes-glas. *Flin* 3D **82**
Maesgwyn-Isaf. *Powy* 4D **70**
Maeshafn. *Den* 4E **82**
Maes Llyn. *Cdgn* 1D **44**
Maesmynis. *Powy* 1D **46**
Maesteg. *B'end* 2B **32**
Maestir. *Cdgn* 1F **45**
Maesybont. *Carm* 4F **45**
Maesycrugiau. *Carm* 1E **45**
Maesycwmmer. *Cphy* 2E **33**
Maesyrhandir. *Powy* 1C **58**
Magdalen Laver. *Essx* 5F **53**
Maggieknockater. *Mor* 4H **159**
Magham Down. *E Sus* 4H **27**
Maghull. *Mers* 4B **90**
Magna Park. *Leics* 2C **62**
Magor. *Mon* 3H **33**
Magpie Green. *Suff* 3C **66**
Magwyr. *Mon* 3H **33**
Maidenbower. *W Sus* 2D **27**
Maiden Bradley. *Wilts* 3D **22**
Maidencombe. *Torb* 2F **9**
Maidenhayne. *Devn* 3F **13**
Maidenhead. *Wind* 3G **37**
Maiden Law. *Dur* 5E **115**
Maiden Newton. *Dors* 3A **14**
Maidens. *S Ayr* 4B **116**
Maiden's Green. *Brac* 4G **37**
Maidensgrove. *Oxon* 3F **37**
Maidenwell. *Corn* 5B **10**
Maidenwell. *Linc* 3C **88**
Maiden Wells. *Pemb* 5D **42**
Maidford. *Nptn* 5D **62**
Maids Moreton. *Buck* 2F **51**
Maidstone. *Kent* 5B **40**
Maidwell. *Nptn* 3E **63**
Mail. *Shet* 9F **173**
Maindee. *Newp* 3G **33**
Mainsforth. *Dur* 1A **106**
Mains of Auchindachy. *Mor* 4B **160**
Mains of Auchnagatt. *Abers* 4G **161**
Mains of Drum. *Abers* 4F **153**
Mains of Edingight. *Mor* 3C **160**
Mainsriddle. *Dum* 4G **111**
Mainstone. *Shrp* 2E **59**
Maisemore. *Glos* 3D **48**
Major's Green. *Worc* 3F **61**
Makeney. *Derbs* 1A **74**
Makerstoun. *Bord* 1A **120**
Malacleit. *W Isl* 1C **170**
Malborough. *Devn* 5D **8**
Malcoff. *Derbs* 2E **85**
Malcolmburn. *Mor* 3A **160**
Malden Rushett. *G Lon* 4C **38**
Maldon. *Essx* 5B **54**
Malham. *N Yor* 3B **98**
Maligar. *High* 2D **155**
Malinslee. *Telf* 5A **72**
Mallaig. *High* 4E **147**
Mallaig Bheag. *High* 4E **147**
Malleny Mills. *Edin* 3E **129**
Mallows Green. *Essx* 3E **53**
Malltraeth. *IOA* 4D **80**
Mallwyd. *Gwyn* 4A **70**
Malmesbury. *Wilts* 3E **35**
Malmsmead. *Devn* 2A **20**
Malpas. *Ches W* 1G **71**
Malpas. *Corn* 4C **6**
Malpas. *Newp* 2F **33**
Malswick. *Glos* 3C **48**
Maltby. *S Yor* 1C **86**
Maltby. *Stoc T* 3B **106**
Maltby le Marsh. *Linc* 2D **88**
Malt Lane. *Arg* 3H **133**
Maltman's Hill. *Kent* 1D **28**
Malton. *N Yor* 2B **100**
Malvern Link. *Worc* 1C **48**
Malvern Wells. *Worc* 1C **48**
Mamble. *Worc* 3A **60**
Mamhilad. *Mon* 5G **47**
Manaccan. *Corn* 4E **5**
Manafon. *Powy* 5D **70**
Manaton. *Devn* 4A **12**
Manby. *Linc* 2C **88**
Mancetter. *Warw* 1H **61**
Manchester. *G Man* 1C **84**
Manchester International Airport. *G Man* 2C **84**
Mancot. *Flin* 4F **83**
Manea. *Cambs* 2D **65**
Maney. *W Mid* 1F **61**
Manfield. *N Yor* 3F **105**
Mangotsfield. *S Glo* 4B **34**
Mangurstadh. *W Isl* 4C **171**
Mankinholes. *W Yor* 2H **91**
Manley. *Ches W* 3H **83**
Manmoel. *Cphy* 5E **47**
Mannal. *Arg* 4A **138**
Mannerston. *Falk* 2D **128**
Manningford Bohune. *Wilts* 1G **23**
Manningford Bruce. *Wilts* 1G **23**
Manningham. *W Yor* 1B **92**
Mannings Heath. *W Sus* 3D **26**
Mannington. *Dors* 2F **15**
Manningtree. *Essx* 2E **54**
Mannofield. *Aber* 3G **153**
Manorbier. *Pemb* 5E **43**
Manorbier Newton. *Pemb* 5E **43**
Manorowen. *Pemb* 1D **42**
Manor Park. *G Lon* 2F **39**
Mansell Gamage. *Here* 1G **47**
Mansell Lacy. *Here* 1H **47**
Mansergh. *Cumb* 1F **97**
Mansewood. *Glas* 3G **127**
Mansfield. *E Ayr* 3F **117**
Mansfield. *Notts* 4C **86**
Mansfield Woodhouse. *Notts* 4C **86**
Mansriggs. *Cumb* 1B **96**
Manston. *Dors* 1D **14**
Manston. *Kent* 4H **41**
Manston. *W Yor* 1D **92**
Manswood. *Dors* 2E **15**
Manthorpe. *Linc* 4H **75**
(nr. Bourne)
Manthorpe. *Linc* 2G **75**
(nr. Grantham)
Manton. *N Lin* 4C **94**
Manton. *Notts* 3C **86**
Manton. *Rut* 5F **75**
Manton. *Wilts* 5G **35**
Manuden. *Essx* 3E **53**
Maperton. *Som* 4B **22**
Maplebeck. *Notts* 4E **86**
Maple Cross. *Herts* 1B **38**
Mapledurham. *Oxon* 4E **37**
Mapledurwell. *Hants* 1E **25**
Maplehurst. *W Sus* 3C **26**
Maplescombe. *Kent* 4G **39**
Mapleton. *Derbs* 1F **73**
Mapperley. *Derbs* 1B **74**
Mapperley. *Notts* 1C **74**
Mapperley Park. *Notts* 1C **74**
Mapperton. *Dors* 3A **14**
(nr. Beaminster)
Mapperton. *Dors* 3E **15**
(nr. Poole)
Mappleborough Green. *Warw* 4E **61**
Mappleton. *E Yor* 5G **101**
Mapplewell. *S Yor* 4D **92**
Mappowder. *Dors* 2C **14**
Maraig. *W Isl* 7E **171**
Marazion. *Corn* 3C **4**
Marbhig. *W Isl* 6G **171**
Marbury. *Ches E* 1H **71**
March. *Cambs* 1D **64**
Marcham. *Oxon* 2C **36**
Marchamley. *Shrp* 3H **71**
Marchington. *Staf* 2F **73**
Marchington Woodlands. *Staf* 3F **73**
Marchwiel. *Wrex* 1F **71**
Marchwood. *Hants* 1B **16**
Marcross. *V Glam* 5C **32**
Marden. *Here* 1A **48**
Marden. *Kent* 1B **28**
Marden. *Wilts* 1F **23**
Marden Beech. *Kent* 1B **28**
Marden Thorn. *Kent* 1B **28**
Mardu. *Shrp* 2E **59**
Mardy. *Mon* 4G **47**
Marefield. *Leics* 5E **75**
Mareham le Fen. *Linc* 4B **88**
Mareham on the Hill. *Linc* 4B **88**
Marehay. *Derbs* 1A **74**
Marehill. *W Sus* 4B **26**
Maresfield. *E Sus* 3F **27**
Marfleet. *Hull* 2E **95**
Marford. *Wrex* 5F **83**
Margam. *Neat* 3A **32**
Margaret Marsh. *Dors* 1D **14**
Margaret Roding. *Essx* 4F **53**
Margaretting. *Essx* 5G **53**
Margaretting Tye. *Essx* 5G **53**
Margate. *Kent* 3H **41**
Margery. *Surr* 5D **38**
Margnaheglish. *N Ayr* 2E **123**
Marham. *Norf* 5G **77**
Marhamchurch. *Corn* 2C **10**
Marholm. *Pet* 5A **76**
Marian Cwm. *Den* 3C **82**
Mariandyrys. *IOA* 2F **81**
Marian-glas. *IOA* 2E **81**
Mariansleigh. *Devn* 4H **19**
Marian-y-de. *Gwyn* 2C **68**
Marine Town. *Kent* 3D **40**
Marion-y-mor. *Gwyn* 2C **68**
Marishader. *High* 2D **155**
Marjoriebanks. *Dum* 1B **112**
Mark. *Dum* 4G **109**
Mark. *Som* 2G **21**
Markbeech. *Kent* 1F **27**
Markby. *Linc* 3D **89**
Mark Causeway. *Som* 2G **21**
Mark Cross. *E Sus* 2G **27**
Markeaton. *Derb* 2H **73**
Market Bosworth. *Leics* 5B **74**
Market Deeping. *Linc* 4A **76**
Market Drayton. *Shrp* 2A **72**
Market End. *Warw* 2H **61**
Market Harborough. *Leics* 2E **63**
Markethill. *Per* 5B **144**
Market Lavington. *Wilts* 1F **23**
Market Overton. *Rut* 4F **75**
Market Rasen. *Linc* 2A **88**
Market Stainton. *Linc* 2B **88**
Market Warsop. *Notts* 4C **86**
Market Weighton. *E Yor* 5C **100**
Market Weston. *Suff* 3B **66**
Markfield. *Leics* 4B **74**
Markham. *Cphy* 5E **47**

Markinch—Merton

Markinch. *Fife* 3E 137
Markington. *N Yor* 3E 99
Marksbury. *Bath* 5B 34
Mark's Corner. *IOW* 3C 16
Marks Tey. *Essx* 3C 54
Markwell. *Corn* 3H 7
Markyate. *Herts* 4A 52
Marlborough. *Wilts* 5G 35
Marlcliff. *Warw* 5E 61
Marldon. *Devn* 2E 9
Marle Green. *E Sus* 4G 27
Marlesford. *Suff* 5F 67
Marley Green. *Ches E* 1H 71
Marley Hill. *Tyne* 4F 115
Marlingford. *Norf* 5D 78
Marloes. *Pemb* 4B 42
Marlow. *Buck* 3G 37
Marlow. *Here* 3G 59
Marlow Bottom. *Buck* 3G 37
Marlow Common. *Buck* 3G 37
Marlpit Hill. *Kent* 1F 27
Marlpits. *E Sus* 3F 27
Marlpool. *Derbs* 1B 74
Marnhull. *Dors* 1C 14
Marnoch. *Abers* 3C 160
Marnock. *N Lan* 3A 128
Marple. *G Man* 2D 84
Marr. *S Yor* 4F 93
Marrel. *High* 2H 165
Marrick. *N Yor* 5D 105
Marros. *Carm* 4G 43
Marsden. *Tyne* 3G 115
Marsden. *W Yor* 3A 92
Marsett. *N Yor* 1B 98
Marsh. *Buck* 5G 51
Marsh. *Devn* 1F 13
Marshall Meadows. *Nmbd* 4F 131
Marshalsea. *Dors* 2G 13
Marshalswick. *Herts* 5B 52
Marsham. *Norf* 3D 78
Marshaw. *Lanc* 4E 97
Marsh Baldon. *Oxon* 2D 36
Marsh Benham. *W Ber* 5C 36
Marshborough. *Kent* 5H 41
Marshbrook. *Shrp* 2G 59
Marshbury. *Essx* 4G 53
Marshchapel. *Linc* 1C 88
Marshfield. *Newp* 3F 33
Marshfield. *S Glo* 4C 34
Marshgate. *Corn* 3B 10
Marsh Gibbon. *Buck* 3E 51
Marsh Green. *Devn* 3D 12
Marsh Green. *Kent* 1F 27
Marsh Green. *Staf* 5C 84
Marsh Green. *Telf* 4A 72
Marsh Lane. *Derbs* 3B 86
Marshside. *Kent* 4G 41
Marshside. *Mers* 3B 90
Marsh Side. *Norf* 1G 77
Marsh Street. *Som* 2C 20
Marsh, The. *Powy* 1F 59
Marsh, The. *Shrp* 3A 72
Marshwood. *Dors* 3G 13
Marske. *N Yor* 4E 105
Marske-by-the-Sea. *Red C* 2D 106
Marston. *Ches W* 3A 84
Marston. *Here* 5F 59
Marston. *Linc* 1F 75
Marston. *Oxon* 5D 50
Marston. *Staf* 3D 72
(nr. Stafford)
Marston. *Staf* 4C 72
(nr. Wheaton Aston)
Marston. *Warw* 1G 61
Marston. *Wilts* 1E 23
Marston Doles. *Warw* 5B 62
Marston Green. *W Mid* 2F 61
Marston Hill. *Glos* 2G 35
Marston Jabbett. *Warw* 2A 62
Marston Magna. *Som* 4A 22
Marston Meysey. *Wilts* 2G 35
Marston Montgomery. *Derbs* 2F 73
Marston Moretaine. *C Beds* 1H 51
Marston on Dove. *Derbs* 3G 73
Marston St Lawrence. *Nptn* 1D 50
Marston Stannett. *Here* 5H 59
Marston Trussell. *Nptn* 2D 62
Marstow. *Here* 4A 48
Marsworth. *Buck* 4H 51
Marten. *Wilts* 5A 36
Marthall. *Ches E* 3C 84
Martham. *Norf* 4G 79
Marthwaite. *Cumb* 5H 103
Martin. *Hants* 1F 15
Martin. *Kent* 1H 29
Martin. *Linc* 4B 88
(nr. Horncastle)
Martin. *Linc* 5A 88
(nr. Metheringham)
Martindale. *Cumb* 3F 103
Martin Dales. *Linc* 4A 88
Martin Drove End. *Hants* 4F 23
Martinhoe. *Devn* 2G 19
Martinhoe Cross. *Devn* 2G 19
Martin Hussingtree. *Worc* 4C 60
Martin Mill. *Kent* 1H 29
Martinscroft. *Warr* 2A 84
Martin's Moss. *Ches E* 4C 84
Martinstown. *Dors* 4B 14
Martlesham. *Suff* 1F 55
Martlesham Heath. *Suff* 1F 55
Martletwy. *Pemb* 3E 43
Martley. *Worc* 5B 60
Martock. *Som* 1H 13
Marton. *Ches E* 4C 84
Marton. *Cumb* 2B 96
Marton. *E Yor* 3G 101
(nr. Bridlington)
Marton. *E Yor* 1E 95
(nr. Hull)
Marton. *Linc* 2F 87
Marton. *Midd* 3C 106
Marton. *N Yor* 3G 99
(nr. Boroughbridge)
Marton. *N Yor* 1B 100
(nr. Pickering)
Marton. *Shrp* 3G 71
(nr. Myddle)
Marton. *Shrp* 5E 71
(nr. Worthen)
Marton. *Warw* 4B 62
Marton Abbey. *N Yor* 3H 99
Marton-le-Moor. *N Yor* 2F 99
Martyr's Green. *Surr* 5B 38
Martyr Worthy. *Hants* 3D 24
Marwood. *Devn* 3F 19
Marybank. *High* 3G 157
(nr. Dingwall)
Marybank. *High* 1B 158
(nr. Invergordon)
Maryburgh. *High* 3H 157
Maryfield. *Corn* 3A 8
Maryhill. *Glas* 3G 127
Marykirk. *Abers* 2F 145
Marylebone. *G Lon* 2D 39
Marylebone. *G Man* 4D 90
Marypark. *Mor* 5F 159
Maryport. *Cumb* 1B 102
Maryport. *Dum* 5E 109
Marystow. *Devn* 4E 11
Mary Tavy. *Devn* 5F 11
Maryton. *Ang* 3C 144
(nr. Kirriemuir)
Maryton. *Ang* 3F 145
(nr. Montrose)
Marywell. *Abers* 4C 152
Marywell. *Ang* 4F 145
Masham. *N Yor* 1E 98
Mashbury. *Essx* 4G 53
Masongill. *N Yor* 2F 97
Masons Lodge. *Abers* 3F 153
Mastin Moor. *Derbs* 3B 86
Mastrick. *Aber* 3G 153
Matching. *Essx* 4F 53
Matching Green. *Essx* 4F 53
Matching Tye. *Essx* 4F 53
Matfen. *Nmbd* 2D 114
Matfield. *Kent* 1A 28
Mathern. *Mon* 2A 34
Mathon. *Here* 1C 48
Mathry. *Pemb* 1C 42
Matlaske. *Norf* 2D 78
Matlock. *Derbs* 4G 85
Matlock Bath. *Derbs* 5G 85
Matterdale End. *Cumb* 2E 103
Mattersey. *Notts* 2D 86
Mattersey Thorpe. *Notts* 2D 86
Mattingley. *Hants* 1F 25
Mattishall. *Norf* 4C 78
Mattishall Burgh. *Norf* 4C 78
Mauchline. *E Ayr* 2D 117
Maud. *Abers* 4G 161
Maudlin. *Corn* 2E 7
Maugersbury. *Glos* 3G 49
Maughold. *IOM* 2D 108
Maulden. *C Beds* 2A 52
Maulds Meaburn. *Cumb* 3H 103
Maunby. *N Yor* 1F 99
Maund Bryan. *Here* 5H 59
Mautby. *Norf* 4G 79
Mavesyn Ridware. *Staf* 4E 73
Mavis Enderby. *Linc* 4C 88
Mawbray. *Cumb* 5B 112
Mawdesley. *Lanc* 3C 90
Mawdlam. *B'end* 3B 32
Mawgan. *Corn* 4E 5
Mawgan Porth. *Corn* 2C 6
Maw Green. *Ches E* 5B 84
Mawla. *Corn* 4B 6
Mawnan. *Corn* 4E 5
Mawnan Smith. *Corn* 4E 5
Mawsley Village. *Nptn* 3F 63
Mawthorpe. *Linc* 3D 88
Maxey. *Pet* 5A 76
Maxstoke. *Warw* 2G 61
Maxted Street. *Kent* 1F 29
Maxton. *Kent* 1G 29
Maxton. *Bord* 1A 120
Maxwellheugh. *Bord* 1B 120
Maxwelltown. *Dum* 2A 112
Maxworthy. *Corn* 3C 10
Mayals. *Swan* 4F 31
Maybole. *S Ayr* 4C 116
Maybush. *Sotn* 1B 16
Mayes Green. *Surr* 2C 26
Mayfield. *E Sus* 3G 27
Mayfield. *Midl* 3G 129
Mayfield. *Per* 1C 136
Mayfield. *Staf* 1F 73
Mayford. *Surr* 5A 38
Mayhill. *Swan* 3F 31
Mayland. *Essx* 5C 54
Maylandsea. *Essx* 5C 54
Maynard's Green. *E Sus* 4G 27
Maypole. *IOS* 1B 4
Maypole. *Kent* 4G 41
Maypole. *Mon* 4H 47
Maypole Green. *Norf* 1G 67
Maypole Green. *Suff* 5B 66
Mayshill. *S Glo* 3B 34
Maywick. *Shet* 9E 173
Mead. *Devn* 1C 10
Meadgate. *Bath* 1B 22
Meadle. *Buck* 5G 51
Meadowbank. *Ches W* 4A 84
Meadowfield. *Dur* 1F 105
Meadow Green. *Here* 5B 60
Meadowmill. *E Lot* 2H 129
Meadows. *Nott* 2C 74
Meadowtown. *Shrp* 5F 71
Meadwell. *Devn* 4E 11
Mealabost. *W Isl* 2G 171
(nr. Borgh)
Mealabost. *W Isl* 4G 171
(nr. Stornoway)
Meal Bank. *Cumb* 5G 103
Mealrigg. *Cumb* 5C 112
Mealsgate. *Cumb* 5D 112
Meanwood. *W Yor* 1C 92
Mearbeck. *N Yor* 3H 97
Meare. *Som* 2H 21
Meare Green. *Som* 4F 21
(nr. Curry Mallet)
Meare Green. *Som* 4G 21
(nr. Stoke St Gregory)
Mears Ashby. *Nptn* 4F 63
Measham. *Leics* 4H 73
Meath Green. *Surr* 1D 27
Meathop. *Cumb* 1D 96
Meaux. *E Yor* 1D 94
Meavy. *Devn* 2B 8
Medbourne. *Leics* 1E 63
Medburn. *Nmbd* 2E 115
Meddon. *Devn* 1C 10
Meden Vale. *Notts* 4C 86
Medlam. *Linc* 5C 88
Medlicott. *Shrp* 1G 59
Medmenham. *Buck* 3G 37
Medomsley. *Dur* 4E 115
Medstead. *Hants* 3E 25
Medway Towns. *Medw* 4B 40
Meerbrook. *Staf* 4D 85
Meer End. *W Mid* 3G 61
Meers Bridge. *Linc* 2D 89
Meesden. *Herts* 2E 53
Meeson. *Telf* 3A 72
Meeth. *Devn* 2F 11
Meeting Green. *Suff* 5G 65
Meeting House Hill. *Norf* 3F 79
Meidrim. *Carm* 2G 43
Meifod. *Powy* 4D 70
Meigle. *Per* 4B 144
Meikle Earnock. *S Lan* 4A 128
Meikle Kilchattan Butts. *Arg* 4B 126
Meikleour. *Per* 5A 144
Meikle Tarty. *Abers* 1G 153
Meikle Wartle. *Abers* 5E 160
Meinciau. *Carm* 4E 45
Meir. *Stoke* 1D 72
Meir Heath. *Staf* 1D 72
Melbourn. *Cambs* 1D 53
Melbourne. *Derbs* 3A 74
Melbourne. *E Yor* 5B 100
Melbury Abbas. *Dors* 4D 23
Melbury Bubb. *Dors* 2A 14
Melbury Osmond. *Dors* 2A 14
Melbury Sampford. *Dors* 2A 14
Melby. *Shet* 6C 173
Melchbourne. *Bed* 4H 63
Melcombe Bingham. *Dors* 2C 14
Melcombe Regis. *Dors* 4B 14
Meldon. *Devn* 3F 11
Meldon. *Nmbd* 1E 115
Meldreth. *Cambs* 1D 53
Melfort. *Arg* 2F 133
Melgarve. *High* 4G 149
Meliden. *Den* 2C 82
Melinbyrhedyn. *Powy* 1H 57
Melincourt. *Neat* 5B 46
Melin-y-coed. *Cnwy* 4H 81
Melin-y-ddol. *Powy* 5C 70
Melin-y-wig. *Den* 1C 70
Melkington. *Nmbd* 5E 131
Melkinthorpe. *Cumb* 2G 103
Melkridge. *Nmbd* 3A 114
Melksham. *Wilts* 5E 35
Mellangaun. *High* 5C 162
Melldalloch. *Arg* 2H 125
Mellguards. *Cumb* 5F 113
Melling. *Lanc* 2E 97
Melling. *Mers* 4B 90
Melling Mount. *Mers* 4C 90
Mellis. *Suff* 3C 66
Mellon Charles. *High* 4C 162
Mellon Udrigle. *High* 4C 162
Mellor. *G Man* 2D 85
Mellor. *Lanc* 1E 91
Mellor Brook. *Lanc* 1E 91
Mells. *Som* 2C 22
Melmerby. *Cumb* 1H 103
Melmerby. *N Yor* 1C 98
(nr. Middleham)
Melmerby. *N Yor* 2F 99
(nr. Ripon)
Melplash. *Dors* 3H 13
Melrose. *Bord* 1H 119
Melsonby. *N Yor* 4E 105
Meltham. *W Yor* 3A 92
Meltham Mills. *W Yor* 3B 92
Melton. *E Yor* 2C 94
Melton. *Suff* 5E 67
Meltonby. *E Yor* 4B 100
Melton Constable. *Norf* 2C 78
Melton Mowbray. *Leics* 4E 75
Melton Ross. *N Lin* 3D 94
Melvaig. *High* 5B 162
Melverley. *Shrp* 4F 71
Melverley Green. *Shrp* 4F 71
Melvich. *High* 2A 168
Membury. *Devn* 2F 13
Memsie. *Abers* 2G 161
Memus. *Ang* 3D 144
Menabilly. *Corn* 3E 7
Menai Bridge. *IOA* 3E 81
Mendham. *Suff* 2E 67
Mendlesham. *Suff* 4D 66
Mendlesham Green. *Suff* 4C 66
Menethorpe. *N Yor* 3B 100
Menheniot. *Corn* 2G 7
Menithwood. *Worc* 4B 60
Menna. *Corn* 3D 6
Mennock. *Dum* 4H 117
Menston. *W Yor* 5D 98
Menstrie. *Clac* 4H 135
Menthorpe. *N Yor* 1H 93
Mentmore. *Buck* 4H 51
Meole Brace. *Shrp* 4G 71
Meols. *Mers* 2E 83
Meon. *Hants* 2D 16
Meonstoke. *Hants* 4E 24
Meopham. *Kent* 4H 39
Meopham Green. *Kent* 4H 39
Meopham Station. *Kent* 4H 39
Mepal. *Cambs* 2D 64
Meppershall. *C Beds* 2B 52
Merbach. *Here* 1G 47
Mercaston. *Derbs* 1G 73
Merchiston. *Edin* 2F 129
Mere. *Ches E* 2B 84
Mere. *Wilts* 3D 22
Mere Brow. *Lanc* 3C 90
Mereclough. *Lanc* 1G 91
Mere Green. *W Mid* 1F 61
Mere Green. *Worc* 4D 60
Mere Heath. *Ches W* 3A 84
Mereside. *Bkpl* 1B 90
Meretown. *Staf* 3B 72
Mereworth. *Kent* 5A 40
Meriden. *W Mid* 2G 61
Merkadale. *High* 5C 154
Merkland. *S Ayr* 5B 116
Merkland Lodge. *High* 1A 164
Merley. *Pool* 3F 15
Merlin's Bridge. *Pemb* 3D 42
Merridge. *Som* 3F 21
Merrington. *Shrp* 3G 71
Merrion. *Pemb* 5D 42
Merriott. *Som* 1H 13
Merrivale. *Devn* 5F 11
Merrow. *Surr* 5B 38
Merrybent. *Darl* 3F 105
Merry Lees. *Leics* 5B 74
Merrymeet. *Corn* 2G 7
Mersham. *Kent* 2E 29
Merstham. *Surr* 5D 39
Merston. *W Sus* 2G 17
Merstone. *IOW* 4D 16
Merther. *Corn* 4C 6
Merthyr. *Carm* 3D 44
Merthyr Cynog. *Powy* 2C 46
Merthyr Dyfan. *V Glam* 4E 32
Merthyr Mawr. *B'end* 4B 32
Merthyr Tudful. *Mer T* 5D 46
Merthyr Tydfil. *Mer T* 5D 46
Merthyr Vale. *Mer T* 5D 46
Merton. *Devn* 1F 11
Merton. *G Lon* 4D 38
Merton. *Norf* 1B 66
Merton. *Oxon* 4D 50

Meshaw—Minorca

Meshaw. *Devn* 1A **12**
Messing. *Essx* 4B **54**
Messingham. *N Lin* 4B **94**
Metcombe. *Devn* 3D **12**
Metfield. *Suff* 2E **67**
Metherell. *Corn* 2A **8**
Metheringham. *Linc* 4H **87**
Methil. *Fife* 4F **137**
Methilhill. *Fife* 4F **137**
Methley. *W Yor* 2D **93**
Methley Junction. *W Yor* 2D **93**
Methlick. *Abers* 5F **161**
Methven. *Per* 1C **136**
Methwold. *Norf* 1G **65**
Methwold Hythe. *Norf* 1G **65**
Mettingham. *Suff* 1F **67**
Metton. *Norf* 2D **78**
Mevagissey. *Corn* 4E **6**
Mexborough. *S Yor* 4E **93**
Mey. *High* 1E **169**
Meysey Hampton. *Glos* 2G **35**
Miabhag. *W Isl* 8D **171**
Miabhaig. *W Isl* 7C **171** (nr. Cliasmol)
Miabhaig. *W Isl* 4C **171** (nr. Timsgearraidh)
Mial. *High* 1G **155**
Michaelchurch. *Here* 3A **48**
Michaelchurch Escley. *Here* 2G **47**
Michaelchurch-on-Arrow. *Powy* 5E **59**
Michaelston-le-Pit. *V Glam* 4E **33**
Michaelston-y-Fedw. *Newp* 3F **33**
Michaelstow. *Corn* 5A **10**
Michelcombe. *Devn* 2C **8**
Micheldever. *Hants* 3D **24**
Micheldever Station. *Hants* 2D **24**
Michelmersh. *Hants* 4B **24**
Mickfield. *Suff* 4D **66**
Micklebring. *S Yor* 1C **86**
Mickleby. *N Yor* 3F **107**
Micklefield. *W Yor* 1E **93**
Micklefield Green. *Herts* 1B **38**
Mickleham. *Surr* 5C **38**
Mickleover. *Derb* 2H **73**
Micklethwaite. *Cumb* 4D **112**
Micklethwaite. *W Yor* 5D **98**
Mickleton. *Dur* 2C **104**
Mickleton. *Glos* 1G **49**
Mickletown. *W Yor* 2D **93**
Mickle Trafford. *Ches W* 4G **83**
Mickley. *N Yor* 2E **99**
Mickley Green. *Suff* 5H **65**
Mickley Square. *Nmbd* 3D **115**
Mid Ardlaw. *Abers* 2G **161**
Midbea. *Orkn* 3D **172**
Mid Beltie. *Abers* 3D **152**
Mid Calder. *W Lot* 3D **129**
Mid Clyth. *High* 5E **169**
Middle Assendon. *Oxon* 3F **37**
Middle Aston. *Oxon* 3C **50**
Middle Barton. *Oxon* 3C **50**
Middlebie. *Dum* 2D **112**
Middle Chinnock. *Som* 1H **13**
Middle Claydon. *Buck* 3F **51**
Middlecliff. *S Yor* 4E **93**
Middlecott. *Devn* 4H **11**
Middle Drums. *Ang* 3E **145**
Middle Duntisbourne. *Glos* 5E **49**
Middle Essie. *Abers* 3H **161**
Middleforth Green. *Lanc* 2D **90**
Middleham. *N Yor* 1D **98**
Middle Handley. *Derbs* 3B **86**
Middle Harling. *Norf* 2B **66**
Middlehope. *Shrp* 2G **59**
Middle Littleton. *Worc* 1F **49**
Middle Maes-coed. *Here* 2G **47**
Middlemarsh. *Dors* 2B **14**
Middle Marwood. *Devn* 3F **19**
Middle Mayfield. *Staf* 1F **73**
Middlemoor. *Devn* 5E **11**
Middlemuir. *Abers* 4F **161** (nr. New Deer)
Middlemuir. *Abers* 3G **161** (nr. Strichen)
Middle Rainton. *Tyne* 5G **115**
Middle Rasen. *Linc* 2H **87**
Middlesbrough. *Midd* 3B **106**
Middlesceugh. *Cumb* 5E **113**
Middleshaw. *Cumb* 1E **97**
Middlesmoor. *N Yor* 2C **98**
Middles, The. *Dur* 4F **115**
Middlestone. *Dur* 1F **105**
Middlestone Moor. *Dur* 1F **105**
Middle Stoughton. *Som* 2H **21**
Middlestown. *W Yor* 3C **92**
Middle Street. *Glos* 5C **48**
Middle Taphouse. *Corn* 2F **7**
Middleton. *Ang* 4E **145**
Middleton. *Arg* 4A **138**
Middleton. *Cumb* 1F **97**
Middleton. *Derbs* 4F **85** (nr. Bakewell)
Middleton. *Derbs* 5G **85** (nr. Wirksworth)
Middleton. *Essx* 2B **54**
Middleton. *G Man* 4G **91**
Middleton. *Hants* 2C **24**
Middleton. *Hart* 1C **106**
Middleton. *Here* 4H **59**
Middleton. *IOW* 4B **16**
Middleton. *Lanc* 4D **96**
Middleton. *Midl* 4G **129**
Middleton. *Norf* 4F **77**
Middleton. *Nptn* 1F **63**
Middleton. *Nmbd* 1F **121** (nr. Belford)
Middleton. *Nmbd* 1D **114** (nr. Morpeth)
Middleton. *N Yor* 5D **98** (nr. Ilkley)
Middleton. *N Yor* 1B **100** (nr. Pickering)
Middleton. *Per* 3D **136**
Middleton. *Shrp* 3H **59** (nr. Ludlow)
Middleton. *Shrp* 3F **71** (nr. Oswestry)
Middleton. *Suff* 4G **67**
Middleton. *Swan* 4D **30**
Middleton. *Warw* 1F **61**
Middleton. *W Yor* 2D **92**
Middleton Cheney. *Nptn* 1D **50**
Middleton Green. *Staf* 2D **73**
Middleton Hall. *Nmbd* 2D **121**
Middleton-in-Teesdale. *Dur* 2C **104**
Middleton One Row. *Darl* 3A **106**
Middleton-on-Leven. *N Yor* 4B **106**
Middleton-on-Sea. *W Sus* 5A **26**
Middleton on the Hill. *Here* 4H **59**
Middleton-on-the-Wolds. *E Yor* 5D **100**
Middleton Priors. *Shrp* 1A **60**
Middleton Quernhow. *N Yor* 2F **99**
Middleton St George. *Darl* 3A **106**
Middleton Scriven. *Shrp* 2A **60**
Middleton Stoney. *Oxon* 3D **50**
Middleton Tyas. *N Yor* 4F **105**
Middletown. *Cumb* 4A **102**
Middle Town. *IOS* 1B **4**
Middletown. *Powy* 4F **71**
Middle Tysoe. *Warw* 1B **50**
Middle Wallop. *Hants* 3A **24**
Middlewich. *Ches E* 4B **84**
Middle Winterslow. *Wilts* 3H **23**
Middlewood. *Corn* 5C **10**
Middlewood. *S Yor* 1H **85**
Middle Woodford. *Wilts* 3G **23**
Middlewood Green. *Suff* 4C **66**
Middleyard. *Glos* 5D **48**
Middlezoy. *Som* 3G **21**
Middridge. *Dur* 2F **105**
Midelney. *Som* 4H **21**
Midfield. *High* 2F **167**
Midford. *Bath* 5C **34**
Mid Garrary. *Dum* 2C **110**
Midge Hall. *Lanc* 2D **90**
Midgeholme. *Cumb* 4H **113**
Midgham. *W Ber* 5D **36**
Midgley. *W Yor* 2A **92** (nr. Halifax)
Midgley. *W Yor* 3C **92** (nr. Horbury)
Midhopestones. *S Yor* 1G **85**
Midhurst. *W Sus* 4G **25**
Mid Kirkton. *N Ayr* 4C **126**
Mid Lambrook. *Som* 1H **13**
Midland. *Orkn* 7C **172**
Mid Lavant. *W Sus* 2G **17**
Midlem. *Bord* 2H **119**
Midney. *Som* 4A **22**
Midsomer Norton. *Bath* 1B **22**
Midton. *Inv* 2D **126**
Midtown. *High* 5C **162** (nr. Poolewe)
Midtown. *High* 2F **167** (nr. Tongue)
Midville. *Linc* 5C **88**
Midway. *Derbs* 3H **73**
Mid Yell. *Shet* 2G **173**
Migdale. *High* 4D **164**
Migvie. *Abers* 3B **152**
Milborne Port. *Som* 1B **14**
Milborne St Andrew. *Dors* 3D **14**
Milborne Wick. *Som* 4B **22**
Milbourne. *Nmbd* 2E **115**
Milbourne. *Wilts* 3E **35**
Milburn. *Cumb* 2H **103**
Milbury Heath. *S Glo* 2B **34**
Milby. *N Yor* 3G **99**
Milcombe. *Oxon* 2C **50**
Milden. *Suff* 1C **54**
Mildenhall. *Suff* 3G **65**
Mildenhall. *Wilts* 5H **35**
Milebrook. *Powy* 3F **59**
Milebush. *Kent* 1B **28**
Mile End. *Cambs* 2F **65**
Mile End. *Essx* 3C **54**
Mileham. *Norf* 4B **78**
Mile Oak. *Brig* 5D **26**
Miles Green. *Staf* 5C **84**
Miles Hope. *Here* 4H **59**
Milesmark. *Fife* 1D **128**
Mile Town. *Kent* 3D **40**
Milfield. *Nmbd* 1D **120**
Milford. *Derbs* 1A **74**
Milford. *Devn* 4C **18**
Milford. *Powy* 1C **58**
Milford. *Staf* 3D **72**
Milford. *Surr* 1A **26**
Milford Haven. *Pemb* 4D **42**
Milford on Sea. *Hants* 3A **16**
Milkwall. *Glos* 5A **48**
Milkwell. *Wilts* 4E **23**
Milland. *W Sus* 4G **25**
Millbank. *High* 2D **168**
Mill Bank. *W Yor* 2A **92**
Millbeck. *Cumb* 2D **102**
Millbounds. *Orkn* 4E **172**
Millbreck. *Abers* 4H **161**
Millbridge. *Surr* 2G **25**
Millbrook. *C Beds* 2A **52**
Millbrook. *Corn* 3A **8**
Millbrook. *G Man* 1D **85**
Millbrook. *Sotn* 1B **16**
Mill Common. *Suff* 2G **67**
Mill Corner. *E Sus* 3C **28**
Milldale. *Staf* 5F **85**
Millden Lodge. *Ang* 1E **145**
Milldens. *Ang* 3E **145**
Millearn. *Per* 2B **136**
Mill End. *Buck* 3F **37**
Mill End. *Cambs* 5F **65**
Millend. *Glos* 2C **34** (nr. Dursley)
Mill End. *Glos* 4G **49** (nr. Northleach)
Mill End. *Herts* 2D **52**
Millerhill. *Midl* 3G **129**
Miller's Dale. *Derbs* 3F **85**
Millers Green. *Derbs* 5G **85**
Millerston. *N Lan* 3H **127**
Millfield. *Abers* 4B **152**
Millfield. *Pet* 1A **64**
Millgate. *Lanc* 3G **91**
Mill Green. *Essx* 5G **53**
Mill Green. *Norf* 2D **66**
Mill Green. *Shrp* 3A **72**
Mill Green. *Staf* 3E **73**
Mill Green. *Suff* 1C **54**
Millhalf. *Here* 1F **47**
Millhall. *E Ren* 4G **127**
Millhayes. *Devn* 2F **13** (nr. Honiton)
Millhayes. *Devn* 1E **13** (nr. Wellington)
Millhead. *Lanc* 2D **97**
Millheugh. *S Lan* 4A **128**
Mill Hill. *Bkbn* 2E **91**
Mill Hill. *G Lon* 1D **38**
Millholme. *Cumb* 5G **103**
Millhouse. *Arg* 2A **126**
Millhousebridge. *Dum* 1C **112**
Millhouses. *S Yor* 2H **85**
Millikenpark. *Ren* 3F **127**
Millington. *E Yor* 4C **100**
Millington Green. *Derbs* 1G **73**
Mill Knowe. *Arg* 3B **122**
Mill Lane. *Hants* 1F **25**
Millmeece. *Staf* 2C **72**
Mill of Craigievar. *Abers* 2C **152**
Mill of Fintray. *Abers* 2F **153**
Mill of Haldane. *W Dun* 1F **127**
Millom. *Cumb* 1A **96**
Millow. *C Beds* 1C **52**
Millpool. *Corn* 5B **10**
Millport. *N Ayr* 4C **126**
Mill Side. *Cumb* 1D **96**
Mill Street. *Norf* 4C **78** (nr. Lyng)
Mill Street. *Norf* 4C **78** (nr. Swanton Morley)
Millthorpe. *Derbs* 3H **85**
Millthorpe. *Linc* 2A **76**
Millthrop. *Cumb* 5H **103**
Milltimber. *Aber* 3F **153**
Milltown. *Abers* 3G **151** (nr. Corgarff)
Milltown. *Abers* 2B **152** (nr. Lumsden)
Milltown. *Corn* 3F **7**
Milltown. *Derbs* 4A **86**
Milltown. *Devn* 3F **19**
Milltown. *Dum* 2E **113**
Milltown. *Mor* 4C **160**
Milltown of Aberdalgie. *Per* 1C **136**
Milltown of Auchindoun. *Mor* 4A **160**
Milltown of Campfield. *Abers* 3D **152**
Milltown of Edinville. *Mor* 4G **159**
Milltown of Towie. *Abers* 2B **152**
Milnacraig. *Ang* 3B **144**
Milnathort. *Per* 3D **136**
Milngavie. *E Dun* 2G **127**
Milnholm. *Stir* 1A **128**
Milnrow. *G Man* 3H **91**
Milnthorpe. *Cumb* 1D **97**
Milnthorpe. *W Yor* 3D **92**
Milson. *Shrp* 3A **60**
Milstead. *Kent* 5D **40**
Milston. *Wilts* 2G **23**
Milthorpe. *Nptn* 1D **50**
Milton. *Ang* 4C **144**
Milton. *Cambs* 4D **65**
Milton. *Cumb* 3G **113**
Milton. *Derbs* 3H **73**
Milton. *Dum* 2F **111** (nr. Crocketford)
Milton. *Dum* 4H **109** (nr. Glenluce)
Milton. *E Ayr* 2D **116**
Milton. *Glas* 2G **127**
Milton. *High* 3F **157** (nr. Achnasheen)
Milton. *High* 4G **155** (nr. Applecross)
Milton. *High* 5G **157** (nr. Drumnadrochit)
Milton. *High* 1B **158** (nr. Invergordon)
Milton. *High* 4H **157** (nr. Inverness)
Milton. *High* 3F **169** (nr. Wick)
Milton. *Mor* 2C **160** (nr. Cullen)
Milton. *Mor* 2F **151** (nr. Tomintoul)
Milton. *N Som* 5G **33**
Milton. *Notts* 3E **86**
Milton. *Oxon* 2C **50** (nr. Banbury)
Milton. *Oxon* 2C **36** (nr. Didcot)
Milton. *Pemb* 4E **43**
Milton. *Port* 3E **17**
Milton. *Som* 4H **21**
Milton. *Stir* 3E **135** (nr. Aberfoyle)
Milton. *Stir* 4D **134** (nr. Drymen)
Milton. *Stoke* 5D **84**
Milton. *W Dun* 2F **127**
Milton Abbas. *Dors* 2D **14**
Milton Abbot. *Devn* 5E **11**
Milton Auchlossan. *Abers* 3C **152**
Milton Bridge. *Midl* 3F **129**
Milton Bryan. *C Beds* 2H **51**
Milton Clevedon. *Som* 3B **22**
Milton Coldwells. *Abers* 5G **161**
Milton Combe. *Devn* 2A **8**
Milton Common. *Oxon* 5E **51**
Milton Damerel. *Devn* 1D **11**
Miltonduff. *Mor* 2F **159**
Milton End. *Glos* 5G **49**
Milton Ernest. *Bed* 5H **63**
Milton Green. *Ches W* 5G **83**
Milton Hill. *Devn* 5C **12**
Milton Hill. *Oxon* 2C **36**
Milton Keynes. *Mil* 2G **51**
Milton Keynes Village. *Mil* 2G **51**
Milton Lilbourne. *Wilts* 5G **35**
Milton Malsor. *Nptn* 5E **63**
Milton Morenish. *Per* 5D **142**
Milton of Auchinhove. *Abers* 3C **152**
Milton of Balgonie. *Fife* 3F **137**
Milton of Barras. *Abers* 1H **145**
Milton of Campsie. *E Dun* 2H **127**
Milton of Cultoquhey. *Per* 1A **136**
Milton of Cushnie. *Abers* 2C **152**
Milton of Finavon. *Ang* 3D **145**
Milton of Gollanfield. *High* 3B **158**
Milton of Lesmore. *Abers* 1B **152**
Milton of Tullich. *Abers* 4A **152**
Milton on Stour. *Dors* 4C **22**
Milton Regis. *Kent* 4C **40**
Milton Street. *E Sus* 5G **27**
Milton-under-Wychwood. *Oxon* 4A **50**
Milverton. *Som* 4E **20**
Milverton. *Warw* 4H **61**
Milwich. *Staf* 2D **72**
Mimbridge. *Surr* 4A **38**
Minard. *Arg* 4G **133**
Minchington. *Dors* 1E **15**
Minchinhampton. *Glos* 5D **49**
Mindrum. *Nmbd* 1C **120**
Minehead. *Som* 2C **20**
Minera. *Wrex* 5E **83**
Minety. *Wilts* 2F **35**
Minffordd. *Gwyn* 2E **69**
Mingarrypark. *High* 2A **140**
Mingary. *High* 2G **139**
Mingearraidh. *W Isl* 6C **170**
Miningsby. *Linc* 4C **88**
Minions. *Corn* 5C **10**
Minishant. *S Ayr* 3C **116**
Minllyn. *Gwyn* 4A **70**
Minnigaff. *Dum* 3B **110**
Minorca. *IOM* 3D **108**

Mucking—Newborough

Mucking. *Thur* 2A **40**
Muckleford. *Dors* 3B **14**
Mucklestone. *Staf* 2B **72**
Muckleton. *Norf* 2H **77**
Muckleton. *Shrp* 3H **71**
Muckley. *Shrp* 1A **60**
Muckley Corner. *Staf* 5E **73**
Muckton. *Linc* 2C **88**
Mudale. *High* 5F **167**
Muddiford. *Devn* 3F **19**
Mudeford. *Dors* 3G **15**
Mudford. *Som* 1A **14**
Mudgley. *Som* 2H **21**
Mugdock. *Stir* 2G **127**
Mugeary. *High* 5D **154**
Muggington. *Derbs* 1G **73**
Muggintonlane End. *Derbs* 1G **73**
Muggleswick. *Dur* 4D **114**
Mugswell. *Surr* 5D **38**
Muie. *High* 3D **164**
Muirden. *Abers* 3E **160**
Muirdrum. *Ang* 5E **145**
Muiredge. *Per* 1E **137**
Muirend. *Glas* 3G **127**
Muirhead. *Ang* 5C **144**
Muirhead. *Fife* 3E **137**
Muirhead. *N Lan* 3H **127**
Muirhouses. *Falk* 1D **128**
Muirkirk. *E Ayr* 2F **117**
Muir of Alford. *Abers* 2C **152**
Muir of Fairburn. *High* 3G **157**
Muir of Fowlis. *Abers* 2C **152**
Muir of Miltonduff. *Mor* 3F **159**
Muir of Ord. *High* 3H **157**
Muir of Tarradale. *High* 3H **157**
Muirshearlich. *High* 5D **148**
Muirtack. *Abers* 5G **161**
Muirton. *High* 2B **158**
Muirton. *Per* 1D **136**
Muirton of Ardblair. *Per* 4A **144**
Muirtown. *Per* 2B **136**
Muiryfold. *Abers* 3E **161**
Muker. *N Yor* 5C **104**
Mulbarton. *Norf* 5D **78**
Mulben. *Mor* 3A **160**
Mulindry. *Arg* 4B **124**
Mullach Charlabhaigh. *W Isl* 3E **171**
Mullacott. *Devn* 2F **19**
Mullion. *Corn* 5D **5**
Mullion Cove. *Corn* 5D **4**
Mumbles, The. *Swan* 4F **31**
Mumby. *Linc* 3E **89**
Munderfield Row. *Here* 5A **60**
Munderfield Stocks. *Here* 5A **60**
Mundesley. *Norf* 2F **79**
Mundford. *Norf* 1H **65**
Mundham. *Norf* 1F **67**
Mundon. *Essx* 5B **54**
Munerigie. *High* 3E **149**
Muness. *Shet* 1H **173**
Mungasdale. *High* 4D **162**
Mungrisdale. *Cumb* 1E **103**
Munlochy. *High* 3A **158**
Munsley. *Here* 1B **48**
Munslow. *Shrp* 2H **59**
Murchington. *Devn* 4G **11**
Murcot. *Worc* 1F **49**
Murcott. *Oxon* 4D **50**
Murdishaw. *Hal* 2H **83**
Murieston. *W Lot* 3D **128**
Murkle. *High* 2D **168**
Murlaggan. *High* 4C **148**
Murra. *Orkn* 7B **172**
Murrayfield. *Edin* 2F **129**
Murray, The. *S Lan* 4H **127**
Murrell Green. *Hants* 1F **25**
Murroes. *Ang* 5D **144**
Murrow. *Cambs* 5C **76**
Mursley. *Buck* 3G **51**
Murthly. *Per* 5H **143**
Murton. *Cumb* 2A **104**
Murton. *Dur* 5G **115**
Murton. *Nmbd* 5F **131**
Murton. *Swan* 4E **31**
Murton. *York* 4A **100**
Musbury. *Devn* 3F **13**
Muscoates. *N Yor* 1A **100**
Muscott. *Nptn* 4D **62**
Musselburgh. *E Lot* 2G **129**
Muston. *Leics* 2F **75**
Muston. *N Yor* 2E **101**
Mustow Green. *Worc* 3C **60**
Muswell Hill. *G Lon* 2D **39**
Mutehill. *Dum* 5D **111**
Mutford. *Suff* 2G **67**
Muthill. *Per* 2A **136**
Mutterton. *Devn* 2D **12**
Muxton. *Telf* 4B **72**
Mwmbwls. *Swan* 4F **31**
Mybster. *High* 3D **168**
Myddfai. *Carm* 2A **46**
Myddle. *Shrp* 3G **71**
Mydroilyn. *Cdgn* 5D **56**
Myerscough. *Lanc* 1C **90**
Mylor Bridge. *Corn* 5C **6**
Mylor Churchtown. *Corn* 5C **6**
Mynachlog-ddu. *Pemb* 1F **43**
Mynydd-bach. *Mon* 2H **33**
Mynydd Isa. *Flin* 4E **83**
Mynyddislwyn. *Cphy* 2E **33**
Mynydd Llandegai. *Gwyn* 4F **81**
Mynydd Mechell. *IOA* 1C **80**
Mynydd-y-briw. *Powy* 3D **70**
Mynyddygarreg. *Carm* 5E **45**
Mynytho. *Gwyn* 2C **68**
Myrebird. *Abers* 4E **153**
Myrelandhorn. *High* 3E **169**
Mytchett. *Surr* 1G **25**
Mythe, The. *Glos* 2D **49**
Mytholmroyd. *W Yor* 2A **92**
Myton-on-Swale. *N Yor* 3G **99**
Mytton. *Shrp* 4G **71**

N

Naast. *High* 5C **162**
Na Buirgh. *W Isl* 8C **171**
Naburn. *York* 5H **99**
Nab Wood. *W Yor* 1B **92**
Nackington. *Kent* 5F **41**
Nacton. *Suff* 1F **55**
Nafferton. *E Yor* 4E **101**
Na Gearrannan. *W Isl* 3D **171**
Nailbridge. *Glos* 4B **48**
Nailsbourne. *Som* 4F **21**
Nailsea. *N Som* 4H **33**
Nailstone. *Leics* 5B **74**
Nailsworth. *Glos* 2D **34**
Nairn. *High* 3C **158**
Nalderswood. *Surr* 1D **26**
Nancegollan. *Corn* 3D **4**
Nancekuke. *Corn* 4A **6**
Nancledra. *Corn* 3B **4**
Nangreaves. *G Man* 3G **91**
Nanhyfer. *Pemb* 1E **43**
Nannerch. *Flin* 4D **82**
Nanpantan. *Leics* 4C **74**
Nanpean. *Corn* 3D **6**
Nanstallon. *Corn* 2E **7**
Nant-ddu. *Powy* 4D **46**
Nanternis. *Cdgn* 5C **56**
Nantgaredig. *Carm* 3E **45**
Nantgarw. *Rhon* 3E **33**
Nant Glas. *Powy* 4B **58**
Nantglyn. *Den* 4C **82**
Nantgwyn. *Powy* 3B **58**
Nantlle. *Gwyn* 5E **81**
Nantmawr. *Shrp* 3E **71**
Nantmel. *Powy* 4C **58**
Nantmor. *Gwyn* 1F **69**
Nant Peris. *Gwyn* 5F **81**
Nantwich. *Ches E* 5A **84**
Nant-y-bai. *Carm* 1A **46**
Nant-y-bwch. *Blae* 4E **47**
Nant-y-Derry. *Mon* 5G **47**
Nant-y-dugoed. *Powy* 4B **70**
Nant-y-felin. *Cnwy* 3F **81**
Nantyffyllon. *B'end* 2B **32**
Nantyglo. *Blae* 4E **47**
Nant-y-meichiaid. *Powy* 4D **70**
Nant-y-moel. *B'end* 2C **32**
Nant-y-Pandy. *Cnwy* 3F **81**
Naphill. *Buck* 2G **37**
Nappa. *Lanc* 4A **98**
Napton on the Hill. *Warw* 4B **62**
Narberth. *Pemb* 3F **43**
Narberth Bridge. *Pemb* 3F **43**
Narborough. *Leics* 1C **62**
Narborough. *Norf* 4G **77**
Narkurs. *Corn* 3H **7**
Narth, The. *Mon* 5A **48**
Narthwaite. *Cumb* 5A **104**
Nasareth. *Gwyn* 1D **68**
Naseby. *Nptn* 3D **62**
Nash. *Buck* 2F **51**
Nash. *Here* 4F **59**
Nash. *Kent* 5G **41**
Nash. *Newp* 3G **33**
Nash. *Shrp* 3A **60**
Nash Lee. *Buck* 5G **51**
Nassington. *Nptn* 1H **63**
Nasty. *Herts* 3D **52**
Natcott. *Devn* 4C **18**
Nateby. *Cumb* 4A **104**
Nateby. *Lanc* 5D **96**
Nately Scures. *Hants* 1F **25**
Natland. *Cumb* 1E **97**
Naughton. *Suff* 1D **54**
Naunton. *Glos* 3G **49**
Naunton. *Worc* 2D **49**
Naunton Beauchamp. *Worc* 5D **60**
Navenby. *Linc* 5G **87**
Navestock Heath. *Essx* 1G **39**
Navestock Side. *Essx* 1G **39**
Navidale. *High* 2H **165**
Nawton. *N Yor* 1A **100**
Nayland. *Suff* 2C **54**
Nazeing. *Essx* 5E **53**
Neacroft. *Hants* 3G **15**
Neal's Green. *W Mid* 2H **61**
Neap House. *N Lin* 3B **94**
Near Sawrey. *Cumb* 5E **103**
Neasden. *G Lon* 2D **38**
Neasham. *Darl* 3A **106**
Neath. *Neat* 2A **32**
Neath Abbey. *Neat* 3G **31**
Neatishead. *Norf* 3F **79**
Neaton. *Norf* 5B **78**
Nebo. *Cdgn* 4E **57**
Nebo. *Cnwy* 5H **81**
Nebo. *Gwyn* 5D **81**
Nebo. *IOA* 1D **80**
Necton. *Norf* 5A **78**
Nedd. *High* 5B **166**
Nedderton. *Nmbd* 1F **115**
Nedging. *Suff* 1D **54**
Nedging Tye. *Suff* 1D **54**
Needham. *Norf* 2E **67**
Needham Market. *Suff* 5C **66**
Needham Street. *Suff* 4G **65**
Needingworth. *Cambs* 3C **64**
Needwood. *Staf* 3F **73**
Neen Savage. *Shrp* 3A **60**
Neen Sollars. *Shrp* 3A **60**
Neenton. *Shrp* 2A **60**
Nefyn. *Gwyn* 1C **68**
Neilston. *E Ren* 4F **127**
Neithrop. *Oxon* 1C **50**
Nelly Andrews Green. *Powy* 5E **71**
Nelson. *Cphy* 2E **32**
Nelson. *Lanc* 1G **91**
Nelson Village. *Nmbd* 2F **115**
Nemphlar. *S Lan* 5B **128**
Nempnett Thrubwell. *Bath* 5A **34**
Nene Terrace. *Linc* 5B **76**
Nenthall. *Cumb* 5A **114**
Nenthead. *Cumb* 5A **114**
Nenthorn. *Bord* 1A **120**
Nercwys. *Flin* 4E **83**
Neribus. *Arg* 4A **124**
Nerston. *S Lan* 4H **127**
Nesbit. *Nmbd* 1D **121**
Nesfield. *N Yor* 5C **98**
Ness. *Ches W* 3F **83**
Nesscliffe. *Shrp* 4F **71**
Neston. *Ches W* 3E **83**
Neston. *Wilts* 5D **34**
Netchwood. *Shrp* 1A **60**
Nethanfoot. *S Lan* 5B **128**
Nether Alderley. *Ches E* 3C **84**
Netheravon. *Wilts* 2G **23**
Nether Blainslie. *Bord* 5B **130**
Netherbrae. *Abers* 3E **161**
Netherbrough. *Orkn* 6C **172**
Nether Broughton. *Leics* 3D **74**
Netherburn. *S Lan* 5B **128**
Nether Burrow. *Lanc* 2F **97**
Netherbury. *Dors* 3H **13**
Netherby. *Cumb* 2E **113**
Nether Careston. *Ang* 3E **145**
Nether Cerne. *Dors* 3B **14**
Nether Compton. *Dors* 1A **14**
Nethercote. *Glos* 3G **49**
Nethercote. *Warw* 4C **62**
Nethercott. *Devn* 3E **19**
Nethercott. *Oxon* 3C **50**
Nether Dallachy. *Mor* 2A **160**
Nether Durdie. *Per* 1E **136**
Nether End. *Derbs* 3G **85**
Netherend. *Glos* 5A **48**
Nether Exe. *Devn* 2C **12**
Netherfield. *E Sus* 4B **28**
Netherfield. *Notts* 1D **74**
Nethergate. *Norf* 3C **78**
Netherhampton. *Wilts* 4G **23**
Nether Handley. *Derbs* 3B **86**
Nether Haugh. *S Yor* 1B **86**
Nether Heage. *Derbs* 5A **86**
Nether Heyford. *Nptn* 5D **62**
Netherhouses. *Cumb* 1B **96**
Nether Howcleugh. *Dum* 3C **118**
Nether Kellet. *Lanc* 3E **97**
Nether Kinmundy. *Abers* 4H **161**
Netherland Green. *Staf* 2F **73**
Nether Langwith. *Notts* 3C **86**
Netherlaw. *Dum* 5E **111**
Netherley. *Abers* 4F **153**
Nethermill. *Dum* 1B **112**
Nethermills. *Mor* 3C **160**
Nether Moor. *Derbs* 4A **86**
Nether Padley. *Derbs* 3G **85**
Netherplace. *E Ren* 4G **127**
Nether Poppleton. *York* 4H **99**
Netherseal. *Derbs* 4G **73**
Nether Silton. *N Yor* 5B **106**
Nether Stowey. *Som* 3E **21**
Nether Street. *Essx* 4F **53**
Netherstreet. *Wilts* 5E **35**
Netherthird. *E Ayr* 3E **117**
Netherthong. *W Yor* 4B **92**
Netherton. *Ang* 3E **145**
Netherton. *Cumb* 1B **102**
Netherton. *Devn* 5B **12**
Netherton. *Hants* 1B **24**
Netherton. *Here* 3A **48**
Netherton. *Mers* 1F **83**
Netherton. *N Lan* 4A **128**
Netherton. *Nmbd* 4D **121**
Netherton. *Per* 3A **144**
Netherton. *Shrp* 2B **60**
Netherton. *Stir* 2G **127**
Netherton. *W Mid* 2D **60**
Netherton. *W Yor* 3C **92**
(nr. Horbury)
Netherton. *W Yor* 3B **92**
(nr. Huddersfield)
Netherton. *Worc* 1E **49**
Nethertown. *Cumb* 4A **102**
Nethertown. *High* 1F **169**
Nethertown. *Staf* 4F **73**
Nether Urquhart. *Fife* 3D **136**
Nether Wallop. *Hants* 3B **24**
Nether Wasdale. *Cumb* 4C **102**
Nether Welton. *Cumb* 5E **113**
Nether Westcote. *Glos* 3H **49**
Nether Whitacre. *Warw* 1G **61**
Netherwhitton. *Nmbd* 5F **121**
Nether Worton. *Oxon* 2C **50**
Nethy Bridge. *High* 1E **151**
Netley. *Hants* 2C **16**
Netley. *Shrp* 5G **71**
Netley Marsh. *Hants* 1B **16**
Nettlebed. *Oxon* 3F **37**
Nettlebridge. *Som* 2B **22**
Nettlecombe. *Dors* 3A **14**
Nettlecombe. *IOW* 5D **16**
Nettleden. *Herts* 4A **52**
Nettleham. *Linc* 3H **87**
Nettlestead. *Kent* 5A **40**
Nettlestead Green. *Kent* 5A **40**
Nettlestone. *IOW* 3E **16**
Nettlesworth. *Dur* 5F **115**
Nettleton. *Linc* 4E **94**
Nettleton. *Wilts* 4D **34**
Netton. *Devn* 4B **8**
Netton. *Wilts* 3G **23**
Neuadd. *Carm* 3H **45**
Neuadd. *Powy* 5C **70**
Neuk, The. *Abers* 4E **153**
Nevendon. *Essx* 1B **40**
Nevern. *Pemb* 1A **44**
New Abbey. *Dum* 3A **112**
New Aberdour. *Abers* 2F **161**
New Addington. *G Lon* 4E **39**
Newall. *W Yor* 5D **98**
New Alresford. *Hants* 3D **24**
New Alyth. *Per* 4B **144**
Newark. *Orkn* 3G **172**
Newark. *Pet* 5B **76**
Newark-on-Trent. *Notts* 5E **87**
New Arley. *Warw* 2G **61**
Newarthill. *N Lan* 4A **128**
New Ash Green. *Kent* 4H **39**
New Balderton. *Notts* 5F **87**
New Barn. *Kent* 4H **39**
New Barnetby. *N Lin* 3D **94**
Newbattle. *Midl* 3G **129**
New Bewick. *Nmbd* 2E **121**
Newbiggin. *Cumb* 2H **103**
(nr. Appleby)
Newbiggin. *Cumb* 3B **96**
(nr. Barrow-in-Furness)
Newbiggin. *Cumb* 5G **113**
(nr. Cumrew)
Newbiggin. *Cumb* 2F **103**
(nr. Penrith)
Newbiggin. *Cumb* 5B **102**
(nr. Seascale)
Newbiggin. *Dur* 5E **115**
(nr. Consett)
Newbiggin. *Dur* 2C **104**
(nr. Holwick)
Newbiggin. *Nmbd* 5C **114**
Newbiggin. *N Yor* 5C **104**
(nr. Askrigg)
Newbiggin. *N Yor* 1F **101**
(nr. Filey)
Newbiggin. *N Yor* 1B **98**
(nr. Thoralby)
Newbiggin-by-the-Sea. *Nmbd* 1G **115**
Newbigging. *Ang* 5D **145**
(nr. Monikie)
Newbigging. *Ang* 4B **144**
(nr. Newtyle)
Newbigging. *Ang* 5D **144**
(nr. Tealing)
Newbigging. *Edin* 2E **129**
Newbigging. *S Lan* 5D **128**
Newbiggin-on-Lune. *Cumb* 4A **104**
Newbold. *Derbs* 3A **86**
Newbold. *Leics* 4B **74**
Newbold on Avon. *Warw* 3B **62**
Newbold on Stour. *Warw* 1H **49**
Newbold Pacey. *Warw* 5G **61**
Newbold Verdon. *Leics* 5B **74**
New Bolingbroke. *Linc* 5C **88**
Newborough. *IOA* 4D **80**
Newborough. *Pet* 5B **76**
Newborough. *Staf* 3F **73**

Newbottle. *Nptn* 2D **50**
Newbottle. *Tyne* 4G **115**
New Boultham. *Linc* 3G **87**
Newbourne. *Suff* 1F **55**
New Brancepeth. *Dur* 5F **115**
Newbridge. *Cphy* 2F **33**
Newbridge. *Cdgn* 5E **57**
Newbridge. *Corn* 3B **4**
New Bridge. *Dum* 2G **111**
Newbridge. *Edin* 2E **129**
Newbridge. *Hants* 1A **16**
Newbridge. *IOW* 4C **16**
Newbridge. *N Yor* 1C **100**
Newbridge. *Pemb* 1D **42**
Newbridge. *Wrex* 1E **71**
Newbridge Green. *Worc* 2D **48**
Newbridge-on-Usk. *Mon* 2G **33**
Newbridge on Wye. *Powy* 5C **58**
New Brighton. *Flin* 4E **83**
New Brighton. *Hants* 2F **17**
New Brighton. *Mers* 1F **83**
New Brinsley. *Notts* 5B **86**
Newbrough. *Nmbd* 3B **114**
New Broughton. *Wrex* 5F **83**
New Buckenham. *Norf* 1C **66**
Newbuildings. *Devn* 2A **12**
Newburgh. *Abers* 1G **153**
Newburgh. *Fife* 2E **137**
Newburgh. *Lanc* 3C **90**
Newburn. *Tyne* 3E **115**
Newbury. *W Ber* 5C **36**
Newbury. *Wilts* 2D **22**
Newby. *Cumb* 2G **103**
Newby. *N Yor* 2G **97** (nr. Ingleton)
Newby. *N Yor* 1E **101** (nr. Scarborough)
Newby. *N Yor* 3C **106** (nr. Stokesley)
Newby Bridge. *Cumb* 1C **96**
Newby Cote. *N Yor* 2G **97**
Newby East. *Cumb* 4F **113**
Newby Head. *Cumb* 2G **103**
New Byth. *Abers* 3F **161**
Newby West. *Cumb* 4E **113**
Newby Wiske. *N Yor* 1F **99**
Newcastle. *B'end* 3B **32**
Newcastle. *Mon* 4H **47**
Newcastle. *Shrp* 2E **59**
Newcastle Emlyn. *Carm* 1D **44**
Newcastle International Airport. *Tyne* 2E **115**
Newcastleton. *Bord* 1F **113**
Newcastle-under-Lyme. *Staf* 1C **72**
Newcastle upon Tyne. *Tyne* 3F **115**
Newchapel. *Pemb* 1G **43**
Newchapel. *Powy* 2B **58**
Newchapel. *Staf* 5C **84**
Newchapel. *Surr* 1E **27**
New Cheriton. *Hants* 4D **24**
Newchurch. *Carm* 3D **45**
Newchurch. *Here* 5F **59**
Newchurch. *IOW* 4D **16**
Newchurch. *Kent* 2E **29**
Newchurch. *Lanc* 1G **91** (nr. Nelson)
Newchurch. *Lanc* 2G **91** (nr. Rawtenstall)
Newchurch. *Mon* 2H **33**
Newchurch. *Powy* 5E **58**
Newchurch. *Staf* 3F **73**
New Costessey. *Norf* 4D **78**
Newcott. *Devn* 2F **13**
New Cowper. *Cumb* 5C **112**
Newcraighall. *Edin* 2G **129**
New Crofton. *W Yor* 3D **93**
New Cross. *Cdgn* 3F **57**
New Cross. *Som* 1H **13**
New Cumnock. *E Ayr* 3F **117**
New Deer. *Abers* 4F **161**
New Denham. *Buck* 2B **38**
Newdigate. *Surr* 1C **26**
New Duston. *Nptn* 4E **62**
New Earswick. *York* 4A **100**
New Edlington. *S Yor* 1C **86**
New Elgin. *Mor* 2G **159**
New Ellerby. *E Yor* 1E **95**
Newell Green. *Brac* 4G **37**
New Eltham. *G Lon* 3F **39**
New End. *Warw* 4F **61**
New End. *Worc* 5E **61**
Newenden. *Kent* 3C **28**
New England. *Essx* 1H **53**
New England. *Pet* 5A **76**
Newent. *Glos* 3C **48**
New Ferry. *Mers* 2F **83**
Newfield. *Dur* 4F **115** (nr. Chester-le-Street)
Newfield. *Dur* 1F **105** (nr. Willington)
Newfound. *Hants* 1D **24**
New Fryston. *W Yor* 2E **93**
New Galloway. *Dum* 2D **110**
Newgate. *Norf* 1C **78**
Newgate. *Pemb* 2C **42**
Newgate Street. *Herts* 5D **52**
New Greens. *Herts* 5B **52**
New Grimsby. *IOS* 1A **4**
New Hainford. *Norf* 4E **78**
Newhall. *Ches E* 1A **72**
Newhall. *Staf* 3G **73**
Newham. *Nmbd* 2F **121**
New Hartley. *Nmbd* 2G **115**
Newhaven. *Derbs* 4F **85**
Newhaven. *E Sus* 5F **27**
Newhaven. *Edin* 2F **129**
New Haw. *Surr* 4B **38**
New Hedges. *Pemb* 4F **43**
New Herrington. *Tyne* 4G **115**
Newhey. *G Man* 3H **91**
New Holkham. *Norf* 2A **78**
New Holland. *N Lin* 2D **94**
Newholm. *N Yor* 3F **107**
New Houghton. *Derbs* 4C **86**
New Houghton. *Norf* 3G **77**
Newhouse. *N Lan* 3A **128**
New Houses. *N Yor* 2H **97**
New Hutton. *Cumb* 5G **103**
New Hythe. *Kent* 5B **40**
Newick. *E Sus* 3F **27**
Newingreen. *Kent* 2F **29**
Newington. *Edin* 2F **129**
Newington. *Kent* 2F **29** (nr. Folkestone)
Newington. *Kent* 4C **40** (nr. Sittingbourne)
Newington. *Notts* 1D **86**
Newington. *Oxon* 2E **36**
Newington Bagpath. *Glos* 2D **34**
New Inn. *Carm* 2E **45**
New Inn. *Mon* 5H **47**
New Inn. *N Yor* 2H **97**
New Inn. *Torf* 5G **47**
New Invention. *Shrp* 3E **59**
New Kelso. *High* 4B **156**
New Lanark. *S Lan* 5B **128**
Newland. *Glos* 5A **48**
Newland. *Hull* 1D **94**
Newland. *N Yor* 2G **93**
Newland. *Som* 3B **20**
Newland. *Worc* 1C **48**
Newlandrig. *Midl* 3G **129**
Newlands. *Cumb* 1E **103**
Newlands. *Essx* 2C **40**
Newlands. *High* 4B **158**
Newlands. *Nmbd* 4D **115**
Newlands. *Notts* 4C **86**
Newlands. *Staf* 3E **73**
Newlands of Geise. *High* 2C **168**
Newlands of Tynet. *Mor* 2A **160**
Newlands Park. *IOA* 2B **80**
New Lane. *Lanc* 3C **90**
New Lane End. *Warr* 1A **84**
New Langholm. *Dum* 1E **113**
New Leake. *Linc* 5D **88**
New Leeds. *Abers* 3G **161**
New Lenton. *Nott* 2C **74**
New Longton. *Lanc* 2D **90**
Newlot. *Orkn* 6E **172**
New Luce. *Dum* 3G **109**
Newlyn. *Corn* 4B **4**
Newmachar. *Abers* 2F **153**
Newmains. *N Lan* 4B **128**
New Mains of Ury. *Abers* 5F **153**
New Malden. *G Lon* 4D **38**
Newman's Green. *Suff* 1B **54**
Newmarket. *Suff* 4F **65**
Newmarket. *W Isl* 4G **171**
New Marske. *Red C* 2D **106**
New Marton. *Shrp* 2F **71**
New Micklefield. *W Yor* 1E **93**
New Mill. *Abers* 4E **160**
New Mill. *Corn* 3B **4**
New Mill. *Herts* 4H **51**
Newmill. *Mor* 3B **160**
Newmill. *Bord* 3G **119**
New Mill. *W Yor* 4B **92**
New Mill. *Wilts* 5G **35**
Newmillerdam. *W Yor* 3D **92**
New Mills. *Corn* 3C **6**
New Mills. *Derbs* 2E **85**
Newmills. *Fife* 1D **128**
Newmills. *High* 2A **158**
New Mills. *Mon* 5A **48**
New Mills. *Powy* 5C **70**
Newmiln. *Per* 5A **144**
Newmilns. *E Ayr* 1E **117**
New Milton. *Hants* 3H **15**
New Mistley. *Essx* 2E **54**
New Moat. *Pemb* 2E **43**
Newmore. *High* 3H **157** (nr. Dingwall)
Newmore. *High* 1A **158** (nr. Invergordon)
Newnham. *Cambs* 5D **64**
Newnham. *Glos* 4B **48**
Newnham. *Hants* 1F **25**
Newnham. *Herts* 2C **52**
Newnham. *Kent* 5D **40**
Newnham. *Nptn* 5C **62**
Newnham. *Warw* 4F **61**
Newnham Bridge. *Worc* 4A **60**
New Ollerton. *Notts* 4D **86**
New Oscott. *W Mid* 1F **61**
Newpark. *Fife* 2G **137**
New Park. *N Yor* 4E **99**
New Pitsligo. *Abers* 3F **161**
New Polzeath. *Corn* 1D **6**
Newport. *Corn* 4D **10**
Newport. *Devn* 3F **19**
Newport. *E Yor* 1B **94**
Newport. *Essx* 2F **53**
Newport. *Glos* 2B **34**
Newport. *High* 1H **165**
Newport. *IOW* 4D **16**
Newport. *Newp* 3G **33**
Newport. *Norf* 4H **79**
Newport. *Pemb* 1E **43**
Newport. *Som* 4G **21**
Newport. *Telf* 4B **72**
Newport-on-Tay. *Fife* 1G **137**
Newport Pagnell. *Mil* 1G **51**
Newpound Common. *W Sus* 3B **26**
New Prestwick. *S Ayr* 2C **116**
New Quay. *Cdgn* 5C **56**
Newquay. *Corn* 2C **6**
Newquay Airport. *Corn* 2C **6**
New Rackheath. *Norf* 4E **79**
New Radnor. *Powy* 4E **58**
New Rent. *Cumb* 1F **103**
New Ridley. *Nmbd* 4D **114**
New Romney. *Kent* 3E **29**
New Rossington. *S Yor* 1D **86**
New Row. *Cdgn* 3G **57**
New Row. *Lanc* 1E **91**
New Row. *N Yor* 3D **106**
New Sauchie. *Clac* 4A **136**
Newsbank. *Ches E* 4C **84**
Newseat. *Abers* 5E **160**
Newsham. *Lanc* 1D **90**
Newsham. *Nmbd* 2G **115**
Newsham. *N Yor* 3E **105** (nr. Richmond)
Newsham. *N Yor* 1F **99** (nr. Thirsk)
New Sharlston. *W Yor* 3D **93**
Newsholme. *E Yor* 2H **93**
Newsholme. *Lanc* 4H **97**
New Shoreston. *Nmbd* 1F **121**
New Springs. *G Man* 4D **90**
Newstead. *Notts* 5C **86**
Newstead. *Bord* 1H **119**
New Stevenston. *N Lan* 4A **128**
New Street. *Here* 5F **59**
Newstreet Lane. *Shrp* 2A **72**
New Swanage. *Dors* 4F **15**
New Swannington. *Leics* 4B **74**
Newthorpe. *N Yor* 1E **93**
Newthorpe. *Notts* 1B **74**
Newton. *Arg* 4H **133**
Newton. *B'end* 4B **32**
Newton. *Cambs* 1E **53** (nr. Cambridge)
Newton. *Cambs* 4D **76** (nr. Wisbech)
Newton. *Ches W* 4G **83** (nr. Chester)
Newton. *Ches W* 5H **83** (nr. Tattenhall)
Newton. *Cumb* 2B **96**
Newton. *Derbs* 5B **86**
Newton. *Dors* 1C **14**
Newton. *Dum* 2D **112** (nr. Annan)
Newton. *Dum* 5D **118** (nr. Moffat)
Newton. *G Man* 1D **84**
Newton. *Here* 2G **47** (nr. Ewyas Harold)
Newton. *Here* 5H **59** (nr. Leominster)
Newton. *High* 2B **158** (nr. Cromarty)
Newton. *High* 4B **158** (nr. Inverness)
Newton. *High* 5C **166** (nr. Kylestrome)
Newton. *High* 4F **169** (nr. Wick)
Newton. *Lanc* 2E **97** (nr. Carnforth)
Newton. *Lanc* 4F **97** (nr. Clitheroe)
Newton. *Lanc* 1C **90** (nr. Kirkham)
Newton. *Linc* 2H **75**
Newton. *Mers* 2E **83**
Newton. *Mor* 2F **159**
Newton. *Norf* 4H **77**
Newton. *Nptn* 2F **63**
Newton. *Nmbd* 3D **114**
Newton. *Notts* 1D **74**
Newton. *Bord* 2A **120**
Newton. *Shrp* 1B **60** (nr. Bridgnorth)
Newton. *Shrp* 2G **71** (nr. Wem)
Newton. *Som* 3E **20**
Newton. *S Lan* 3H **127** (nr. Glasgow)
Newton. *S Lan* 1B **118** (nr. Lanark)
Newton. *Staf* 3E **73**
Newton. *Suff* 1C **54**
Newton. *Swan* 4F **31**
Newton. *Warw* 3C **62**
Newton. *W Lot* 2D **129**
Newton. *Wilts* 4H **23**
Newton Abbot. *Devn* 5B **12**
Newtonairds. *Dum* 1F **111**
Newton Arlosh. *Cumb* 4D **112**
Newton Aycliffe. *Dur* 2F **105**
Newton Bewley. *Hart* 2B **106**
Newton Blossomville. *Mil* 5G **63**
Newton Bromswold. *Bed* 4G **63**
Newton Burgoland. *Leics* 5A **74**
Newton by Toft. *Linc* 2H **87**
Newton Ferrers. *Devn* 4B **8**
Newton Flotman. *Norf* 1E **66**
Newtongrange. *Midl* 3G **129**
Newton Green. *Mon* 2A **34**
Newton Hall. *Dur* 5F **115**
Newton Hall. *Nmbd* 3D **114**
Newton Harcourt. *Leics* 1D **62**
Newton Heath. *G Man* 4G **91**
Newtonhill. *Abers* 4G **153**
Newtonhill. *High* 4H **157**
Newton Hill. *W Yor* 2D **92**
Newton Ketton. *Darl* 2A **106**
Newton Kyme. *N Yor* 5G **99**
Newton-le-Willows. *Mers* 1H **83**
Newton-le-Willows. *N Yor* 1E **98**
Newton Longville. *Buck* 2G **51**
Newton Mearns. *E Ren* 4G **127**
Newtonmore. *High* 4B **150**
Newton Morrell. *N Yor* 4F **105**
Newton Mulgrave. *N Yor* 3E **107**
Newton of Ardtoe. *High* 1A **140**
Newton of Balcanquhal. *Per* 2D **136**
Newton of Beltrees. *Ren* 4E **127**
Newton of Falkland. *Fife* 3E **137**
Newton of Mountblairy. *Abers* 3E **160**
Newton of Pitcairns. *Per* 2C **136**
Newton-on-Ouse. *N Yor* 4H **99**
Newton-on-Rawcliffe. *N Yor* 5F **107**
Newton on the Hill. *Shrp* 3G **71**
Newton-on-the-Moor. *Nmbd* 4F **121**
Newton on Trent. *Linc* 3F **87**
Newton Poppleford. *Devn* 4D **12**
Newton Purcell. *Oxon* 2E **51**
Newton Regis. *Warw* 5G **73**
Newton Reigny. *Cumb* 1F **103**
Newton Rigg. *Cumb* 1F **103**
Newton St Cyres. *Devn* 3B **12**
Newton St Faith. *Norf* 4E **78**
Newton St Loe. *Bath* 5C **34**
Newton St Petrock. *Devn* 1E **11**
Newton Solney. *Derbs* 3G **73**
Newton Stacey. *Hants* 2C **24**
Newton Stewart. *Dum* 3B **110**
Newton Toney. *Wilts* 2H **23**
Newton Tony. *Wilts* 2H **23**
Newton Tracey. *Devn* 4F **19**
Newton under Roseberry. *Red C* 3C **106**
Newton Unthank. *Leics* 5B **74**
Newton upon Ayr. *S Ayr* 2C **116**
Newton upon Derwent. *E Yor* 5B **100**
Newton Valence. *Hants* 3F **25**
Newton-with-Scales. *Lanc* 1B **90**
Newtown. *Abers* 2E **160**
Newtown. *Cambs* 4H **63**
Newtown. *Corn* 5C **10**
Newtown. *Cumb* 5B **112** (nr. Aspatria)
Newtown. *Cumb* 3G **113** (nr. Brampton)
Newtown. *Cumb* 2G **103** (nr. Penrith)
Newtown. *Derbs* 2D **85**
Newtown. *Devn* 4A **20**
Newtown. *Dors* 2H **13** (nr. Beaminster)
New Town. *Dors* 1E **15** (nr. Sixpenny Handley)
New Town. *E Lot* 2H **129**
Newtown. *Falk* 1C **128**
Newtown. *Glos* 5B **48** (nr. Lydney)
Newtown. *Glos* 2E **49** (nr. Tewkesbury)
Newtown. *Hants* 1D **16** (nr. Bishop's Waltham)
Newtown. *Hants* 1A **16** (nr. Lyndhurst)
Newtown. *Hants* 5C **36** (nr. Newbury)
Newtown. *Hants* 4B **24** (nr. Romsey)

Newtown—Norton

Newtown. *Hants* 2C 16
(nr. Warsash)
Newtown. *Hants* 1E 16
(nr. Wickham)
Newtown. *Here* 2B 48
(nr. Ledbury)
Newtown. *Here* 2A 48
(nr. Little Dewchurch)
Newtown. *Here* 1B 48
(nr. Stretton Grandison)
Newtown. *High* 3F 149
Newtown. *IOM* 4C 108
Newtown. *IOW* 3C 16
Newtown. *Lanc* 3D 90
New Town. *Lutn* 3A 52
Newtown. *Nmbd* 4E 121
(nr. Rothbury)
Newtown. *Nmbd* 2E 121
(nr. Wooler)
Newtown. *Pool* 3F 15
Newtown. *Powy* 1D 58
Newtown. *Rhon* 2D 32
Newtown. *Shrp* 2G 71
Newtown. *Som* 1F 13
Newtown. *Staf* 4D 84
(nr. Biddulph)
Newtown. *Staf* 5D 73
(nr. Cannock)
Newtown. *Staf* 4E 85
(nr. Longnor)
New Town. *W Yor* 2E 93
Newtown. *Wilts* 4E 23
Newtown-in-St Martin. *Corn* 4E 5
Newtown Linford. *Leics* 4C 74
Newtown St Boswells. *Bord* 1H 119
New Tredegar. *Cphy* 5E 47
Newtyle. *Ang* 4B 144
New Village. *E Yor* 1D 94
New Village. *S Yor* 4F 93
New Walsoken. *Cambs* 5D 76
New Waltham. *NE Lin* 4F 95
New Winton. *E Lot* 2H 129
New World. *Cambs* 1C 64
New Yatt. *Oxon* 4B 50
Newyears Green. *G Lon* 2B 38
New York. *Linc* 5B 88
New York. *Tyne* 2G 115
Nextend. *Here* 5F 59
Neyland. *Pemb* 4D 42
Nib Heath. *Shrp* 4G 71
Nicholashayne. *Devn* 1E 12
Nicholaston. *Swan* 4E 31
Nidd. *N Yor* 3F 99
Niddrie. *Edin* 2F 129
Niddry. *Edin* 2D 129
Nigg. *Aber* 3G 153
Nigg. *High* 1C 158
Nigg Ferry. *High* 2B 158
Nightcott. *Som* 4B 20
Nimmer. *Som* 1G 13
Nine Ashes. *Essx* 5F 53
Ninebanks. *Nmbd* 4A 114
Nine Elms. *Swin* 3G 35
Ninemile Bar. *Dum* 2F 111
Nine Mile Burn. *Midl* 4E 129
Ninfield. *E Sus* 4B 28
Ningwood. *IOW* 4C 16
Nisbet. *Bord* 2A 120
Nisbet Hill. *Bord* 4D 130
Niton. *IOW* 5D 16
Nitshill. *E Ren* 4G 127
Niwbwrch. *IOA* 4D 80
Noak Hill. *G Lon* 1G 39
Nobold. *Shrp* 4G 71
Nobottle. *Nptn* 4D 62
Nocton. *Linc* 4H 87
Nogdam End. *Norf* 5F 79
Noke. *Oxon* 4D 50
Nolton. *Pemb* 3C 42
Nolton Haven. *Pemb* 3C 42
No Man's Heath. *Ches W* 1H 71
No Man's Heath. *Warw* 5G 73
Nomansland. *Devn* 1B 12
Nomansland. *Wilts* 1A 16
Noneley. *Shrp* 3G 71
Nonikiln. *High* 1A 158
Nonington. *Kent* 5G 41
Nook. *Cumb* 2F 113
(nr. Longtown)
Nook. *Cumb* 1E 97
(nr. Milnthorpe)
Noranside. *Ang* 2D 144
Norbreck. *Bkpl* 5C 96
Norbridge. *Here* 1C 48
Norbury. *Ches E* 1H 71
Norbury. *Derbs* 1F 73
Norbury. *Shrp* 1F 59
Norbury. *Staf* 3B 72
Norby. *N Yor* 1G 99
Norby. *Shet* 6D 173
Norcross. *Lanc* 5C 96
Nordelph. *Norf* 5E 77
Norden. *G Man* 3G 91
Nordley. *Shrp* 1A 60
Norham. *Nmbd* 5F 131
Norland Town. *W Yor* 2A 92
Norley. *Ches W* 3H 83
Norleywood. *Hants* 3B 16
Normanby. *N Lin* 3B 94
Normanby. *N Yor* 1B 100
Normanby. *Red C* 3C 106
Normanby-by-Spital. *Linc* 2H 87
Normanby le Wold. *Linc* 1A 88
Norman Cross. *Cambs* 1A 64
Normandy. *Surr* 5A 38
Norman's Bay. *E Sus* 5A 28
Norman's Green. *Devn* 2D 12
Normanton. *Derb* 2H 73
Normanton. *Leics* 1F 75
Normanton. *Linc* 1G 75
Normanton. *Notts* 5E 86
Normanton. *W Yor* 2D 93
Normanton le Heath. *Leics* 4A 74
Normanton on Soar. *Notts* 3C 74
Normanton-on-the-Wolds.
Notts 2D 74
Normanton on Trent. *Notts* 4E 87
Normoss. *Lanc* 1B 90
Norrington Common. *Wilts* 5D 35
Norris Green. *Mers* 1F 83
Norris Hill. *Leics* 4H 73
Norristhorpe. *W Yor* 2C 92
Northacre. *Norf* 1B 66
Northall. *Buck* 3H 51
Northallerton. *N Yor* 5A 106
Northam. *Devn* 4E 19
Northam. *Sotn* 1C 16
Northampton. *Nptn* 4E 63
North Anston. *S Yor* 2C 86
North Ascot. *Brac* 4A 38
North Aston. *Oxon* 3C 50
Northaw. *Herts* 5C 52
Northay. *Som* 1F 13
North Baddesley. *Hants* 4B 24
North Balfern. *Dum* 4B 110
North Ballachulish. *High* 2E 141
North Barrow. *Som* 4B 22
North Barsham. *Norf* 2B 78
Northbeck. *Linc* 1H 75
North Benfleet. *Essx* 2B 40
North Bersted. *W Sus* 5A 26
North Berwick. *E Lot* 1B 130
North Bitchburn. *Dur* 1E 105
North Blyth. *Nmbd* 1G 115
North Boarhunt. *Hants* 1E 16
North Bockhampton.
Dors 3G 15
Northborough. *Pet* 5A 76
Northbourne. *Kent* 5H 41
Northbourne. *Oxon* 3D 36
North Bovey. *Devn* 4H 11
North Bowood. *Dors* 3H 13
North Bradley. *Wilts* 1D 22
North Brentor. *Devn* 4E 11
North Brewham. *Som* 3C 22
Northbrook. *Oxon* 3C 50
North Brook End. *Cambs* 1C 52
North Broomhill. *Nmbd* 4G 121
North Buckland. *Devn* 2E 19
North Burlingham. *Norf* 4F 79
North Cadbury. *Som* 4B 22
North Carlton. *Linc* 3G 87
North Cave. *E Yor* 1B 94
North Cerney. *Glos* 5F 49
North Chailey. *E Sus* 3E 27
Northchapel. *W Sus* 3A 26
North Charford. *Hants* 1G 15
North Charlton. *Nmbd* 2F 121
North Cheriton. *Som* 4B 22
North Chideock. *Dors* 3H 13
Northchurch. *Herts* 5H 51
North Cliffe. *E Yor* 1B 94
North Clifton. *Notts* 3F 87
North Close. *Dur* 1F 105
North Cockerington. *Linc* 1C 88
North Coker. *Som* 1A 14
North Collafirth. *Shet* 3E 173
North Common. *E Sus* 3E 27
North Commonty. *Abers* 4F 161
North Coombe. *Devn* 1B 12
North Corbelly. *Dum* 3A 112
North Cornelly. *B'end* 3B 32
North Cotes. *Linc* 4G 95
Northcott. *Devn* 3D 10
(nr. Boyton)
Northcott. *Devn* 1D 12
(nr. Culmstock)
Northcourt. *Oxon* 2D 36
North Cove. *Suff* 2G 67
North Cowton. *N Yor* 4F 105
North Craigo. *Ang* 2F 145
North Crawley. *Mil* 1H 51
North Cray. *G Lon* 3F 39
North Creake. *Norf* 2A 78
North Curry. *Som* 4G 21
North Dalton. *E Yor* 4D 100
North Deighton. *N Yor* 4F 99
North Dronley. *Ang* 5C 144
North Duffield. *N Yor* 1G 93
Northedge. *Derbs* 4A 86
North Elkington. *Linc* 1B 88
North Elmham. *Norf* 3B 78
North Elmsall. *W Yor* 3E 93
Northend. *Buck* 2F 37
North End. *E Yor* 1F 95
North End. *Essx* 4G 53
(nr. Great Dunmow)
North End. *Essx* 2A 54
(nr. Great Yeldham)
North End. *Hants* 5C 36
North End. *Leics* 4C 74
North End. *Linc* 1B 76
North End. *Norf* 1B 66
North End. *N Som* 5H 33
North End. *Port* 2E 17
Northend. *Warw* 5A 62
North End. *W Sus* 5C 26
North End. *Wilts* 2F 35
North Erradale. *High* 5B 162
North Evington. *Leic* 5D 74
North Fambridge. *Essx* 1C 40
North Fearns. *High* 5E 155
North Featherstone. *W Yor* 2E 93
North Feorline. *N Ayr* 3D 122
North Ferriby. *E Yor* 2C 94
Northfield. *Aber* 3F 153
Northfield. *Hull* 2D 94
Northfield. *Som* 3F 21
Northfield. *W Mid* 3E 61
Northfleet. *Kent* 3H 39
North Frodingham. *E Yor* 4F 101
Northgate. *Linc* 3A 76
North Gluss. *Shet* 4E 173
North Gorley. *Hants* 1G 15
North Green. *Norf* 2E 66
North Green. *Suff* 4F 67
(nr. Framlingham)
North Green. *Suff* 3F 67
(nr. Halesworth)
North Green. *Suff* 4F 67
(nr. Saxmundham)
North Greetwell. *Linc* 3H 87
North Grimston. *N Yor* 3C 100
North Halling. *Medw* 4B 40
North Hayling. *Hants* 2F 17
North Hazelrigg. *Nmbd* 1E 121
North Heasley. *Devn* 3H 19
North Heath. *W Sus* 3B 26
North Hill. *Corn* 5C 10
North Hinksey Village.
Oxon 5C 50
North Holmwood. *Surr* 1C 26
North Huish. *Devn* 3D 8
North Hykeham. *Linc* 4G 87
Northiam. *E Sus* 3C 28
Northill. *C Beds* 1B 52
Northington. *Hants* 3D 24
North Kelsey. *Linc* 4D 94
North Kelsey Moor. *Linc* 4D 94
North Kessock. *High* 4A 158
North Killingholme. *N Lin* 3E 95
North Kilvington. *N Yor* 1G 99
North Kilworth. *Leics* 2D 62
North Kyme. *Linc* 5A 88
North Lancing. *W Sus* 5C 26
Northlands. *Linc* 5C 88
Northleach. *Glos* 4G 49
North Lee. *Buck* 5G 51
North Lees. *N Yor* 2E 99
Northleigh. *Devn* 3G 19
(nr. Barnstaple)
Northleigh. *Devn* 3E 13
(nr. Honiton)
North Leigh. *Kent* 1F 29
North Leigh. *Oxon* 4B 50
North Leverton. *Notts* 2E 87
Northlew. *Devn* 3F 11
North Littleton. *Worc* 1F 49
North Lopham. *Norf* 2C 66
North Luffenham. *Rut* 5G 75
North Marden. *W Sus* 1G 17
North Marston. *Buck* 3F 51
North Middleton. *Midl* 4G 129
North Middleton. *Nmbd* 2E 121
North Molton. *Devn* 4H 19
North Moor. *N Yor* 1D 100
Northmoor. *Oxon* 5C 50
Northmoor Green. *Som* 3G 21
North Moreton. *Oxon* 3D 36
Northmuir. *Ang* 3C 144
North Mundham. *W Sus* 2G 17
North Murie. *Per* 1E 137
North Muskham. *Notts* 5E 87
North Ness. *Orkn* 8C 172
North Newbald. *E Yor* 1C 94
North Newington. *Oxon* 2C 50
North Newnton. *Wilts* 1G 23
North Newton. *Som* 3F 21
Northney. *Hants* 2F 17
North Nibley. *Glos* 2C 34
North Oakley. *Hants* 1D 24
North Ockendon. *G Lon* 2G 39
Northolt. *G Lon* 2C 38
Northop. *Flin* 4E 83
Northop Hall. *Flin* 4E 83
North Ormesby. *Midd* 3C 106
North Ormsby. *Linc* 1B 88
Northorpe. *Linc* 4H 75
(nr. Bourne)
Northorpe. *Linc* 2B 76
(nr. Donington)
Northorpe. *Linc* 1F 87
(nr. Gainsborough)
North Otterington. *N Yor* 1F 99
Northover. *Som* 3H 21
(nr. Glastonbury)
Northover. *Som* 4A 22
(nr. Yeovil)
North Owersby. *Linc* 1H 87
Northowram. *W Yor* 2B 92
North Perrott. *Som* 2H 13
North Petherton. *Som* 3F 21
North Petherwin. *Corn* 4C 10
North Pickenham. *Norf* 5A 78
North Piddle. *Worc* 5D 60
North Poorton. *Dors* 3A 14
North Port. *Arg* 1H 133
Northport. *Dors* 4E 15
North Queensferry. *Fife* 1E 129
North Radworthy. *Devn* 3A 20
North Rauceby. *Linc* 1H 75
Northrepps. *Norf* 2E 79
North Rigton. *N Yor* 5E 99
North Rode. *Ches E* 4C 84
North Roe. *Shet* 3E 173
North Ronaldsay Airport.
Orkn 2G 172
North Row. *Cumb* 1D 102
North Runcton. *Norf* 4F 77
North Sannox. *N Ayr* 5B 126
North Scale. *Cumb* 2A 96
North Scarle. *Linc* 4F 87
North Seaton. *Nmbd* 1F 115
North Seaton Colliery.
Nmbd 1F 115
North Sheen. *G Lon* 3C 38
North Shian. *Arg* 4D 140
North Shields. *Tyne* 3G 115
North Shoebury. *S'end* 2D 40
North Shore. *Bkpl* 1B 90
North Side. *Cumb* 2B 102
North Skelton. *Red C* 3D 106
North Somercotes. *Linc* 1D 88
North Stainley. *N Yor* 2E 99
North Stainmore. *Cumb* 3B 104
North Stifford. *Thur* 2H 39
North Stoke. *Bath* 5C 34
North Stoke. *Oxon* 3E 36
North Stoke. *W Sus* 4B 26
Northstowe. *Cambs* 4D 64
North Street. *Hants* 3E 25
North Street. *Kent* 5E 40
North Street. *Medw* 3C 40
North Street. *W Ber* 4E 37
North Sunderland. *Nmbd* 1G 121
North Tamerton. *Corn* 3D 10
North Tawton. *Devn* 2G 11
North Thoresby. *Linc* 1B 88
North Town. *Devn* 2F 11
North Tuddenham. *Norf* 4C 78
North Walbottle. *Tyne* 3E 115
North Walney. *Cumb* 3A 96
North Walsham. *Norf* 2E 79
North Waltham. *Hants* 2D 24
North Warnborough. *Hants* 1F 25
North Water Bridge. *Ang* 2F 145
North Watten. *High* 3E 169
Northway. *Glos* 2E 49
Northway. *Swan* 4E 31
North Weald Bassett.
Essx 5F 53
North Weston. *N Som* 4H 33
North Weston. *Oxon* 5E 51
North Wheatley. *Notts* 2E 87
North Whilborough. *Devn* 2E 9
Northwich. *Ches W* 3A 84
North Wick. *Bath* 5A 34
Northwick. *Som* 2G 21
Northwick. *S Glo* 3A 34
North Widcombe. *Bath* 1A 22
North Willingham. *Linc* 2A 88
North Wingfield. *Derbs* 4B 86
North Witham. *Linc* 3G 75
Northwold. *Norf* 1G 65
Northwood. *Derbs* 4G 85
Northwood. *G Lon* 1B 38
Northwood. *IOW* 3C 16
Northwood. *Kent* 4H 41
Northwood. *Shrp* 2G 71
Northwood. *Stoke* 1C 72
Northwood Green. *Glos* 4C 48
North Wootton. *Dors* 1B 14
North Wootton. *Norf* 3F 77
North Wootton. *Som* 2A 22
North Wraxall. *Wilts* 4D 34
North Wroughton. *Swin* 3G 35
North Yardhope. *Nmbd* 4D 120
Norton. *Devn* 3E 9
Norton. *Glos* 3D 48
Norton. *Hal* 2H 83

Norton—Orlestone

Norton. *Herts* 2C **52**
Norton. *IOW* 4B **16**
Norton. *Mon* 3H **47**
Norton. *Nptn* 4D **62**
Norton. *Notts* 3C **86**
Norton. *Powy* 4F **59**
Norton. *Shrp* 2G **59**
(nr. Ludlow)
Norton. *Shrp* 5B **72**
(nr. Madeley)
Norton. *Shrp* 5H **71**
(nr. Shrewsbury)
Norton. *S Yor* 3F **93**
(nr. Askern)
Norton. *S Yor* 2A **86**
(nr. Sheffield)
Norton. *Stoc T* 2B **106**
Norton. *Suff* 4B **66**
Norton. *Swan* 4F **31**
Norton. *W Sus* 5A **26**
(nr. Arundel)
Norton. *W Sus* 3G **17**
(nr. Selsey)
Norton. *Wilts* 3D **35**
Norton. *Worc* 1F **49**
(nr. Evesham)
Norton. *Worc* 5C **60**
(nr. Worcester)
Norton Bavant. *Wilts* 2E **23**
Norton Bridge. *Staf* 2C **72**
Norton Canes. *Staf* 5E **73**
Norton Canon. *Here* 1G **47**
Norton Corner. *Norf* 3C **78**
Norton Disney. *Linc* 5F **87**
Norton East. *Staf* 5E **73**
Norton Ferris. *Wilts* 3C **22**
Norton Fitzwarren. *Som* 4F **21**
Norton Green. *IOW* 4B **16**
Norton Green. *Stoke* 5D **84**
Norton Hawkfield. *Bath* 5A **34**
Norton Heath. *Essx* 5G **53**
Norton in Hales. *Shrp* 2B **72**
Norton in the Moors. *Stoke* 5C **84**
Norton-Juxta-Twycross. *Leics* 5H **73**
Norton-le-Clay. *N Yor* 2G **99**
Norton Lindsey. *Warw* 4G **61**
Norton Little Green. *Suff* 4B **66**
Norton Malreward. *Bath* 5B **34**
Norton Mandeville. *Essx* 5F **53**
Norton-on-Derwent. *N Yor* 2B **100**
Norton St Philip. *Som* 1C **22**
Norton Subcourse. *Norf* 1G **67**
Norton sub Hamdon. *Som* 1H **13**
Norton Woodseats. *S Yor* 2A **86**
Norwell. *Notts* 4E **87**
Norwell Woodhouse. *Notts* 4E **87**
Norwich. *Norf* 5E **79**
Norwich International Airport. *Norf* 4E **79**
Norwick. *Shet* 1H **173**
Norwood. *Derbs* 2B **86**
Norwood Green. *W Yor* 2B **92**
Norwood Hill. *Surr* 1D **26**
Norwood Park. *Som* 3A **22**
Norwoodside. *Cambs* 1D **64**
Noseley. *Leics* 1E **63**
Noss Mayo. *Devn* 4B **8**
Nosterfield. *N Yor* 1E **99**
Nostie. *High* 1A **148**
Notgrove. *Glos* 3G **49**
Nottage. *B'end* 4B **32**
Nottingham. *Nott* 1C **74**
Nottington. *Dors* 4B **14**
Notton. *Dors* 3B **14**
Notton. *W Yor* 3D **92**
Notton. *Wilts* 5E **35**
Nounsley. *Essx* 4A **54**
Noutard's Green. *Worc* 4B **60**
Nox. *Shrp* 4G **71**
Noyadd Trefawr. *Cdgn* 1C **44**
Nuffield. *Oxon* 3E **37**
Nunburnholme. *E Yor* 5C **100**
Nuncargate. *Notts* 5B **86**
Nunclose. *Cumb* 5F **113**
Nuneaton. *Warw* 1A **62**
Nuneham Courtenay. *Oxon* 2D **36**
Nun Monkton. *N Yor* 4H **99**
Nunnerie. *S Lan* 3B **118**
Nunney. *Som* 2C **22**
Nunnington. *N Yor* 2A **100**
Nunnykirk. *Nmbd* 5E **121**
Nunsthorpe. *NE Lin* 4F **95**
Nunthorpe. *Red C* 3C **106**
Nunthorpe. *York* 5H **99**
Nunton. *Wilts* 4G **23**
Nunwick. *Nmbd* 2B **114**
Nunwick. *N Yor* 2F **99**
Nupend. *Glos* 5C **48**
Nursling. *Hants* 1B **16**
Nursted. *W Sus* 4F **25**
Nursteed. *Wilts* 5F **35**
Nurston. *V Glam* 5D **32**
Nutbourne. *W Sus* 2F **17**
(nr. Chichester)
Nutbourne. *W Sus* 4B **26**
(nr. Pulborough)
Nutfield. *Surr* 5E **39**
Nuthall. *Notts* 1C **74**
Nuthampstead. *Herts* 2E **53**
Nuthurst. *Warw* 3F **61**
Nuthurst. *W Sus* 3C **26**
Nutley. *E Sus* 3F **27**
Nuttall. *G Man* 3F **91**
Nutwell. *S Yor* 4G **93**
Nybster. *High* 2F **169**
Nyetimber. *W Sus* 3G **17**
Nyewood. *W Sus* 4G **25**
Nymet Rowland. *Devn* 2H **11**
Nymet Tracey. *Devn* 2H **11**
Nympsfield. *Glos* 5D **48**
Nynehead. *Som* 4E **21**
Nyton. *W Sus* 5A **26**

O

Oadby. *Leics* 5D **74**
Oad Street. *Kent* 4C **40**
Oakamoor. *Staf* 1E **73**
Oakbank. *Arg* 5B **140**
Oakbank. *W Lot* 3D **129**
Oakdale. *Cphy* 2E **33**
Oakdale. *Pool* 3F **15**
Oake. *Som* 4E **21**
Oaken. *Staf* 5C **72**
Oakenclough. *Lanc* 5E **97**
Oakengates. *Telf* 4B **72**
Oakenholt. *Flin* 3E **83**
Oakenshaw. *Dur* 1F **105**
Oakenshaw. *W Yor* 2B **92**
Oakerthorpe. *Derbs* 5A **86**
Oakford. *Cdgn* 5D **56**
Oakford. *Devn* 4C **20**
Oakfordbridge. *Devn* 4C **20**
Oakgrove. *Ches E* 4D **84**
Oakham. *Rut* 5F **75**
Oakhanger. *Ches E* 5B **84**
Oakhanger. *Hants* 3F **25**
Oakhill. *Som* 2B **22**
Oakington. *Cambs* 4D **64**
Oaklands. *Powy* 5C **58**
Oakle Street. *Glos* 4C **48**
Oakley. *Bed* 5H **63**
Oakley. *Buck* 4E **51**
Oakley. *Fife* 1D **128**
Oakley. *Hants* 1D **24**
Oakley. *Suff* 3D **66**
Oakley Green. *Wind* 3A **38**
Oakley Park. *Powy* 2B **58**
Oakmere. *Ches W* 4H **83**
Oakridge. *Glos* 5E **49**
Oaks. *Shrp* 5G **71**
Oaksey. *Wilts* 2E **35**
Oaks Green. *Derbs* 2F **73**
Oakshaw Ford. *Cumb* 2G **113**
Oakshott. *Hants* 4F **25**
Oakthorpe. *Leics* 4H **73**
Oak Tree. *Darl* 3A **106**
Oakwood. *Derb* 2A **74**
Oakwood. *W Yor* 1D **92**
Oakwoodhill. *Surr* 2C **26**
Oakworth. *W Yor* 1A **92**
Oape. *High* 3B **164**
Oare. *Kent* 4E **40**
Oare. *Som* 2B **20**
Oare. *W Ber* 4D **36**
Oare. *Wilts* 5G **35**
Oareford. *Som* 2B **20**
Oasby. *Linc* 2H **75**
Oath. *Som* 4G **21**
Oathlaw. *Ang* 3D **145**
Oatlands. *N Yor* 4F **99**
Oban. *Arg* 1F **133**
Oban. *W Isl* 7D **171**
Oborne. *Dors* 1B **14**
Obsdale. *High* 2A **158**
Obthorpe. *Linc* 4H **75**
Occlestone Green. *Ches W* 4A **84**
Occold. *Suff* 3D **66**
Ochiltree. *E Ayr* 2E **117**
Ochtermuthill. *Per* 2H **135**
Ochtertyre. *Per* 1H **135**
Ockbrook. *Derbs* 2B **74**
Ockeridge. *Worc* 4B **60**
Ockham. *Surr* 5B **38**
Ockle. *High* 1G **139**
Ockley. *Surr* 1C **26**
Ocle Pychard. *Here* 1A **48**
Octofad. *Arg* 4A **124**
Octomore. *Arg* 4A **124**
Octon. *E Yor* 3E **101**
Odcombe. *Som* 1A **14**
Odd Down. *Bath* 5C **34**
Oddingley. *Worc* 5D **60**
Oddington. *Oxon* 4D **50**
Oddsta. *Shet* 2G **173**
Odell. *Bed* 5G **63**
Odiham. *Hants* 1F **25**
Odsey. *Cambs* 2C **52**
Odstock. *Wilts* 4G **23**
Odstone. *Leics* 5A **74**
Offchurch. *Warw* 4A **62**
Offenham. *Worc* 1F **49**
Offenham Cross. *Worc* 1F **49**
Offerton. *G Man* 2D **84**
Offerton. *Tyne* 4G **115**
Offham. *E Sus* 4F **27**
Offham. *Kent* 5A **40**
Offham. *W Sus* 5B **26**
Offleyhay. *Staf* 3C **72**
Offley Hoo. *Herts* 3B **52**
Offleymarsh. *Staf* 3B **72**
Offord Cluny. *Cambs* 4B **64**
Offord D'Arcy. *Cambs* 4B **64**
Offton. *Suff* 1D **54**
Offwell. *Devn* 3E **13**
Ogbourne Maizey. *Wilts* 4G **35**
Ogbourne St Andrew. *Wilts* 4G **35**
Ogbourne St George. *Wilts* 4H **35**
Ogden. *G Man* 3H **91**
Ogle. *Nmbd* 2E **115**
Ogmore. *V Glam* 4B **32**
Ogmore-by-Sea. *V Glam* 4B **32**
Ogmore Vale. *B'end* 2C **32**
Okeford Fitzpaine. *Dors* 1D **14**
Okehampton. *Devn* 3F **11**
Okehampton Camp. *Devn* 3F **11**
Okus. *Swin* 3G **35**
Old. *Nptn* 3E **63**
Old Aberdeen. *Aber* 3G **153**
Old Alresford. *Hants* 3D **24**
Oldany. *High* 5B **166**
Old Arley. *Warw* 1G **61**
Old Basford. *Nott* 1C **74**
Old Basing. *Hants* 1E **25**
Oldberrow. *Warw* 4F **61**
Old Bewick. *Nmbd* 2E **121**
Old Bexley. *G Lon* 3F **39**
Old Blair. *Per* 2F **143**
Old Bolingbroke. *Linc* 4C **88**
Oldborough. *Devn* 2A **12**
Old Brampton. *Derbs* 3H **85**
Old Bridge of Tilt. *Per* 2F **143**
Old Bridge of Urr. *Dum* 3E **111**
Old Buckenham. *Norf* 1C **66**
Old Burghclere. *Hants* 1C **24**
Oldbury. *Shrp* 1B **60**
Oldbury. *Warw* 1H **61**
Oldbury. *W Mid* 2D **61**
Oldbury-on-Severn. *S Glo* 2B **34**
Oldbury on the Hill. *Glos* 3D **34**
Old Byland. *N Yor* 1H **99**
Old Cassop. *Dur* 1A **106**
Oldcastle. *Mon* 3G **47**
Oldcastle Heath. *Ches W* 1G **71**
Old Catton. *Norf* 4E **79**
Old Clee. *NE Lin* 4F **95**
Old Cleeve. *Som* 2D **20**
Old Clipstone. *Notts* 4D **86**
Old Colwyn. *Cnwy* 3A **82**
Oldcotes. *Notts* 2C **86**
Old Coulsdon. *G Lon* 5E **39**
Old Dailly. *S Ayr* 5B **116**
Old Dalby. *Leics* 3D **74**
Old Dam. *Derbs* 3F **85**
Old Deer. *Abers* 4G **161**
Old Dilton. *Wilts* 2D **22**
Old Down. *S Glo* 3B **34**
Oldeamere. *Cambs* 1C **64**
Old Edlington. *S Yor* 1C **86**
Old Eldon. *Dur* 2F **105**
Old Ellerby. *E Yor* 1E **95**
Old Fallings. *W Mid* 5D **72**
Oldfallow. *Staf* 4D **72**
Old Felixstowe. *Suff* 2G **55**
Oldfield. *Shrp* 2A **60**
Oldfield. *Worc* 4C **60**
Old Fletton. *Pet* 1A **64**
Oldford. *Som* 1C **22**
Old Forge. *Here* 4A **48**
Old Glossop. *Derbs* 1E **85**
Old Goole. *E Yor* 2H **93**
Old Gore. *Here* 3B **48**
Old Graitney. *Dum* 3E **112**
Old Grimsby. *IOS* 1A **4**
Old Hall. *E Yor* 3F **95**
Oldhall. *High* 3E **169**
Old Hall Street. *Norf* 2F **79**
Oldham. *G Man* 4H **91**
Oldhamstocks. *E Lot* 2D **130**
Old Heathfield. *E Sus* 3G **27**
Old Hill. *W Mid* 2D **60**
Old Hunstanton. *Norf* 1F **77**
Old Hurst. *Cambs* 3B **64**
Old Hutton. *Cumb* 1E **97**
Old Kea. *Corn* 4C **6**
Old Kilpatrick. *W Dun* 2F **127**
Old Kinnernie. *Abers* 3E **152**
Old Knebworth. *Herts* 3C **52**
Oldland. *S Glo* 4B **34**
Old Laxey. *IOM* 3D **108**
Old Leake. *Linc* 5D **88**
Old Lenton. *Nott* 2C **74**
Old Llanberis. *Gwyn* 5F **81**
Old Malton. *N Yor* 2B **100**
Oldmeldrum. *Abers* 1F **153**
Old Micklefield. *W Yor* 1E **93**
Old Mill. *Corn* 5D **10**
Oldmixon. *N Som* 1G **21**
Old Monkland. *N Lan* 3A **128**
Old Newton. *Suff* 4C **66**
Old Park. *Telf* 5A **72**
Old Pentland. *Midl* 3F **129**
Old Philpstoun. *W Lot* 2D **128**
Old Quarrington. *Dur* 1A **106**
Old Radnor. *Powy* 5E **59**
Old Rayne. *Abers* 1D **152**
Oldridge. *Devn* 3B **12**
Old Romney. *Kent* 3E **29**
Old Scone. *Per* 1D **136**
Oldshore Beg. *High* 3B **166**
Oldshoremore. *High* 3C **166**
Old Snydale. *W Yor* 2E **93**
Old Sodbury. *S Glo* 3C **34**
Old Somerby. *Linc* 2G **75**
Old Spital. *Dur* 3C **104**
Oldstead. *N Yor* 1H **99**
Old Stratford. *Nptn* 1F **51**
Old Swan. *Mers* 1F **83**
Old Swarland. *Nmbd* 4F **121**
Old Tebay. *Cumb* 4H **103**
Old Town. *Cumb* 5F **113**
Old Town. *E Sus* 5G **27**
Oldtown. *High* 5C **164**
Old Town. *IOS* 1B **4**
Old Town. *Nmbd* 5C **120**
Oldtown of Ord. *Abers* 3D **160**
Old Trafford. *G Man* 1C **84**
Old Tupton. *Derbs* 4A **86**
Oldwall. *Cumb* 3F **113**
Oldwalls. *Swan* 3D **31**
Old Warden. *C Beds* 1B **52**
Oldways End. *Som* 4B **20**
Old Westhall. *Abers* 1D **152**
Old Weston. *Cambs* 3H **63**
Oldwhat. *Abers* 3F **161**
Old Windsor. *Wind* 3A **38**
Old Wives Lees. *Kent* 5E **41**
Old Woking. *Surr* 5B **38**
Oldwood Common. *Worc* 4H **59**
Old Woodstock. *Oxon* 4C **50**
Olgrinmore. *High* 3C **168**
Oliver's Battery. *Hants* 4C **24**
Ollaberry. *Shet* 3E **173**
Ollerton. *Ches E* 3B **84**
Ollerton. *Notts* 4D **86**
Ollerton. *Shrp* 3A **72**
Olmarch. *Cdgn* 5F **57**
Olmstead Green. *Cambs* 1G **53**
Olney. *Mil* 5F **63**
Olrig. *High* 2D **169**
Olton. *W Mid* 2F **61**
Olveston. *S Glo* 3B **34**
Ombersley. *Worc* 4C **60**
Ompton. *Notts* 4D **86**
Omunsgarth. *Shet* 7E **173**
Onchan. *IOM* 4D **108**
Onecote. *Staf* 5E **85**
Onehouse. *Suff* 5C **66**
Onen. *Mon* 4H **47**
Ongar Hill. *Norf* 3E **77**
Ongar Street. *Here* 4F **59**
Onibury. *Shrp* 3G **59**
Onich. *High* 2E **141**
Onllwyn. *Neat* 4B **46**
Onneley. *Shrp* 1B **72**
Onslow Green. *Essx* 4G **53**
Onslow Village. *Surr* 1A **26**
Onthank. *E Ayr* 1D **116**
Openwoodgate. *Derbs* 1A **74**
Opinan. *High* 1G **155**
(nr. Gairloch)
Opinan. *High* 4C **162**
(nr. Laide)
Orasaigh. *W Isl* 6F **171**
Orbost. *High* 4B **154**
Orby. *Linc* 4D **89**
Orchard Hill. *Devn* 4E **19**
Orchard Portman. *Som* 4F **21**
Orcheston. *Wilts* 2F **23**
Orcop. *Here* 3H **47**
Orcop Hill. *Here* 3H **47**
Ord. *High* 2E **147**
Ordhead. *Abers* 2D **152**
Ordie. *Abers* 3B **152**
Ordiquish. *Mor* 3H **159**
Ordley. *Nmbd* 4C **114**
Ordsall. *Notts* 3E **86**
Ore. *E Sus* 4C **28**
Oreham Common. *W Sus* 4D **26**
Oreton. *Shrp* 2A **60**
Orford. *Linc* 1B **88**
Orford. *Suff* 1H **55**
Orford. *Warr* 1A **84**
Organford. *Dors* 3E **15**
Orgil. *Orkn* 7B **172**
Orgreave. *Staf* 4F **73**
Oridge Street. *Glos* 3C **48**
Orlestone. *Kent* 2D **28**

Orleton. *Here* 4G **59**
Orleton. *Worc* 4A **60**
Orleton Common. *Here* 4G **59**
Orlingbury. *Nptn* 3F **63**
Ormacleit. *W Isl* 5C **170**
Ormathwaite. *Cumb* 2D **102**
Ormesby. *Midd* 3C **106**
Ormesby St Margaret. *Norf* 4G **79**
Ormesby St Michael. *Norf* 4G **79**
Ormiscaig. *High* 4C **162**
Ormiston. *E Lot* 3H **129**
Ormsaigbeg. *High* 2F **139**
Ormsaigmore. *High* 2F **139**
Ormsary. *Arg* 2F **125**
Ormsgill. *Cumb* 2A **96**
Ormskirk. *Lanc* 4C **90**
Orphir. *Orkn* 7C **172**
Orpington. *G Lon* 4F **39**
Orrell. *Lanc* 4D **90**
Orrell. *Mers* 1F **83**
Orrisdale. *IOM* 2C **108**
Orsett. *Thur* 2H **39**
Orslow. *Staf* 4C **72**
Orston. *Notts* 1E **75**
Orthwaite. *Cumb* 1D **102**
Orton. *Cumb* 4H **103**
Orton. *Mor* 3H **159**
Orton. *Nptn* 3F **63**
Orton. *Staf* 1C **60**
Orton Longueville. *Pet* 1A **64**
Orton-on-the-Hill. *Leics* 5H **73**
Orton Waterville. *Pet* 1A **64**
Orton Wistow. *Pet* 1A **64**
Orwell. *Cambs* 5C **64**
Osbaldeston. *Lanc* 1E **91**
Osbaldwick. *York* 4A **100**
Osbaston. *Leics* 5B **74**
Osbaston. *Shrp* 3F **71**
Osbournby. *Linc* 2H **75**
Osclay. *High* 5E **169**
Oscroft. *Ches W* 4H **83**
Ose. *High* 4C **154**
Osgathorpe. *Leics* 4B **74**
Osgodby. *Linc* 1H **87**
Osgodby. *N Yor* 1E **101** (nr. Scarborough)
Osgodby. *N Yor* 1G **93** (nr. Selby)
Oskaig. *High* 5E **155**
Oskamull. *Arg* 4F **139**
Osleston. *Derbs* 2G **73**
Osmaston. *Derb* 2A **74**
Osmaston. *Derbs* 1G **73**
Osmington. *Dors* 4C **14**
Osmington Mills. *Dors* 4C **14**
Osmondthorpe. *W Yor* 1D **92**
Osmotherley. *N Yor* 5B **106**
Osnaburgh. *Fife* 2G **137**
Ospisdale. *High* 5E **164**
Ospringe. *Kent* 4E **40**
Ossett. *W Yor* 2C **92**
Ossington. *Notts* 4E **87**
Ostend. *Essx* 1D **40**
Ostend. *Norf* 2F **79**
Osterley. *G Lon* 3C **38**
Oswaldkirk. *N Yor* 2A **100**
Oswaldtwistle. *Lanc* 2F **91**
Oswestry. *Shrp* 3E **71**
Otby. *Linc* 1A **88**
Otford. *Kent* 5G **39**
Otham. *Kent* 5B **40**
Otherton. *Staf* 4D **72**
Othery. *Som* 3G **21**
Otley. *Suff* 5E **66**
Otley. *W Yor* 5E **98**
Otterbourne. *Hants* 4C **24**
Otterburn. *Nmbd* 5C **120**
Otterburn. *N Yor* 4A **98**
Otterburn Camp. *Nmbd* 5C **120**
Otterburn Hall. *Nmbd* 5C **120**
Otter Ferry. *Arg* 1H **125**
Otterford. *Som* 1F **13**
Otterham. *Corn* 3B **10**
Otterhampton. *Som* 2F **21**
Otterham Quay. *Kent* 4C **40**
Ottershaw. *Surr* 4B **38**
Otterspool. *Mers* 2F **83**
Otterswick. *Shet* 3G **173**
Otterton. *Devn* 4D **12**
Otterwood. *Hants* 2C **16**
Ottery St Mary. *Devn* 3E **12**
Ottinge. *Kent* 1F **29**
Ottringham. *E Yor* 2F **95**
Oughterby. *Cumb* 4D **112**
Oughtershaw. *N Yor* 1A **98**
Oughterside. *Cumb* 5C **112**
Oughtibridge. *S Yor* 1H **85**
Oughtrington. *Warr* 2A **84**
Oulston. *N Yor* 2H **99**
Oulton. *Cumb* 4D **112**
Oulton. *Norf* 3D **78**
Oulton. *Staf* 3B **72** (nr. Gnosall Heath)
Oulton. *Staf* 2D **72** (nr. Stone)
Oulton. *Suff* 1H **67**
Oulton. *W Yor* 2D **92**
Oulton Broad. *Suff* 1H **67**
Oulton Street. *Norf* 3D **78**
Oundle. *Nptn* 2H **63**
Ousby. *Cumb* 1H **103**
Ousdale. *High* 1H **165**
Ousden. *Suff* 5G **65**
Ousefleet. *E Yor* 2B **94**
Ouston. *Dur* 4F **115**
Ouston. *Nmbd* 4A **114** (nr. Bearsbridge)
Ouston. *Nmbd* 2D **114** (nr. Stamfordham)
Outer Hope. *Devn* 4C **8**
Outertown. *Orkn* 7B **172**
Outgate. *Cumb* 5E **103**
Outhgill. *Cumb* 4A **104**
Outlands. *Staf* 2B **72**
Outlane. *W Yor* 3A **92**
Out Newton. *E Yor* 2G **95**
Out Rawcliffe. *Lanc* 5D **96**
Outwell. *Norf* 5E **77**
Outwick. *Hants* 1G **15**
Outwood. *Surr* 1E **27**
Outwood. *W Yor* 2D **92**
Outwood. *Worc* 3D **60**
Outwoods. *Leics* 4B **74**
Outwoods. *Staf* 4B **72**
Ouzlewell Green. *W Yor* 2D **92**
Ovenden. *W Yor* 2A **92**
Over. *Cambs* 3C **64**
Over. *Ches W* 4A **84**
Over. *Glos* 4D **48**
Over. *S Glo* 3A **34**
Overbister. *Orkn* 3F **172**
Over Burrows. *Derbs* 2G **73**
Overbury. *Worc* 2E **49**
Overcombe. *Dors* 4B **14**
Over Compton. *Dors* 1A **14**
Over End. *Cambs* 1H **63**
Over Finlarg. *Ang* 4D **144**
Overgreen. *Derbs* 3H **85**
Over Green. *W Mid* 1F **61**
Over Haddon. *Derbs* 4G **85**
Over Hulton. *G Man* 4E **91**
Over Kellet. *Lanc* 2E **97**
Over Kiddington. *Oxon* 3C **50**
Overleigh. *Som* 3H **21**
Overley. *Staf* 4F **73**
Over Monnow. *Mon* 4A **48**
Over Norton. *Oxon* 3B **50**
Over Peover. *Ches E* 3B **84**
Overpool. *Ches W* 3F **83**
Overscaig. *High* 1B **164**
Overseal. *Derbs* 4G **73**
Over Silton. *N Yor* 5B **106**
Oversland. *Kent* 5E **41**
Overstone. *Nptn* 4F **63**
Over Stowey. *Som* 3E **21**
Overstrand. *Norf* 1E **79**
Over Stratton. *Som* 1H **13**
Over Street. *Wilts* 3F **23**
Overthorpe. *Nptn* 1C **50**
Overton. *Aber* 2F **153**
Overton. *Ches W* 3H **83**
Overton. *Hants* 2D **24**
Overton. *High* 5E **169**
Overton. *Lanc* 4D **96**
Overton. *N Yor* 4H **99**
Overton. *Shrp* 2A **60** (nr. Bridgnorth)
Overton. *Shrp* 3H **59** (nr. Ludlow)
Overton. *Swan* 4D **30**
Overton. *W Yor* 3C **92**
Overton. *Wrex* 1F **71**
Overtown. *N Lan* 4B **128**
Overtown. *Swin* 4G **35**
Over Wallop. *Hants* 3A **24**
Over Whitacre. *Warw* 1G **61**
Over Worton. *Oxon* 3C **50**
Oving. *Buck* 3F **51**
Oving. *W Sus* 5A **26**
Ovingdean. *Brig* 5E **27**
Ovingham. *Nmbd* 3D **115**
Ovington. *Dur* 3E **105**
Ovington. *Essx* 1A **54**
Ovington. *Hants* 3D **24**
Ovington. *Norf* 5B **78**
Ovington. *Nmbd* 3D **114**
Owen's Bank. *Staf* 3G **73**
Ower. *Hants* 2C **16** (nr. Holbury)
Ower. *Hants* 1B **16** (nr. Totton)
Owermoigne. *Dors* 4C **14**
Owlbury. *Shrp* 1F **59**
Owler Bar. *Derbs* 3G **85**
Owlerton. *S Yor* 2H **85**
Owlsmoor. *Brac* 5G **37**
Owlswick. *Buck* 5F **51**
Owmby. *Linc* 4D **94**
Owmby-by-Spital. *Linc* 2H **87**
Ownham. *W Ber* 4C **36**
Owrytn. *Wrex* 1F **71**
Owslebury. *Hants* 4D **24**
Owston. *Leics* 5E **75**
Owston. *S Yor* 3F **93**
Owston Ferry. *N Lin* 4B **94**
Owstwick. *E Yor* 1F **95**
Owthorne. *E Yor* 2G **95**
Owthorpe. *Notts* 2D **74**
Owton Manor. *Hart* 2B **106**
Oxborough. *Norf* 5G **77**
Oxbridge. *Dors* 3H **13**
Oxcombe. *Linc* 3C **88**
Oxen End. *Essx* 3G **53**
Oxenhall. *Glos* 3C **48**
Oxenholme. *Cumb* 5G **103**
Oxenhope. *W Yor* 1A **92**
Oxen Park. *Cumb* 1C **96**
Oxenpill. *Som* 2H **21**
Oxenton. *Glos* 2E **49**
Oxenwood. *Wilts* 1B **24**
Oxford. *Oxon* 5D **50**
Oxgangs. *Edin* 3F **129**
Oxhey. *Herts* 1C **38**
Oxhill. *Warw* 1B **50**
Oxley. *W Mid* 5C **72**
Oxley Green. *Essx* 4C **54**
Oxley's Green. *E Sus* 3A **28**
Oxlode. *Cambs* 2D **65**
Oxnam. *Bord* 3B **120**
Oxshott. *Surr* 4C **38**
Oxspring. *S Yor* 4C **92**
Oxted. *Surr* 5E **39**
Oxton. *Mers* 2E **83**
Oxton. *N Yor* 5H **99**
Oxton. *Notts* 5D **86**
Oxton. *Bord* 4A **130**
Oxwich. *Swan* 4D **31**
Oxwich Green. *Swan* 4D **31**
Oxwick. *Norf* 3B **78**
Oykel Bridge. *High* 3A **164**
Oyne. *Abers* 1D **152**
Oystermouth. *Swan* 4F **31**
Ozleworth. *Glos* 2C **34**

P

Pabail Iarach. *W Isl* 4H **171**
Pabail Uarach. *W Isl* 4H **171**
Pachesham. *Surr* 5C **38**
Packers Hill. *Dors* 1C **14**
Packington. *Leics* 4A **74**
Packmoor. *Stoke* 5C **84**
Packmores. *Warw* 4G **61**
Packwood. *W Mid* 3F **61**
Packwood Gullett. *W Mid* 3F **61**
Padanaram. *Ang* 3D **144**
Padbury. *Buck* 2F **51**
Paddington. *G Lon* 2D **38**
Paddington. *Warr* 2A **84**
Paddlesworth. *Kent* 2F **29**
Paddock. *Kent* 5D **40**
Paddockhole. *Dum* 1D **112**
Paddock Wood. *Kent* 1A **28**
Paddolgreen. *Shrp* 2H **71**
Padeswood. *Flin* 4E **83**
Padiham. *Lanc* 1F **91**
Padside. *N Yor* 4D **98**
Padson. *Devn* 3F **11**
Padstow. *Corn* 1D **6**
Padworth. *W Ber* 5E **36**
Page Bank. *Dur* 1F **105**
Pagham. *W Sus* 3G **17**
Paglesham Churchend. *Essx* 1D **40**
Paglesham Eastend. *Essx* 1D **40**
Paibeil. *W Isl* 2C **170** (on North Uist)
Paibeil. *W Isl* 8C **171** (on Taransay)
Paignton. *Torb* 2E **9**
Pailton. *Warw* 2B **62**
Paine's Corner. *E Sus* 3H **27**
Painleyhill. *Staf* 2E **73**
Painscastle. *Powy* 1E **47**
Painshawfield. *Nmbd* 3D **114**
Painsthorpe. *E Yor* 4C **100**
Painswick. *Glos* 5D **48**
Painter's Forstal. *Kent* 5D **40**
Painthorpe. *W Yor* 3D **92**
Pairc Shiaboist. *W Isl* 3E **171**
Paisley. *Ren* 3F **127**
Pakefield. *Suff* 1H **67**
Pakenham. *Suff* 4B **66**
Pale. *Gwyn* 2B **70**
Palehouse Common. *E Sus* 4F **27**
Palestine. *Hants* 2A **24**
Paley Street. *Wind* 4G **37**
Palgowan. *Dum* 1A **110**
Palgrave. *Suff* 3D **66**
Pallington. *Dors* 3C **14**
Palmarsh. *Kent* 2F **29**
Palmer Moor. *Derbs* 2F **73**
Palmers Cross. *W Mid* 5C **72**
Palmerstown. *V Glam* 5E **33**
Palnackie. *Dum* 4F **111**
Palnure. *Dum* 3B **110**
Palterton. *Derbs* 4B **86**
Pamber End. *Hants* 1E **24**
Pamber Green. *Hants* 1E **24**
Pamber Heath. *Hants* 5E **36**
Pamington. *Glos* 2E **49**
Pamphill. *Dors* 2E **15**
Pampisford. *Cambs* 1E **53**
Panborough. *Som* 2H **21**
Panbride. *Ang* 5E **145**
Pancakehill. *Glos* 4F **49**
Pancrasweek. *Devn* 2C **10**
Pandy. *Gwyn* 3A **70** (nr. Bala)
Pandy. *Gwyn* 5F **69** (nr. Tywyn)
Pandy. *Mon* 3G **47**
Pandy. *Powy* 5B **70**
Pandy. *Wrex* 2D **70**
Pandy Tudur. *Cnwy* 4A **82**
Panfield. *Essx* 3H **53**
Pangbourne. *W Ber* 4E **37**
Pannal. *N Yor* 4F **99**
Pannal Ash. *N Yor* 4E **99**
Pannanich. *Abers* 4A **152**
Pant. *Shrp* 3E **71**
Pant. *Wrex* 1F **71**
Pantasaph. *Flin* 3D **82**
Pant Glas. *Gwyn* 1D **68**
Pant-glas. *Shrp* 2E **71**
Pantgwyn. *Carm* 3F **45**
Pantgwyn. *Cdgn* 1C **44**
Pant-lasau. *Swan* 3F **31**
Panton. *Linc* 3A **88**
Pant-pastynog. *Den* 4C **82**
Pantperthog. *Gwyn* 5G **69**
Pant-teg. *Carm* 3E **45**
Pant-y-Caws. *Carm* 2F **43**
Pant-y-dwr. *Powy* 3B **58**
Pant-y-ffridd. *Powy* 5D **70**
Pantyffynnon. *Carm* 4G **45**
Pantygasseg. *Torf* 5F **47**
Pant-y-llyn. *Carm* 4G **45**
Pant-yr-awel. *B'end* 3C **32**
Pant y Wacco. *Flin* 3D **82**
Panxworth. *Norf* 4F **79**
Papa Stour Airport. *Shet* 6C **173**
Papa Westray Airport. *Orkn* 2D **172**
Papcastle. *Cumb* 1C **102**
Papigoe. *High* 3F **169**
Papil. *Shet* 8E **173**
Papple. *E Lot* 2B **130**
Papplewick. *Notts* 5C **86**
Papworth Everard. *Cambs* 4B **64**
Papworth St Agnes. *Cambs* 4B **64**
Par. *Corn* 3E **7**
Paramour Street. *Kent* 4G **41**
Parbold. *Lanc* 3C **90**
Parbrook. *Som* 3A **22**
Parbrook. *W Sus* 3B **26**
Parc. *Gwyn* 2A **70**
Parcllyn. *Cdgn* 5B **56**
Parc-Seymour. *Newp* 2H **33**
Pardown. *Hants* 2D **24**
Pardshaw. *Cumb* 2B **102**
Parham. *Suff* 4F **67**
Park. *Abers* 4E **153**
Park. *Arg* 4D **140**
Park. *Dum* 5B **118**
Park Bottom. *Corn* 4A **6**
Parkburn. *Abers* 5E **161**
Park Corner. *E Sus* 2G **27**
Park Corner. *Oxon* 3E **37**
Parkend. *Glos* 5B **48**
Park End. *Nmbd* 2B **114**
Parkeston. *Essx* 2F **55**
Parkfield. *Corn* 2H **7**
Parkgate. *Ches W* 3E **83**
Parkgate. *Cumb* 5D **112**
Parkgate. *Dum* 1B **112**
Park Gate. *Hants* 2D **16**
Parkgate. *Surr* 1D **26**
Park Gate. *Worc* 3D **60**
Parkhall. *W Dun* 2F **127**
Parkham. *Devn* 4D **19**
Parkham Ash. *Devn* 4D **18**
Parkhead. *Cumb* 5E **113**
Parkhead. *Glas* 3H **127**
Park Hill. *Mers* 4C **90**
Parkhouse. *Mon* 5H **47**
Parkhurst. *IOW* 3C **16**
Park Lane. *G Man* 4F **91**
Park Lane. *Staf* 5C **72**
Parkmill. *Swan* 4E **31**
Park Mill. *W Yor* 3C **92**
Parkneuk. *Abers* 1G **145**
Parkside. *N Lan* 4B **128**
Parkstone. *Pool* 3F **15**
Park Street. *Herts* 5B **52**
Park Street. *W Sus* 2C **26**
Park Town. *Oxon* 5D **50**
Park Village. *Nmbd* 3H **113**
Parkway. *Here* 2C **48**
Parley Cross. *Dors* 3F **15**

Slack—South Street

Slack. *W Yor* 2H 91
Slackhall. *Derbs* 2E 85
Slack Head. *Cumb* 2D 97
Slackhead. *Mor* 2B 160
Slackholme End. *Linc* 3E 89
Slacks of Cairnbanno.
Abers 4F 161
Slack, The. *Dur* 2E 105
Slad. *Glos* 5D 48
Slade. *Swan* 4D 31
Slade End. *Oxon* 2D 36
Slade Field. *Cambs* 2C 64
Slade Green. *G Lon* 3G 39
Slade Heath. *Staf* 5D 72
Slade Hooton. *S Yor* 2C 86
Sladesbridge. *Corn* 5A 10
Slade, The. *W Ber* 5D 36
Slaggyford. *Nmbd* 4H 113
Slaidburn. *Lanc* 4G 97
Slaid Hill. *W Yor* 5F 99
Slaithwaite. *W Yor* 3A 92
Slaley. *Derbs* 5G 85
Slaley. *Nmbd* 4C 114
Slamannan. *Falk* 2B 128
Slapton. *Buck* 3H 51
Slapton. *Devn* 4E 9
Slapton. *Nptn* 1E 51
Slattock. *G Man* 4G 91
Slaugham. *W Sus* 3D 26
Slaughterbridge. *Corn* 4B 10
Slaughterford. *Wilts* 4D 34
Slawston. *Leics* 1E 63
Sleaford. *Hants* 3G 25
Sleaford. *Linc* 1H 75
Sleagill. *Cumb* 3G 103
Sleap. *Shrp* 3G 71
Sledmere. *E Yor* 3D 100
Sleightholme. *Dur* 3C 104
Sleights. *N Yor* 4F 107
Slepe. *Dors* 3E 15
Slickly. *High* 2E 169
Sliddery. *N Ayr* 3D 122
Sligachan. *High* 1C 146
Slimbridge. *Glos* 5C 48
Slindon. *Staf* 2C 72
Slindon. *W Sus* 5A 26
Slinfold. *W Sus* 2C 26
Slingsby. *N Yor* 2A 100
Slip End. *C Beds* 4A 52
Slipton. *Nptn* 3G 63
Slitting Mill. *Staf* 4E 73
Slochd. *High* 1C 150
Slockavullin. *Arg* 4F 133
Sloley. *Norf* 3E 79
Sloncombe. *Devn* 4H 11
Sloothby. *Linc* 3D 89
Slough. *Slo* 2A 38
Slough Green. *Som* 4F 21
Slough Green. *W Sus* 3D 27
Sluggan. *High* 1C 150
Slyne. *Lanc* 3D 97
Smailholm. *Bord* 1A 120
Smallbridge. *G Man* 3H 91
Smallbrook. *Devn* 3B 12
Smallburgh. *Norf* 3F 79
Smallburn. *E Ayr* 2F 117
Smalldale. *Derbs* 3E 85
Small Dole. *W Sus* 4D 26
Smalley. *Derbs* 1B 74
Smallfield. *Surr* 1E 27
Small Heath. *W Mid* 2E 61
Smallholm. *Dum* 2C 112
Small Hythe. *Kent* 2C 28
Smallrice. *Staf* 2D 72
Smallridge. *Devn* 2G 13
Smallwood Hey. *Lanc* 5C 96
Smallworth. *Norf* 2C 66
Smannell. *Hants* 2B 24
Smardale. *Cumb* 4A 104
Smarden. *Kent* 1C 28
Smarden Bell. *Kent* 1C 28
Smart's Hill. *Kent* 1G 27
Smeatharpe. *Devn* 1F 13
Smeeth. *Kent* 2E 29
Smeeth, The. *Norf* 4E 77
Smeeton Westerby. *Leics* 1D 62
Smeircleit. *W Isl* 7C 170
Smerral. *High* 5D 168
Smestow. *Staf* 1C 60
Smethwick. *W Mid* 2E 61
Smirisary. *High* 1A 140
Smisby. *Derbs* 4H 73
Smitham Hill. *Bath* 1A 22
Smith End Green. *Worc* 5B 60
Smithfield. *Cumb* 3F 113
Smith Green. *Lanc* 4D 97
Smithies, The. *Shrp* 1A 60
Smithincott. *Devn* 1D 12
Smith's Green. *Essx* 3F 53
Smithstown. *High* 1G 155
Smithton. *High* 4B 158
Smithwood Green. *Suff* 5B 66
Smithy Bridge. *G Man* 3H 91
Smithy Green. *Ches E* 3B 84
Smithy Lane Ends. *Lanc* 3C 90
Smockington. *Warw* 2B 62
Smyth's Green. *Essx* 4C 54
Snaigow House. *Per* 4H 143
Snailbeach. *Shrp* 5F 71
Snailwell. *Cambs* 4F 65
Snainton. *N Yor* 1D 100
Snaith. *E Yor* 2G 93
Snape. *N Yor* 1E 99
Snape. *Suff* 5F 67
Snape Green. *Lanc* 3B 90
Snapper. *Devn* 3F 19
Snarestone. *Leics* 5H 73
Snarford. *Linc* 2H 87
Snargate. *Kent* 3D 28
Snave. *Kent* 3E 28
Sneachill. *Worc* 5D 60
Snead. *Powy* 1F 59
Snead Common. *Worc* 4B 60
Sneaton. *N Yor* 4F 107
Sneatonthorpe. *N Yor* 4G 107
Snelland. *Linc* 2H 87
Snelston. *Derbs* 1F 73
Snetterton. *Norf* 1B 66
Snettisham. *Norf* 2F 77
Snibston. *Leics* 4B 74
Sniseabhal. *W Isl* 5C 170
Snitter. *Nmbd* 4E 121
Snitterby. *Linc* 1G 87
Snitterfield. *Warw* 5G 61
Snitton. *Shrp* 3H 59
Snodhill. *Here* 1G 47
Snodland. *Kent* 4A 40
Snods Edge. *Nmbd* 4D 114
Snowshill. *Glos* 2F 49
Snow Street. *Norf* 2C 66
Snydale. *W Yor* 3E 93
Soake. *Hants* 1E 17
Soar. *Carm* 3G 45
Soar. *Gwyn* 2F 69
Soar. *IOA* 3C 80
Soar. *Powy* 2C 46
Soberton. *Hants* 1E 16
Soberton Heath. *Hants* 1E 16
Sockbridge. *Cumb* 2F 103
Sockburn. *Darl* 4A 106
Sodom. *Den* 3C 82
Soham. *Cambs* 3E 65
Soham Cotes. *Cambs* 3E 65
Solas. *W Isl* 1D 170
Soldon Cross. *Devn* 1D 10
Soldridge. *Hants* 3E 25
Solent Breezes. *Hants* 2D 16
Sole Street. *Kent* 4A 40
(nr. Meopham)
Sole Street. *Kent* 1E 29
(nr. Waltham)
Solihull. *W Mid* 3F 61
Sollers Dilwyn. *Here* 5G 59
Sollers Hope. *Here* 2B 48
Sollom. *Lanc* 3C 90
Solva. *Pemb* 2B 42
Somerby. *Leics* 4E 75
Somerby. *Linc* 4D 94
Somercotes. *Derbs* 5B 86
Somerford. *Dors* 3G 15
Somerford. *Staf* 5C 72
Somerford Keynes. *Glos* 2F 35
Somerley. *W Sus* 3G 17
Somerleyton. *Suff* 1G 67
Somersal Herbert. *Derbs* 2F 73
Somersby. *Linc* 3C 88
Somersham. *Cambs* 3C 64
Somersham. *Suff* 1D 54
Somerton. *Oxon* 3C 50
Somerton. *Som* 4H 21
Somerton. *Suff* 5H 65
Sompting. *W Sus* 5C 26
Sonning. *Wok* 4F 37
Sonning Common. *Oxon* 3F 37
Sookholme. *Notts* 4C 86
Sopley. *Hants* 3G 15
Sopworth. *Wilts* 3D 34
Sorbie. *Dum* 5B 110
Sordale. *High* 2D 168
Sorisdale. *Arg* 2D 138
Sorn. *E Ayr* 2E 117
Sornhill. *E Ayr* 1E 117
Sortat. *High* 2E 169
Sotby. *Linc* 3B 88
Sots Hole. *Linc* 4A 88
Sotterley. *Suff* 2G 67
Soudley. *Shrp* 1G 59
(nr. Church Stretton)
Soudley. *Shrp* 3B 72
(nr. Market Drayton)
Soughton. *Flin* 4E 83
Soulbury. *Buck* 3G 51
Soulby. *Cumb* 3A 104
(nr. Appleby)
Soulby. *Cumb* 2F 103
(nr. Penrith)
Souldern. *Oxon* 2D 50
Souldrop. *Bed* 4G 63
Sound. *Shet* 7F 173
Soundwell. *Bris* 4B 34
Sourhope. *Bord* 2C 120
Sourin. *Orkn* 4D 172
Sourton. *Devn* 3F 11
Soutergate. *Cumb* 1B 96
South Acre. *Norf* 4H 77
Southall. *G Lon* 3C 38
South Allington. *Devn* 5D 9
South Alloa. *Falk* 4A 136
Southam. *Glos* 3E 49
Southam. *Warw* 4B 62
South Ambersham. *W Sus* 3A 26
Southampton. *Sotn* 1C 16
Southampton International Airport.
Hants 1C 16
Southannan. *N Ayr* 4D 126
South Anston. *S Yor* 2C 86
South Ascot. *Wind* 4A 38
South Baddesley. *Hants* 3B 16
South Balfern. *Dum* 4B 110
South Ballachulish. *High* 3E 141
South Bank. *Red C* 2C 106
South Barrow. *Som* 4B 22
South Benfleet. *Essx* 2B 40
South Bents. *Tyne* 3H 115
South Bersted. *W Sus* 5A 26
Southborough. *Kent* 1G 27
Southbourne. *Bour* 3G 15
Southbourne. *W Sus* 2F 17
South Bowood. *Dors* 3H 13
South Brent. *Devn* 2D 8
South Brewham. *Som* 3C 22
South Broomage. *Falk* 1B 128
South Broomhill. *Nmbd* 4G 121
Southburgh. *Norf* 5B 78
South Burlingham. *Norf* 5F 79
Southburn. *E Yor* 4D 101
South Cadbury. *Som* 4B 22
South Carlton. *Linc* 3G 87
South Cave. *E Yor* 1C 94
South Cerney. *Glos* 2F 35
South Chard. *Som* 2G 13
South Charlton. *Nmbd* 2F 121
South Cheriton. *Som* 4B 22
South Church. *Dur* 2F 105
Southchurch. *S'end* 2D 40
South Cleatlam. *Dur* 3E 105
South Cliffe. *E Yor* 1B 94
South Clifton. *Notts* 3F 87
South Clunes. *High* 4H 157
South Cockerington. *Linc* 2C 88
South Common. *Devn* 2G 13
South Common. *E Sus* 4E 27
South Cornelly. *B'end* 3B 32
Southcott. *Devn* 1E 11
(nr. Great Torrington)
Southcott. *Devn* 3F 11
(nr. Okehampton)
Southcott. *Wilts* 1G 23
Southcourt. *Buck* 4G 51
South Cove. *Suff* 2G 67
South Creagan. *Arg* 4D 141
South Creake. *Norf* 2A 78
South Crosland. *W Yor* 3B 92
South Croxton. *Leics* 4D 74
South Dalton. *E Yor* 5D 100
South Darenth. *Kent* 4G 39
Southdean. *Bord* 4A 120
Southdown. *Bath* 5C 34
South Duffield. *N Yor* 1G 93
Southease. *E Sus* 5F 27
South Elkington. *Linc* 2B 88
South Elmsall. *W Yor* 3E 93
Southend. *Arg* 5A 122
South End. *Cumb* 3B 96
Southend. *Glos* 2C 34
South End. *N Lin* 2E 94
South End. *W Ber* 4D 36
Southend (London) Airport.
Essx 2C 40
Southend-on-Sea. *S'end* 2C 40
Southerfield. *Cumb* 5C 112
Southerly. *Devn* 4F 11
Southernden. *Kent* 1C 28
Southerndown. *V Glam* 4B 32
Southerness. *Dum* 4A 112
South Erradale. *High* 1G 155
Southerton. *Devn* 3D 12
Southery. *Norf* 1F 65
Southey Green. *Essx* 2A 54
South Fambridge. *Essx* 1C 40
South Fawley. *W Ber* 3B 36
South Feorline. *N Ayr* 3D 122
South Ferriby. *N Lin* 2C 94
South Field. *E Yor* 2D 94
Southfleet. *Kent* 3H 39
South Garvan. *High* 1D 141
Southgate. *Cdgn* 2E 57
Southgate. *G Lon* 1E 39
Southgate. *Norf* 3D 78
(nr. Aylsham)
Southgate. *Norf* 2A 78
(nr. Fakenham)
Southgate. *Swan* 4E 31
South Godstone. *Surr* 1E 27
South Gorley. *Hants* 1G 15
South Green. *Essx* 1A 40
(nr. Billericay)
South Green. *Essx* 4D 54
(nr. Colchester)
South Green. *Kent* 4C 40
South Hanningfield. *Essx* 1B 40
South Harting. *W Sus* 1F 17
South Hayling. *Hants* 3F 17
South Hazelrigg. *Nmbd* 1E 121
South Heath. *Buck* 5H 51
South Heath. *Essx* 4E 54
South Heighton. *E Sus* 5F 27
South Hetton. *Dur* 5G 115
South Hiendley. *W Yor* 3D 93
South Hill. *Corn* 5D 10
South Hill. *Som* 4H 21
South Hinksey. *Oxon* 5D 50
South Hole. *Devn* 4C 18
South Holme. *N Yor* 2B 100
South Holmwood. *Surr* 1C 26
South Hornchurch. *G Lon* 2G 39
South Huish. *Devn* 4C 8
South Hykeham. *Linc* 4G 87
South Hylton. *Tyne* 4G 115
Southill. *C Beds* 1B 52
Southington. *Hants* 2D 24
South Kelsey. *Linc* 1H 87
South Kessock. *High* 4A 158
South Killingholme.
N Lin 3E 95
South Kilvington. *N Yor* 1G 99
South Kilworth. *Leics* 2D 62
South Kirkby. *W Yor* 3E 93
South Kirkton. *Abers* 3E 153
South Knighton. *Devn* 5B 12
South Kyme. *Linc* 1A 76
South Lancing. *W Sus* 5C 26
South Ledaig. *Arg* 5D 140
Southleigh. *Devn* 3F 13
South Leigh. *Oxon* 5B 50
South Leverton. *Notts* 2E 87
South Littleton. *Worc* 1F 49
South Lopham. *Norf* 2C 66
South Luffenham. *Rut* 5G 75
South Malling. *E Sus* 4F 27
South Marston. *Swin* 3G 35
South Middleton. *Nmbd* 2E 121
South Milford. *N Yor* 1E 93
South Milton. *Devn* 4D 8
South Mimms. *Herts* 5C 52
Southminster. *Essx* 1D 40
South Molton. *Devn* 4H 19
South Moor. *Dur* 4E 115
Southmoor. *Oxon* 2B 36
South Moreton. *Oxon* 3D 36
South Mundham. *W Sus* 2G 17
South Muskham. *Notts* 5E 87
South Newbald. *E Yor* 1C 94
South Newington. *Oxon* 2C 50
South Newsham. *Nmbd* 2G 115
South Newton. *N Ayr* 4H 125
South Newton. *Wilts* 3F 23
South Normanton. *Derbs* 5B 86
South Norwood. *G Lon* 4E 39
South Nutfield. *Surr* 1E 27
South Ockendon. *Thur* 2G 39
Southoe. *Cambs* 4A 64
Southolt. *Suff* 4D 66
South Ormsby. *Linc* 3C 88
Southorpe. *Pet* 5H 75
South Otterington. *N Yor* 1F 99
South Owersby. *Linc* 1H 87
Southowram. *W Yor* 2B 92
South Oxhey. *Herts* 1C 38
South Perrott. *Dors* 2H 13
South Petherton. *Som* 1H 13
South Petherwin. *Corn* 4D 10
South Pickenham. *Norf* 5A 78
South Pool. *Devn* 4D 9
South Poorton. *Dors* 3A 14
South Port. *Arg* 1H 133
Southport. *Mers* 3B 90
South Queensferry. *Edin* 2E 129
South Radworthy. *Devn* 3A 20
South Rauceby. *Linc* 1H 75
South Raynham. *Norf* 3A 78
Southrepps. *Norf* 2E 79
South Reston. *Linc* 2D 88
Southrey. *Linc* 4A 88
Southrop. *Glos* 5G 49
Southrope. *Hants* 2E 25
South Runcton. *Norf* 5F 77
South Scarle. *Notts* 4F 87
Southsea. *Port* 3E 17
South Shields. *Tyne* 3G 115
South Shore. *Bkpl* 1B 90
Southside. *Orkn* 5E 172
South Somercotes. *Linc* 1D 88
South Stainley. *N Yor* 3F 99
South Stainmore. *Cumb* 3B 104
South Stifford. *Thur* 3G 39
Southstoke. *Bath* 5C 34
South Stoke. *Oxon* 3D 36
South Stoke. *W Sus* 4B 26
South Street. *E Sus* 4E 27

Steeple Ashton—Streatley

Steeple Ashton. Wilts 1E 23
Steeple Aston. Oxon 3C 50
Steeple Barton. Oxon 3C 50
Steeple Bumpstead. Essx 1G 53
Steeple Claydon. Buck 3E 51
Steeple Gidding. Cambs 2A 64
Steeple Langford. Wilts 3F 23
Steeple Morden. Cambs 1C 52
Steeton. W Yor 5C 98
Stein. High 3B 154
Steinmanhill. Abers 4E 161
Stelling Minnis. Kent 1F 29
Stembridge. Som 4H 21
Stemster. High 2D 169 (nr. Halkirk)
Stemster. High 2C 168 (nr. Westfield)
Stenalees. Corn 3E 6
Stenhill. Devn 1D 12
Stenhouse. Edin 2F 129
Stenhousemuir. Falk 1B 128
Stenigot. Linc 2B 88
Stenscholl. High 2D 155
Stenso. Orkn 5C 172
Stenson. Derbs 3H 73
Stenson Fields. Derbs 2H 73
Stenton. E Lot 2C 130
Stenwith. Linc 2F 75
Steòrnabhagh. W Isl 4G 171
Stepaside. Pemb 4F 43
Stepford. Dum 1F 111
Stepney. G Lon 2E 39
Steppingley. C Beds 2A 52
Stepps. N Lan 3H 127
Sterndale Moor. Derbs 4F 85
Sternfield. Suff 4F 67
Stert. Wilts 1F 23
Stetchworth. Cambs 5F 65
Stevenage. Herts 3C 52
Stevenston. N Ayr 5D 126
Stevenstone. Devn 1F 11
Steventon. Hants 2D 24
Steventon. Oxon 2C 36
Steventon End. Cambs 1G 53
Stevington. Bed 5G 63
Stewartby. Bed 1A 52
Stewarton. Arg 4A 122
Stewarton. E Ayr 5F 127
Stewkley. Buck 3G 51
Stewkley Dean. Buck 3G 51
Stewley. Som 1G 13
Stewton. Linc 2C 88
Steyning. W Sus 4C 26
Steynton. Pemb 4D 42
Stibb. Corn 1C 10
Stibbard. Norf 3B 78
Stibb Cross. Devn 1E 11
Stibb Green. Wilts 5H 35
Stibbington. Cambs 1H 63
Stichill. Bord 1B 120
Sticker. Corn 3D 6
Stickford. Linc 4C 88
Sticklepath. Devn 3G 11
Sticklinch. Som 3A 22
Stickling Green. Essx 2E 53
Stickney. Linc 5C 88
Stiffkey. Norf 1B 78
Stifford's Bridge. Here 1C 48
Stileway. Som 2H 21
Stillingfleet. N Yor 5H 99
Stillington. N Yor 3H 99
Stillington. Stoc T 2A 106
Stilton. Cambs 2A 64
Stinchcombe. Glos 2C 34
Stinsford. Dors 3C 14
Stiperstones. Shrp 5F 71
Stirchley. Telf 5B 72
Stirchley. W Mid 2E 61
Stirling. Abers 4H 161
Stirling. Stir 4G 135
Stirton. N Yor 4B 98
Stisted. Essx 3A 54
Stitchcombe. Wilts 5H 35
Stithians. Corn 5B 6
Stittenham. High 1A 158
Stivichall. W Mid 3H 61
Stixwould. Linc 4A 88
Stoak. Ches W 3G 83
Stobo. Bord 1D 118
Stobo Castle. Bord 1D 118
Stoborough. Dors 4E 15
Stoborough Green. Dors 4E 15
Stobs Castle. Bord 4H 119
Stobswood. Nmbd 5G 121
Stock. Essx 1A 40
Stockbridge. Hants 3B 24
Stockbridge. W Yor 5C 98
Stockbury. Kent 4C 40
Stockcross. W Ber 5C 36
Stockdalewath. Cumb 5E 113
Stocker's Head. Kent 5D 40
Stockerston. Leics 1F 63
Stock Green. Worc 5D 61
Stocking. Here 2B 48
Stockingford. Warw 1H 61
Stocking Green. Essx 2F 53
Stocking Pelham. Herts 3E 53
Stockland. Devn 2F 13
Stockland Bristol. Som 2F 21
Stockleigh English. Devn 2B 12
Stockleigh Pomeroy. Devn 2B 12
Stockley. Wilts 5F 35
Stocklinch. Som 1G 13
Stockport. G Man 2D 84
Stocksbridge. S Yor 1G 85
Stocksfield. Nmbd 3D 114
Stocks, The. Kent 3D 28
Stockstreet. Essx 3B 54
Stockton. Here 4H 59
Stockton. Norf 1F 67
Stockton. Shrp 1B 60 (nr. Bridgnorth)
Stockton. Shrp 5E 71 (nr. Chirbury)
Stockton. Telf 4B 72
Stockton. Warw 4B 62
Stockton. Wilts 3E 23
Stockton Brook. Staf 5D 84
Stockton Cross. Here 4H 59
Stockton Heath. Warr 2A 84
Stockton-on-Tees. Stoc T 3B 106
Stockton on Teme. Worc 4B 60
Stockton-on-the-Forest. York 4A 100
Stockwell Heath. Staf 3E 73
Stockwood. Bris 5B 34
Stock Wood. Worc 5E 61
Stodmarsh. Kent 4G 41
Stody. Norf 2C 78
Stoer. High 1E 163
Stoford. Som 1A 14
Stoford. Wilts 3F 23
Stogumber. Som 3D 20
Stogursey. Som 2F 21
Stoke. Devn 4C 18
Stoke. Hants 1C 24 (nr. Andover)
Stoke. Hants 2F 17 (nr. South Hayling)
Stoke. Medw 3C 40
Stoke. W Mid 3A 62
Stoke Abbott. Dors 2H 13
Stoke Albany. Nptn 2F 63
Stoke Ash. Suff 3D 66
Stoke Bardolph. Notts 1D 74
Stoke Bliss. Worc 4A 60
Stoke Bruerne. Nptn 1F 51
Stoke by Clare. Suff 1H 53
Stoke-by-Nayland. Suff 2C 54
Stoke Canon. Devn 3C 12
Stoke Charity. Hants 3C 24
Stoke Climsland. Corn 5D 10
Stoke Cross. Here 5A 60
Stoke D'Abernon. Surr 5C 38
Stoke Doyle. Nptn 2H 63
Stoke Dry. Rut 1F 63
Stoke Edith. Here 1B 48
Stoke Farthing. Wilts 4F 23
Stoke Ferry. Norf 1G 65
Stoke Fleming. Devn 4E 9
Stokeford. Dors 4D 14
Stoke Gabriel. Devn 3E 9
Stoke Gifford. S Glo 4B 34
Stoke Golding. Leics 1A 62
Stoke Goldington. Mil 1G 51
Stokeham. Notts 3E 87
Stoke Hammond. Buck 3G 51
Stoke Heath. Shrp 3A 72
Stoke Holy Cross. Norf 5E 79
Stokeinteignhead. Devn 5C 12
Stoke Lacy. Here 1B 48
Stoke Lyne. Oxon 3D 50
Stoke Mandeville. Buck 4G 51
Stokenchurch. Buck 2F 37
Stoke Newington. G Lon 2E 39
Stokenham. Devn 4E 9
Stoke on Tern. Shrp 3A 72
Stoke-on-Trent. Stoke 1C 72
Stoke Orchard. Glos 3E 49
Stoke Pero. Som 2B 20
Stoke Poges. Buck 2A 38
Stoke Prior. Here 5H 59
Stoke Prior. Worc 4D 60
Stoke Rivers. Devn 3G 19
Stoke Rochford. Linc 3G 75
Stoke Row. Oxon 3E 37
Stoke St Gregory. Som 4G 21
Stoke St Mary. Som 4F 21
Stoke St Michael. Som 2B 22
Stoke St Milborough. Shrp 2H 59
Stokesay. Shrp 2G 59
Stokesby. Norf 4G 79
Stokesley. N Yor 4C 106
Stoke sub Hamdon. Som 1H 13
Stoke Talmage. Oxon 2E 37
Stoke Trister. Som 4C 22
Stoke-upon-Trent. Stoke 1C 72
Stoke Wake. Dors 2C 14
Stolford. Som 2F 21
Stondon Massey. Essx 5F 53
Stone. Buck 4F 51
Stone. Glos 2B 34
Stone. Kent 3G 39
Stone. Som 3A 22
Stone. Staf 2D 72
Stone. Worc 3C 60
Stonea. Cambs 1D 64
Stoneacton. Shrp 1H 59
Stone Allerton. Som 1H 21
Ston Easton. Som 1B 22
Stonebridge. N Som 1G 21
Stonebridge. Som 2C 22
Stonebridge. Surr 1C 26
Stone Bridge Corner. Pet 5B 76
Stonebroom. Derbs 5B 86
Stonebyres. S Lan 5B 128
Stone Chair. W Yor 2B 92
Stone Cross. E Sus 5H 27
Stone Cross. Kent 2G 27
Stone-edge-Batch. N Som 4H 33
Stoneferry. Hull 1D 94
Stonefield. Arg 5D 140
Stonefield. S Lan 4H 127
Stonegate. E Sus 3A 28
Stonegate. N Yor 4E 107
Stonegrave. N Yor 2A 100
Stonehall. Worc 1D 49
Stonehaugh. Nmbd 2A 114
Stonehaven. Abers 5F 153
Stone Heath. Staf 2D 72
Stone Hill. Kent 2E 29
Stone House. Cumb 1G 97
Stonehouse. Glos 5D 48
Stonehouse. Nmbd 4H 113
Stonehouse. S Lan 5A 128
Stone in Oxney. Kent 3D 28
Stoneleigh. Warw 3H 61
Stoneley Green. Ches E 5A 84
Stonely. Cambs 4A 64
Stonepits. Worc 5E 61
Stoner Hill. Hants 4F 25
Stonesby. Leics 3F 75
Stonesfield. Oxon 4B 50
Stones Green. Essx 3E 55
Stone Street. Kent 5G 39
Stone Street. Suff 2C 54 (nr. Boxford)
Stone Street. Suff 2F 67 (nr. Halesworth)
Stonethwaite. Cumb 3D 102
Stoneyburn. W Lot 3C 128
Stoney Cross. Hants 1A 16
Stoneyford. Devn 2D 12
Stoneygate. Leic 5D 74
Stoneyhills. Essx 1D 40
Stoneykirk. Dum 4F 109
Stoney Middleton. Derbs 3G 85
Stoney Stanton. Leics 1B 62
Stoney Stoke. Som 3C 22
Stoney Stratton. Som 3B 22
Stoney Stretton. Shrp 5F 71
Stoneywood. Aber 2F 153
Stonham Aspal. Suff 5D 66
Stonnall. Staf 5E 73
Stonor. Oxon 3F 37
Stonton Wyville. Leics 1E 63
Stonybreck. Shet 1B 172
Stony Cross. Devn 4F 19
Stony Cross. Here 1C 48 (nr. Great Malvern)
Stony Cross. Here 4H 59 (nr. Leominster)
Stony Houghton. Derbs 4B 86
Stony Stratford. Mil 1F 51
Stoodleigh. Devn 3G 19 (nr. Barnstaple)
Stoodleigh. Devn 1C 12 (nr. Tiverton)
Stopham. W Sus 4B 26
Stopsley. Lutn 3B 52
Stoptide. Corn 1D 6
Storeton. Mers 2F 83
Stormontfield. Per 1D 136
Stornoway. W Isl 4G 171
Stornoway Airport. W Isl 4G 171
Storridge. Here 1C 48
Storrington. W Sus 4B 26
Storrs. Cumb 5E 103
Storth. Cumb 1D 97
Storwood. E Yor 5B 100
Stotfield. Mor 1G 159
Stotfold. C Beds 2C 52
Stottesdon. Shrp 2A 60
Stoughton. Leics 5D 74
Stoughton. Surr 5A 38
Stoughton. W Sus 1G 17
Stoul. High 4F 147
Stoulton. Worc 1E 49
Stourbridge. W Mid 2C 60
Stourpaine. Dors 2D 14
Stourport-on-Severn. Worc 3C 60
Stour Provost. Dors 4C 22
Stour Row. Dors 4D 22
Stourton. Staf 2C 60
Stourton. Warw 2A 50
Stourton. W Yor 1D 92
Stourton. Wilts 3C 22
Stourton Caundle. Dors 1C 14
Stoven. Suff 2G 67
Stow. Linc 2H 75 (nr. Billingborough)
Stow. Linc 2F 87 (nr. Gainsborough)
Stow. Bord 5A 130
Stow Bardolph. Norf 5F 77
Stow Bedon. Norf 1B 66
Stowbridge. Norf 5F 77
Stow cum Quy. Cambs 4E 65
Stowe. Glos 5A 48
Stowe. Shrp 3F 59
Stowe. Staf 4F 73
Stowe-by-Chartley. Staf 3E 73
Stowell. Som 4B 22
Stowey. Bath 1A 22
Stowford. Devn 2G 19 (nr. Combe Martin)
Stowford. Devn 4D 12 (nr. Exmouth)
Stowford. Devn 4E 11 (nr. Tavistock)
Stowlangtoft. Suff 4B 66
Stow Longa. Cambs 3A 64
Stow Maries. Essx 1C 40
Stowmarket. Suff 5C 66
Stow-on-the-Wold. Glos 3G 49
Stowting. Kent 1F 29
Stowupland. Suff 5C 66
Straad. Arg 3B 126
Strachan. Abers 4D 152
Stradbroke. Suff 3E 67
Stradbrook. Wilts 1E 23
Stradishall. Suff 5G 65
Stradsett. Norf 5F 77
Stragglethorpe. Linc 5G 87
Stragglethorpe. Notts 2D 74
Straid. S Ayr 5A 116
Straight Soley. Wilts 4B 36
Straiton. Edin 3F 129
Straiton. S Ayr 4C 116
Straloch. Per 2H 143
Stramshall. Staf 2E 73
Strang. IOM 4C 108
Strangford. Here 3A 48
Stranraer. Dum 3F 109
Strata Florida. Cdgn 4G 57
Stratfield Mortimer. W Ber 5E 37
Stratfield Saye. Hants 5E 37
Stratfield Turgis. Hants 1E 25
Stratford. Glos 2D 49
Stratford. G Lon 2E 39
Stratford St Andrew. Suff 4F 67
Stratford St Mary. Suff 2D 54
Stratford sub Castle. Wilts 3G 23
Stratford Tony. Wilts 4F 23
Stratford-upon-Avon. Warw 5G 61
Strath. High 1G 155 (nr. Gairloch)
Strath. High 3E 169 (nr. Wick)
Strathan. High 4B 148 (nr. Fort William)
Strathan. High 1E 163 (nr. Lochinver)
Strathan. High 2F 167 (nr. Tongue)
Strathan Skerray. High 2G 167
Strathaven. S Lan 5A 128
Strathblane. Stir 2G 127
Strathcanaird. High 3F 163
Strathcarron. High 4B 156
Strathcoil. Arg 5A 140
Strathdon. Abers 2A 152
Strathkinness. Fife 2G 137
Strathmashie House. High 4H 149
Strathmiglo. Fife 2E 136
Strathmore Lodge. High 4D 168
Strathpeffer. High 3G 157
Strathrannoch. High 1F 157
Strathtay. Per 3G 143
Strathvaich Lodge. High 1F 157
Strathwhillan. N Ayr 2E 123
Strathy. High 1A 158 (nr. Invergordon)
Strathy. High 2A 168 (nr. Melvich)
Strathyre. Stir 2E 135
Stratton. Corn 2C 10
Stratton. Dors 3B 14
Stratton. Glos 5F 49
Stratton Audley. Oxon 3E 50
Stratton-on-the-Fosse. Som 1B 22
Stratton St Margaret. Swin 3G 35
Stratton St Michael. Norf 1E 66
Stratton Strawless. Norf 3E 78
Stravithie. Fife 2H 137
Stream. Som 3D 20
Streat. E Sus 4E 27
Streatham. G Lon 3D 39
Streatley. C Beds 3A 52
Streatley. W Ber 3D 36

Sytchampton. *Worc* 4C **60**
Sywell. *Nptn* 4F **63**

T

Tabost. *W Isl* 6F **171**
(nr. Cearsiadar)
Tabost. *W Isl* 1H **171**
(nr. Suainebost)
Tachbrook Mallory. *Warw* 4H **61**
Tackley. *Oxon* 3C **50**
Tacleit. *W Isl* 4D **171**
Tacolneston. *Norf* 1D **66**
Tadcaster. *N Yor* 5G **99**
Taddington. *Derbs* 3F **85**
Taddington. *Glos* 2F **49**
Taddiport. *Devn* 1E **11**
Tadley. *Hants* 5E **36**
Tadlow. *Cambs* 1C **52**
Tadmarton. *Oxon* 2B **50**
Tadwick. *Bath* 4C **34**
Tadworth. *Surr* 5D **38**
Tafarnaubach. *Blae* 4E **46**
Tafarn-y-bwlch. *Pemb* 1E **43**
Tafarn-y-Gelyn. *Den* 4D **82**
Taff's Well. *Rhon* 3E **33**
Tafolwern. *Powy* 5A **70**
Taibach. *Neat* 3A **32**
Tai-bach. *Powy* 3D **70**
Taigh a Ghearraidh. *W Isl* 1C **170**
Tain. *High* 5E **165**
(nr. Invergordon)
Tain. *High* 2E **169**
(nr. Thurso)
Tai-Nant. *Wrex* 1E **71**
Tai'n Lon. *Gwyn* 5D **80**
Tairbeart. *W Isl* 7D **171**
Tairgwaith. *Neat* 4H **45**
Takeley. *Essx* 3F **53**
Takeley Street. *Essx* 3F **53**
Talachddu. *Powy* 2D **46**
Talacre. *Flin* 2D **82**
Talardd. *Gwyn* 3A **70**
Talaton. *Devn* 3D **12**
Talbenny. *Pemb* 3C **42**
Talbot Green. *Rhon* 3D **32**
Taleford. *Devn* 3D **12**
Talerddig. *Powy* 5B **70**
Talgarreg. *Cdgn* 5D **56**
Talgarth. *Powy* 2E **47**
Talisker. *High* 5C **154**
Talke. *Staf* 5C **84**
Talkin. *Cumb* 4G **113**
Talladale. *High* 1B **156**
Talla Linnfoots. *Bord* 2D **118**
Tallaminnock. *S Ayr* 5D **116**
Tallarn Green. *Wrex* 1G **71**
Tallentire. *Cumb* 1C **102**
Talley. *Carm* 2G **45**
Tallington. *Linc* 5H **75**
Talmine. *High* 2F **167**
Talog. *Carm* 2H **43**
Talsarn. *Carm* 3A **46**
Talsarn. *Cdgn* 5E **57**
Talsarnau. *Gwyn* 2F **69**
Talskiddy. *Corn* 2D **6**
Talwrn. *IOA* 3D **81**
Talwrn. *Wrex* 1E **71**
Tal-y-bont. *Cdgn* 2F **57**
Tal-y-Bont. *Cnwy* 4G **81**
Tal-y-bont. *Gwyn* 3F **81**
(nr. Bangor)
Tal-y-bont. *Gwyn* 3E **69**
(nr. Barmouth)
Talybont-on-Usk. *Powy* 3E **46**
Tal-y-cafn. *Cnwy* 3G **81**
Tal-y-coed. *Mon* 4H **47**
Tal-y-llyn. *Gwyn* 5G **69**
Talyllyn. *Powy* 3E **46**
Talysarn. *Gwyn* 5D **81**
Tal-y-waenydd. *Gwyn* 1F **69**
Talywain. *Torf* 5F **47**
Talywern. *Powy* 5H **69**
Tamerton Foliot. *Plym* 2A **8**
Tamworth. *Staf* 5G **73**
Tamworth Green. *Linc* 1C **76**
Tandlehill. *Ren* 3F **127**
Tandridge. *Surr* 5E **39**
Tanerdy. *Carm* 3E **45**
Tanfield. *Dur* 4E **115**
Tanfield Lea. *Dur* 4E **115**
Tangasdale. *W Isl* 8B **170**
Tang Hall. *York* 4A **100**
Tangiers. *Pemb* 3D **42**
Tangley. *Hants* 1B **24**
Tangmere. *W Sus* 5A **26**
Tangwick. *Shet* 4D **173**
Tankerness. *Orkn* 7E **172**
Tankersley. *S Yor* 1H **85**
Tankerton. *Kent* 4F **41**
Tan-lan. *Cnwy* 4G **81**
Tan-lan. *Gwyn* 1F **69**
Tannach. *High* 4F **169**
Tannadice. *Ang* 3D **145**
Tanner's Green. *Worc* 3E **61**
Tannington. *Suff* 4E **67**
Tannochside. *N Lan* 3A **128**
Tan Office Green. *Suff* 5G **65**
Tansley. *Derbs* 5H **85**
Tansley Knoll. *Derbs* 4H **85**
Tansor. *Nptn* 1H **63**
Tantobie. *Dur* 4E **115**
Tanton. *N Yor* 3C **106**
Tanvats. *Linc* 4A **88**
Tanworth-in-Arden. *Warw* 3F **61**
Tan-y-bwlch. *Gwyn* 1F **69**
Tan-y-fron. *Cnwy* 4B **82**
Tanyfron. *Wrex* 5E **83**
Tan-y-goes. *Cdgn* 1C **44**
Tanygrisiau. *Gwyn* 1F **69**
Tan-y-pistyll. *Powy* 3C **70**
Tan-yr-allt. *Den* 2C **82**
Taobh a Chaolais. *W Isl* 7C **170**
Taobh a Deas Loch Aineort. *W Isl* 6C **170**
Taobh a Ghlinne. *W Isl* 6F **171**
Taobh a Tuath Loch Aineort. *W Isl* 6C **170**
Taobh Tuath. *W Isl* 9B **171**
Taplow. *Buck* 2A **38**
Tapton. *Derbs* 3A **86**
Tarbert. *Arg* 1E **125**
(on Jura)
Tarbert. *Arg* 3G **125**
(on Kintyre)
Tarbert. *W Isl* 7D **171**
Tarbet. *Arg* 3C **134**
Tarbet. *High* 4F **147**
(nr. Mallaig)
Tarbet. *High* 4B **166**
(nr. Scourie)
Tarbock Green. *Mers* 2G **83**
Tarbolton. *S Ayr* 2D **116**
Tarbrax. *S Lan* 4D **128**
Tardebigge. *Worc* 4E **61**
Tarfside. *Ang* 1D **145**
Tarland. *Abers* 3B **152**
Tarleton. *Lanc* 2C **90**
Tarlogie. *High* 5E **165**
Tarlscough. *Lanc* 3C **90**
Tarlton. *Glos* 2E **35**
Tarnbrook. *Lanc* 4E **97**
Tarnock. *Som* 1G **21**
Tarns. *Cumb* 5C **112**
Tarporley. *Ches W* 4H **83**
Tarpots. *Essx* 2B **40**
Tarr. *Som* 3E **20**
Tarrant Crawford. *Dors* 2E **15**
Tarrant Gunville. *Dors* 1E **15**
Tarrant Hinton. *Dors* 1E **15**
Tarrant Keyneston. *Dors* 2E **15**
Tarrant Launceston. *Dors* 2E **15**
Tarrant Monkton. *Dors* 2E **15**
Tarrant Rawston. *Dors* 2E **15**
Tarrant Rushton. *Dors* 2E **15**
Tarrel. *High* 5F **165**
Tarring Neville. *E Sus* 5F **27**
Tarrington. *Here* 1B **48**
Tarsappie. *Per* 1D **136**
Tarscabhaig. *High* 3D **147**
Tarskavaig. *High* 3D **147**
Tarves. *Abers* 5F **161**
Tarvie. *High* 3G **157**
Tarvin. *Ches W* 4G **83**
Tasburgh. *Norf* 1E **66**
Tasley. *Shrp* 1A **60**
Taston. *Oxon* 3B **50**
Tatenhill. *Staf* 3G **73**
Tathall End. *Mil* 1G **51**
Tatham. *Lanc* 3F **97**
Tathwell. *Linc* 2C **88**
Tatling End. *Buck* 2B **38**
Tatsfield. *Surr* 5F **39**
Tattenhall. *Ches W* 5G **83**
Tatterford. *Norf* 3A **78**
Tattersett. *Norf* 2H **77**
Tattershall. *Linc* 5B **88**
Tattershall Bridge. *Linc* 5A **88**
Tattershall Thorpe. *Linc* 5B **88**
Tattingstone. *Suff* 2E **55**
Tattingstone White Horse. *Suff* 2E **55**
Tattle Bank. *Warw* 4F **61**
Tatworth. *Som* 2G **13**
Taunton. *Som* 4F **21**
Taverham. *Norf* 4D **78**
Taverners Green. *Essx* 4F **53**
Tavernspite. *Pemb* 3F **43**
Tavistock. *Devn* 5E **11**
Tavool House. *Arg* 1B **132**
Taw Green. *Devn* 3G **11**
Tawstock. *Devn* 4F **19**
Taxal. *Derbs* 2E **85**
Tayinloan. *Arg* 5E **125**
Taynish. *Arg* 1F **125**
Taynton. *Glos* 3C **48**
Taynton. *Oxon* 4H **49**
Taynuilt. *Arg* 5E **141**
Tayport. *Fife* 1G **137**
Tay Road Bridge. *Fife* 1G **137**
Tayvallich. *Arg* 1F **125**
Tealby. *Linc* 1A **88**
Tealing. *Ang* 5D **144**
Teams. *Tyne* 3F **115**
Teangue. *High* 3E **147**
Tebay. *Cumb* 4H **103**
Tebworth. *C Beds* 3H **51**
Tedburn St Mary. *Devn* 3B **12**
Teddington. *Glos* 2E **49**
Teddington. *G Lon* 3C **38**
Tedsmore. *Shrp* 3F **71**
Tedstone Delamere. *Here* 5A **60**
Tedstone Wafer. *Here* 5A **60**
Teesport. *Red C* 2C **106**
Teesside. *Stoc T* 2C **106**
Teeton. *Nptn* 3D **62**
Teffont Evias. *Wilts* 3E **23**
Teffont Magna. *Wilts* 3E **23**
Tegryn. *Pemb* 1G **43**
Teigh. *Rut* 4F **75**
Teigncombe. *Devn* 4G **11**
Teigngrace. *Devn* 5B **12**
Teignmouth. *Devn* 5C **12**
Telford. *Telf* 4A **72**
Telham. *E Sus* 4B **28**
Tellisford. *Som* 1D **22**
Telscombe. *E Sus* 5F **27**
Telscombe Cliffs. *E Sus* 5E **27**
Tempar. *Per* 3D **142**
Templand. *Dum* 1B **112**
Temple. *Corn* 5B **10**
Temple. *Glas* 3G **127**
Temple. *Midl* 4G **129**
Temple Balsall. *W Mid* 3G **61**
Temple Bar. *Carm* 4F **45**
Temple Bar. *Cdgn* 5E **57**
Temple Cloud. *Bath* 1B **22**
Templecombe. *Som* 4C **22**
Temple Ewell. *Kent* 1G **29**
Temple Grafton. *Warw* 5F **61**
Temple Guiting. *Glos* 3F **49**
Templehall. *Fife* 4E **137**
Temple Hirst. *N Yor* 2G **93**
Temple Normanton. *Derbs* 4B **86**
Temple Sowerby. *Cumb* 2H **103**
Templeton. *Devn* 1B **12**
Templeton. *Pemb* 3F **43**
Templeton. *W Ber* 5B **36**
Templetown. *Dur* 5E **115**
Tempsford. *C Beds* 5A **64**
Tenandry. *Per* 2G **143**
Tenbury Wells. *Worc* 4H **59**
Tenby. *Pemb* 4F **43**
Tendring. *Essx* 3E **55**
Tendring Green. *Essx* 3E **55**
Tenga. *Arg* 4G **139**
Ten Mile Bank. *Norf* 1F **65**
Tenterden. *Kent* 2C **28**
Terfyn. *Cnwy* 3B **82**
Terhill. *Som* 3E **21**
Terling. *Essx* 4A **54**
Ternhill. *Shrp* 2A **72**
Terregles. *Dum* 2G **111**
Terrick. *Buck* 5G **51**
Terrington. *N Yor* 2A **100**
Terrington St Clement. *Norf* 3E **77**
Terrington St John. *Norf* 4E **77**
Terry's Green. *Warw* 3F **61**
Teston. *Kent* 5B **40**
Testwood. *Hants* 1B **16**
Tetbury. *Glos* 2D **35**
Tetbury Upton. *Glos* 2D **35**
Tetchill. *Shrp* 2F **71**
Tetcott. *Devn* 3D **10**
Tetford. *Linc* 3C **88**
Tetney. *Linc* 4G **95**
Tetney Lock. *Linc* 4G **95**
Tetsworth. *Oxon* 5E **51**
Tettenhall. *W Mid* 1C **60**
Teversal. *Notts* 4B **86**
Teversham. *Cambs* 5D **65**
Teviothead. *Bord* 4G **119**
Tewel. *Abers* 5F **153**
Tewin. *Herts* 4C **52**
Tewkesbury. *Glos* 2D **49**
Teynham. *Kent* 4D **40**
Teynham Street. *Kent* 4D **40**
Thackthwaite. *Cumb* 2F **103**
Thakeham. *W Sus* 4C **26**
Thame. *Oxon* 5F **51**
Thames Ditton. *Surr* 4C **38**
Thames Haven. *Thur* 2B **40**
Thamesmead. *G Lon* 2F **39**
Thamesport. *Medw* 3C **40**
Thanington Without. *Kent* 5F **41**
Thankerton. *S Lan* 1B **118**
Tharston. *Norf* 1D **66**
Thatcham. *W Ber* 5D **36**
Thatto Heath. *Mers* 1H **83**
Thaxted. *Essx* 2G **53**
Theakston. *N Yor* 1F **99**
Thealby. *N Lin* 3B **94**
Theale. *Som* 2H **21**
Theale. *W Ber* 4E **37**
Thearne. *E Yor* 1D **94**
Theberton. *Suff* 4G **67**
Theddingworth. *Leics* 2D **62**
Theddlethorpe All Saints. *Linc* 2D **88**
Theddlethorpe St Helen. *Linc* 2D **89**
Thelbridge Barton. *Devn* 1A **12**
Thelnetham. *Suff* 3C **66**
Thelveton. *Norf* 2D **66**
Thelwall. *Warr* 2A **84**
Themelthorpe. *Norf* 3C **78**
Thenford. *Nptn* 1D **50**
Therfield. *Herts* 2D **52**
Thetford. *Linc* 4A **76**
Thetford. *Norf* 2A **66**
Thethwaite. *Cumb* 5E **113**
Theydon Bois. *Essx* 1F **39**
Thick Hollins. *W Yor* 3B **92**
Thickwood. *Wilts* 4D **34**
Thimbleby. *Linc* 3B **88**
Thimbleby. *N Yor* 5B **106**
Thingwall. *Mers* 2E **83**
Thirlby. *N Yor* 1G **99**
Thirlestane. *Bord* 5B **130**
Thirn. *N Yor* 1E **98**
Thirsk. *N Yor* 1G **99**
Thirtleby. *E Yor* 1E **95**
Thistleton. *Lanc* 1C **90**
Thistleton. *Rut* 4G **75**
Thistley Green. *Suff* 3F **65**
Thixendale. *N Yor* 3C **100**
Thockrington. *Nmbd* 2C **114**
Tholomas Drove. *Cambs* 5D **76**
Tholthorpe. *N Yor* 3G **99**
Thomas Chapel. *Pemb* 4F **43**
Thomas Close. *Cumb* 5F **113**
Thomastown. *Abers* 4E **160**
Thomastown. *Rhon* 3D **32**
Thompson. *Norf* 1B **66**
Thomshill. *Mor* 3G **159**
Thong. *Kent* 3A **40**
Thongsbridge. *W Yor* 4B **92**
Thoralby. *N Yor* 1C **98**
Thoresby. *Notts* 3D **86**
Thoresway. *Linc* 1A **88**
Thorganby. *Linc* 1B **88**
Thorganby. *N Yor* 5A **100**
Thorgill. *N Yor* 5E **107**
Thorington. *Suff* 3G **67**
Thorington Street. *Suff* 2D **54**
Thorlby. *N Yor* 4B **98**
Thorley. *Herts* 4E **53**
Thorley Street. *Herts* 4E **53**
Thorley Street. *IOW* 4B **16**
Thormanby. *N Yor* 2G **99**
Thorn. *Powy* 4E **59**
Thornaby-on-Tees. *Stoc T* 3B **106**
Thornage. *Norf* 2C **78**
Thornborough. *Buck* 2F **51**
Thornborough. *N Yor* 2E **99**
Thornbury. *Devn* 2E **11**
Thornbury. *Here* 5A **60**
Thornbury. *S Glo* 3B **34**
Thornby. *Cumb* 4D **112**
Thornby. *Nptn* 3D **62**
Thorncliffe. *Staf* 5E **85**
Thorncombe. *Dors* 2G **13**
Thorncombe Street. *Surr* 1A **26**
Thorncote Green. *C Beds* 1B **52**
Thorndon. *Suff* 4D **66**
Thorndon Cross. *Devn* 3F **11**
Thorne. *S Yor* 3G **93**
Thornehillhead. *Devn* 1E **11**
Thorner. *W Yor* 5F **99**
Thorne St Margaret. *Som* 4D **20**
Thorney. *Notts* 3F **87**
Thorney. *Pet* 5B **76**
Thorney. *Som* 4H **21**
Thorney Hill. *Hants* 3G **15**
Thorney Toll. *Cambs* 5C **76**
Thornfalcon. *Som* 4F **21**
Thornford. *Dors* 1B **14**
Thorngrafton. *Nmbd* 3A **114**
Thorngrove. *Som* 3G **21**
Thorngumbald. *E Yor* 2F **95**
Thornham. *Norf* 1G **77**
Thornham Magna. *Suff* 3D **66**
Thornham Parva. *Suff* 3D **66**
Thornhaugh. *Pet* 5H **75**
Thornhill. *Cphy* 3E **33**
Thornhill. *Cumb* 4B **102**
Thornhill. *Derbs* 2G **85**
Thornhill. *Dum* 5A **118**
Thornhill. *Sotn* 1C **16**
Thornhill. *Stir* 4F **135**
Thornhill. *W Yor* 3C **92**
Thornhill Lees. *W Yor* 3C **92**
Thornhills. *W Yor* 2B **92**
Thornholme. *E Yor* 3F **101**
Thornicombe. *Dors* 2D **14**
Thornington. *Nmbd* 1C **120**
Thornley. *Dur* 1A **106**
(nr. Durham)
Thornley. *Dur* 1E **105**
(nr. Tow Law)
Thornley Gate. *Nmbd* 4B **114**
Thornliebank. *E Ren* 4G **127**

Thornroan—Tongwynlais

Thornroan. *Abers* 5F 161
Thorns. *Suff* 5G 65
Thornsett. *Derbs* 2E 85
Thornthwaite. *Cumb* 2D 102
Thornthwaite. *N Yor* 4D 98
Thornton. *Ang* 4C 144
Thornton. *Buck* 2F 51
Thornton. *E Yor* 5B 100
Thornton. *Fife* 4E 137
Thornton. *Lanc* 5C 96
Thornton. *Leics* 5B 74
Thornton. *Linc* 4B 88
Thornton. *Mers* 4B 90
Thornton. *Midd* 3B 106
Thornton. *Nmbd* 5F 131
Thornton. *Pemb* 4D 42
Thornton. *W Yor* 1A 92
Thornton Curtis. *N Lin* 3D 94
Thorntonhall. *S Lan* 4G 127
Thornton Heath. *G Lon* 4E 39
Thornton Hough. *Mers* 2F 83
Thornton in Craven. *N Yor* 5B 98
Thornton in Lonsdale. *N Yor* 2F 97
Thornton-le-Beans. *N Yor* 5A 106
Thornton-le-Clay. *N Yor* 3A 100
Thornton-le-Dale. *N Yor* 1C 100
Thornton le Moor. *Linc* 1H 87
Thornton-le-Moor. *N Yor* 1F 99
Thornton-le-Moors. *Ches W* 3G 83
Thornton-le-Street. *N Yor* 1G 99
Thorntonloch. *E Lot* 2D 130
Thornton Rust. *N Yor* 1B 98
Thornton Steward. *N Yor* 1D 98
Thornton Watlass. *N Yor* 1E 99
Thornwood Common. *Essx* 5E 53
Thornythwaite. *Cumb* 2E 103
Thoroton. *Notts* 1E 75
Thorp Arch. *W Yor* 5G 99
Thorpe. *Derbs* 5F 85
Thorpe. *E Yor* 5D 101
Thorpe. *Linc* 2D 89
Thorpe. *Norf* 1G 67
Thorpe. *N Yor* 3C 98
Thorpe. *Notts* 1E 75
Thorpe. *Surr* 4B 38
Thorpe Abbotts. *Norf* 3D 66
Thorpe Acre. *Leics* 3C 74
Thorpe Arnold. *Leics* 3E 75
Thorpe Audlin. *W Yor* 3E 93
Thorpe Bassett. *N Yor* 2C 100
Thorpe Bay. *S'end* 2D 40
Thorpe by Water. *Rut* 1F 63
Thorpe Common. *S Yor* 1A 86
Thorpe Common. *Suff* 2F 55
Thorpe Constantine. *Staf* 5G 73
Thorpe End. *Norf* 4E 79
Thorpe Fendike. *Linc* 4D 88
Thorpe Green. *Essx* 3E 55
Thorpe Green. *Suff* 5B 66
Thorpe Hall. *N Yor* 2H 99
Thorpe Hamlet. *Norf* 5E 79
Thorpe Hesley. *S Yor* 1A 86
Thorpe in Balne. *S Yor* 3F 93
Thorpe in the Fallows. *Linc* 2G 87
Thorpe Langton. *Leics* 1E 63
Thorpe Larches. *Dur* 2A 106
Thorpe Latimer. *Linc* 1A 76
Thorpe-le-Soken. *Essx* 3E 55
Thorpe le Street. *E Yor* 5C 100
Thorpe Malsor. *Nptn* 3F 63
Thorpe Mandeville. *Nptn* 1D 50
Thorpe Market. *Norf* 2E 79
Thorpe Marriott. *Norf* 4D 78
Thorpe Morieux. *Suff* 5B 66
Thorpeness. *Suff* 4G 67
Thorpe on the Hill. *Linc* 4G 87
Thorpe on the Hill. *W Yor* 2D 92
Thorpe St Andrew. *Norf* 5E 79
Thorpe St Peter. *Linc* 4D 89
Thorpe Salvin. *S Yor* 2C 86
Thorpe Satchville. *Leics* 4E 75
Thorpe Thewles. *Stoc T* 2B 106
Thorpe Tilney. *Linc* 5A 88
Thorpe Underwood. *N Yor* 4G 99
Thorpe Waterville. *Nptn* 2H 63
Thorpe Willoughby. *N Yor* 1F 93
Thorpland. *Norf* 5F 77
Thorrington. *Essx* 3D 54
Thorverton. *Devn* 2C 12
Thrandeston. *Suff* 3D 66
Thrapston. *Nptn* 3G 63
Thrashbush. *N Lan* 3A 128
Threapland. *Cumb* 1C 102
Threapland. *N Yor* 3B 98
Threapwood. *Ches W* 1G 71
Threapwood. *Staf* 1E 73
Three Ashes. *Here* 3A 48
Three Bridges. *Linc* 2D 88
Three Bridges. *W Sus* 2D 27
Three Burrows. *Corn* 4B 6
Three Chimneys. *Kent* 2C 28
Three Cocks. *Powy* 2E 47
Three Crosses. *Swan* 3E 31
Three Cups Corner. *E Sus* 3H 27
Threehammer Common. *Norf* 3F 79
Three Holes. *Norf* 5E 77
Threekingham. *Linc* 2H 75
Three Leg Cross. *E Sus* 2A 28
Three Legged Cross. *Dors* 2F 15
Three Mile Cross. *Wok* 5F 37
Threemilestone. *Corn* 4B 6
Three Oaks. *E Sus* 4C 28
Threlkeld. *Cumb* 2E 102
Threshfield. *N Yor* 3B 98
Thrigby. *Norf* 4G 79
Thringarth. *Dur* 2C 104
Thringstone. *Leics* 4B 74
Thrintoft. *N Yor* 5A 106
Thriplow. *Cambs* 1E 53
Throckenholt. *Linc* 5C 76
Throcking. *Herts* 2D 52
Throckley. *Tyne* 3E 115
Throckmorton. *Worc* 1E 49
Throop. *Bour* 3G 15
Throphill. *Nmbd* 1E 115
Thropton. *Nmbd* 4E 121
Throsk. *Stir* 4A 136
Througham. *Glos* 5E 49
Throughgate. *Dum* 1F 111
Throwleigh. *Devn* 3G 11
Throwley. *Kent* 5D 40
Throwley Forstal. *Kent* 5D 40
Throxenby. *N Yor* 1E 101
Thrumpton. *Notts* 2C 74
Thrumster. *High* 4F 169
Thrunton. *Nmbd* 3E 121
Thrupp. *Glos* 5D 48
Thrupp. *Oxon* 4C 50
Thrushelton. *Devn* 4E 11
Thrushgill. *Lanc* 3F 97
Thrussington. *Leics* 4D 74
Thruxton. *Hants* 2A 24
Thruxton. *Here* 2H 47
Thrybergh. *S Yor* 1B 86
Thulston. *Derbs* 2B 74
Thundergay. *N Ayr* 5G 125
Thundersley. *Essx* 2B 40
Thundridge. *Herts* 4D 52
Thurcaston. *Leics* 4C 74
Thurcroft. *S Yor* 2B 86
Thurdon. *Corn* 1C 10
Thurgarton. *Norf* 2D 78
Thurgarton. *Notts* 1D 74
Thurgoland. *S Yor* 4C 92
Thurlaston. *Leics* 1C 62
Thurlaston. *Warw* 3B 62
Thurlbear. *Som* 4F 21
Thurlby. *Linc* 3D 89
(nr. Alford)
Thurlby. *Linc* 4A 76
(nr. Baston)
Thurlby. *Linc* 4G 87
(nr. Lincoln)
Thurleigh. *Bed* 5H 63
Thurlestone. *Devn* 4C 8
Thurloxton. *Som* 3F 21
Thurlstone. *S Yor* 4C 92
Thurlton. *Norf* 1G 67
Thurmaston. *Leics* 5D 74
Thurnby. *Leics* 5D 74
Thurne. *Norf* 4G 79
Thurnham. *Kent* 5C 40
Thurning. *Norf* 3C 78
Thurning. *Nptn* 2H 63
Thurnscoe. *S Yor* 4E 93
Thursby. *Cumb* 4E 113
Thursford. *Norf* 2B 78
Thursford Green. *Norf* 2B 78
Thursley. *Surr* 2A 26
Thurso. *High* 2D 168
Thurso East. *High* 2D 168
Thurstaston. *Mers* 2E 83
Thurston. *Suff* 4B 66
Thurston End. *Suff* 5G 65
Thurstonfield. *Cumb* 4E 112
Thurstonland. *W Yor* 3B 92
Thurton. *Norf* 5F 79
Thurvaston. *Derbs* 2F 73
(nr. Ashbourne)
Thurvaston. *Derbs* 2G 73
(nr. Derby)
Thuxton. *Norf* 5C 78
Thwaite. *Dur* 3D 104
Thwaite. *N Yor* 5B 104
Thwaite. *Suff* 4D 66
Thwaite Head. *Cumb* 5E 103
Thwaites. *W Yor* 5C 98
Thwaite St Mary. *Norf* 1F 67
Thwing. *E Yor* 2E 101
Tibbermore. *Per* 1C 136
Tibberton. *Glos* 3C 48
Tibberton. *Telf* 3A 72
Tibberton. *Worc* 5D 60
Tibenham. *Norf* 2D 66
Tibshelf. *Derbs* 4B 86
Tibthorpe. *E Yor* 4D 100
Ticehurst. *E Sus* 2A 28
Tichborne. *Hants* 3D 24
Tickencote. *Rut* 5G 75
Tickenham. *N Som* 4H 33
Tickhill. *S Yor* 1C 86
Ticklerton. *Shrp* 1G 59
Ticknall. *Derbs* 3H 73
Tickton. *E Yor* 5E 101
Tidbury Green. *W Mid* 3F 61
Tidcombe. *Wilts* 1A 24
Tiddington. *Oxon* 5E 51
Tiddington. *Warw* 5G 61
Tiddleywink. *Wilts* 4D 34
Tidebrook. *E Sus* 3H 27
Tideford. *Corn* 3H 7
Tideford Cross. *Corn* 2H 7
Tidenham. *Glos* 2A 34
Tideswell. *Derbs* 3F 85
Tidmarsh. *W Ber* 4E 37
Tidmington. *Warw* 2A 50
Tidpit. *Hants* 1F 15
Tidworth. *Wilts* 2H 23
Tidworth Camp. *Wilts* 2H 23
Tiers Cross. *Pemb* 3D 42
Tiffield. *Nptn* 5D 62
Tifty. *Abers* 4E 161
Tigerton. *Ang* 2E 145
Tighnabruaich. *Arg* 2A 126
Tigley. *Devn* 2D 8
Tilbrook. *Cambs* 4H 63
Tilbury. *Thur* 3H 39
Tilbury Green. *Essx* 1H 53
Tilbury Juxta Clare. *Essx* 1A 54
Tile Cross. *W Mid* 2F 61
Tile Hill. *W Mid* 3G 61
Tilehurst. *Read* 4E 37
Tilford. *Surr* 2G 25
Tilgate Forest Row. *W Sus* 2D 26
Tillathrowie. *Abers* 5B 160
Tillers Green. *Glos* 2B 48
Tillery. *Abers* 1G 153
Tilley. *Shrp* 3H 71
Tillicoultry. *Clac* 4B 136
Tillingham. *Essx* 5C 54
Tillington. *Here* 1H 47
Tillington. *W Sus* 3A 26
Tillington Common. *Here* 1H 47
Tillybirloch. *Abers* 3D 152
Tillyfourie. *Abers* 2D 152
Tilmanstone. *Kent* 5H 41
Tilney All Saints. *Norf* 4E 77
Tilney Fen End. *Norf* 4E 77
Tilney High End. *Norf* 4E 77
Tilney St Lawrence. *Norf* 4E 77
Tilshead. *Wilts* 2F 23
Tilstock. *Shrp* 2H 71
Tilston. *Ches W* 5G 83
Tilstone Fearnall. *Ches W* 4H 83
Tilsworth. *C Beds* 3H 51
Tilton on the Hill. *Leics* 5E 75
Tiltups End. *Glos* 2D 34
Timberland. *Linc* 5A 88
Timbersbrook. *Ches E* 4C 84
Timberscombe. *Som* 2C 20
Timble. *N Yor* 4D 98
Timperley. *G Man* 2B 84
Timsbury. *Bath* 1B 22
Timsbury. *Hants* 4B 24
Timsgearraidh. *W Isl* 4C 171
Timworth Green. *Suff* 4A 66
Tincleton. *Dors* 3C 14
Tindale. *Cumb* 4H 113
Tindale Crescent. *Dur* 2F 105
Tingewick. *Buck* 2E 51
Tingley. *W Yor* 2C 92
Tingrith. *C Beds* 2A 52
Tingwall. *Orkn* 5D 172
Tinhay. *Devn* 4D 11
Tinshill. *W Yor* 1C 92
Tinsley. *S Yor* 1B 86
Tinsley Green. *W Sus* 2D 27
Tintagel. *Corn* 4A 10
Tintern Parva. *Mon* 5A 48
Tintinhull. *Som* 1A 14
Tintwistle. *Derbs* 1E 85
Tinwald. *Dum* 1B 112
Tinwell. *Rut* 5H 75
Tippacott. *Devn* 2A 20
Tipperty. *Abers* 1G 153
Tipps End. *Cambs* 1E 65
Tiptoe. *Hants* 3A 16
Tipton. *W Mid* 1D 60
Tipton St John. *Devn* 3D 12
Tiptree. *Essx* 4B 54
Tiptree Heath. *Essx* 4B 54
Tirabad. *Powy* 1B 46
Tircoed. *Swan* 5G 45
Tiree Airport. *Arg* 4B 138
Tirinie. *Per* 2F 143
Tirley. *Glos* 3D 48
Tirnewydd. *Flin* 3D 82
Tiroran. *Arg* 1B 132
Tirphil. *Cphy* 5E 47
Tirril. *Cumb* 2G 103
Tirryside. *High* 2C 164
Tir-y-dail. *Carm* 4G 45
Tisbury. *Wilts* 4E 23
Tisman's Common. *W Sus* 2B 26
Tissington. *Derbs* 5F 85
Titchberry. *Devn* 4C 18
Titchfield. *Hants* 2D 16
Titchmarsh. *Nptn* 3H 63
Titchwell. *Norf* 1G 77
Tithby. *Notts* 2D 74
Titley. *Here* 5F 59
Titlington. *Nmbd* 3F 121
Titsey. *Surr* 5F 39
Titson. *Corn* 2C 10
Tittensor. *Staf* 2C 72
Tittleshall. *Norf* 3A 78
Titton. *Worc* 4C 60
Tiverton. *Ches W* 4H 83
Tiverton. *Devn* 1C 12
Tivetshall St Margaret. *Norf* 2D 66
Tivetshall St Mary. *Norf* 2D 66
Tivington. *Som* 2C 20
Tixall. *Staf* 3D 73
Tixover. *Rut* 5G 75
Toab. *Orkn* 7E 172
Toab. *Shet* 10E 173
Toadmoor. *Derbs* 5H 85
Tobermory. *Arg* 3G 139
Toberonochy. *Arg* 3E 133
Tobha-Beag. *W Isl* 1E 170
(on North Uist)
Tobha Beag. *W Isl* 5C 170
(on South Uist)
Tobha Mor. *W Isl* 5C 170
Tobson. *W Isl* 4D 171
Tocabhaig. *High* 2E 147
Tocher. *Abers* 5D 160
Tockenham. *Wilts* 4F 35
Tockenham Wick. *Wilts* 3F 35
Tockholes. *Bkbn* 2E 91
Tockington. *S Glo* 3B 34
Tockwith. *N Yor* 4G 99
Todber. *Dors* 4D 22
Todding. *Here* 3G 59
Toddington. *C Beds* 3A 52
Toddington. *Glos* 2F 49
Todenham. *Glos* 2H 49
Todhills. *Cumb* 3E 113
Todmorden. *W Yor* 2H 91
Todwick. *S Yor* 2B 86
Toft. *Cambs* 5C 64
Toft. *Linc* 4H 75
Toft Hill. *Dur* 2E 105
Toft Monks. *Norf* 1G 67
Toft next Newton. *Linc* 2H 87
Toftrees. *Norf* 3A 78
Tofts. *High* 2F 169
Toftwood. *Norf* 4B 78
Togston. *Nmbd* 4G 121
Tokavaig. *High* 2E 147
Tokers Green. *Oxon* 4F 37
Tolastadh a Chaolais. *W Isl* 4D 171
Tolladine. *Worc* 5C 60
Tolland. *Som* 3E 20
Tollard Farnham. *Dors* 1E 15
Tollard Royal. *Wilts* 1E 15
Toll Bar. *S Yor* 4F 93
Toller Fratrum. *Dors* 3A 14
Toller Porcorum. *Dors* 3A 14
Tollerton. *N Yor* 3H 99
Tollerton. *Notts* 2D 74
Toller Whelme. *Dors* 2A 14
Tollesbury. *Essx* 4C 54
Tolleshunt D'Arcy. *Essx* 4C 54
Tolleshunt Knights. *Essx* 4C 54
Tolleshunt Major. *Essx* 4C 54
Tollie. *High* 3H 157
Tollie Farm. *High* 1A 156
Tolm. *W Isl* 4G 171
Tolpuddle. *Dors* 3C 14
Tolstadh bho Thuath. *W Isl* 3H 171
Tolworth. *G Lon* 4C 38
Tomachlaggan. *Mor* 1F 151
Tomaknock. *Per* 1A 136
Tomatin. *High* 1C 150
Tombuidhe. *Arg* 3H 133
Tomdoun. *High* 3D 148
Tomich. *High* 1F 149
(nr. Cannich)
Tomich. *High* 1B 158
(nr. Invergordon)
Tomich. *High* 3D 164
(nr. Lairg)
Tomintoul. *Mor* 2F 151
Tomnavoulin. *Mor* 1G 151
Tomsleibhe. *Arg* 5A 140
Ton. *Mon* 2G 33
Tonbridge. *Kent* 1G 27
Tondu. *B'end* 3B 32
Tonedale. *Som* 4E 21
Tonfanau. *Gwyn* 5E 69
Tong. *Shrp* 5B 72
Tonge. *Leics* 3B 74
Tong Forge. *Shrp* 5B 72
Tongham. *Surr* 2G 25
Tongland. *Dum* 4D 111
Tong Norton. *Shrp* 5B 72
Tongue. *High* 3F 167
Tongue End. *Linc* 4A 76
Tongwynlais. *Card* 3E 33

Upper Ellastone—Wallsworth

Upper Ellastone. *Staf* 1F **73**
Upper End. *Derbs* 3E **85**
Upper Enham. *Hants* 2B **24**
Upper Farringdon. *Hants* 3F **25**
Upper Framilode. *Glos* 4C **48**
Upper Froyle. *Hants* 2F **25**
Upper Gills. *High* 1F **169**
Upper Glenfintaig. *High* 5E **149**
Upper Godney. *Som* 2H **21**
Upper Gravenhurst. *C Beds* 2B **52**
Upper Green. *Essx* 2E **53**
Upper Green. *W Ber* 5B **36**
Upper Green. *W Yor* 2C **92**
Upper Grove Common. *Here* 3A **48**
Upper Hackney. *Derbs* 4G **85**
Upper Hale. *Surr* 2G **25**
Upper Halliford. *Surr* 4B **38**
Upper Halling. *Medw* 4A **40**
Upper Hambleton. *Rut* 5G **75**
Upper Hardres Court. *Kent* 5F **41**
Upper Hardwick. *Here* 5G **59**
Upper Hartfield. *E Sus* 2F **27**
Upper Haugh. *S Yor* 1B **86**
Upper Hayton. *Shrp* 2H **59**
Upper Heath. *Shrp* 2H **59**
Upper Hellesdon. *Norf* 4E **79**
Upper Helmsley. *N Yor* 4A **100**
Upper Hengoed. *Shrp* 2E **71**
Upper Hergest. *Here* 5E **59**
Upper Heyford. *Nptn* 5D **62**
Upper Heyford. *Oxon* 3C **50**
Upper Hill. *Here* 5G **59**
Upper Hindhope. *Bord* 4B **120**
Upper Hopton. *W Yor* 3B **92**
Upper Horsebridge. *E Sus* 4G **27**
Upper Howsell. *Worc* 1C **48**
Upper Hulme. *Staf* 4E **85**
Upper Inglesham. *Swin* 2H **35**
Upper Kilcott. *Glos* 3C **34**
Upper Killay. *Swan* 3E **31**
Upper Kirkton. *Abers* 5E **161**
Upper Kirkton. *N Ayr* 4C **126**
Upper Knockando. *Mor* 4F **159**
Upper Knockchoilum. *High* 2G **149**
Upper Lambourn. *W Ber* 3B **36**
Upper Langford. *N Som* 1H **21**
Upper Langwith. *Derbs* 4C **86**
Upper Largo. *Fife* 3G **137**
Upper Latheron. *High* 5D **169**
Upper Layham. *Suff* 1D **54**
Upper Leigh. *Staf* 2E **73**
Upper Lenie. *High* 1H **149**
Upper Lochton. *Abers* 4E **152**
Upper Longdon. *Staf* 4E **73**
Upper Longwood. *Shrp* 5A **72**
Upper Lybster. *High* 5E **169**
Upper Lydbrook. *Glos* 4B **48**
Upper Lye. *Here* 4F **59**
Upper Maes-coed. *Here* 2G **47**
Upper Midway. *Derbs* 3G **73**
Uppermill. *G Man* 4H **91**
Upper Millichope. *Shrp* 2H **59**
Upper Milovaig. *High* 4A **154**
Upper Minety. *Wilts* 2F **35**
Upper Mitton. *Worc* 3C **60**
Upper Nash. *Pemb* 4E **43**
Upper Netchwood. *Shrp* 1A **60**
Upper Nobut. *Staf* 2E **73**
Upper North Dean. *Buck* 2G **37**
Upper Norwood. *W Sus* 4A **26**
Upper Nyland. *Dors* 4C **22**
Upper Oddington. *Glos* 3H **49**
Upper Ollach. *High* 5E **155**
Upper Outwoods. *Staf* 3G **73**
Upper Padley. *Derbs* 3G **85**
Upper Pennington. *Hants* 3B **16**
Upper Poppleton. *York* 4H **99**
Upper Quinton. *Warw* 1G **49**
Upper Rochford. *Worc* 4A **60**
Upper Rusko. *Dum* 3C **110**
Upper Sandaig. *High* 2F **147**
Upper Sanday. *Orkn* 7E **172**
Upper Sapey. *Here* 4A **60**
Upper Seagry. *Wilts* 3E **35**
Upper Shelton. *C Beds* 1H **51**
Upper Sheringham. *Norf* 1D **78**
Upper Skelmorlie. *N Ayr* 3C **126**
Upper Slaughter. *Glos* 3G **49**
Upper Sonachan. *Arg* 1H **133**
Upper Soudley. *Glos* 4B **48**
Upper Staploe. *Bed* 5A **64**
Upper Stoke. *Norf* 5E **79**
Upper Stondon. *C Beds* 2B **52**
Upper Stowe. *Nptn* 5D **62**
Upper Street. *Hants* 1G **15**
Upper Street. *Norf* 4F **79**
(nr. Horning)
Upper Street. *Norf* 4F **79**
(nr. Hoveton)
Upper Street. *Suff* 2E **55**
Upper Strensham. *Worc* 2E **49**
Upper Studley. *Wilts* 1D **22**
Upper Sundon. *C Beds* 3A **52**
Upper Swell. *Glos* 3G **49**
Upper Tankersley. *S Yor* 1H **85**
Upper Tean. *Staf* 2E **73**
Upperthong. *W Yor* 4B **92**
Upperthorpe. *N Lin* 4A **94**
Upper Thurnham. *Lanc* 4D **96**
Upper Tillyrie. *Per* 3D **136**
Upperton. *W Sus* 3A **26**
Upper Tooting. *G Lon* 3D **38**
Uppertown. *Derbs* 4H **85**
(nr. Ashover)
Upper Town. *Derbs* 5G **85**
(nr. Bonsall)
Upper Town. *Derbs* 5G **85**
(nr. Hognaston)
Upper Town. *Here* 1A **48**
Uppertown. *High* 1F **169**
Upper Town. *N Som* 5A **34**
Uppertown. *Nmbd* 2B **114**
Uppertown. *Orkn* 8D **172**
Upper Tysoe. *Warw* 1B **50**
Upper Upham. *Wilts* 4H **35**
Upper Upnor. *Medw* 3B **40**
Upper Urquhart. *Fife* 3D **136**
Upper Wardington. *Oxon* 1C **50**
Upper Weald. *Mil* 2G **51**
Upper Weedon. *Nptn* 5D **62**
Upper Wellingham. *E Sus* 4F **27**
Upper Whiston. *S Yor* 2B **86**
Upper Wield. *Hants* 3E **25**
Upper Winchendon. *Buck* 4F **51**
Upperwood. *Derbs* 5G **85**
Upper Woodford. *Wilts* 3G **23**
Upper Wootton. *Hants* 1D **24**
Upper Wraxall. *Wilts* 4D **34**
Upper Wyche. *Here* 1C **48**
Uppincott. *Devn* 2B **12**
Uppingham. *Rut* 1F **63**
Uppington. *Shrp* 5H **71**
Upsall. *N Yor* 1G **99**
Upsettlington. *Bord* 5E **131**
Upshire. *Essx* 5E **53**
Up Somborne. *Hants* 3B **24**
Upstreet. *Kent* 4G **41**
Up Sydling. *Dors* 2B **14**
Upthorpe. *Suff* 3B **66**
Upton. *Buck* 4F **51**
Upton. *Cambs* 3A **64**
Upton. *Ches W* 4G **83**
Upton. *Corn* 2C **10**
(nr. Bude)
Upton. *Corn* 5C **10**
(nr. Liskeard)
Upton. *Cumb* 1E **102**
Upton. *Devn* 2D **12**
(nr. Honiton)
Upton. *Devn* 4D **8**
(nr. Kingsbridge)
Upton. *Dors* 3E **15**
(nr. Poole)
Upton. *Dors* 4C **14**
(nr. Weymouth)
Upton. *E Yor* 4F **101**
Upton. *Hants* 1B **24**
(nr. Andover)
Upton. *Hants* 1B **16**
(nr. Southampton)
Upton. *IOW* 3D **16**
Upton. *Leics* 1A **62**
Upton. *Linc* 2F **87**
Upton. *Mers* 2E **83**
Upton. *Norf* 4F **79**
Upton. *Nptn* 4E **62**
Upton. *Notts* 3E **87**
(nr. Retford)
Upton. *Notts* 5E **87**
(nr. Southwell)
Upton. *Oxon* 3D **36**
Upton. *Pemb* 4E **43**
Upton. *Pet* 5A **76**
Upton. *Slo* 3A **38**
Upton. *Som* 4H **21**
(nr. Somerton)
Upton. *Som* 4C **20**
(nr. Wiveliscombe)
Upton. *Warw* 5F **61**
Upton. *W Yor* 3E **93**
Upton. *Wilts* 3D **22**
Upton Bishop. *Here* 3B **48**
Upton Cheyney. *S Glo* 5B **34**
Upton Cressett. *Shrp* 1A **60**
Upton Crews. *Here* 3B **48**
Upton Cross. *Corn* 5C **10**
Upton End. *C Beds* 2B **52**
Upton Grey. *Hants* 2E **25**
Upton Heath. *Ches W* 4G **83**
Upton Hellions. *Devn* 2B **12**
Upton Lovell. *Wilts* 2E **23**
Upton Magna. *Shrp* 4H **71**
Upton Noble. *Som* 3C **22**
Upton Pyne. *Devn* 3C **12**
Upton St Leonards. *Glos* 4D **48**
Upton Scudamore. *Wilts* 2D **22**
Upton Snodsbury. *Worc* 5D **60**
Upton upon Severn. *Worc* 1D **48**
Upton Warren. *Worc* 4D **60**
Upwaltham. *W Sus* 4A **26**
Upware. *Cambs* 3E **65**
Upwell. *Cambs* 5D **77**
Upwey. *Dors* 4B **14**
Upwick Green. *Herts* 3E **53**
Upwood. *Cambs* 2B **64**
Urafirth. *Shet* 4E **173**
Uragaig. *Arg* 4A **132**
Urchany. *High* 4C **158**
Urchfont. *Wilts* 1F **23**
Urdimarsh. *Here* 1A **48**
Ure. *Shet* 4D **173**
Ure Bank. *N Yor* 2F **99**
Urgha. *W Isl* 8D **171**
Urlay Nook. *Stoc T* 3B **106**
Urmston. *G Man* 1B **84**
Urquhart. *Mor* 2G **159**
Urra. *N Yor* 4C **106**
Urray. *High* 3H **157**
Usan. *Ang* 3G **145**
Ushaw Moor. *Dur* 5F **115**
Usk. *Mon* 5G **47**
Usselby. *Linc* 1H **87**
Usworth. *Tyne* 4G **115**
Utkinton. *Ches W* 4H **83**
Uton. *Devn* 3B **12**
Utterby. *Linc* 1C **88**
Uttoxeter. *Staf* 2E **73**
Uwchmynydd. *Gwyn* 3A **68**
Uxbridge. *G Lon* 2B **38**
Uyeasound. *Shet* 1G **173**
Uzmaston. *Pemb* 3D **42**

V

Valley. *IOA* 3B **80**
Valley End. *Surr* 4A **38**
Valley Truckle. *Corn* 4B **10**
Valtos. *High* 2E **155**
Van. *Powy* 2B **58**
Vange. *Essx* 2B **40**
Varteg. *Torf* 5F **47**
Vatten. *High* 4B **154**
Vaul. *Arg* 4B **138**
Vauld,The. *Here* 1A **48**
Vaynol. *Gwyn* 3E **81**
Vaynor. *Mer T* 4D **46**
Veensgarth. *Shet* 7F **173**
Velindre. *Powy* 2E **47**
Vellow. *Som* 3D **20**
Velly. *Devn* 4C **18**
Venhay. *Devn* 1A **12**
Venn. *Devn* 4D **8**
Venngreen. *Devn* 1D **11**
Vennington. *Shrp* 5F **71**
Venn Ottery. *Devn* 3D **12**
Venn's Green. *Here* 1A **48**
Venny Tedburn. *Devn* 3B **12**
Venterdon. *Corn* 5D **10**
Ventnor. *IOW* 5D **16**
Vernham Dean. *Hants* 1B **24**
Vernham Street. *Hants* 1B **24**
Vernolds Common. *Shrp* 2G **59**
Verwood. *Dors* 2F **15**
Veryan. *Corn* 5D **6**
Veryan Green. *Corn* 4D **6**
Vicarage. *Devn* 4F **13**
Vickerstown. *Cumb* 3A **96**
Victoria. *Corn* 2D **6**
Vidlin. *Shet* 5F **173**
Viewpark. *N Lan* 3A **128**
Vigo. *W Mid* 5E **73**
Vigo Village. *Kent* 4H **39**
Village Bay. *High* 3B **154**
Vinehall Street. *E Sus* 3B **28**
Vine's Cross. *E Sus* 4G **27**
Viney Hill. *Glos* 5B **48**
Virginia Water. *Surr* 4A **38**
Virginstow. *Devn* 3D **11**
Vobster. *Som* 2C **22**
Voe. *Shet* 5E **173**
Vole. *Som* 2G **21**
Vowchurch. *Here* 2G **47**
Vulcan Village. *Warr* 1H **83**

W

Wackerfield. *Dur* 2E **105**
Wacton. *Norf* 1D **66**
Wadborough. *Worc* 1E **49**
Wadbrook. *Devn* 2G **13**
Waddesdon. *Buck* 4F **51**
Waddeton. *Devn* 3E **9**
Waddicar. *Mers* 1F **83**
Waddingham. *Linc* 1G **87**
Waddington. *Lanc* 5G **97**
Waddington. *Linc* 4G **87**
Waddon. *Devn* 5B **12**
Wadebridge. *Corn* 1D **6**
Wadeford. *Som* 1G **13**
Wadenhoe. *Nptn* 2H **63**
Wadesmill. *Herts* 4D **52**
Wadhurst. *E Sus* 2H **27**
Wadshelf. *Derbs* 3H **85**
Wadsley. *S Yor* 1H **85**
Wadsley Bridge. *S Yor* 1H **85**
Wadswick. *Wilts* 5D **34**
Wadwick. *Hants* 1C **24**
Wadworth. *S Yor* 1C **86**
Waen. *Den* 4C **82**
(nr. Bodfari)
Waen. *Den* 4D **82**
(nr. Llandyrnog)
Waen. *Den* 4B **82**
(nr. Nantglyn)
Waen. *Powy* 1B **58**
Waen Fach. *Powy* 4E **70**
Waen Goleugoed. *Den* 3C **82**
Wag. *High* 1H **165**
Wainfleet All Saints. *Linc* 5D **89**
Wainfleet Bank. *Linc* 5D **88**
Wainfleet St Mary. *Linc* 5D **89**
Wainhouse Corner. *Corn* 3B **10**
Wainscott. *Medw* 3B **40**
Wainstalls. *W Yor* 2A **92**
Waitby. *Cumb* 4A **104**
Waithe. *Linc* 4F **95**
Wakefield. *W Yor* 2D **92**
Wakerley. *Nptn* 1G **63**
Wakes Colne. *Essx* 3B **54**
Walberswick. *Suff* 3G **67**
Walberton. *W Sus* 5A **26**
Walbottle. *Tyne* 3E **115**
Walby. *Cumb* 3F **113**
Walcombe. *Som* 2A **22**
Walcot. *Linc* 2H **75**
Walcot. *N Lin* 2B **94**
Walcot. *Swin* 3G **35**
Walcot. *Telf* 4H **71**
Walcot. *Warw* 5F **61**
Walcote. *Leics* 2C **62**
Walcot Green. *Norf* 2D **66**
Walcott. *Linc* 5A **88**
Walcott. *Norf* 2F **79**
Walden. *N Yor* 1C **98**
Walden Head. *N Yor* 1B **98**
Walden Stubbs. *N Yor* 3F **93**
Walderslade. *Medw* 4B **40**
Walderton. *W Sus* 1F **17**
Walditch. *Dors* 3H **13**
Waldley. *Derbs* 2F **73**
Waldridge. *Dur* 4F **115**
Waldringfield. *Suff* 1F **55**
Waldron. *E Sus* 4G **27**
Wales. *S Yor* 2B **86**
Walesby. *Linc* 1A **88**
Walesby. *Notts* 3D **86**
Walford. *Here* 3F **59**
(nr. Leintwardine)
Walford. *Here* 3A **48**
(nr. Ross-on-Wye)
Walford. *Shrp* 3G **71**
Walford. *Staf* 2C **72**
Walford Heath. *Shrp* 4G **71**
Walgherton. *Ches E* 1A **72**
Walgrave. *Nptn* 3F **63**
Walhampton. *Hants* 3B **16**
Walkden. *G Man* 4F **91**
Walker. *Tyne* 3F **115**
Walkerburn. *Bord* 1F **119**
Walker Fold. *Lanc* 5F **97**
Walkeringham. *Notts* 1E **87**
Walkerith. *Linc* 1E **87**
Walkern. *Herts* 3C **52**
Walker's Green. *Here* 1A **48**
Walkerton. *Fife* 3E **137**
Walkerville. *N Yor* 5F **105**
Walkford. *Dors* 3H **15**
Walkhampton. *Devn* 2B **8**
Walkington. *E Yor* 1C **94**
Walkley. *S Yor* 2H **85**
Walk Mill. *Lanc* 1G **91**
Wall. *Corn* 3D **4**
Wall. *Nmbd* 3C **114**
Wall. *Staf* 5F **73**
Wallaceton. *Dum* 1F **111**
Wallacetown. *S Ayr* 2C **116**
(nr. Ayr)
Wallacetown. *S Ayr* 4B **116**
(nr. Dailly)
Wallands Park. *E Sus* 4F **27**
Wallasey. *Mers* 1F **83**
Wallaston Green. *Pemb* 4D **42**
Wallbrook. *W Mid* 1D **60**
Wallcrouch. *E Sus* 2A **28**
Wall End. *Cumb* 1B **96**
Wallend. *Medw* 3C **40**
Wall Heath. *W Mid* 2C **60**
Wallingford. *Oxon* 3E **36**
Wallington. *G Lon* 4D **39**
Wallington. *Hants* 2D **16**
Wallington. *Herts* 2C **52**
Wallis. *Pemb* 2E **43**
Wallisdown. *Pool* 3F **15**
Walliswood. *Surr* 2C **26**
Wall Nook. *Dur* 5F **115**
Walls. *Shet* 7D **173**
Wallsend. *Tyne* 3G **115**
Wallsworth. *Glos* 3D **48**

Wells-next-the-Sea—Weston

Wells-next-the-Sea. *Norf* 1B **78**
Wells of Ythan. *Abers* 5D **160**
Wellswood. *Torb* 2F **9**
Wellwood. *Fife* 1D **129**
Welney. *Norf* 1E **65**
Welsford. *Devn* 4C **18**
Welshampton. *Shrp* 2G **71**
Welsh End. *Shrp* 2H **71**
Welsh Frankton. *Shrp* 2F **71**
Welsh Hook. *Pemb* 2D **42**
Welsh Newton. *Here* 4H **47**
Welsh Newton Common. *Here* . . . 4A **48**
Welshpool. *Powy* 5E **70**
Welsh St Donats. *V Glam* 4D **32**
Welton. *Bath* 1B **22**
Welton. *Cumb* 5E **113**
Welton. *E Yor* 2C **94**
Welton. *Linc* 2H **87**
Welton. *Nptn* 4C **62**
Welton Hill. *Linc* 2H **87**
Welton le Marsh. *Linc* 4D **88**
Welton le Wold. *Linc* 2B **88**
Welwick. *E Yor* 2G **95**
Welwyn. *Herts* 4C **52**
Welwyn Garden City. *Herts* 4C **52**
Wem. *Shrp* 3H **71**
Wembdon. *Som* 3F **21**
Wembley. *G Lon* 2C **38**
Wembury. *Devn* 4B **8**
Wembworthy. *Devn* 2G **11**
Wemyss Bay. *Inv* 2C **126**
Wenallt. *Cdgn* 3F **57**
Wenallt. *Gwyn* 1B **70**
Wendens Ambo. *Essx* 2F **53**
Wendlebury. *Oxon* 4D **50**
Wendling. *Norf* 4B **78**
Wendover. *Buck* 5G **51**
Wendron. *Corn* 5A **6**
Wendy. *Cambs* 1D **52**
Wenfordbridge. *Corn* 5A **10**
Wenhaston. *Suff* 3G **67**
Wennington. *Cambs* 3B **64**
Wennington. *G Lon* 2G **39**
Wennington. *Lanc* 2F **97**
Wensley. *Derbs* 4G **85**
Wensley. *N Yor* 1C **98**
Wentbridge. *W Yor* 3E **93**
Wentnor. *Shrp* 1F **59**
Wentworth. *Cambs* 3D **65**
Wentworth. *S Yor* 1A **86**
Wenvoe. *V Glam* 4E **32**
Weobley. *Here* 5G **59**
Weobley Marsh. *Here* 5G **59**
Wepham. *W Sus* 5B **26**
Wereham. *Norf* 5F **77**
Wergs. *W Mid* 5C **72**
Wern. *Gwyn* 1E **69**
Wern. *Powy* 4E **46**
(nr. Brecon)
Wern. *Powy* 4E **71**
(nr. Guilsfield)
Wern. *Powy* 4B **70**
(nr. Llangadfan)
Wern. *Powy* 3E **71**
(nr. Llanymynech)
Wernffrwd. *Swan* 3E **31**
Wernyrheolydd. *Mon* 4G **47**
Werrington. *Corn* 4D **10**
Werrington. *Pet* 5A **76**
Werrington. *Staf* 1D **72**
Wervin. *Ches W* 3G **83**
Wesham. *Lanc* 1C **90**
Wessington. *Derbs* 5A **86**
West Aberthaw. *V Glam* 5D **32**
West Acre. *Norf* 4G **77**
West Allerdean. *Nmbd* 5F **131**
West Alvington. *Devn* 4D **8**
West Amesbury. *Wilts* 2G **23**
West Anstey. *Devn* 4B **20**
West Appleton. *N Yor* 5F **105**
West Arthurlie. *E Ren* 4F **127**
West Ashby. *Linc* 3B **88**
West Ashling. *W Sus* 2G **17**
West Ashton. *Wilts* 1D **23**
West Auckland. *Dur* 2E **105**
West Ayton. *N Yor* 1D **101**
West Bagborough. *Som* 3E **21**
West Bank. *Hal* 2H **83**
West Barkwith. *Linc* 2A **88**
West Barnby. *N Yor* 3F **107**
West Barns. *E Lot* 2C **130**
West Barsham. *Norf* 2B **78**
West Bay. *Dors* 3H **13**
West Beckham. *Norf* 2D **78**
West Bennan. *N Ayr* 3D **123**
Westbere. *Kent* 4F **41**
West Bergholt. *Essx* 3C **54**
West Bexington. *Dors* 4A **14**
West Bilney. *Norf* 4G **77**
West Blackdene. *Dur* 1B **104**
West Blatchington. *Brig* 5D **27**
Westborough. *Linc* 1F **75**
Westbourne. *Bour* 3F **15**
Westbourne. *W Sus* 2F **17**
West Bowling. *W Yor* 1B **92**
West Brabourne. *Kent* 1E **29**
West Bradford. *Lanc* 5G **97**
West Bradley. *Som* 3A **22**
West Bretton. *W Yor* 3C **92**
West Bridgford. *Notts* 2C **74**
West Briggs. *Norf* 4F **77**
West Bromwich. *W Mid* 1D **61**
Westbrook. *Here* 1F **47**
Westbrook. *Kent* 3H **41**
Westbrook. *Wilts* 5E **35**
West Buckland. *Devn* 3G **19**
(nr. Barnstaple)
West Buckland. *Devn* 4C **8**
(nr. Thurlestone)
West Buckland. *Som* 4E **21**
West Burnside. *Abers* 1G **145**
West Burrafirth. *Shet* 6D **173**
West Burton. *N Yor* 1C **98**
West Burton. *W Sus* 4B **26**
Westbury. *Buck* 2E **50**
Westbury. *Shrp* 5F **71**
Westbury. *Wilts* 1D **22**
Westbury Leigh. *Wilts* 2D **22**
Westbury-on-Severn. *Glos* 4C **48**
Westbury on Trym. *Bris* 4A **34**
Westbury-sub-Mendip. *Som* 2A **22**
West Butsfield. *Dur* 5E **115**
West Butterwick. *N Lin* 4B **94**
Westby. *Linc* 3G **75**
West Byfleet. *Surr* 4B **38**
West Caister. *Norf* 4H **79**
West Calder. *W Lot* 3D **128**
West Camel. *Som* 4A **22**
West Carr. *N Lin* 4H **93**
West Chaldon. *Dors* 4C **14**
West Challow. *Oxon* 3B **36**
West Charleton. *Devn* 4D **8**
West Chelborough. *Dors* 2A **14**
West Chevington. *Nmbd* 5G **121**
West Chiltington. *W Sus* 4B **26**
West Chiltington Common.
W Sus 4B **26**
West Chinnock. *Som* 1H **13**
West Chisenbury. *Wilts* 1G **23**
West Clandon. *Surr* 5B **38**
West Cliffe. *Kent* 1H **29**
Westcliff-on-Sea. *S'end* 2C **40**
West Clyne. *High* 3F **165**
West Coker. *Som* 1A **14**
Westcombe. *Som* 3B **22**
(nr. Evercreech)
Westcombe. *Som* 4H **21**
(nr. Somerton)
West Compton. *Dors* 3A **14**
West Compton. *Som* 2A **22**
West Cornforth. *Dur* 1A **106**
Westcot. *Oxon* 3B **36**
Westcott. *Buck* 4F **51**
Westcott. *Devn* 2D **12**
Westcott. *Surr* 1C **26**
Westcott Barton. *Oxon* 3C **50**
West Cowick. *E Yor* 2G **93**
West Cranmore. *Som* 2B **22**
West Croftmore. *High* 2D **150**
West Cross. *Swan* 4F **31**
West Cullerlie. *Abers* 3E **153**
West Culvennan. *Dum* 3H **109**
West Curry. *Corn* 3C **10**
West Curthwaite. *Cumb* 5E **113**
Westdean. *E Sus* 5G **27**
West Dean. *W Sus* 1G **17**
West Dean. *Wilts* 4A **24**
West Deeping. *Linc* 5A **76**
West Derby. *Mers* 1F **83**
West Dereham. *Norf* 5F **77**
West Down. *Devn* 2F **19**
Westdowns. *Corn* 4A **10**
West Drayton. *G Lon* 3B **38**
West Drayton. *Notts* 3E **86**
West Dunnet. *High* 1E **169**
West Ella. *E Yor* 2D **94**
West End. *Bed* 5G **63**
West End. *Cambs* 1D **64**
West End. *Dors* 2E **15**
West End. *E Yor* 3E **101**
(nr. Kilham)
West End. *E Yor* 1E **95**
(nr. Preston)
West End. *E Yor* 1C **94**
(nr. South Cove)
West End. *E Yor* 4F **101**
(nr. Ulrome)
West End. *G Lon* 2D **39**
West End. *Hants* 1C **16**
West End. *Herts* 5C **52**
West End. *Kent* 4F **41**
West End. *Linc* 1C **76**
West End. *Norf* 4G **79**
West End. *N Som* 5H **33**
West End. *N Yor* 4D **98**
West End. *S Glo* 3C **34**
West End. *S Lan* 5C **128**
West End. *Surr* 4A **38**
West End. *Wilts* 4E **23**
West End. *Wind* 4G **37**
West End. *Worc* 2F **49**
West End Green. *Hants* 5E **37**
Westenhanger. *Kent* 2F **29**
Wester Aberchalder. *High* 2H **149**
Wester Balgedie. *Per* 3D **136**
Wester Brae. *High* 2A **158**
Wester Culbeuchly. *Abers* 2D **160**
Westerdale. *High* 3D **168**
Westerdale. *N Yor* 4D **106**
Wester Dechmont. *W Lot* 2D **128**
Wester Fearn. *High* 5D **164**
Westerfield. *Suff* 1E **55**
Wester Galcantray. *High* 4C **158**
Westergate. *W Sus* 5A **26**
Wester Gruinards. *High* 4C **164**
Westerham. *Kent* 5F **39**
Westerleigh. *S Glo* 4B **34**
Westerloch. *High* 3F **169**
Wester Mandally. *High* 3E **149**
Wester Rarichie. *High* 1C **158**
Wester Shian. *Per* 5F **143**
Westerton. *Ang* 3F **145**
Westerton. *Dur* 1F **105**
Westerton. *W Sus* 2G **17**
Westerwick. *Shet* 7D **173**
West Farleigh. *Kent* 5B **40**
West Farndon. *Nptn* 5C **62**
West Felton. *Shrp* 3F **71**
Westfield. *Cumb* 2A **102**
Westfield. *E Sus* 4C **28**
Westfield. *High* 2C **168**
Westfield. *Norf* 5B **78**
Westfield. *N Lan* 2A **128**
Westfield. *W Lot* 2C **128**
Westfields. *Dors* 2C **14**
Westfields of Rattray. *Per* 4A **144**
West Firle. *E Sus* 5F **27**
West Fleetham. *Nmbd* 2F **121**
Westford. *Som* 1E **13**
West Garforth. *W Yor* 1D **93**
Westgate. *Dur* 1C **104**
Westgate. *Norf* 1B **78**
Westgate. *N Lin* 4A **94**
Westgate on Sea. *Kent* 3H **41**
West Ginge. *Oxon* 3C **36**
West Grafton. *Wilts* 5H **35**
West Green. *Hants* 1F **25**
West Grimstead. *Wilts* 4H **23**
West Grinstead. *W Sus* 3C **26**
West Haddlesey. *N Yor* 2F **93**
West Haddon. *Nptn* 3D **62**
West Hagbourne. *Oxon* 3D **36**
West Hagley. *Worc* 2C **60**
West Hall. *Cumb* 3G **113**
Westhall. *Suff* 2G **67**
West Hallam. *Derbs* 1B **74**
Westhall Terrace. *Ang* 5D **144**
West Halton. *N Lin* 2C **94**
Westham. *Dors* 5B **14**
Westham. *E Sus* 5H **27**
West Ham. *G Lon* 2E **39**
Westham. *Som* 2H **21**
Westhampnett. *W Sus* 2G **17**
West Handley. *Derbs* 3A **86**
West Hanney. *Oxon* 2C **36**
West Hanningfield. *Essx* 1B **40**
West Hardwick. *W Yor* 3E **93**
West Harnham. *Wilts* 4G **23**
West Harptree. *Bath* 1A **22**
West Harting. *W Sus* 4F **25**
West Harton. *Tyne* 3G **115**
West Hatch. *Som* 4F **21**
Westhay. *Som* 2H **21**
Westhead. *Lanc* 4C **90**
West Head. *Norf* 5E **77**
West Heath. *Hants* 1D **24**
(nr. Basingstoke)
West Heath. *Hants* 1G **25**
(nr. Farnborough)
West Helmsdale. *High* 2H **165**
West Hendred. *Oxon* 3C **36**
West Heslerton. *N Yor* 2D **100**
West Hewish. *N Som* 5G **33**
Westhide. *Here* 1A **48**
Westhill. *Abers* 3F **153**
West Hill. *Devn* 3D **12**
West Hill. *E Yor* 3F **101**
Westhill. *High* 4B **158**
West Hill. *N Som* 4H **33**
West Hill. *W Sus* 2E **27**
West Hoathly. *W Sus* 2E **27**
West Holme. *Dors* 4D **15**
Westhope. *Here* 5G **59**
Westhope. *Shrp* 2G **59**
West Horndon. *Essx* 2H **39**
Westhorp. *Nptn* 5C **62**
Westhorpe. *Linc* 2B **76**
Westhorpe. *Suff* 4C **66**
West Horrington. *Som* 2A **22**
West Horsley. *Surr* 5B **38**
West Horton. *Nmbd* 1E **121**
West Hougham. *Kent* 1G **29**
Westhoughton. *G Man* 4E **91**
Westhouse. *N Yor* 2F **97**
West Howe. *Bour* 3F **15**
Westhumble. *Surr* 5C **38**
West Huntspill. *Som* 2G **21**
West Hyde. *Herts* 1B **38**
West Hynish. *Arg* 5A **138**
West Hythe. *Kent* 2F **29**
West Ilsley. *W Ber* 3C **36**
West Itchenor. *W Sus* 2G **17**
West Keal. *Linc* 4C **88**
West Kennett. *Wilts* 5G **35**
West Kilbride. *N Ayr* 5D **126**
West Kingsdown. *Kent* 4G **39**
West Kington. *Wilts* 4D **34**
West Kirby. *Mers* 2E **82**
West Knapton. *N Yor* 2C **100**
West Knighton. *Dors* 4C **14**
West Knoyle. *Wilts* 3D **22**
West Kyloe. *Nmbd* 5G **131**
Westlake. *Devn* 3C **8**
West Lambrook. *Som* 1H **13**
West Langdon. *Kent* 1H **29**
West Langwell. *High* 3D **164**
West Lavington. *W Sus* 4G **25**
West Lavington. *Wilts* 1F **23**
West Layton. *N Yor* 4E **105**
West Leake. *Notts* 3C **74**
West Learmouth. *Nmbd* 1C **120**
Westleigh. *Devn* 4E **19**
(nr. Bideford)
Westleigh. *Devn* 1D **12**
(nr. Tiverton)
West Leigh. *Devn* 2G **11**
(nr. Winkleigh)
Westleigh. *G Man* 4E **91**
West Leith. *Buck* 4H **51**
Westleton. *Suff* 4G **67**
West Lexham. *Norf* 4H **77**
Westley. *Shrp* 5F **71**
Westley. *Suff* 4H **65**
Westley Waterless. *Cambs* 5F **65**
West Lilling. *N Yor* 3A **100**
West Lingo. *Fife* 3G **137**
Westlington. *Buck* 4F **51**
Westlinton. *Cumb* 3E **113**
West Linton. *Bord* 4E **129**
West Littleton. *S Glo* 4C **34**
West Looe. *Corn* 3G **7**
West Lulworth. *Dors* 4D **14**
West Lutton. *N Yor* 3D **100**
West Lydford. *Som* 3A **22**
West Lyng. *Som* 4G **21**
West Lynn. *Norf* 4F **77**
West Mains. *Per* 2B **136**
West Malling. *Kent* 5A **40**
West Malvern. *Worc* 1C **48**
Westmancote. *Worc* 2E **49**
West Marden. *W Sus* 1F **17**
West Markham. *Notts* 3E **86**
Westmarsh. *Kent* 4G **41**
West Marsh. *NE Lin* 4F **95**
West Marton. *N Yor* 4A **98**
West Meon. *Hants* 4E **25**
West Mersea. *Essx* 4D **54**
Westmeston. *E Sus* 4E **27**
Westmill. *Herts* 3D **52**
(nr. Buntingford)
Westmill. *Herts* 2B **52**
(nr. Hitchin)
West Milton. *Dors* 3A **14**
Westminster. *G Lon* 3D **39**
West Molesey. *Surr* 4C **38**
West Monkton. *Som* 4F **21**
Westmoor End. *Cumb* 1B **102**
West Moors. *Dors* 2F **15**
West Morden. *Dors* 3E **15**
West Muir. *Ang* 2E **145**
(nr. Brechin)
Westmuir. *Ang* 3C **144**
(nr. Forfar)
West Murkle. *High* 2D **168**
West Ness. *N Yor* 2A **100**
Westnewton. *Cumb* 5C **112**
West Newton. *E Yor* 1E **95**
West Newton. *Norf* 3F **77**
Westnewton. *Nmbd* 1D **120**
West Newton. *Som* 4F **21**
West Norwood. *G Lon* 3E **39**
Westoe. *Tyne* 3G **115**
West Ogwell. *Devn* 2E **9**
Weston. *Bath* 5C **34**
Weston. *Ches E* 5B **84**
(nr. Crewe)
Weston. *Ches E* 3D **84**
(nr. Macclesfield)
Weston. *Devn* 2E **13**
(nr. Honiton)
Weston. *Devn* 4E **13**
(nr. Sidmouth)
Weston. *Dors* 5B **14**
(nr. Weymouth)
Weston. *Dors* 2A **14**
(nr. Yeovil)
Weston. *Hal* 2H **83**
Weston. *Hants* 4F **25**
Weston. *Here* 5F **59**
Weston. *Herts* 2C **52**

Y

Z